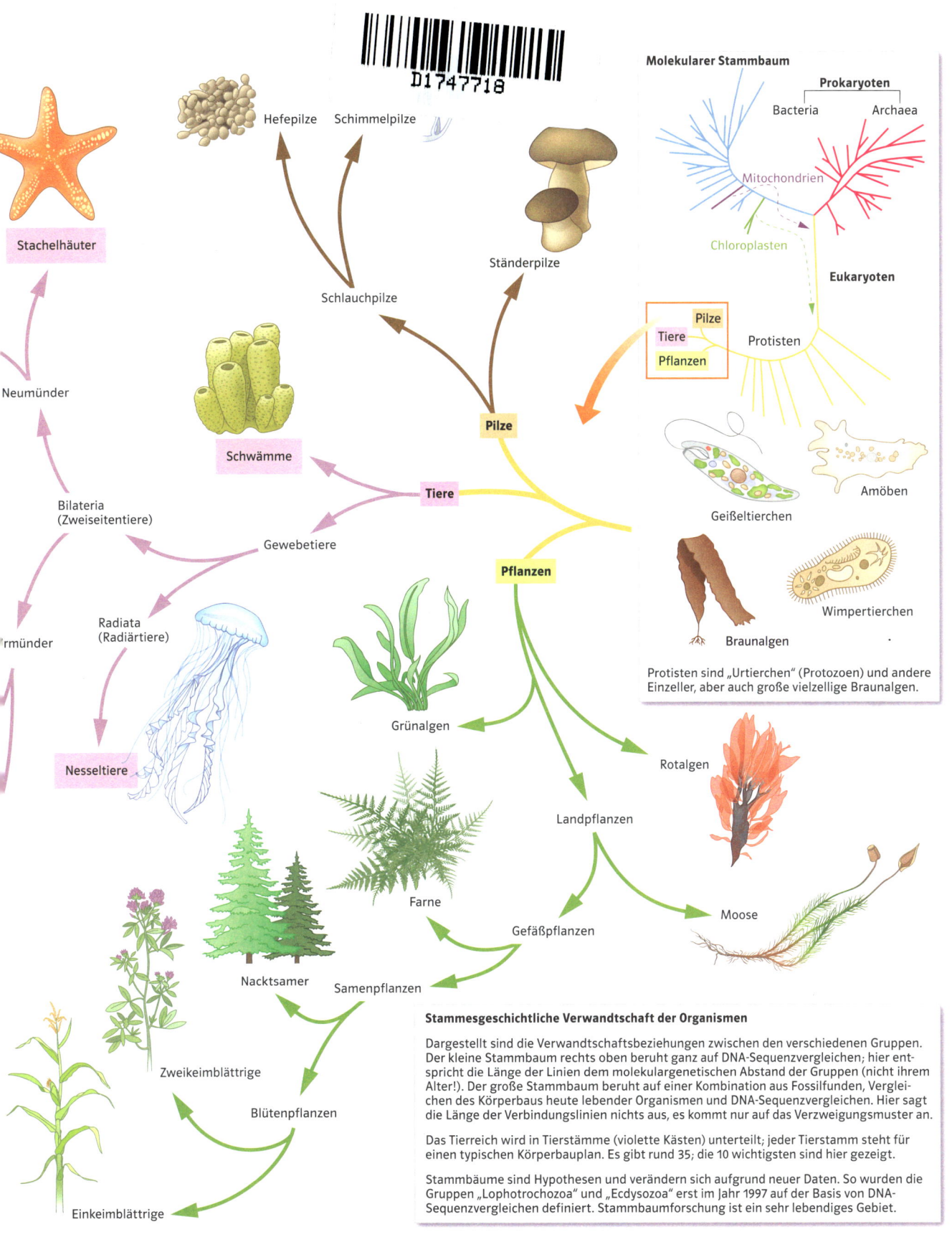

MARKL BIOLOGIE

Oberstufe

Herausgegeben von:
Jürgen Markl

Autoren:
Sven Gemballa
Jürgen Heinze
Inge Kronberg
Jürgen Markl
Nico K. Michiels
Harald Paulsen
Ulrich Schmid
Walter Stöcker
Roland Strauss

Ernst Klett Verlag
Stuttgart · Leipzig

1. Auflage   1 ⁵ ⁴ ³ | 14 13 12 11 10

Alle Drucke dieser Auflage sind unverändert und können im Unterricht nebeneinander verwendet werden.
Die letzte Zahl bezeichnet das Jahr des Druckes.

Das Werk und seine Teile sind urheberrechtlich geschützt. Jede Nutzung in anderen als den gesetzlich zugelassenen Fällen bedarf der vorherigen schriftlichen Einwilligung des Verlages. Hinweis § 52 a UrhG: Weder das Werk noch seine Teile dürfen ohne eine solche Einwilligung eingescannt und in ein Netzwerk eingestellt werden. Dies gilt auch für Intranets von Schulen und sonstigen Bildungseinrichtungen. Fotomechanische oder andere Wiedergabeverfahren nur mit Genehmigung des Verlages.

© Ernst Klett Verlag GmbH, Stuttgart 2010. Alle Rechte vorbehalten. www.klett.de

Herausgeber: Prof. Dr. Jürgen Markl, Johannes Gutenberg-Universität Mainz
Autorinnen und Autoren: Prof. Dr. Sven Gemballa, Eberhard Karls Universität Tübingen; Prof. Dr. Jürgen Heinze, Universität Regensburg; Dr. Inge Kronberg, Fachautorin und Dozentin, Hohenwestedt; Prof. Dr. Jürgen Markl, Johannes Gutenberg-Universität Mainz; Prof. Dr. Nico K. Michiels, Eberhard Karls Universität Tübingen; Prof. Dr. Harald Paulsen, Johannes Gutenberg-Universität Mainz; Ulrich Schmid, Staatliches Museum für Naturkunde Stuttgart; Prof. Dr. Walter Stöcker, Johannes Gutenberg-Universität Mainz; Prof. Dr. Roland Strauss, Johannes Gutenberg-Universität Mainz
Themenauftakte von Dr. Frank Frick, freier Wissenschaftsjournalist, Bornheim
Beratung: Maria Beier, Körle; Annette Both, Sennwitz; Claudia Dreher, Stuttgart; Dr. Dorothea Gärtner, Reutlingen; Dr. Tobias Grümme, Münster; Ingrid Runte-Üstün, Marl; Gerhard Sailer, Augsburg; Johann Staudinger, Augsburg
Fachdidaktische Beratung: Prof. Dr. Harald Gropengießer, Leibniz Universität Hannover

Redaktion: Dr. Angelika Gauß
Mediengestaltung: Andrea Lang

Gestaltung: one pm · Grafikdesign · Petra Michel, Stuttgart
Illustrationen: vasp datatecture GmbH, Zürich
Reproduktion: Meyle + Müller, Medien-Management, Pforzheim
Druck: Firmengruppe APPL, aprinta druck, Wemding

Printed in Germany
ISBN 978-3-12-150010-9

Inhalt

Das Buch zum Lernen nutzen 12
Biologie — eine Einführung 14

Zellen 18

1 Die Makromoleküle des Lebens 21

1.1 Die Primärstruktur eines Proteins legt alle seine Eigenschaften fest 22
1.2 Die Polarität des Wassermoleküls ist eine Voraussetzung für irdisches Leben 25
1.3 Die Funktion eines Proteins hängt von seiner räumlichen Gestalt ab 26
1.4 Die Makromoleküle des Lebens basieren auf dem Element Kohlenstoff 29
1.5 Kohlenhydrate dienen als Energiespeicher, Baumaterial und Etiketten 31
1.6 Die Erbsubstanz DNA besteht aus nur vier verschiedenen Bausteinen 32
1.7 Lipide sind unpolar und stoßen Wasser ab 33

2 Die Zelle — Grundeinheit des Lebens 35

2.1 Mikroskope machen Zellen und deren Bestandteile sichtbar 36
2.2 Procyten sind klein und effizient 38
2.3 Eucyten verfügen über eine Vielfalt an Organellen für Spezialaufgaben 40
2.4 Der Zellkern ist die genetische Steuerzentrale der Zellaktivität 42
2.5 Im Cytoplasma laufen viele lebensnotwendige Reaktionen ab 44
2.6 Das Endomembransystem produziert, verpackt, verschickt und recycelt 45
2.7 Zellen werden durch eine Zellwand oder ein Cytoskelett stabilisiert 47
2.8 Die Mitose teilt Zellkerne von Eucyten in identische Tochterkerne 48

3 Biomembranen und Transportvorgänge 51

3.1 Biomembranen sind ein flüssiges Mosaik aus Lipiden und Proteinen 52
3.2 Proteine und Kohlenhydrate machen Zellen von außen erkennbar 55
3.3 Substanzen diffundieren entlang einem Konzentrationsgefälle durch die Membran 56
3.4 Durch Osmose können Zellen Wasser aufnehmen oder abgeben 58
3.5 Kanal- und Transportproteine erleichtern die Diffusion durch Membranen 60
3.6 Der Transport gegen ein Konzentrationsgefälle kostet Energie 62
3.7 Makromoleküle oder größere Partikel können selektiv durch Membranen aus- und eingeschleust werden 64

4 Energie und Enzyme 65

4.1 Lebewesen benötigen Energie, um existieren zu können 66
4.2 Eine chemische Reaktion läuft von selbst ab, wenn die freie Energie sinkt 68
4.3 Enzyme beschleunigen chemische Reaktionen, indem sie Energiebarrieren senken 69
4.4 Fast jede chemische Reaktion in der Zelle wird von einem spezifischen Enzym katalysiert 71
4.5 Die Geschwindigkeit einer Enzymreaktion hängt von der Substratkonzentration ab 72
4.6 pH-Wert und Temperatur beeinflussen die Enzymaktivität 74
4.7 Enzyme werden durch andere Moleküle reguliert 76

Stoffwechsel 78

5 Stoff- und Energieaustausch bei Tieren 81

5.1 Die Konstanz des inneren Milieus ist für unsere Zellen lebenswichtig 82
5.2 Der Energiebedarf großer Tiere ist relativ niedrig 84
5.3 Tiere müssen sich Energie in Form von Nährstoffen und Wärme zuführen 86
5.4 Verdauung zerlegt Makromoleküle in wasserlösliche Bausteine 88
5.5 Energiereserven können im Körper gespeichert werden 90
5.6 Ein Kreislaufsystem ermöglicht allen Zellen und Organen den Stoffaustausch 93
5.7 Der Gasaustausch liefert Sauerstoff für die Zellatmung und beseitigt Kohlenstoffdioxid 96
5.8 Die Niere filtriert Blut und holt aus dem Filtrat alles Nötige zurück 100
5.9 Ein Muskel verkürzt sich, indem Proteinfilamente aneinander entlanggleiten 103

6 Zellatmung — Energie aus Nährstoffen 105

6.1 Die Zellatmung stellt chemische Energie bereit 106
6.2 Glucose wird im Cytoplasma zu Pyruvat abgebaut 107
6.3 In den Mitochondrien wird Pyruvat zu Kohlenstoffdioxid oxidiert 109
6.4 Die Atmungskette der Mitochondrien nutzt die Oxidationsenergie zur ATP-Bildung 110
6.5 Gärung liefert auch bei Sauerstoffmangel Energie 113
6.6 Der Citratzyklus ist die zentrale Drehscheibe des Stoffwechsels 114
6.7 Die Zellatmung wird durch Rückkopplung fein reguliert 115

7 Stoff- und Energieumwandlung bei Pflanzen 117

7.1 Pflanzen beziehen ihre Stoffwechselenergie aus dem Sonnenlicht 118
7.2 Blätter haben für die Lichtabsorption und den Gasaustausch eine große Oberfläche 120
7.3 Schließzellen sorgen für einen optimalen Kompromiss zwischen Gasaustausch und Transpiration 122
7.4 Licht, CO_2-Gehalt der Luft und Temperatur beeinflussen die Fotosyntheseleistung der Pflanzen 124
7.5 Mineralstoffe und Assimilate werden in Wasser gelöst durch unterschiedliche Leitungsbahnen transportiert 126
7.6 Viele Mineralstoffe sind für Pflanzen essenziell 128
7.7 Auch Pflanzen müssen atmen 130

8 Fotosynthese — Solarenergie für das Leben 131

8.1 Die Fotosynthese ist die Umkehrung von Verbrennung und Zellatmung 132
8.2 Die Fotosynthesepigmente fangen blaues und rotes Licht ein 133
8.3 Die Fotosynthesepigmente sind an Membranproteine gebunden 135
8.4 Der lichtabhängige Elektronentransport ermöglicht die Synthese von ATP 136
8.5 In den lichtunabhängigen Reaktionen wird aus sechs CO_2-Molekülen ein Zuckermolekül aufgebaut 139
8.6 Manche Bakterien können ganz ohne Licht oder organische Nährstoffe leben 142

Genetik 144

9 DNA — Träger der Erbinformationen 147

- 9.1 Erbinformationen werden als Nucleinsäuren weitergegeben 148
- 9.2 Im DNA-Molekül bilden zwei Nucleotidstränge eine Doppelhelix 150
- 9.3 Die DNA wird im Verlauf des Zellzyklus abgelesen, verdoppelt und verteilt 152
- 9.4 Die DNA wird durch komplementäre Ergänzung der Einzelstränge kopiert 152
- 9.5 In der Eucyte wird die DNA mit Proteinen zu Chromosomen verpackt 156
- 9.6 In der Procyte ist die DNA ringförmig, histonfrei und ohne Kernhülle 157

10 Genetischer Code und Proteinbiosynthese 159

- 10.1 Eine Dreiergruppe der DNA-Basen A, T, G, C verschlüsselt eine Aminosäure 160
- 10.2 Bei der Transkription wird ein DNA-Abschnitt in RNA umgeschrieben 162
- 10.3 Bei der Translation wird die Basensequenz in die Aminosäuresequenz übersetzt 164
- 10.4 Eukaryotische mRNA wird noch im Kern zerschnitten und neu zusammengefügt 166
- 10.5 Durch Genregulation hat jede Zelle eine typische Proteinausstattung 168
- 10.6 Viren nutzen den Proteinsyntheseapparat ihrer Wirtszelle 171
- 10.7 Eukaryotische DNA enthält zu einem großen Teil nicht codierende Sequenzen 173
- 10.8 Ein Gen ist ein DNA-Abschnitt, der für eine RNA codiert 174
- 10.9 Der Erbinformationsfluss läuft nicht immer in Richtung DNA → RNA → Protein 175

11 Neukombination von Genen bei der Fortpflanzung 177

- 11.1 Bei der ungeschlechtlichen Fortpflanzung entstehen genetische Kopien 178
- 11.2 Meiose und Befruchtung kennzeichnen die geschlechtliche Fortpflanzung 180
- 11.3 Die Rekombination von Genen führt zur Variabilität innerhalb der Art 183
- 11.4 Vererbungsregeln beschreiben Merkmalsverteilungen in den Generationen 184
- 11.5 Nicht alle Gene werden unabhängig voneinander vererbt 187
- 11.6 Prokaryoten kennen keine Meiose, aber andere Wege der Rekombination 189

12 Gene und Merkmalsbildung 191

- 12.1 Merkmale werden durch Gene und Umwelteinflüsse bestimmt 192
- 12.2 Bestimmte Merkmale lassen sich auf ein einziges Gen zurückführen 194
- 12.3 Vielen einzelnen Merkmalen liegen mehrere Gene zugrunde 195
- 12.4 Genmutationen können Struktur und Funktion von Proteinen verändern 196
- 12.5 Chromosomenmutationen verändern den Bau von Chromosomen 198
- 12.6 Viele Genommutationen wirken sich auf Stoffwechselrate und Meiose aus 200
- 12.7 Bewegliche DNA-Abschnitte verändern ihre Position im Genom 201

13 Entwicklungsgenetik 203

- 13.1 Zellen entwickeln sich zu unterschiedlichen Zell- und Gewebetypen 204
- 13.2 Mütterliche Faktoren steuern die ersten Entwicklungsschritte des Embryos 206
- 13.3 Die Zellentwicklung wird durch benachbarte Zellen und Signalstoffe beeinflusst 207
- 13.4 Stammzellen behalten ihre Teilungs- und Differenzierungsfähigkeit 209
- 13.5 Auch der Zelltod wird durch Gene gesteuert 210
- 13.6 Krebs entsteht durch die Anhäufung von DNA-Fehlern in Körperzellen 211

14 Anwendungen und Methoden der Gentechnik — 213

- 14.1 Durch die Übertragung fremder Gene werden Arten gezielt verändert — 214
- 14.2 DNA-Spuren lassen sich eindeutig einer Person zuordnen — 216
- 14.3 Vergleichende Genomanalysen belegen die Verwandtschaft von Arten — 217
- 14.4 Lage und Funktion von Genen lassen sich in Genkarten einzeichnen — 220
- 14.5 Gentechnische Methoden ergänzen medizinische Diagnostik und Therapie — 222

15 Humangenetik — 223

- 15.1 Nur ein Bruchteil der Human-DNA legt die erblichen Merkmale des Menschen fest — 224
- 15.2 Genmutationen können Erkrankungen des Menschen verursachen — 225
- 15.3 Mutationen der Gonosomen wirken sich bei Mann und Frau verschieden aus — 227
- 15.4 Chromosomenanomalien können die Entwicklung stören — 229
- 15.5 Genomanalysen geben Auskunft über Erkrankungsrisiken — 231

16 Die Immunabwehr — 233

- 16.1 Das Immunsystem unterscheidet zwischen Selbst und Fremd — 234
- 16.2 Krankheitserreger aktivieren zunächst die angeborene, unspezifische Immunabwehr — 236
- 16.3 Bei der erworbenen, adaptiven Immunabwehr kommunizieren weiße Blutzellen gezielt miteinander — 237
- 16.4 Die Anpassungsfähigkeit der Immunantwort beruht auf der Vielfalt möglicher Antikörper und Rezeptoren — 240
- 16.5 Impfstoffe stimulieren das immunologische Gedächtnis — 242
- 16.6 Das Immunsystem kann überreagieren, falsch reagieren oder versagen — 243

Evolution — 246

17 Mechanismen der Evolution — 249

- 17.1 Genetische Variabilität und wiederholte Auslese führen zu Evolution — 250
- 17.2 Fortpflanzungserfolg ist das wichtigste Merkmal eines Lebewesens — 251
- 17.3 Genetische Variabilität steigt durch Mutation und sinkt durch Selektion — 253
- 17.4 Natürliche Selektion ist nicht zufällig und führt zur Angepasstheit — 254
- 17.5 Natürliche Selektion ist blind für die Zukunft — 256
- 17.6 Der Zufall bestimmt mal mehr mal weniger den Erfolg von Merkmalsvarianten — 257
- 17.7 Die Populationszusammensetzung zeigt, ob Evolution stattfindet — 258
- 17.8 Die Evolutionstheorie hat sich historisch entwickelt und wird weiter überprüft — 260
- 17.9 Schöpfungsmythen bieten keine naturwissenschaftliche Erklärung für Evolution — 261

18 Konsequenzen der Evolution — 263

- 18.1 Natürliche Selektion fördert Kompromisse — 264
- 18.2 Lebensdauer ist ein durch Selektion angepasstes Merkmal — 265
- 18.3 Manche Formen der Selektion fördern genetische Vielfalt — 267
- 18.4 Sexuelle Fortpflanzung beschleunigt die Evolution — 268
- 18.5 Die Evolution von Geschlechtsmerkmalen wird durch sexuelle Selektion erklärt — 269

18.6	Koevolution ist eine Quelle fortwährender Selektion	270
18.7	Evolution findet auf jeder Ebene statt, die Vererbung und Vermehrung zeigt	271

19 Die Entstehung von Arten — 273

19.1	Reproduktionsbarrieren trennen Arten voneinander	274
19.2	Geografische Isolation kann zu Artbildung führen	275
19.3	Neue Arten können sich im selben Gebiet wie die Elternart bilden	277
19.4	Die Geschwindigkeit der Artbildung kann gleichmäßig oder sprunghaft sein	279
19.5	Eine höhere Komplexität ist keine notwendige Konsequenz der Evolution	281

20 Evolution als historisches Ereignis — 283

20.1	Spuren aus der Vergangenheit zeigen den Fußabdruck der Evolution	284
20.2	Vor fast 4 Milliarden Jahren begann das Leben auf einer noch jungen Erde	285
20.3	Die Fotosynthese der Prokaryoten veränderte die Erdatmosphäre	287
20.4	Die eukaryotische Zelle entstand aus einer Gemeinschaft von Prokaryoten	288
20.5	Vielzelligkeit bietet neue Optionen durch Arbeitsteilung	289
20.6	Fossilien liefern starke Belege für das Evolutionsgeschehen	290
20.7	Die Stammesgeschichte lässt sich durch Merkmalsvergleiche rekonstruieren	292

21 Evolution des Menschen — 295

21.1	Der menschliche Zweig im Primatenstammbaum ist nur wenige Millionen Jahre alt	296
21.2	Der aufrechte Gang entwickelte sich vor dem größeren Gehirn	298
21.3	Großes Gehirn und Intelligenz kennzeichnen die Gattung Homo	299
21.4	Der moderne Mensch breitete sich sehr schnell über die Erde aus	301
21.5	Muster der Genaktivität unterscheiden Mensch und Affe	304
21.6	Kulturelle Evolution ermöglicht es, Erfahrungen weiterzureichen und zu optimieren	305
21.7	Die menschliche Population des 21. Jahrhunderts evolviert nach wie vor	306

Ökologie — 308

22 Beziehungen zwischen Organismen und Umwelt — 311

22.1	Das Vorkommen einer Art hängt von Umweltfaktoren ab	312
22.2	Organismen zeigen gegenüber Umweltfaktoren eine weite oder enge Toleranz	314
22.3	Landpflanzen sind an Temperatur und Feuchtigkeit ihres Lebensraums angepasst	315
22.4	Vorkommen und Aktivität von Tieren hängen von der Umgebungstemperatur ab	317
22.5	Die ökologische Nische ist ein Modell der Wechselbeziehungen einer Art zu ihrer Umwelt	319
22.6	Nicht verwandte Arten können sehr ähnlich, verwandte Arten sehr unterschiedlich sein	320
22.7	Der Körperbau von Tieren ist auch an den Lebensraum angepasst	321

23 Wechselwirkungen innerhalb von Lebensgemeinschaften — 323

- 23.1 Arten einer Lebensgemeinschaft hängen über fördernde oder hemmende Wechselbeziehungen voneinander ab ... 324
- 23.2 Das Nahrungsnetz einer Lebensgemeinschaft ist aus Produzenten, Konsumenten und Destruenten aufgebaut ... 325
- 23.3 Tarnen und Täuschen, Verletzen und Vergiften sind Spezialisierungen in Räuber-Beute-Beziehungen ... 327
- 23.4 Parasiten schädigen ihren Wirt, töten ihn aber meist nicht ... 329
- 23.5 Symbiotische Arten profitieren voneinander ... 331
- 23.6 Konkurrierende Arten können einander verdrängen ... 333
- 23.7 Ressourcenaufteilung verringert die innerartliche Konkurrenz ... 335

24 Dynamik von Populationen — 337

- 24.1 Die Umweltkapazität begrenzt das Wachstum einer Population ... 338
- 24.2 Besonderheiten im Lebenszyklus verursachen Populationsschwankungen ... 339
- 24.3 Zyklische Populationsschwankungen können durch das Nahrungsangebot und die Anwesenheit von Räubern bedingt sein ... 341
- 24.4 Schädlingspopulationen lassen sich durch Nützlinge regulieren ... 343
- 24.5 Struktur und Wachstum der menschlichen Bevölkerung ermöglichen Zukunftsprognosen ... 345

25 Stoff- und Energiefluss in Ökosystemen — 347

- 25.1 Sonnenenergie treibt die Prozesse in Ökosystemen an ... 348
- 25.2 Der Kreislauf des Kohlenstoffs ist eng mit dem Energiefluss verknüpft ... 350
- 25.3 Bakterien sind die Motoren des Stickstoffkreislaufs ... 351
- 25.4 Böden sind die wichtigsten Orte des Recyclings ... 353
- 25.5 In tropischen Regenwäldern sind die Stoffkreisläufe kurzgeschlossen ... 355

26 Einblicke in Ökosysteme — 357

- 26.1 Strahlung und Wasserhaushalt bestimmen die Lage der Großökosysteme ... 358
- 26.2 Ökosysteme sind nicht statisch, sondern verändern sich ... 359
- 26.3 Der Nährstoffgehalt beeinflusst die Lebensgemeinschaft im See ... 361
- 26.4 Fließgewässer sind zur Selbstreinigung fähig ... 363
- 26.5 Im offenen Meer sind Produktion und Verbrauch räumlich weit getrennt ... 365
- 26.6 In der Tiefsee existieren von der Sonnenenergie völlig unabhängige Ökosysteme ... 366

27 Die Biosphäre unter dem Einfluss des Menschen — 367

- 27.1 Der natürliche Treibhauseffekt ermöglicht Leben auf der Erde ... 368
- 27.2 Der durch den Menschen verstärkte Treibhauseffekt verändert das Klima ... 369
- 27.3 Menschliche Aktivitäten bedrohen die Biodiversität ... 371
- 27.4 Effektiver Artenschutz gelingt nur in großflächigen Schutzgebieten ... 373
- 27.5 Nachhaltiges Wirtschaften entscheidet über die Zukunft der Biosphäre und der Menschheit ... 374

Neurobiologie 376

28 Reizaufnahme und Erregungsleitung 379

- 28.1 Nervenzellen sind spezialisiert auf die Leitung und Verarbeitung von Informationen … 380
- 28.2 Gliazellen unterstützen Neuronen bei der Informationsverarbeitung … 381
- 28.3 Ionenpumpen und Ionenkanäle machen die Membran durchlässig für bestimmte Ionen … 382
- 28.4 In Ruhe zeigen Neuronen ein Gleichgewichtspotenzial … 383
- 28.5 An aktiven Neuronen treten kurzzeitige Potenzialveränderungen auf … 385
- 28.6 Signale pflanzen sich selbst entlang dem Axon fort … 387
- 28.7 Springende Aktionspotenziale beschleunigen die Erregungsleitung erheblich … 388
- 28.8 Die Abfolge der Aktionspotenziale codiert Reizdauer und Reizstärke … 390

29 Neuronale Verschaltungen 391

- 29.1 Einfache Nervenverschaltungen erlauben schnelle Reaktionen … 392
- 29.2 Neuronen kommunizieren miteinander über Synapsen … 393
- 29.3 Die Wirkung eines Neurotransmitters hängt vom Rezeptor ab … 394
- 29.4 Chemische Synapsen ermöglichen eine Verrechnung von Informationen … 395
- 29.5 Codewechsel erlauben Informationsverarbeitung und verlustfreie Übertragung … 396
- 29.6 Medikamente, Gifte und Drogen beeinflussen die synaptische Übertragung … 397
- 29.7 Lernen beeinflusst die synaptische Übertragung … 399
- 29.8 Elektrische Synapsen erlauben eine besonders schnelle Informationsübertragung … 400

30 Sinne und Wahrnehmung 401

- 30.1 Sinneszellerregung löst je nach Leitungsbahn eine Wahrnehmung im Gehirn aus … 402
- 30.2 Rezeptoren setzen Reize in Potenziale um … 403
- 30.3 Kameraaugen von Wirbeltieren werfen detaillierte Bilder auf die Netzhaut … 405
- 30.4 In der Netzhaut werden Signale lichtempfindlicher Zellen empfangen und weiterverarbeitet … 407
- 30.5 Neuronale Verschaltungen in der Netzhaut führen zu verbesserter Bildauswertung … 409
- 30.6 Nachbarschaftsbeziehungen von Sinneszellen finden sich bei der Informationsverarbeitung im Gehirn wieder … 411
- 30.7 Die Sinne erfassen nur einen Ausschnitt der verfügbaren Information … 412

31 Nervensysteme 413

- 31.1 Das Nervensystem des Menschen ist hoch spezialisiert und zentralisiert … 414
- 31.2 Das autonome Nervensystem reguliert das innere Milieu über zwei Gegenspieler … 416
- 31.3 Das limbische System ist an Gefühlen, Gedächtnis und Lernen beteiligt … 418
- 31.4 Die Großhirnrinde ist ein Mosaik spezialisierter, interaktiver Regionen … 419
- 31.5 Störungen des Hirnstoffwechsels können neuronale Erkrankungen verursachen … 421

32 Hormonelle Regelung und Steuerung 423

- 32.1 Hormone bewirken über Rezeptoren eine Zellantwort … 424
- 32.2 Der Hypothalamus verbindet Nerven- und Hormonsystem … 426
- 32.3 Die Schilddrüse reguliert durch Gegenspieler Entwicklung und Stoffwechsel … 427
- 32.4 Durch negative Rückkopplung wird die Hormonsekretion kontrolliert … 429

| 32.5 | Hormone der Bauchspeicheldrüse regulieren den Blutzuckerspiegel | 430 |
| 32.6 | Hormone verändern Verhalten | 431 |

Verhalten 432

33 Verhaltensforschung und Verhaltensweisen 435

33.1	Verhalten ermöglicht es Organismen, mit ihrer Umwelt zu interagieren	436
33.2	Die Verhaltensbiologie untersucht, wie und wozu ein Verhalten erfolgt	437
33.3	Wirkursachen erklären, wie Verhalten ausgelöst wird und wie es funktioniert	439
33.4	Zweckursachen erklären, wozu eine Verhaltensweise erfolgt	440
33.5	Verhalten resultiert aus einer Kombination von genetischen Faktoren und Umweltfaktoren	441
33.6	Viele Verhaltensweisen werden von einfachen Reizen ausgelöst	443

34 Lernen 445

34.1	Reflexe sind beeinflussbar	446
34.2	Viele Tiere können Reize miteinander verknüpfen	447
34.3	Bestimmte Verhaltensweisen werden nur während einer sensiblen Phase gelernt	448
34.4	Lebenswichtiges wird leichter erlernt	450
34.5	Soziales Lernen umfasst Beobachtung von Artgenossen und Nachahmung	451
34.6	Einige Tiere können Probleme durch Nachdenken lösen	452
34.7	Lernen und Gedächtnis sind in bestimmten Gehirnarealen lokalisiert	454

35 Kommunikation und Sozialverhalten 455

35.1	Soziale Interaktion zwischen Tieren erfordert Kommunikation	456
35.2	Balzrituale und sexuelle Ornamente verbessern den Fortpflanzungserfolg	457
35.3	Kommunikation zwischen Artgenossen basiert meist auf ehrlichen Signalen	459
35.4	Kommunikation zwischen Arten kann auf unehrlichen Signalen beruhen	460
35.5	Das Leben in der Gruppe hat Vorteile, verursacht aber auch Kosten	461
35.6	Bei aggressivem Verhalten geht es oft um die Verteilung von Ressourcen	462
35.7	Einzel- und Gruppeninteressen bestimmen die Struktur der Gruppe	464
35.8	Selbstloses Verhalten kann die Gesamtfitness erhöhen	466

Anhang 468

Lösungen	468
Glossar	483
Register	501
Bildnachweis	512

Online-Links

Geben Sie auf der Website **www.klett.de** die entsprechende Nummer in das Feld „Suche" ein.
Wenn Sie die Ziffern **150010-0000** in die „Suche" eingeben, wird eine Übersicht aller Materialien zu diesem Buch angezeigt. Dort finden Sie auch Hinweise zu Aktualisierungen und Ergänzungen des Online-Angebots.

Zellen

1.1	Überblick: Funktionelle Gruppen (150010-0221)
	Überblick: Aminosäuren (150010-0231)
1.2	Info: Wasser macht die Erde lebenstauglich (150010-0251)
1.3	Protein 3-D (150010-0291)
1.6	Bau der DNA (interaktiv) (150010-0321)
2.6	Steckbrief: Pantoffeltierchen (150010-0461)
2.8	Info: Bewegung der Chromosomen in der Mitose (150010-0491)
3.2	Steckbrief: Schwamm (150010-0551)
3.4	Osmose (interaktiv) (150010-0581)
3.5	Überblick: Transmembranproteine (150010-0611)
3.6	Glucosetransport (interaktiv) (150010-0631)
4.1	Info: Energie durch ATP (150010-0671)
4.3	Überblick: Enzymklassen (150010-0691)
	Hexokinasereaktion (150010-0701)
	Enzymfunktion (interaktiv) (150010-0711)
Test:	**Zellen (150010-0341)**
	Zellen kompakt (150010-0342)

Stoffwechsel

5.5	Info: Wie funktioniert Abnehmen? (150010-0911)
5.9	Muskelkontraktion (interaktiv) (150010-1031)
7.1	Steckbrief: Teufelszwirn (150010-1191)
7.6	Überblick: Spurenelemente (150010-1291)
8.1	Fotosynthese im Überblick (interaktiv) (150010-1331)
Test:	**Stoffwechsel (150010-1041)**
	Stoffwechsel kompakt (150010-1042)

Genetik

9.2	Bau der DNA (interaktiv) (150010-1501)
	Biografie: Rosalind Franklin (150010-1511)
9.4	Meselson-Stahl-Experiment (interaktiv) (150010-1531)
9.5	Erstellen eines Karyogramms (interaktiv) (150010-1561)
10.2	Überblick: Aminosäuren (150010-0231)
10.3	Translation (interaktiv) (150010-1651)
10.5	Regulation der Genexpression (interaktiv) (150010-1691)
10.9	Überblick: RNA-Moleküle (150010-1741)
11.1	Info: Das Klonschaf Dolly (150010-1791)
11.2	Mitose und Meiose im Vergleich (interaktiv) (150010-1811)
11.4	Merkmal Blütenfarbe, Merkmal Fellfarbe, Merkmal Farbe und Form (interaktiv) (150010-1861)
12.4	Wirkung von Genmutationen (interaktiv) (150010-1971)
12.7	Biografie: Barbara McClintock (150010-2011)
13.6	Debatte: Impfung gegen Gebärmutterhalskrebs (150010-2111)
14.1	Restriktionsenzyme (interaktiv) (150010-2151)
14.2	Polymerasekettenreaktion Arbeitsschritte der PCR (interaktiv) (150010-2161)
14.3	Gensequenzierung (interaktiv) (150010-2181)
15.2	Stammbaum Vielfingrigkeit Albinismus (interaktiv) (150010-2261)
16.1	Überblick: Barrieren des Immunsystems (150010-2351)
16.2	Überblick: Immunzellen (150010-2371)
16.3	Immunreaktion (interaktiv) (150010-2381)
	Antikörper 3-D (150010-2401)
Test:	**Genetik (150010-1581)**
	Genetik kompakt (150010-1582)

Evolution

17.4	Selektionstypen (interaktiv) (150010-2551)
17.6	Steckbrief: Saiga-Antilope (150010-2571)
18.4	Steckbrief: Löwenzahn (150010-2681)
20.7	Homologie — Analogie (interaktiv) (150010-2941)
21.1	Biografie: Primatenforscherinnen (150010-2971)
Test:	**Evolution (150010-2621)**
	Evolution kompakt (150010-2622)

Ökologie

22.2	Zeigerwerte (interaktiv) (150010-3151)
22.7	Steckbrief: Eisbär (150010-3223)
23.2	Info: Pilze als Destruenten (150010-3261)
23.4	Steckbrief: Kleiner Leberegel (150010-3291)
24.4	Info: Nützlinge (150010-3441)
25.3	Stickstoffkreislauf (interaktiv) (150010-3511)
25.5	Debatte: Wem gehören die Schätze der Natur? (150010-3561)
26.0	Steckbrief: Kiefernprachtkäfer (150010-3571)
26.3	Zusammenhänge im Stadtparkteich (interaktiv) (150010-3621)
27.4	Info: Das grüne Band (150010-3731)
27.5	Debatte: Heizen mit Holzpellets (150010-3751)
Test:	**Ökologie (150010-3221)**
	Ökologie kompakt (150010-3222)

Neurobiologie

28.5	Aktionspotenzial: Messung und Modell (interaktiv) (150010-3861)
28.6	Kontinuierliche Erregungsleitung (interaktiv) (150010-3871)
28.7	Saltatorische Erregungsleitung (interaktiv) (150010-3891)
28.8	Codierung von Informationen (interaktiv) (150010-3903)
29.2	Synapsenfunktion (interaktiv) (150010-3931)
29.4	Neuronale Verschaltung und Verrechnung (interaktiv) (150010-3961)
29.5	Info: Motorische Endplatte (150010-3971)
Test:	**Neurobiologie (150010-3901)**
	Neurobiologie kompakt (150010-3902)

Verhalten

33.1	Info: Superorganismus Ameisenstaat (150010-4361)
33.6	Info: Verhalten von Stichlingen (150010-4443)
34.6	Video: Werkzeuggebrauch bei Krähen (150010-4521)
	Video: Spiegeltest (150010-4522)
	Video: Krähen im Rohrtest (150010-4531)
	Video: Schimpansen und Kinder im Rohrtest (150010-4532)
35.4	Kooperieren oder Betrügen (interaktiv) (150010-4601)
Test:	**Verhalten (150010-4441)**
	Verhalten kompakt (150010-4442)

Das Buch zum Lernen nutzen

Sind Sie neugierig?

Jedes Thema beginnt mit einem Blick in die Zukunft und auf noch offene Fragen der Biologie.

Unter dem Thema sind die Kapitel aufgelistet.

Hier sehen Sie, was Ihnen zu diesem Thema angeboten wird.

So beginnt ein neues Kapitel.

Text und Foto geben Ihnen einen ersten Eindruck, worum es in diesem Kapitel geht.

Eine Liste mit den Konzepten dient Ihrer Orientierung.

Die Überschriften sind die biologischen Konzepte, die Sie in diesem Kapitel kennenlernen.

Die Überschrift bringt den wesentlichen Inhalt dieses Abschnitts auf den Punkt.

Die Überschrift ist das biologische Konzept, das Ihnen im folgenden Abschnitt erläutert und erklärt wird.

Nutzen Sie die Konzeptnummer zur Orientierung.

Hier sind Sie in Kapitel 11 beim 1. Konzept.

Die fett hervorgehobenen Begriffe sind für das Verständnis besonders wichtig.

Diese finden Sie im Glossar wieder ab Seite 483.

Mit den Online-Links erhalten Sie Zugang zu Tests, Animationen und Zusatzinformationen im Internet.

Geben Sie einfach die jeweiligen Ziffern in das Suchfeld auf www.klett.de ein.

Das Symbol zeigt Ihnen, welches Basiskonzept in dem mit einem Punkt (•) gekennzeichneten Satz eine Rolle spielt.

Eine Übersicht über die Basiskonzepte finden Sie auf Seite 15.

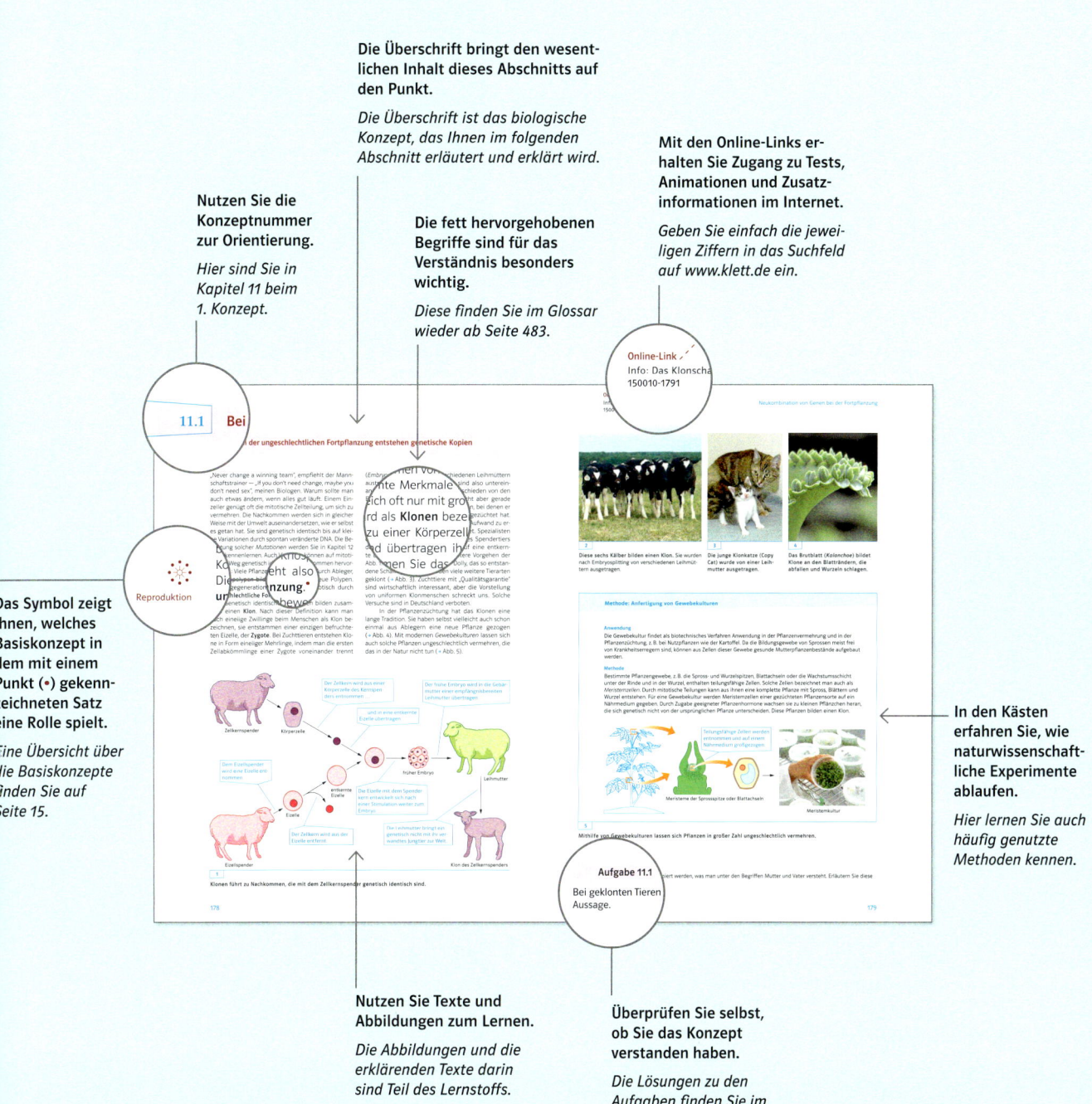

In den Kästen erfahren Sie, wie naturwissenschaftliche Experimente ablaufen.

Hier lernen Sie auch häufig genutzte Methoden kennen.

Nutzen Sie Texte und Abbildungen zum Lernen.

Die Abbildungen und die erklärenden Texte darin sind Teil des Lernstoffs.

Überprüfen Sie selbst, ob Sie das Konzept verstanden haben.

Die Lösungen zu den Aufgaben finden Sie im Anhang ab Seite 468.

Biologie — eine Einführung

Biologie ist eine Naturwissenschaft; sie erfasst und erklärt die faszinierenden Strukturen, Funktionen und Prozesse des Lebendigen

Was bringt Pflanzen zum Blühen, wie verhalten sich Katzen? Biologie ist die Naturwissenschaft vom Lebendigen (→ Abb. 1). Falls Sie sich mit Biologie freiwillig näher befassen — also nicht nur, weil es auf Ihrem Unterrichtsplan steht —, dann sind Sie vielleicht von Tieren oder Pflanzen fasziniert und möchten mehr darüber erfahren. Diese Freude am Umgang mit Lebewesen ist auch eine starke Motivation für jene, die Biologie als Beruf wählen. Biologinnen und Biologen sind darin trainiert, Fragen so an die Natur zu stellen, dass sie beantwortet werden können.

Aber wie richten Sie Fragen so an Blumen oder drei junge Katzen, dass Sie eine brauchbare Antwort erhalten? Schließlich sind wir nicht im Märchen, wo man zumindest die Tiersprache beherrscht. Die naturwissenschaftliche Methode arbeitet mit Beobachtung und Experiment. Experimente erfolgen auf der Grundlage, dass die Ergebnisse wiederholbar (reproduzierbar) sein müssen. Dabei werden laufend *Hypothesen* aufgestellt und anschließend wird überprüft, ob sich diese untermauern oder widerlegen lassen. Falls Ihnen das zu abstrakt klingt: Sie wenden dieses Prinzip ständig selbst an, beispielsweise wenn Sie mutmaßen: „Schnittblumen welken, weil sie Wasser verlieren." Naturwissenschaftliche Hypothesen sind also Behauptungen oder Vermutungen, die sich überprüfen lassen: In eine Vase mit Wasser gestellt, bleiben die Blumen frisch. „Götter lieben Rosen" ist dagegen keine naturwissenschaftliche Hypothese, da nicht überprüfbar, ebenso wenig wie „Katzen sind edle Tiere". Naturwissenschaftliche Hypothesen lassen sich mit dem „Wenn… dann"-Ansatz überprüfen; man bezeichnet ihn auch als *Deduktion* (deducere (lat.): rückschließen). Hier ist ein passendes Beispiel:
- *Hypothese*: Hungrige Katzen neiden einander das Futter.
- *Alternativhypothese*: Hungrige Katzen verhalten sich nicht futterneidisch.
- *Vorhersage*: Wenn man den drei hungrigen Katzen einen einzigen Fressnapf hinstellt, dann werden sie sich um das Futter streiten.
- *Experiment und Ergebnis*: Die drei fressen einträchtig Kopf an Kopf.
- *Schlussfolgerung*: Hungrige Katzen verhalten sich nicht immer futterneidisch; die Hypothese ist geschwächt, die Alternativhypothese gestärkt.

Wie Sie an dem Beispiel merken, genügt ein einzelnes Experiment noch nicht für eine brauchbare Aussage. Zahlreiche weitere Tests sind erforderlich: Verläuft das bei vielen Wiederholungen gleich? Reagieren auch an-

Freude an Tieren und Pflanzen ist oft der Schlüssel zur Biologie.

dere Katzen so? Hängt es vom Ausmaß des Hungers ab? Äußert sich Futterneid bei Katzen nicht durch Streiten, sondern durch schnelleres Fressen? Forschungsergebnisse werfen also meist neue Fragen auf.

Sehr wichtig sind dabei noch die sogenannten Kontrollen, also gleiche Versuchsbedingungen, aber ohne den zu testenden Faktor. In den beschriebenen Fällen wären „Blume in leerer Vase" und „Hungrige Katze allein am vollen Fressnapf" die Kontrollen.

Hypothesen kennen Sie nun, aber was ist dann eine Theorie? Eine *naturwissenschaftliche Theorie* ist keineswegs eine vage Angelegenheit, wie es in der Umgangssprache manchmal verstanden wird, sondern eine durch zahlreiche Ergebnisse besonders gut gesicherte Hypothese, die zudem einen großen Erklärungswert hat, also viele unterschiedliche Phänomene erklärt. Das bekannteste Beispiel aus der Biologie ist die Evolutionstheorie, die die Abwandlung der Organismen im Verlauf der Stammesgeschichte erklärt. Jeder naturwissenschaftlich Forschende stellt laufend Hypothesen auf und überprüft diese, aber nur sehr wenigen war es bisher vorbehalten, eine naturwissenschaftliche Theorie zu entwickeln. Für Theorien gilt aber ebenso wie für Hypothesen: Man kann sie untermauern, schwächen oder widerlegen, aber man kann sie nicht endgültig beweisen. (Selbst wenn sich Katzen in Tausenden von Versuchen am Fressnapf kollegial verhielten, könnte schon der nächste Versuch Futterneid anzeigen.) Bei widersprüchlichen Befunden muss die Hypothese bzw. Theorie modifiziert oder sogar verworfen werden. Dies ist das Grundprinzip des naturwissenschaftlichen Erkenntnisprozesses.

Die Vielfalt des Lebendigen basiert auf wenigen biologischen Grundphänomenen

In diesem Buch ist jedes der 35 Kapitel in bis zu 9 *Konzepte* untergliedert. In jedem Konzept ist ein biologischer Zusammenhang einprägsam formuliert. Die Konzepte geben Ihnen ein fundiertes, zusammenhängendes Grundwissen. Konzepte sind wie Fächer in einem Schrank. Je nach Interessenlage können Sie einzelne Fächer mit mehr Fakten füllen, die für Sie automatisch in einem großen Zusammenhang stehen werden. Dies ist der eigentliche Wert des Lernens nach Konzepten, wie es dieses Lehrbuch vermittelt.

Ein Symbol am Rand weist Sie im ganzen Buch auf eine diesen Konzepten übergeordnete Ebene hin, auf die 8 sogenannten *Basiskonzepte*. Basiskonzepte bezeichnen die Grundphänomene in der Biologie (→ Abb. 2). Die Basiskonzepte sind als Begriffe formuliert, als Schlagworte, die für ein Grundphänomen stehen.

Im Zentrum jeder biologischen Betrachtung steht zunächst einmal das **System**, also der Ausschnitt der Natur, mit dem Sie sich beschäftigen wollen. Dabei kann es sich beispielsweise um eine Zelle, ein Tier oder ein Ökosystem handeln. Aber auch einzelne Proteinmoleküle oder die gesamte Biosphäre können als ein System betrachtet werden. Der übergeordnete Rahmen, der alle Grundphänomene umfasst und erklärt, ist die **Evolution**. Abb. 2 stellt die Basiskonzepte in diesen Zusammenhang.

Basiskonzepte:
- **Kompartimentierung:** Lebende Systeme grenzen sich gegen die Umwelt ab und bestehen selbst wiederum aus abgegrenzten Reaktionsräumen (Kompartimenten).
- **Struktur und Funktion:** Lebewesen und Lebensvorgänge sind an Strukturen gebunden und diese passen stets zur jeweiligen Funktion.
- **Stoff- und Energieumwandlung:** Lebewesen existieren, indem sie ihrer Umwelt ständig Stoffe und Energie entziehen, diese umwandeln und als andere Stoffe und Energieformen wieder abgeben.
- **Steuerung und Regelung:** Lebewesen steuern und regeln ihre Körperprozesse und die Wechselbeziehungen mit ihrer Umwelt. Dabei halten sie viele Zustandsgrößen in engen Grenzen.
- **Information und Kommunikation:** Lebende Systeme nehmen ständig Informationen auf, die sie speichern, verarbeiten und beantworten.
- **Reproduktion:** Lebewesen pflanzen sich fort, denn ihre Lebensdauer ist begrenzt. Die Abfolge der Generationen ermöglicht Abwandlung.
- **Variabilität und Angepasstheit:** Biologische Strukturen, Zellen, Individuen, Funktionen und Strategien unterscheiden sich. Diese Variabilität ermöglicht evolutionäre Anpassung an sich verändernde Umweltbedingungen.
- **Geschichte und Verwandtschaft:** Alle heutigen Lebewesen sind im Verlauf einer seit Milliarden von Jahren andauernden Stammesgeschichte aus einer gemeinsamen Wurzel entstanden und daher miteinander verwandt.

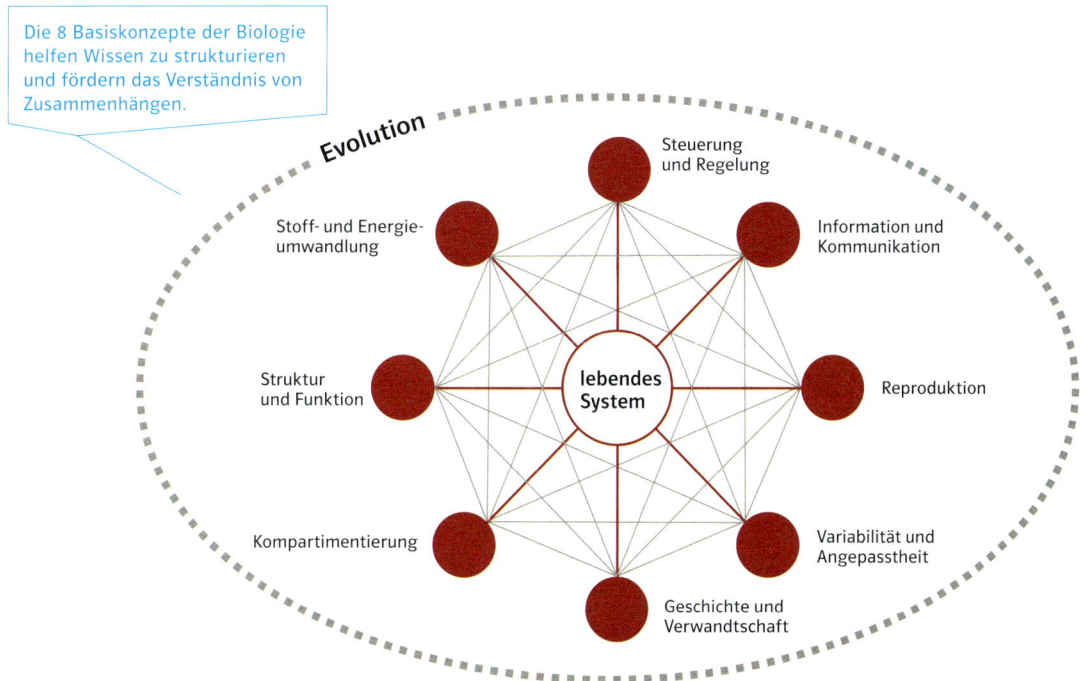

Die 8 Basiskonzepte der Biologie helfen Wissen zu strukturieren und fördern das Verständnis von Zusammenhängen.

Leben spielt sich auf unterschiedlichen Organisationsebenen ab, die miteinander vernetzt sind

Das Lebendige gliedert sich in eine Hierarchie von Organisationsebenen, den Systemen, von einzelnen Atomen und Molekülen über Zellen und Vielzeller bis hin zu Lebensgemeinschaften und der ganzen Biosphäre (→ Abb. 3). Was machen Biologinnen und Biologen eigentlich, und auf welchen dieser Ebenen bewegen sie sich? Untersuchen sie den Körperbau, die Organfunktionen (Physiologie) und das Verhalten von Tieren und Pflanzen? Sicher — viele von ihnen sind auf solche Fragestellungen spezialisiert, aber wie Sie sehen, umfasst das lediglich eine der zahlreichen Organisationsebenen, nämlich die des „Vielzellers". Ökologen arbeiten in den Ebenen darüber, Zell- und Molekularbiologen in den Stufen darunter. Jede Ebene erfordert ihre eigenen Methoden, einen anderen Gerätepark, spezifische Fragestellungen und eine Spezialausbildung. Andererseits sind die Ebenen eng miteinander vernetzt, was verlangt, dass jeder auch über seinen Tellerrand hinausschaut. Es gibt viele Spezialisierungen und deshalb arbeiten Biologen meist in Teams zusammen.

Biologen, die sich für das Wanderverhalten von Zugvögeln interessieren, benötigen ein satellitengestütztes GPS-System. Ihre Kollegen, die beispielsweise das Verhalten von Gorillas beobachten, kommen mit Fernglas und Kamera schon ziemlich weit. Das Leben von Einzellern beobachtet man mit dem Lichtmikroskop, der Feinbau der Zellen erfordert ein Elektronenmikroskop und die Struktur von Molekülen erforscht man wiederum mit ganz anderen Methoden. Die Biologie umspannt also einen riesigen Bereich von Größenordnungen. „Größenordnung" ist ein anderer Ausdruck für „Zehnerschritt", und es erfordert 17 Zehnerschritte, um von der obersten Hierarchieebene des Lebens — der Biosphäre — in die kleinsten Bereiche der Biologie vorzudringen (→ Abb. 3). Das metrische System, basierend auf der Zehnerskala, ist äußerst nützlich um die Größe von Objekten zu beschreiben. Und wir können mit dieser Skala auch besonders leicht umgehen, weil wir zehn Finger haben.

Die Spannweite der Biologie von über 10 000 Kilometern (10^7 m) bis unter 1 Nanometer (1 nm = 10^{-9} m) ist allerdings nur sehr schwer vorstellbar. Brächte man

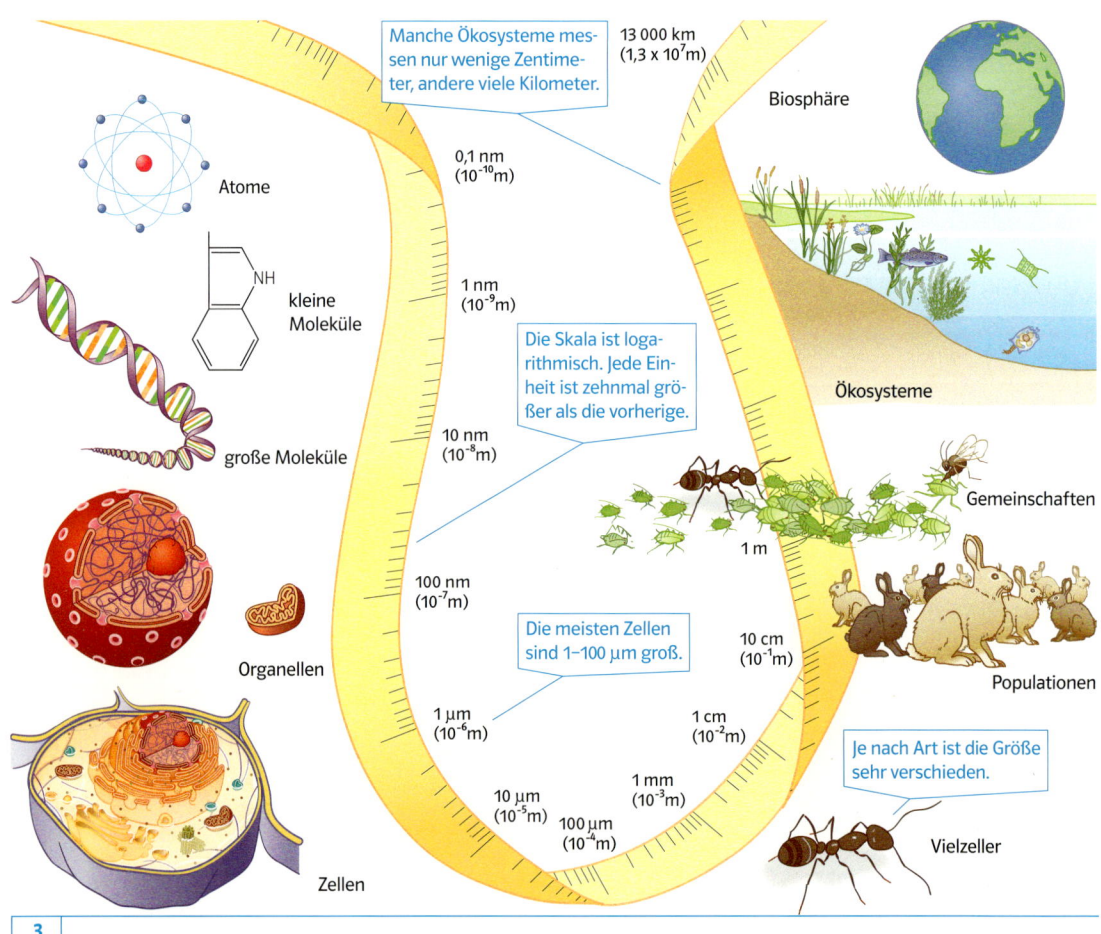

3 Die Organisationsebenen der Biologie sind ineinander verschachtelt und durchspannen 17 Größenordnungen.

eine normale menschliche Körperzelle auf die Größe einer Kirsche, würde dies eine Vergrößerung um 3 Zehnerschritte bedeuten (von etwa 15 Mikrometer (μm) auf 15 mm). Eine echte Kirsche, im gleichen Maßstab vergrößert, hätte 15 m Durchmesser, wäre also mindestens so groß wie Ihr Klassenzimmer. Vergrößerten wir das Ganze noch einmal um 3 Zehnerschritte, bekäme die Körperzelle das Volumen Ihres Klassenzimmers, Bakterien wären so groß wie Sie selbst, und Proteinmoleküle hätten die Ausmaße von Erbsen und Reiskörnern. Die „echte" Kirsche wäre nun etwa so groß wie Ihre Stadt (falls diese 15 km durchmisst). Sie selbst hätten bei dieser Vergrößerung im Maßstab 1:1 Million mittlerweile eine Länge von rund 1700 km erreicht.

Alle biologischen Phänomene stehen in Bezug zur Evolution des Lebens

„Nothing in biology makes sense except in the light of evolution." („Nichts in der Biologie ergibt einen Sinn außer im Lichte der Evolution.") Dieser berühmte Ausspruch des Evolutionsforschers THEODOSIUS DOBZHANSKY (1900 – 1975) trifft tatsächlich den Nagel auf den Kopf: Biologische Strukturen, Funktionen und Prozesse verstehen Sie nur dann wirklich, wenn Sie sich eines klarmachen: Sie sind im Verlauf eines Evolutionsprozesses entstanden. In einer ununterbrochenen Generationenfolge hat sich aus den ersten lebenden Zellen die heutige biologische Vielfalt entwickelt. Sie, ich und alle anderen heutigen Organismen blicken also auf eine ununterbrochene Reihe von Vorfahren zurück, die sich seit Anbeginn des Lebens vor fast vier Milliarden Jahren erfolgreich fortgepflanzt haben. Unzählige Generationen und kein einziger Ausfall!

Ein Seeadler beim Flugmanöver (→ Abb. 4): Lebewesen sind durch die Evolution offensichtlich hervorragend an ihre Lebensweise und Umwelt angepasst.

Aber sind Lebewesen perfekt? Ist der Seeadler eine optimale Flugmaschine? Wäre dies der Fall, würde man Flugzeuge ganz nach dem Muster von Vögeln konstruieren. Aber offenbar kann man mit starren Flügeln und Düsenantrieb viel energiesparender fliegen als mit Flügelschlagen. Doch der Seeadler kann Fische fangen, Nester bauen, Eier legen und seine Brut aufziehen, alles Tätigkeiten, die ein Flugzeug nicht nötig hat. Diese Vielseitigkeit zwingt zu Kompromissen; die einzelne Fähigkeit ist dann eben nicht immer perfekt.

Aber ginge es nicht doch noch etwas besser? Vögel hätten sicher erhebliche Vorteile, wenn sie zusätzlich noch Arme und Hände besäßen, etwa wie ein Gargoyle (→ Abb. 5). Vom Standpunkt eines Ingenieurs aus gesehen ist es völlig unverständlich, warum dieses wichtige Detail im Vogelbauplan fehlt. Wahrscheinlich hätte es den Aufstieg der Säugetiere niemals gegeben, wenn die Vögel neben ihrer Flugfähigkeit auch noch Hände gehabt hätten. Nun — die Antwort liegt in der Evolution: Vögel stammen von vierbeinigen Reptilien ab, und die Vorderbeine wurden zu Flügeln. Die Evolution hat nicht wie ein Ingenieur die Möglichkeit zu einer völligen Neukonstruktion; sie muss auf dem aufbauen, was vorhanden ist, und es „bei laufendem Betrieb" umbauen. Dabei müssen alle Zwischenstufen ebenfalls funktionieren. Es gibt also viele „konstruktive Zwänge", die die Entwicklungsmöglichkeiten einschränken.

Biologen ist der Einfluss der Evolution auf alle biologischen Phänomene jederzeit gegenwärtig. Sie interpretieren ihre Forschungsergebnisse ganz automatisch „im Lichte der Evolution". Die Erklärungskraft der Evolutionstheorie ist tatsächlich immens. Ohne sie wäre das gesamte Wissensgebäude der Biologie ein zusammenhangloses Chaos. Deshalb zieht sich der Evolutionsgedanke wie ein roter Faden durch dieses Buch.

4 Afrikanischer Schreiseeadler bei Flugmanöver

5 Gargoyle auf Notre Dame in Paris

PROTEINE
— Hochleistungsmaschinen der Zelle?

Motoren und Höchstleistung — das klingt nach Formel 1, Technik und menschlichem Erfindergeist. Kaum einer denkt daran, dass es molekulare Maschinen auch in der Zelle gibt. In einer Welt, die sich in tausendstel oder gar millionstel Millimetern misst, erbringen sie erstaunliche Leistungen. Sobald beide Roboterfüße auf der dünnen Röhre kurzzeitig Halt gefunden haben, löst sich der hintere ab, bewegt sich nach vorne und dockt dann vor dem anderen wieder an. Schritt für Schritt marschiert der Roboter auf diese Weise vorwärts, wobei er huckepack große Lasten transportiert. Mehr als 9 600 KW (13 000 PS) müsste ein Automotor haben, wenn er — bezogen auf seine Masse — dieselbe Leistung erbringen sollte wie die Motoren in den beiden Roboterfüßen. Diese sind also um das 50-Fache leistungsfähiger.

Allerdings sind die Schritte des Roboters nur einige Nanometer (millionstel Millimeter) groß. Der winzige Roboter ist in Wahrheit ein Motorprotein, ein Proteinmolekül mit dem Namen Kinesin. Es schleppt Bestandteile lebender Zellen entlang der Mikrotubuli (tubulus (lat.): Röhrchen), die zum Stützgerüst der Zelle gehören. Wollte man einen Pkw auf die Größe des Kinesins bringen, müsste man ihn im Maßstab 1:1 Milliarde verkleinern. Im selben Maßstab geschrumpft hätte die Erde die Größe einer Kirsche von 1,3 cm Durchmesser, in 40 cm Abstand umkreist von einer Erbse, dem Mond.

Motorproteine können beachtliche Kräfte entwickeln. In dieser Hinsicht besonders bemerkenswert ist der Motor einer Proteinmaschine, die das Erbgut eines Virus namens *Phi 29* in die zugehörige Proteinhülle stopft. Und zwar so kraftvoll, dass der Druck in der Hülle auf bis zu 60 bar steigt — das ist rund das 10-Fache des Drucks in einer Champagnerflasche. So passt der 7 Mikrometer (tausendstel Millimeter) lange Erbgutfaden in die Hülle, die einen Durchmesser von lediglich 0,05 Mikrometer hat. Es ist, als würde man eine 7 m lange Paketschnur in einen Tischtennisball pressen.

Das älteste Rad der Welt ist eine Erfindung der Natur

Genau wie ein herkömmlicher Automotor nicht ohne Benzin oder Diesel läuft, so benötigen auch die Kinesinmotoren und die Stopfmaschine des Virus eine Art Treibstoff, das Adenosintriphosphat (ATP). Hergestellt wird ATP beim Abbau von Traubenzucker, der mithilfe des Sonnenlichts in Pflanzenzellen entsteht. Hilfestellung gibt dabei eine weitere Proteinmaschine, die ATP-Synthase. Ein Teil von ihr dreht sich wie ein Rad auf einer Kurbelwelle. Das Rad, das bei manchen Technik-Experten als „größte Erfindung der Menschheit" gilt, existiert somit in der natürlichen Nanowelt schon seit Jahrmilliarden. Gekoppelt ist die Kurbelwelle der ATP-Synthase an einen Rotor, der sich in einer Biomembran befindet. Angetrieben durch einen Strom von geladenen Teilchen, dreht sich der Rotor mit über 2 000 Umdrehungen pro Minute. Ein Auto-Drehzahlmesser zeigt meist einen ähnlichen Wert.

Proteinmaschinen bauen sich von selbst zusammen

Proteinmaschinen bestehen aus wohldefinierten Einzelteilen, nämlich aus verschiedenen kleineren Proteinen und oft noch anderen Molekülen. Damit gleichen sie einem aus vorgefertigten Teilen hergestellten Pkw — mit einem entscheidenden Unterschied: Die Teile der Proteinmaschine bauen sich wie von Geisterhand selbst zusammen, ohne dass dabei

Zellen

1	Die Makromoleküle des Lebens
2	Die Zelle — Grundeinheit des Lebens
3	Biomembranen und Transportvorgänge
4	Energie und Enzyme

Energie aufgewendet werden muss. Sie benötigen dazu nicht einmal die Umgebung einer lebenden Zelle, sondern es geht auch im Probenröhrchen. Der Zusammenbau erfordert also keine Werkstatt. So etwas würde jeden Autohersteller glücklich machen, aber wie ist das möglich?

Treibende Kraft ist dabei die sogenannte molekulare Wärmebewegung. Alle Moleküle bewegen sich in Flüssigkeiten und Gasen regellos hin und her — sie zappeln umso heftiger, je höher die Temperatur ist. Wenn sie mit anderen Molekülen kollidieren, was laufend geschieht, können sie mit diesen interagieren. Proteine sind geradezu darauf spezialisiert, mit anderen Molekülen in Wechselwirkung zu treten, wenn sie diesen begegnen. Dabei erkennen sich die Bauteile von Proteinmaschinen gegenseitig und bleiben passgenau aneinander kleben, bis schließlich die ganze Maschine fertiggestellt ist.

Taugen Proteinmaschinen als Vorbild für die Nanotechnik?

Angesichts der verblüffenden Leistungsfähigkeit von Proteinmaschinen liegt die Frage nahe, ob man ihre Funktionsweise nicht technisch nachahmen kann. Dabei denkt man nicht etwa an den Bau großer Maschinen, sondern an nanoskopisch kleine Roboter, sogenannte Nanobots. Ihnen wird eine große Zukunft zum Beispiel in der Medizin vorausgesagt, da sie im Körper selbstständig nach Krankheitsherden suchen und diese bekämpfen könnten. Tatsächlich stellte der amerikanische Ingenieur ERIC DREXLER schon in den 1980er Jahren das Konzept einer molekularen Fertigung mit Proteinen vor, beschrieb Fabriken und Roboter im Nanometer-Maßstab. Inzwischen nehmen seine Visionen Gestalt an. Die Nanotechnologie ist heute in der Lage, Gebilde von wenigen Nanometern Größe herzustellen und gezielt zu nutzen. Auch Proteine kann man künstlich herstellen und sogar verändern. Doch unsere heutige Technik basiert auf einer Elektronik, die nicht ohne weiteres mit Proteinen zusammenarbeiten kann. Zudem sind viele Details der Arbeitsweise von Proteinen noch unklar. Daher ist noch offen, in welchem Umfang Proteinmaschinen als Vorbilder für technische Nanomotoren und Nanobots dienen können. Eine direkte Nutzung natürlicher Nanomaschinen für medizinische Zwecke ist jedoch schon fast Realität. So sind Wissenschaftler derzeit (2009) dabei, die Stopfmaschine des Virus *Phi 29* für das Beladen von Mikrosphären mit therapeutisch wirksamem Erbgut zu nutzen; mit diesen Sphären soll der Wirkstoff dann in Patienten eingebracht werden. ■

Die Makromoleküle des Lebens

1

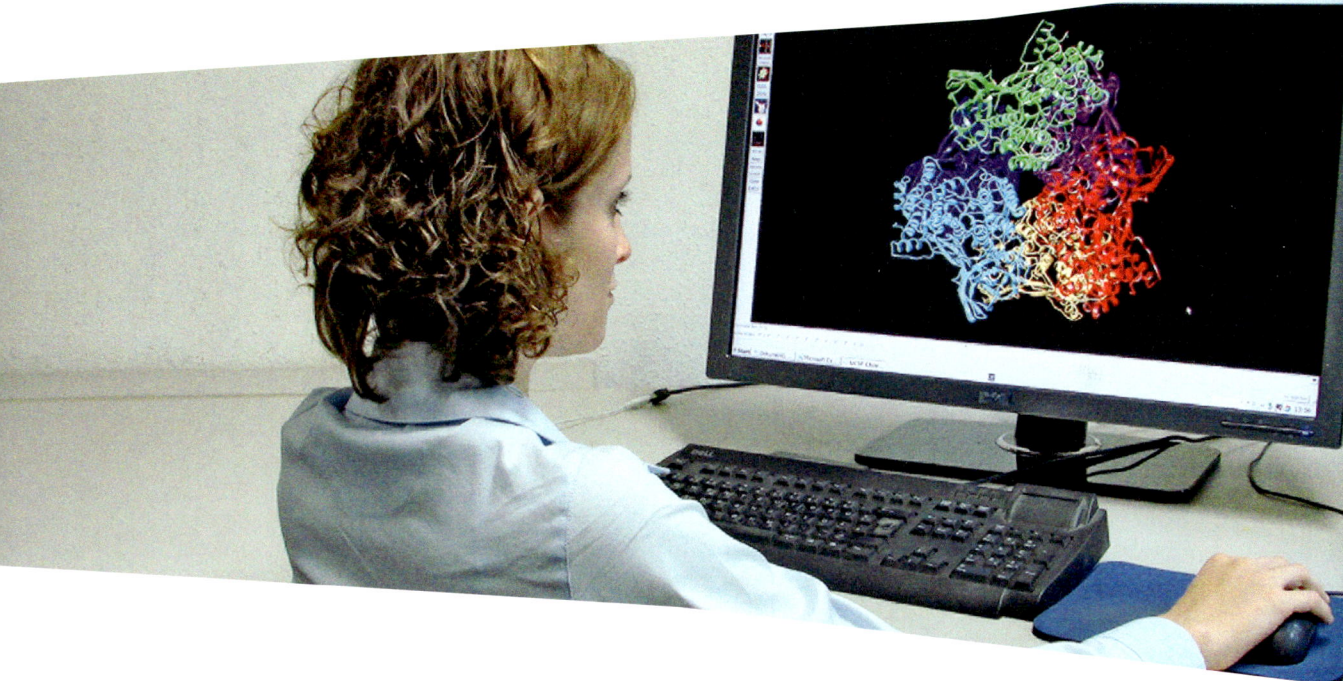

Die Struktur eines Proteins wird ermittelt.

„**Astronauten haben auf einem verlassenen Planeten eine große Vielfalt exotischer Maschinen und Geräte entdeckt.** Nach einem Jahrhundert intensiver Forschung hat man die allgemeine Bauweise dieser hochkomplizierten Objekte enträtselt und versteht nun viele von ihnen so gut, dass man sie verwenden und sogar nachbauen kann, zum Nutzen der Menschheit. Es gibt aber dort noch zahlreiche Maschinen- und Gerätetypen, die bisher niemand versteht, und nahezu täglich werden neue Typen gefunden." Halten Sie das für Science Fiction? Genau so ist Proteinforschung. Proteine sind der Maschinen- und Gerätepark unserer Zellen, unglaublich winzig und doch so mächtig, dass sie alles in unserem Körper bestimmen. In diesem Kapitel werden Sie unter anderem erfahren, wie man solche Maschinen der Nanowelt analysiert.

1.1	Die Primärstruktur eines Proteins legt alle seine Eigenschaften fest
1.2	Die Polarität des Wassermoleküls ist eine Voraussetzung für irdisches Leben
1.3	Die Funktion eines Proteins hängt von seiner räumlichen Gestalt ab
1.4	Die Makromoleküle des Lebens basieren auf dem Element Kohlenstoff
1.5	Kohlenhydrate dienen als Energiespeicher, Baumaterial und Etiketten
1.6	Die Erbsubstanz DNA besteht aus nur vier verschiedenen Bausteinen
1.7	Lipide sind unpolar und stoßen Wasser ab

1.1 Die Primärstruktur eines Proteins legt alle seine Eigenschaften fest

Proteine, also Eiweißstoffe, sind die molekulare Grundlage allen irdischen Lebens und werden daher weltweit in vielen Labors erforscht. Stellen Sie sich vor, Sie arbeiten in einem dieser Labors und erhalten den Auftrag, die Struktur und Funktion eines Proteins aufzuklären, das jemand gerade im Blut eines Meereskrebses entdeckt und daraus isoliert hat. Es wird vorläufig Protein X genannt. Ein Spezialistenteam soll Sie unterstützen. Wie gehen Sie vor?

Proteine sind **Makromoleküle**. Solche Proteine können riesig sein. Sie verschaffen sich zunächst einen Eindruck von der Größe des Proteins, indem Sie eine *Gel-Elektrophorese* durchführen. Wie das im Prinzip geht, zeigt Abb. 4, S. 24. Im fertigen Gel sehen Sie Protein X als blaue Bande und stellen durch den Vergleich mit Proteinen bekannter Größe fest, dass diese Bande eine Molekülmasse von 75 000 besitzt. (Es ist hier die relative Molekülmasse gemeint, d. h. relativ zu 1/12 der Masse des Kohlenstoffatoms. Sie ist damit dimensionslos, also nicht in g/mol anzugeben.) Das Wassermolekül H_2O hat eine Molekülmasse von 18. Die Bande von Protein X entspricht also von ihrer Molekülmasse her rund 4000 Wassermolekülen. Aber was steckt in dieser blauen Bande wirklich drin?

Wenn Sie ein Protein zum ersten Mal untersuchen, sind Ihnen zumindest dessen Bausteine, die **Aminosäuren**, schon vorher bekannt. Davon gibt es in Proteinen 20 verschiedene Typen, für die man im Durchschnitt eine Molekülmasse von etwa 115 ansetzen kann. Das bedeutet, dass in Protein X rund 650 Aminosäuren stecken müssen. Aus dem Namen Aminosäure gehen bereits die beiden Strukturmerkmale hervor, die allen Aminosäuren gemeinsam sind (→ Abb. 1): An ein Kohlenstoffatom sind zwei sehr unterschiedliche **funktionelle Gruppen** gebunden, nämlich eine Aminogruppe (–NH_2) und eine Säure- oder Carboxylgruppe (–COOH). Aminosäuren liegen im Körper als *Zwitterionen* vor, d. h. die Aminogruppe ist protoniert (–NH_3^+), die Carboxylgruppe deprotoniert (–COO^-). Jede der Aminosäuren weist auch noch einen spezifischen Rest R mit typischen Eigenschaften auf. Dieser Rest, auch Seitenkette genannt, kann ebenfalls eine funktionelle Gruppe tragen (→ Abb. 1). Funktionelle Gruppen sind Atomgruppen in organischen Molekülen, die deren chemische Eigenschaften maßgeblich bestimmen. Moleküle mit den gleichen funktionellen Gruppen werden aufgrund ihrer oft ähnlichen Eigen-

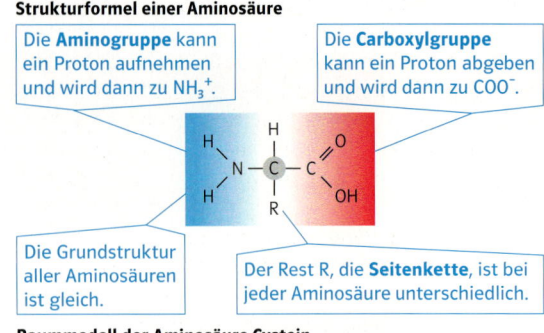

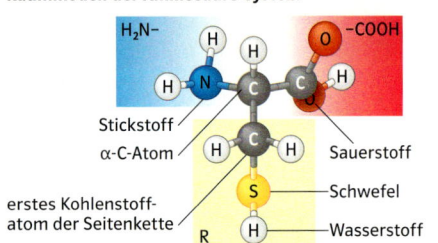

1 Im Grundaufbau sind alle Aminosäuren gleich: An dem zentralen α-C-Atom hängen eine Aminogruppe, eine Carboxylgruppe und eine Seitenkette (R).

2 Aminosäuren polymerisieren unter Wasserabspaltung. Die Reaktion ist umkehrbar (reversibel).

Überblick: Aminosäuren
150010-0231

Die Makromoleküle des Lebens

schaften zu Stoffklassen zusammengefasst. Eine solche Stoffklasse sind die Aminosäuren.

Aminosäuren lassen sich unter der Abspaltung von Wassermolekülen zu **Peptiden** verknüpfen. Aus zwei einzelnen Aminosäuren entsteht so ein *Dipeptid* (→ Abb. 2). Dabei verbindet sich die Carboxylgruppe der einen Aminosäure mit der Aminogruppe der anderen Aminosäure durch *Peptidbindung*. Diesen Reaktionstyp, der Ihnen auch bei den anderen Makromolekülen wie Kohlenhydraten und Lipiden begegnen wird, bezeichnet man allgemein als **Kondensation**, seine Umkehrung ist die **Hydrolyse**. In Abb. 2 können Sie die chemischen Vorgänge im Einzelnen betrachten. Durch Verbindung mit einer weiteren Aminosäure entsteht ein Tripeptid und so fort. Ab etwa 50 Aminosäuren spricht man nicht mehr von einem Peptid, sondern von einer **Polypeptidkette** (poly (gr.): viele). Sie gleicht einer Perlenschnur und ist die Grundstruktur eines jeden Proteins. Die meisten Polypeptidketten sind aus über 100 Aminosäuren aufgebaut, und einige haben sogar über 1000 Aminosäuren.

Die 20 verschiedenen Aminosäuren gleichen einem Baukasten. In Abb. 3 sehen Sie typische Vertreter dieser Stoffklasse. Mit ihnen lässt sich eine unendliche Vielfalt an Proteinen aufbauen. Bei Protein X mit etwa 650 Aminosäuren sind das theoretisch 20^{650} Kombinationsmöglichkeiten für die Abfolge der Aminosäuren, eine unvorstellbar hohe Zahl. Die genaue Abfolge der Aminosäuren in der Polypeptidkette wird *Aminosäuresequenz* oder **Primärstruktur** genannt. Sie ist für jedes Protein typisch und für dessen spezifische Eigenschaften verantwortlich.

Es gilt also jetzt, durch *Sequenzieren* die Abfolge der rund 650 Aminosäuren von Protein X zu enthüllen. Dies gelingt den Gentechnikern Ihres Teams, indem sie zunächst die betreffende DNA-Sequenz ermitteln und diese dann in die Proteinsequenz übersetzen. Details dieser Methode finden Sie in → 14.3. Im Moment brauchen Sie nur dies zu wissen: Die **DNA** (Desoxyribonucleinsäure) ist unsere Erbsubstanz, und in ihrer Sequenz ist die Primärstruktur aller Proteine in verschlüsselter Form niedergelegt. Molekularbiologen können diese Sprache lesen.

Den Anblick der nun ermittelten Sequenz aus rund 650 Aminosäuren von Protein X wollen wir uns hier ersparen; die ersten drei sind: Asparaginsäure, Alanin, Leucin. Es gibt zwei Systeme, die Namen der Aminosäuren abzukürzen. Der Dreibuchstabencode benutzt drei Buchstaben des Namens (z. B. Cys) und lässt daher leicht Rückschlüsse auf die Aminosäure zu. Der Einbuchstabencode (z. B. C) spart viel Platz und ist daher praktisch. Beide Kürzel sehen Sie in Abb. 3 für 9 der 20 Aminosäuren.

Die Kenntnis der Primärstruktur von Protein X erweitert Ihre Möglichkeiten, etwas über dessen Funktion zu erfahren, beträchtlich.* Damit können Sie nun in internationalen *Proteindatenbanken*, in denen alle bisher ermittelten Primärstrukturen gespeichert sind, auf die Suche gehen. Auf diese Weise machen Sie eine wichtige Entdeckung: Die Sequenz von Protein X ist nahe verwandt mit der Sequenz eines Proteins namens *Hämocyanin* aus einer Spinne. Über dieses weiß die Datenbank eine ganze Menge: Es transportiert im Blut der Spinne den Sauerstoff und enthält Kupfer. Mit dieser Information können Sie jetzt das funktionsfähige („native") Protein X ganz gezielt analysieren und stellen rasch fest, dass es sich ebenfalls um einen dieser kupferhaltigen Sauerstofftransporter handelt.

Die denaturierte, d.h. völlig entfaltete Polypeptidkette in Ihrem Elektrophorese-Gel ist jedoch funktionslos. Bei einem funktionierenden, einem nativen Protein ist die Polypeptidkette auf bestimmte Weise zusammengeknüllt. Erst diese dreidimensionale Struktur ermöglicht die typische Funktion des Proteins.

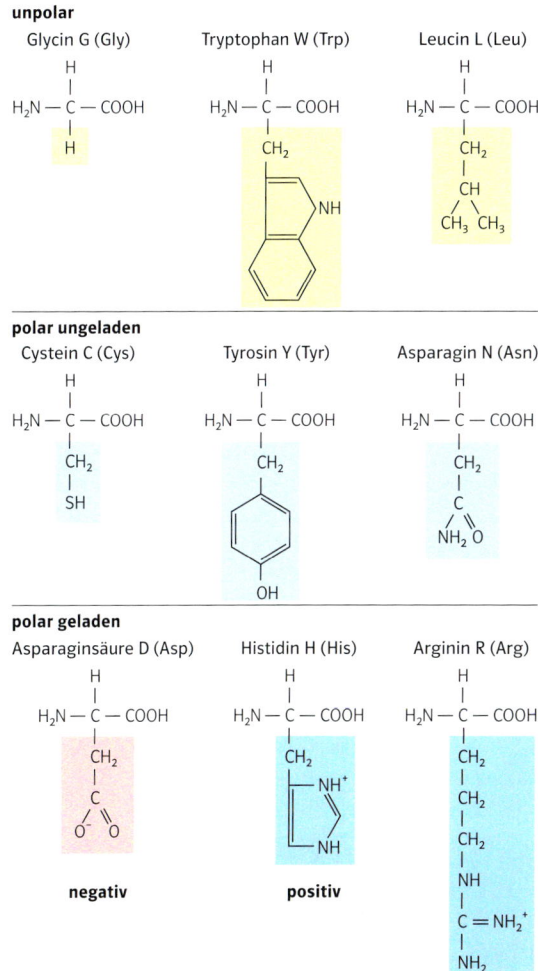

3 Die Aminosäuren der Proteine unterscheiden sich in ihrer Seitenkette. Die Seitenketten bestimmen die spezifischen Eigenschaften.

Struktur und Funktion

Zellen

Methode: Gel-Elektrophorese

Methode

Proteine sind unter den gewählten Bedingungen denaturiert (entfaltet) und negativ geladen. Sie wandern bei der Gel-Elektrophorese aufgrund ihrer Ladung im Gel in Richtung Anode. Nach dem Lauf wird das Gel entnommen. Die Proteinbanden werden fixiert und gefärbt. Dann wird ihre Laufstrecke gemessen. Durch Vergleich mit der Laufstrecke bekannter Proteine kann so die Molekülmasse bestimmt werden.

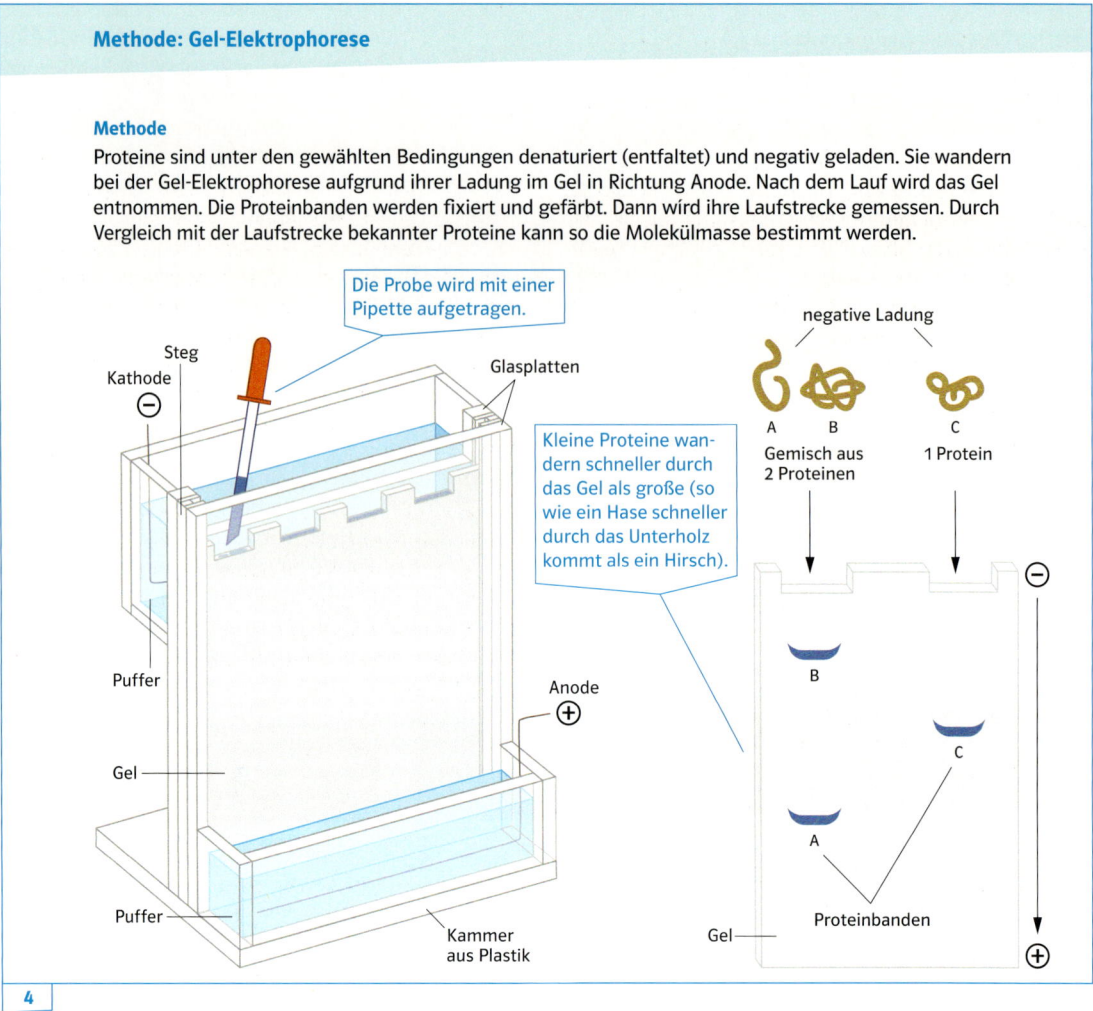

4

Die Gel-Elektrophorese erlaubt es, Anzahl, Größe, Reinheit und Menge von Polypeptiden zu überprüfen.

Seine Faltung nimmt das Protein bei seiner Herstellung in der Zelle ganz von selbst ein, jedes Mal in genau der gleichen Weise. Alle Informationen hierfür stecken bereits in der Primärstruktur. Aber das nützt Ihnen jetzt nicht viel, denn bisher kann kein Computer der Welt die räumliche Struktur eines Proteins aus seiner Primärstruktur von Grund auf berechnen. Die Aufgabe wäre auch gewaltig: Bei Protein X müssten alle denkbaren Wechselwirkungen der 650 Aminosäuren simuliert werden; das sind rund 10 000 Atome! Die Wettervorhersage ist dagegen ein Kinderspiel.

Mit einem guten Muster (einem nahe verwandten Protein mit bereits bekannter Raumstruktur) ginge diese Berechnung allerdings näherungsweise. Beim Protein X wollen Sie es jedoch genau wissen und seine räumliche Struktur experimentell bestimmen. Um zu verstehen, wie die dreidimensionale Faltung der Polypeptidkette zustande kommt und stabilisiert wird, ist ein kleiner Ausflug zu den Eigenschaften des Wassermoleküls erforderlich. Innerhalb und zwischen Wassermolekülen gibt es Bindungen, wie sie auch bei Proteinen vorkommen und deren Strukturen stabilisieren.

Aufgabe 1.1

Benennen Sie den allgemeinen Aufbau von Aminosäuren mit ihren funktionellen Gruppen und geben Sie die Reaktion zur Bildung von Peptiden an.

1.2 Die Polarität des Wassermoleküls ist eine Voraussetzung für irdisches Leben

Wasser ist das häufigste Molekül in unseren Zellen und Geweben. Das Wassermolekül (H_2O) ist so aufgebaut, dass die beiden Wasserstoffatome zueinander einen Winkel von etwa 105° bilden (→ Abb. 1 a). Mit dem Sauerstoff sind sie durch je ein gemeinsames Elektronenpaar verbunden. Damit handelt es sich hier um eine **Elektronenpaarbindung** oder **kovalente Bindung**. Die Peptidbindung gehört zum gleichen Typ.

Teilen sich zwei Atome ein Elektronenpaar gleichmäßig, so liegt eine *unpolare kovalente Bindung* vor. Dies ist bei C-C- oder C-H-Bindungen der Fall. Im H_2O befinden sich die bindenden Elektronenpaare jedoch näher beim Sauerstoffatom. Dies verleiht ihm innerhalb des Wassermoleküls eine negative Teilladung (δ^-), während die beiden Wasserstoffatome jeweils eine positive Teilladung (δ^+) tragen b. Damit ist das Wassermolekül ein sogenannter *Dipol*. Es liegt hier eine *polare kovalente Bindung* vor. Die Anziehungskraft auf Elektronenpaare in einer kovalenten Bindung bezeichnet man als *Elektronegativität*. Diese ist beim Sauerstoffatom viel höher als beim Wasserstoffatom. Daher zeigt das H_2O-Molekül **Polarität**.

Aufgrund der gegensätzlichen Ladungen kommt es zu schwachen chemischen Bindungen, sogenannten **Wasserstoffbrückenbindungen**, zwischen benachbarten Wassermolekülen c. Die Brücken können leicht aufgebaut oder wieder gelöst werden. Durch sie kommen die besonderen Eigenschaften des Wassers zustande, die die Erde erst für das Leben tauglich machen. Eine davon ist die Kohäsion (→ 7.5). Wasserstoffbrücken zwischen den funktionellen Gruppen von Aminosäuren sind auch für die Struktur von Proteinen essenziell (→ Abb. 1, S. 27).

In einem Kochsalzkristall d beansprucht das Chloratom aufgrund seiner viel höheren Elektronegativität das Elektronenpaar ganz für sich. Es hat nun ein Elektron mehr als zuvor und wird dadurch zum negativ geladenen Chlorid-Ion (Cl^-). Umgekehrt hat das Natriumatom nun ein Elektron weniger und wird zum positiv geladenen Natrium-Ion (Na^+). In Wasser gelöst sind beide aufgrund des Dipolcharakters der Wassermoleküle mit einem Wassermantel (*Hydrathülle*) umgeben, sie sind hydratisiert e. Zwischen positiv geladenen Ionen (Kationen) und negativ geladenen Ionen (Anionen) herrscht eine Anziehung, die **Ionenbindung**. Sie wird umso stärker, je näher sich die beiden kommen. Bei manchen Aminosäuren ist die Seitenkette negativ beziehungsweise positiv geladen (→ Abb. 3, S. 23). So kommt es in einem Protein zu ganz unterschiedlich starken Ionenbindungen, je nach Abstand der Bindungspartner. Auf elektrischer Anziehung basierende Kontakte fasst man unter dem Begriff *elektrostatische Wechselwirkungen* zusammen.

Geladene und polare Aminosäuren ziehen Wassermoleküle an; sie sind also „wasserliebend" oder *hydrophil* (philia (gr.): Liebe). Bei anderen Aminosäuren ist die Seitenkette jedoch unpolar (→ Abb. 3, Seite 23). Sie sind „wasserabweisend" oder *hydrophob* (phobos (gr.): Furcht). Unpolare Aminosäuren finden sich oft im Inneren eines Proteins. Dort ballen sie sich in ihrem Bestreben, das Wasser zu meiden, dicht zusammen, so wie Öl im Wasser Tröpfchen bildet. Diese Anziehung bezeichnet man als **hydrophobe Wechselwirkungen**. Sie zwingen das Protein in eine bestimmte Gestalt.

Das Wassermolekül kann in geringem Umfang in Ionen zerfallen (*dissoziieren*), nämlich in ein Proton (H^+) und ein Hydroxid-Ion (OH^-): $H_2O \rightarrow H^+ + OH^-$. (Dies ist vereinfacht; eigentlich liegt H^+ als Oxonium-Ion H_3O^+ vor.)

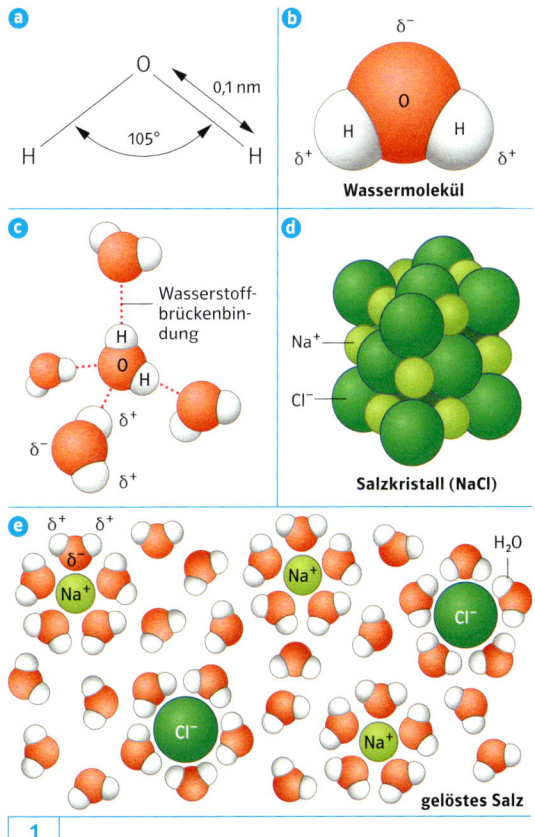

1 Die Polarität des Wassermoleküls führt zu Wasserstoffbrücken und löst Salze.

Die Dissoziation des Wassermoleküls ist *reversibel* (umkehrbar). Zunächst hat das keine Folgen, denn H^+ und OH^- liegen in gleicher Konzentration vor. **Säuren** wie Zitronensaft oder Essig reagieren mit Wasser dagegen so, dass sie Protonen abgeben. Sie sind *Protonenspender*. In unserem Magen hilft Salzsäure (HCl), die Nahrung zu zersetzen; sie kann sogar Nägel auflösen: $HCl \longrightarrow H^+ + Cl^-$. Eine Säure erzeugt also einen H^+-Überschuss im Wasser.

Umgekehrt setzt eine starke Base, wie z. B. Natronlauge (NaOH), im Wasser einen Überschuss an Hydroxid-Ionen frei: $NaOH \longrightarrow Na^+ + OH^-$. Vorhandene Protonen werden sofort gebunden: $H^+ + OH^- \longrightarrow H_2O$. **Basen** nehmen im Endeffekt Protonen aus dem Wasser auf. Sie sind *Protonenempfänger*. Basen wirken demnach Säuren entgegen. Schüttet man gefährliche Salzsäure und ätzende Natronlauge im richtigen Mengenverhältnis zusammen, so bilden sich daraus völlig harmloses Kochsalz und Wasser. Diesen Vorgang bezeichnet man als *Neutralisation*:
$HCl + NaOH \longrightarrow Na^+ + Cl^- + H_2O$

Da Lebewesen und ihre Zellstrukturen sehr empfindlich auf saure und basische Verhältnisse reagieren, ist es wichtig, die **pH-Skala** zu verstehen. Ein pH-Wert gibt die Protonenkonzentration in einer Lösung an. Die pH-Skala reicht von 0 bis 14 (→ Abb. 2). Ein pH-Wert von 7 entspricht einer neutralen Situation, in der die Konzentration der Protonen (H^+) und die Konzentration der Hydroxid-Ionen (OH^-) gleich sind. Bei einem pH-Wert über 7 ist die Konzentration von OH^- größer als die von H^+. Die Lösung ist basisch. Bei einem pH-Wert unter 7 ist es umgekehrt, die Lösung ist sauer. Jeder Schritt auf der pH-Skala in Richtung null bedeutet, dass die Konzentration von H^+ um den Faktor 10 zunimmt und die von OH^- um den Faktor 10 abnimmt. Die Skala ist also logarithmisch, damit wir nicht mit sehr umständlichen Zahlen hantieren müssen.

Protonenkonzentration [H^+] (Mol pro Liter)		pH-Wert	Beispiel
1,0	1×10^{0}	0	Salzsäure
0,1	1×10^{-1}	1	Magensaft
0,01	1×10^{-2}	2	Zitronensaft
0,001	1×10^{-3}	3	Essig, Cola
0,0001	1×10^{-4}	4	Wein, Säfte
0,00001	1×10^{-5}	5	Kaffee, Bier
0,000001	1×10^{-6}	6	Mineralwasser
0,0000001	1×10^{-7}	7	reines Wasser
0,00000001	1×10^{-8}	8	Meerwasser
0,000000001	1×10^{-9}	9	Backpulver
0,0000000001	1×10^{-10}	10	Seife
0,00000000001	1×10^{-11}	11	Salmiakgeist
0,000000000001	1×10^{-12}	12	Bleichmittel
0,0000000000001	1×10^{-13}	13	Ofenreiniger
0,00000000000001	1×10^{-14}	14	Natronlauge

2
Die pH-Skala geht in Zehnerschritten vor.

Säure und Base, das scheint sich gegenseitig auszuschließen, und dennoch existieren viele Moleküle, die beides sind, wie die Aminosäuren. Tatsächlich kann die Carboxylgruppe ihr Proton an die Aminogruppe abgeben, und in der Zelle liegen zumeist beide Gruppen geladen als Ionen vor (→ Abb. 1, S. 22). Damit wenden wir uns wieder Protein X zu.

Aufgabe 1.2
Beschreiben Sie die Ausrichtung von Wassermolekülen zur Seitenkette der Asparaginsäure (→ S. 23).

1.3 Die Funktion eines Proteins hängt von seiner räumlichen Gestalt ab

Struktur und Funktion

Die unterste Strukturebene von Protein X, die *Primärstruktur*, haben Sie bereits analysiert. Die räumliche Gestalt des Proteins zeigt bis zu drei weitere Ebenen (→ Abb. 1).• Zunächst bildet die Polypeptidkette eine Serie wendeltreppenartiger Stäbe (α-*Helices*) und flacher Bänder (β-*Faltblätter*). α-Helix und β-Faltblatt sind die wichtigsten **Sekundärstrukturen** eines Proteins. Stabilisiert werden sie durch *Wasserstoffbrücken*, die sich zwischen der (–NH)-Gruppe und der (–C=O)-Gruppe verschiedener Peptidbindungen ausbilden. Die α-Helix ist rechtsgängig und enthält 3,6 Aminosäuren pro Windung. Ihre Wasserstoffbrücken liegen stets zwischen der 1. und der 4. Aminosäure. Beim β-Faltblatt sind zwei oder mehr Stränge quer vernetzt.

Zwischen den Sekundärstrukturen ist die Polypeptidkette unregelmäßig gefaltet. Das Ganze nimmt schließlich eine wohldefinierte Gestalt an, die **Tertiärstruktur**. Die räumliche Gestalt eines Proteins nennt man auch **Konformation**. Sie kommt durch folgende Bindungen zwischen den Seitenketten zustande: zahlreiche *Wasserstoffbrücken*, *Ionenbindungen* und *hydrophobe Wechselwirkungen* sowie eventuell einige kovalente *Disulfidbrücken* (→ Abb. 1, rechts unten). Disulfidbrücken bilden sich zwischen den Schwefelatomen zweier Aminosäuren vom Typ Cystein aus. Wie Druckknöpfe heften sie voneinander entfernt gelegene Punkte der Sequenz fest zusammen. Die Tertiärstruktur ist für jedes Protein einmalig und für seine spezifischen Eigenschaften verantwortlich. Bei der **Denaturierung** eines Proteins, etwa durch Hitze oder Säuren, werden alle diese Bindungen bis auf die kovalenten Bindungen gelöst. Das Protein wird entfaltet und verliert seine Funktion. Erhalten bleiben also lediglich die Primärstruktur und eventuelle Disulfidbrücken.

Eine **Quartärstruktur** existiert nicht bei jedem Protein, sondern nur dann, wenn sich mehrere Polypeptidketten als *Untereinheiten* zum Protein zusammenlagern. Dies geschieht durch die gleichen Bindungsarten wie bei der Tertiärstruktur. Innerhalb einer Quartärstruktur arbeiten die Untereinheiten oft auf erstaunliche Weise zusammen, wodurch das Protein ganz neue Wirkungen entfaltet. Unser Blutfarbstoff Hämoglobin besitzt eine solche Quartärstruktur (→ Abb. 5, S. 99), aber wie steht es mit Protein X?

In der Gel-Elektrophorese hatten Sie die Molekülmasse der denaturierten Polypeptidkette mit 75 000 bestimmt (→ S. 22). Sie ermitteln jetzt die Molekülmasse des intakten, nativen Proteins X (es gibt hierfür mehrere Methoden) und kommen auf einen Wert von 450 000. Dies entspricht sechsmal der Polypeptidkette. Eine Quartärstruktur dieser Größenordnung müsste man im *Transmissions-Elektronenmikroskop* (TEM) ganz gut erkennen, während die Untereinheit

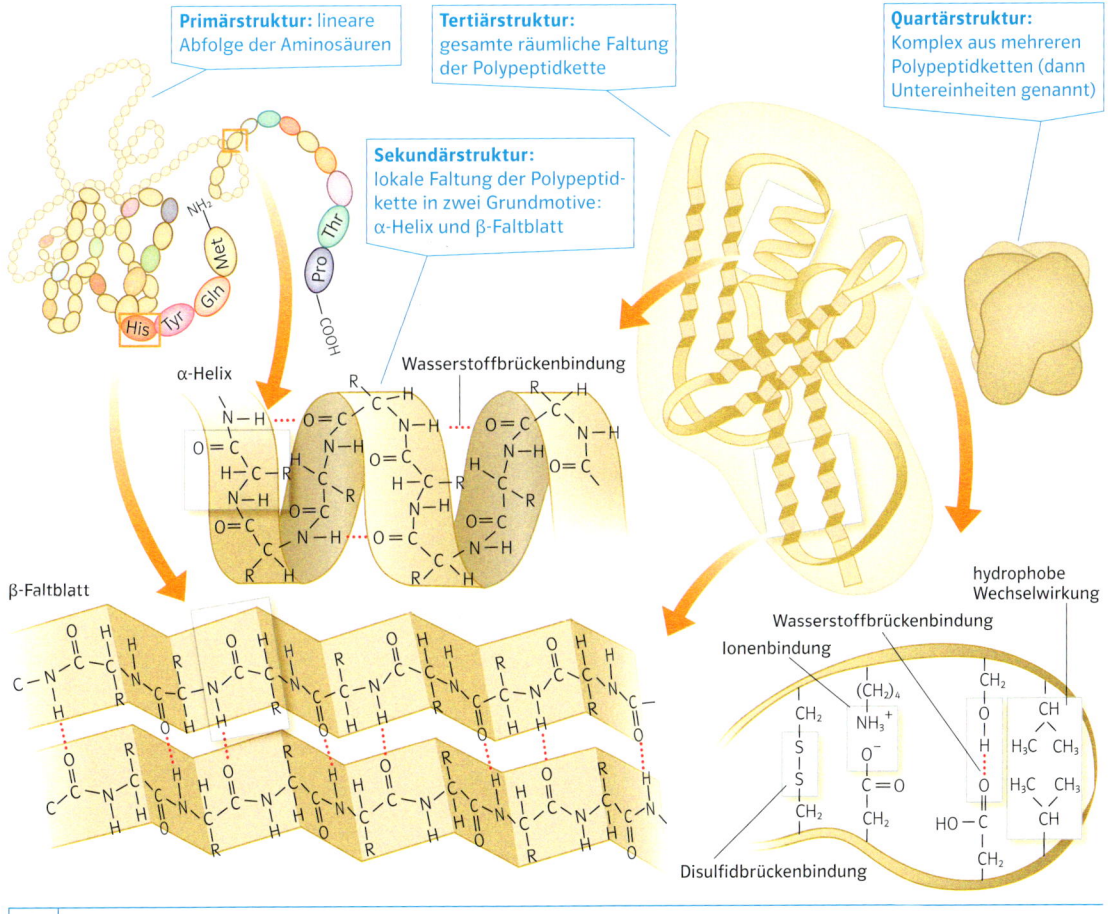

1 Die bis zu vier Strukturebenen eines Proteins bauen aufeinander auf.

Zellen

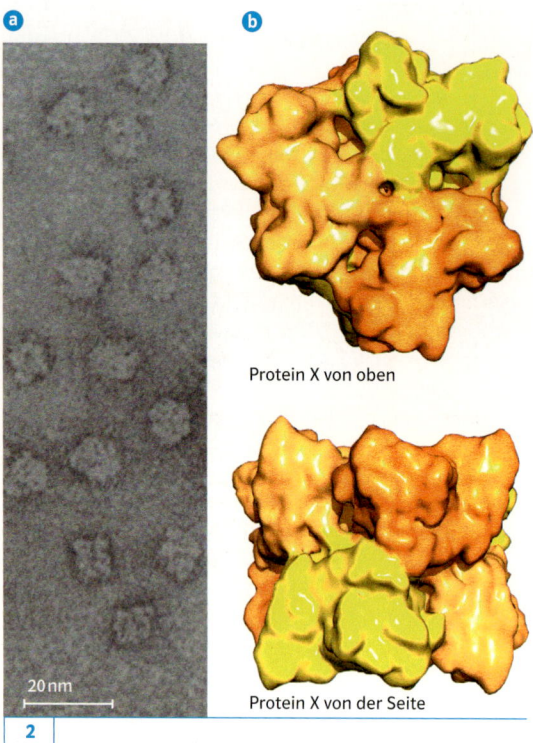

Protein X von oben

Protein X von der Seite

20 nm

2 Die Quartärstruktur eines großen Proteins kann man im Elektronenmikroskop sehen ⓐ und durch computergestützte Bildverarbeitung genauer ermitteln ⓑ.

Die Ermittlung der Tertiärstruktur erfolgt durch **Röntgenstrukturanalyse** (→ Abb. 3). Dieses Verfahren ist nicht bei jedem Protein erfolgreich, aber Ihrem Team gelingt dieser Schritt natürlich. Nun können Sie am Computer die innere Architektur der Untereinheit von Protein X auf verschiedene Weise sichtbar machen. Für einen Forscher ist es ein bewegender Moment, in das komplizierte Innenleben eines neuen Proteins zu blicken. Die Tertiärstruktur zeigt je nach Modelldarstellung entweder, wie das Rückgrat der Polypeptidkette verläuft und wo α-Helices und β-Faltblätter liegen (→ Abb. 4 ⓐ), oder sie zeigt die Atome jeder einzelnen Aminosäure (→ Abb. 4 ⓑ, hier ohne die H-Atome). Tief verborgen in der Untereinheit erkennen Sie auch das **aktive Zentrum**, die Struktur, an der bei

---

Methode: Röntgenstrukturanalyse von Proteinen

Methode

1. Das Protein wird gereinigt und konzentriert.

2. Das Protein wird kristallisiert. Je regelmäßiger der Kristall, desto höher die Strukturinformation. Manchmal hilft es, im Weltraum zu züchten.

Diese Proteinkristalle wurden im Weltraum gezüchtet.

3. Es wird getestet, ob der Kristall in der Lage ist, Röntgenstrahlen zu streuen.

4. An einem der riesigen Teilchenbeschleuniger wird vom Kristall ein komplexes Streumuster (Beugungsmuster) der Röntgenstrahlen erstellt.

5. Aus dem Streumuster und der Primärstruktur wird die Tertiärstruktur des Proteins bestimmt.

Diese Methode stößt an ihre Grenzen, falls ...
- nicht genügend Protein vorhanden ist,
- das Protein nicht kristallisiert,
- der Kristall nicht streut,
- das Streumuster nicht deutlich genug ist.

3 Die Röntgenstrukturanalyse erfolgt an Kristallen.

(Molekülmasse 75 000) kaum zu sehen wäre. (Wie ein TEM funktioniert, erfahren Sie in Kapitel 2, → Abb. 3, S. 37.) Tatsächlich zeigt Ihnen das TEM-Bild viele kleine Klümpchen. Dabei handelt es sich um unterschiedliche Ansichten von Protein X (→ Abb. 2 ⓐ). Die Klümpchen sind etwa 10 Nanometer groß, also unvorstellbar winzig (1 nm = 10^{-6} mm). Um den Faktor 1 Million vergrößert, wäre Protein X wie eine Rosine (1 cm), dieses Buch hätte dann die Fläche von Niedersachsen (ca. 47 000 km^2).

Sie haben in Ihrem Team einen 3-D-Experten, der Ihnen nun mit ganz spezieller Hard- und Software aus Zehntausenden im TEM aufgenommenen Molekülbildern ein räumliches Modell von Protein X berechnet. Im Computer sehen Sie jetzt die Quartärstruktur viel deutlicher (→ Abb. 2 ⓑ). Protein X besteht tatsächlich aus sechs gleichen Untereinheiten, die sehr schön symmetrisch angeordnet sind — ein Kunstwerk der Natur.

Natürlich ist dieses Modell noch recht grob. Die Aminosäuren sehen Sie so nicht. Dazu brauchen Sie als nächstes die Tertiärstruktur der Untereinheit. Sie finden heraus, dass Protein X bei einem pH-Wert von 9 in funktionelle Untereinheiten zerfällt (dissoziiert). Die so gewonnenen Untereinheiten nehmen Sie nun für die Aufklärung der Tertiärstruktur.

Protein X nacht Art der Hämocyanine die O₂-Bindung erfolgt (→ Abb. 4 a), mit den beiden Kupferatomen (hellblau) und einem dazwischen gebundenen Sauerstoffmolekül (rot).

Auf ähnliche Weise hat man schon zahlreiche Proteine untersucht. Manche sind *Transporter* wie das Protein X, viele sind *Membrankanäle* (→ 3.5) oder *Enzyme* (→ 4.3). Eine Vielfalt von Proteinen übermittelt Signale und/oder arbeitet eng mit den Nucleinsäuren zusammen (→ Kap. 9, → Kap. 10). Ein riesiges Arsenal an Abwehrproteinen, die *Antikörper*, schützt uns vor Infektionen und Giften (→ 16.4). Manche Proteinkomplexe stellen als winzige Fabriken Makromoleküle her, andere schneiden Makromoleküle klein (→ 2.5). Unsere Muskelproteine dienen der Bewegung (→ 5.9). Diese Liste ließe sich noch lange fortsetzen. Nahezu täglich werden neue Proteine und neue Proteinfunktionen entdeckt, und auch die Analysemöglichkeiten verbessern sich laufend. Viele Krankheiten beruhen ursächlich auf Fehlfunktionen bestimmter Proteine. Die Untersuchung von Proteinen ist daher auch ein wichtiger Bestandteil der molekularen Medizin.

Jetzt kennen Sie zwar die Tertiärstruktur der Untereinheit von Protein X (→ Abb. 4), aber ein wichtiger Schritt fehlt noch: Im Computer passen Sie diese sechsmal in Ihr grobes Modell der Quartärstruktur (→ Abb. 2) ein und erhalten so ein detailliertes Modell der Quartärstruktur (→ S. 21). Es besteht aus 3 900 Aminosäuren mit rund 60 000 Atomen. Erst jetzt können Sie die Kontaktstellen zwischen den Untereinheiten identifizieren und ermitteln, auf welche Weise sie zusammenarbeiten. Das Ganze ist sehr komplex, daher verbringen Sie noch viele Stunden am Bildschirm. Damit haben Sie Ihren Auftrag erfüllt. Die Struktur dieser

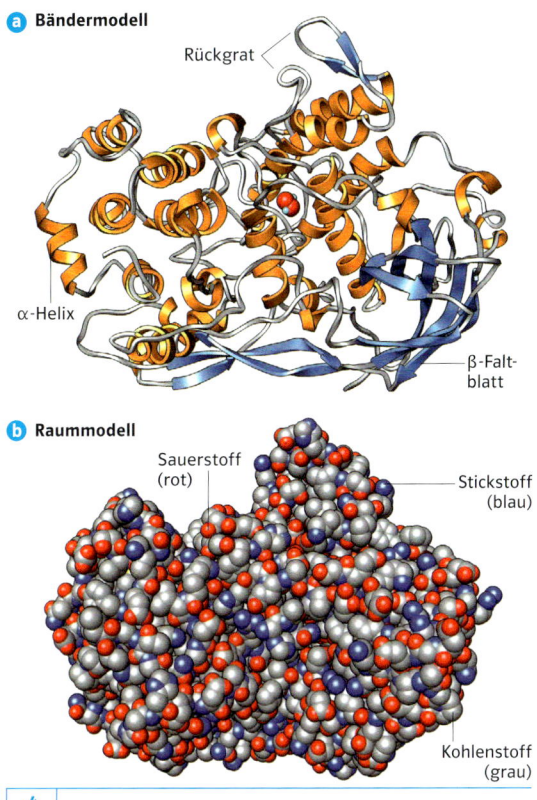

4

Protein X enthüllt die Tertiärstruktur seiner Untereinheit.

Maschine aus der Nanowelt ist weitgehend aufgeklärt. Vermittels Gentechnik kann sie nun von Ihrem Team in Zellkulturen künstlich nachgebaut werden.

Aufgabe 1.3

Erstellen Sie eine Stichwortliste zu den unterschiedlichen Strukturebenen eines Proteins.

1.4 Die Makromoleküle des Lebens basieren auf dem Element Kohlenstoff

Die molekulare Vielfalt des Lebens beruht auf der Existenz von Proteinen und anderen Makromolekülen. Aber nur wenige chemische Elemente sind in der Lage, Makromoleküle zu bilden. Besonders gut eignet sich hierfür der Kohlenstoff. Theoretisch stünde dem Leben ein lückenloses System von knapp 100 chemischen Elementen zur Verfügung. Dieses **Periodensystem der Elemente** ist in Ihrem Chemiebuch abgebildet. Aus dem Periodensystem benutzt irdisches Leben allerdings lediglich etwa 25 Elemente. Eine durchschnittliche menschliche Körperzelle enthält 65 % Wasser und 1,5 % anorganische Salze wie Kochsalz und Calciumchlorid. Das restliche Drittel sind organische Moleküle, und diese bestehen zu über 99 % aus nur sechs chemischen Elementen: *Kohlenstoff*, *Wasserstoff*, *Sauerstoff*, *Stickstoff*, *Phosphor* und *Schwefel*.

Zellen

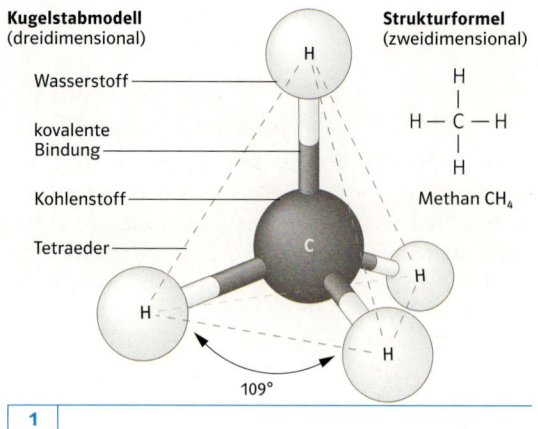

Kugelstabmodell (dreidimensional)
- Wasserstoff
- kovalente Bindung
- Kohlenstoff
- Tetraeder

Strukturformel (zweidimensional)
Methan CH₄

1 Im Sumpfgas Methan bindet der Kohlenstoff vier Wasserstoffatome.

unterschiedliche Länge
Ethan C_2H_6
Propan C_3H_8

Doppelbindung
Buten C_4H_8

Verzweigung
iso-Butan C_4H_{10}

Ringstruktur
Cyclohexan C_6H_{12}

2 Verknüpfte Kohlenstoffatome bilden eine Vielfalt an Strukturen von Kohlenwasserstoffen.

Innerhalb dieser sechs Hauptelemente des Lebens spielt der Kohlenstoff die wichtigste Rolle. Das Kohlenstoffatom kann mit bis zu vier Bindungspartnern eine starke *kovalente Bindung* eingehen (→ Abb. 1). Im einfachsten Fall, beim Sumpfgas *Methan* (CH_4), sind die Bindungspartner vier Wasserstoffatome. Methan gehört zur Stoffklasse der Kohlenwasserstoffe. Die Wasserstoffatome haben das Bestreben, sich möglichst weit voneinander zu entfernen und besetzen daher im CH_4-Molekül die vier Ecken eines Tetraeders. An diesen Ecken ist genügend Platz, um anstelle eines Wasserstoffatoms ein weiteres Kohlenstoffatom unterzubringen, und so sind der Kettenbildung keine Grenzen gesetzt (→ Abb. 2).

Ein solcher Kohlenwasserstoff kann nun über kovalente Bindungen noch weitere Hauptelemente des Lebens enthalten, also Sauerstoff-, Stickstoff-, Schwefel- oder Phosphoratome. Dadurch entstehen funktionelle Gruppen wie beispielsweise jene, die Sie von den Aminosäuren her kennen (→ 1.1). Ein besonders eindrucksvolles Beispiel ist die Aminosäure *Cystein*. Obwohl sie ein ziemlich kleines Molekül ist, trägt sie drei verschiedene funktionelle Gruppen und insgesamt fünf der sechs chemischen Hauptelemente des Lebens (→ Abb. 1, S. 22). Nur Phosphor fehlt, aber es gibt sogar eine Variante mit Phosphatgruppe (→ Abb. 3).

Verlängerungen, Doppelbindungen, Verzweigungen, Ringe — die Möglichkeiten des Kohlenstoffs zur Gerüstbildung sind grenzenlos. Kohlenstoff ist also das zentrale chemische Element des Lebens, und Ihr Studium von Protein X hat gezeigt, zu welcher Komplexität ein auf Kohlenstoff basierendes Molekül gelangen kann.

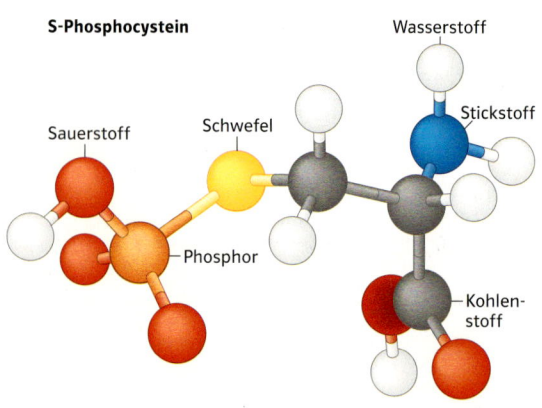

S-Phosphocystein — Sauerstoff, Schwefel, Phosphor, Wasserstoff, Stickstoff, Kohlenstoff

3 Spielzeug für Biochemiker — alle sechs Hauptelemente des Lebens vereint in einem kleinen Molekül.

Aufgabe 1.4

Kohlenstoff ist die Basis für die Vielfalt der Makromoleküle des Lebens. Erläutern Sie das.

1.5 Kohlenhydrate dienen als Energiespeicher, Baumaterial und Etiketten

Nicht nur Proteine sind Makromoleküle auf Kohlenstoffbasis. Ein zweiter Typ sind die **Kohlenhydrate**. Sie kennen natürlich *Stärke* als Mehl, eines unserer Grundnahrungsmittel. *Cellulose*, das Baumaterial pflanzlicher Zellwände, kennen Sie zumindest in Form von Papier oder Baumwollstoff. Erstaunlicherweise bestehen diese Substanzen aus demselben Grundbaustein, dem *Traubenzucker*, auch **Glucose** genannt (→ Abb. 1). Wie Sie sehen, enthält das Glucosemolekül, das hauptsächlich als Ring vorliegt, sechs C-Atome, eine Sauerstoffbrücke (–O–) und mehrere OH-Gruppen, auch *Hydroxyl-* oder *Alkoholgruppen* genannt. Mehrere Schreibweisen sind möglich, um die Glucose eindeutig darzustellen. Dabei ist die räumliche Orientierung der OH-Gruppen nicht beliebig, denn sie verleiht dem Zucker seine typischen Eigenschaften. So kann bei Ringbildung α-Glucose oder β-Glucose entstehen.

Glucose ist ein Einfachzucker oder **Monosaccharid** (saccharo (gr.): Zucker). Neben Glucose existieren in der Natur noch weitere Monosaccharide mit sechs C-Atomen, beispielsweise *Fructose*. Sie werden allgemein als *Hexosen* bezeichnet. Andere Zucker haben nur fünf C-Atome und heißen allgemein *Pentosen*. Auch **Disaccharide**, aus zwei Einfachzuckern bestehend, sind häufig. Ihre Verknüpfung, die *glykosidische Bindung*, erfolgt wie bei der Peptidbindung unter Wasserabspaltung; es handelt sich also wiederum um eine *Kondensationsreaktion*, und ihre Umkehr ist eine *Hydrolyse*. Wichtig für die chemischen Eigenschaften ist hier die Art der Verknüpfung: β-glykosidisch ist gegenüber α-glykosidisch um 180° gedreht. Zudem kommt es darauf an, welche beiden C-Atome die Bindung eingehen. Das bekannteste Disaccharid ist die *Saccharose*, der Rohr- oder Rübenzucker, der aus Glucose und Fructose besteht.

Stärke und Cellulose sind pflanzliche **Polysaccharide**. Sie bestehen aus vielen Glucoseeinheiten, enthalten also dieselben Bausteine. Dennoch kämen Sie sicher nicht auf die Idee, eine Zeitung zu essen oder auf Brot zu schreiben. Der erstaunliche Unterschied in den Materialeigenschaften liegt also nicht an den Bausteinen, sondern an der Art ihrer

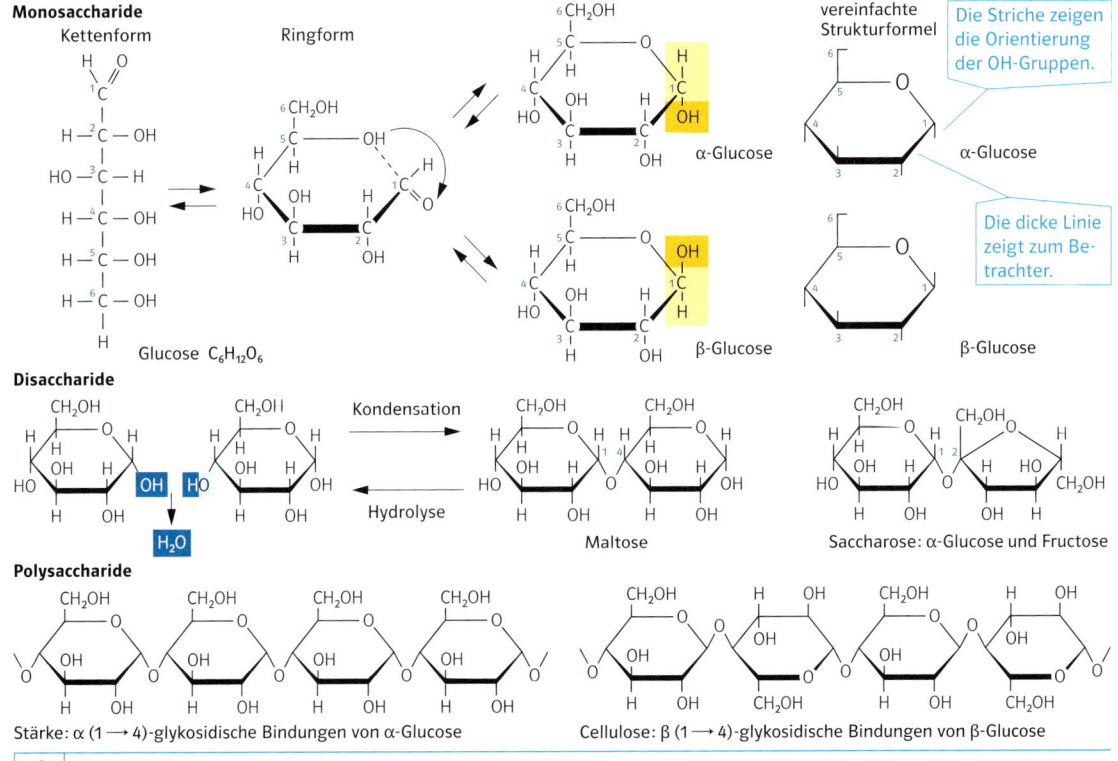

1 Monosaccharide werden unter Wasserabspaltung miteinander verknüpft und können langkettige Polysaccharide bilden.

Verknüpfung: In Stärke ist sie α(1→4)-glykosidisch und in Cellulose β(1→4)-glykosidisch. Unser Verdauungssystem kann nur den ersten Typ knacken und deshalb können wir Stärke verdauen, Cellulose aber nicht. Im Tierreich gibt es entsprechende Polysaccharide: Das celluloseähnliche *Chitin* ist Baumaterial des Insektenpanzers, *Glykogen* ist eine stärkeähnliche Speicherform der Glucose in Leber- und Muskelzellen.

Aber Kohlenhydrate sind nicht nur Energiespeicher oder Baumaterial. Auf der Oberfläche unserer Zellen wächst ein Wald von Zuckerbäumen (→3.1). Sie dienen dort als „Adresse", die von Hormonen und anderen Botenstoffen erkannt wird. So finden diese ihre Zielzelle. Auch viele Proteine tragen solche Etiketten aus Zuckern, die sie für bestimmte andere Proteine erkennbar machen.

Aufgabe 1.5
Zeichnen und beschreiben Sie die Bildung eines Disaccharids aus α-Glucose und Fructose.

1.6 Die Erbsubstanz DNA besteht aus nur vier verschiedenen Bausteinen

20 verschiedene Aminosäuren bauen die Proteine auf, aber die Erbsubstanz **DNA** (engl: **d**eoxyribo**n**ucleic **a**cid) besteht aus nur vier verschiedenen Komponenten. DNA-Moleküle enthalten Bauanweisungen für die Proteine des Körpers. Wie diese Bauanweisungen zu lesen sind, erfahren Sie im Kapitel 10. Die Entschlüsselung der Struktur der DNA (→Abb. 1, links) im Jahr 1953 war eine der größten Entdeckungen der Biologie überhaupt (→9.2).

Natürlich ist auch die DNA ein Makromolekül auf Kohlenstoffbasis. Es handelt sich, bildhaft gesprochen, um eine Art Strickleiter mit zwei seitlichen Strängen und vielen Sprossen, aber diese Leiter ist nicht gerade, sondern um eine zentrale Achse gedreht: die berühmte *DNA-Doppelhelix*. Die Drehung dieser „Wendeltreppe" ist rechtsgängig. Würde man sie hinabsteigen, so würde man stets im Uhrzeigersinn gehen. In den Strängen wechseln sich in endloser Folge

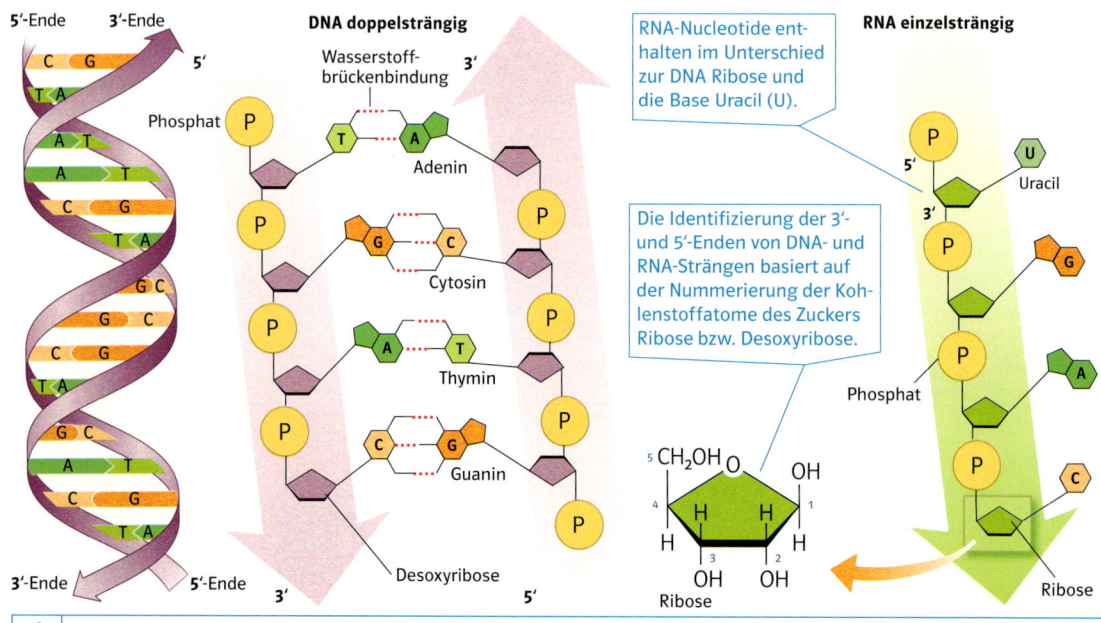

1

Die DNA ist eine Doppelhelix aus zwei komplementären Strängen, die RNA ist meist ein einzelner Strang.

eine Phosphatgruppe und ein Zucker ab. Er heißt *Desoxyribose* (→ Abb. 2) und enthält fünf C-Atome, ist also eine Pentose. Die Sprossen zwischen den beiden Zucker-Phosphat-Strängen sind gepaarte stickstoffhaltige Basen, von denen es in der DNA vier verschiedene Typen gibt: *Adenin* (A), *Cytosin* (C), *Guanin* (G) und *Thymin* (T). In Abb. 1 sind sie schematisch dargestellt. Ihre Struktur ist ringförmig und es gibt zwei Gruppen: *Purine* (A und G, aus zwei verschmolzenen Ringen) und *Pyrimidine* (C und T, aus nur einem Ring). Purine und Pyrimidine unterscheiden sich also in der Größe.

Entscheidend ist nun Folgendes: Die Basen der beiden Stränge paaren sich über *Wasserstoffbrückenbindungen*, aber das geht nur in bestimmten Kombinationen. Gleich lange Sprossen entstehen nur dann, wenn sich stets ein Pyrimidin (C oder T) mit einem Purin (A oder G) paart, da diese sich größenmäßig ergänzen. Sprossen aus zwei Purinen wären zu lang, solche aus zwei Pyrimidinen zu kurz. Nun bilden Adenin und Thymin zwei Wasserstoffbrücken aus, Cytosin und Guanin dagegen drei. Es paart sich also stets A mit T und C mit G. (Merkregel: Eckige Buchstaben und runde Buchstaben passen jeweils zusammen.) Die beiden Stränge der DNA sind damit *komplementär* (sie entsprechen sich); kennt man den einen, so kann man den anderen direkt daraus ableiten.

Neben der doppelsträngigen DNA gibt es noch einen weiteren Typ von *Nucleinsäure*, die **RNA** oder *Ribonucleinsäure* (→ Abb. 1, rechts). Im Gegensatz zur DNA ist sie meist einzelsträngig, ihr Zucker ist die *Ribose*, und anstatt Thymin besitzt sie die Pyrimidinbase *Uracil* (U). Sie können die DNA vereinfacht als eine Art Bibliothek mit zahllosen Büchern betrachten.

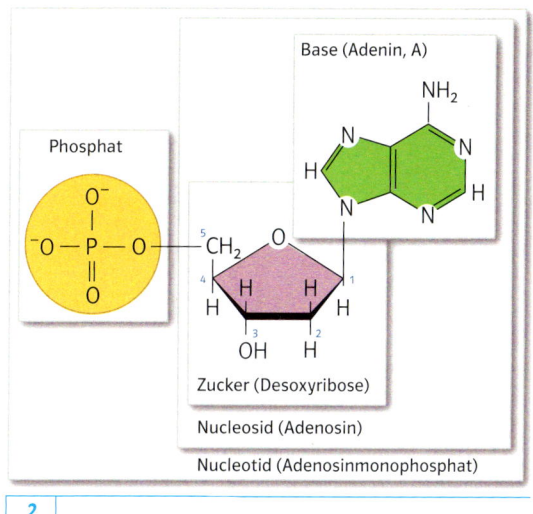

Nucleotide bestehen aus Zucker, Phosphat und Base.

Die RNA ist dann die Abschrift eines einzelnen Buches. Eine wichtige RNA wird als mRNA (m für messenger (engl.: Bote) bezeichnet (→ Abb. 3, S. 42). DNA und RNA lassen sich im Organismus (oder im Labor) durch *Hydrolyse* in ihre Grundbausteine zerlegen, die vier verschiedenen **Nucleotide**. Aus diesen werden sie in der Zelle auch durch *Kondensation* zusammengebaut. Ein Nucleotid besteht aus einer der vier Basen, dem Zucker und der Phosphatgruppe (→ Abb. 2). Nucleotide sind nicht nur die Bausteine der Nucleinsäuren. Adenosintriphosphat (ATP) z.B. ist der universelle Energieüberträger der Zelle (→ Abb. 2, S. 67).

Struktur und Funktion

Aufgabe 1.6

Ergänzen Sie zu einem DNA-Einzelstrang aus fünf selbst gewählten Nucleotiden den Komplementärstrang.

1.7 Lipide sind unpolar und stoßen Wasser ab

Fett und Wasser können sich nicht ineinander lösen und bleiben daher als getrennte Schichten bestehen, wenn man sie miteinander zu mischen versucht. Fette, Öle und noch einige weitere Stoffklassen werden als **Lipide** zusammengefasst. Sie alle enthalten große, meist kettenförmige Kohlenwasserstoffe, die Wasser abstoßen, weil sie unpolar sind. Fette und Öle dienen den Organismen vor allem als kompakte Langzeitenergiespeicher. Dabei verwenden Pflanzen Öl, Tiere dagegen Fett. Fett ist zudem Wärmeisolator und Polstermasse. Beide Stoffe enthalten zwei chemische Verbindungen: **Fettsäuren** und **Glycerol**, auch *Glycerin* genannt. Eine Fettsäure besteht aus einer langen unpolaren (d.h. *lipophilen*) Kohlenwasserstoffkette und einer endständigen polaren (d.h. *hydrophilen*) Carboxylgruppe (−COOH). Sie ist damit *amphiphil*, also „beides liebend" (amphi (gr.): beide). Glycerol ist ein Kohlenwasserstoff mit drei

Struktur und Funktion

C-Atomen, der drei polare Hydroxylgruppen (–OH) enthält (→ Abb. 1). Wenn sich aus diesen Komponenten ein Fett oder Öl bildet, reagiert die Carboxylgruppe unter Abspaltung eines Wassermoleküls mit einer der Hydroxylgruppen. Dies ist wiederum eine *Kondensationsreaktion*. Da im Endeffekt drei Fettsäureketten an das Glycerol gebunden sind, bezeichnet man Fette und Öle auch als *Triglyceride*. Bei ihnen sind durch die Kondensationsreaktion die stark hydrophilen Gruppen (–OH und –COOH) verschwunden. Fette und Öle sind völlig unpolar. Viele Fettsäuren in der Natur enthalten 16 oder 18 C-Atome (das Minimum sind vier), sie sind unverzweigt, und sie können gesättigt oder ungesättigt sein. *Gesättigte Fettsäuren*, wie z. B. Palmitinsäure, besitzen keine Doppelbindungen zwischen C-Atomen und tragen damit die maximale Anzahl an H-Atomen (sind also mit H-Atomen „gesättigt"). *Ungesättigte Fettsäuren*, wie z. B. Linolsäure, tragen dagegen eine oder mehrere Doppelbindungen, und dort ist die Anzahl der H-Atome pro C-Atom geringer. Fette sind bei Raumtemperatur fest und enthalten gesättigte Fettsäuren. Öle sind selbst im Kühlschrank flüssig und enthalten ungesättigte Fettsäuren. Warum sind Triglyceride mit ungesättigten Fettsäuren flüssig? Die Doppelbindung erzeugt einen Knick in den Fettsäureketten, wodurch diese nicht so dicht gepackt werden können. Damit sind die *hydrophoben Wechselwirkungen* zwischen ihnen geringer.

Phospholipide bestehen aus Glycerol mit nur zwei Fettsäureketten. Die Fettsäureketten bilden den hydrophoben „Schwanz" des Moleküls. Die dritte OH-Gruppe des Glycerols hat sich unter Wasserabspaltung mit einer Phosphatgruppe verbunden, an der wiederum ein polarer Rest (R-Gruppe) hängt. Zusammen mit Glycerol entsteht so der hydrophile „Kopf" des Moleküls (→ Abb. 1). Phospholipide sind also ausgeprägt amphiphil. Als Grundbausteine von Biomembranen sind sie für das Leben von entscheidender Bedeutung (→ Kap. 3).

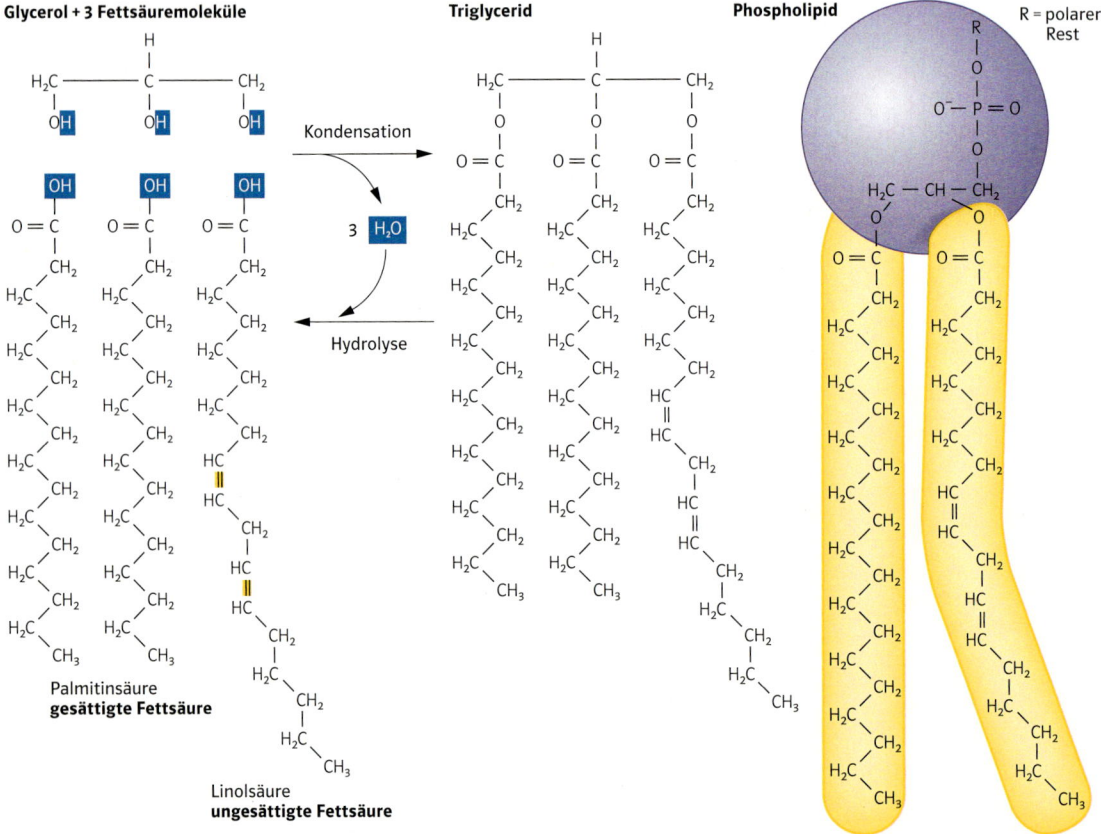

1 Die Eigenschaften von Lipiden werden durch die Art der Fettsäuren beeinflusst.

Aufgabe 1.7

Vergleichen Sie Phospholipide und Triglyceride nach Aufbau, Eigenschaften und Vorkommen.

Die Zelle — Grundeinheit des Lebens

2

Münchner Oktoberfest

Menschenmassen auf dem Münchner Oktoberfest — so ähnlich können Sie sich das Gedränge der Makromoleküle im Cytoplasma einer lebenden Zelle vorstellen. Scheinbar ein völliges Chaos, aber dennoch weiß (fast) jeder, zu wem er gehört und wohin er will. Im molekularen Gedränge unserer Zellen baden ganz unterschiedliche Organellen, im Bild symbolisiert durch Fahrgeschäfte und Buden. Sie alle erfüllen in diesem Gewimmel spezielle Aufgaben. Weltweit arbeiten Forschungslabors daran, die komplizierten Wechselwirkungen zwischen den Zellbestandteilen aufzuklären.

2.1	Mikroskope machen Zellen und deren Bestandteile sichtbar
2.2	Procyten sind klein und effizient
2.3	Eucyten verfügen über eine Vielfalt an Organellen für Spezialaufgaben
2.4	Der Zellkern ist die genetische Steuerzentrale der Zellaktivität
2.5	Im Cytoplasma laufen viele lebensnotwendige Reaktionen ab
2.6	Das Endomembransystem produziert, verpackt, verschickt und recycelt
2.7	Zellen werden durch eine Zellwand oder ein Cytoskelett stabilisiert
2.8	Die Mitose teilt Zellkerne von Eucyten in identische Tochterkerne

2.1 Mikroskope machen Zellen und deren Bestandteile sichtbar

Kennen Sie „Flohgläser"? So nannte man die ersten einfachen Mikroskope, die man im frühen 17. Jahrhundert speziell zum Bestaunen von Flöhen und Fliegen konstruierte. Damals waren Mikroskope nicht viel mehr als fest montierte Lupen. Die wissenschaftliche Mikroskopie begann erst um 1670. Das ist erstaunlich, denn das fast zeitgleich um 1600 ebenfalls von holländischen Brillenschleifern erfundene Fernrohr hielt fast unmittelbar, durch GALILEO GALILEI, Einzug in die Wissenschaft. Aber im Gegensatz zum Fernrohr hatte auf das Mikroskop niemand gewartet — von der Existenz einer Mikrowelt ahnte man damals nichts. Entsprechend entsetzt war man beim ersten Blick auf das Gewimmel von Mikroorganismen in einem Wassertropfen.

Im 18. Jahrhundert waren die Mikroskope dann schon voll wissenschaftstauglich (→ Abb. 1 a). Zwar war es noch ein weiter Entwicklungsweg bis zu den Elektronenmikroskopen unserer Tage (→ Abb. 1 b), aber dafür stand den Pionieren der biologischen Mikroskopie noch die gesamte Mikrowelt offen — ein völlig unentdeckter Kontinent. Diese Forscher konnten praktisch Tag für Tag etwas Neues studieren, das vor ihnen noch kein Mensch gesehen hatte. Das muss für sie wie ein Rausch gewesen sein.

Vielleicht haben Sie jetzt den Eindruck bekommen, es gäbe heute in der Mikrowelt nicht mehr viel zu entdecken, aber weit gefehlt. Die Anzahl spezieller Zellstrukturen in der Biologie ist unerschöpflich, und auch bei schon lange untersuchten Forschungsobjekten kommt es mit dem technischen Fortschritt laufend zu neuen Entdeckungen.

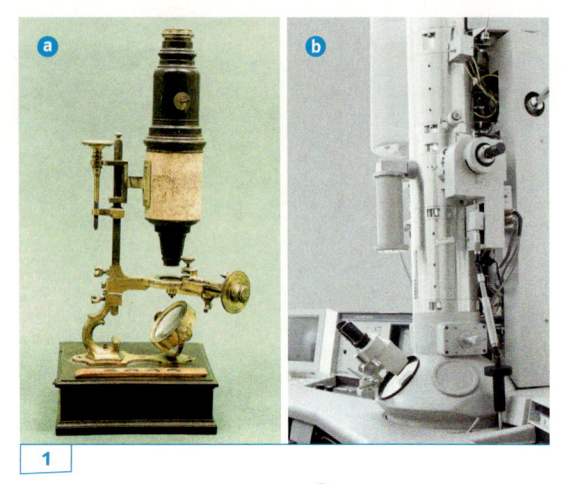

1 Dieses LM aus Holz und Pappe a war um 1750 ebenso fortschrittlich wie heute ein modernes TEM b.

Im **Lichtmikroskop** (LM) betrachtet man lebende Objekte, einzelne Zellen oder angefärbte Gewebeschnitte. Moderne Verfahren der Lichtmikroskopie machen dabei erstaunliche Einzelheiten sichtbar. So kann man durch Anheften fluoreszierender Farbstoffe einzelne Bauelemente der Zelle gezielt zum Leuchten bringen. Dann sind sie viel besser zu sehen. Ein präzise gesteuerter Laserstrahl kann ein Objekt in Schichten erfassen (Laserscan), die dann im Computer zu einem naturgetreuen räumlichen Modell zusammengesetzt werden (→ Abb. 2 a).

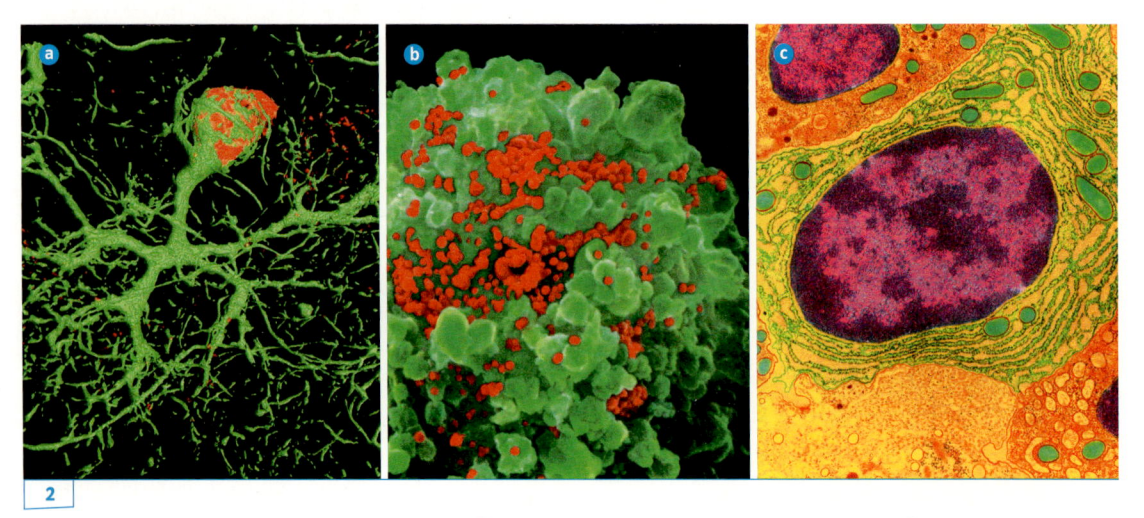

2 Mikroskope blicken in die Mikro- und Nanowelt. a Nervenzelle im LM (Laserscan, Computerbild). b Von Viren (rot) befallene Blutzelle im REM. c Dünnschnitt einer weißen Blutzelle im TEM, mit Zellkern (violett). (Falschfarbenaufnahmen)

Die Zelle — Grundeinheit des Lebens

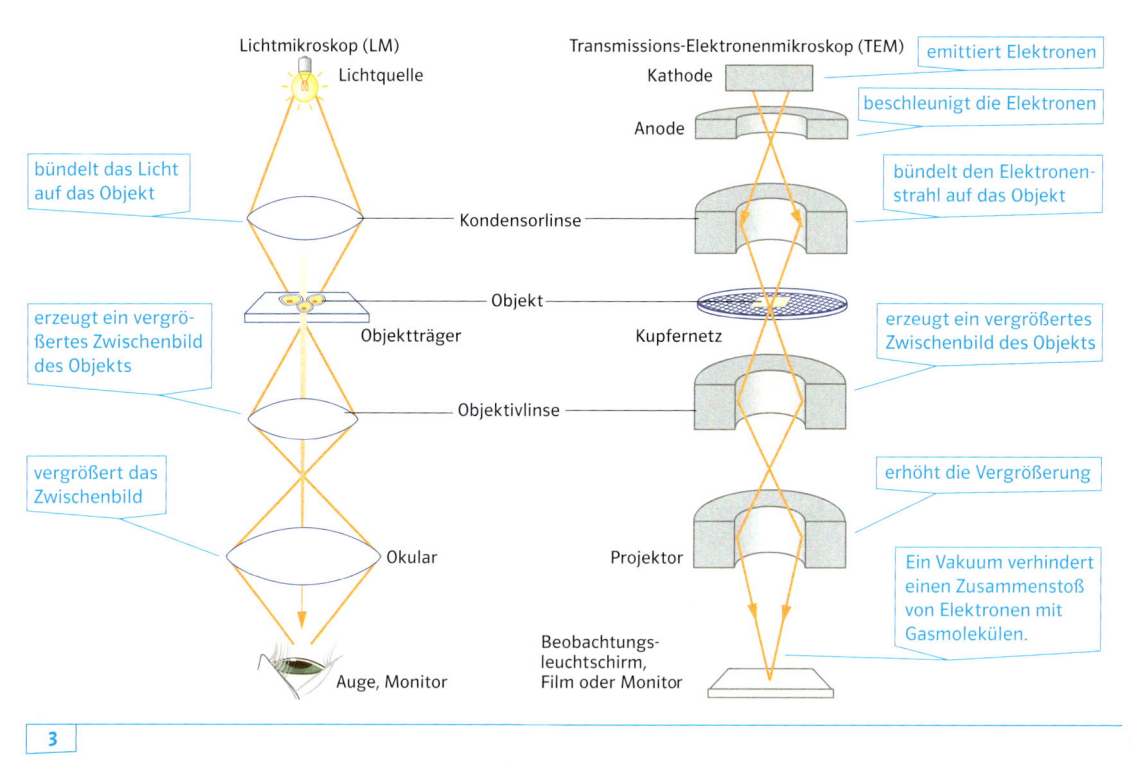

Lichtmikroskop (LM)
- Lichtquelle
- bündelt das Licht auf das Objekt → Kondensorlinse
- erzeugt ein vergrößertes Zwischenbild des Objekts → Objekt / Objektträger
- Objektivlinse
- vergrößert das Zwischenbild → Okular
- Auge, Monitor

Transmissions-Elektronenmikroskop (TEM)
- Kathode — emittiert Elektronen
- Anode — beschleunigt die Elektronen
- Kondensorlinse — bündelt den Elektronenstrahl auf das Objekt
- Objekt / Kupfernetz — erzeugt ein vergrößertes Zwischenbild des Objekts
- Objektivlinse
- Projektor — erhöht die Vergrößerung
- Beobachtungsleuchtschirm, Film oder Monitor — Ein Vakuum verhindert einen Zusammenstoß von Elektronen mit Gasmolekülen.

3 **LM und TEM haben einen ähnlichen Strahlengang.** Übliche primäre Vergrößerungen (also ohne die zusätzliche Vergrößerung des aufgenommenen Bildes) sind 400-fach im LM und 40 000-fach im TEM.

Viel mehr Details als jedes Lichtmikroskop zeigt das **Elektronenmikroskop** (EM). EM-Bilder sind zwar stets schwarzweiß, aber wie Abb. 2 **b** und 2 **c** zeigen, kann der Computer die Grautöne durch Falschfarben ersetzen. Bei der *Raster-Elektronenmikroskopie* (REM) werden Oberflächen mit Gold bedampft. Dann tastet der Elektronenstrahl die Oberfläche Punkt für Punkt ab. Dadurch werden kleinste Unebenheiten und Strukturen sichtbar (→ Abb. 2 **b**). Das *Transmissions-Elektronenmikroskop* (TEM) liefert Bilder im Durchstrahl. Das zeigt das Innenleben von Objekten in hoher Auflösung. Zellen und Gewebe müssen für dieses Verfahren extrem dünn geschnitten werden (→ Abb. 2 **c**). Sogar einzelne Proteinkomplexe kann man im TEM sehen (→ Abb. 2, S. 28).

Das Funktionsprinzip von LM und TEM ist ähnlich (→ Abb. 3). Warum erkennen Sie dann im TEM viel mehr Einzelheiten? Entscheidend für die Auflösung eines Mikroskops ist, wie dicht zwei Punkte benachbart sein dürfen, um noch getrennt wahrgenommen zu werden. Diese *Auflösungsgrenze* d hängt beim LM zum einen von physikalischen Gegebenheiten am Objektiv ab, als *numerische Apertur* A zusammengefasst. Die numerische Apertur beträgt maximal 1,4. Zum anderen ist die Wellenlänge λ des sichtbaren Lichts (400–700 nm) entscheidend. Nach der Formel $d = \frac{\lambda}{2} \cdot A$ können Sie die Auflösungsgrenze des LM für Grünlicht (550 nm) leicht ausrechnen. Sie beträgt rund 200 nm. Das EM erreicht dagegen theoretisch fast eine atomare Auflösung (0,1 nm) und praktisch liegt die Auflösungsgrenze immerhin bei etwa 1 nm (10^{-6} mm).

Wozu braucht man das LM überhaupt noch, wenn das EM so viel stärker vergrößert? Auch für einen Bericht über das Oktoberfest benötigt man Szenenfotos; lediglich Großaufnahmen von Gesichtern zu machen, genügt nicht. Es ist oft erstaunlich schwierig, EM- und LM-Bild in Einklang zu bringen, also den Ort einer EM-Aufnahme im LM wiederzufinden. Es ist, als müssten Sie auf dem Oktoberfestbild mithilfe eines Passfotos einen bestimmten Menschen identifizieren. Neuartige Elektronenmikroskope mit integriertem Lichtmikroskop ermöglichen es, stufenweise durch das LM-Bild in das EM-Bild hinein zu vergrößern. Lebendbeobachtung ist im EM allerdings unmöglich. Um die Auflösungslücke zwischen LM und EM zu schließen, treibt man die Entwicklung ganz neuer Verfahren voran.

Aufgabe 2.1

Erläutern Sie, warum Biologen noch Lichtmikroskope verwenden, obwohl Elektronenmikroskope viel stärker vergrößern.

2.2 Procyten sind klein und effizient

Jeder von uns ist von einer großen Vielfalt an nützlichen, neutralen und schädlichen Bakterien besiedelt. Bakterien sind **Prokaryoten**. Das bedeutet Vorkernige, denn diesen Lebewesen fehlt der typische Zellkern, den die **Eukaryoten** (Echtkernigen) besitzen. Die einzelne prokaryotische Zelle, die **Procyte**, unterscheidet sich auch sonst sehr von der eukaryotischen Zelle, der **Eucyte**. In Abb. 1 sehen Sie einen Größenvergleich sowie die wichtigsten Merkmale einer Procyte.

Bakterien sind 1–10 µm große Einzeller und treten in vielen Formen auf, z. B. als runde Kokken, längliche Bazillen oder schraubige Spirillen. Das Zellinnere, **Cytoplasma** genannt, ist stets durch eine **Zellmembran** von der Außenwelt getrennt. Über biologische Membranen werden Sie in Kapitel 3 mehr erfahren.

Die Zellmembran ist von einer festen **Zellwand** umgeben. In vielen Fällen folgt eine widerstandsfähige *Kapsel* (→ Abb. 1). Andere Bakterien haben stattdessen außen eine zweite Membran (→ Abb. 2). Die Zellwand von Bakterien besteht aus *Peptidoglykan*, einem Makromolekül. Da diese Art von Zellwand bei Eukaryoten nicht vorkommt, ist sie der Ansatzpunkt vieler *Antibiotika* zur Bekämpfung von Bakterien. Die äußere Kapsel setzt sich aus Kohlenhydraten zusammen und kann fest oder schleimig sein. Zellwand und Kapsel schützen das Bakterium vor schädlichen Umwelteinflüssen. Oft handelt es sich bei dieser Umwelt um das Körperinnere anderer Lebewesen.

Die Oberfläche vieler Bakterienzellen trägt Fortsätze, wobei sich drei Typen unterscheiden lassen: Fimbrien, Sexpili und Geißeln (→ Abb. 1). *Fimbrien* sind kurze Borsten und dienen zum Anheften an Oberflächen. *Sexpili* (Einzahl: Sexpilus) sind hohle Nadeln, die es den Bakterienzellen ermöglichen, über Cytoplasmabrücken miteinander DNA auszutauschen (→ Abb. 1 **C**, S. 190). *Geißeln* dienen der aktiven Fortbewegung. Anders als die eukaryotische Geißel, die eine Ruderbewegung durchführt, wird die Bakteriengeißel von einem winzigen Rotationsmotor aus Proteinen angetrieben, den Sie in Abb. 2 sehen.

Im Cytoplasma existiert bei der Procyte ein Bereich, in dem ein einzelnes **Chromosom** liegt. Dieses besteht aus einem großen DNA-Molekül, wie Sie es schon kennen (→ Abb. 1, S. 32). Allerdings ist das DNA-Molekül hier zu einem Ring geschlossen. Viele Bakterien besitzen zusätzlich noch kleine DNA-Ringe, die man **Plasmide** nennt (→ Abb. 1). Plasmide werden häufig in der Gentechnik verwendet, weil man damit fremde DNA in Bakterien einschleusen kann (→ 14.1). Außerdem finden sich in der Procyte kleine **Vesikel** (Bläschen) zur Speicherung von Substanzen. Im dichten molekularen Gedränge des Cytoplasmas sind Tausende von **Ribosomen** verteilt (→ Abb. 2). Sie sind eine Art Werkstatt, in der die Zelle aus einzelnen Aminosäuren Proteine herstellt. RNA-Moleküle dienen dabei als Baupläne (→ Abb. 1, S. 44). Die Ribosomen selbst bestehen aus Proteinen und RNA-Molekülen (→ Abb. 3, S. 42). Sie sind in der Procyte kleiner als in der Eucyte.

Geschlechtliche (*sexuelle*) Fortpflanzung erfolgt bei Bakterien nur gelegentlich und keineswegs bei allen Arten. Ganz überwiegend pflanzen sich Bakterien ungeschlechtlich (*asexuell*) durch einfache Zwei-

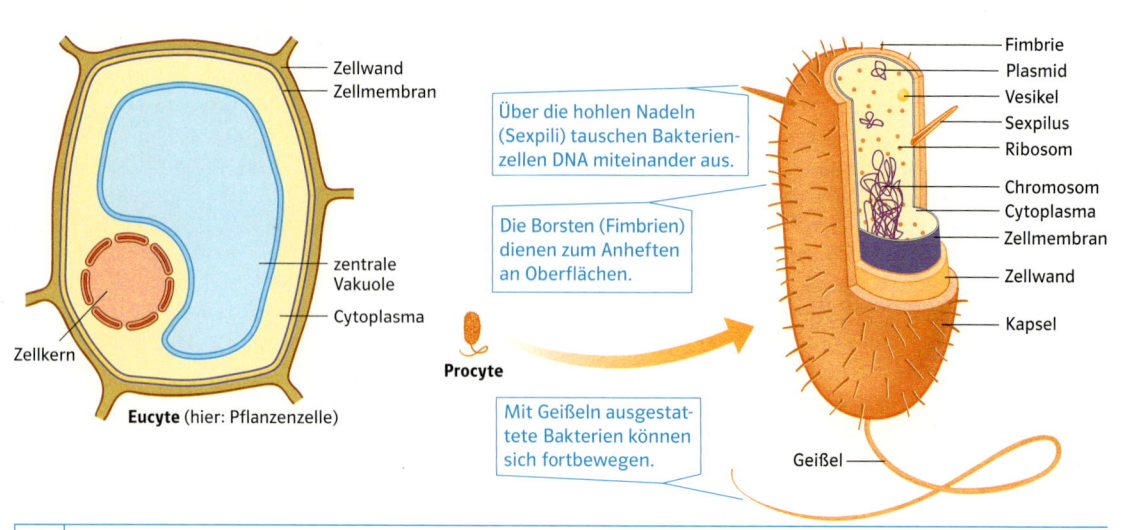

Kompartimentierung

1

Eine Procyte ist im Verhältnis so klein, dass von ihr Hunderte in eine Eucyte passen würden.

Eucyte (hier: Pflanzenzelle) — Zellwand, Zellmembran, zentrale Vakuole, Cytoplasma, Zellkern

Procyte — Fimbrie, Plasmid, Vesikel, Sexpilus, Ribosom, Chromosom, Cytoplasma, Zellmembran, Zellwand, Kapsel, Geißel

Über die hohlen Nadeln (Sexpili) tauschen Bakterienzellen DNA miteinander aus.

Die Borsten (Fimbrien) dienen zum Anheften an Oberflächen.

Mit Geißeln ausgestattete Bakterien können sich fortbewegen.

In einer Bakterienzelle (*E. coli*) herrscht molekulares Gedränge. Die feste Zellwand (weiß) liegt hier zwischen zwei Membranen, die äußere davon trägt Zuckerbäume (hellgrün). Auch ein Geißelmotor ist dort zu sehen (rotbraun). Im Cytoplasma gibt es Ribosomen (orange), zweierlei RNA-Moleküle (grün) und verschiedene Proteine (beige und braun). Man erkennt Teile der DNA (violett) und damit verbundene Proteine (gelb), ein rundes Vesikel (gelb), ein DNA-Plasmid (violett).

und schließlich sterben die meisten Individuen am eigenen „Müll" (→ 24.1). Unter Bakterienwachstum versteht man übrigens das Wachstum der Kolonie und nicht das des Individuums.

Wie und wovon leben Prokaryoten? Die Stoffwechselvielfalt der Prokaryoten ist unter den Lebewesen unübertroffen. Viele existieren unter völligem Luftabschluss (*anaerob*) und gewinnen ihre Energie ausschließlich durch *Gärung* (→ Abb. 1, S. 113). Andere vermögen die Lichtenergie zu nutzen. Wieder andere oxidieren anorganische Verbindungen oder bestimmte chemische Elemente (→ S. 142). Es gibt praktisch keine chemische oder lichtabhängige Reaktion auf der Erde, die nicht von Bakterien zur Energiegewinnung genutzt werden kann.• Und es gibt keinen Lebensraum, der nicht von ihnen besiedelt wäre. Ihr Erfolgsrezept ist ihre Winzigkeit.

Wie Sie gesehen haben, ist die Procyte zwar klein und vergleichsweise einfach gebaut, aber keineswegs primitiv. In Vielfalt und Anpassungsfähigkeit steht sie hinter den Entfaltungsmöglichkeiten der Eucyte nicht zurück.

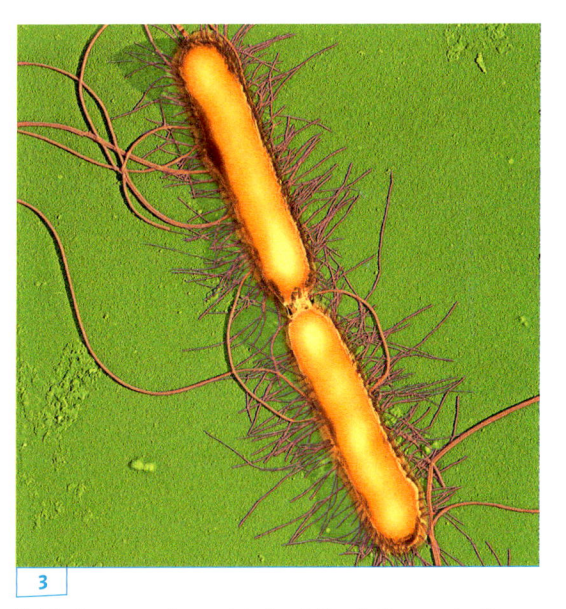

Stoff- und Energieumwandlung

teilung fort (→ Abb. 3). Man bezeichnet dies auch als Spaltung und hat daher ganz früher die Bakterien auch „Spaltpilze" genannt. Sie können dabei aufgrund ihrer geringen Größe enorme Vermehrungsraten erreichen. So teilt sich ein wichtiger Modellorganismus der Molekularbiologen, das Darmbakterium *Escherichia coli* (*E. coli*), alle 20 Minuten.• Bei unbegrenzter Nährstoffzufuhr würde eine Bakterienkolonie ausgehend von einem einzelnen Individuum rasch den ganzen Globus überwuchern. Natürlich ist ein solch rasantes Wachstum (Verdopplung der Anzahl alle 20 Minuten) nur kurzzeitig möglich, da die Nahrung bald knapp wird. Dann geht es der Kolonie zunehmend schlechter,

Bakterien vermehren sich durch Zweiteilung, wie dieses menschliche Darmbakterium (*Proteus vulgaris*). Die langen Geißeln lassen sich gut von den kurzen Fimbrien unterscheiden. Sexpili sind hier nicht vorhanden. (REM)

Reproduktion

Aufgabe 2.2

Bakterien sind im Verlauf der Evolution klein geblieben. Begründen Sie das.

Zellen

2.3 Eucyten verfügen über eine Vielfalt an Organellen für Spezialaufgaben

Wie sieht nun eine eukaryotische Zelle aus? Die Antwort ist auf den ersten Blick gar nicht so leicht, denn in der Natur existiert eine riesige Vielfalt an spezialisierten Eucyten, und keine scheint der anderen zu gleichen. Wenn Sie jedoch die Tierzelle in Abb. 1 mit der Pflanzenzelle in Abb. 2 vergleichen, können Sie neben auffälligen Unterschieden viele Gemeinsamkeiten entdecken. Die Pflanzenzelle erscheint als dickwandiger Kasten, während die Tierzelle lediglich von einer zarten Membran umhüllt ist. Diese *Zellmembran* gibt

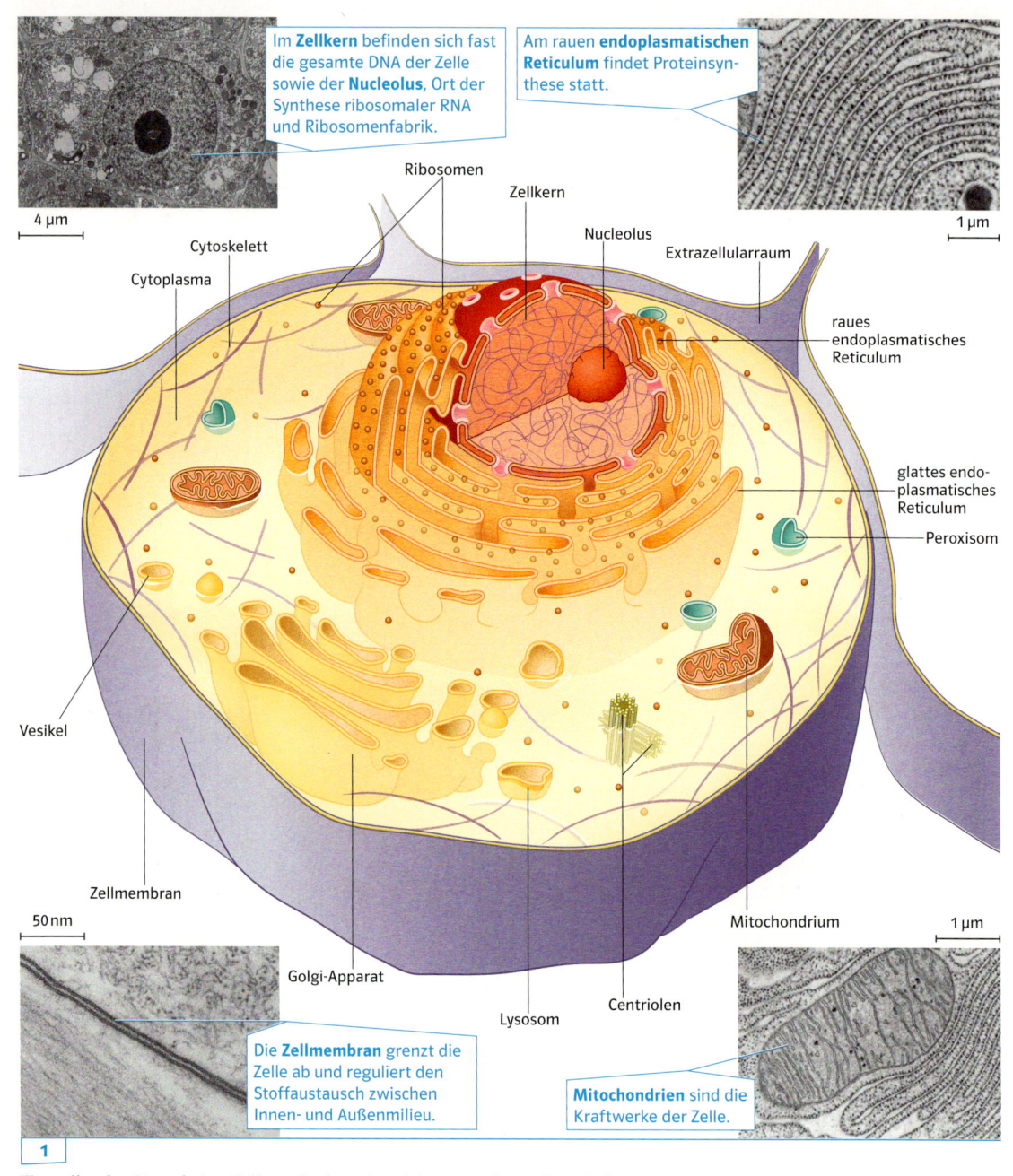

Im **Zellkern** befinden sich fast die gesamte DNA der Zelle sowie der **Nucleolus**, Ort der Synthese ribosomaler RNA und Ribosomenfabrik.

Am rauen **endoplasmatischen Reticulum** findet Proteinsynthese statt.

4 µm

1 µm

Ribosomen
Zellkern
Cytoskelett
Nucleolus
Cytoplasma
Extrazellularraum
raues endoplasmatisches Reticulum
glattes endoplasmatisches Reticulum
Peroxisom
Vesikel
Zellmembran
Mitochondrium
50 nm
1 µm
Golgi-Apparat
Lysosom
Centriolen

Die **Zellmembran** grenzt die Zelle ab und reguliert den Stoffaustausch zwischen Innen- und Außenmilieu.

Mitochondrien sind die Kraftwerke der Zelle.

1 Tierzellen besitzen keine Zellwand, aber ein reich verzweigtes Cytoskelett.

Die Zelle — Grundeinheit des Lebens

es bei der Pflanzenzelle auch, aber sie liegt unter der dicken *Zellwand*, die bei der Tierzelle fehlt. Beide Zelltypen besitzen einen großen *Zellkern*, der nicht zum *Cytoplasma* gerechnet wird. Zwei weitere auffällige Strukturen finden Sie nur in der Pflanzenzelle: die *Chloroplasten* und einen großen Flüssigkeitsbehälter, die *zentrale Vakuole*. All diese Strukturen kann man bereits im Lichtmikroskop (LM) gut sehen.

Weitere Einzelheiten erschließen sich mit dem Transmissions-Elektronenmikroskop (TEM). Dieses zeigt die Ultrastruktur der Zellen, also ihren Feinbau jenseits dessen, was im LM zu sehen ist (ultra (lat.): jenseits). Man hat in Tier- und Pflanzenzellen zahlreiche **Organellen** („kleine Organe") gefunden und näher beschrieben. Die meisten von ihnen sind durch eine Biomembran vom Cytoplasma abgegrenzt, wodurch ein eigener Reaktionsraum entsteht, ein sogenanntes **Kompartiment.*** Ausnahmen bilden *Ribosomen* und *Centriolen*; sie haben keine umhüllende Membran. Der Zellkern, die Chloroplasten und die *Mitochondrien*

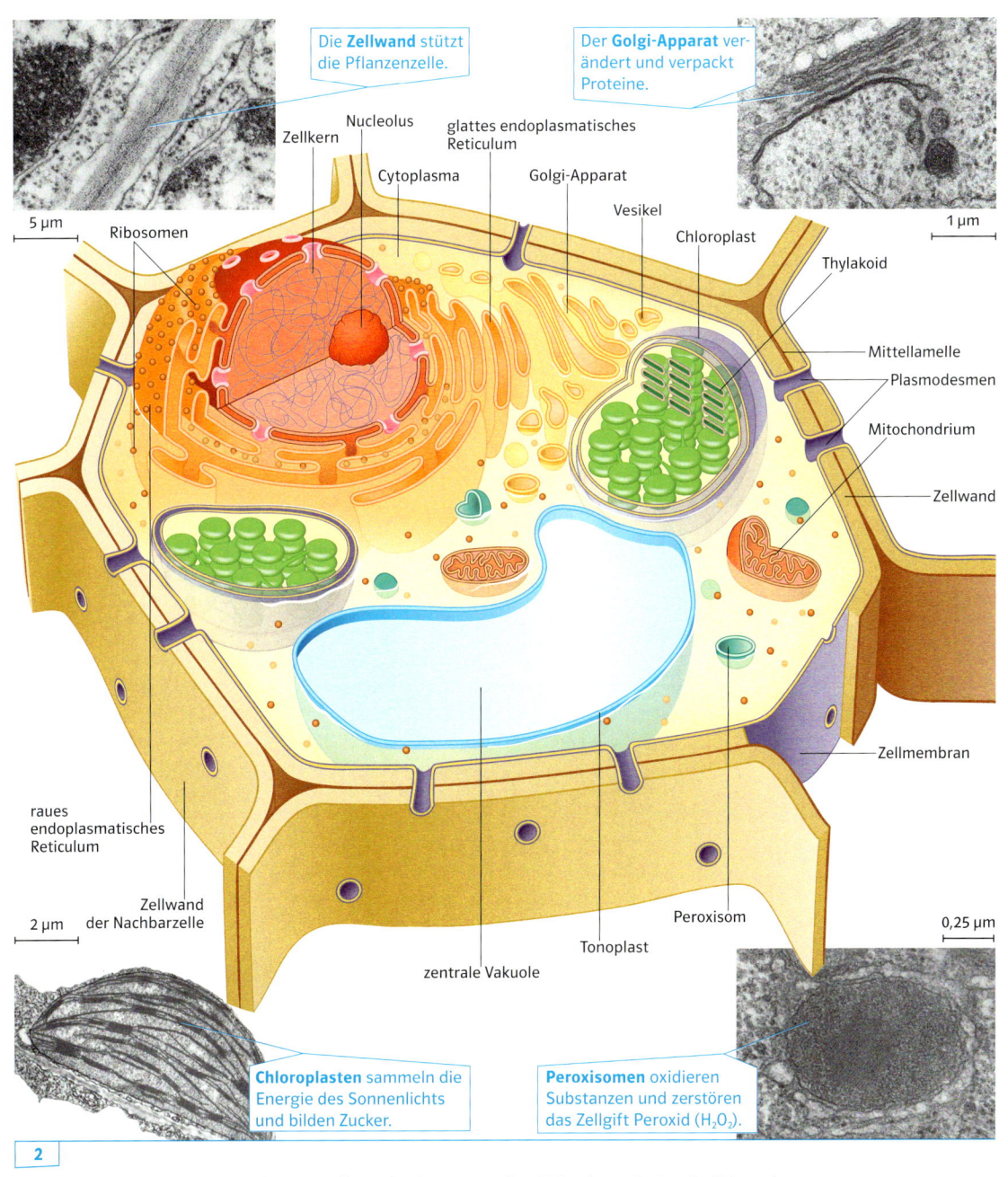

Kompartimentierung

Die **Zellwand** stützt die Pflanzenzelle.

Der **Golgi-Apparat** verändert und verpackt Proteine.

5 µm — Ribosomen — Zellkern — Nucleolus — Cytoplasma — glattes endoplasmatisches Reticulum — Golgi-Apparat — Vesikel — Chloroplast — 1 µm — Thylakoid — Mittellamelle — Plasmodesmen — Mitochondrium — Zellwand — Zellmembran — raues endoplasmatisches Reticulum — 2 µm — Zellwand der Nachbarzelle — zentrale Vakuole — Tonoplast — Peroxisom — 0,25 µm

Chloroplasten sammeln die Energie des Sonnenlichts und bilden Zucker.

Peroxisomen oxidieren Substanzen und zerstören das Zellgift Peroxid (H_2O_2).

2

Pflanzenzellen sind mit einer festen Zellwand, einer zentralen Vakuole und oft mit Chloroplasten ausgestattet.

besitzen sogar eine Doppelmembran, was mit der Entstehung der Eucyte im Verlauf der Evolution zusammenhängt (→ 20.4). In den Abbildungen 1 und 2 auf S. 40/41 sind die wichtigsten Zellorganellen schematisch und als TEM-Bilder gezeigt. Dort wird auch ihre jeweilige Aufgabe genannt. Es herrscht eine strenge *Arbeitsteilung*, was durch die Kompartimentierung, die Abgrenzung von Reaktionsräumen, unterstützt wird. Das Cytoplasma zwischen den großen Zellorganellen wirkt ziemlich leer, aber wie Sie in der Abb. 2, S. 39, gesehen haben, ist dieser Eindruck völlig falsch. Die betreffenden Strukturen sind nur so winzig, dass sie meist weggelassen werden. Manche einfach dargestellten Strukturen sind außerordentlich komplex, wie Sie am Beispiel eines bakteriellen **Ribosoms** sehen (→ Abb. 3).

Mit dem bloßen Auge kann man noch Strukturen bis zu einer Größe von 100 µm (0,1 mm) erkennen. Eine durchschnittliche Tier- oder Pflanzenzelle von 20 µm Durchmesser hat vielleicht einen 8 µm großen Zellkern und 1,5 µm dicke Mitochondrien (→ Abb. 3, S. 16). Ein Ribosom misst dagegen lediglich 25 nm (0,025 µm), und nur wenige Proteine überschreiten einen Durchmesser von 10 nm. Biomembranen sind etwa 7 nm dick und eine DNA-Doppelhelix lediglich 2 nm. Zum Vergleich: Wenn Ihr Zimmer die Eucyte wäre, dann hätte der Zellkern die Größe Ihres Schreibtisches und Mitochondrien wären wie Ihr Kopfkissen. Ribosomen wären in diesem Maßstab lediglich so groß wie Oliven, und Biomembranen hätten die Dicke einer Bananenschale. Zelluläre Proteinkomplexe wären selten mehr als erbsengroß, und RNA-Moleküle würden dünnen Spaghetti gleichen. Aber die lebende Zelle ist kein Durcheinander, sondern ein „geordnetes Chaos" — wie das Oktoberfest.

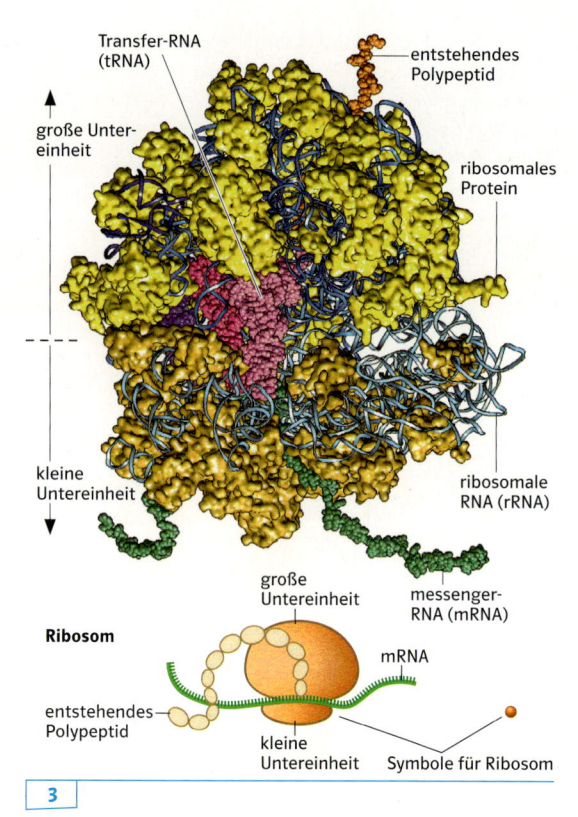

3 Für die Aufklärung dieser Proteinfabrik gab es 2009 den Chemie-Nobelpreis.

Aufgabe 2.3

Stellen Sie fünf strukturelle Unterschiede der Eucyte im Vergleich zur Procyte zusammen.

2.4 Der Zellkern ist die genetische Steuerzentrale der Zellaktivität

Der **Zellkern** oder **Nucleus** enthält die DNA und ist damit die Steuerzentrale der Zelle. Er ist durch eine Doppelmembran, die *Kernhülle*, vom Cytoplasma getrennt. Dieses steht mit dem Inneren des Zellkerns über mehrere Tausend *Kernporen* in Verbindung. Die Poren werden von einem 100 nm großen Proteinkomplex gebildet, dem *Kernporenkomplex*. Er kontrolliert das Ein- und Ausschleusen von Makromolekülen (→ Abb. 1). Damit ist er für die in der DNA gespeicherte Erbinformation sozusagen das Tor zum Cytoplasma. Weltweit arbeiten Forschergruppen daran zu ergründen, wie dieses Tor funktioniert. Die Öffnung hat rund 10 nm Durchmesser. Wenn Sie sich den Zellkern als 20 cm großen Ball vorstellen, hätten die Kernporen einen Durchmesser von 1 mm.

Durch die Kernporen können Wassermoleküle ungehindert diffundieren. Andere Moleküle bis hin zu mittelgroßen Proteinen können ebenfalls frei passieren,

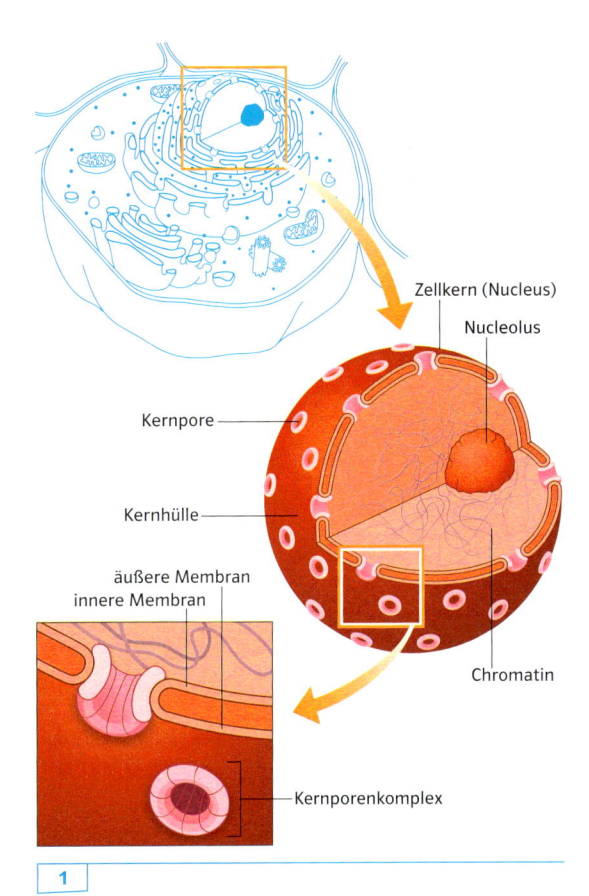

Die Zelle — Grundeinheit des Lebens

auf bestimmte Proteine, die *Histone*, aufgewickelt ist (→ Abb. 1, S. 156). Dadurch entsteht eine so dichte Packung des DNA-Fadens, dass er in den Zellkern hineinpasst. Die Substanz aus aufgewickelter DNA und Proteinen bezeichnet man als **Chromatin**. Die Chromosomen sind hier nicht individuell zu sehen. Das ist erst bei der Zellteilung der Fall, da sie sich dabei noch weiter verdichten (→ Abb. 2, S. 49). In manchen Bereichen des Zellkerns ist das Chromatin sehr kompakt und erscheint dann im Elektronenmikroskop dunkel, in anderen Bereichen ist es lockerer und erscheint dann hell (→ Abb. 2 C, S. 36). Im hellen Bereich, dem *Euchromatin*, ist die DNA aktiv, im dunklen *Heterochromatin* ist sie stark komprimiert, hier „ruht" sie.

Die auffälligste Struktur im Zellkern ist das Kernkörperchen, der **Nucleolus** (→ Abb. 1). Je nach Zelltyp kann es auch mehrere bis viele davon geben. Hier werden die Ribosomen gebildet. Sie gleichen bakteriellen Ribosomen (→ Abb. 3, S. 42), sind aber etwas größer. Sie bestehen aus rund 85 Proteinen sowie vier verschiedenen tRNA-Molekülen. Im Nucleolus wird diese tRNA synthetisiert und mit den im Cytoplasma hergestellten Proteinen zu zwei Ribosomen-Untereinheiten zusammengebaut. In das Cytoplasma gelangen diese dann durch die Kernporen, allerdings getrennt, denn das komplette Ribosom wäre für den Transfer zu groß. Abb. 1, S. 44, zeigt Ribosomen „bei der Arbeit".

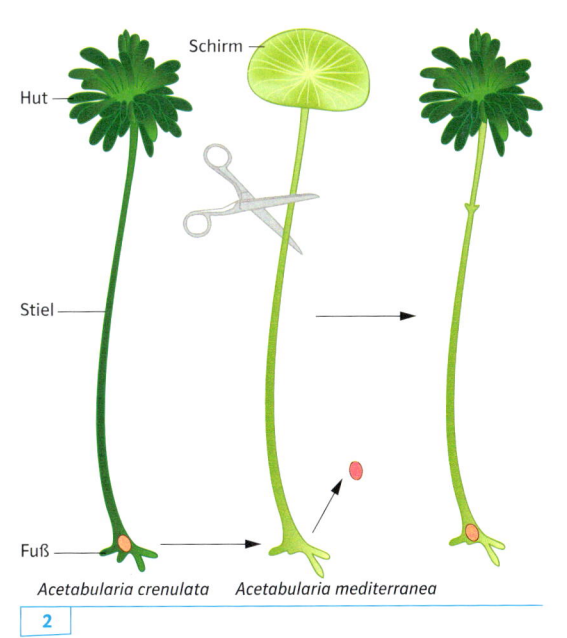

1

Die Kernhülle ermöglicht durch zahlreiche Poren den Austausch zwischen Zellkern und Cytoplasma.

aber es dauert umso länger, je größer sie sind. Noch größere Strukturen brauchen für die Passage bestimmte Transportmoleküle. Diese bewegen sich mit ihrer Last an Peptidsträngen entlang zur Pore, die sich unter Energieverbrauch erweitern kann. Durch die Kernporen gelangen Signalmoleküle zur DNA, und als Antwort werden RNA-Moleküle mit den Bauanweisungen für Proteine ausgeschleust. Die Bedeutung des Zellkerns als genetische Steuerzentrale wurde bereits 1932 durch Kernaustausch an der einzelligen Schirmalge *Acetabularia* nachgewiesen (→ Abb. 2). Verpflanzt man den Zellkern von *A. crenulata* in den entkernten Stiel von *A. mediterranea*, so wächst diesem ein für *A. crenulata* typischer Hut.

Der Zellkern beherbergt neben der DNA noch zahlreiche Proteine. Die DNA ist auf eine Reihe von Chromosomen verteilt. Der Mensch hat in jedem Zellkern 46 davon. Jedes Chromosom besteht aus einer mehrere Zentimeter langen DNA-Doppelhelix, die

2

Der Kernaustausch bei *Acetabularia* zeigt: Der Kern bestimmt die Wuchsform.

Aufgabe 2.4

Geben Sie die Stoffe an, die im Zellkern verbleiben, sowie solche, die die Kernhülle überwinden können.

2.5 Im Cytoplasma laufen viele lebensnotwendige Reaktionen ab

Das **Cytoplasma** ist ein wässriges Medium, das Millionen gelöster Protein- und RNA-Moleküle enthält und dazwischen immer wieder Ribosomen und größere Zellorganellen beherbergt. Das molekulare Gedränge ist in der Eucyte so dicht wie in einer Procyte (→ Abb. 2, S. 39). Aber solche Illustrationen täuschen, denn es ist noch erheblich komplizierter. Hinzu kommen nämlich noch unzählige viel kleinere Proteinmoleküle, die zelluläre Abläufe steuern, Stoffe transportieren oder als Enzyme bestimmte Reaktionen katalysieren.

Ebenfalls zu bedenken ist das Gewimmel kleiner organischer Moleküle, auf denen der Zellstoffwechsel beruht. Hierzu gehören die in Kapitel 1 behandelten Zucker, Aminosäuren, Lipide und Nucleotide und ebenso alle Zwischenprodukte des Zellstoffwechsels. Hinzu kommen noch zahllose anorganische Moleküle wie Hydrogencarbonat (HCO_3^-), weitere Salz-Ionen (z. B. Na^+ und Cl^-) und schließlich die allgegenwärtigen Wassermoleküle (H_2O). Nicht zu vergessen sind auch die gelösten Gase, insbesondere der Sauerstoff (O_2) und das Kohlenstoffdioxid (CO_2). Was in diesem Gedränge so alles abläuft, hängt stark vom Zelltyp ab. In einer Muskelzelle sieht es ganz anders aus als in einer Nervenzelle. Oft werden im Cytoplasma auch noch Substanzen gespeichert, etwa Glykogenpartikel in Leberzellen oder Pigmentteilchen in Hautzellen.

Ein wichtiger, im Cytoplasma stattfindender Aufbauprozess ist die Synthese von Proteinen an den Ribosomen, die **Translation** (→ 10.3). Wie Sie in Abb. 1 sehen, gibt es dabei zwei mögliche Zielorte für das gebildete Protein: Entweder es verbleibt im Cytoplasma oder es landet im endoplasmatischen Reticulum (ER). Zu den Abbauprozessen im Cytoplasma gehört der Einsatz molekularer Schredder. Dies sind Proteinkomplexe, *Proteasomen* genannt, die zelleigene Proteine in kurze Peptide zerlegen. Proteasomen spielen auch bei der Immunabwehr eine Rolle (→ 16.3). Seit Generationen sind Forscher dabei, die Wege des Stoffwechsels der Zelle aufzuklären. Eine Voraussetzung ist dabei, die Zellkompartimente voneinander zu trennen. Dazu dient das Verfahren der Dichtegradientenzentrifugation (→ Abb. 2).

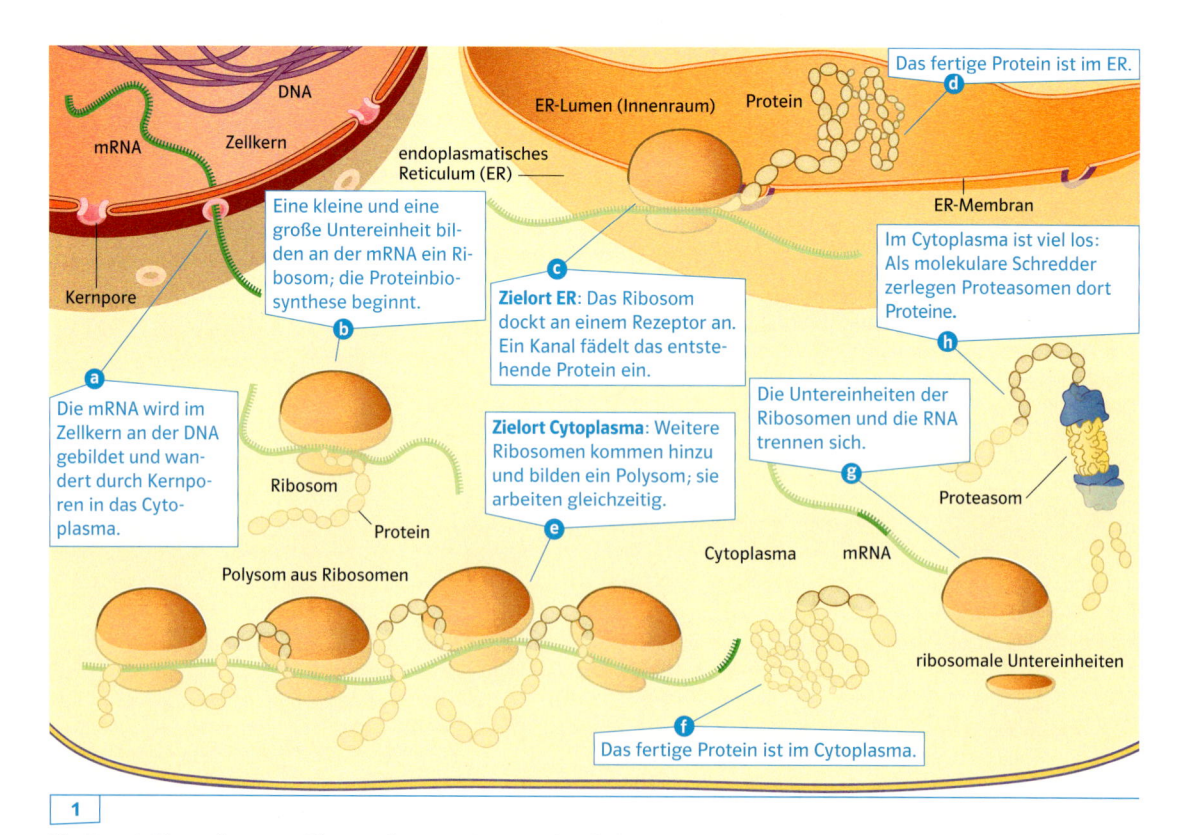

1 Die Proteinbiosynthese am Ribosom kann zwei unterschiedliche Zielorte haben. (Hier sind Ribosomen und ER relativ zum Zellkern zu groß dargestellt.)

Methode: Dichtegradientenzentrifugation

Anwendung
Ein Gemisch aus mehreren Typen von Organellen soll getrennt werden.

Methode
Man nützt die unterschiedliche Dichte der Zellorganellen aus.

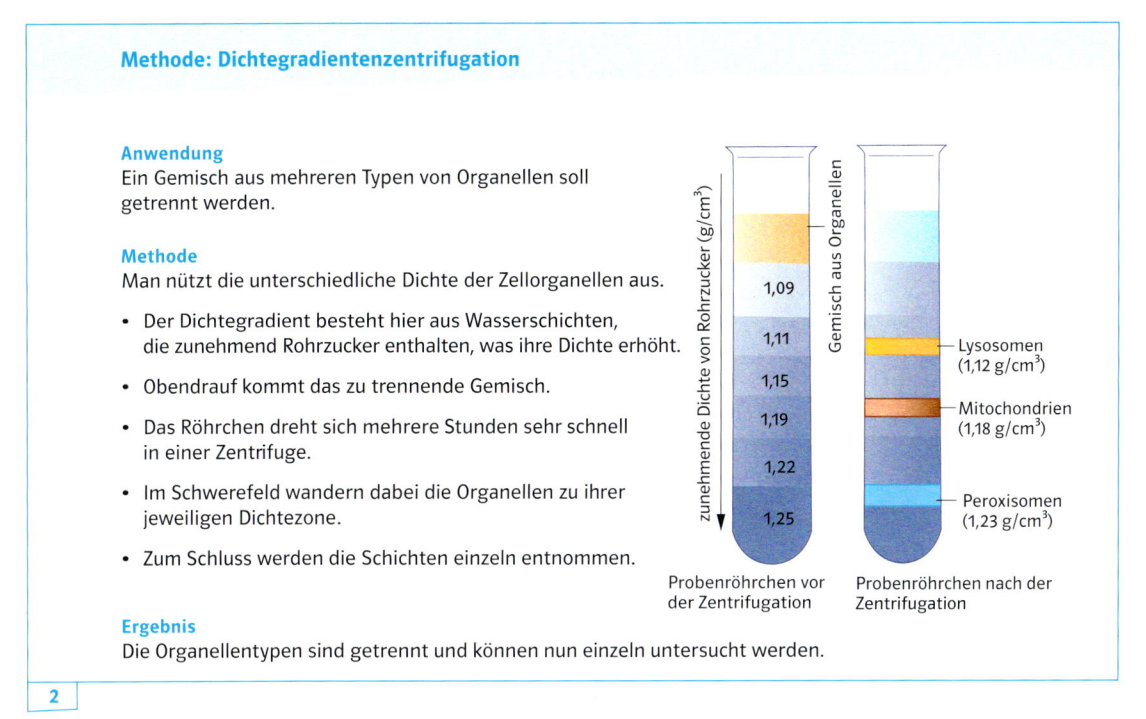

- Der Dichtegradient besteht hier aus Wasserschichten, die zunehmend Rohrzucker enthalten, was ihre Dichte erhöht.
- Obendrauf kommt das zu trennende Gemisch.
- Das Röhrchen dreht sich mehrere Stunden sehr schnell in einer Zentrifuge.
- Im Schwerefeld wandern dabei die Organellen zu ihrer jeweiligen Dichtezone.
- Zum Schluss werden die Schichten einzeln entnommen.

Ergebnis
Die Organellentypen sind getrennt und können nun einzeln untersucht werden.

zunehmende Dichte von Rohrzucker (g/cm^3): 1,09 / 1,11 / 1,15 / 1,19 / 1,22 / 1,25

Gemisch aus Organellen — Lysosomen (1,12 g/cm^3), Mitochondrien (1,18 g/cm^3), Peroxisomen (1,23 g/cm^3)

Probenröhrchen vor der Zentrifugation | Probenröhrchen nach der Zentrifugation

2 Eine Dichtegradientenzentrifugation ermöglicht es, Zellbestandteile voneinander zu isolieren.

Aufgabe 2.5
Erklären Sie, wodurch im „Chaos" des Cytoplasmas geordnete Abläufe und chemische Reaktionswege möglich sind.

2.6 Das Endomembransystem produziert, verpackt, verschickt und recycelt

Das **endoplasmatische Reticulum** (ER) ist direkt mit der äußeren Membran der Kernhülle verbunden und durchzieht das Cytoplasma in Form zahlreicher Kanäle und flacher Hohlräume, auch *ER-Zisternen* genannt (→ Abb. 1, S. 46).• Wie die Lamellen eines Klimageräts durchsetzen die ER-Zisternen das Cytoplasma (→ Abb. 2 C, S. 36). Alle sind miteinander verbunden. Der gemeinsame Innenraum wird auch als *ER-Lumen* bezeichnet. Durch das ER wird die innere Membranfläche einer Zelle um ein Vielfaches vergrößert.

Ein Teil des ER ist dicht besetzt mit Ribosomen und wird dann als *raues ER* bezeichnet. Dort findet ein großer Teil der *Proteinbiosynthese* der Zelle statt. Die am rauen ER gebildeten Proteine sind entweder für die vielen Membranen der Zelle bestimmt oder sie werden in die Umgebung abgesondert (sezerniert). So ist zum Beispiel das für die Regulation des Blutzuckerspiegels verantwortliche *Insulin* ein solches *sekretorisches Protein*. Es wird von Zellen der Bauchspeicheldrüse gebildet und dann in das Blut abgegeben. Bereiche des ER ohne Ribosomenbesatz werden *glattes ER* genannt. Dort werden vor allem die *Membranlipide* synthetisiert. Raues und glattes ER sind also durch die An- bzw. Abwesenheit von Ribosomen definiert. Der Zustand des ER in einer Zelle kann sich ändern, sodass aus rauem ER glattes ER wird und umgekehrt. Gemeinsam produzieren sie die *Biomembranen* der Zelle, die Sie im Detail in Kapitel 3 kennenlernen werden.

Neben dem ER und dem Zwischenraum der Kernhülle (→ Abb. 1, S. 46) besteht das *Endomembransystem* noch aus dem Golgi-Apparat und den Lysosomen. Der **Golgi-Apparat** ist eine große Sortier- und Versandanlage, die aus Vesikeln und einem Zisternenstapel besteht. Sind in der Zelle mehrere solcher Stapel vorhanden,

Kompartimentierung

Zellen

Online-Link
Steckbrief: Pantoffeltierchen
150010-0461

Abb. 1 – Endomembransystem einer Tierzelle

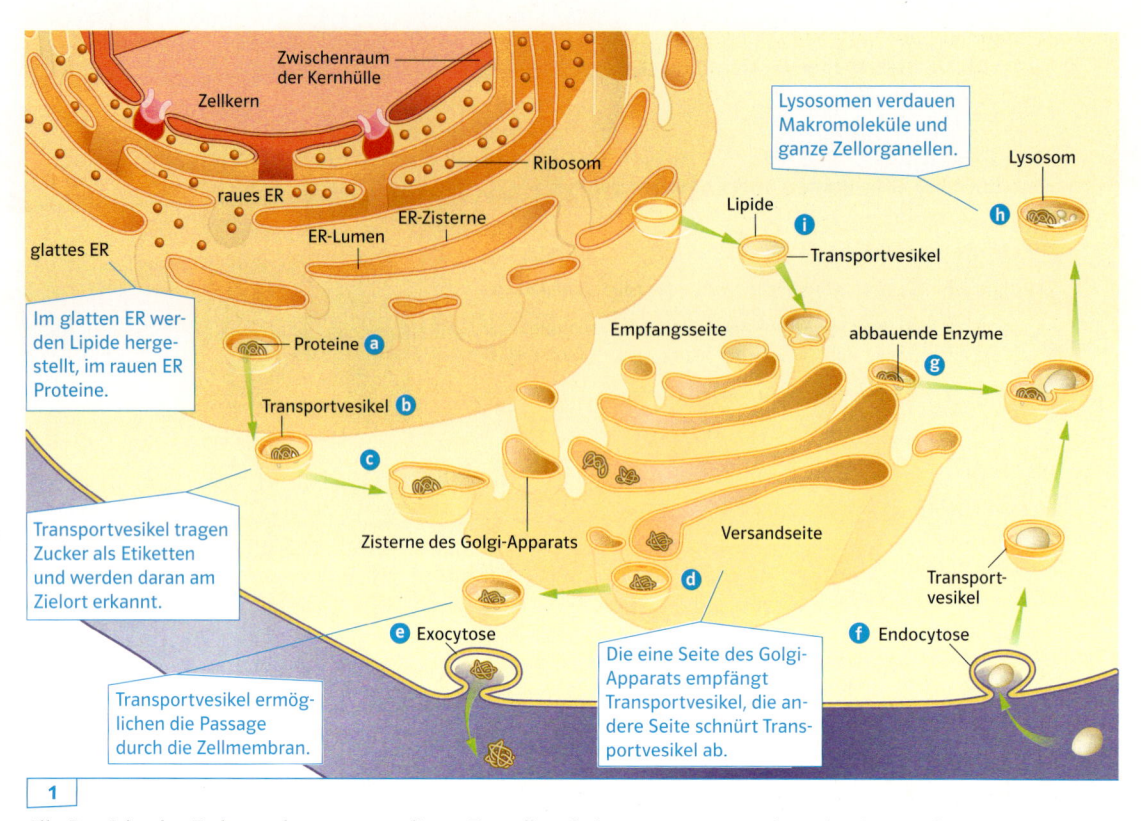

Beschriftungen:
- Zwischenraum der Kernhülle
- Zellkern
- Ribosom
- raues ER
- ER-Zisterne
- ER-Lumen
- glattes ER
- Proteine **a**
- Transportvesikel **b**
- **c**
- Zisterne des Golgi-Apparats
- Empfangsseite
- Versandseite
- **d**
- Lipide
- **i**
- Transportvesikel
- abbauende Enzyme
- **g**
- Lysosomen verdauen Makromoleküle und ganze Zellorganellen.
- Lysosom **h**
- Transportvesikel
- **e** Exocytose
- **f** Endocytose
- Im glatten ER werden Lipide hergestellt, im rauen ER Proteine.
- Transportvesikel tragen Zucker als Etiketten und werden daran am Zielort erkannt.
- Die eine Seite des Golgi-Apparats empfängt Transportvesikel, die andere Seite schnürt Transportvesikel ab.
- Transportvesikel ermöglichen die Passage durch die Zellmembran.

1 Alle Bereiche des Endomembransystems dieser Tierzelle arbeiten zusammen; es besteht ein ständiger Membranfluss.

werden einzelne Stapel als **Dictyosomen** bezeichnet; ihre Gesamtheit ist dann der Golgi-Apparat. Er weist eine Empfangsseite und eine Versandseite für Vesikel auf und unterliegt einem ständigen Wandel.

Wie Sie in Abb. 1 sehen, arbeiten die Bestandteile des Endomembransystems über *Transportvesikel* zusammen. Dies sind membranumhüllte Bläschen, die sich laufend von den größeren Organellen abschnüren oder mit diesen verschmelzen. Im rauen ER produzierte sekretorische (für den Export aus der Zelle bestimmte) Proteine **a** gelangen in Transportvesikeln **b** zur Empfangsseite des Golgi-Apparats **c**, der sie sortiert, verändert und an seiner Versandseite erneut in Transportvesikel verpackt **d**. Diese gelangen zur Zellmembran, mit der sie verschmelzen und so ihren Inhalt in die Umgebung freisetzen. Dieses Ausschleusen bezeichnet man als **Exocytose e**.

Umgekehrt schnüren sich Transportvesikel nach innen ab und befördern dadurch Substanzen aus der Umgebung in die Zelle. Dies nennt man **Endocytose f** (→ 3.7). Man unterscheidet hier noch zwischen der Aufnahme fester Stoffe (*Phagocytose*) und flüssiger Stoffe (*Pinocytose*).

Der Golgi-Apparat verpackt abbauende Enzyme in bestimmte Transportvesikel **g**. Diese verschmelzen mit Transportvesikeln, die abzubauendes Material enthalten, zu Lysosomen **h**. Sie dienen der Zelle als eine Art „Magen". Im Lysosom entsteht zunächst durch die Aufnahme von Protonen (H^+) ein saures Milieu, später wird es durch Hydrogencarbonat (HCO_3^-) wieder leicht basisch. Die Enzyme zerlegen eingeschlossene Makro-

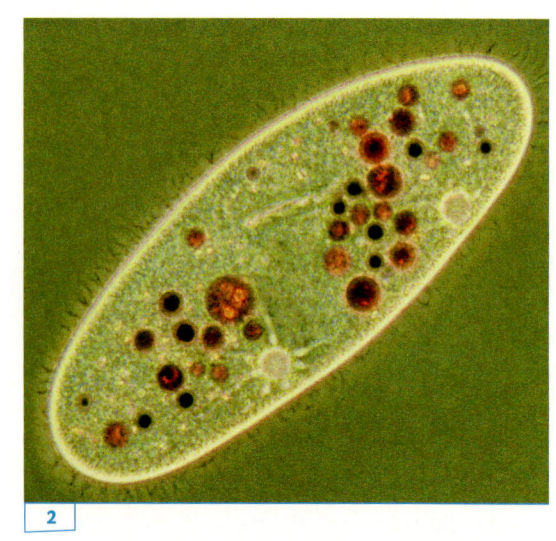

2 Das Pantoffeltierchen *Paramecium* verdaut Beute in Nahrungsvakuolen (schwarz bis rötlich) und entwässert sich über zwei pulsierende Vakuolen (weiß). (LM)

moleküle, deren Bausteine schließlich ins Cytoplasma freigesetzt und dort weiterverwendet werden. Die Lipide des Endomembransystems werden vom glatten ER produziert und in Vesikelmembranen eingebaut ⓘ. Besonders große Lysosomen sind die *Nahrungsvakuolen*, z. B. beim Pantoffeltierchen (→ Abb. 2). Eine Sonderbildung des Endomembransystems sind dort die pulsierenden Vakuolen, die den Wasserhaushalt kontrollieren.

In Pflanzenzellen fehlen Lysosomen, dafür gibt es dort die zentrale Vakuole, die neben Speicherung und Ablagerung weitere Aufgaben hat (→ Abb. 2, S. 59).

Aufgabe 2.6

Erläutern Sie die Funktion der Transportvesikel und der Lysosomen.

2.7 Zellen werden durch eine Zellwand oder ein Cytoskelett stabilisiert

Die meisten lebenden Zellen bestehen zu einem großen Teil aus Wasser. Die dünne Zellmembran allein kann daher ihre Form und Stabilität nicht gewährleisten. Bei Pflanzenzellen und ebenso bei Zellen von Pilzen und Bakterien übernimmt eine feste Zellwand diese Funktion. Die *Zellwand* einer Pflanzenzelle besteht hauptsächlich aus Fasern des Polysaccharids *Cellulose* (→ Abb. 1, S. 31). Unter der toten Zellwand liegt der lebende Teil, der **Protoplast**, bestehend aus Zellmembran, Cytoplasma mit Zellorganellen und Zellkern. Nur unter Zellkulturbedingungen kann der nackte Protoplast einer Pflanzenzelle am Leben gehalten werden. Bei einer einzelligen Alge ist die Zellwand die Begrenzung zur Außenwelt. Bei den vielzelligen Pflanzen sind aneinandergrenzende Zellwände durch eine Kittsubstanz, die *Mittellamelle*, verbunden. Sie besteht aus dem Polysaccharid *Pektin*, das mit Wasser quillt.

Die Protoplasten benachbarter Pflanzenzellen stehen durch enge, von einer Membran ausgekleidete Tunnel in direktem Kontakt. Diese werden als **Plasmodesmen** bezeichnet (→ Abb. 1). Cytoplasmastränge in diesen Tunneln erlauben einen direkten Austausch von Wasser und kleinen Molekülen. Letztlich sind über diese Stränge alle Protoplasten einer Pflanze zu einer einzigen, riesigen Einheit verbunden, die als **Symplast** bezeichnet wird. Die miteinander verbundenen Zellwände der Pflanze bilden ein zweites riesiges System, den **Apoplast**. Dieser spielt bei Pflanzen als Transportweg für Wasser eine besondere Rolle. Zwischen Apoplast und Symplast gibt es einen kontrollierten Stoffaustausch über die Zellmembran.

Direkter Kontakt über Verbindungskanäle kommt auch bei Tierzellen vor, aber der größte Teil der Kommunikation erfolgt dort indirekt über die Zellmembran (→ 3.2). Tierzellen sind dadurch stofflich viel stärker voneinander isoliert als Pflanzenzellen.

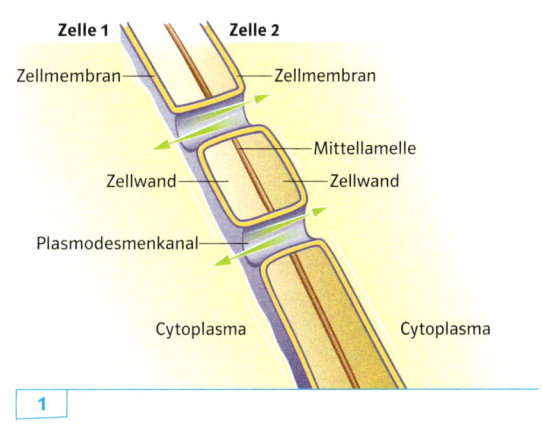

1

Trotz fester Zellwände betreiben angrenzende Pflanzenzellen einen intensiven Stoffaustausch durch Plasmodesmen.

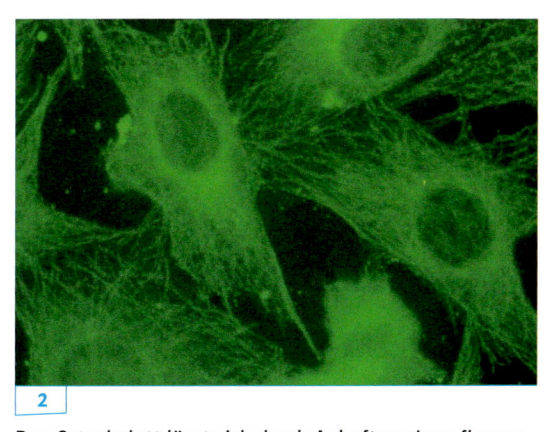

2

Das Cytoskelett lässt sich durch Anheften eines fluoreszierenden Farbstoffs im LM sichtbar machen. Der große Zellkern ist gut zu erkennen, weil er ausgespart bleibt.

Auch ohne stützende Zellwand sind Tierzellen erstaunlich reißfest und stabil. Zudem können sie gleichzeitig ihre Form verändern. Dies ermöglicht ein hochkompliziertes **Cytoskelett**, das den Zellkern umspinnt, netzartig das Cytoplasma durchzieht und an die Zellmembran angeheftet ist (→ Abb. 2, S. 47). Das Cytoskelett von Tieren besteht aus drei seilartigen Komponenten: Actinfilamente, Mikrotubuli und Intermediärfilamente. *Actinfilamente* sind zu Bündeln und Netzwerken angeordnet und spielen bei zahlreichen Bewegungsvorgängen der Zellen wie auch der Muskulatur eine entscheidende Rolle (→ Abb. 2, S. 103). *Mikrotubuli* sind 25 nm dicke Proteinröhren. Sie wirken bei einer sich teilenden Zelle an der Kernteilung mit, indem sie den Spindelapparat aufbauen (→ 2.8). *Intermediärfilamente* machen Tierzellen reißfest. Es gibt mehrere Typen davon und der wichtigste ist das Keratin. Es baut auch unsere Haare auf und gibt Handflächen und Fußsohlen eine robuste Hornhaut.

Aufgabe 2.7
Nennen Sie die Bestandteile des Cytoskeletts tierischer Zellen mit ihrer speziellen Funktion.

2.8 Die Mitose teilt Zellkerne von Eucyten in identische Tochterkerne

Der „erste Zoologe", der Grieche ARISTOTELES, beobachtete vor 2350 Jahren Meerestiere und hat dabei viele biologische Einzelheiten beschrieben, die auch heute noch gültig sind. Manches davon klingt aber sehr merkwürdig: „Der Einsiedlerkrebs entsteht spontan aus Erde und Schlamm". Die Lehre von der Spontanentstehung von Lebewesen, auch *Urzeugung* genannt, hielt sich für Tiere und Pflanzen bis weit in das 17. Jahrhundert und für Bakterien sogar bis etwa 1850. Zur selben Zeit kam man auf ein grundlegendes Prinzip der Biologie: *omnis cellula e cellula*. Frei übersetzt: Jede Zelle entsteht aus einer bereits existierenden Zelle. Auch vielzellige Lebewesen wie der Einsiedlerkrebs oder wir Menschen beginnen als einzelne befruchtete Eizelle. Diese ist nicht spontan entstanden, sondern stammt von unseren Eltern.

Reproduktion

Zellen wachsen und teilen sich. Auf diese Weise hat sich unser aus Milliarden Zellen bestehender Körper herausgebildet, und so regeneriert er sich laufend. Alle diese Zellen haben die gleiche Erbinformation in Form von DNA-Molekülen. Diese DNA ist beim Menschen auf 46 Chromosomen verteilt. Das ist der menschliche **Chromosomensatz**. Der Zellkern der Ausgangszelle (Mutterzelle genannt) hat sich stets so geteilt, dass die beiden Tochterzellen identische Kopien seines Chromosomensatzes erhielten, und das hat milliardenfach funktioniert. Der zelluläre Prozess, der diese Präzisionsarbeit leistet, ist die **Mitose**.

Vor der Mitose muss in jedem Chromosom die DNA zunächst einmal identisch verdoppelt werden. Wie das genau erfolgt, lernen Sie in → 9.4. Als Resultat besteht nun jedes Chromosom aus zwei identischen Hälften, den **Schwesterchromatiden**, die an einer Kontaktzone, dem **Centromer**, zusammengehalten werden (→ Abb. 1). Die Mitose selbst unterteilt sich in vier Phasen, die man im Lichtmikroskop gut unterscheiden kann: *Prophase*, *Metaphase*, *Anaphase* und *Telophase*. Danach sind die Schwesterchromatiden und damit das genetische Material gleichmäßig auf die beiden Tochterzellkerne verteilt. Die nun erfolgende Aufteilung des

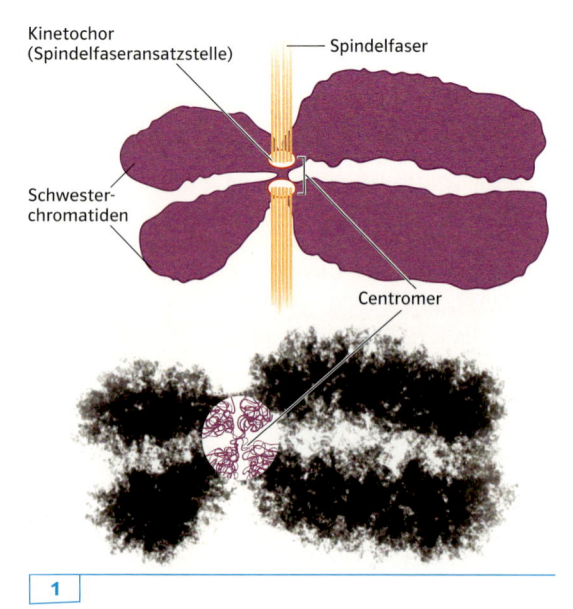

1

Die beiden Schwesterchromatiden des Chromosoms sind am Centromer durch Proteine verbunden.

Online-Link
Info: Bewegung der Chromosomen in der Mitose
150010-0491

Die Zelle — Grundeinheit des Lebens

Mutterzelle ⓐ
- Centrosom
- Centriol
- Kernhülle
- Chromatin
- Nucleolus

Prophase ⓑ
Die Kernhülle löst sich auf. Der Spindelapparat baut sich auf.

Chromosom aus zwei identischen Chromatiden (Schwesterchromatiden)

Jede Chromatide enthält eine einzelne, mehrere Zentimeter lange DNA-Doppelhelix.

Metaphase ⓒ
Die Chromosomen sind auf der Äquatorialplatte angeordnet. Die Schwesterchromatiden sind nun mit gegenüberliegenden Polen verbunden.
- Spindelapparat
- Äquatorialplatte

Anaphase ⓓ
Mithilfe der Mitosespindel gelangen die Schwesterchromatiden zu den gegenüberliegenden Polen.

Telophase und Cytokinese ⓔ
Aus den Schwesterchromatiden sind nun die Chromosomen der Tochterzellkerne geworden. Die Cytokinese beginnt.
- Actinring

Tochterzellen ⓕ
Beide Tochterzellen haben denselben Chromosomensatz wie die Mutterzelle.

2
Mitose und Cytokinese einer Tierzelle sind Teile des Zellzyklus.

Cytoplasmas auf die beiden Tochterzellen und deren Trennung nennt man **Cytokinese**. In Abb. 2, S. 49, sehen Sie den gesamten Vorgang.

In der *Prophase* erscheinen im Chromatin lange, dünne Fäden ⓐ und kondensieren zu deutlich sichtbaren Chromosomen ⓑ. Der Nucleolus verschwindet, und die Kernhülle beginnt sich aufzulösen. Auch das aus kurzen *Mikrotubuli* bestehende Centriolenpaar verdoppelt sich und die neuen Paare beginnen, zu gegenüberliegenden Polen der Zelle zu wandern. Dabei bildet sich zwischen ihnen ein spindelförmiger Faserapparat aus, die *Mitosespindel*. Sie besteht vor allem aus Mikrotubuli. Das die Centriolen umgebende Feld bezeichnet man als **Centrosom**. (In Pflanzenzellen gibt es dieses Feld ebenfalls, aber ohne Centriolen, die somit für die Mitose nicht essenziell sind.)

In der *Metaphase* verankern sich bei jedem Chromosom von beiden Seiten Spindelmikrotubuli am Centromer und beginnen zu ziehen. Dadurch ordnen sich die Chromosomen am Äquator der Zelle wie auf einer Scheibe an, der *Äquatorialplatte* ⓒ. Am besten sehen und unterscheiden kann man die Chromosomen in der Metaphase, wenn sie hoch kondensiert auf der Äquatorialplatte angeordnet sind. Sie liegen dann sozusagen auf dem Präsentierteller. Dieses Stadium wird daher in der Biologie und Medizin genutzt, um die Chromosomen eines Lebewesens abzuzählen und auf Schäden zu untersuchen. Dazu wird die Metaphaseplatte fotografiert, und die Chromosomen werden einzeln aus dem Bild ausgeschnitten und nach Form und Größe angeordnet. Diese Collage nennt man ein **Karyogramm** (→ Abb. 2, S. 157). Heutzutage übernehmen Computerprogramme die Sortierarbeit und liefern durch Falschfarben Detailinformationen über die Struktur (→ 13.6).

In der *Anaphase* teilt sich bei jedem Chromosom das Centromer, sodass die beiden Schwesterchromatiden getrennt werden und zu entgegengesetzten Polen wandern ⓓ. Verursacht wird dies durch Verkürzen der angehefteten Mikrotubuli. Gleichzeitig bekommt die Mutterzelle eine längliche Form, da andere Spindelmikrotubuli die Pole auseinanderdrücken. Aus Schwesterchromatiden sind nun neue Chromosomen geworden, auch als *Tochterchromosomen* bezeichnet.

In der *Telophase* bildet sich an jedem Zellpol eine neue Kernhülle um die beiden Chromosomensätze aus ⓔ. Die Chromosomen entspiralisieren und werden wieder zu Chromatin. Auch ein Nucleolus bildet sich jeweils neu. Es sind zwei Tochterzellen entstanden, die denselben Chromosomensatz wie die Mutterzelle haben ⓕ.

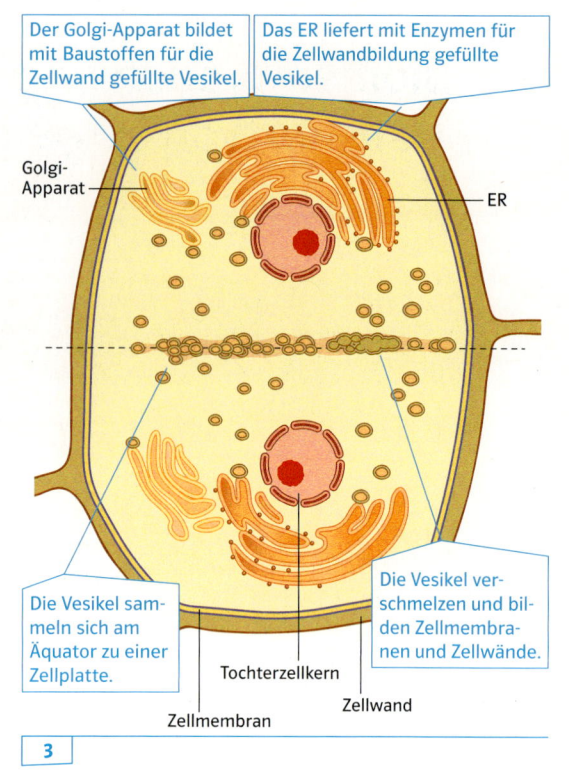

3 Die Cytokinese einer Pflanzenzelle verläuft anders.

In der Telophase beginnt die Cytokinese. Bei Tierzellen erfolgt sie durch Einschnürung der Zellmembran am Äquator mithilfe eines Actinrings. Bei Pflanzenzellen sammeln sich Transportvesikel am Äquator zu einer *Zellplatte* an. Dort entstehen neue Zellmembranen und Zellwände (→ Abb. 3). Nachdem sich die DNA in den Tochterzellen wieder verdoppelt hat und die Zellen gewachsen sind, kann die nächste Mitose erfolgen. Es gibt auch Fälle, in denen zwar eine Kernteilung, aber keine anschließende Zellteilung stattfindet. Dann entstehen Zellen mit vielen Zellkernen. Ein Beispiel sind unsere Skelettmuskelzellen (→ 5.9).

Die Entscheidung, ob und wann sich eine Zelle teilt, fällt im Zellzyklus (→ 9.3). Die Präzision der Mitose ist erstaunlich. Bemerkenswert ist aber auch die Cytokinese, denn sie muss schließlich dafür sorgen, dass jede Tochterzelle auch von den Mitochondrien und den unzähligen anderen Komponenten genügend Exemplare mitbekommt, trotz molekularem Gedränge. Stellen Sie sich vor, Sie müssten das Münchner Oktoberfest in zwei gerechte Hälften teilen! Wie Zellen diese Aufgabe lösen, ist noch weitgehend unklar.

Aufgabe 2.8

Beschreiben Sie stichwortartig wesentliche Vorgänge und den Verlauf der Mitose und Cytokinese.

Biomembranen und Transportvorgänge

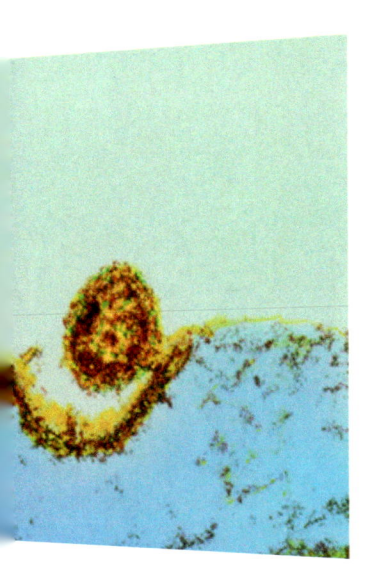

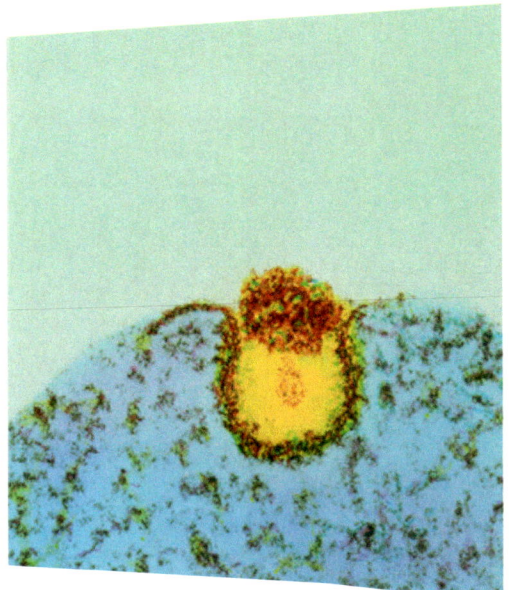

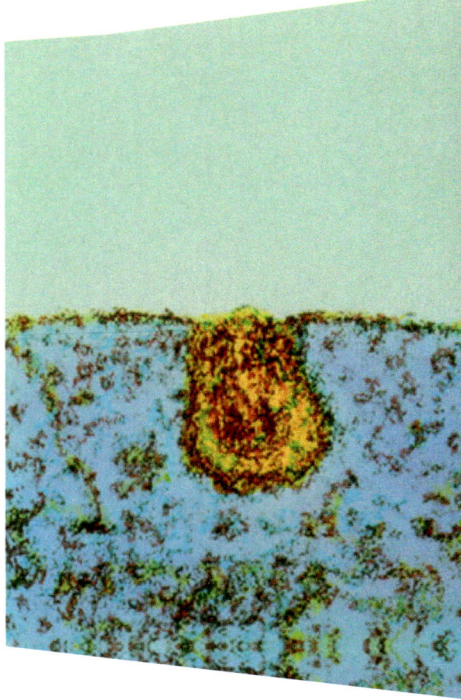

3

Ein Haus hat Wände, die es von der Umgebung abgrenzen und im Inneren in verschiedene Zimmer aufteilen. Genauso sind alle lebenden Zellen von Biomembranen umschlossen und werden innen durch Biomembranen in unterschiedliche Reaktionsräume unterteilt. Zimmerwände müssen Türen haben, schließlich muss man hinein- und hinausgehen können. Biomembranen weisen dafür besondere Öffnungen und Schleusen auf, sodass Moleküle von einer Seite auf die andere gelangen können. Aber spätestens hier trifft unser Vergleich nicht mehr zu, denn Biomembranen leisten noch viel mehr als gemauerte Wände mit Türen und Schleusen. Stellen Sie sich vor, Sie wollen in ein Haus einziehen und Ihr Klavier passt nicht durch die Tür. Wenn eine Zelle vor so einem Problem steht, stülpt sich die Zellmembran einfach ein, umfließt das zu große Partikel völlig und „spuckt" es dann mitsamt seiner neuen Membranhülle in das Zellinnere wieder aus.

Ein Influenza-Virus (rot-gelb) befällt eine Zelle (blau). (Falschfarben-TEM-Aufnahme)

3.1	Biomembranen sind ein flüssiges Mosaik aus Lipiden und Proteinen
3.2	Proteine und Kohlenhydrate machen Zellen von außen erkennbar
3.3	Substanzen diffundieren entlang einem Konzentrationsgefälle durch die Membran
3.4	Durch Osmose können Zellen Wasser aufnehmen oder abgeben
3.5	Kanal- und Transportproteine erleichtern die Diffusion durch Membranen
3.6	Der Transport gegen ein Konzentrationsgefälle kostet Energie
3.7	Makromoleküle oder größere Partikel können selektiv durch Membranen aus- und eingeschleust werden

3.1 Biomembranen sind ein flüssiges Mosaik aus Lipiden und Proteinen

Biomembranen (→ Abb. 1) sind hauchdünn: 6 000 von ihnen müssten übereinandergelegt werden, um die Dicke dieser Buchseite zu erreichen! Wie ist es möglich, dass Biomembranen trotzdem so wirkungsvoll jede lebende Zelle von ihrer Umgebung abgrenzen können?

Grundbausteine aller Biomembranen sind die **Membranlipide**, z. B. Phospholipide (→ Abb. 1, S. 34). Membranlipide bestehen aus einer *hydrophilen*, also gut mit Wasser benetzbaren Kopfgruppe und *hydrophoben*, also wasserabweisenden Fettsäureresten (→ Abb. 2). In wässriger Umgebung wechselwirken die hydrophoben Fettsäurereste stark miteinander. Daher lagern sich Membranlipide zu einer **Lipiddoppelschicht** zusammen, in der die hydrophoben Bereiche innen liegen und durch die Kopfgruppen vom Wasser abgeschirmt sind. Der hydrophobe Kernbereich der Biomembran stellt eine wirkungsvolle Schranke für Wasser und alle hydrophilen Moleküle dar.•

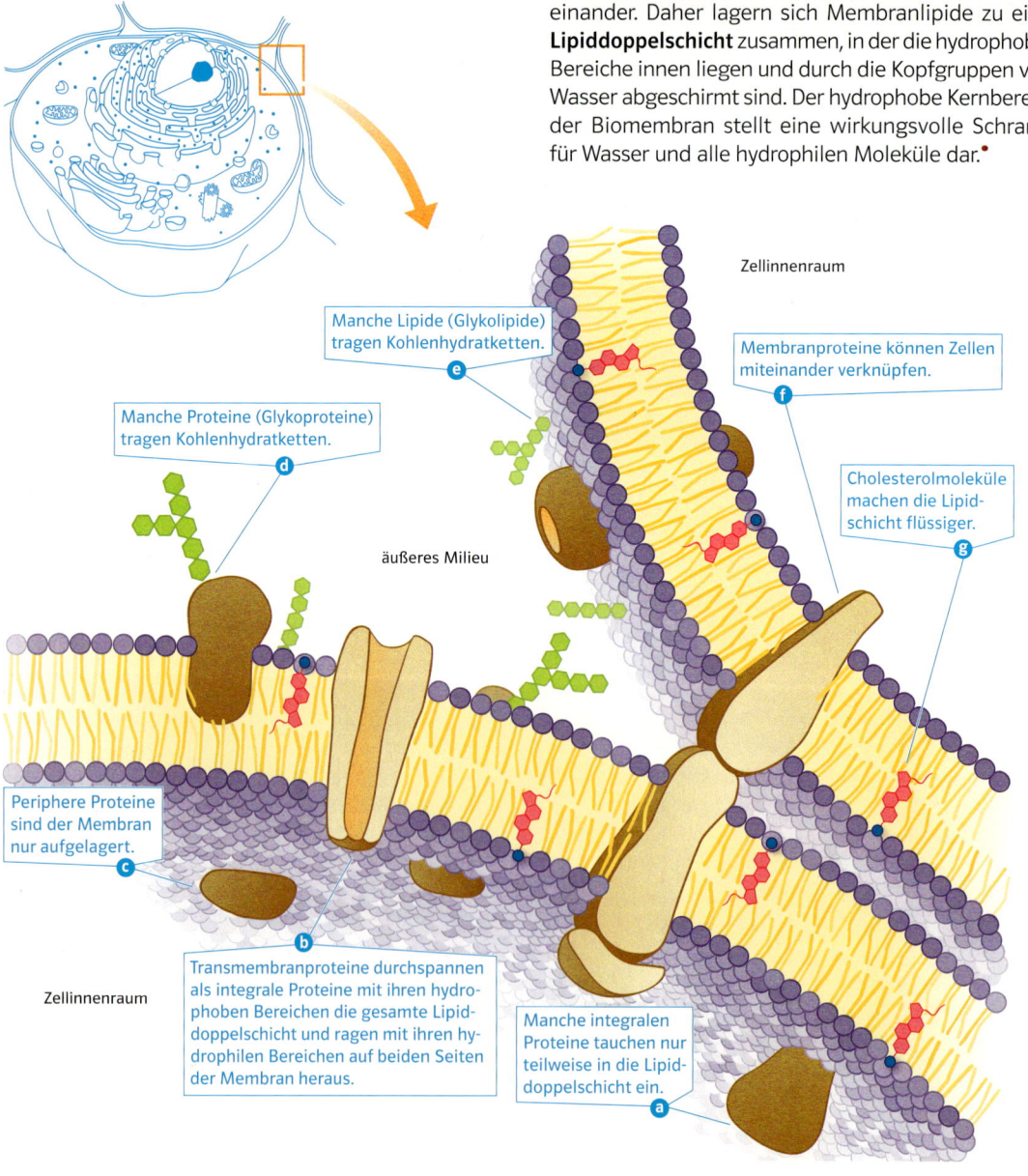

Struktur und Funktion

Zellinnenraum

Manche Lipide (Glykolipide) tragen Kohlenhydratketten. **e**

Membranproteine können Zellen miteinander verknüpfen. **f**

Manche Proteine (Glykoproteine) tragen Kohlenhydratketten. **d**

Cholesterolmoleküle machen die Lipidschicht flüssiger. **g**

äußeres Milieu

Periphere Proteine sind der Membran nur aufgelagert. **c**

Zellinnenraum

Transmembranproteine durchspannen als integrale Proteine mit ihren hydrophoben Bereichen die gesamte Lipiddoppelschicht und ragen mit ihren hydrophilen Bereichen auf beiden Seiten der Membran heraus. **b**

Manche integralen Proteine tauchen nur teilweise in die Lipiddoppelschicht ein. **a**

1

Die Biomembran besteht nach dem Flüssig-Mosaik-Modell aus einer Lipiddoppelschicht sowie auf- und eingelagerten Proteinen. Sie ist eine dynamische Struktur, in der sich sowohl die Proteine als auch die Lipide seitwärts bewegen können.

Als äußere Begrenzung von Zellen sorgen Biomembranen dafür, dass Proteine und andere Biomoleküle nicht einfach die Zellen verlassen oder Stoffe unkontrolliert von außen hereinkommen können. Aber auch innerhalb der Zelle ist es wichtig, verschiedene Reaktionsräume, die **Kompartimente**, voneinander zu trennen.• In den Chloroplasten, Mitochondrien und Lysosomen, die Sie im Kapitel 2 kennengelernt haben, finden jeweils andere Stoffwechselvorgänge statt als in der Umgebung. Ihr Inhalt darf sich daher nicht mit der Umgebung vermischen. Deshalb sind alle diese Zellorganellen von Biomembranen umhüllt.

Biomembranen bestehen nicht nur aus Lipiden. Ein weiterer wichtiger Bestandteil sind Proteine (→ Abb. 1). Wir unterscheiden nach ihrer Lage *integrale* Proteine ⓐ von *Transmembranproteinen* ⓑ oder *peripheren* Proteinen ⓒ. **Membranproteine** üben vielfältige Funktionen aus. Einige von ihnen sind sozusagen Türen in der Membran, die Molekülen die Passage erlauben. Aber zumeist sind es „intelligente Türen", die auswählen, welche Moleküle passieren dürfen, oder sie sogar aktiv auf die andere Membranseite befördern. Diese Funktion als *Kanal-* oder *Transportproteine* werden Sie noch näher kennenlernen (→ 3.5). Andere Proteine befördern keine Moleküle, sondern melden sie der Zelle. Diese Proteine sind *Membranrezeptoren*. Wenn an ein solches Rezeptorprotein auf der einen Membranseite ein Molekül bindet, z. B. ein Hormon, dann ändert das Protein auf der anderen Membranseite seine Struktur und löst damit Stoffwechselreaktionen aus, zum Beispiel eine Hormonantwort (→ 32.1).

Ein dritter Bestandteil von Membranen sind Kohlenhydrate. Diese sind entweder an Membranproteine gebunden oder an Lipide; wir sprechen dann von *Glykoproteinen* ⓓ bzw. *Glykolipiden* ⓔ. Diese Kohlenhydrate finden sich häufig auf der Außenseite von Zellmembranen, also auf der Zelloberfläche, und sind notwendig für die Erkennung von Zellen untereinander (→ 3.2). Sie spielen auch eine wichtige Rolle bei der Erkennung körperfremder Zellen durch das Immunsystem (→ 16.1).

Sie dürfen sich die Anordnung der Membranlipide mit den eingelagerten Proteinen nicht starr wie eine Ziegelwand vorstellen. Die Lipidmoleküle sind seitwärts (lateral) in ihrer Lipidschicht frei beweglich. Allerdings behält die Lipiddoppelschicht trotz der Beweglichkeit der einzelnen Lipidmoleküle ihre Dichtigkeit. Auch die Membranproteine können sich in ihrer Membran seitwärts frei bewegen, so wie Schiffe oder Eisberge im Wasser driften. Diese Beweglichkeit betont auch der Name des Membranmodells: **Flüssig-Mosaik-Modell**. „Seitenwechsel" sind aber ausgeschlossen. Dadurch behält die Membran ihre *Asymmetrie* im Aufbau bei.

Die beschriebene Dynamik von Membranlipiden hat viele Vorteile. Sie macht Biomembranen elastisch und damit widerstandsfähiger. Wenn durch mechanische Verletzung ein kleines Loch in eine Membran gerissen wird, fließen seitwärts Lipidmoleküle ein und verschließen es sofort wieder. Die frei beweglichen Proteine können sich bei ihren verschiedenen Aufgaben in immer wieder neuen Kombinationen zusammenlagern. Beispielsweise können sie so benachbarte Zellen punktgenau verknüpfen ⓕ.

Bei tiefen Temperaturen können Membranen erstarren, womit die Lipidmoleküle ihre Beweglichkeit verlieren. Das ist sehr ungünstig für die Zelle, da dann viele Membranproteine ihre verschiedenen Funktionen nicht mehr ausreichend ausüben können. Pflanzen und viele Bakterien reagieren auf erniedrigte Temperaturen, indem sie die Fettsäuren in ihren Lipiden so verändern, dass die Membranen auch in der Kälte flüssig bleiben. Bei Tieren sorgt *Cholesterol* ⓖ als Membranbestandteil dafür, dass die Membranen nicht so leicht erstarren.

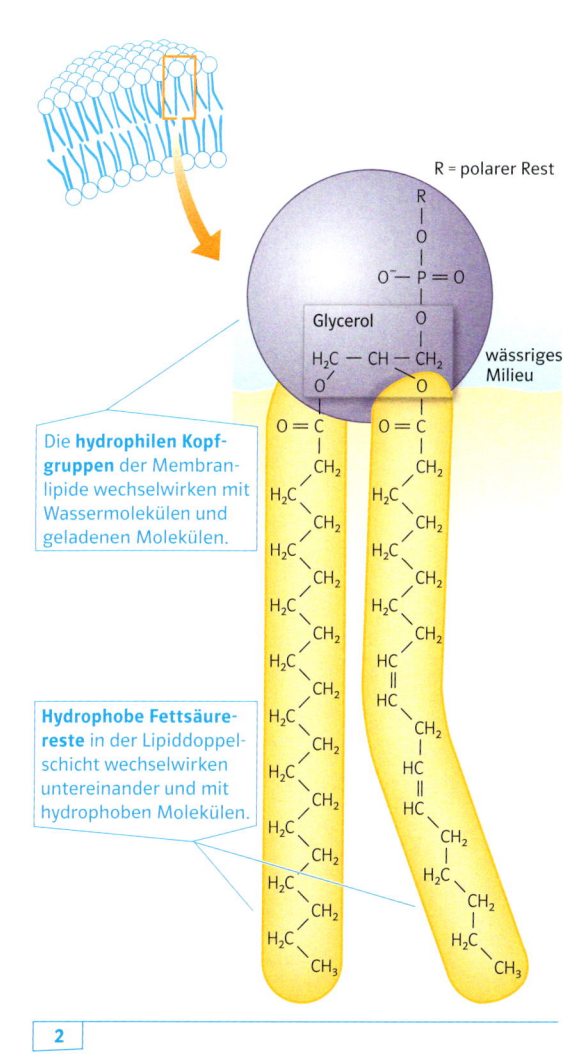

2 Phospholipide sind Bausteine der Lipiddoppelschicht der Biomembran.

Zellen

a Phospholipideinzelschicht

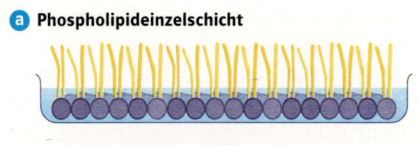

b Phospholipiddoppelschicht

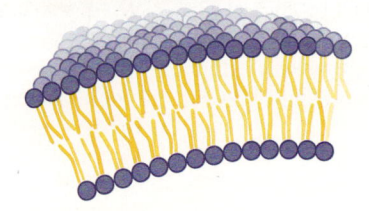

c Davson-Danielli-Modell

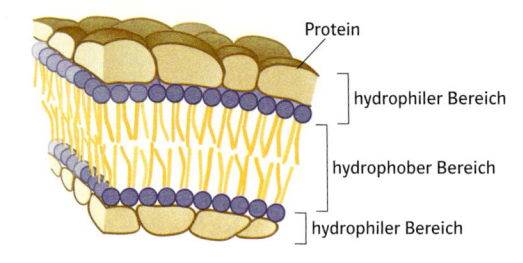

Protein
hydrophiler Bereich
hydrophober Bereich
hydrophiler Bereich

d Flüssig-Mosaik-Modell

hydrophile Region des Proteins
Phospholipiddoppelschicht
hydrophobe Region des Proteins

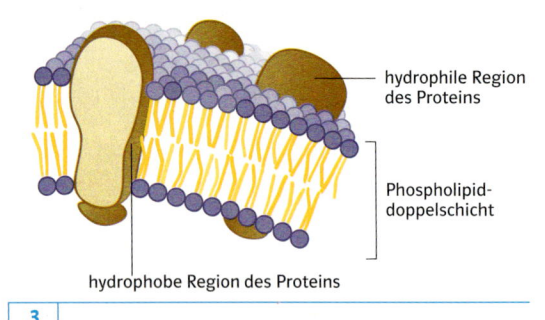

3 Das Modell der Biomembran wurde stets neuen Forschungsergebnissen angepasst.

d 1972 S. J. SINGER und G. NICOLSON schlugen aufgrund neuer Befunde ein prinzipiell verändertes, dynamisches Membranmodell vor. Danach ist die Membran ein Mosaik aus Proteinmolekülen, die in einer flüssigen Doppelschicht aus Phospholipiden liegen, das heute gültige *Flüssig-Mosaik-Modell*.

Methode: Gefrierbruchtechnik

Anwendung
Präparationsmethode der Elektronenmikroskopie zur Untersuchung der inneren Strukturen von Zellen und von Biomembranen. Die Position von Membranproteinen kann durch das Gefrierbruchverfahren sichtbar gemacht werden.

Methode
> Gefrorenes Gewebe wird mit einem sehr scharfen Messer gespalten. 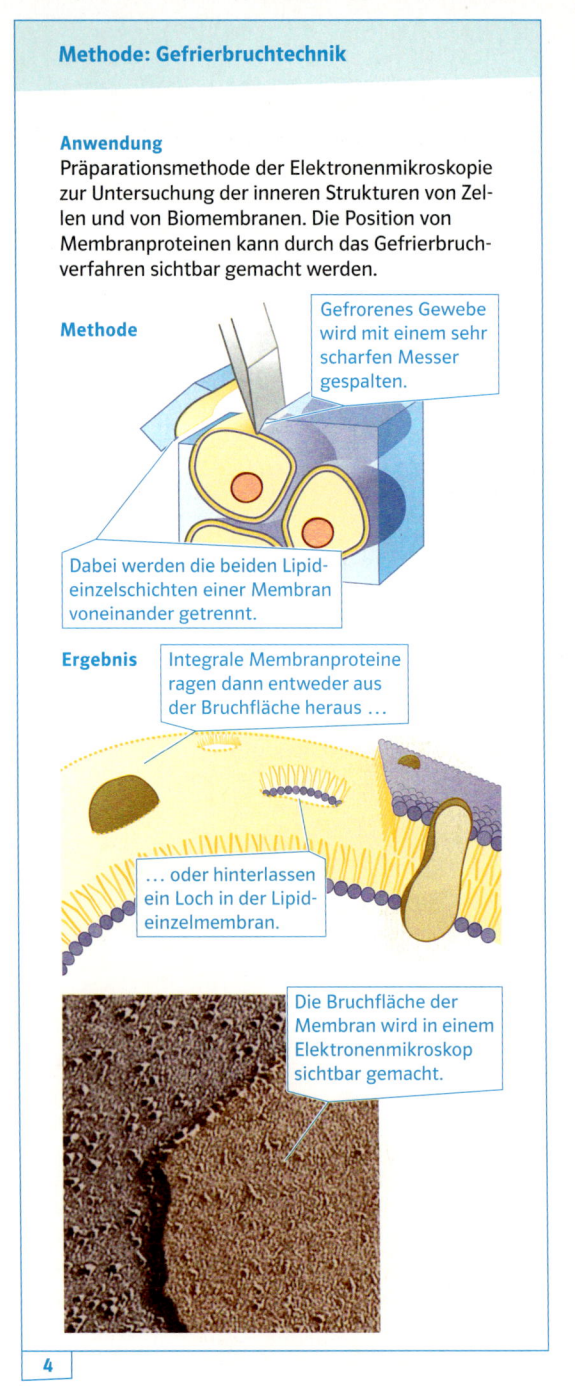

> Dabei werden die beiden Lipideinzelschichten einer Membran voneinander getrennt.

Ergebnis
> Integrale Membranproteine ragen dann entweder aus der Bruchfläche heraus …

> … oder hinterlassen ein Loch in der Lipideinzelmembran.

> Die Bruchfläche der Membran wird in einem Elektronenmikroskop sichtbar gemacht.

4 Mit der Gefrierbruchtechnik lassen sich Membranproteine im Elektronenmikroskop darstellen.

Abb. 3 zeigt, wie das Modell der Biomembran im 20. Jahrhundert weiterentwickelt wurde.

a 1917 I. LANGMUIR stellte künstliche *Phospholipidmembranen* her, deren hydrophile Köpfe in die wässrige Lösung eintauchten.

b 1925 E. GORTER und F. GRENDEL maßen den Phospholipidgehalt roter Blutzellen und schlossen aufgrund ihrer Daten zur Oberflächengröße auf eine *Lipiddoppelschicht* als Zellmembran.

c H. DAVSON und J. DANIELLI erweiterten die Modellvorstellung um die Hypothese einer beidseitig aufliegenden Proteinschicht. Dieses *Sandwich-Modell* wurde in den 1950er Jahren durch die ersten elektronenmikroskopischen Aufnahmen der Zellmembran unterstützt. In den 1960er Jahren wurde es so zum generellen Modell einer Biomembran.

Online-Link
Steckbrief: Schwamm
150010-0551

Die entscheidende Bestätigung bekam das Flüssig-Mosaik-Modell aufgrund der Möglichkeit, anhand des Gefrierbruchverfahrens (→ Abb. 4) Proteine in der Lipiddoppelschicht sichtbar zu machen. In den letzten Jahren mehren sich in der Wissenschaft allerdings Hinweise darauf, dass das Flüssig-Mosaik-Modell noch verfeinert werden muss. Intensiv erforscht werden *Lipidflöße* (*lipid rafts*). Das sind kleine Membranbereiche mit veränderter Lipid- und Proteinzusammensetzung, die wie Flöße in der Membran treiben. In diesen Flößen sind die Lipidmoleküle weniger beweglich; diese Membranbereiche sind weniger flüssig. Sie durchmischen sich daher mit den umgebenden Membranregionen nicht oder nur sehr langsam. Die biologische Funktion solcher Lipidflöße ist allerdings noch unklar.

Aufgabe 3.1
Erläutern Sie am Beispiel der Biomembran den Zusammenhang von Struktur und Funktion.

3.2 Proteine und Kohlenhydrate machen Zellen von außen erkennbar

Zellen können sich gegenseitig erkennen. Das kann man eindrucksvoll an Schwämmen beobachten. Schwämme sind vielzellige Meeresbewohner mit einem relativ einfachen Körperbau. Anders als bei den meisten anderen Organismen kann man die einzelnen Zellen eines Schwamms voneinander trennen (→ Abb. 1), indem

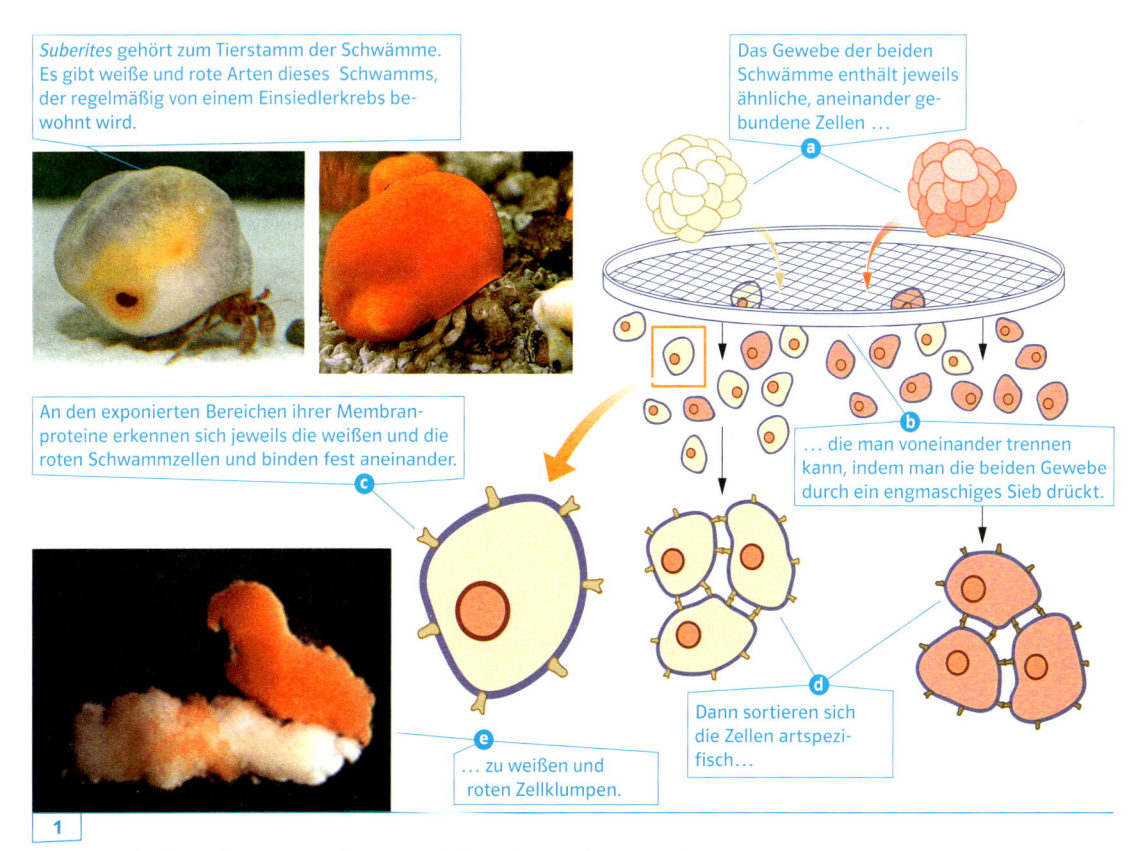

Suberites gehört zum Tierstamm der Schwämme. Es gibt weiße und rote Arten dieses Schwamms, der regelmäßig von einem Einsiedlerkrebs bewohnt wird.

Das Gewebe der beiden Schwämme enthält jeweils ähnliche, aneinander gebundene Zellen ... **a**

... die man voneinander trennen kann, indem man die beiden Gewebe durch ein engmaschiges Sieb drückt. **b**

An den exponierten Bereichen ihrer Membranproteine erkennen sich jeweils die weißen und die roten Schwammzellen und binden fest aneinander. **c**

Dann sortieren sich die Zellen artspezifisch ... **d**

... zu weißen und roten Zellklumpen. **e**

1 Bei diesen beiden Schwämmen erkennen sich die Zellen an ihren Membranproteinen und binden artspezifisch.

Information und Kommunikation

man ihn mehrfach durch ein feinmaschiges Sieb presst. Das Erstaunliche: Wenn man die getrennten Zellen in einem Gefäß mit Meerwasser für eine Weile schüttelt, dann finden sie sich wieder und setzen sich spontan zu Zellklumpen zusammen, aus denen sich wieder vollständige Schwämme bilden können. Was noch erstaunlicher ist: Wenn man die Zellen von zwei artverschiedenen Schwämmen miteinander mischt, dann setzen sich die Zellen artspezifisch zusammen und regenerieren wieder zu Schwämmen der beiden verschiedenen Arten (→ Abb. 1, S. 55).

Welche Schlussfolgerungen ziehen Sie aus dieser Beobachtung? Als erstes müssen die Zellen in der Lage sein, sich gegenseitig zu erkennen. Dabei können sie offenbar auch unterscheiden, ob eine andere Zelle zur eigenen Schwammart oder zu einem Schwamm einer anderen Art gehört. Zweitens können sich die Zellen, die aus demselben Organismus stammen, aneinander festhalten und so wieder ein neues vielzelliges Gewebe bilden. Für beides sind Membranproteine der Zellmembran und Kohlenhydrate auf der Membranoberfläche verantwortlich.

Wie Sie schon wissen, haben alle Zellmembranen einen ähnlichen Grundaufbau mit Membranlipiden als Grundbaustein. Die Zusammensetzung verschiedener Sorten von Membranlipiden kann von einer Membran zur anderen variieren, aber wirklich unterscheidbar werden Membranen erst durch ein- oder aufgelagerte Membranproteine und Kohlenhydrate. Durch diese Strukturen außen auf der Zellmembran können Schwammzellen sich gegenseitig erkennen.

Die Kohlenhydrate sind zumeist kurze verzweigte Ketten aus 10–20 Zuckermolekülen, die überwiegend an Proteine, aber teilweise auch an Lipide gebunden sind. Diese Verbindungen werden auch als *Glykoproteine* oder *Glykolipide* bezeichnet (→ Abb. 1, S. 52). Die *hydrophilen* Abschnitte mancher Membranproteine, die an der Zelloberfläche aus der Membran herausragen, bilden bei ihrer Faltung Bindestellen, die genau zu einem Membranprotein auf einer anderen Zelle oder einem Kohlenhydrat oder beiden zusammen passen. Die zueinander passenden Oberflächenstrukturen sorgen also für eine **Zell-Zell-Erkennung.** Die gleichen Wechselwirkungen sind die Ursache dafür, dass zueinander passende Zellen aneinander hängen bleiben. In dem in Abb. 1, S. 55, beschriebenen Experiment passen die Oberflächenstrukturen von Zellen aus dem gleichen Schwamm gut zueinander, Zellen aus zwei verschiedenen Schwammarten dagegen nicht.

Unser Körper aus vielen unterschiedlichen Zelltypen kann sich nicht ganz so erstaunlich regenerieren wie der der Schwämme. Aber die Zell-Zell-Erkennung spielt auch für uns eine wichtige Rolle. Sie sorgt dafür, dass unterschiedliche Organe wie Muskeln, Leber und Haut jeweils ein zusammenhängendes Ganzes bilden und nicht zerfallen. Auch die Feinunterscheidung zwischen eng verwandten Arten und Individuen einer Art wird besonders häufig durch die Kohlenhydrate an Zelloberflächen geleistet. Ein Beispiel sind die unterschiedlichen Blutgruppen A, B, AB und 0. Sie werden durch unterschiedliche Glykolipide auf der Oberfläche der roten Blutzellen festgelegt (→ Abb. 3, S. 225).

Aufgabe 3.2

Züricher Wissenschaftler entwickelten eine Methode, Bakterien einzufangen, die menschliche Zellen befallen können. Sie beschichteten Glasoberflächen mit Kohlenhydraten, die man auch auf der Oberfläche menschlicher Zellen an die Zellmembran gebunden findet. Erklären Sie das Prinzip der Methode.

3.3 Substanzen diffundieren entlang einem Konzentrationsgefälle durch die Membran

Wenn Sie einen Ball bei Windstille auf eine ebene Rasenfläche legen und nicht dagegentreten, wird er sich nicht von der Stelle bewegen. In Wasser gelöste Substanzen können sich dagegen ganz spontan und ohne äußeres Zutun in vorhersagbarer Richtung fortbewegen. Zum Nachweis können Sie das Experiment, das in Abb. 1 dargestellt ist, ganz einfach selbst durchführen. Einige Kristalle von Kaliumpermanganat, einem tiefvioletten Salz, werden ganz langsam und vorsichtig in ein Glas mit Wasser gelegt. Sie lösen sich auf und bilden am Boden des Glases eine intensiv violett gefärbte Zone ⓐ. Mit der Zeit wandert die obere Grenze des gefärbten Bereichs immer weiter nach oben, bis schließlich, nach geduldigem Warten, der ganze Zylinderinhalt gleichmäßig gefärbt ist ⓑ. Sie werden also beobachten, dass sich das

Biomembranen und Transportvorgänge

1

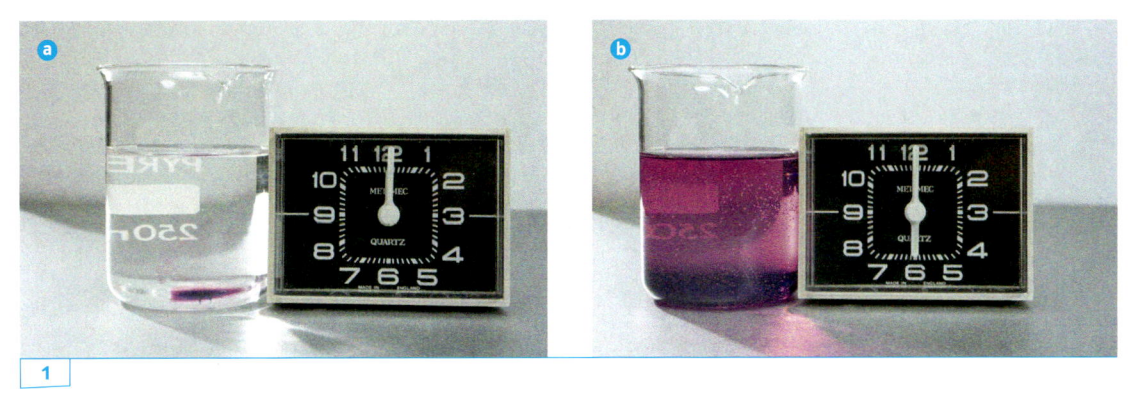

Ein gelöster Stoff bewegt sich ungerichtet und ohne äußeres Zutun. Er wird dadurch in der Lösung verteilt.

gelöste Salz immer weiter nach oben verteilt, ohne dass Sie umrühren oder schütteln. Wie kommt das zustande?

In der Flüssigkeit sind alle Moleküle ständig in Bewegung, und zwar auf einem ungerichteten Zickzackkurs, weil sie immer wieder zusammenstoßen. Diese Bewegung wurde schon 1827 von ROBERT BROWN vermutet. Er beobachtete im Mikroskop ein Pollenkorn, das auf einer Wasseroberfläche in allen Richtungen hin und her zappelte, verursacht durch ständige Zusammenstöße mit Wassermolekülen. Diese Bewegung, die **Brown'sche Molekularbewegung**, sorgt dafür, dass sich ein gelöster Stoff allmählich über die gesamte Flüssigkeit verteilt. Alle gelösten Substanzen in Flüssigkeiten oder gasförmige Stoffe in Gasgemischen „fließen" so vom Bereich höherer Konzentration zum Bereich niedrigerer Konzentration. Diese spontane Bewegung gelöster Substanzen entlang ihrem Konzentrationsgefälle heißt **Diffusion** (→ Abb. 2). Wenn auf beiden Seiten einer Membran Substanzen mit jeweils unterschiedlicher Konzentration gelöst vorliegen, können diese Stoffe durch die Membran hindurch diffundieren. Voraussetzung dafür ist, dass die Membran für diese Substanzen *permeabel*, das heißt durchlässig ist, also geeignete Poren hat. Dabei wandert im Endeffekt jede Substanz entlang ihrem Konzentrationsgefälle.

Die Geschwindigkeit der Diffusion hängt von einer Reihe physikalischer Parameter ab. Sie ist umso größer,
- je höher die Temperatur ist,
- je kleiner die diffundierenden Partikel sind,
- je größer das Konzentrationsgefälle ist.

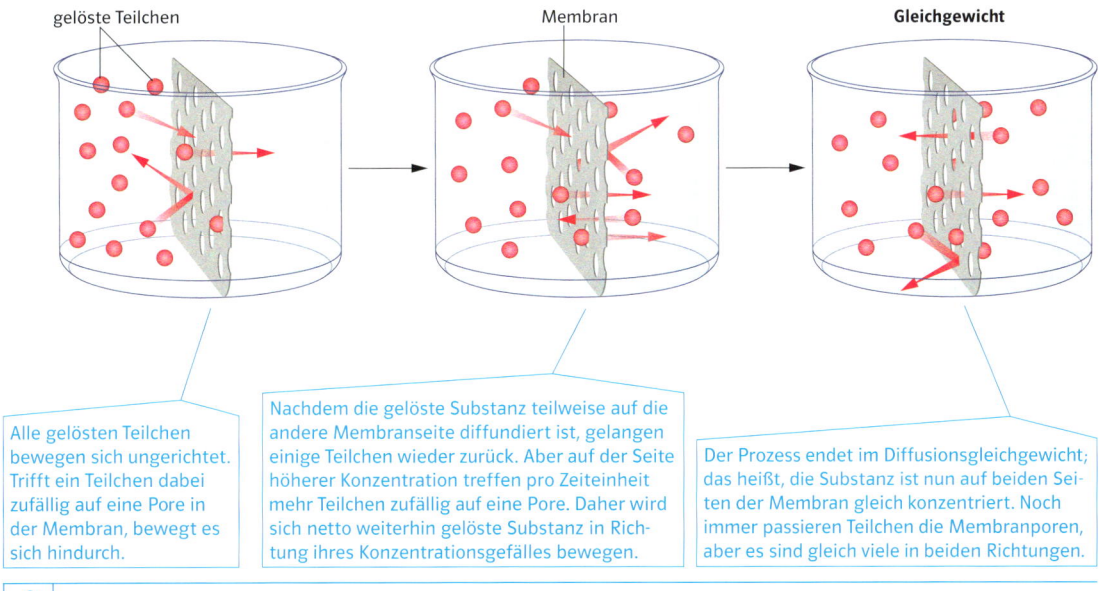

gelöste Teilchen — Membran — **Gleichgewicht**

Alle gelösten Teilchen bewegen sich ungerichtet. Trifft ein Teilchen dabei zufällig auf eine Pore in der Membran, bewegt es sich hindurch.

Nachdem die gelöste Substanz teilweise auf die andere Membranseite diffundiert ist, gelangen einige Teilchen wieder zurück. Aber auf der Seite höherer Konzentration treffen pro Zeiteinheit mehr Teilchen zufällig auf eine Pore. Daher wird sich netto weiterhin gelöste Substanz in Richtung ihres Konzentrationsgefälles bewegen.

Der Prozess endet im Diffusionsgleichgewicht; das heißt, die Substanz ist nun auf beiden Seiten der Membran gleich konzentriert. Noch immer passieren Teilchen die Membranporen, aber es sind gleich viele in beiden Richtungen.

2

Die Diffusion einer Substanz erfolgt entlang ihrem Konzentrationsgefälle in einer Nettobewegung.

Zellen

Online-Link
Osmose (interaktiv)
150010-0581

Biomembranen sind aufgrund ihres *hydrophoben* Innenbereichs für kleine, unpolare Moleküle permeabel. Dazu gehören Benzol und andere organische Lösungsmittel. Dies ist der Grund dafür, dass der Hautkontakt mit solchen Lösungsmitteln so gefährlich ist. Wasser als polare Substanz (→ Abb. 1, S. 25) kann nur langsam durch eine Lipiddoppelschicht hindurch diffundieren. In den meisten Biomembranen erleichtern und beschleunigen spezielle Poren die Wasserdiffusion (→ Abb. 1, S. 61). Größere Biomoleküle und Ionen benötigen Poren, Kanäle oder Transporter, um die Membran zu durchqueren (→ Abb. 2, S. 61, und Abb. 1, S. 62). Für Gase wie Sauerstoff, Stickstoff oder Kohlenstoffdioxid bildet die Membran dagegen keine *Diffusionsbarriere*.

Aufgabe 3.3

Sie bringen Zellen in eine Lösung mit einem Farbstoff, für den die Zellmembran permeabel ist. Der Farbstoff diffundiert hinein und färbt das Cytoplasma an. Nun wollen Sie die Zellen wieder entfärben. Erläutern Sie Ihr Vorgehen.

3.4 Durch Osmose können Zellen Wasser aufnehmen oder abgeben

Sie haben Freunde eingeladen und wollen ihnen einen frischen Blattsalat servieren. Eine Viertelstunde vor Ankunft Ihrer Gäste gießen Sie eine würzig-salzige Soße über den Salat. Eine halbe Stunde später sitzen Sie und Ihre Freunde vor einem Häufchen kläglich zusammengefallener grüner Blätter! Dieses Missgeschick wird Ihnen nie wieder passieren, wenn Sie verstanden haben, wie Osmose funktioniert.

Die meisten Biomembranen sind *semipermeabel*, das heißt halbdurchlässig. Wassermoleküle können sie passieren, nicht aber Ionen und Biomoleküle wie Zucker und Aminosäuren. Wenn eine solche Membran eine Zuckerlösung von reinem Wasser trennt, dann wird Wasser entlang seinem Konzentrationsgefälle in die Zuckerlösung hinein diffundieren (→ Abb. 1). Anders ausgedrückt, wenn eine semipermeable Membran zwei Lösungen mit unterschiedlicher Konzentration an gelöstem Material trennt, wird Wasser von der Seite mit niedrigerer Konzentration des gelösten Stoffes zur Seite höherer Konzentration fließen, da die Konzentration der Wassermoleküle dort niedriger ist. Diese Wasserdiffusion an einer semipermeablen Membran nennen wir **Osmose**. Dabei kommt es nicht auf die Art der gelösten Teilchen an, sondern nur auf ihre Konzentration. Durch einen Konzentrationsunterschied bestimmter Größe wird ein ganz bestimmter *osmotischer Druck* aufgebaut. Die Lösung mit der höheren Konzentration an Gelöstem heißt *hypertonisch* und die mit der geringeren heißt *hypotonisch*. Lösungen mit gleicher Konzentration werden als *isotonisch* bezeichnet. Sie können sich also auch merken, dass bei Osmose das Wasser durch die semipermeable Membran immer von der hypotonischen zur hypertonischen Lösung übertritt, sozusagen „um diese zu verdünnen".

Die Osmose kommt zum Stillstand, wenn der osmotische Druck, bestimmt durch die Zuckerkonzentration, gleich dem hydrostatischen Druck der Wassersäule ist.

Die Steighöhe entspricht dem hydrostatischen Druck.

Wassermolekül
Zuckermolekül
semipermeable Membran
hypertonische Lösung
hypotonische Lösung

Da in der Zuckerlösung pro Volumen relativ weniger Wassermoleküle vorliegen, diffundieren Wassermoleküle in die Zuckerlösung.

1 Im Osmometer sind die Lösung und das Lösungsmittel Wasser durch eine semipermeable Membran getrennt, durch die nur die Wassermoleküle diffundieren können.

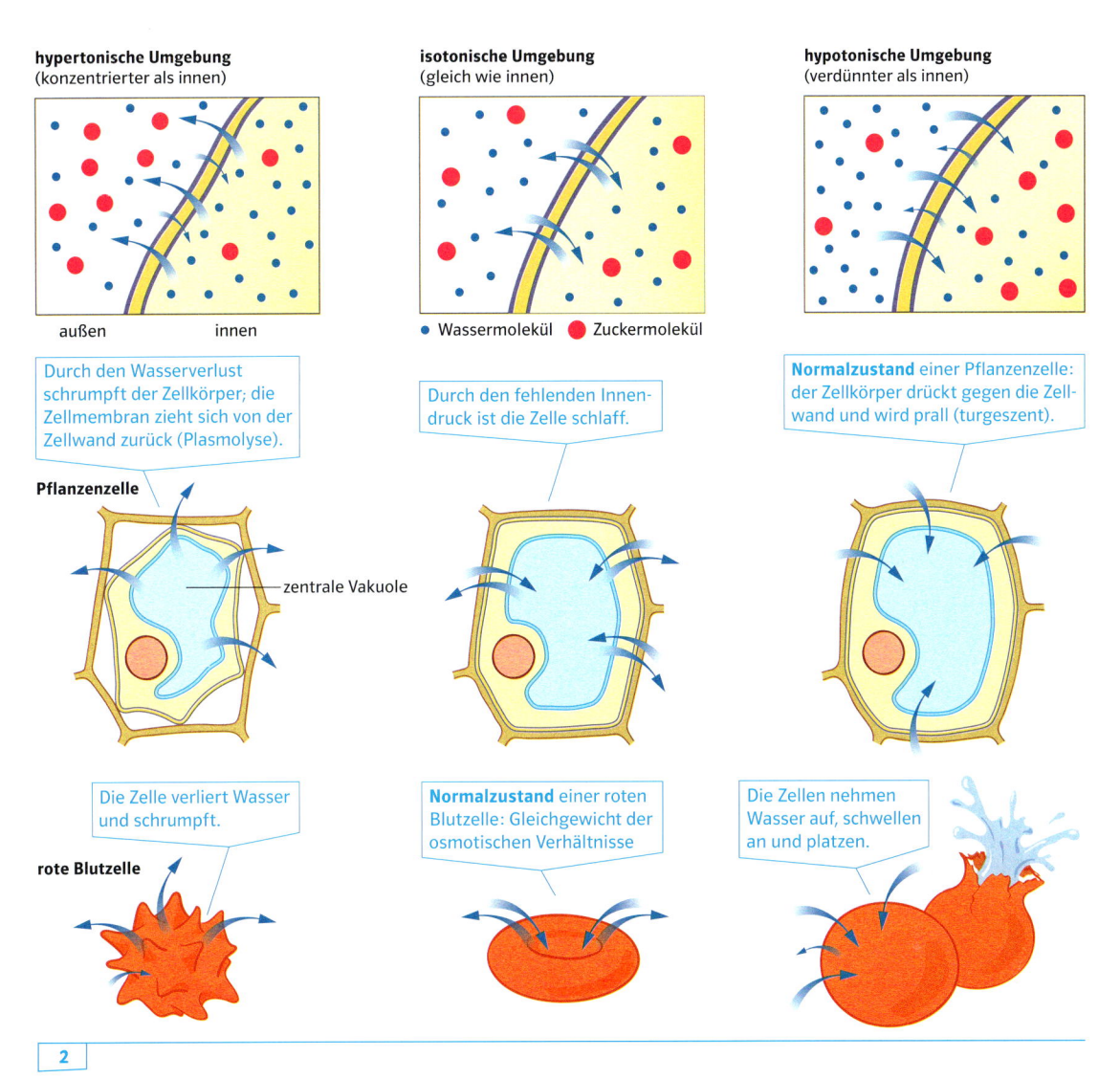

Biomembranen und Transportvorgänge

hypertonische Umgebung
(konzentrierter als innen)

außen — innen

isotonische Umgebung
(gleich wie innen)

• Wassermolekül ● Zuckermolekül

hypotonische Umgebung
(verdünnter als innen)

Durch den Wasserverlust schrumpft der Zellkörper; die Zellmembran zieht sich von der Zellwand zurück (Plasmolyse).

Pflanzenzelle

zentrale Vakuole

Durch den fehlenden Innendruck ist die Zelle schlaff.

Normalzustand einer Pflanzenzelle: der Zellkörper drückt gegen die Zellwand und wird prall (turgeszent).

Die Zelle verliert Wasser und schrumpft.

rote Blutzelle

Normalzustand einer roten Blutzelle: Gleichgewicht der osmotischen Verhältnisse

Die Zellen nehmen Wasser auf, schwellen an und platzen.

2
Tier- und Pflanzenzellen erhalten auch durch Osmose ihre äußere Form.

Die Osmose spielt für alle lebenden Zellen eine wichtige Rolle, es gibt aber deutliche Unterschiede. Tierische Zellen brauchen eine isotonische Umgebung. Nur unter dieser Bedingung zeigen rote Blutzellen ihre normale linsenförmige Gestalt (→ Abb. 2). Wenn Zellen sich in einer hypertonischen Flüssigkeit befinden, schrumpfen sie; in hypotonischer Flüssigkeit dagegen dehnen sie sich durch Wasseraufnahme in das Cytoplasma aus, bis sie platzen. Daher ist für viele Tiere die **Homöostase** (das heißt die Konstanz) der osmotischen Verhältnisse in den Körperflüssigkeiten extrem wichtig (→ S. 82). Pflanzenzellen dagegen befinden sich meistens in hypotonischer Umgebung. Der Zellsaft in der *zentralen Vakuole* (→ Abb. 2, S. 41) weist eine relativ hohe Konzentration an gelösten Salzen auf. Wie bei den Tierzellen strömt osmotisch Wasser ein. Aber anders als Tierzellen haben Pflanzen eine relativ starre Zellwand. Dadurch dehnt die Zelle sich nicht bis zum Platzen aus, sondern baut einen Innendruck auf, den **Turgor** (→ Abb. 2, S. 123). Die Zelle wird *turgeszent*. Der Turgor gibt den einzelnen Zellen und auch ganzen Pflanzen, soweit sie nicht verholzt sind, ihre Form und Standfestigkeit. Wie beim Osmometer (→ Abb. 1) kommt auch hier die Osmose zum Stillstand, wenn der Turgor, der Innendruck der Zelle, gleich groß wird wie der osmotische Druck. Dieser wird vom Konzentrationsunterschied an gelösten Substanzen innerhalb und außerhalb der Zelle bestimmt. In isotonischer Umgebung verlieren pflanzliche Zellen ihren Turgor und werden schlaff.

Wenn Sie Pflanzenzellen in eine hypertonische Umgebung bringen, z. B. Ihren Blattsalat mit salziger Salatsoße begießen, dann strömt wie bei Tierzellen Wasser aus und der Zellinnenraum schrumpft. Da die

Struktur und Funktion

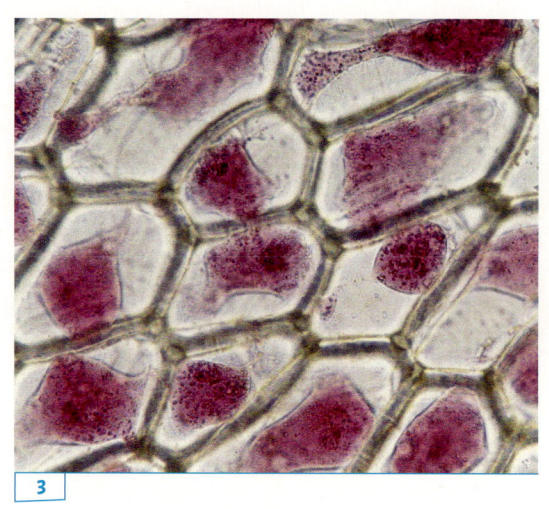

Plasmolyse. Befinden sich Pflanzenzellen in einer hypertonischen Lösung (beispielsweise Salzwasser), strömt Wasser aus. Der schrumpfende Zellkörper löst sich von der Zellwand. Dieses Pflanzengewebe welkt.

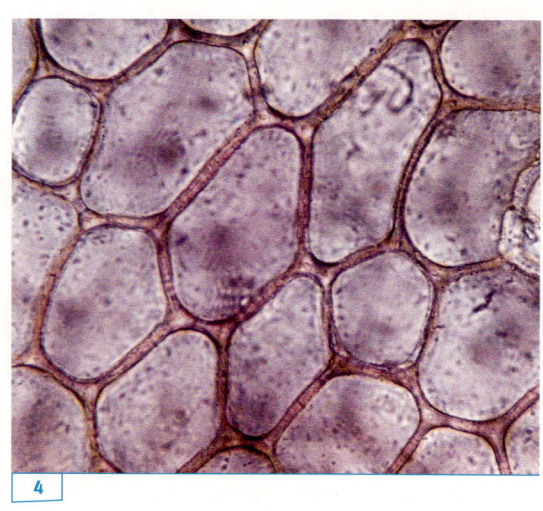

Deplasmolyse. Taucht man die Salzlösung in der Umgebung plasmolysierter Zellen gegen Wasser aus (hypotonische Umgebung), strömt Wasser osmotisch wieder ein. Der Zellkörper legt sich wieder an die Zellwand.

Zellwand aber starr ist, löst sich beim Schrumpfen die Zellmembran von der Zellwand; wir sprechen dann von **Plasmolyse** (→ Abb. 3). Dieser Vorgang kommt durchaus in lebenden Pflanzen vor, wenn sie aufgrund langer Trockenheit welken. Falls die Trockenheit nicht zu lange anhält, überleben Pflanzen die Plasmolyse. Bei einsetzendem Regen wird die Zellumgebung wieder hypotonisch, der osmotische Druck baut sich auf und die Zellmembran legt sich wieder an die Zellwand an (*Deplasmolyse*, → Abb. 4). Den Effekt sehen Sie auch von außen, wenn sich eine welke Pflanze nach dem Gießen wieder aufrichtet.

Aufgabe 3.4

Bei Infusionen in das Blutsystem ist es extrem wichtig, als Infusionsflüssigkeit eine physiologische Kochsalzlösung zu nehmen, die eine ganz bestimmte Salzkonzentration aufweist. Begründen Sie.

3.5 Kanal- und Transportproteine erleichtern die Diffusion durch Membranen

Der hydrophobe Kern von Biomembranen stellt für fast alle Biomoleküle eine wirksame Schranke dar und hindert sie daran, die Zelle oder ein Zellkompartiment zu verlassen. Selbst das kleine Wassermolekül kann nur recht langsam hindurch diffundieren. Andererseits erfordert der Prozess der Osmose eine semipermeable Membran, die für Wasser gut durchlässig ist, aber nicht für gelöste Substanzen. Sehr oft muss eine Zelle auch kleine und große Biomoleküle mit ihrer Umgebung oder mit anderen Zellen rasch und gezielt austauschen können. Wie erfüllen Biomembranen diese verschiedenen Aufgaben?

Membranproteine ermöglichen vielen Substanzen eine schnelle Diffusion. Eine solche Diffusion wird daher auch *erleichterte Diffusion* genannt. Membranproteine als Helfer für die Diffusion bieten zwei weitere Vorteile:
- Sie können die Moleküle, die die Membran durchqueren, nach deren Größe und chemischen Eigenschaften sortieren. Wir sprechen dann von *selektiv permeablen* Membranen.
- Sie können die Diffusion kontrollieren, indem sie den Durchgang durch die Membran öffnen oder schließen.

Überblick: Transmembranproteine
150010-0611

Biomembranen und Transportvorgänge

Für die Osmose sind Membranporen wichtig, die die Membran wasserdurchlässig, also semipermeabel machen. Die wichtigsten Vertreter solcher Wasserkanäle, die *Aquaporine*, sind erstaunlich effiziente Diffusionshelfer.° Durch ein Aquaporin (→ Abb. 1) können pro Sekunde 3 Milliarden Wassermoleküle passieren! Und durch 100 cm² (das entspricht ca. einem Viertel dieser Buchseite) einer Membran mit Aquaporinen kann in wenigen Sekunden ein ganzer Liter Wasser diffundieren. Daher findet man besonders viele Aquaporine in Zellmembranen von Zellen, für die eine so schnelle Wasserdiffusion wichtig ist, etwa Nierenzellen oder schnell wachsende Zellen.

Andere **Kanalproteine** ermöglichen es größeren Molekülen, die Membran zu durchqueren, machen sie also selektiv permeabel (→ Abb. 2). In vielen Fällen sind solche Kanäle gesteuert, das heißt, auf ein elektrisches oder chemisches Signal hin können sie geöffnet oder geschlossen werden. Ein wichtiges Beispiel sind *Ionenkanäle*, die häufig verschieden große Ionen wie Natrium- und Kalium-Ionen selektiv durchlassen. Im Zusammenhang mit dem Nervensystem werden Sie Natrium- und Kaliumkanäle kennenlernen, die sich durch eine benachbarte Erregung sehr schnell öffnen und wieder schließen. Dabei strömen Na$^+$- und K$^+$-Ionen in gegenläufiger Richtung durch die Nervenfasermembran und die Erregung wird fortgeleitet (→ Kap. 28).

Membrantransport setzt nicht immer einen Kanal voraus. Viele Membranproteine können ein Molekül spezifisch binden und dann eine Umlagerung ihrer Faltungsstruktur, eine Konformationsänderung, vollziehen. Dadurch kann das gebundene Molekül seine Bindestelle auf der anderen Membranseite wieder verlassen (→ Abb. 2). Solche **Transportproteine** nennen wir auch **Carrier**. Wenn Sie einen Schokoriegel gegessen haben und Ihr Blutzuckerspiegel ansteigt,

Kompartimentierung

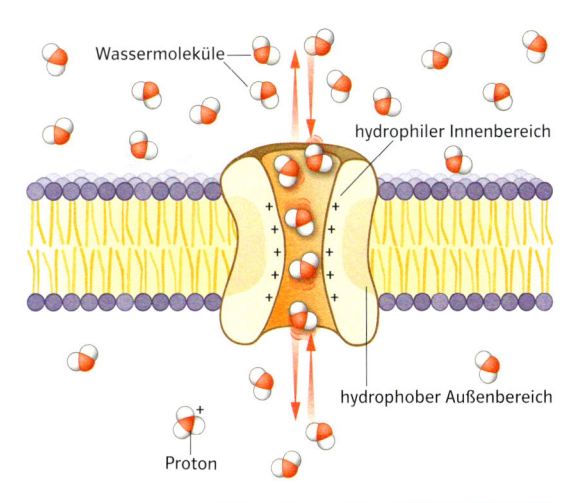

1

Aquaporine sind Kanalproteine, die Wassermolekülen die Diffusion durch die Membran erleichtern. Durch den Flaschenhals des Aquaporins passen nur die kleinen Wassermoleküle. Die positiven Ladungen hindern Protonen am Durchtritt (formal: H$^+$, tatsächlich H$_3$O$^+$).

dann bewirkt zum Beispiel ein Glucose-Carrier, dass Glucose aus dem Blutplasma in Blut-, Leber- oder Muskelzellen hinein diffundieren kann. Der Carrier hat eine Bindestelle, die für Glucose spezifisch ist. Anders als ein Enzym bei einer Stoffwechselreaktion (→ 4.3) verändert ein Glucose-Carrier das Glucosemolekül aber nicht, sondern bewegt es lediglich auf die andere Membranseite.

Sie sollten Folgendes im Gedächtnis behalten: Bei all diesen verschiedenen Möglichkeiten, eine Membran zu durchqueren, strömen Substanzen entlang

Ein Kanalprotein erleichtert die Diffusion von polaren Molekülen oder Ionen.

Ein Transportprotein bindet ein passendes Molekül und setzt es nach einer Umlagerung auf der anderen Seite wieder frei.

Der **passive Transport** erfolgt mit dem Konzentrationsgefälle.

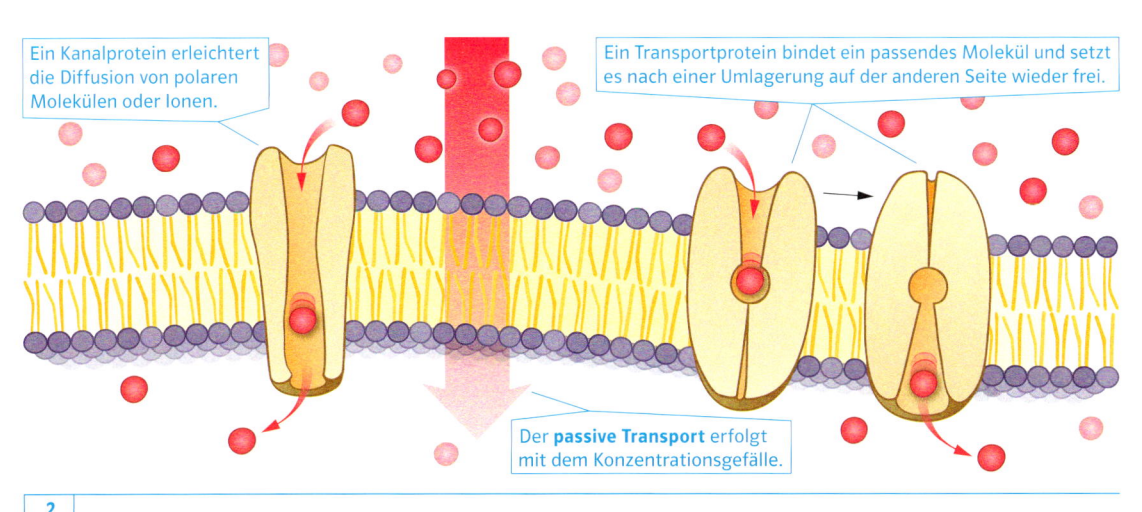

2

Kanalproteine und Transportproteine erleichtern die Diffusion durch eine Membran entlang dem Konzentrationsgefälle. Sie ermöglichen den Transport prinzipiell in beide Richtungen.

Zellen

Stoff- und Energieumwandlung

ihrem Konzentrationsgefälle. Die hier genannten Kanäle und Carrier können alle die Diffusion im Prinzip in beiden Richtungen zulassen. Da die Diffusion durch das Konzentrationsgefälle angetrieben wird, erfolgt der Transport der gelösten Substanz netto immer von derjenigen Membranseite, auf der die höhere Konzentration dieser Substanz vorliegt, auf die andere Seite. Dabei erfordert der Transport kein weiteres Zutun und keine Energie der Zelle.• Er wird daher auch **passiver Transport** genannt (→ Abb. 2, S. 61).

Aufgabe 3.5

Die Diffusion einer Substanz durch ein Kanalprotein wird immer schneller, je höher ihr Konzentrationsgefälle. Erfolgt dagegen der Transport durch ein Transportprotein, stellt sich Sättigung ein: Ab einer bestimmten Substanzkonzentration führt eine weitere Erhöhung des Konzentrationsgefälles nicht mehr zu einer Steigerung der Transportgeschwindigkeit. Erklären Sie den Unterschied.

3.6 Der Transport gegen ein Konzentrationsgefälle kostet Energie

Die Konzentration an Kalium-Ionen (K$^+$) in einer Pflanzenzelle liegt üblicherweise bei ca. 10 mg/ml. Das Kalium, das im Bodenwasser für Pflanzen verfügbar ist, ist oft um den Faktor 1000 geringer konzentriert. Wie kommen Kalium-Ionen, die Pflanzen genau wie wir Menschen dringend brauchen, in die Pflanzenzellen hinein? Ganz sicher ist, dass Kalium-Ionen nicht einfach in die Pflanzenzellen diffundieren, denn Diffusion kann immer nur entlang einem Konzentrationsgefälle geschehen.

Wenn eine Substanz gegen ein Konzentrationsgefälle über eine Membran transportiert werden soll, muss dafür Energie aufgewendet werden. Ein solcher Vorgang wird daher **aktiver Transport** genannt.

Der passive Transport von Substanzen kann in der einen oder anderen Richtung über die Membran erfolgen, je nachdem in welcher Richtung das Konzentrationsgefälle liegt. Dagegen ist der energieabhängige aktive Transport immer gerichtet. Das Transportprotein bindet sein Passagier-Molekül immer in einer passgenauen Bindestelle und ist somit spezifisch für bestimmte Substanzen. Allerdings können manche Transportproteine mehr als eine Molekülart gleichzeitig transportieren (→ Abb. 1). Werden zwei verschiedene Moleküle in die gleiche Richtung transportiert, sprechen wir von *Symport*. Ein Beispiel ist die Aufnahme von Aminosäuren in Zellen der Darmschleimhaut, die immer jeweils zusammen mit einem Natrium-

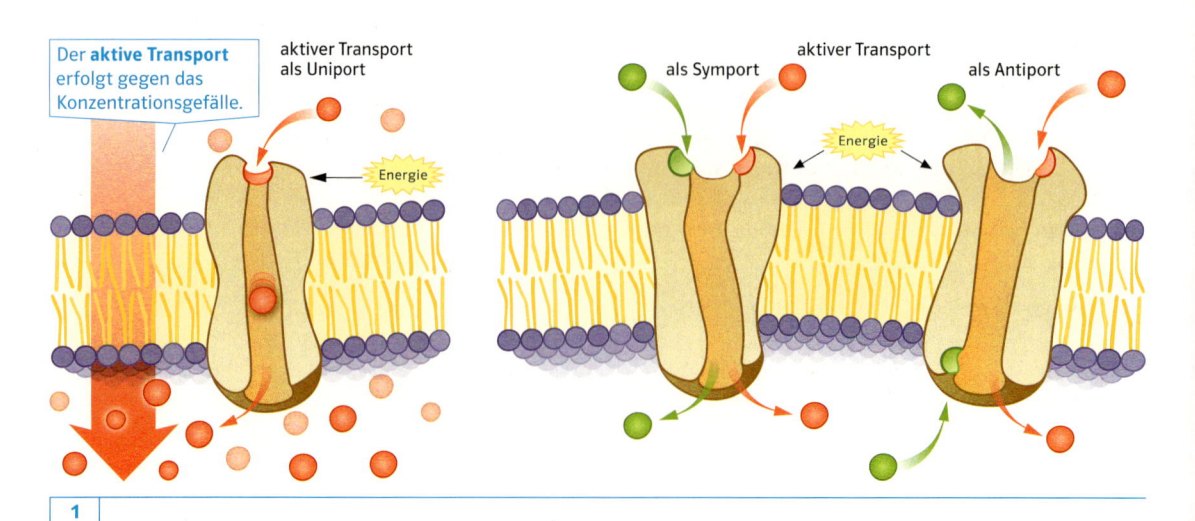

1

Aktiver Transport erfordert Stoffwechselenergie und ist gerichtet.

Online-Link
Glucosetransport (interaktiv)
150010-0631

Biomembranen und Transportvorgänge

1. Protonenpumpe (Uniport)

Zunächst transportiert eine Protonenpumpe H⁺-Ionen unter Verbrauch des Energieträgers ATP in das Außenmilieu (primär aktiver Transport, Uniport).

Zellinnenraum — äußeres Milieu

Wurzelhaar

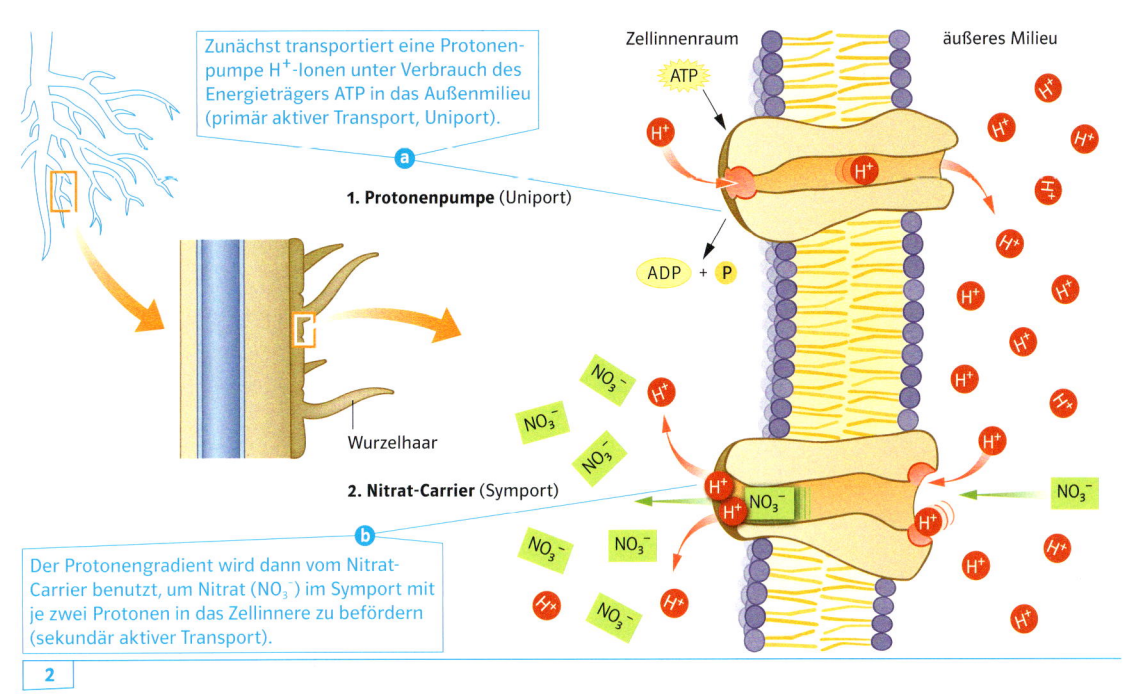

2. Nitrat-Carrier (Symport)

Der Protonengradient wird dann vom Nitrat-Carrier benutzt, um Nitrat (NO_3^-) im Symport mit je zwei Protonen in das Zellinnere zu befördern (sekundär aktiver Transport).

2 Der Nitrat-Carrier in Wurzelhaarzellen der Pflanzenwurzeln ist ein sekundär aktiver Transporter.

Ion erfolgt. Beim *Antiport* werden zwei Substanzen gleichzeitig in entgegengesetzter Richtung transportiert. Das ist der Fall bei Natrium-Kalium-Pumpen, die in Nervenzellen, aber auch in vielen anderen Zellen vorhanden sind. Sie befördern Kalium-Ionen in die Zellen hinein und Natrium-Ionen hinaus (→28.3). Ein typischer *Uniport*, also der Transport einer einzigen Substanz, ist der H⁺-Transport durch *Protonenpumpen* (→Abb. 2). In allen genannten Transportvorgängen liefert der Energieträger **Adenosintriphosphat** (**ATP**) die notwendige Energie (→Abb. 2, S. 67). Daher handelt es sich jeweils um *primär aktiven Transport*.

Im *sekundär aktiven Transport* ist ATP nur indirekt beteiligt. Es wird nämlich dazu benutzt, um zunächst ein Konzentrationsgefälle von anderen Molekülen aufzubauen, häufig von H⁺- oder Natrium-Ionen. Dieses Gefälle liefert dann die Energie für den sekundären Transport. Denn wenn die H⁺- oder Natrium-Ionen entlang ihrem Konzentrationsgefälle zurückströmen, sorgen sie dafür, dass die Substanz, die aktiv transportiert werden soll, im Symport oder Antiport gegen ihr Konzentrationsgefälle die Membran überquert. Ein Beispiel ist die Aufnahme des Nitrats in Pflanzenwurzeln (→Abb. 2). Hier nehmen zurückströmende Protonen gleichsam huckepack ein Nitrat-Ion mit, das damit gegen sein Konzentrationsgefälle aufgenommen werden kann.

Die Energie für den aktiven Transport wird in den allermeisten Fällen vom Energieträger ATP bereitgestellt.• Im Zusammenhang mit dem Thema Fotosynthese werden Sie aber auch aktive Transportvorgänge kennenlernen, die durch Lichtenergie angetrieben werden (→8.4), und bei der Zellatmung spielen Protonenpumpen eine Rolle, deren Antrieb die chemische Energie nicht aus ATP, sondern aus anderen Molekülen bezieht (→6.4).

Stoff- und Energieumwandlung

Aufgabe 3.6

Gramicidin ist ein Antibiotikum, das sich in Bakterienmembranen einlagert und diese für Kationen (positiv geladene Ionen) durchlässig macht. Danach kommen fast alle sekundär aktiven Transportvorgänge in diesen Membranen zum Erliegen. Erklären Sie das beobachtete Ergebnis.

3.7 Makromoleküle oder größere Partikel können selektiv durch Membranen aus- und eingeschleust werden

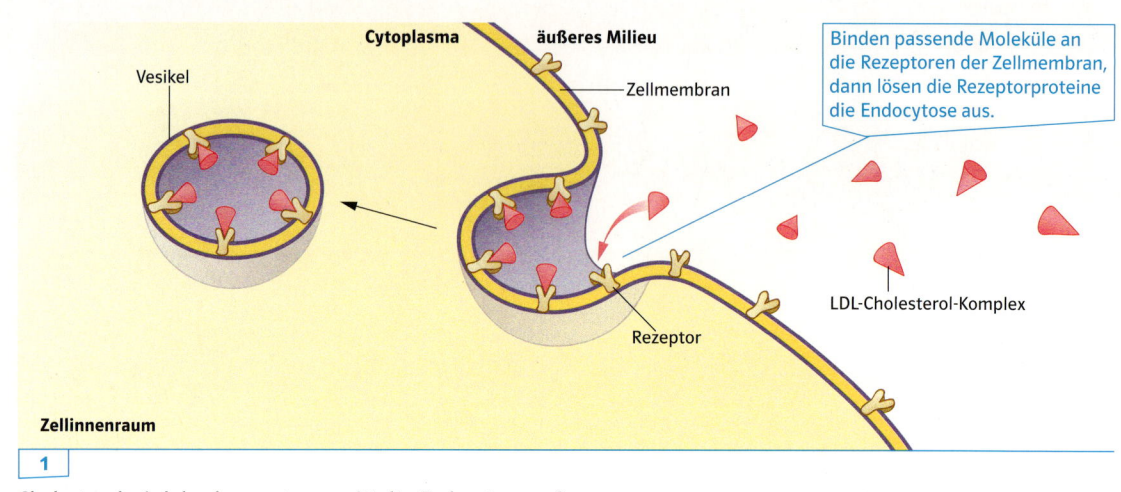

Binden passende Moleküle an die Rezeptoren der Zellmembran, dann lösen die Rezeptorproteine die Endocytose aus.

1 Cholesterol wird durch rezeptorvermittelte Endocytose aufgenommen.

Struktur und Funktion

Manchmal müssen Zellen Partikel aufnehmen, die für Kanal- oder Transportproteine zu groß sind. Diese Aufnahme geschieht, wie Sie in Abb. 1, S. 46, gesehen haben, durch **Endocytose**: Die Membran stülpt sich ein, umfließt das aufzunehmende Partikel und schnürt sich nach innen als *Vesikel* ab. Über diesen Weg kann im Prinzip jedes Partikel in eine Zelle gelangen. Was geschieht jedoch, wenn aus einer Mischung vieler verschiedener Partikel nur ganz bestimmte selektiv aufgenommen werden sollen?

Zu den Substanzen, die durch *selektive Endocytose* in menschliche Zellen aufgenommen werden, gehört *Cholesterol*. Cholesterol ist für unsere Zellen überlebenswichtig, da es für eine gleichbleibende Beweglichkeit der Zellmembranen sorgt (→ 3.1). Außerdem dient es als Vorstufe für die Synthese einer Reihe von Hormonen und anderer Substanzen. Cholesterol wird in der Blutbahn zu den Zellen transportiert, ist aber im Blutplasma unlöslich und liegt daher fest an Proteine gebunden vor, die *Low density*-Lipoproteine (LDL, Lipoproteine geringer Dichte). Diese Proteine werden von **Rezeptoren** in der Zellmembran erkannt und gebunden (→ Abb. 1). Rezeptoren besitzen Bindungsstellen für bestimmte Moleküle. Die LDL-Rezeptoren sind Membranproteine, die aus der Zellmembran ragen. Nach der Bindung lösen die Rezeptoren die Endocytose aus, wodurch LDL zusammen mit Cholesterol in einem Vesikel ins Zellinnere befördert wird. Dieser Prozess heißt *rezeptorvermittelte Endocytose*.

Menschen mit der Erbkrankheit *Familiäre Hypercholesterinämie* fehlt das Rezeptorprotein für den LDL-Cholesterol-Komplex. Dadurch kann Cholesterol nicht ausreichend in die Zellen aufgenommen werden und liegt in sehr hohen Konzentrationen im Blut vor. Das ist gefährlich, denn der zu hohe Cholesterolspiegel verursacht frühzeitige Arteriosklerose (Ablagerungen an den Innenwänden der Blutgefäße) mit Folgeerkrankungen wie Herzinfarkt und Schlaganfall.

Kompartimentierung

Nicht nur der Membranbestandteil Cholesterol wird den Membranen von außen zugeführt, sondern auch zahlreiche andere Substanzen, darunter die Grundbausteine der Membranen, die Lipide. In Tier- und Pflanzenzellen werden Phospholipide auf der Oberfläche des glatten endoplasmatischen Reticulums synthetisiert. Von hier werden sie auf andere Membranen verteilt, indem sie sich als Vesikel abschnüren und diese dann mit den anderen Membranen verschmelzen. Mithilfe von Vesikeln findet also ein intensiver *Membranfluss* zwischen verschiedenen Reaktionsräumen einer Zelle statt (→ Abb. 1, S. 46).

Aufgabe 3.7

Beschreiben Sie, auf welche Weise der Membranbaustein Cholesterol aus dem Blut in die Zellen gelangt.

4 Energie und Enzyme

Das Wasser im Stausee besitzt potenzielle Energie und eine Energieschwelle, den Staudamm. Beseitigt man diese Schwelle, etwa durch Öffnen von Schleusen, beginnt das Wasser zu fließen und seine potenzielle Energie wird zu kinetischer Energie. Diese ist für Arbeit nutzbar, sie treibt Turbinen für die Erzeugung von elektrischem Strom an. Biomoleküle enthalten chemische Energie, eine Form von potenzieller Energie. Chemische Reaktionen, bei denen Energie frei wird, laufen oft von selbst ab. Warum zerfallen unsere Biomoleküle dann nicht spontan in CO_2 und H_2O? Weil auch hier zunächst eine Energieschwelle überwunden werden muss. Im Körper sind unzählige Biokatalysatoren, Enzyme genannt, nur damit beschäftigt, hier, da und dort Schleusen zu öffnen und wieder zu verschließen, um so die einzelnen Stoffwechselreaktionen zu beschleunigen und zu steuern.

Zervreila Stausee, Graubünden, Schweiz

4.1	Lebewesen benötigen Energie, um existieren zu können
4.2	Eine chemische Reaktion läuft von selbst ab, wenn die freie Energie sinkt
4.3	Enzyme beschleunigen chemische Reaktionen, indem sie Energiebarrieren senken
4.4	Fast jede chemische Reaktion in der Zelle wird von einem spezifischen Enzym katalysiert
4.5	Die Geschwindigkeit einer Enzymreaktion hängt von der Substratkonzentration ab
4.6	pH-Wert und Temperatur beeinflussen die Enzymaktivität
4.7	Enzyme werden durch andere Moleküle reguliert

4.1 Lebewesen benötigen Energie, um existieren zu können

Energie ist die Grundvoraussetzung allen Lebens. Die Umwandlung von Energie zeigt Abb. 1 bei einem Geparden. Die *chemische Energie* in der Nahrung wird zu *kinetischer Energie* in der Bewegung. Energie lässt sich auch auf molekularer Ebene betrachten. Die kinetische Energie sich bewegender Teilchen (Atome oder Moleküle) kann beim Zusammenstoß auf andere Teilchen übertragen werden und diese in Bewegung setzen. Auch die Wärmeenergie, die *thermische Energie*, hängt mit der kinetischen Energie zufällig sich bewegender und dabei zusammenstoßender Teilchen zusammen. Erst am absoluten Nullpunkt, bei 0 K (0 K = 0 Kelvin ≙ − 273 °C), ist die kinetische Energie aller Atome und Moleküle gleich null.

Aber auch ein ruhendes Teilchen kann Energie beinhalten. Es handelt sich dabei um die *potenzielle Energie* des betreffenden Moleküls, die sogenannte *chemische Energie*, die auf der speziellen Anordnung seiner Atome beruht. Für die Biologie ist diese chemisch gespeicherte Energie von besonderer Bedeutung. Sie bildet das Reservoir, das fast alle Lebensvorgänge speist. Letztlich handelt es sich meist um Energie, die ursprünglich dem Sonnenlicht entstammt, das Pflanzen bei der Fotosynthese eingefangen haben. Diese Energie steckt in den Makromolekülen des Lebens, also in den Kohlenhydraten, Lipiden, Proteinen und Nucleinsäuren, sowie in den zahllosen kleineren organischen Molekülen unserer Zellen.

Haben Sie eine Idee, in welcher Form Energie in Molekülen gespeichert sein könnte? **ATP** (*Adenosintriphosphat*) ist die universelle Energiewährung der biologischen Welt. Am Beispiel des ATP-Moleküls können Sie sich veranschaulichen, wie Energie in Molekülen gespeichert sein kann (→ Abb. 2). Im ATP kommt es durch die drei angehängten Phosphatreste auf engstem Raum zu einer Anhäufung von vier negativen Ladungen, die sich abstoßen. Dadurch wird das Molekül sehr energiereich, und es zerfällt in Anwesenheit von Wasser leicht in ADP und einen Phosphatrest (→ Abb. 2). Der Phosphatrest kann dabei auf ein anderes Molekül übertragen werden. Dies geschieht zum Beispiel im ersten Schritt der *Glykolyse*, der Zuckerspaltung, im Cytoplasma der Zelle (→ 6.2). Dort wird ein Phosphatrest von ATP auf *Glucose* übertragen. Das Produkt, *Glucose-6-Phosphat*, ist dadurch energiereicher als Glucose und kann Reaktionen eingehen, in denen die pure Glucose nicht reagieren würde. Wie Sie hier und in den Kapiteln 6 und 7 noch sehen werden, sind im Zellstoffwechsel viele Reaktionen durch die Übertragung von Phosphatgruppen miteinander verknüpft.

Wenn Sie verstehen möchten, was Energie für das Leben bedeutet, dann folgen Sie in den nächsten Abschnitten der Erläuterung der physikalischen Grundlagen. Mit deren Hilfe werden Ihnen viele Abläufe im Stoffwechsel und in der Natur verständlich. Betrachten wir also das Phänomen der Energie einmal mit den Augen der Physik: Nicht nur Biologen, sondern auch Physiker bezeichnen ihre Untersuchungsobjekte oft als **Systeme**. Alles außerhalb eines Systems, also den Rest des Universums, nennen sie **Umgebung**. Ein *geschlossenes System*, wie etwa die Flüssigkeit in einer verkorkten Flasche, kann keine Materie mit der Umgebung austauschen. Allerdings kann ein geschlossenes System Energie mit der Umgebung austauschen, indem sich die Flüssigkeit beispielsweise abkühlt. Ein *offenes System* ist dagegen nicht nur zum Austausch von Energie mit der Umgebung befähigt, sondern auch zum Austausch von Materie. Lebewesen sind offene Systeme und zugleich Energiewandler. Auch Pflanzen

1 Die chemische Energie aus der Nahrung kann in Bewegungsenergie umgewandelt werden.

Struktur von Adenosintriphosphat

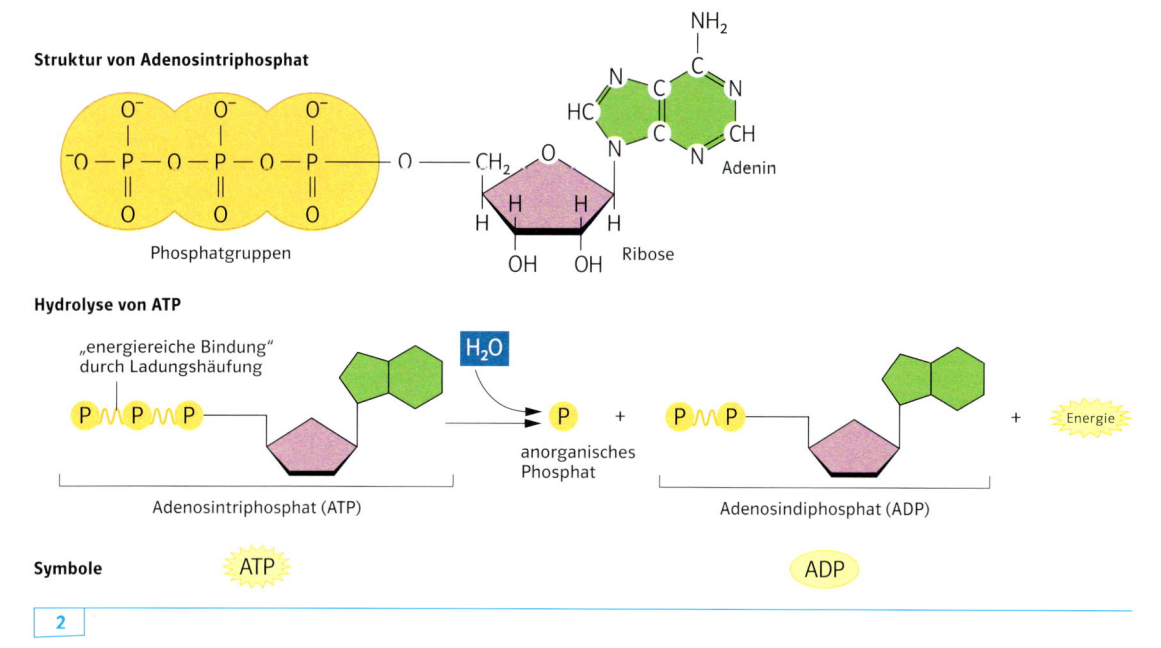

Hydrolyse von ATP

Symbole   ATP   ADP

2 Chemische Struktur eines ATP-Moleküls und seine Spaltung in ADP und Phosphat. Das ATP-Molekül gleicht einer Batterie mit einem genormten Energiegehalt.

und die Turbinen am Staudamm (→ S. 65) sind Energiewandler und keine „Energieerzeuger"; die gibt es nämlich gar nicht, wie Sie gleich sehen werden.

Energieumwandlungen werden durch zwei grundlegende Gesetze der *Thermodynamik* (Wärmelehre) definiert, die als erster und zweiter Hauptsatz der Thermodynamik bezeichnet werden:

1. Hauptsatz:
Die Energie des Universums ist konstant; Energie kann weder erzeugt noch vernichtet werden.

2. Hauptsatz:
Jeder Energietransport und jede Energieumwandlung vergrößert die Entropie (molekulare Unordnung, nicht nutzbare Wärmeenergie) des Universums.

Nach dem ersten Hauptsatz sollte es den Organismen möglich sein, ihre „verbrauchte" Energie zu regenerieren und erneut zu nutzen. Das gelingt jedoch nicht, weil nach dem zweiten Hauptsatz stets ein Teil der nutzbaren Energie in nicht nutzbare Wärmeenergie umgewandelt wird, die **Entropie**. Die Entropie erhöht sich, wenn die Moleküle erwärmt werden, sie bewegen sich dann schneller. Sie erhöht sich aber auch dann, wenn aus wenigen Teilen viele Teilchen werden. Die Entropie kann man als molekulare Unordnung verstehen. Beim Abbau großer Makromoleküle mit hoher innerer Ordnung entstehen viele kleine Moleküle, die weniger geordnet vorliegen. So erhöht sich bei Abbauvorgängen im Körper die Entropie.

Im Prinzip vergrößert jede chemische Reaktion die Entropie des Universums. Wie können sich unter solchen Umständen überhaupt komplexe Makromoleküle und aus diesen Zellen und Organe bilden? Dies geht nur, wenn sich gleichzeitig die Unordnung im Universum als Ganzem erhöht. Lebewesen sind also darauf spezialisiert, ihre innere Ordnung aufzubauen, indem sie die Unordnung in ihrer Umgebung erhöhen. Wer seinen Müll in den Wald kippt, um sein Haus aufzuräumen, demonstriert dies auf drastische Weise.

Die Entropie liefert auch eine Erklärung dafür, warum chemische Reaktionen und andere Prozesse, wie z. B. die Diffusion, von selbst, also spontan, ablaufen können, ohne dass dabei eine Zufuhr oder Abgabe von Energie im Spiel ist (→ 3.3). Reaktionen und Prozesse laufen dann spontan ab, wenn sich dadurch die Unordnung des Universums erhöht. Ist Ihnen das zu abstrakt? Wenn Sie ein Fläschchen Parfüm öffnen, dann verbreitet sich der Duft spontan im Zimmer, weil dies die Unordnung erhöht. Den umgekehrten Prozess, also die spontane Zusammenballung der Parfümmoleküle zu einer kompakten „Duftkugel", hat noch niemand beobachtet. Dieses Prinzip der Spontaneität bestimmter Prozesse ist in der Biologie von großer Bedeutung.

Aufgabe 4.1

Erklären Sie einen Zustand (z. B. Ordnung und Unordnung in Ihrem Zimmer) mit den Hauptsätzen der Thermodynamik.

4.2 Eine chemische Reaktion läuft von selbst ab, wenn die freie Energie sinkt

Um das Netzwerk der biochemischen Reaktionen des Stoffwechsels zu verstehen, müssen Biologen wissen, ob eine Reaktion von selbst ablaufen kann oder nicht. Wie Sie in →4.1 gelesen haben, spielt bei offenen Systemen der Einfluss der Umgebung auf das System eine grundlegende Rolle. Aber wie kann man für jede einzelne Stoffwechselreaktion das gesamte Universum in die Betrachtungen einbeziehen? Um dies zu vereinfachen, führte JOHN WILLARD GIBBS 1878 den Begriff der **freien Energie** ein, der es ermöglicht, die Umgebung — also das Universum — zunächst unberücksichtigt zu lassen. Dies gilt natürlich nur unter bestimmten Bedingungen wie konstanter Temperatur und konstantem Druck, aber diese Bedingungen gelten für lebende Zellen zumindest für eine gewisse Zeit.

Die Änderung der freien Energie (ΔG) kann für jede chemische Reaktion nach folgender Gleichung angegeben werden:

$$\Delta G = \Delta H - T \cdot \Delta S$$

Dabei ist ΔH die Änderung der Gesamtenergie des Systems (also der betreffenden chemischen Reaktion), ΔS ist die Änderung der *Entropie* und T ist die absolute Temperatur gemessen in Kelvin (K). Wenn Sie den Wert für ΔG kennen, können Sie sehr leicht vorhersagen, ob eine Reaktion von selbst (man sagt: freiwillig) ablaufen kann oder nicht. Wenn nämlich ΔG negativ ist — und das haben alle untersuchten Reaktionen gezeigt —, dann kann die Reaktion spontan ablaufen, also ohne Energiezufuhr von außen. Solche Reaktionen

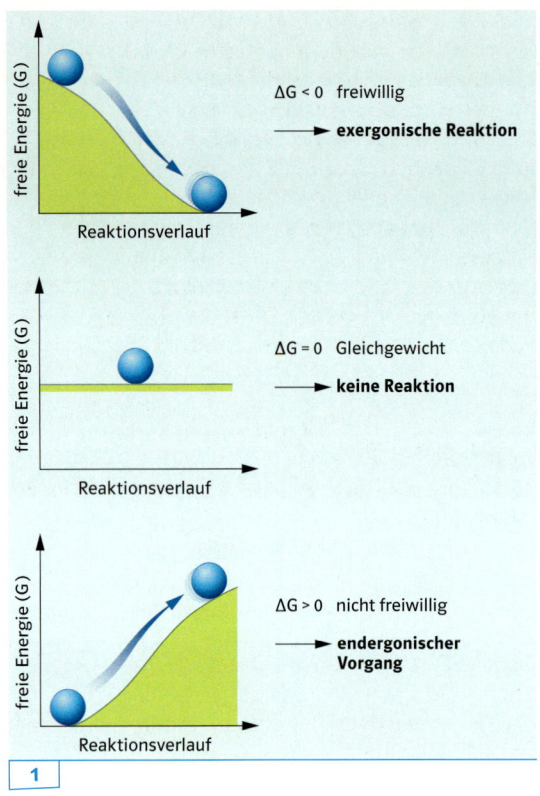

1 Die Änderung der freien Energie ist ein Maß dafür, ob eine chemische Reaktion von selbst ablaufen kann.

- $\Delta G < 0$ freiwillig → exergonische Reaktion
- $\Delta G = 0$ Gleichgewicht → keine Reaktion
- $\Delta G > 0$ nicht freiwillig → endergonischer Vorgang

a Bei einer Reaktion in einem geschlossenen System ist vor dem Erreichen des Gleichgewichtszustands $\Delta G < 0$; danach ist $\Delta G = 0$; es findet keine Reaktion mehr statt.

b In einem offenen System, mit ständig laufender Reaktion ist fortlaufend $\Delta G < 0$.

c Modell eines Stoffwechsels aus drei hintereinandergeschalteten Reaktionen in einem Fließgleichgewicht ($\Delta G < 0$).

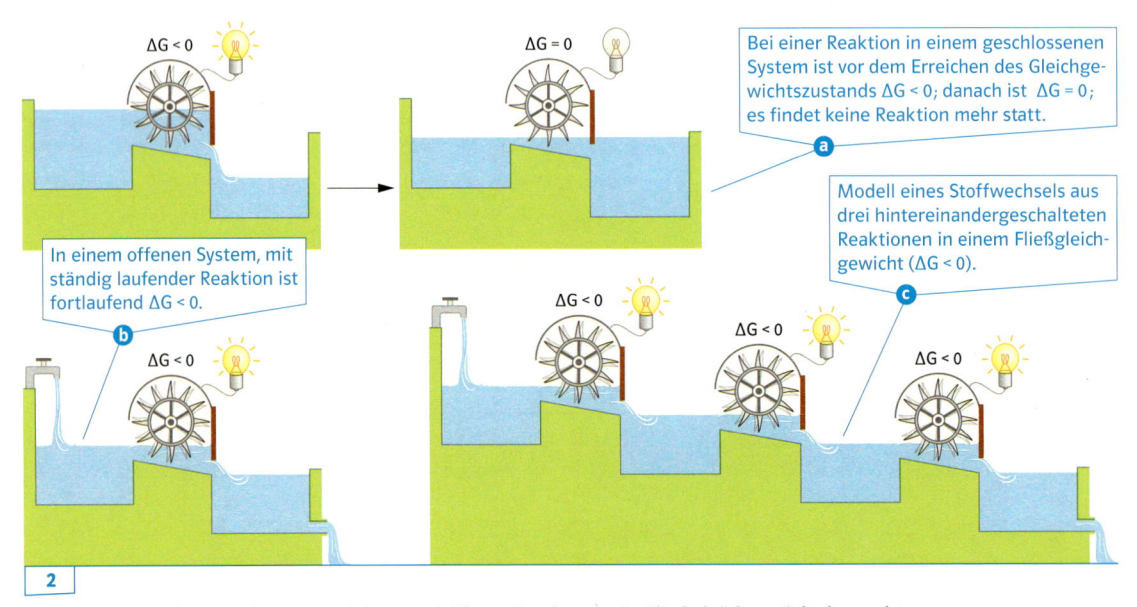

2 Stoffwechselreaktionen kommen nicht zum Stillstand, solange ein Fließgleichgewicht herrscht.

Online-Link
Überblick: Enzymklassen
150010-0691

Energie und Enzyme

nennt man **exergonisch**. Im Gegensatz dazu benötigen **endergonische** Vorgänge stets eine Energiezufuhr und laufen deshalb nicht spontan ab (→ Abb. 1); dies eine „Reaktion" zu nennen, wäre also nicht korrekt. ΔG wird negativ (ΔG < 0), wenn die Gesamtenergie abnimmt (ΔH < 0) und T·ΔS zunimmt (T·ΔS > 0). Es kann auch zu einer spontanen Reaktion kommen, die alleine durch eine starke Entropieerhöhung angetrieben wird, z. B. wenn ΔH ≥ 0 und T·ΔS > 0.

Die Bedeutung der Freiwilligkeit von biochemischen Reaktionen für den Stoffwechsel können Sie sich anhand des Modells einer Turbine, die bei der Stromerzeugung eingesetzt wird, veranschaulichen (→ Abb. 2). In einem geschlossenen System würde die Turbine so lange laufen, bis sich das Niveau zwischen dem linken und dem rechten Reservoir ausgeglichen hat ⓐ. Auch jede chemische Reaktion läuft so lange ab, bis sich ein Gleichgewichtszustand zwischen Ausgangsstoffen und Endprodukten eingestellt hat, denn jede Reaktion ist vom Prinzip her *reversibel*, sie kann vorwärts und rückwärts ablaufen. Das tut sie, bis die freie Energie gleich null ist. Wie Sie bereits wissen, stellen Lebewesen offene Systeme dar und stimmen daher eher mit dem Schema ⓑ überein.* In einer lebenden Zelle herrscht in der Regel stetiger Nachschub von Ausgangsstoffen und ebenso stetiger Abfluss von Produkten. Den gesamten Stoffwechsel können Sie mit einem Fließband vergleichen, auf dem Reaktionen so hintereinandergeschaltet sind, dass das Produkt einer Reaktion als Ausgangsmaterial für die folgende dient ⓒ. Man spricht daher auch von einem **Fließgleichgewicht**, im Gegensatz zum Gleichgewichtszustand eines geschlossenen Systems. Der Begriff des Fließgleichgewichts wird Ihnen in diesem Buch noch mehrfach begegnen.

Stoff- und energieumwandlung

Aufgabe 4.2
Erläutern Sie, wie ein biochemischer Prozess ablaufen kann, bei dem die Änderung der Gesamtenergie ΔH positiv ist, also ΔH > 0.

4.3 Enzyme beschleunigen chemische Reaktionen, indem sie Energiebarrieren senken

In allen Zellen finden sich Proteine, die als **Enzyme**, als *Biokatalysatoren*, Stoffwechselreaktionen beschleunigen. Haben Sie eine Vorstellung davon, um wieviel schneller Reaktionen mit Enzymen ablaufen? Manche Enzyme können die *Reaktionsgeschwindigkeit* bis zu 10^{12}-fach gegenüber der spontanen, unkatalysierten Reaktion steigern. Dies entspricht ungefähr dem Verhältnis der Lichtgeschwindigkeit ($3 \cdot 10^8$ m/s) zur Kriechgeschwindigkeit einer Schnecke ($3 \cdot 10^{-3}$ m/s). Diese unglaubliche Beschleunigung resultiert aus einer im Verlauf der Evolution entstandenen perfekten Anpassung des **aktiven Zentrums** von Enzymen an die zu katalysierende Reaktion. Als aktives Zentrum bezeichnet man diejenige Region in der dreidimensionalen Struktur eines Enzymmoleküls, in der das umzusetzende Substrat gebunden und letztlich zum Produkt modifiziert wird (→ Abb. 1, S. 70). EMIL FISCHER veranschaulichte dies um 1900 durch das *Schlüssel-Schloss-Prinzip*: Der Schlüssel (das Substrat) passt genau in das Schloss (das Enzym). Diese Vorstellung wurde von DANIEL KOSHLAND zum *induced fit-Modell* weiterentwickelt. Danach handelt es sich bei Schlüssel und Schloss nicht um starre, sondern um flexible Strukturen. Denn die räumliche Struktur, die *Konformation*, des Substrats und des Enzyms passen sich bei der Enzymreaktion aneinander an.* Am Beispiel des Enzyms *Hexokinase*, das Glucose umsetzt, hat man dies besonders deutlich zeigen können.

In Abb. 1, S. 70, sehen Sie die Konformationsänderung bei der Bindung eines Moleküls Glucose. Diese Abbildung zeigt auch das Schema auf, auf das sich Biologen für die Beschreibung der Enzymreaktion festgelegt haben. *Enzym* (E) und *Substrat* (S) vereinigen sich zum *Enzym-Substrat-Komplex* (ES), der zu Enzym und *Produkt* (P) weiter reagieren kann. Es handelt sich um eine *reversible Gleichgewichtsreaktion*, wie der Doppelpfeil andeutet. Wie alle Enzyme kann die Hexokinase auch die Rückreaktion katalysieren, je nach Konzentration von Substrat und Produkt. Hier wird noch etwas deutlich: Offenbar hat dieses Enzym zwei Substrate, nämlich Glucose und ATP. Sie werden zu den beiden Produkten *Glucose-6-Phosphat* und ADP umgesetzt. Damit wird die Glucose für den folgenden Abbau im Cytoplasma in einen reaktionsfähigeren Zustand versetzt. Gleichzeitig verhindert die negativ geladene Phosphatgruppe den Rücktransport über die Zellmembran. Oft bezeichnet man Substrate wie das ATP in der hier katalysierten Reaktion auch als

Struktur und Funktion

Zellen

Online-Link
Hexokinasereaktion
150010-0701

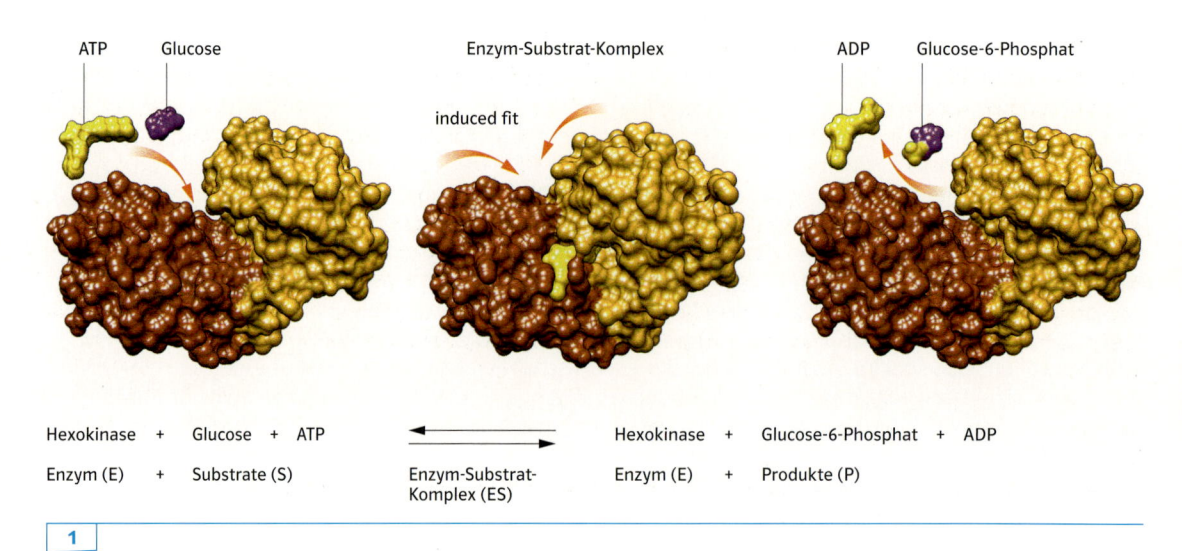

1

Bei der Phosphorylierung von Glucose (violett) mittels ATP durch das Enzym Hexokinase werden Glucose und ATP vom Enzym fast vollständig umschlossen. Das Enzym geht aus der Reaktion unverändert hervor.

Hexokinase + Glucose + ATP ⇌ Hexokinase + Glucose-6-Phosphat + ADP
Enzym (E) + Substrate (S) ⇌ Enzym-Substrat-Komplex (ES) → Enzym (E) + Produkte (P)

Cosubstrate, *Cofaktoren* oder *Coenzyme*. Weitere Beispiele für Enzyme, die zwei oder mehr Substrate gleichzeitig umsetzen, finden Sie bei vielen Stoffwechselreaktionen. Beispielsweise erfordern alle in Kapitel 1 besprochenen Kondensationsreaktionen zwangsläufig, dass beide Reaktionspartner plus ATP von dem betreffenden Enzym gebunden werden.

Warum ist die Reaktion in Abb. 1 ohne Enzym so langsam, dass sie praktisch gar nicht stattfindet? Die Reaktion läuft umso schneller ab, je niedriger die Energiebarriere ist. Woher kommt diese Barriere und wie wird sie überwunden? Das Enzym Hexokinase bringt die Reaktionspartner bei der Phosphorylierung von Glucose durch ATP infolge einer umfassenden Konformationsänderung zusammen. Bei der chemischen Umsetzung kommt es vorübergehend zu einer starken Verzerrung der Molekülstruktur des Substrats. Diese Verzerrung ist nur durch Zufuhr zusätzlicher Energie möglich, sodass ein sehr energiereicher und daher instabiler Zustand resultiert. Ohne diese zusätzlich erforderliche **Aktivierungsenergie** (E) kann die Reaktion nicht erfolgen. Der instabile, energiereiche Zustand

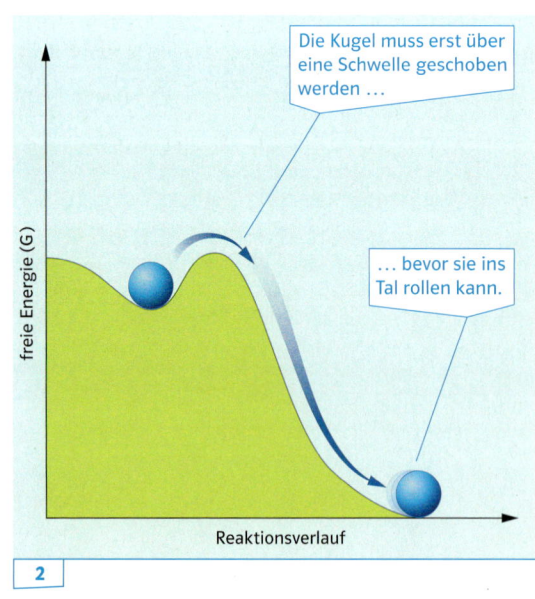

2

Zum Beginn einer Reaktion muss eine Energieschwelle überwunden werden. Dann kann die Reaktion ablaufen.

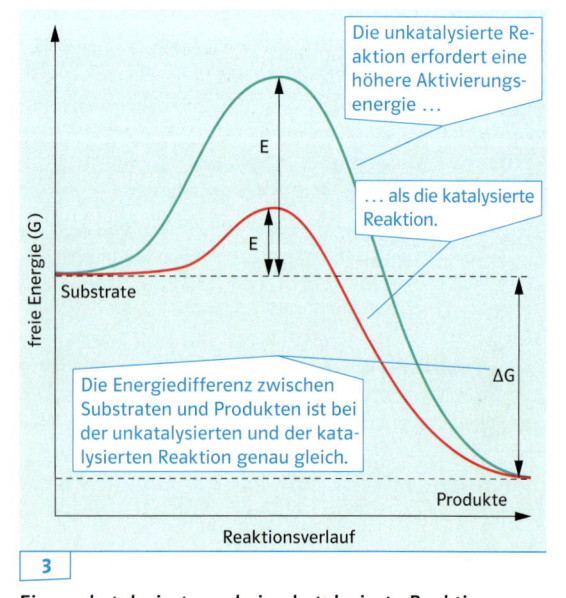

3

Eine unkatalysierte und eine katalysierte Reaktion unterscheiden sich in der Aktivierungsenergie.

des Substrats wird vom Enzym bewirkt, existiert nur vorübergehend und wird *Übergangszustand* genannt. Alle ATP- und Glucosemoleküle müssen mit dem Enzym diesen Zustand durchlaufen, um zu Produkten umgewandelt zu werden (→ Abb. 2).

Das induced fit-Modell nimmt an, dass Enzyme deshalb als Katalysatoren wirken, weil sie ihr Substrat besonders gut binden. Eigentlich ist es jedoch der Übergangszustand, der besonders gut gebunden und dadurch stabilisiert wird. Enzyme verringern die Energiedifferenz zwischen Normalzustand des Substrats und Übergangszustand, d.h. sie reduzieren die notwendige Aktivierungsenergie (→ Abb. 3). In EMIL FISCHERS Schlüssel-Schloss-Modell können Sie sich den Übergangszustand als die Phase beim Schlüsselumdrehen vorstellen, wo Sie die meiste Kraft aufwenden müssen, kurz bevor das Schloss umschnappt.

Wichtig ist: Enzyme beeinflussen nicht die Lage des Gleichgewichts zwischen Ausgangsverbindungen und Produkten, denn diese wird durch die freie Energie ΔG bestimmt. Enzyme beschleunigen lediglich die Einstellung des Gleichgewichts.

Aufgabe 4.3
Erläutern Sie den Vorteil einer Energieschwelle bei der Verwertung von Nahrungsproteinen durch lebende Organismen.

4.4 Fast jede chemische Reaktion in der Zelle wird von einem spezifischen Enzym katalysiert

In Zellen laufen unglaublich viele Reaktionen nebeneinander ab — viele davon gleichzeitig und auch im gleichen Kompartiment. Dass dabei kein Chaos entsteht, beruht auf der extremen Spezifität von Enzymen. Sie können ihr Substrat von der immensen Vielfalt anderer, auch ganz ähnlicher Moleküle in der Zelle zuverlässig unterscheiden. Dies bezeichnet man als **Substratspezifität** (→ Abb. 1).

Das Beispiel der Hexokinase soll die Substratspezifität verdeutlichen. Das Enzym akzeptiert als Substrat ausschließlich Glucose. Andere Monosaccharide, wie z. B. Fructose, werden im aktiven Zentrum des Enzyms nicht gebunden. Auch das Polysaccharid Amylose (Bestandteil von Stärke) und das Disaccharid Maltose (Malzzucker), die beide aus Glucoseeinheiten aufgebaut sind, werden durch Hexokinase nicht umgesetzt. Ist das passende Substrat gebunden, so wird es einer bestimmten chemischen Reaktion unterworfen, die wiederum für das betreffende Enzym typisch ist. Man nennt diese seine **Wirkungsspezifität**.

Sehen Sie sich noch einmal das Beispiel Hexokinase an (→ Abb. 1, S. 70, → Abb. 2, S. 72). Die Hexokinase trennt eine Phosphatgruppe von ATP ab und überträgt sie auf das Kohlenstoffatom Nummer sechs der Glucose, die dadurch zum Glucose-6-Phosphat wird. Es handelt sich also um molekulare Präzisionsarbeit.

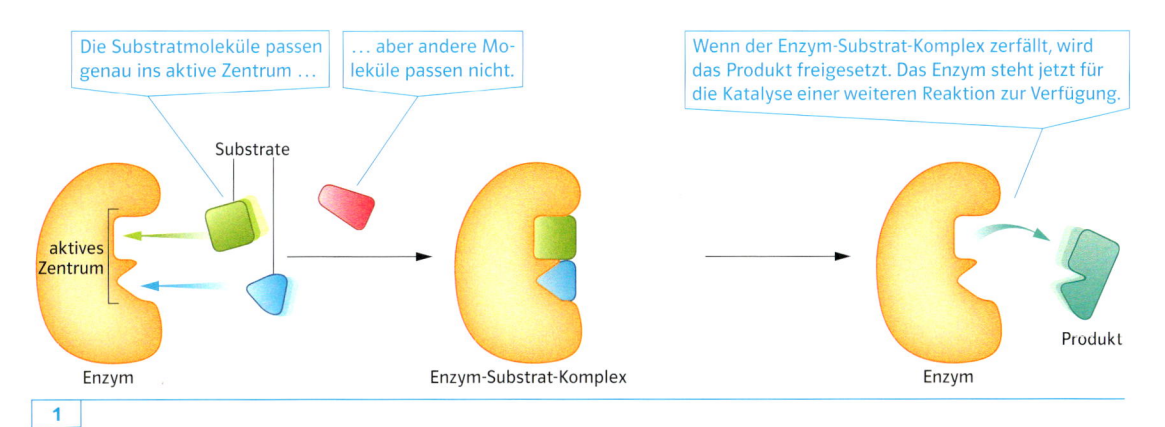

1 Enzyme sind substratspezifisch.

Abb. 2 zeigt das *aktive Zentrum* der Hexokinase mit einem über zwei Glutaminsäuren (Glu) gebundenen Glucosemolekül und einem über Serin (Ser) und Threonin (Thr) gebundenen ATP-Molekül. Zwei weitere Aminosäuren, Asparaginsäure (Asp) und Lysin (Lys), bewirken durch ihre chemischen Eigenschaften die Katalyse. Diese 6 Aminosäurereste bestimmen in ihrer speziellen Anordnung die Substrat- und die Wirkungsspezifität der Hexokinase.

Papier und Baumwolle bestehen aus *Cellulose*, und diese ist ebenso aus Glucose aufgebaut wie Kartoffelstärke. Warum können wir uns dann von Kartoffeln ernähren, aber nicht von alten Zeitungen oder Bluejeans? Der Grund dafür liegt in einer ganz besonderen Eigenschaft biologischer Katalysatoren: Enzyme sind *stereospezifisch*! Stärke und Cellulose sind beides Polymere aus dem Monomer Glucose. Der Unterschied besteht in der Verknüpfung zwischen den Glucosemonomeren. In Stärke sind die Monomere durch α(1→4)-glykosidische Bindungen verbunden, in der Cellulose dagegen durch β(1→4)-glykosidische Bindungen (→ Abb. 1, S. 31). Sie verhalten sich wie Bild und Spiegelbild zueinander, sind also nicht zur Deckung zu bringen. Ihre Hände sind ein Beispiel für *Spiegelbildisomerie*. Isomere werden von unterschiedlichen Enzymen gebunden und gespalten. Unser Verdauungsenzym Amylase kann nur die Bindungen in der Stärke spalten, nicht aber in der Cellulose. Dazu sind Cellulasen erforderlich, wie sie z. B. im Pansen von Wiederkäuern vorkommen (→ Abb. 1, S. 88).

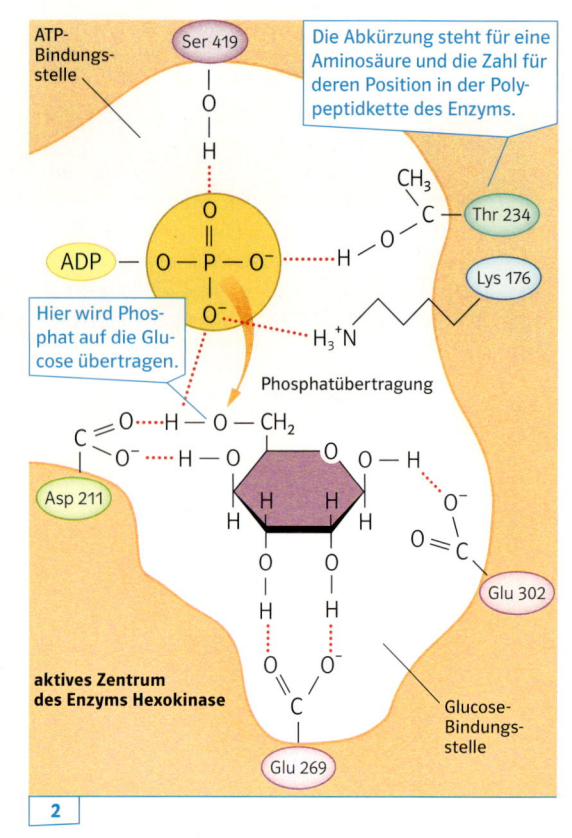

2 Aminosäurereste bestimmen hier die Wirkungsspezifität (Lys 176, Asp 211) und die Substratspezifität (Glu 269, Glu 302 für Glucose; Thr 234, Ser 419 für ATP).

Aufgabe 4.4
Erklären Sie die Begriffe Wirkungs- und Substratspezifität am Beispiel der Umsetzung von Glucose und ATP durch das Enzym Hexokinase.

4.5 Die Geschwindigkeit einer Enzymreaktion hängt von der Substratkonzentration ab

In der medizinischen Diagnostik sind Methoden zur Bestimmung der Menge und der Aktivität von Enzymen unverzichtbar. Routinemäßig werden Blutproben hinsichtlich des Gehalts und der Aktivität von Enzymen des Zellstoffwechsels untersucht. Auf diese Weise gelingt es, Krankheiten zu erkennen, wie z. B. Störungen des Fettstoffwechsels, des Blutzuckerspiegels, der Blutgerinnung, der Immunabwehr, des Hormonsystems und des Nervensystems. Auch bei Krebserkrankungen sind Enzyme als sogenannte Tumormarker wichtige Indikatoren.

Zur Ermittlung der Aktivität von Enzymen untersucht man die Geschwindigkeit von Stoffwechselreaktionen in Abwesenheit oder Anwesenheit eines Enzyms und bei unterschiedlichen Substratkonzentrationen. Enzymreaktionen lassen sich z. B. mit Spektralfotometern verfolgen. Man misst die optischen Änderungen in einer Lösung und bestimmt so die Konzentration von Substraten oder Produkten einer Enzymreaktion in Abhängigkeit von der Zeit. So erhält man z. B. Daten, wie sie schematisch in Abb. 1 dargestellt sind.

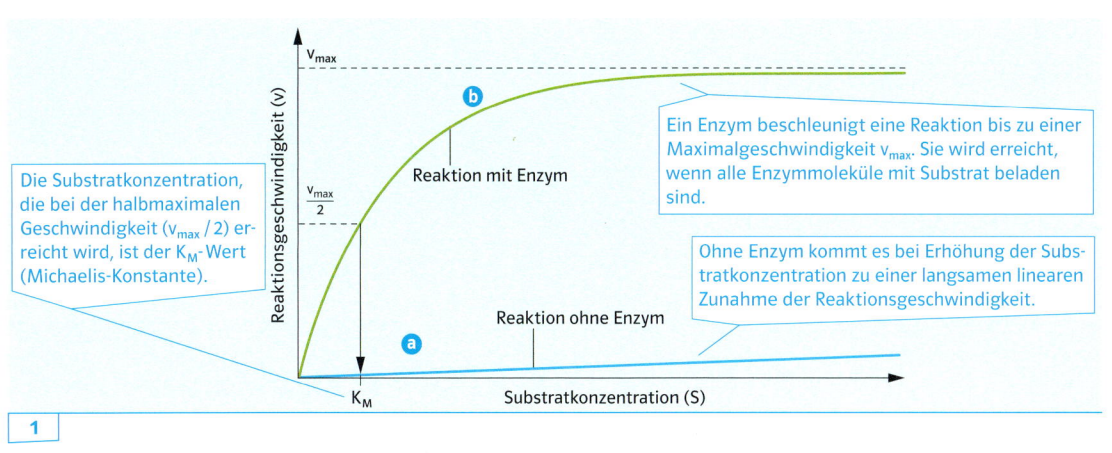

Energie und Enzyme

Abb. 1

- Die Substratkonzentration, die bei der halbmaximalen Geschwindigkeit ($v_{max}/2$) erreicht wird, ist der K_M-Wert (Michaelis-Konstante).
- Ein Enzym beschleunigt eine Reaktion bis zu einer Maximalgeschwindigkeit v_{max}. Sie wird erreicht, wenn alle Enzymmoleküle mit Substrat beladen sind.
- Ohne Enzym kommt es bei Erhöhung der Substratkonzentration zu einer langsamen linearen Zunahme der Reaktionsgeschwindigkeit.

Achsen: Reaktionsgeschwindigkeit (v) gegen Substratkonzentration (S); Kurven: a) Reaktion ohne Enzym, b) Reaktion mit Enzym.

1 Die Reaktionsgeschwindigkeit hängt von der Substratkonzentration ab.

Betrachten wir zunächst die Situation einer nicht katalysierten Reaktion (→ Abb. 1 a). Erhöht man bei einer chemischen Reaktion linear die Konzentration eines Ausgangsstoffs, so steigt die Geschwindigkeit dieser Reaktion ebenso linear an. Bei Anwesenheit eines Enzyms erfolgt die Produktbildung viel schneller (→ Abb. 1 b). Diese hohe Geschwindigkeit enzymatischer Reaktionen beruht auf extrem schnellen Vereinigungen von Enzym E und Substrat S zum Enzym-Substrat-Komplex ES. Je mehr Enzym-Substrat-Komplex vorliegt, desto schneller läuft die Reaktion: Die Geschwindigkeit der Produktbildung ist proportional zur Menge an Enzym-Substrat-Komplex. Die Reaktionsgeschwindigkeit v strebt bei genügend hoher Substratkonzentration S einer Maximalgeschwindigkeit v_{max} zu. In diesem Zustand sind alle Enzymmoleküle mit Substrat beladen. Die Geschwindigkeit der Produktbildung wird nun nur noch durch die Enzymkonzentration bestimmt und durch die spezifische Geschwindigkeit, mit der aus dem ES-Komplex das Produkt gebildet wird. Wieviel Substrat S für diesen *Sättigungswert* genügt, ist ebenfalls enzymspezifisch und wird durch den K_M-Wert ausgedrückt.

Die molekularen Grundlagen werden durch die Darstellung in Abb. 2 verständlicher. Sie veranschaulicht die Veränderungen der Konzentrationsverhältnisse der beteiligten Reaktionspartner im Zeitverlauf der Reaktion. Die meisten Stoffwechselenzyme sind dahingehend optimiert, dass sie unter den natürlich vorkommenden Substratkonzentrationen perfekt mit einer geeigneten Geschwindigkeit arbeiten können. Dieser Bereich entspricht der grau schattierten Zone in der Grafik.

Welche Bedeutung hat dies für den Stoffwechsel? Bei konstanter Konzentration des Enzym-Substrat-Komplexes (grauer Bereich) wird kontinuierlich Produkt gebildet, das wiederum als Substrat für das nächste Enzym in der Stoffwechselkette dienen kann. Es herrscht ein Fließgleichgewicht in einem offenen System (→ Abb. 2, S. 68).

Struktur und Funktion

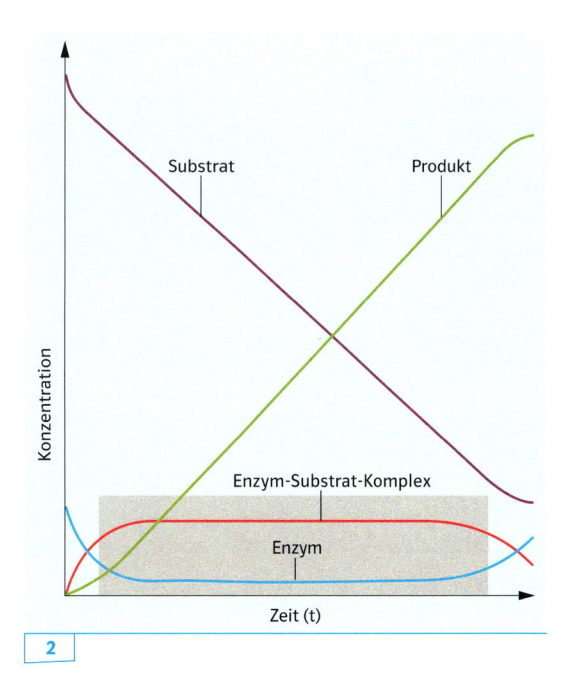

2 Die Konzentration des Enzym-Substrat-Komplexes bestimmt die Umwandlung des Substrats in das Produkt.

Aufgabe 4.5

Beschreiben Sie die Ursache für die Erhöhung der Reaktionsgeschwindigkeit durch Enzyme und erläutern Sie, wo die natürlichen Grenzen der Geschwindigkeit einer enzymkatalysierten Reaktion liegen.

4.6 pH-Wert und Temperatur beeinflussen die Enzymaktivität

Unser Verdauungssystem macht sich die pH-Abhängigkeit von Enzymmolekülen zunutze. So werden zum Beispiel in unserem Magen Proteine durch die Magensäure denaturiert. Bei der **Denaturierung** wird ihre Raumstruktur zerstört. Das Verdauungsenzym *Pepsin* ist an diese Bedingungen perfekt angepasst, indem es im sauren Bereich nicht denaturiert, sondern gut funktioniert. Im Gegensatz zu den meisten anderen Proteinen hat das Pepsin im Verlauf der Evolution also die Fähigkeit erlangt, im stark sauren Milieu stabil zu bleiben (→ Abb. 1). Pepsin ist eine *Protease*. So nennt man Enzyme, die auf die Spaltung von Peptidbindungen zwischen den Aminosäureresten eines Proteins spezialisiert sind.

Nach der Passage durch den Magen wird der Nahrungsbrei vom Sekret der Bauchspeicheldrüse (Pankreas) neutralisiert. Dadurch verliert das Pepsin seine Aktivität und wird nun wie die Nahrungsproteine von den Enzymen der Bauchspeicheldrüse und des Dünndarms bis auf die Stufe einzelner Aminosäuren zerlegt. Andere Enzyme, wie die *Hydrolasen* aus der

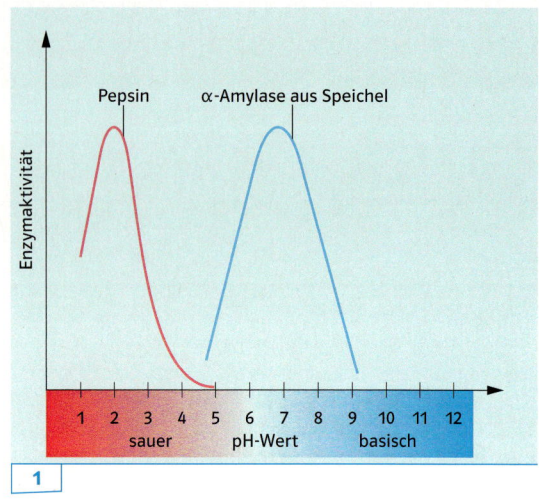

1 Die Aktivität eines Enzyms ist abhängig vom pH-Wert und zeigt ein charakteristisches Optimum.

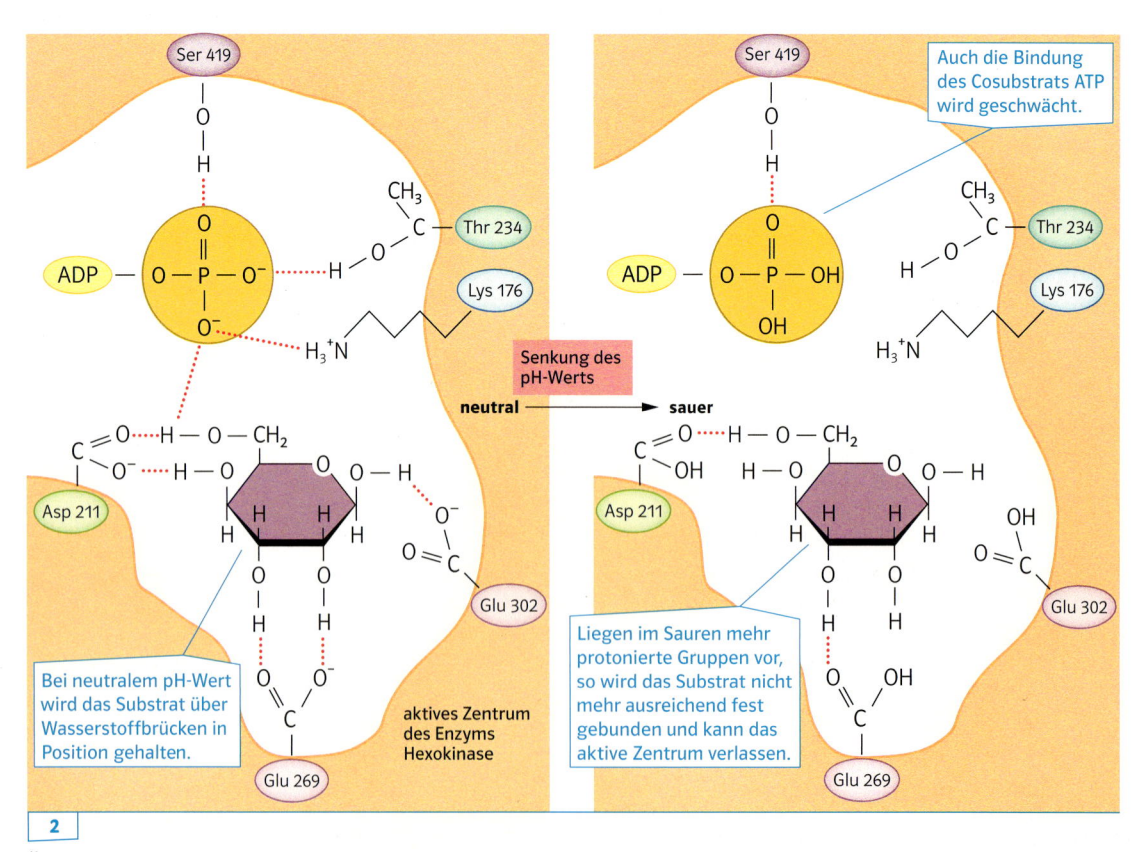

2 Änderungen des pH-Werts ändern die Stärke der Substratbindung im aktiven Zentrum.

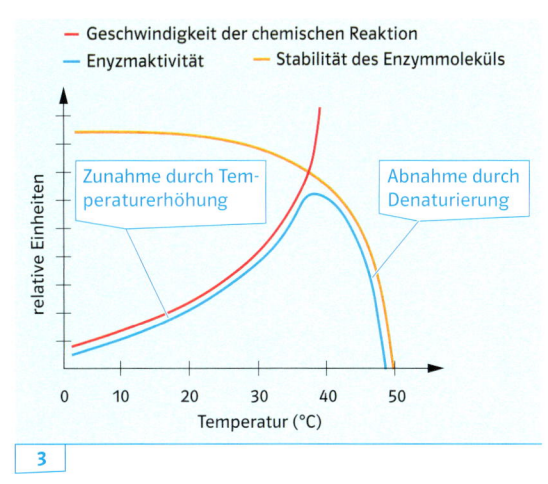

3 Die Enzymaktivität ist temperaturabhängig.

Bauchspeicheldrüse, z. B. die Stärke spaltende *Amylase*, funktionieren optimal bei pH-Werten zwischen 7 und 8.

Sehen Sie sich in Abb. 2 an, wie sich bei der Hexokinase die Verhältnisse im aktiven Zentrum ändern, das Sie ja schon aus Abb. 2, S. 72, kennen. Die für die Katalyse wichtigen Aminosäureseitenketten liegen abhängig vom pH-Wert protoniert oder unprotoniert vor. Dadurch sind sie geladen oder ungeladen. So können sie die Glucose und das ATP fester oder lockerer in Position halten, was die Aktivierungsenergie und damit auch die Reaktionsgeschwindigkeit beeinflusst.

Als Proteine sind alle Enzyme auch temperaturabhängig (→ Abb. 3). Ein typisches menschliches Enzym ist bei 37 °C optimal aktiv und beginnt bei Temperaturen über 42 °C zu denaturieren (hohes Fieber ist tödlich!). Die Aktivität steigt bei Temperaturerhöhung an. Nach der **RGT-Regel** (**Reaktionsgeschwindigkeits-Temperatur-Regel**) verdoppelt sich die Reaktionsgeschwindigkeit bei einer Temperaturerhöhung um 10 °C. Allerdings geht das nicht unbegrenzt. Die Kurve erreicht ein Optimum und fällt dann rascher ab, als sie angestiegen ist. Temperaturoptimumskurven von Enzymen sind meistens asymmetrisch. Der Grund für den Aktivitätsverlust ist die allmähliche Auflösung der räumlichen Proteinstruktur durch thermische Denaturierung. Diese Zerstörung ist in der Regel *irreversibel*, also nicht rückgängig zu machen.

Für Biologen ist die evolutionäre Anpassung von Enzymen und anderen Proteinmolekülen von besonderem Interesse. Hier brachte die Untersuchung von Proteinen aus wechselwarmen Tieren, die in Gegenden mit stark schwankender Umgebungstemperatur leben, und aus hitzetoleranten (*thermophilen*) Bakterien Interessantes zu Tage. Zunächst zeigte sich erwartungsgemäß, dass die Optimumskurven von Enzymen aus hitzetoleranten Organismen zwar ebenfalls asymmetrisch sind, aber insgesamt nach rechts zu hohen Temperaturen verschoben (→ Abb. 4). Überraschender waren die Ergebnisse der Strukturuntersuchung solcher Enzyme. Eines der ersten hitzetoleranten Enzyme, die strukturell untersucht wurden, war die bakterielle Protease *Thermolysin*. Vor der Aufklärung der Aminosäuresequenz hatte man spekuliert, die enorme Stabilität könne vielleicht auf besonders viele Cysteinreste zurückzuführen sein, die das Proteinrückgrat durch die festen Disulfidbrücken verstärken. Die Verblüffung war groß, als klar wurde: Thermolysin enthält kein einziges Cystein. Auch die dreidimensionale Struktur zeigte keine besonderen Stabilisierungselemente. Ursache der Hitzebeständigkeit war offenbar eine Vielzahl ganz unauffälliger, kleiner Veränderungen der Primärstruktur. Dadurch können Enzyme also an ganz unterschiedliche Umweltbedingungen angepasst sein.

Die Erkenntnisse der Enzymforschung sind vielfach in unseren Alltag eingeflossen. Beim Wäschewaschen verwenden wir *Detergenzien*, denen hitzebeständige proteinabbauende Enzyme beigemengt sind, die klebrigen Proteinschmutz aus Textilien herauslösen. Beim *Bio-Stonewashing* werden Bluejeans in cellulasehaltiger Lauge gewaschen. Das Enzym Cellulase spaltet die mit Indigo blau gefärbte Cellulose und bewirkt dadurch einen gewünschten Ausbleicheffekt.

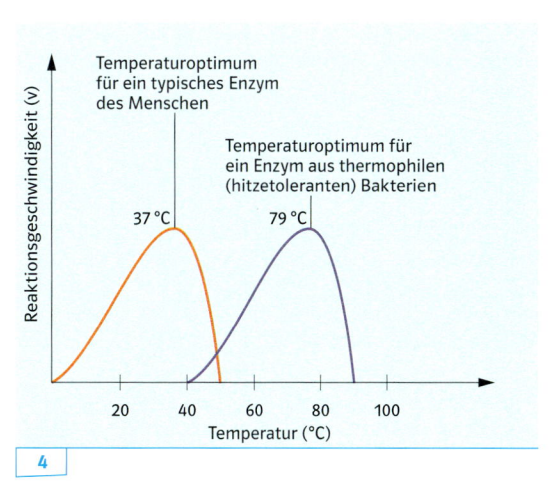

4 Die Temperaturabhängigkeit der Enzymaktivität ist ein evolutionär angepasstes Merkmal.

Aufgabe 4.6

Sauerkraut ist viel haltbarer als normaler Weißkohl, aus dem es hergestellt wird. Erklären Sie.

4.7 Enzyme werden durch andere Moleküle reguliert

Die Hemmung von Enzymen spielt bei der Kontrolle der Reaktionen des Stoffwechsels eine äußerst wichtige Rolle (→ 6.7). Aus diesem Grund sind Hemmstoffe (**Inhibitoren**) von Enzymen der Ausgangspunkt für die Entwicklung von Medikamenten. Die pharmakologische Forschung benutzt oftmals natürlich vorkommende Hemmstoffe als Vorlagen für die Herstellung synthetischer Hemmstoffe, mit dem Ziel diese als Medikamente einsetzen zu können. Die Liste der Beispiele ist lang, sie reicht von Schmerzmitteln und blutdrucksenkenden Mitteln bis hin zu Cytostatika gegen Krebs.

Moleküle, die die Reaktionsgeschwindigkeit von Enzymen beeinflussen, heißen allgemein **Effektoren**. Im einfachsten Fall sind dies z. B. Metall-Ionen wie Eisen, Magnesium, Calcium oder Zink. Daher sind viele Mineralien als sogenannte *Spurenelemente* wichtige Bestandteile unserer Nahrung. Komplexe organische Moleküle können als *prosthetische Gruppen* permanent in Enzyme eingelagert sein, wie z. B. das Vitamin B12. Andere Moleküle wie Ascorbinsäure (Vitamin C) sind zeitweise z. B. an manche eisenhaltigen Enzyme gebunden. Häufig funktionieren Vitamine als *Cofaktoren* (→ 4.3). Diese werden zusammen mit anderen Substraten umgesetzt.

Eine sehr wichtige Form der Stoffwechselregulation ist die **negative Rückkopplung**. Darunter versteht man z. B. die Hemmung eines Enzyms durch das Endprodukt der Reaktion, die es katalysiert oder durch ein später entstehendes Folgeprodukt des Stoffwechselwegs, in den das Enzym eingebunden ist (→ Abb. 1).

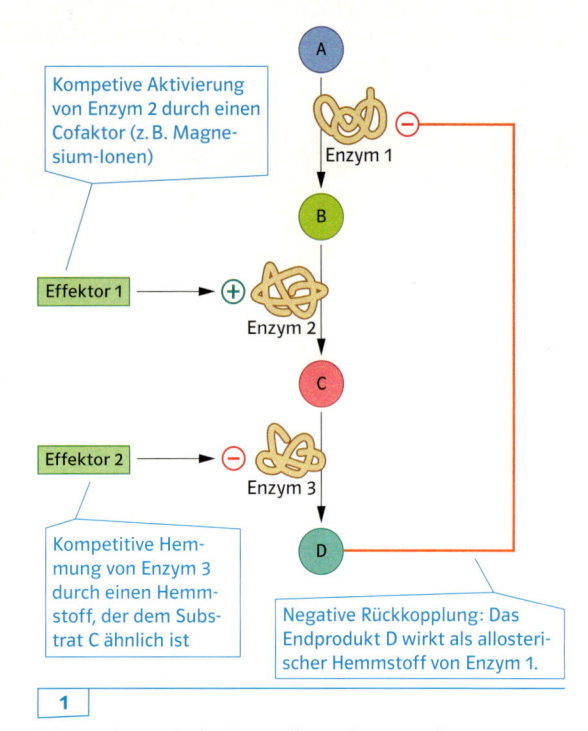

Steuerung und Regelung

Kompetive Aktivierung von Enzym 2 durch einen Cofaktor (z. B. Magnesium-Ionen)

Effektor 1

Effektor 2

Kompetitive Hemmung von Enzym 3 durch einen Hemmstoff, der dem Substrat C ähnlich ist

Negative Rückkopplung: Das Endprodukt D wirkt als allosterischer Hemmstoff von Enzym 1.

1 Diese schematische Darstellung einer regulierten enzymatischen Reaktion zeigt, wie die Substrate A, B und C von den Enzymen 1 bis 3 nacheinander zum Endprodukt D umgesetzt werden. Es handelt sich hier um eine negative Rückkopplung.

ⓐ kompetitive Hemmung

Substrat und Hemmstoff konkurrieren um das aktive Zentrum.

aktives Zentrum

Enzym — kompetitiver Hemmstoff

ⓑ allosterische Hemmung

Der Hemmstoff bindet entfernt vom aktiven Zentrum und verändert dadurch auch dessen Konformation.

aktives Zentrum

Enzym — allosterischer Effektor

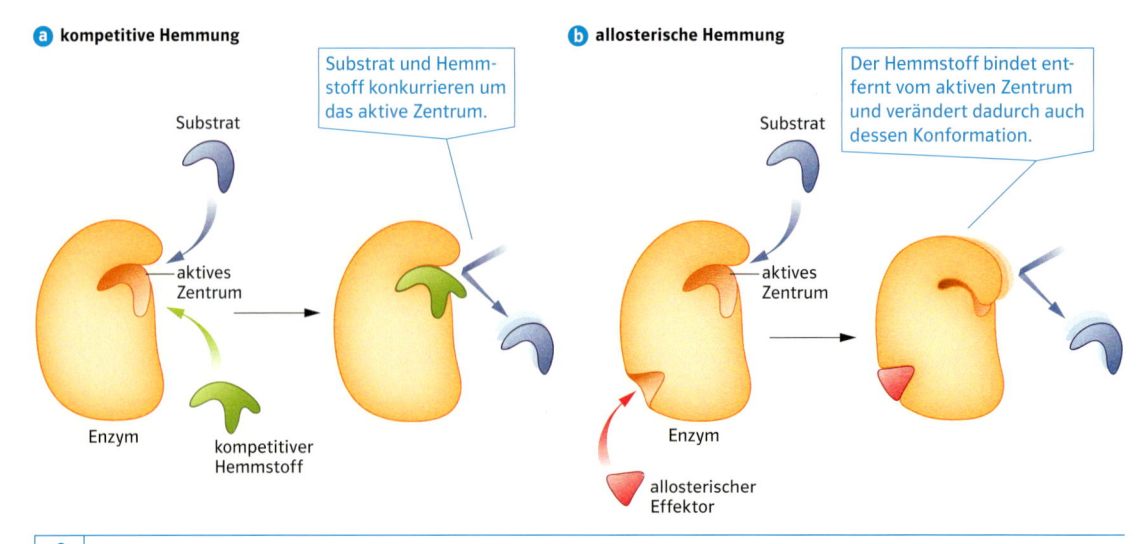

2 Hemmstoffe können mit Substraten konkurrieren oder die Konformation des aktiven Zentrums beeinflussen.

Dadurch werden enzymatische Reaktionen gestoppt, wenn genügend Produkt vorhanden ist.

Bei der **kompetitiven Hemmung** bindet der Hemmstoff, in unserem Fall also das Produkt oder ein Folgeprodukt der enzymatischen Reaktion, exakt an der gleichen Stelle des aktiven Zentrums wie das Substrat (→ Abb. 2 a).

Der Hemmstoff bindet zwar nicht so gut wie das eigentliche Substrat (Substratspezifität!), aber er kann bei genügend hoher Konzentration die Umwandlung von Substrat in Produkt verlangsamen (→ Abb. 3). Dadurch wird wertvolles Ausgangsmaterial eingespart.

Wesentlich häufiger und für die Regulation des Stoffwechsels bedeutender ist die **allosterische Hemmung** (allo ster (gr.): anderer Ort). Dabei bindet der regulatorische Effektor nicht am aktiven Zentrum wie das Substrat, sondern an einer anderen Stelle des Enzyms (→ Abb. 2 b). Man spricht dann auch von einem *allosterischen Effektor*. Allosterische Effektoren verändern die Enzymaktivität. Beispiele dafür finden sich beim Hämoglobin (→ Abb. 3, S. 98) und bei der Phosphofructokinase (→ Abb. 2, S. 116). Enzymhemmstoffe sind oft der Ausgangspunkt bei der Entwicklung gezielt wirkender Medikamente.

Experiment: Reaktionsgeschwindigkeit der Succinatdehydrogenase

Hypothese
Die Reaktionsgeschwindigkeit von Enzymen wird durch Stoffe verändert, die dem Substrat strukturell ähneln.

Experiment
Succinat wird durch Succinatdehydrogenase (ein Enzym des in Kapitel 6 besprochenen Citratzyklus) in Fumarat umgewandelt (→ Abb. 1, S. 109). In einer Glasküvette wird die Reaktion durch eine Farbänderung im Fotometer sichtbar gemacht a. In einer zweiten Versuchsserie wird zusätzlich Malonat zugesetzt, das nicht umgewandelt werden kann. Die Steigung im linearen Anfangsbereich der Messkurven entspricht der Reaktionsgeschwindigkeit. Nun wird die Konzentration des Substrats schrittweise erhöht. Die ermittelte Reaktionsgeschwindigkeit wird gegen die Substratkonzentration aufgetragen b.

Ergebnis
Malonat senkt die Reaktionsgeschwindigkeit, wirkt also als Hemmstoff.

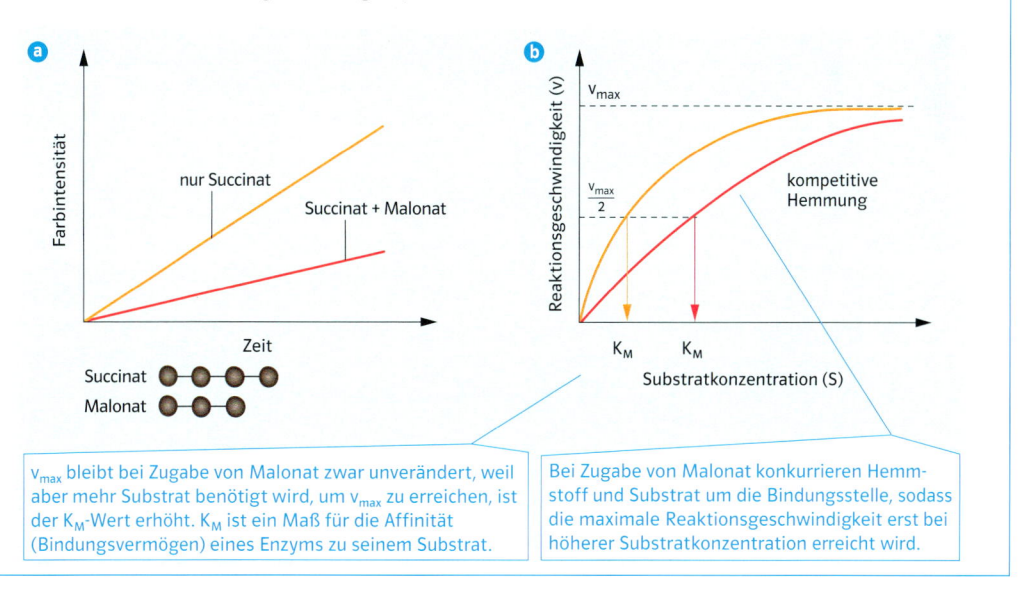

v_{max} bleibt bei Zugabe von Malonat zwar unverändert, weil aber mehr Substrat benötigt wird, um v_{max} zu erreichen, ist der K_M-Wert erhöht. K_M ist ein Maß für die Affinität (Bindungsvermögen) eines Enzyms zu seinem Substrat.

Bei Zugabe von Malonat konkurrieren Hemmstoff und Substrat um die Bindungsstelle, sodass die maximale Reaktionsgeschwindigkeit erst bei höherer Substratkonzentration erreicht wird.

3 Kompetitive Hemmstoffe verändern die Reaktionsgeschwindigkeit.

Aufgabe 4.7
Erläutern Sie die Vorteile der Hemmung durch negative Rückkopplung im Vergleich zu einem bloßen Rückstau. Vergleichen Sie das mit einer Stauwarnung durch den Verkehrsfunk.

Nutzung der
SONNENENERGIE
— machen wir es den Pflanzen nach?

Der pflanzliche Stoffwechsel macht vor, wie man die Sonnenstrahlung als Energiequelle anzapft. Andere Lebewesen können das auch: Eine Meeresschnecke stiehlt dazu kurzerhand Algen deren Solarkraftwerke und setzt sie zur eigenen Energiegewinnung ein, während der Mensch Farbstoffsolarzellen nach einem Funktionsprinzip baut, das er den Pflanzen abgeschaut hat.

Sie gleicht einem raffinierten Dieb, der anstatt Süßigkeiten gleich eine ganze Fabrik gestohlen hat, die ständig neuen Zucker produziert: Die Meeresschnecke *Elysia chlorotica*, die vor der Ostküste Nordamerikas lebt, frisst als Jungtier gelbgrüne Fadenalgen. Dabei ritzt sie ein Loch in die Alge und saugt ihre Zellen aus. Die meisten Bestandteile der Algenzellen verdaut sie, aber nicht die grünen, Fotosynthese treibenden Organellen, die Chloroplasten. Diese baut sie rund um ihren Verdauungstrakt in ihren Körper ein. Je mehr Fadenalgen es frisst, desto grüner wird das eigentlich transparente Tier.

Algen liefern einer Meeresschnecke den Solarantrieb

Dadurch ist die Schnecke vor ihren Feinden gut getarnt. Vor allem aber muss sie sich für den Rest ihres knapp einjährigen Lebens nicht mehr darum kümmern, genug zu fressen zu bekommen. Denn die erbeuteten Chloroplasten in ihrem Inneren stellen mithilfe des Sonnenlichts aus Kohlenstoffdioxid und Wasser weiter energiereichen Zucker her — ganz so, wie sie es auch in den Algen getan haben. Deshalb kann die Meeresschnecke nun ohne Nahrung auskommen und gleichsam mit Solarantrieb durch das lichtdurchflutete Flachwasser kriechen.

Lange Zeit war unklar, wie die grünen Organellen in der Schnecke monatelang weiterhin funktionieren können, obwohl sie eigentlich auf den Nachschub von Proteinen angewiesen sind, die nur die Algen liefern können. Forscher der Universität von Maine, USA, fanden 2009 heraus, dass die Meeresschnecke im Laufe der Evolution bestimmte Teile des Algenerbguts übernommen und in das eigene Erbgut eingefügt hat. Dadurch kann sie die erbeuteten Chloroplasten zur Fotosynthese antreiben.

Die grünen Organellen selbst kann sie allerdings nicht vererben, sodass ihr Nachwuchs zunächst erneut Algen fressen muss. Danach lebt auch er von Licht.

Falls Nachfahren von *Elysia chlorotica* auch noch lernen, Chloroplasten zu vererben, wären sie die ersten Tiere, die ganz ohne pflanzliche Hilfe aus Licht Energie gewinnen können.

Beim Menschen funktioniert der Trick leider nicht, einfach Algen zu essen und danach niemals mehr Hunger zu leiden. Unser Körper verdaut die Chloroplasten und das Erbgut der Algen einfach mit.

Wissenschaftler haben Solarzellen nach dem Vorbild der Pflanzen konstruiert

Zudem hat der Mensch verglichen mit der Meeresschnecke einen wesentlich höheren Energiebedarf pro Gramm Körpermasse. Wegen der relativ geringen »

Stoffwechsel

5	Stoff- und Energieaustausch bei Tieren
6	Zellatmung — Energie aus Nährstoffen
7	Stoff- und Energieumwandlung bei Pflanzen
8	Fotosynthese — Solarenergie für das Leben

Körperoberfläche könnte der Energiebedarf durch die grünen Organellen nicht gedeckt werden. Doch Wissenschaftler versuchen auf andere Weise, den pflanzlichen Stoffwechsel ein Stück weit nachzuahmen und die Sonnenenergie direkt zu nutzen. Ziel ist dabei nicht, Zucker oder andere Nährstoffe herzustellen, sondern elektrischen Strom zu erzeugen. In einem bestimmten Typ von Solarzellen, der 1991 vom Schweizer Wissenschaftler MICHAEL GRÄTZEL erfunden wurde, fangen Farbstoffmoleküle, z. B. aus Spinat oder rotem Tee, das Sonnenlicht auf, wobei Elektronen in einen energiereichen Zustand übergehen.

Die Farbstoffmoleküle in der Grätzel-Zelle übernehmen damit die Rolle des Chlorophylls, also des grünen Blattfarbstoffs. Die Elektronen werden anschließend auf ein Netzwerk winziger Titanoxidteilchen übertragen, das sich dadurch elektrisch auflädt.

Die Materialien in der Grätzel-Zelle sind viel preiswerter als das hochreine Silizium, das üblicherweise für technische Solarzellen verwendet wird. Außerdem lassen sich Farbstoffsolarzellen so herstellen, dass sie wie farbiges Glas aussehen. Somit könnten sie in Fenster oder Fassaden integriert werden. Schließlich ist die Energiebilanz der Farbstoffsolarzellen insgesamt besser als die von herkömmlichen Solarzellen aus kristallinem Silizium, weil dieses erst energieaufwendig aus Quarzsand hergestellt werden muss.

Zwei gewaltige Nachteile haben Farbstoffsolarzellen allerdings: Sie erzeugen bei direkter Sonneneinstrahlung deutlich weniger Strom als die Siliziumsolarzellen und sie sind weniger lang haltbar. Daher konnte sich die Farbstoffsolarzelle bisher auf dem Markt noch nicht auf breiter Front durchsetzen. Noch scheinen ihre Möglichkeiten nicht ausgereizt zu sein,

Das Ziel: Strom erzeugen, ohne das Klima zu schädigen

wie die Forscher um GRÄTZEL zuletzt 2009 bewiesen: Sie stellten eine neue Generation ihrer Solarzellen vor, die aufgrund eines zweiten Farbstoffs anders als frühere Exemplare auch für den Blau- und Grünanteil des Lichts empfindlich und somit effizienter sind. Grundsätzlich jedenfalls könnten Farbstoffsolarzellen einmal dazu beitragen, den Energiehunger der Menschheit zu stillen, ohne dass dabei Kohlenstoffdioxid und andere klimaschädliche Gase freigesetzt werden.

Stoff- und Energieaustausch bei Tieren

5

Kann dieser Meeresstrudelwurm einen Herzinfarkt bekommen? Nein, denn er hat gar kein Kreislaufsystem; sein verzweigter Darm verteilt alle Stoffwechselprodukte im Körper. Auch Kiemen fehlen, ihm reicht Hautatmung. Sein Gehirn ist winzig. Dennoch ist er kein Langweiler, sondern ein eleganter Schwimmer mit kompliziertem Sexualleben und vielen Nachkommen. Dies erfordert eine Menge Energie, die er mit der Nahrung zuführen muss. Er ist ein Räuber, der mit einem Bauchrüssel andere Tiere verschlingt. Ihren nächsten Badeurlaub müssen Sie deswegen aber nicht absagen, denn der Strudelwurm ist klein und dünn wie ein Blatt. Mehr Masse lässt sein einfacher Körperbauplan nicht zu. Wir dagegen benötigen weit mehr Organe für den Stoff- und Energieaustausch, um die vielen Milliarden Zellen unseres Körpers zu versorgen.

Ein Meeresstrudelwurm auf Nahrungssuche

5.1	Die Konstanz des inneren Milieus ist für unsere Zellen lebenswichtig
5.2	Der Energiebedarf großer Tiere ist relativ niedrig
5.3	Tiere müssen sich Energie in Form von Nährstoffen und Wärme zuführen
5.4	Verdauung zerlegt Makromoleküle in wasserlösliche Bausteine
5.5	Energiereserven können im Körper gespeichert werden
5.6	Ein Kreislaufsystem ermöglicht allen Zellen und Organen den Stoffaustausch
5.7	Der Gasaustausch liefert Sauerstoff für die Zellatmung und beseitigt Kohlenstoffdioxid
5.8	Die Niere filtriert Blut und holt aus dem Filtrat alles Nötige zurück
5.9	Ein Muskel verkürzt sich, indem Proteinfilamente aneinander entlanggleiten

5.1 Die Konstanz des inneren Milieus ist für unsere Zellen lebenswichtig

Mit „Milieu" wird im Alltag das soziale Umfeld bezeichnet. In der Biologie der Organismen gibt es ein *äußeres Milieu* — die **Umwelt**, und ein *inneres Milieu* — die unmittelbare Umgebung der Körperzellen. Die Zellen von Tieren leben in einer wässrigen Welt, der Gewebeflüssigkeit. Dieses besondere Medium regeneriert sich ständig durch Austauschvorgänge mit dem Blut. Das macht Blut und Gewebeflüssigkeit zusammen mit Lymphe und Hirnflüssigkeit zum inneren Milieu unseres Körpers. Solange sich die Blutwerte kaum ändern, bleibt auch die Zusammensetzung der Gewebeflüssigkeit relativ konstant. Das betrifft Faktoren wie Blutvolumen, Temperatur, pH-Wert, Salzhaushalt, Wasserhaushalt und Energiestoffhaushalt. Zum Energiestoffhaushalt gehören medizinisch wichtige Größen wie Blutzuckerspiegel und Blutfettwerte.

Diese für die Zellen lebenswichtige Konstanz des inneren Milieus bezeichnet man als **Homöostase**. An der Homöostase sind Herz-, Atem- und Darmmuskulatur ebenso beteiligt wie die Zellerneuerung und das Aufrechterhalten des Membranpotenzials (→ Kap. 28). Für die Koordination all dieser Vorgänge sorgen das *vegetative Nervensystem* und das *Hormonsystem* (→ Kap. 31).

Homöostase beruht auf Transportvorgängen über Austauschflächen, auch *Grenzflächen* genannt

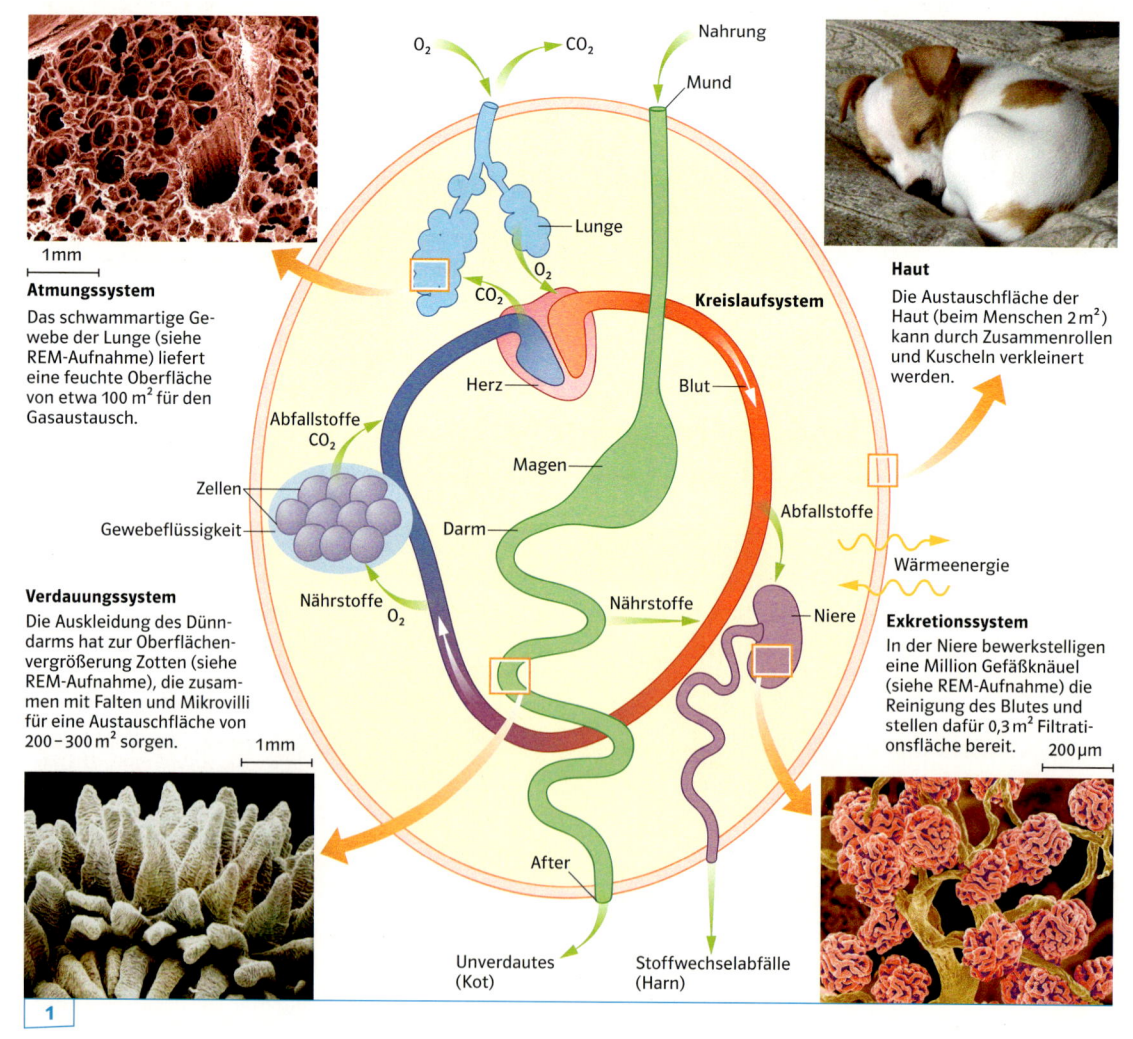

Atmungssystem
Das schwammartige Gewebe der Lunge (siehe REM-Aufnahme) liefert eine feuchte Oberfläche von etwa 100 m² für den Gasaustausch.

Haut
Die Austauschfläche der Haut (beim Menschen 2 m²) kann durch Zusammenrollen und Kuscheln verkleinert werden.

Verdauungssystem
Die Auskleidung des Dünndarms hat zur Oberflächenvergrößerung Zotten (siehe REM-Aufnahme), die zusammen mit Falten und Mikrovilli für eine Austauschfläche von 200–300 m² sorgen.

Exkretionssystem
In der Niere bewerkstelligen eine Million Gefäßknäuel (siehe REM-Aufnahme) die Reinigung des Blutes und stellen dafür 0,3 m² Filtrationsfläche bereit.

1 Haut, Lunge, Dünndarm und Niere tauschen Stoffe zwischen dem Organismus und seiner Umwelt aus. Das Kreislaufsystem verbindet alle Organe und hat eine Austauschfläche von 1000 m², nur 300 m² sind zeitgleich aktiv.

(→ Abb. 1). Die Austauschflächen im Dienste der Homöostase sind dünne Grenzschichten aus dicht gepackten Zellen, die *Epithelien*. Beispiele für solche Epithelien sind die Oberhaut, die Darmschleimhaut, die Lungenschleimhaut oder die Wand der Blutkapillaren. Austauschvorgänge an biologischen Grenzflächen können *passiv* durch **Diffusion** erfolgen, also entlang einem Konzentrationsgefälle (→ 3.3, → 3.5), und kosten dann keine Stoffwechselenergie. Oft handelt es sich aber um den energieabhängigen **aktiven Transport** (→ 3.6), also einen Transport gegen ein Konzentrationsgefälle. Bei beiden Transportformen bewegen sich bestimmte Teilchen im Medium. Als weitere energieabhängige Transportform im Dienste der Homöostase kann sich das Medium selbst bewegen, etwa der Blutstrom oder der Atemluftstrom. Diese Transportart wird allgemein als *Massenstrom* bezeichnet.

Der Energieaufwand für die Homöostase ist unser **Grundumsatz**, also unser Energiebedarf bei völliger Ruhe. Allerdings können nur 45 % des Grundumsatzes tatsächlich für die Homöostase verwendet werden; der Rest (55 %) geht als Wärmeenergie verloren. Dieser Verlust ist zwangsläufig: Bei jeder Energieumwandlung wird ein Teil der nutzbaren freien Energie in nicht nutzbare Wärmeenergie umgewandelt (→ 4.1).

Homöostase beruht auch auf einer Vielfalt an Regelsystemen. Haben Sie schon mal versucht, gleich nach einer ausgiebigen Mahlzeit intensiv Sport zu treiben? Vermutlich ist Ihnen das nicht sehr gut bekommen. Das lag aber nicht am zusätzlichen Gewicht der aufgenommenen Nahrung, sondern daran, dass Sie die Regulation Ihrer Homöostase in einen Konflikt gebracht haben. Unser Kreislaufsystem hat eigentlich die Oberfläche eines Fußballplatzes (etwa 1000 m^2); hiervon sind aber durch Regulation der Durchblutung meist nur etwa 300 m^2 als Austauschfläche aktiv. Nach dem Essen wird der Darm besser durchblutet, beim Sport dagegen die Muskulatur. Beides gleichzeitig verträgt sich schlecht.

Unsere Regelsysteme arbeiten oft als **Regelkreis**.* Wie ein biologischer Regelkreis funktioniert, zeigt sich deutlich bei der Regulation unserer Körpertemperatur (→ Abb. 2). Ein Heizungsthermostat funktioniert ganz ähnlich.

Störungen der Homöostase führen zu Schwierigkeiten, wie Sie bei Sport mit vollem Magen rasch merken. Solche Störungen können auch krank machen und verlaufen im Extremfall tödlich. Ein Beispiel ist der *Diabetes*, eine Stoffwechselstörung, bei der der Blutzuckerspiegel nicht stimmt (→ 32.5). Andere Beispiele sind Kreislaufstörungen, wie ein zu hoher Blutdruck. Es geht aber auch harmloser. Setzen Sie sich doch einmal bequem auf einen Stuhl und atmen Sie durch den Mund sehr schnell ein und aus, so wie ein Hund hechelt. Nach ein bis zwei Minuten spüren Sie ein Kribbeln in den Fingern, weil Sie zu viel Kohlenstoffdioxid ausatmen und dadurch der pH-Wert Ihres Blutes etwas zu hoch wird. Übertreiben Sie das Hecheln nicht! Diese Störung Ihrer Homöostase durch Hechelatmung

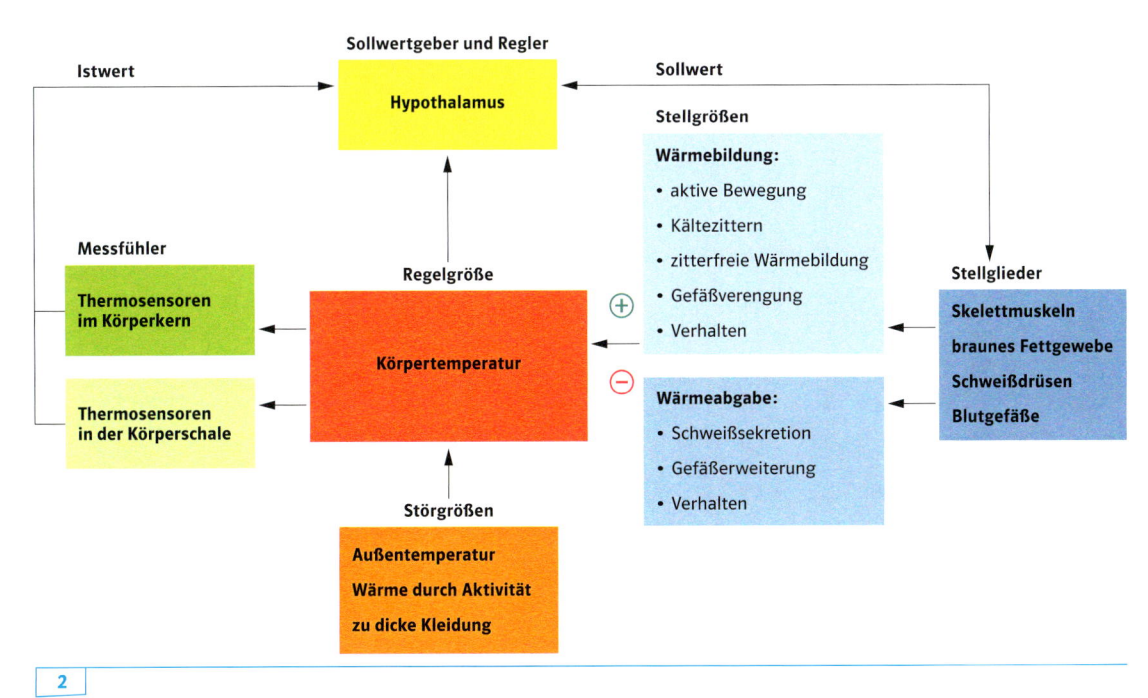

Steuerung und Regelung

2

Die Regulation unserer Körpertemperatur wird von einer bestimmten Gehirnregion gesteuert, dem Hypothalamus. Sie funktioniert nach dem Prinzip der negativen Rückkopplung (→ S. 76): Die Effekte wirken auf ihre Verursacher zurück.

Stoffwechsel

(*Hyperventilieren*) ist im Sitzen ungefährlich, aber im Stehen könnten Sie dabei umkippen.

Lebensgefährlich ist Hyperventilieren vor dem Streckentauchen, da man dadurch unter Wasser unbemerkt in Sauerstoffmangel geraten und ohnmächtig werden kann. Der Drang zum Einatmen wird vom Gehirn nämlich in erster Linie dann verstärkt, wenn zu viel Kohlenstoffdioxid im Blut ist, während „zu wenig Sauerstoff" kein Notsignal auslöst.

Aufgabe 5.1

Formulieren Sie Anforderungen an eine biologische Grenzfläche, die einen intensiven Austausch ermöglichen soll.

5.2 Der Energiebedarf großer Tiere ist relativ niedrig

Stoff- und Energieumwandlung

Eine Maus von Elefantengröße — selbst wenn dies einem Züchter gelänge, könnte sie überleben? Oder ein Elefant in Mäusegröße? Neben zahlreichen anderen Schwierigkeiten hätten solche Tiere besondere Probleme mit ihrem **Energiehaushalt**. Der winzige Elefant würde schnell erfrieren, weil sein träger Stoffwechsel nicht genügend Wärme produziert. Die Haut der riesigen Maus würde aufgrund ihres intensiven Stoffwechsels kochen (→ Abb. 1).

Die über den Sauerstoffverbrauch gemessenen Unterschiede im *Grundumsatz*, also dem Energiebedarf in Ruhe, sind tatsächlich erheblich:

- Ein Gramm Elefantengewebe verbraucht 0,1 ml Sauerstoff (O_2) pro Stunde.
- Ein Gramm Spitzmausgewebe verbraucht dagegen 100-mal so viel, etwa 10 ml O_2 pro Stunde.

Der Sauerstoffverbrauch des Menschen liegt bei 0,2 ml O_2 pro Gramm und Stunde. Um die Sauerstoffzufuhr zu gewährleisten, atmet eine ruhende, 3 g schwere Zwergspitzmaus 240-mal pro Minute und hat einen Puls von 600 Schlägen pro Minute. Zum Vergleich interessieren Sie vielleicht die Ruhewerte bei Mensch und Elefant. Mensch: 15 Atemzüge pro Minute, Ruhepuls 72 pro Minute; Elefant: 6 Atemzüge pro Minute, Ruhepuls 30 pro Minute.

Eine wesentliche Ursache für diese Unterschiede im Energiehaushalt der Organismen ist das unterschiedliche Verhältnis ihrer Körperoberfläche zum Volumen. Wie Sie in Abb. 2 am Beispiel eines Würfels sehen, schrumpft das *Oberflächen-Volumenverhältnis* bei gleicher Körperform, wenn das Volumen zunimmt. Denn die Körperoberfläche wächst mit dem Quadrat der Körperlänge, das Körpervolumen jedoch mit deren 3. Potenz. Nun hängt der Wärmeaustausch mit der Umgebung eng mit der Größe der Austauschfläche zusammen. Ein großes Tier kann also pro Gramm Körpermasse erheblich weniger Wärme über die Oberfläche abgeben oder aufnehmen als ein kleines Tier (→ 22.7). Umgekehrt kann sich ein großes Tier viel leichter warm halten. Deshalb friert ein Kleinkind auch schneller als ein Erwachsener. Der Grundumsatz ist an diese Verhältnisse angepasst, wie die „Maus-Elefant-Kurve" in Abb. 2 zeigt.

Warum sind hier nur Säuger abgebildet? Vögel haben etwas höhere, wechselwarme Tiere dagegen niedrigere Grundumsätze. Man würde also in einer Abbildung Äpfel mit Birnen vergleichen.

Nun wieder zurück zu den Säugern: Hätte der Mensch denselben relativen Energieumsatz wie eine

1 Riesenmaus und Zwergelefant hätten große Probleme mit dem Energiehaushalt.

3 g schwere Zwergspitzmaus, müsste er pro Tag 90 kg Kartoffeln oder 40 kg Eier oder 30 kg Schweinebraten essen. Noch winzigere Säuger als Zwergspitzmäuse sind kaum denkbar, denn sie müssten praktisch unterbrochen Nahrung aufnehmen.

Dass diese Austauschflächen für Organismen von Bedeutung sind, zeigt auch das Verhalten. Warum strecken sich Hunde in der Wärme aus und rollen sich in der Kälte zusammen (→ Abb. 1, S. 82)? Sie verändern damit die Größe ihrer exponierten Körperoberfläche und beeinflussen so den Wärmeaustausch mit der Umgebung. Noch besser funktioniert das, wenn sich ein Rudel in der Kälte zusammenkuschelt. Dadurch wird die Gesamtoberfläche deutlich verkleinert. Diese Verhältnisse haben auch Einfluss auf den Körperbau: Schneehasen besitzen winzige Ohren, Wüstenhasen dagegen riesige Löffel, ein Phänomen, das Sie im Kapitel Ökologie noch genauer analysieren werden (→ Abb. 1, S. 322).

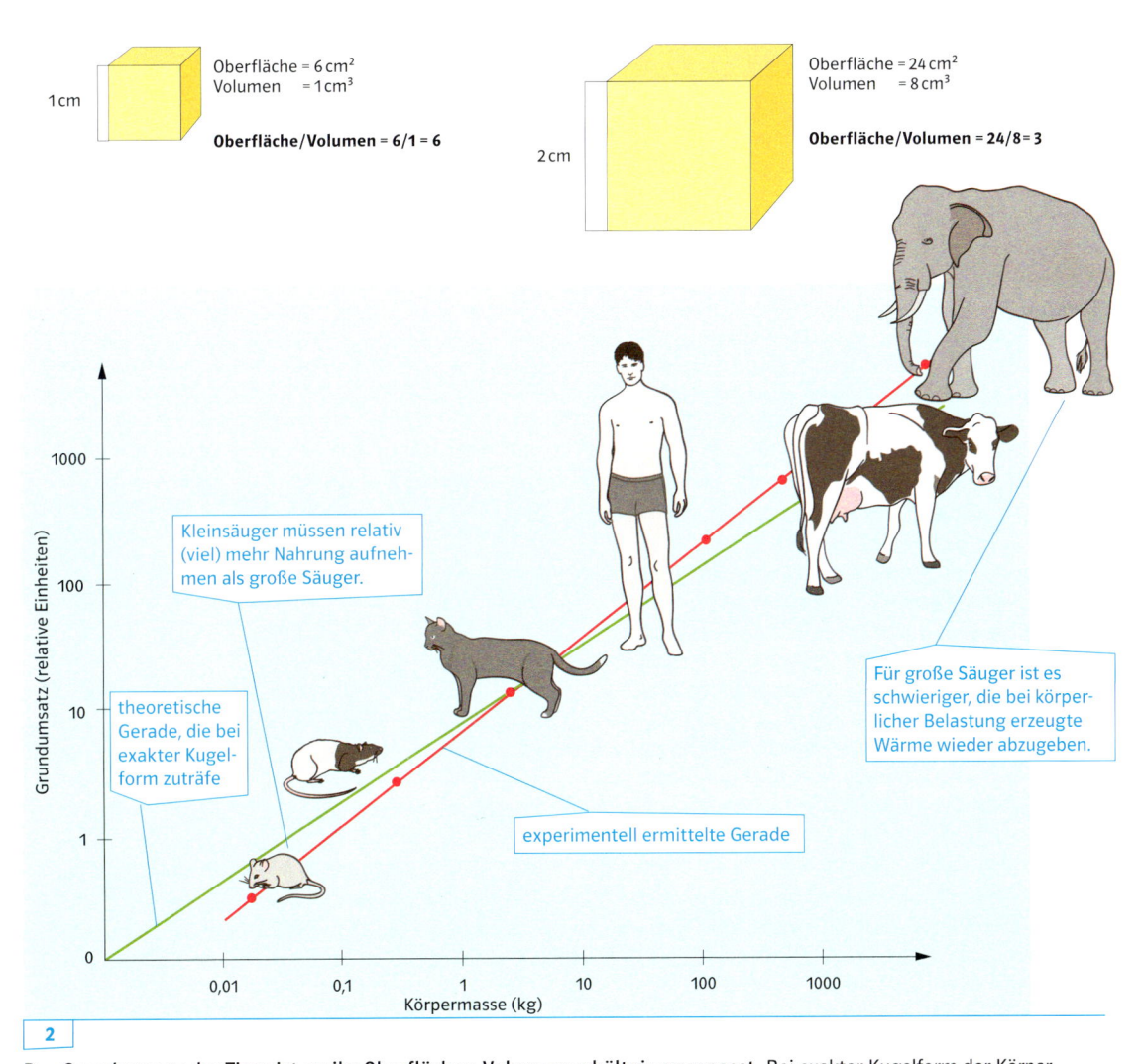

2 Der Grundumsatz der Tiere ist an ihr Oberflächen-Volumenverhältnis angepasst. Bei exakter Kugelform der Körper ergäbe sich die grüne Linie.

Aufgabe 5.2

Der Reisende Gulliver, eine Romanfigur, war im Verhältnis 12:1 größer als die Liliputaner. Diese rechneten aus, dass in seinen Körper 1728 der ihren passen müssten, und deshalb bekam er 1728-mal so viel Nahrung zugeteilt. Beurteilen Sie diese Zuteilung als bedarfsgerecht?

Stoffwechsel

5.3 Tiere müssen sich Energie in Form von Nährstoffen und Wärme zuführen

Stoff- und Energieumwandlung

Kennen Sie das Gefühl, mit knurrendem Magen im Supermarkt einzukaufen? Offenbar sendet der Körper Notsignale, um uns zur Nahrungsaufnahme zu veranlassen. Dann ist nichts wichtiger, als den Einkaufswagen zu füllen, wobei wir uns bei der Auswahl von Augen und Nase leiten lassen. Wer nichts zu essen bekommt, wird immer schwächer, magert ab und verhungert schließlich. Warum ist das eigentlich so?

Alle Lebewesen sind *offene Systeme*, die mit ihrer Umgebung in einem laufenden Energie- und Stoffaustausch stehen.• Dabei nehmen sie aus der Umgebung *freie Energie* auf (→ 4.2), um damit ihre Lebensprozesse aufrechtzuerhalten, und sie geben *Wärmeenergie* wieder ab. Pflanzen beziehen ihre freie Energie von der Sonne, sie sind also **autotroph** (selbsternährt). Tiere dagegen sind **heterotroph** (fremdernährt), denn sie beziehen ihre freie Energie aus energiereichen organischen Stoffen, die von Lebewesen wie Pflanzen und Tieren stammen. In Abb. 1, S. 118, sind diese Zusammenhänge dargestellt. Mit der über die Nahrung erhaltenen freien Energie leisten die Tiere Arbeit, beispielsweise in Form von Muskelbewegung, Drüsensekretion oder Gehirntätigkeit. Im Kampf gegen den Hunger in der Welt wurde schon ernsthaft der Vorschlag gemacht, wir sollten versuchen zu ergründen, um wie die Pflanzen das Sonnenlicht anzuzapfen. Wenn Sie das interessiert, sehen Sie sich die Abb. 1 an.

Die aufgenommenen Nährstoffe werden also als „Brennstoffe" verwendet, vergleichbar mit Brennstoffen, mit denen wir Autos betanken, um fahren zu können. Da bei der Ernährung jedoch keine tatsächliche Verbrennung stattfindet, spricht man besser von *Betriebsstoffen*. Gleichzeitig benötigen Tiere Kohlenstoffgerüste, um ihren Körper zu entwickeln und zu erhalten. Die aufgenommenen Nährstoffe dienen also auch als *Baustoffe*. Wenn Sie eine Schildkröte besitzen, dann wissen Sie, dass diese Tiere sehr lange ohne Nahrung auskommen. Ihr Kaninchen müssen Sie dagegen täglich füttern. Der Bedarf an zugeführten energiereichen Stoffen ist also im Tierreich sehr unterschiedlich, und wir gehören offenbar eher in die Kaninchen-Kategorie. Ein wesentlicher Punkt ist dabei der Wärmehaushalt eines Tieres. Säugetiere, Vögel und einige andere Tiere sind *gleichwarm* (**homoiotherm**); sie halten ihre Körpertemperatur mithilfe ihres Stoffwechsels konstant auf einem hohen Wert. Alle übrigen Tiere, und dies sind die allermeisten Tierarten, sind *wechselwarm* (**poikilotherm**); ihre Körpertemperatur passt sich laufend der Umgebungstemperatur an (→ 22.4). Bekanntlich kühlt man in Wasser sehr viel schneller aus als in Luft gleicher Temperatur. Daher haben wechselwarme Wassertiere stets die Temperatur ihres Wohnwassers. Aber wechselwarme Landtiere können ihre Körperwärme recht gut durch Verhalten regulieren. So legen sich beispielsweise Eidechsen gerne auf einen warmen Steinboden. Als Kind haben Sie das im Schwimmbad vielleicht auch so gemacht; es wärmt erstaunlich gut.

Ein gleichwarmes Tier hat den Vorteil, dass es bei Wärme und Kälte gleichermaßen aktiv sein kann. Es hat aber den Nachteil, dass es auf eine gleichbleibend hohe Körpertemperatur angewiesen ist, was eine Unmenge an Energie kostet. Wer isst also mehr, der Mensch oder das „gefräßige" Krokodil? Ein gleichwarmes Tier muss mindestens zehnmal so viel energiereiche Stoffe zu sich nehmen wie ein wechselwarmes Tier gleicher Größe. Deshalb braucht der Mensch zehnmal so viel Nahrung wie ein gleich großes Krokodil. Viele wechselwarme Tiere, beispielsweise Frösche, sind regelrechte Energiesparmodelle. Bei Kälte werden sie jedoch äußerst träge, und auch sie müssen natürlich Nahrung aufnehmen.

1 Kämen wir mit weniger Nahrung aus, wenn wir uns eine grüne Pflanzenhaut zulegen könnten? Leider nicht, denn selbst unsere gesamte Hautfläche von etwa 2 m² würde für weniger als 1/10 unseres Energiebedarfs reichen — und das auch nur, solange die Sonne scheint und wir in Ruhe bleiben.

Stoff- und Energieaustausch bei Tieren

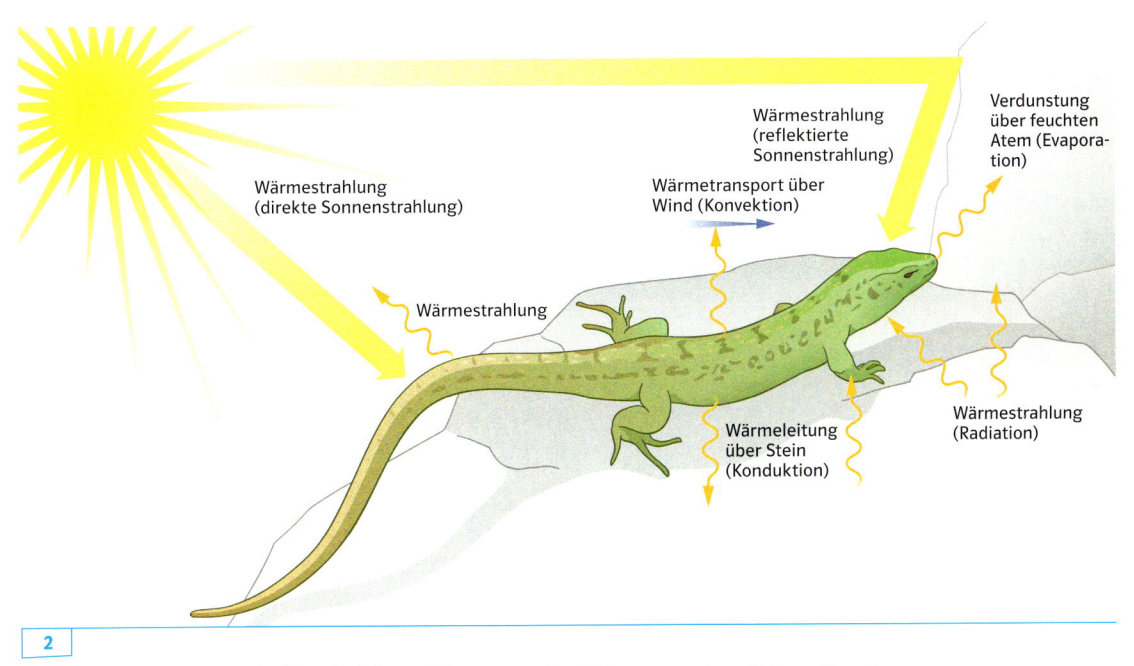

Abb. 2 Alle Organismen, wie auch alle unbelebten Körper, tauschen Wärmeenergie mit ihrer Umgebung aus.

Wie Sie in Abb. 2 sehen, hat ein Tier im Prinzip vier Möglichkeiten, mit seiner Umgebung Wärmeenergie auszutauschen:
- Leitung von Wärmeenergie über Materie (Konduktion)
- Transport von Wärmeenergie über Luft- oder Wasserbewegungen (Konvektion)
- Übertragung von Wärmeenergie durch Verdunstung von Wasser (Evaporation)
- elektromagnetische Wärmestrahlung (Radiation)

Diese Abbildung verstehen Sie nur, wenn Ihnen klar ist, was der Begriff **Wärmeenergie** physikalisch bedeutet. Deshalb hier eine kurze Erklärung dieses Begriffs: Wärmeenergie, korrekter *thermische Energie* genannt, ist diejenige Energie, die in der ungeordneten Bewegung der Teilchen (Atome oder Moleküle) eines Stoffs gespeichert ist. Sie wird umgangssprachlich oft einfach als „Wärme" bezeichnet, was aber manchmal zu Verwechslungen mit dem Begriff Temperatur führt. Wie hängen Wärmeenergie und Temperatur zusammen? Die Wärmeenergie nimmt mit steigender Temperatur zu, da sich die ungeordnete Bewegung der Teilchen verstärkt. Man muss aber beispielsweise zum Schmelzen von Eis dessen Wärmeenergie stark erhöhen, ohne dass dabei die Temperatur steigt. Selbst das eisige Polarmeer hat immens viel Wärmeenergie gespeichert. Die Wärmeenergie ist erst am absoluten Nullpunkt (0 Kelvin, −273 °C) gleich null. Sie wird in Joule (J) gemessen.

Zurück zur Biologie: Die traditionelle Einteilung in gleichwarme (*homoiotherme*) und wechselwarme (*poikilotherme*) Tiere ist manchmal problematisch. Tiefere Meeresregionen haben oft eine sehr konstante Temperatur, und ein dort lebender Fisch ist eigentlich nicht wirklich wechselwarm, sondern immer gleich warm oder gleich kalt. Daher bevorzugen viele Biologen eine etwas andere Einteilung: Tiere sind *endotherm* (endon (gr.): innen), wenn ihre Körperwärme überwiegend von innen kommt, also aus ihrem Stoffwechsel, und sie sind *ektotherm* (ekdos (gr.): außen), wenn sie ihre Wärmeenergie überwiegend von außen beziehen, also aus der Umwelt. Sie sollten „ektotherm" nicht mit dem in der Chemie verwendeten Begriff „exotherm" verwechseln (bei einer exothermen Reaktion wird Wärmeenergie freigesetzt).

Aufgabe 5.3

Wir als Säuger sind endotherm. Erläutern Sie, ob wir unsere Körpertemperatur nur von innen oder auch durch Verhalten regulieren. Nennen Sie Beispiele.

Stoffwechsel

5.4 Verdauung zerlegt Makromoleküle in wasserlösliche Bausteine

✦ Kompartimentierung

Je nach Ernährungsweise gibt es bei Tieren sehr unterschiedliche Verdauungssysteme. Abb. 1 zeigt beispielhaft, wie eine Giraffe Nahrung aufnimmt und verdaut. Durch die **Verdauung** werden in der Nahrung enthaltene Makromoleküle, also Kohlenhydrate, Proteine, Lipide und Nucleinsäuren, in kleine und wasserlösliche Bausteine zerlegt. Erst dadurch werden die Nährstoffe für die Zellen verwertbar. Wie Sie in Abb. 1 auch sehen, findet Verdauung in spezialisierten **Kompartimenten** statt. Uns läuft schon vor der Nahrungsaufnahme das Wasser im Munde zusammen. So können wir aufgenommene Nahrungsbrocken sofort einspeicheln. Der Speichel wirkt durch das darin enthaltene Protein Lysozym auch desinfizierend. Im *Mund* beginnt die Verdauung mit einer mechanischen Zerkleinerung der Nahrung und zumindest beim Menschen mit einem teilweisen enzymatischen Abbau der Kohlenhydrate. Der Proteinabbau beginnt im *Magen* und der Lipid- und Nucleinsäureabbau erst im *Dünndarm*. Wie Sie in Abb. 2 sehen, erfolgt im Dünndarm der vollständige chemische Aufschluss der Nährstoffe.

Über die Darmschleimhaut findet die Aufnahme, die **Resorption**, der freigesetzten wasserlöslichen Bausteine in das Kreislaufsystem statt. In großen Mengen aufgenommen werden vor allem die dringend benötigten Energieträger und Baustoffe wie Zucker, Amino-

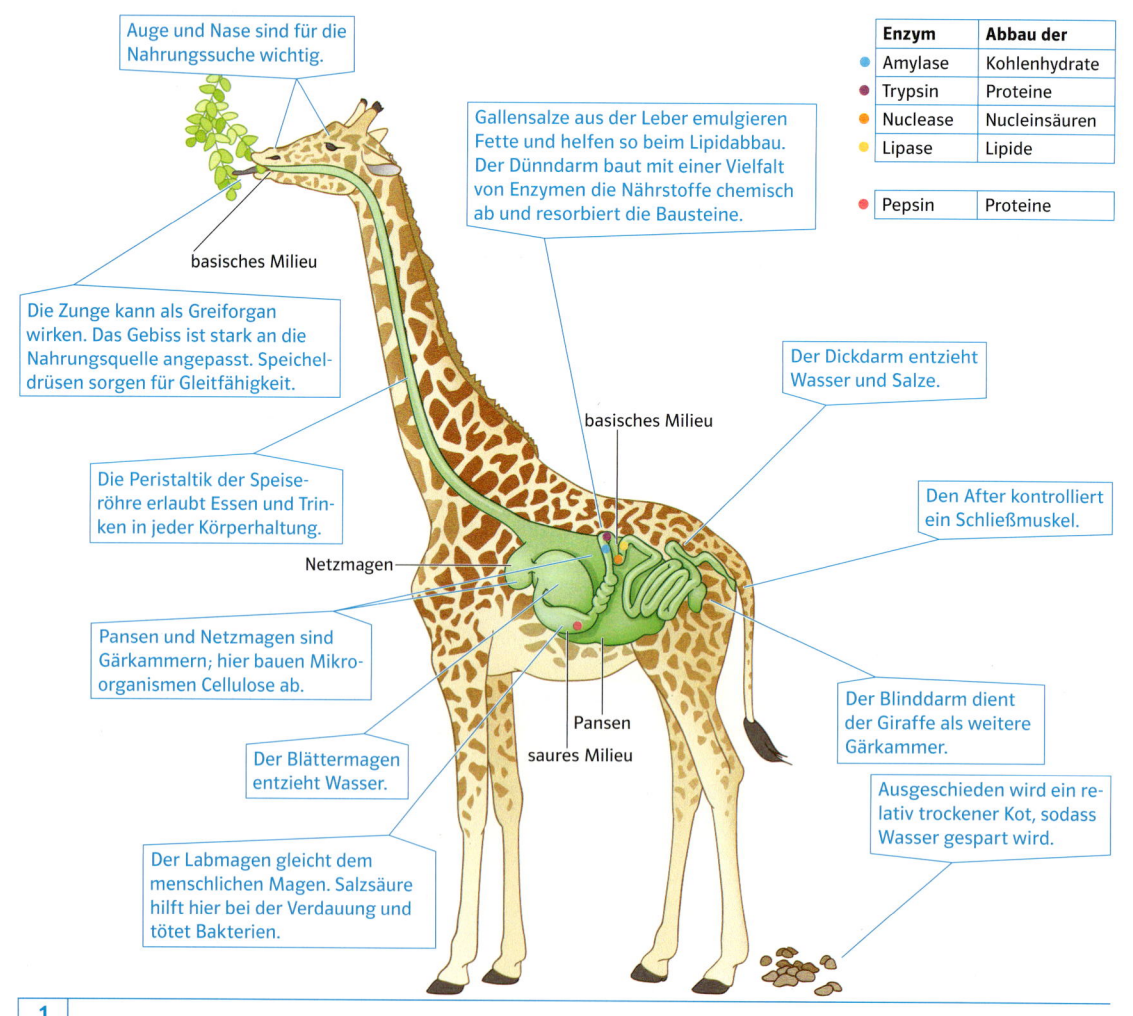

Enzym	Abbau der
• Amylase	Kohlenhydrate
• Trypsin	Proteine
• Nuclease	Nucleinsäuren
• Lipase	Lipide
• Pepsin	Proteine

- Auge und Nase sind für die Nahrungssuche wichtig.
- basisches Milieu
- Die Zunge kann als Greiforgan wirken. Das Gebiss ist stark an die Nahrungsquelle angepasst. Speicheldrüsen sorgen für Gleitfähigkeit.
- Die Peristaltik der Speiseröhre erlaubt Essen und Trinken in jeder Körperhaltung.
- Netzmagen
- Pansen und Netzmagen sind Gärkammern; hier bauen Mikroorganismen Cellulose ab.
- Der Blättermagen entzieht Wasser.
- Der Labmagen gleicht dem menschlichen Magen. Salzsäure hilft hier bei der Verdauung und tötet Bakterien.
- Gallensalze aus der Leber emulgieren Fette und helfen so beim Lipidabbau. Der Dünndarm baut mit einer Vielfalt von Enzymen die Nährstoffe chemisch ab und resorbiert die Bausteine.
- basisches Milieu
- Pansen, saures Milieu
- Der Dickdarm entzieht Wasser und Salze.
- Den After kontrolliert ein Schließmuskel.
- Der Blinddarm dient der Giraffe als weitere Gärkammer.
- Ausgeschieden wird ein relativ trockener Kot, sodass Wasser gespart wird.

1 Das Verdauungssystem ist in spezialisierte Kompartimente unterteilt, sodass die Nahrung schrittweise verarbeitet werden kann. Die Giraffe hat wie alle Wiederkäuer eine Besonderheit, nämlich vier Mägen.

Stoff- und Energieaustausch bei Tieren

2

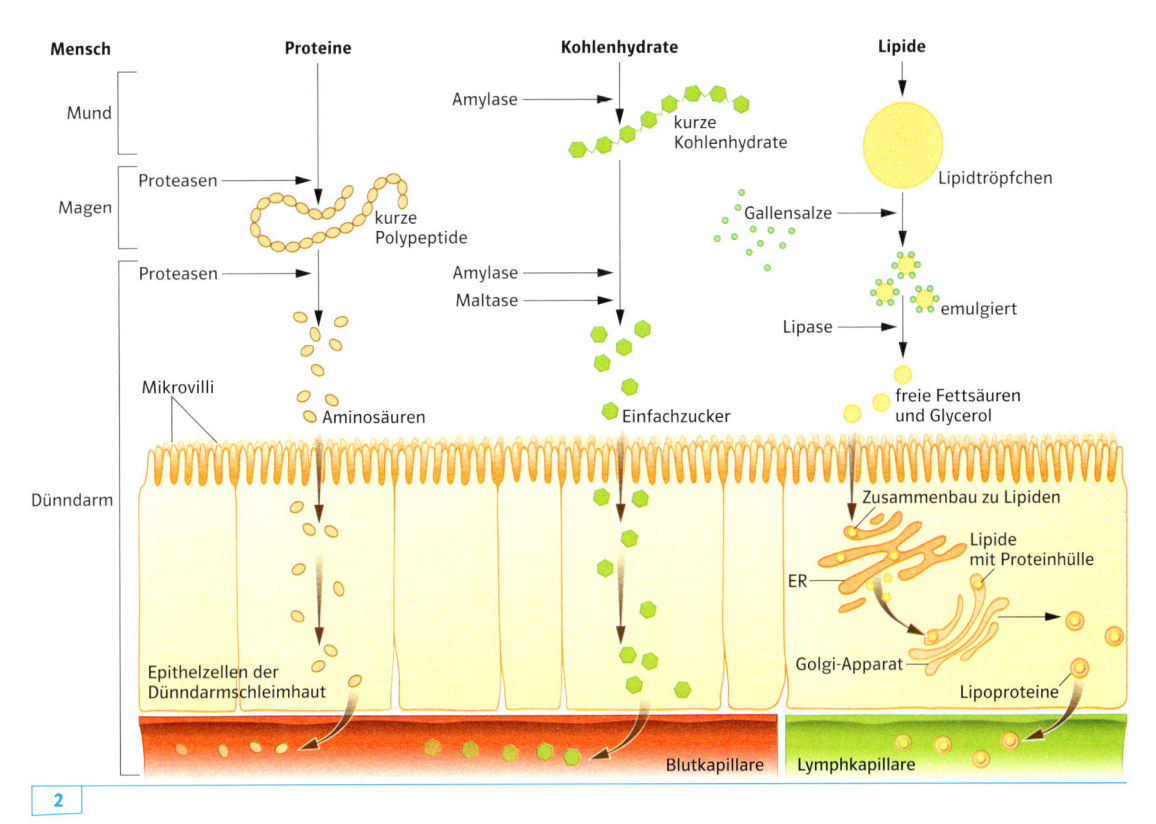

Die Zerlegung der Nährstoffmoleküle in ihre Bausteine erfolgt schrittweise. Aminosäuren und Zucker werden direkt ins Blut aufgenommen. Lipide werden mit Proteinen zu wasserlöslichen Lipoproteinen verpackt, die zunächst in die Lymphe gelangen.

säuren und Fettsäuren. Bei den Verdauungsvorgängen wird auch sehr viel wässriger Speichel und Schleim in den Verdauungstrakt abgesondert, beim Menschen etwa 7 Liter pro Tag. Dieses Wasser wird dem Verdauungsbrei im *Dickdarm* weitgehend wieder entzogen, zusammen mit dem durch Essen und Trinken aufgenommenen Wasser. Zudem gewinnt der Körper aus der Nahrung bestimmte Salze, wie Kochsalz, sowie Vitamine. Vitamine sind nur in Spuren erforderlich, aber für die Funktion bestimmter Enzyme unabdingbar. Unverdautes, zum Beispiel pflanzliche Ballaststoffe wie Cellulose, wird als relativ fester Kot ausgeschieden. Die riesige, für die Resorption zur Verfügung stehende Austauschfläche im Dünndarm sehen Sie in Abb. 3, S. 90.

Die meisten der aufgenommenen Bausteine gelangen von den Zellen der Darmschleimhaut direkt in die Blutgefäße der Darmzotten. Eine Ausnahme bilden Fette und andere Lipide, denn sie gelangen auf dem Umweg über das *Lymphsystem* ins Blut. Abb. 2 zeigt diese beiden Aufnahmewege. Die Bausteine der Nucleinsäuren (Basen, Zucker und Phosphat) gelangen ebenfalls direkt ins Blut.

Lesen Sie doch mal das Kleingedruckte auf Lebensmittelpackungen. Dann wissen Sie, dass laufend eine Vielfalt weiterer chemischer Verbindungen aus der Nahrung in den Darm gelangt, und vieles davon tritt in das Blut über. Das Spektrum umfasst natürliche Zusatzstoffe aus Pflanzen ebenso wie künstliche Produkte der chemischen Industrie. Hinzu kommen Schwermetalle, Medikamente, Schadstoffe, Gifte und auch Alkohol.

Das zentrale Stoffwechsel-, Speicher- und Entgiftungsorgan, in das alle vom Darm resorbierten Substanzen gelangen, ist die *Leber*. Sie sorgt im Dienste der Homöostase für die Aufrechterhaltung konstanter Blutwerte. Außerdem bildet sie die für die Fettverdauung wichtige Gallenflüssigkeit, die über die Gallenblase in den Darm abgegeben wird. Und schließlich werden in der Leber organische Giftstoffe oxidiert, was deren Wasserlöslichkeit verbessert und dadurch ihre Ausscheidung über die Nieren fördert.

Warum benötigen wir eigentlich hauptsächlich Kohlenhydrate, Proteine und Lipide als Nährstoffe? Kohlenhydrate (→ 1.5) sind für uns mit die wichtigsten Energielieferanten.• Sie werden im Körper überwiegend in Glucose umgewandelt, unsere primäre Energiequelle (→ Kap. 6). Zucker gehören zu den Bausteinen der Nucleinsäuren (→ 1.6). Daneben werden Zucker vom Körper als Signalstrukturen gebraucht. Jede Zellmembran trägt außen einen „Wald" aus Zuckerbäumen, die bei der Zell-Zell-Erkennung und beim

Stoff- und Energieumwandlung

Stoffwechsel

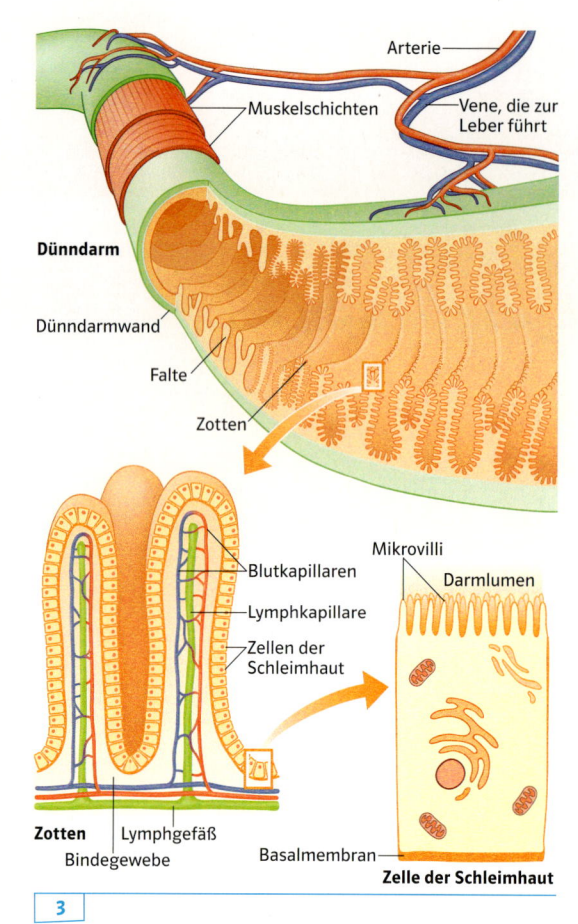

Abb. 3

Die riesige Austauschfläche des menschlichen Dünndarms von 200–300 m² beruht auf einer Abfolge von drei Vergrößerungsstufen: Falten, Zotten und Mikrovilli.

Beschriftungen: Arterie, Muskelschichten, Vene, die zur Leber führt, Dünndarm, Dünndarmwand, Falte, Zotten, Blutkapillaren, Lymphkapillare, Zellen der Schleimhaut, Mikrovilli, Darmlumen, Zotten, Lymphgefäß, Bindegewebe, Basalmembran, Zelle der Schleimhaut.

Andocken von Botenstoffen eine Rolle spielen (→ 3.2, → 3.7). Wie oben erwähnt, produziert unser Verdauungstrakt täglich literweise Speichel und anderen Schleim, aber was macht diese Flüssigkeiten eigentlich so schleimig? Hier sind sogenannte Mucine im Spiel, Makromoleküle aus einem zentralen Peptid und sehr langen Seitenketten aus Kohlenhydraten.

Proteine (→ 1.3) werden nur in Hungerphasen als Energielieferanten genutzt. Proteine braucht der Körper laufend als Baustoffe, beispielsweise zum Muskelaufbau, aber auch für zahlreiche Steuerungsprozesse, um die Körperfunktionen in Einklang zu bringen. So sind auch viele Hormone und fast alle Enzyme Proteine. Der menschliche Körper ist zwar in der Lage, aus den 20 verschiedenen Aminosäuren Proteine mit den unterschiedlichsten Eigenschaften zu bilden, aber nicht alle Aminosäuren kann er selbst herstellen. Die *essenziellen Aminosäuren* müssen wir mit der Nahrung aufnehmen. Für den erwachsenen Menschen sind Tryptophan und sieben weitere Aminosäuren essenziell, für Kinder zusätzlich Histidin.

Fette und andere Lipide (→ 1.7) liefern dem Körper mehrfach ungesättigte, essenzielle, d. h. vom Körper selbst nicht herstellbare Fettsäuren, die beispielsweise für Zellmembranen und bestimmte Hormone wichtig sind. Fettpolster sind manchmal verpönt, aber für den menschlichen Körper unverzichtbar: Sie stellen langfristige Energiereserven dar. Zudem sind sie ein wichtiger Isolator, schützen bestimmte Organe wie Augen und Nieren vor Stößen und Druck und sind Träger der fettlöslichen Vitamine A, D, E und K. Ohne Fett in der Nahrung können diese Vitamine nicht aufgenommen werden.

Aufgabe 5.4

Erläutern Sie die Bedeutung der Kompartimentierung bei der Verdauung. Wählen Sie dazu drei unterschiedliche Beispiele aus den Abbildungen.

5.5 Energiereserven können im Körper gespeichert werden

Stoff- und Energieumwandlung

Die in Form von Nährstoffen resorbierte chemische Energie (→ 4.2) wird für drei Formen von physiologischer Arbeit verwendet: Biosynthesen, innere Arbeit im Dienste der Homöostase und äußere Arbeit.* Sie verlässt den Körper als Wärmeenergie, chemische Energie und mechanische Energie. Abb. 1 zeigt Ihnen diese Zusammenhänge schematisch.

Energiereiche Moleküle in den Geweben und Organen sind die Energiespeicher des Menschen. Wie Sie bereits in → 5.4 erfahren haben, können unserem Stoffwechsel nur Kohlenhydrate, Lipide und Proteine als Energielieferanten dienen. Wie dort erwähnt, werden Proteine primär nicht als Energiequelle verwendet. Kohlenhydrate liegen als Energiereserve in Form

Online-Link
Info: Wie funktioniert Abnehmen?
150010-0911

Stoff- und Energieaustausch bei Tieren

Energie tritt als chemische Energie in den Körper ein.

Energie verlässt den Körper als chemische, mechanische und Wärmeenergie.

chemische Energie im Kot | chemische Energie in abgesondertem Harn, Schleim etc. | Wärmeenergie | mechanische Energie der äußeren Arbeit

Tier

Wachstum reichert chemische Energie in Geweben an.

Biosynthesen | Homöostase | äußere Arbeit

aufgenommene chemische Energie → resorbierte chemische Energie

Chemische Energie in Geweben wird nach dem Tod für andere Organismen zu aufgenommener Energie.

Die resorbierte chemische Energie wird für drei Formen physiologischer Arbeit genutzt.

1

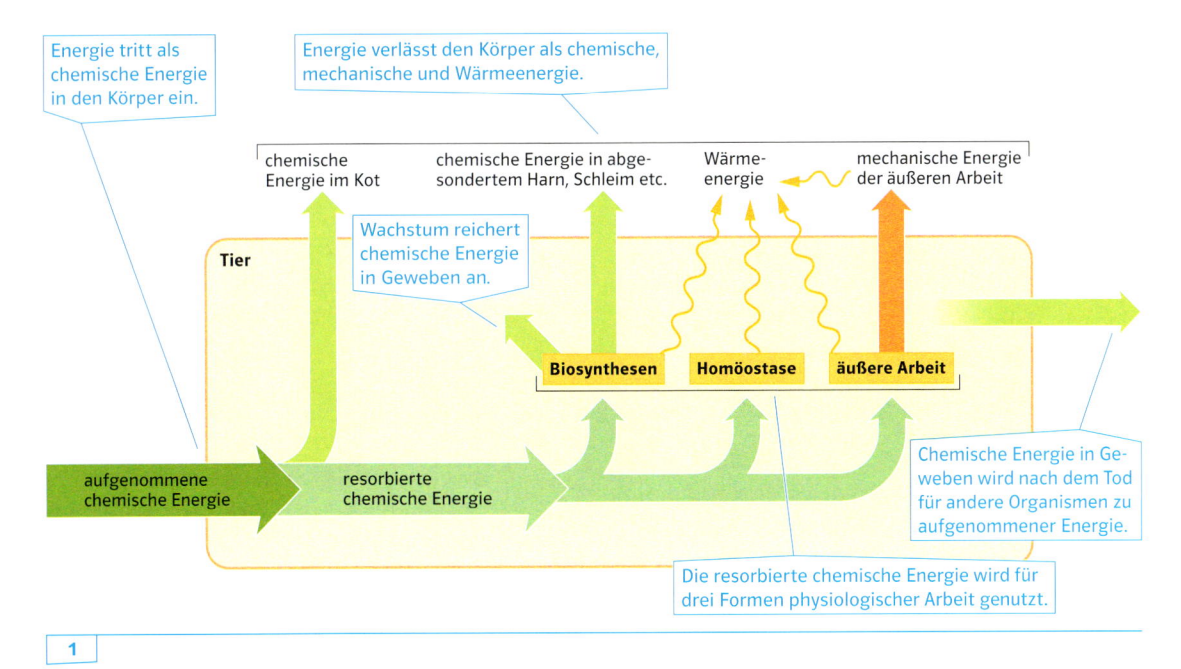

Die aufgenommene chemische Energie verlässt das Tier in drei Formen wieder. Die Aufnahme von Wärmeenergie aus der Umgebung (→ Abb. 2, S. 87) ist hier nicht berücksichtigt.

von polymerisierter Glucose vor, also als *Glykogen*. Die Glykogenspeicher befinden sich in der Leber und der Muskulatur, sind aber begrenzt. Bei körperlicher Ruhe reichen sie fast einen Tag, unter schwerer körperlicher Belastung aber kaum zwei Stunden. Daher ist vor dem Sport die Kohlenhydrataufnahme sehr wichtig.

Die Energiereserven des Menschen sind enorm: Lipide werden als Fett in speziellen Fettgeweben gespeichert. Theoretisch reichen diese Fettreserven bei geringer Belastung, wie z. B. Wandern, für Wochen.

Aus zwei Gründen genügen aber nicht allein gespeicherte Fette, sondern wir müssen auch regelmäßig Kohlenhydrate als Energieträger aufnehmen:
- Das Gehirn kann Energie nur aus Kohlenhydraten (genauer gesagt: aus Glucose) gewinnen.
- Der Körper kann Fette aus biochemischen Gründen nur verwerten, wenn ausreichend Kohlenhydrate vorhanden sind.

Man sagt auch: „Fette verbrennen in der Flamme der Kohlenhydrate". Sind die Glykogenspeicher erschöpft,

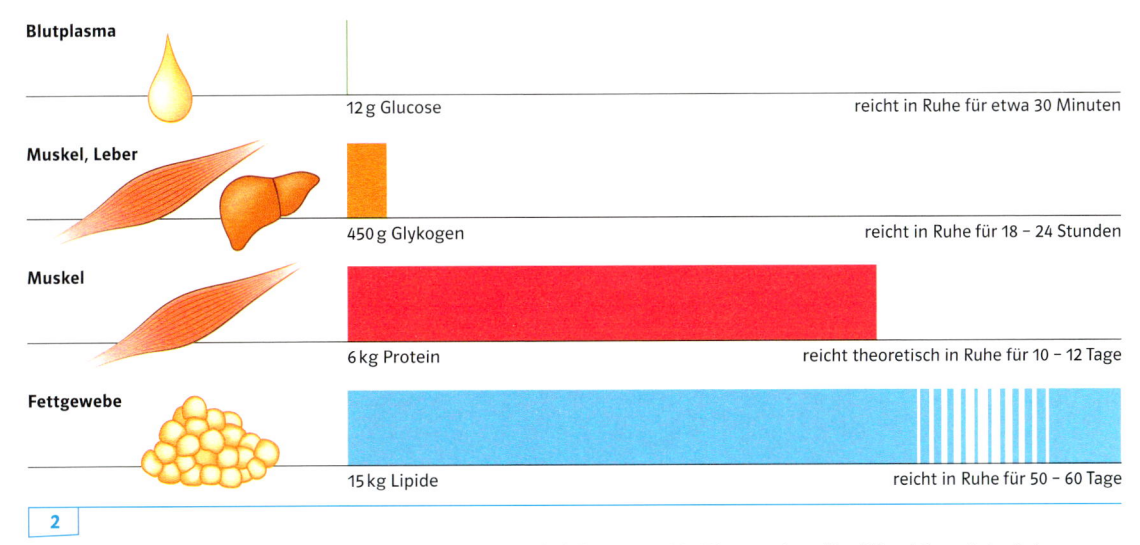

Blutplasma — 12 g Glucose — reicht in Ruhe für etwa 30 Minuten

Muskel, Leber — 450 g Glykogen — reicht in Ruhe für 18 – 24 Stunden

Muskel — 6 kg Protein — reicht theoretisch in Ruhe für 10 – 12 Tage

Fettgewebe — 15 kg Lipide — reicht in Ruhe für 50 – 60 Tage

2

Die Energiespeicher des Menschen reichen unterschiedlich lang aus. Die Werte gelten für völlige körperliche Ruhe.

Stoffwechsel

Methode: Messung des respiratorischen Quotienten

Anwendung
Bestimmung des respiratorischen Quotienten (RQ)

Methode
Sauerstoffverbrauch und Kohlenstoffdioxidabgabe lassen sich bei verschiedenen Aktivitäten mit einem Respirometer messen. Dabei wird jeweils das Volumen (V) des abgegebenen Kohlenstoffdioxids (CO_2) bzw. des aufgenommenen Sauerstoffs (O_2) ermittelt.

$$RQ = \frac{V(CO_2 \text{ abgegeben})}{V(O_2 \text{ aufgenommen})}$$

Für sehr kleine Tiere kann man ein einfaches Respirometer bauen:

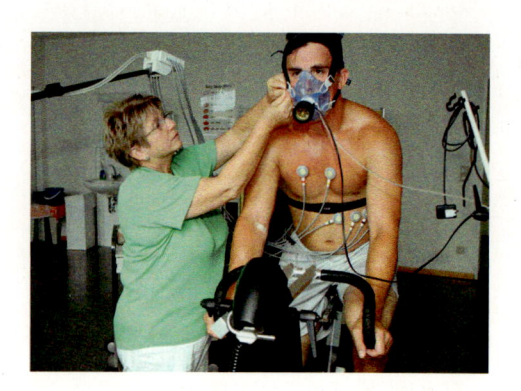

- Der Stopfen dichtet gegen die Außenluft ab.
- KOH verbindet sich mit CO_2 zu einem Niederschlag.
- Das Tier sitzt auf einem Blech mit Löchern und verbraucht Sauerstoff.
- Das Wasserbad hält die Temperatur annähernd konstant.
- Bei Sauerstoffverbrauch steigt die farbige Flüssigkeit im Messröhrchen.

Sobald der Stopfen fest aufgesetzt wird, steigt die farbige Flüssigkeit im Messröhrchen nach oben, da das Tier, hier ein Insekt, Sauerstoff verbraucht und ausgeatmetes Kohlenstoffdioxid durch KOH gebunden wird. Den Sauerstoffverbrauch pro Zeiteinheit misst man durch Ablesen der Skala. Die gebundene Kohlenstoffdioxidmenge bestimmt man anschließend durch ein „Titration" genanntes chemisches Verfahren.

3 Mithilfe eines Respirometers werden Sauerstoffverbrauch und Kohlenstoffdioxidabgabe bei verschiedenen Aktivitäten gemessen.

---

greift der Körper auf Proteine zurück und wandelt diese in Kohlenhydrate um. Dann kann er auch das Speicherfett weiter verwerten. Dieser Prozess ist aber sehr langsam. Von da an nimmt die körperliche Leistungsfähigkeit deutlich ab. Zudem werden dabei Proteine des Immunsystems wie die Antikörper und langfristig auch die Muskeln angegriffen. Kohlenhydrate sind sozusagen das Benzin der Ausdauersportler. Sportliches Training zum Abnehmen ist ohne Zufuhr von Kohlenhydraten unsinnig, weil die Fettverbrennung ohne Kohlenhydrate gar nicht in nennenswertem Umfang ablaufen kann.

Woher weiß man eigentlich, welcher Energiespeicher des Körpers in einer bestimmten Situation angezapft wird?• Einen wichtigen Hinweis gibt das Atmungsverhältnis, auch **respiratorischer Quotient** (RQ) genannt (→ Abb. 3). Es ist das Verhältnis aus abgegebener CO_2- und aufgenommener O_2-Menge. Bei Abbau von Kohlenhydraten beträgt der RQ-Wert genau 1,0, bei Fettabbau dagegen etwa 0,7. Der Wert für den Proteinabbau liegt mit ca. 0,8 dazwischen. Der RQ lässt sich mit einem Respirometer, einem Atemgas-Messgerät, relativ leicht bestimmen, wie Sie in Abb. 3 sehen. Worauf beruhen die Unterschiede im RQ? Glucose als typisches Kohlenhydrat hat die chemische Formel $C_6H_{12}O_6$. Die Oxidationsgleichung lautet:

$$C_6H_{12}O_6 + 6\,O_2 \rightarrow 6\,CO_2 + 6\,H_2O$$

Pro Mol Sauerstoff entsteht also genau ein Mol Kohlenstoffdioxid. Da ein Mol eines jeden Gases bei Normalbedingungen das gleiche Volumen hat, nämlich 22,4 Liter, hat der RQ bei reiner Kohlenhydratoxidation stets den Wert 1. Fette und Proteine enthalten im

Stoff- und Energieumwandlung

Verhältnis weniger Sauerstoff; daher muss für ihren oxidativen Abbau mehr davon zugeführt werden, und der RQ ist kleiner als 1.

Sie werden sich vielleicht fragen, welchen Nutzen es haben soll, den RQ-Wert zu kennen. Nun — beispielsweise hat man so die „Fettverbrennungszone" gefunden, also den Trainingsbereich mit maximalem Fettabbau, der für das Abnehmen am besten geeignet ist. Er liegt bei einer niedrigen Trainingsintensität, nämlich bei 55 – 70 % der maximalen Pulsfrequenz (maximale Pulsfrequenz = 220 Schläge pro Minute minus Lebensalter).

Eine weitere, in der Leistungs- und Ernährungsphysiologie oft verwendete Größe ist der **Brennwert**. Der Brennwert eines Stoffs ist die bei vollständiger Oxidation freigesetzte Energiemenge; er beträgt für Kohlenhydrate und Proteine 17 kJ/g (Kilojoule pro Gramm) und für Fette 39 kJ/g. Fette sind also gemessen an ihrem Gewicht doppelt so energiereich wie Kohlenhydrate und Proteine. Aus dem RQ-Wert schließt man auf die Zusammensetzung der veratmeten Stoffe, aus ihrem Brennwert schließt man auf ihren Energiegehalt. (Nehmen Sie Begriffe wie „Brennwert" hier bitte nicht wörtlich. Zellen bauen Energieträger ohne Hitzeentwicklung ab.)

Interessant ist die Frage, welche Energie der Mensch mit der Nahrung aufnimmt und welche Energie er für seine körperlichen und geistigen Aktivitäten benötigt. Überschüssige Energie wird nämlich in Form von Reservefetten gespeichert. Den *Grundumsatz* haben Sie bereits in →5.1 kennengelernt. Er wird gemessen, während man im nüchternen Zustand völlig entspannt bei angenehmer Temperatur (20 °C) auf einer Liege ruht, und zwar wiederum über den Sauerstoffverbrauch. Über den Sauerstoffverbrauch kann man auch den *Leistungsumsatz* in unterschiedlichen Situationen bestimmen, etwa beim Radfahren wie auf dem Foto in Abb. 3. Die Summe aus Grund- und Leistungsumsatz ist der **Energieumsatz**.

Genaue Messungen sind in bestimmten Fällen wichtig, aber zur groben Orientierung können Sie, falls es Sie interessiert, Ihren Energieumsatz auch aus Ihrem Körpergewicht und Ihrer Aktivität abschätzen. Eine Faustformel zur einfachen Abschätzung des Grundumsatzes lautet:
- Grundumsatz bei einer Frau in kJ/Tag:
  kg (Körpermasse) · 24 (Stunden des Tages) · 3,8
- Grundumsatz bei einem Mann in kJ/Tag:
  kg (Körpermasse) · 24 (Stunden des Tages) · 4,2

Ihren Energieumsatz, also die Summe aus dem Grund- und dem Leistungsumsatz, können Sie abschätzen, indem Sie Ihren Grundumsatz mit einem Aktivitätsfaktor multiplizieren. Dieser beträgt zwischen 1,2 im Liegen oder Sitzen und bis über 6 bei schwerer körperlicher Arbeit. Beim Leistungssport kann er noch viel höher liegen. Beim normalen Schulunterricht kommen Sie auf einen Aktivitätsfaktor von etwa 1,5.

Aufgabe 5.5

Pflanzen sind in der Lage, Lipide in einem relativ langsamen Prozess in Kohlenhydrate umzuwandeln. Tiere können das nicht. Beschreiben Sie eine Situation, in der diese Fähigkeit für uns nützlich wäre.

5.6 Ein Kreislaufsystem ermöglicht allen Zellen und Organen den Stoffaustausch

Blut und Kreislaufsystem sind am Stoffaustausch in besonderer Weise beteiligt. Einen Überblick über wichtige Strukturelemente und Funktionen des Blutkreislaufs erhalten Sie in der Abb. 1, S. 94.

Sie sehen: Das Blut strömt in jedem Blutgefäß unseres Kreislaufs nur in eine Richtung und wird durch das Herz angetrieben.
- *Arterien* transportieren Blut vom Herzen weg.
- *Venen* transportieren Blut zum Herzen zurück.
- *Kapillaren* bilden feine Netzwerke zwischen kleinen Arterien (Arteriolen) und kleinen Venen (Venolen).

Arterien und Venen haben starke, elastische Wände, die bei Arterien viel dicker und muskulöser sind als bei Venen. Kapillaren sind dünnwandige Röhrchen. Sie verzweigen sich stark und bringen die Blutzirkulation dicht an jede Körperzelle heran.

Das Blut verlässt das Herz unter hohem Druck und wandert in Wellen, entsprechend den Herzschlägen. Diese Wellen sind als *Puls* fühlbar. Wenn das Blut die Kapillaren erreicht, hat der Druck stark abgenommen. In den Venen wird das Blut hauptsächlich durch die Bewegung der Körpermuskulatur weiter befördert. Daher kann stundenlanges Sitzen zum Anschwellen der Beine führen.

Stoffwechsel

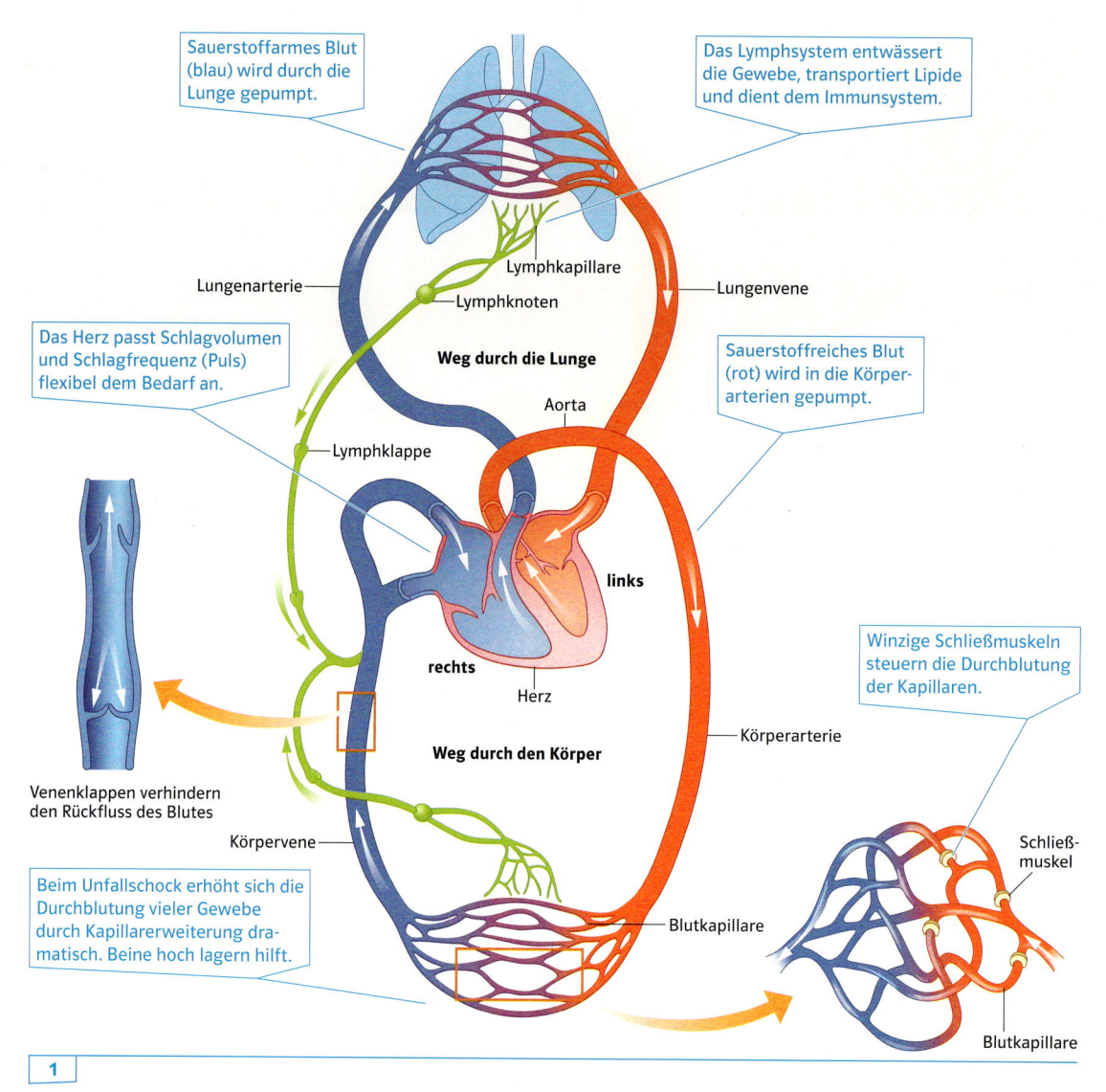

1

Sauerstoffarmes Blut (blau) wird durch die Lunge gepumpt.

Das Lymphsystem entwässert die Gewebe, transportiert Lipide und dient dem Immunsystem.

Lungenarterie — Lymphkapillare — Lungenvene
Lymphknoten

Weg durch die Lunge

Das Herz passt Schlagvolumen und Schlagfrequenz (Puls) flexibel dem Bedarf an.

Aorta

Sauerstoffreiches Blut (rot) wird in die Körperarterien gepumpt.

Lymphklappe

links
rechts
Herz

Weg durch den Körper

Körperarterie

Winzige Schließmuskeln steuern die Durchblutung der Kapillaren.

Venenklappen verhindern den Rückfluss des Blutes

Körpervene

Beim Unfallschock erhöht sich die Durchblutung vieler Gewebe durch Kapillarerweiterung dramatisch. Beine hoch lagern hilft.

Blutkapillare

Schließmuskel

Blutkapillare

Blut fließt in unserem Körper in einem geschlossenen Kreislaufsystem.

Lässt man Blut stehen, so setzen sich die **Blutzellen** ab. Medizinisch heißt das *Blutsenkung*. Der gelbliche, zu 90 % aus Wasser bestehende Überstand, das **Blutplasma**, enthält die *Plasmaproteine* und niedermolekularen Teilchen. Der Kuchen aus abgesetzten Blutzellen, *Hämatokrit* genannt, besteht aus einer ganzen Reihe von Zelltypen.

Der gesunde Mensch hat pro Mikroliter Blut etwa 5 Millionen *rote Blutzellen* (*Erythrocyten*). Sie sorgen für den Sauerstofftransport. Hinzu kommen 4 000 – 11 000 *weiße Blutzellen* (*Leukocyten*), wovon es verschiedene Typen gibt (→ 13.4); sie alle dienen der Immunabwehr (→ Kap. 16). Schließlich sind da noch rund 300 000 *Blutplättchen* (*Thrombocyten*) für die Blutgerinnung; es handelt sich dabei nicht um komplette Zellen, sondern um Zelltrümmer (→ Abb. 2).

Der Hämatokritwert spiegelt also weitgehend den Anteil der roten Blutzellen am Gesamtvolumen des Blutes wider. Er wird in Prozent angegeben. Ein Hämatokritwert von 45 % bedeutet, dass 45 % des Blutes aus roten Blutzellen bestehen. Der Normwert beträgt für Männer 42 – 50 % und für Frauen 37 – 45 %. Abweichungen sind für den Arzt aufschlussreich.

Der Blutstrom befördert Nährstoffe wie Glucose, Lipide und Aminosäuren sowie Abfallstoffe wie Harnstoff, Plasmaproteine wie Albumin, Gerinnungsfaktoren, Antikörper, außerdem Hormone, Salze und Blutzellen. Das Blut verteilt auch Wärmeenergie und Wasser im Körper. In Abb. 3 sehen Sie die Austauschvorgänge zwischen Blutkapillare und Gewebeflüssigkeit. Der osmotische Druck des Blutes beruht auch auf den darin gelösten Plasmaproteinen, die die Kapillare nicht ver-

Stoff- und Energieaustausch bei Tieren

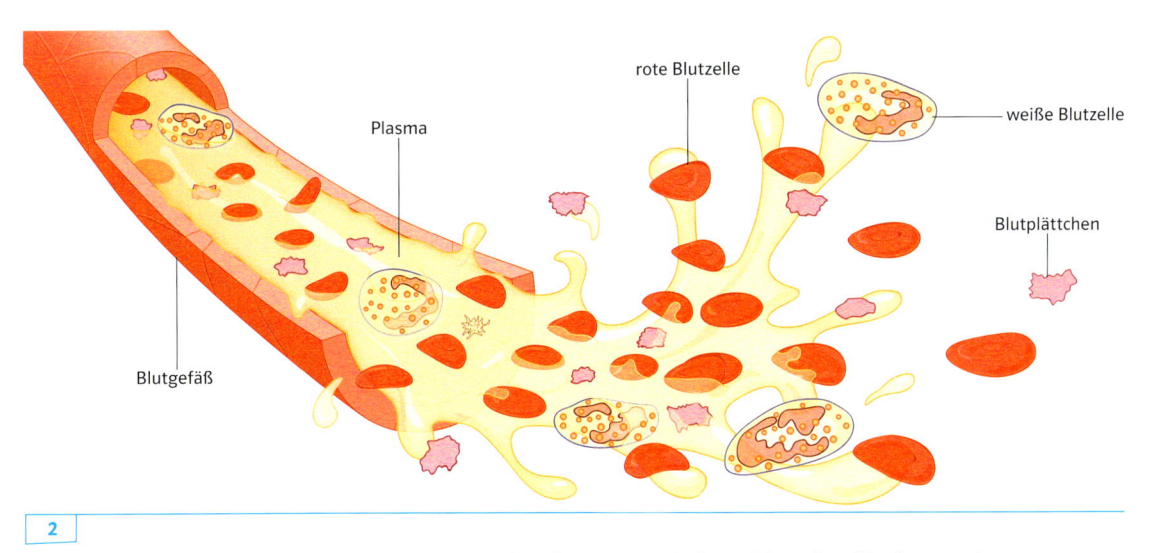

2
Ein Mikroliter Blut enthält rund 5 Millionen Zellen, die allermeisten sind rote Blutzellen (Erythrocyten).

lassen können. Am arteriellen Ende tritt Wasser aus und wird am venösen Ende zum Teil in die Kapillare zurückgeholt. Der Rest wird vom **Lymphsystem** gesammelt. Dieses enthält Lymphbahnen und entwässert darüber die Gewebe. Es transportiert Lipide und spielt eine große Rolle im Immunsystem (→Kap. 16). Über das Lymphsystem wird Wasser dem Blutkreislauf wieder zugeführt. In Hungerzeiten nimmt der Anteil an Plasmaproteinen ab, was zur Ansammlung von Wasser im Gewebe führt, *Hungerödem* genannt.

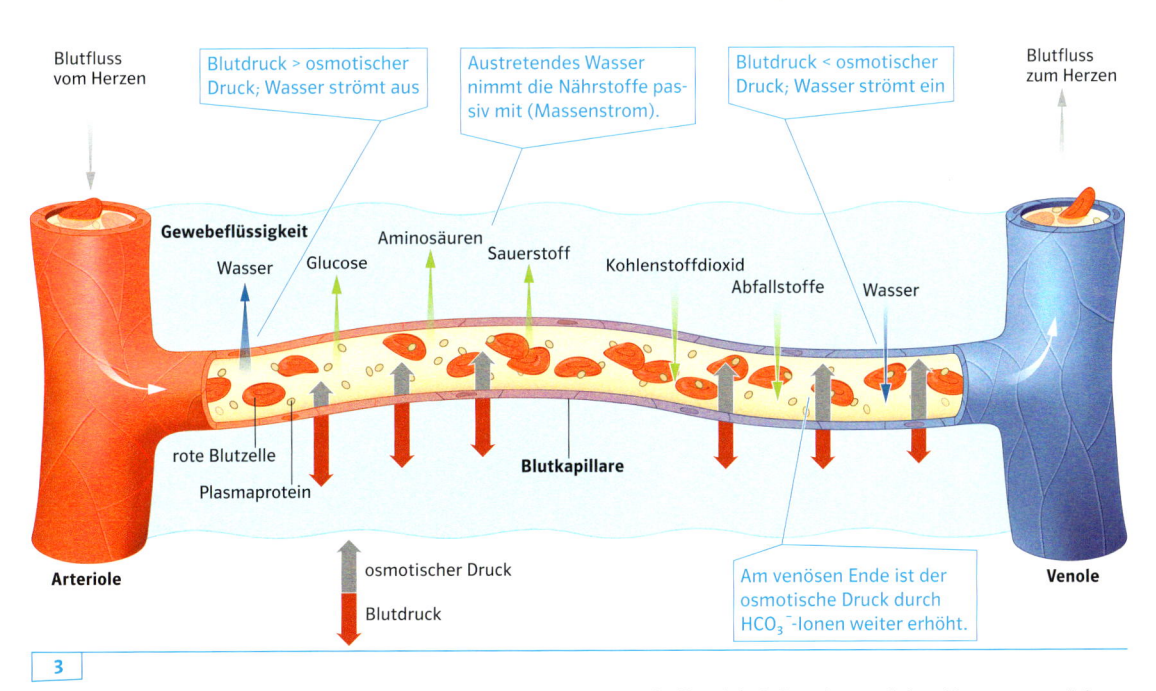

3
Die Austauschvorgänge zwischen den Blutkapillaren und der Gewebeflüssigkeit beruhen auf dem Zusammenspiel von Blutdruck (Druckfiltration nach außen) und osmotischem Druck (holt Wasser zurück).

Aufgabe 5.6

Erläutern Sie, inwieweit der Kühlerkreislauf eines Motors mit dem Körperkreislauf vergleichbar ist.

Stoffwechsel

5.7 Der Gasaustausch liefert Sauerstoff für die Zellatmung und beseitigt Kohlenstoffdioxid

Die Versorgung mit Sauerstoff ist unser vitalstes Bedürfnis. Wir könnten es vielleicht drei Wochen ohne Nahrung aushalten oder drei Tage ohne zu trinken, aber nur drei Minuten ohne zu atmen. Durch die Atembewegung, die *Ventilation*, gelangt ein ständiger Strom molekularen Sauerstoffs (O_2) zu unseren Körperzellen, und Atmen befreit unseren Körper von Kohlenstoffdioxid (CO_2).

Unser Atemorgan, die Lunge, enthält rund 300 Millionen Lungenbläschen (Alveolen) für diesen **Gasaustausch**. Dieses zarte, aber im Brustkorb gut geschützte System wird durch *Rauchen* in lebensbedrohlicher Weise attackiert und durch Feinstäube erheblich belastet. Der Gasaustausch verläuft in drei Phasen:
- *äußere Atmung*: Ventilation der Lunge sowie Gasaustausch zwischen Lunge und Blut
- *Atemgastransport*: Transport in der Blutbahn
- *Zellatmung*: Gasaustausch zwischen Blut und Gewebe sowie Verbrauch von O_2 und Abgabe von CO_2 im Zellstoffwechsel

Den Ablauf des Gasaustauschs sollten Sie in Abb. 1 anhand der Buchstaben verfolgen.

In der Lunge tritt Sauerstoff (O_2) durch die Alveolarwand und die Kapillarwand in die roten Blutzellen ein, wo er an das Protein **Hämoglobin** (Hb), den roten Blutfarbstoff, gebunden wird ⓐ. Auf diese Weise

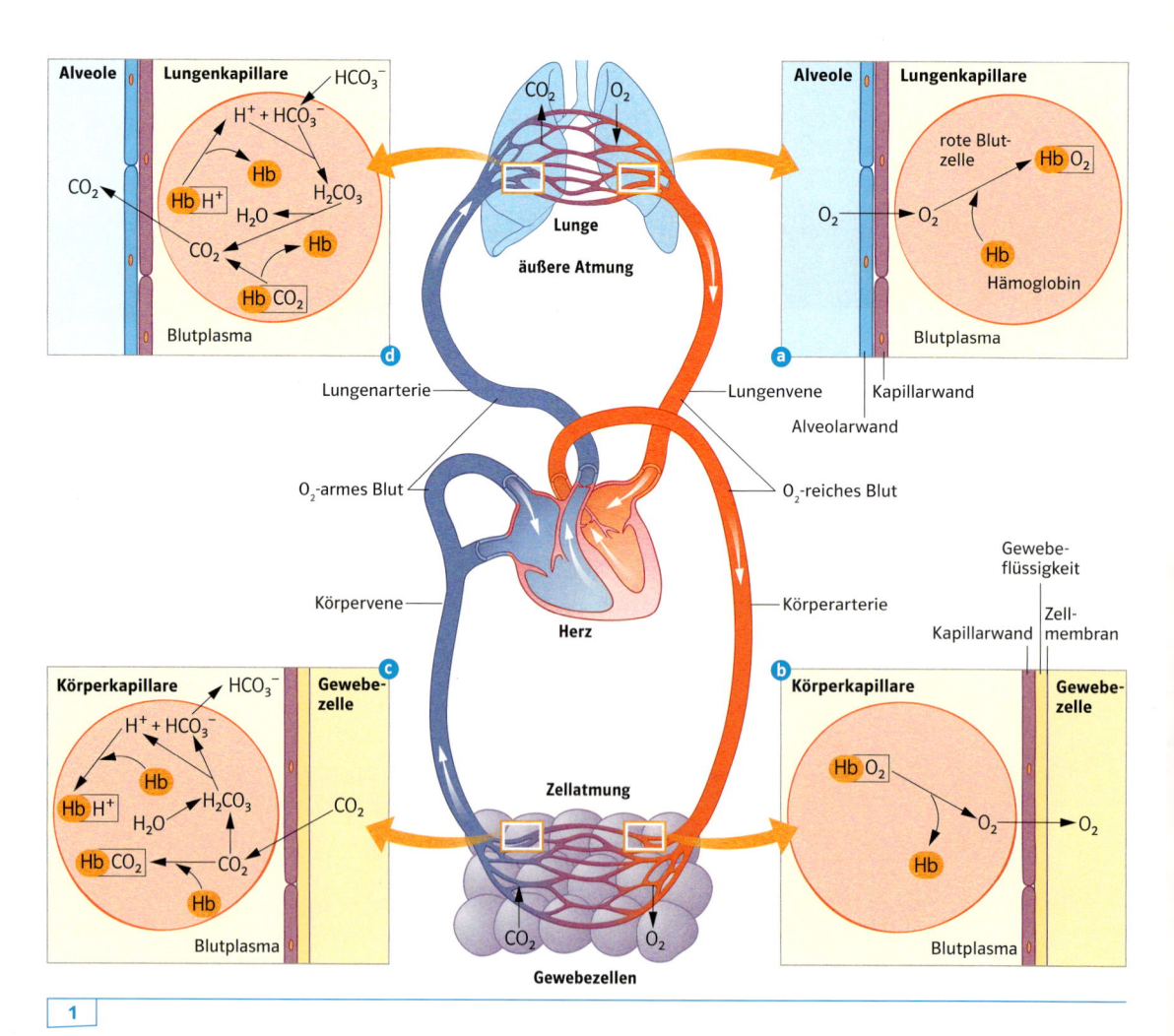

1

Beim Gasaustausch im Kreislaufsystem sind die treibenden Kräfte der Diffusionsvorgänge die Partialdruckgefälle von O_2 und CO_2. Jede rote Blutzelle hat in den Kapillaren nur 1/3 Sekunde Zeit für den Gasaustausch, was aber ausreicht.

transportiert ein Liter unseres Blutes rund 200 ml O₂. Nur etwa 4 ml O₂ pro Liter Blut liegen dagegen physikalisch gelöst vor. Hätten wir kein Hämoglobin, wäre nur dies die O₂-Transportkapazität unseres Blutes. Das Hämoglobin erhöht die Kapazität also um das 50-Fache. Im Gewebe löst sich O₂ vom Hämoglobin und diffundiert aus dem Blut in die Zellen **b**.

CO₂ nimmt den umgekehrten Weg **c**. Etwas CO₂ wird an Hämoglobin gebunden. Der Großteil wird im Blut als Hydrogencarbonat (HCO_3^-) gelöst und stabilisiert dort als *Puffersubstanz* den pH-Wert. Die meisten freigesetzten Protonen (H⁺-Ionen) fängt das Hämoglobin weg. CO₂ diffundiert aus den roten Blutzellen in die Lunge **d**. Aus dem Blutplasma liefert Hydrogencarbonat (HCO_3^-) dabei ständig CO₂ nach, denn diese beiden Stoffe stehen im Reaktionsgleichgewicht. Das Hämoglobin gibt die erforderlichen Protonen dazu.

Der Gasaustausch über die Lungenschleimhaut erfolgt durch **Diffusion**, also ohne Energieaufwand (→ 3.3). In Wasser gelöste Teilchen diffundieren entlang ihrem Konzentrationsgefälle. Bei Gasmolekülen geht es jedoch nicht um Konzentrationsgefälle, sondern um Druckdifferenzen. In einem Gasgemisch übt jedes Gas einen *Partialdruck* (Teildruck) aus, der seinem Anteil am Gesamtvolumen entspricht. In den Alveolen der Lunge herrscht ein O₂-Partialdruck (P_{O_2}) von 13 kPa, im venösen Blut dagegen nur von 5 kPa. Umgekehrt findet sich im venösen Blut ein P_{CO_2} von 6 kPa, in der Alveole dagegen von 5 kPa.

Diese Partialdruckdifferenzen (Partialdruckgefälle) sind die treibende Kraft für den Gasaustausch in der Lunge. Der Diffusionsvorgang folgt dem Diffusionsgesetz:

$$M = K \cdot \frac{A}{d} \cdot (P_1 - P_2)$$

Die Formel zeigt: Die pro Zeiteinheit durchtretende Gasmenge (M) ist umso größer, je größer eine Materialkonstante ist, der sogenannte Diffusionskoeffizient (K), die Austauschfläche (A) und das Partialdruckgefälle ($P_1 - P_2$), und je kürzer die Diffusionsstrecke (d).

Das Gesetz ist im Zusammenhang mit der Atmung deshalb interessant, weil die Lunge tatsächlich nach genau diesem Prinzip aufgebaut ist. Die Gesamtoberfläche unserer Lungenbläschen, der Alveolen, übertrifft, wie Sie in Abb. 1, S. 82, gesehen haben, mit etwa 100 m² deutlich die Größe eines Klassenzimmers, und diese riesige Fläche ist nur etwa 1 μm (1/1000 mm) dünn, also etwa wie die Wand einer Seifenblase. Unser ständiges Atmen sowie eine extrem kurze Verweildauer des Blutes in der Lunge sorgen für die nötigen O₂- und CO₂-Partialdruckgefälle zwischen Lunge und Blut. Der Diffusionskoeffizient ist für CO₂ rund 25-mal größer als für O₂. Daher funktioniert die äußere Atmung trotz des vergleichsweise geringen CO₂-Partialdruckgefälles. Der Gasaustausch im Gewebe folgt dem gleichen Prinzip.

2 Im Hochgebirge wird die Luft dünn. In 5 000 m Höhe ist der O₂-Partialdruck auf die Hälfte gesunken — Folge: Atemnot, erhöhter Puls und schnellere, tiefere Atmung. Binnen einiger Wochen erhöht sich die Menge der roten Blutzellen erheblich, weil der Botenstoff Erythropoietin (EPO) ausgeschüttet wurde.

Die Austauschfläche ist zudem feucht, denn Feuchtigkeit hat einen sehr hohen Diffusionskoeffizienten. Über unsere trockene Haut ist entgegen einer weit verbreiteten Meinung keine Atmung möglich, denn sie hat einen sehr niedrigen Diffusionskoeffizienten und bildet somit eine Diffusionsbarriere.

Wie Sie in Abb. 1 gesehen haben, spielt das Hämoglobin beim O₂- und CO₂-Transport die Hauptrolle. Hämoglobin ist ein *respiratorisches Protein*, also ein Atmungsprotein. Es ist in seinen Eigenschaften mit einem Enzym vergleichbar. Es bildet mit seinem Substrat, dem Sauerstoff, einen Enzym-Substrat-Komplex (→ 4.3). Anders als bei einem Enzym entsteht jedoch kein Produkt, sondern der Komplex löst sich später wieder auf, indem das Hämoglobin den Sauerstoff wieder abgibt. Ebenso verhält es sich mit der CO₂-Anlagerung. Die Anlagerung von O₂ und CO₂ ist also *reversibel* (umkehrbar), und auf dieser Umkehrbarkeit beruht der Atemgastransport. Nun müssen die Eigenschaften des Hämoglobins nur noch so sein, dass im Atemorgan zuverlässig O₂ gebunden und CO₂ freigesetzt wird und im Gewebe ebenso zuverlässig der umgekehrte Prozess abläuft.

Die O₂-Bindungseigenschaften des Hämoglobinmoleküls sind erstaunlich genau an den wechselnden Bedarf eines Organismus angepasst. Das betrifft insbesondere sein O₂-Bindungsvermögen, die **Affinität** für Sauerstoff. Da jede Tierart anders ist, reagieren Hämoglobinmoleküle aus unterschiedlichen Tierarten recht verschieden auf die gleichen Bedingungen. Man kann hier also die evolutionäre Anpassung eines Proteins an unterschiedliche Bedürfnisse studieren. Damit gehört die Hämoglobinforschung zu

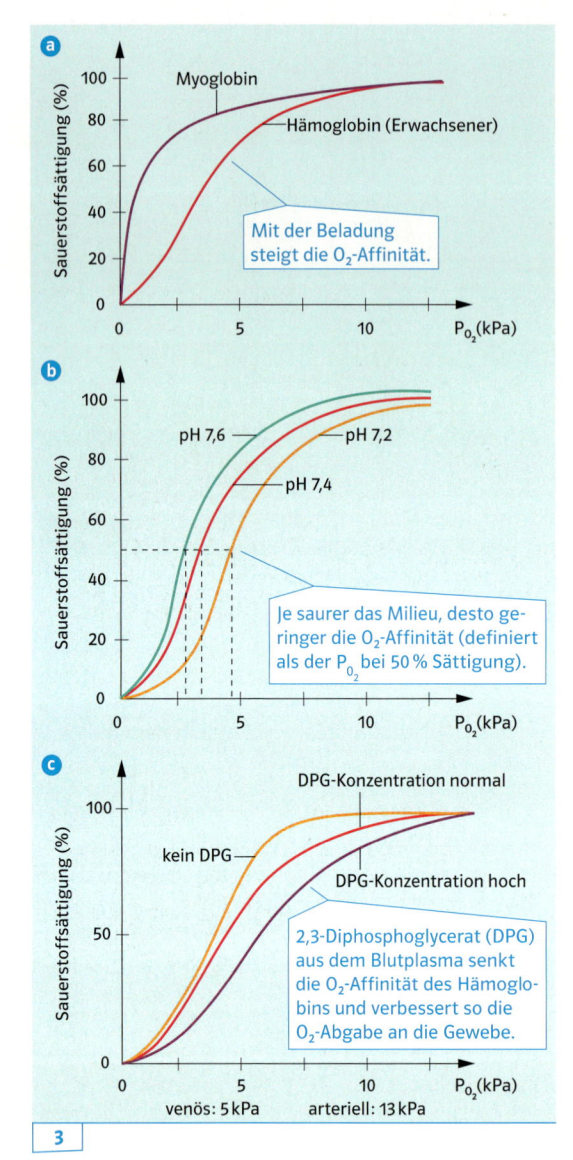

Stoffwechsel

Steuerung und Regelung

Struktur und Funktion

a
Sauerstoffsättigung (%) vs. P_{O_2} (kPa)
Myoglobin
Hämoglobin (Erwachsener)
Mit der Beladung steigt die O_2-Affinität.

b
pH 7,6 — pH 7,2 — pH 7,4
Je saurer das Milieu, desto geringer die O_2-Affinität (definiert als der P_{O_2} bei 50 % Sättigung).

c
DPG-Konzentration normal
kein DPG
DPG-Konzentration hoch
2,3-Diphosphoglycerat (DPG) aus dem Blutplasma senkt die O_2-Affinität des Hämoglobins und verbessert so die O_2-Abgabe an die Gewebe.
venös: 5 kPa   arteriell: 13 kPa

3 Die O_2-Affinität des Hämoglobins ist umso höher, je weiter links die O_2-Bindungskurve in diesen Diagrammen verläuft. Die erstaunliche Zusammenarbeit der vier Untereinheiten des Hämoglobins (→ Abb. 5) bewirkt die S-Form der O_2-Bindungskurve (sigmoide Kurve), also eine neuartige Qualität, die sich aus der hyperbolischen Bindungskurve des verwandten Myoglobins (mit nur einer Proteineinheit) nicht vorhersagen lässt **a**. Der Einfluss des pH-Werts auf die O_2-Bindungseigenschaften des Hämoglobins optimiert den Atemgasaustausch **b**. Im Hochgebirge wird die DPG-Konzentration in den roten Blutzellen erhöht **c**.

„Appetit" auf Sauerstoff (seine O_2-Affinität steigt), sodass es sich nun viel leichter beladen lässt. Das können Sie an der S-Form der O_2-Bindungskurven erkennen. Diese **Kooperativität** des Hämoglobins passt dessen Funktion exakt an die O_2-Partialdruckverhältnisse im Tier an. Sie beruht auf einer Zusammenarbeit der vier Untereinheiten (Quartärstruktur, → Abb. 5). Das Hämoglobin funktioniert damit ganz anders als das verwandte Myoglobin, das nur aus einer einzelnen Polypeptidkette besteht und eine hyperbolische O_2-Bindungskurve liefert, wie Sie in Abb. 3 **a** sehen. **Myoglobin** bindet O_2 in Muskelzellen.

Hämoglobin reagiert mit seinen O_2-Bindungseigenschaften auf zahlreiche physiologische Bedingungen und Umwelteinflüsse, beispielsweise auf den pH-Wert des Blutes.* Dieser ist im O_2-verbrauchenden Gewebe etwas niedriger als in der Lunge, was unter anderem mit dem CO_2 zusammenhängt. Welchen Effekt das auf die O_2-Bindungskurve hat, sehen Sie in Abb. 3 **b**. Mit sinkendem pH-Wert sinkt die O_2-Affinität. Diesen Einfluss des pH-Werts nennt man **Bohr-Effekt**. Dadurch verbessert das Hämoglobin seine O_2-Aufnahme und CO_2-Abgabe in der Lunge sowie seine O_2-Abgabe und CO_2-Aufnahme im Gewebe.

Blut in Körperarterien ist O_2-reich (→ Abb. 4). Das Blut in den Körpervenen ist in Ruhe keineswegs frei von Sauerstoff, sondern die Hämoglobin-Moleküle sind dort noch erheblich mit O_2 beladen, als *venöse Reserve* für Aktivitätsphasen.

Wie Sie bereits wissen, sind in der Biologie Funktion und Struktur stets gekoppelt, und das können Sie am Hämoglobin sehr schön sehen (→ Abb. 5).* Die vier Untereinheiten des Proteins sind so eng miteinander verbunden, dass sie sich leicht gegenseitig beeinflussen können. Jede Untereinheit hat als aktives Zentrum eine tiefe Tasche mit einer eingelagerten **Hämgruppe**. Diese besteht aus einem ringförmigen *Porphyrin*-Molekül mit einem zentralen Eisen-Ion (Fe^{2+}), an das sich ein O_2-Molekül reversibel anlagern kann. Über die

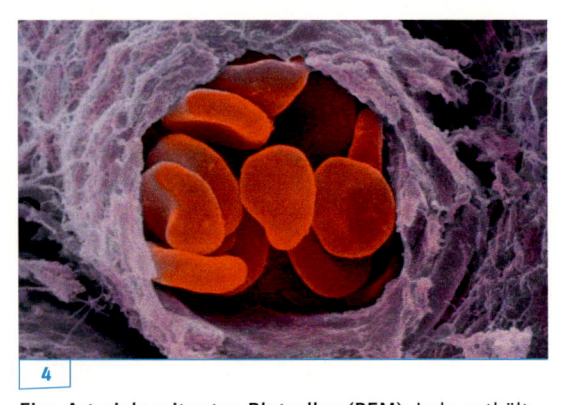

4 Eine Arteriole mit roten Blutzellen (REM): Jede enthält 300 Millionen Hb-Moleküle — im Größenverhältnis wie eine randvoll mit Bällen gefüllte Fußballarena.

den spannendsten Kapiteln der Tierphysiologie. Sie wird heute mit hochmodernen Methoden betrieben.

Eine schon lange existierende Technik ist die Aufnahme von O_2-Bindungskurven, von denen Sie einige in Abb. 3 sehen. Wie sich dabei zeigt, bekommt das Hämoglobin bei der Bindung von etwas Sauerstoff mehr

Stoff- und Energieaustausch bei Tieren

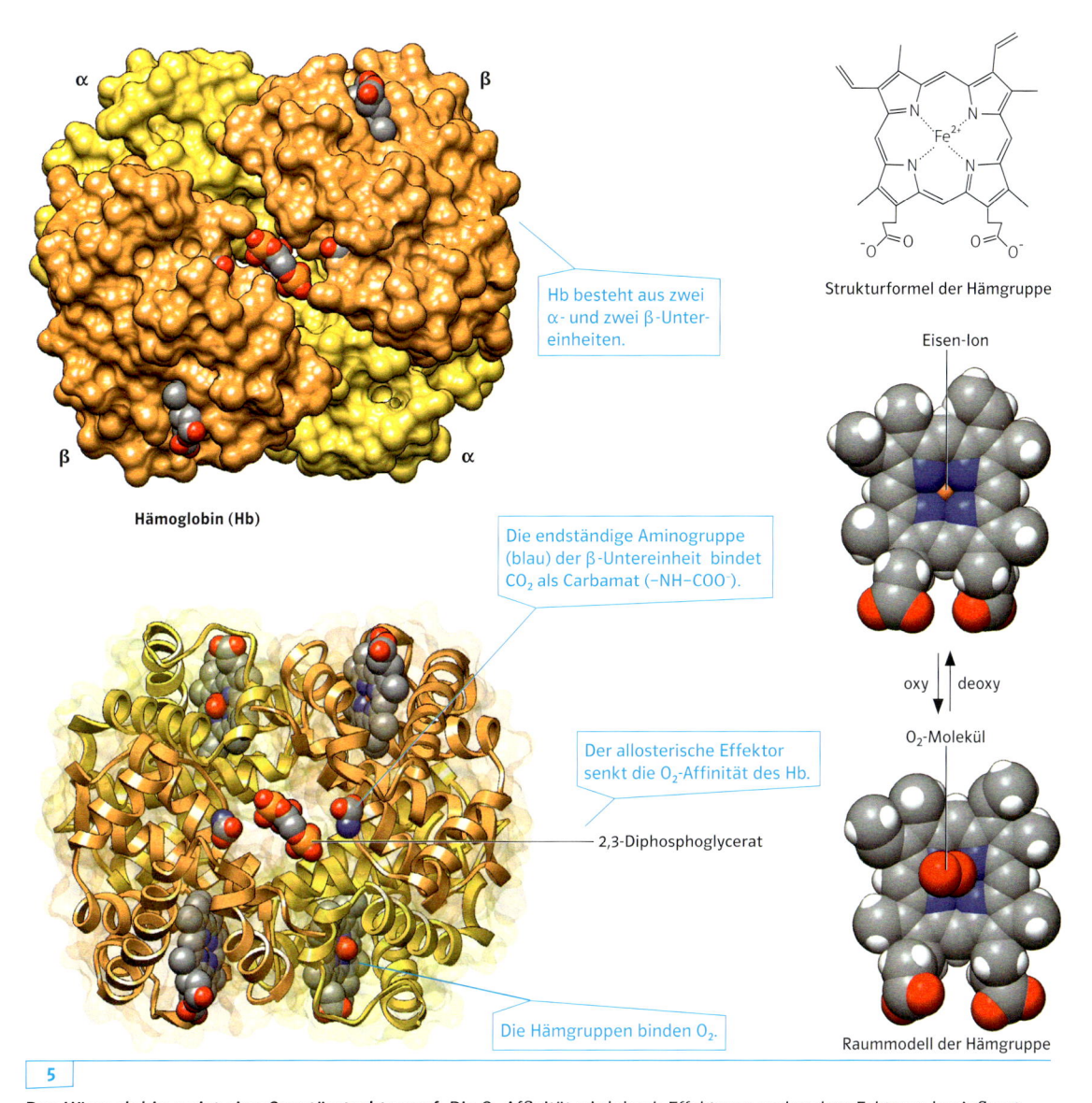

5

Hb besteht aus zwei α- und zwei β-Untereinheiten.

Hämoglobin (Hb)

Strukturformel der Hämgruppe

Die endständige Aminogruppe (blau) der β-Untereinheit bindet CO_2 als Carbamat (–NH–COO⁻).

Der allosterische Effektor senkt die O_2-Affinität des Hb.

2,3-Diphosphoglycerat

Die Hämgruppen binden O_2.

Eisen-Ion

oxy ⇅ deoxy

O_2-Molekül

Raummodell der Hämgruppe

Das Hämoglobin weist eine Quartärstruktur auf. Die O_2-Affinität wird durch Effektoren und andere Faktoren beeinflusst.

enge, aus bestimmten Aminosäuren gebildete Tasche steuert das Protein, wie leicht ein O_2-Molekül das Fe^{2+}-Ion erreicht. So wird auch verhindert, dass das Fe^{2+}-Ion dauerhaft oxidiert wird. Umwelteinflüsse wie pH-Wert oder Temperatur verändern die räumliche Struktur des Proteins und damit das aktive Zentrum.

In Abb. 5 sind auch die beiden Bindungsstellen für das CO_2 zu sehen. Eine weitere interessante Bindungstasche liegt mitten im Zentrum des Hämoglobins. Dorthin passt genau ein Molekül *2,3-Diphosphoglycerat* (DPG). Das DPG ist der wichtigste *allosterische Effektor* (→ S. 4.7) unseres Hämoglobins. Er senkt dessen O_2-Affinität und sorgt so erst dafür, dass das Hämoglobin im richtigen Bereich arbeitet (→ Abb. 3 C). Ohne DPG würde es den Sauerstoff zwar in der Lunge hervorragend binden, aber im Gewebe nicht mehr ausreichend abgeben. Das DPG spielt auch bei der Akklimatisation unseres Körpers im Hochgebirge eine wichtige Rolle, indem es dort schon binnen eines Tages die O_2-Abgabe an die Gewebe verbessert.

Aufgabe 5.7

Begründen Sie, warum Leistungssportlern Doping mit EPO verboten ist, ein Höhentraining dagegen nicht.

Stoffwechsel

5.8 Die Niere filtriert Blut und holt aus dem Filtrat alles Nötige zurück

Bekommen Sie auch Probleme, wenn in Ihrem Zimmer Chaos herrscht? Sie können einmal versuchen, nach einem sehr wirksamen und schnellen Prinzip aufzuräumen, und zwar so, wie es unsere Niere machen würde: Zunächst werfen Sie alle herumliegenden Gegenstände in einen großen Karton, sodass nur die Möbel zurückbleiben. Das entspricht einer *Filtration*. Dann holen Sie sich aus dem Karton das wieder heraus, was Sie behalten möchten. Das entspricht einer *Reabsorption*. Nebenbei suchen Sie unter dem Bett und hinter den Schränken nach vergessenen Gegenständen und geben sie noch mit in den Karton. Das entspricht einer *Sekretion*. Schließlich kippen Sie den Inhalt des Kartons in den Müllcontainer. Das entspricht dem *Harnlassen*. Der entsprechende Vorgang in unserem Körper heißt **Exkretion** und ist eine Art Rauswurf-Rücknahme-System, auf das unsere Niere spezialisiert ist.

Die kleinste funktionelle Einheit unserer Niere ist das **Nephron**. Den Ablauf der Exkretion können Sie in Abb. 1 und Abb. 2 und anhand der Buchstaben im weiteren Text verfolgen.

Filtration. **a** Zunächst presst der Blutdruck das Blut durch einen engen Filter. Dieser besteht aus einem Knäuel poröser Kapillaren, *Glomerulus* genannt, und aufsitzenden Zellen, die enge Schlitze bilden. Dabei verbleiben die Blutzellen und die Plasmaproteine im Blut, während das Wasser und alle darin gelösten kleinen Teilchen als Filtrat im vorderen Tubulus erscheinen (tubulus (lat.): Röhrchen). Das Filtrat wird *Primärharn* genannt.

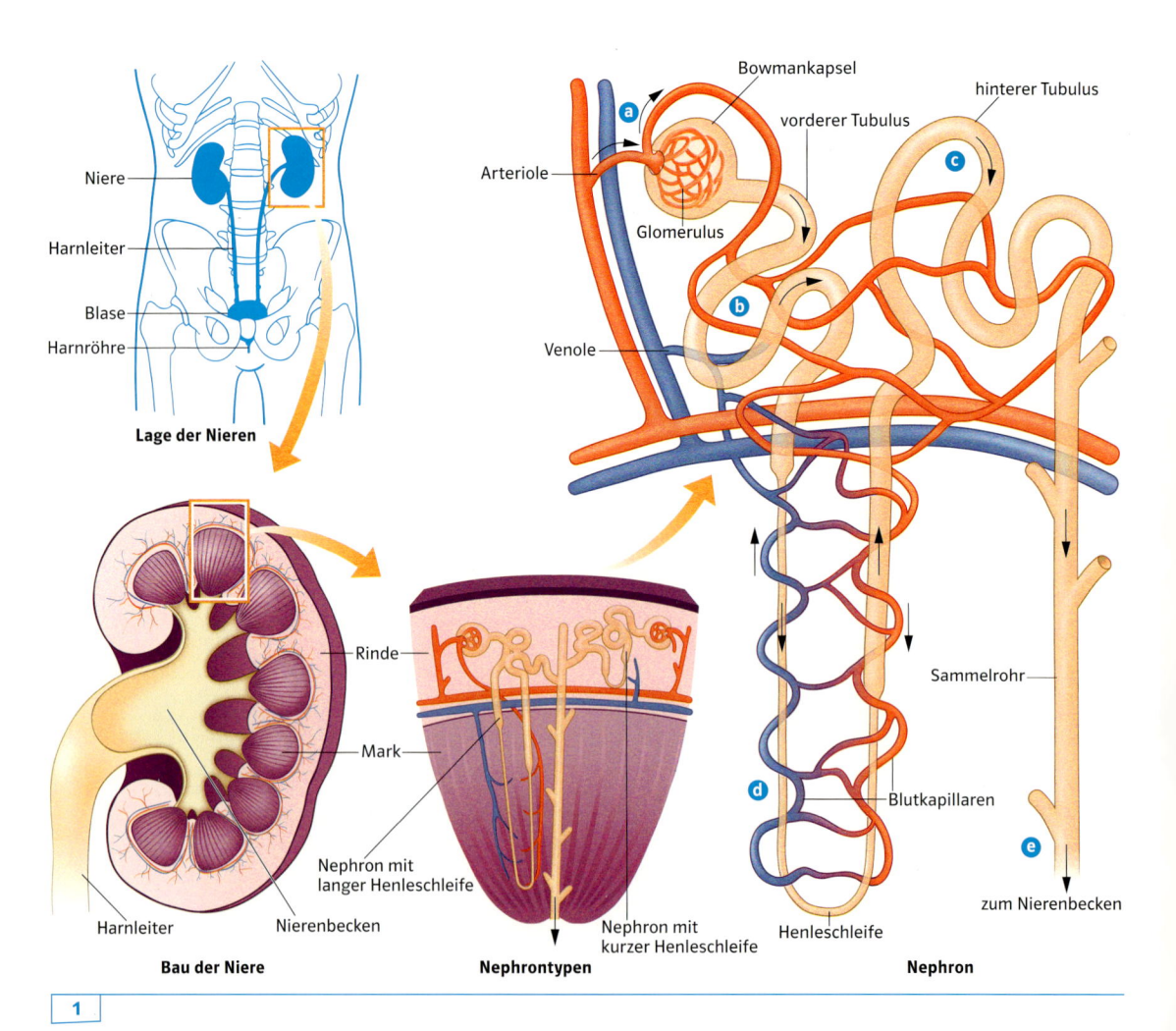

Lage der Nieren

Bau der Niere

Nephrontypen

Nephron

1 Nephronen sind die kleinsten funktionellen Einheiten unserer Niere. Ihre Anzahl pro Niere beträgt rund 1 Million.

Reabsorption. **ⓑ** Dem Primärharn werden dann im Tubulussystem schrittweise das meiste Wasser und alle wichtigen Teilchen wieder entzogen, etwa Glucose. (Bei erhöhtem Blutzuckerspiegel (*Diabetes*) verbleibt etwas Glucose im Harn. Beim *Blutzuckertest* kann man mit Teststäbchen Glucose im Endharn nachweisen.)
Sekretion. **ⓒ** Im Tubulussystem werden weitere Stoffe gezielt aus dem Blut über die Gewebeflüssigkeit in den Primärharn abgegeben.
Die *Henleschleife* **ⓓ** baut in der Gewebeflüssigkeit eine hohe Salzkonzentration auf, die zusammen mit einem Teil Harnstoff, der aus dem Sammelrohr austritt, dem Tubulussystem das Wasser entzieht (→ Abb. 2).
Harnlassen. **ⓔ** Beim Erwachsenen bilden sich täglich aus rund 180 Litern Primärharn etwa 1,5 Liter Endharn, auch *Urin* genannt. Er sammelt sich im Nierenbecken und wird über Harnleiter und Blase ausgeschieden.

Das Wasser wird in der Niere nicht nur einfach entzogen, sondern gleichzeitig wird der Wasserhaushalt unseres Körpers sehr genau reguliert. Überschüssiges Wasser muss ausgeschieden werden, bei Wassermangel müssen wir trinken. Die Regulation des Wasserhaushalts unserer Körperflüssigkeiten, die sogenannte **Osmoregulation**, ist lebenswichtig.• Unsere Körperzellen reagieren empfindlich, wenn sich der Wassergehalt der Gewebeflüssigkeit ändert, in der sie liegen (→Abb. 2, S. 59). Bei Wassermangel in der Gewebeflüssigkeit würden sie schrumpfen und bei Wasserüberschuss quellen. Das vertragen Tierzellen im Gegensatz zu Pflanzenzellen schlecht. Unsere Körperzellen sind also darauf angewiesen, dass die Gewebeflüssigkeit und das angrenzende Blut einen geeigneten, konstanten Wassergehalt aufweisen. Anders gesagt: Die Anzahl der gelösten Teilchen, die sogenannte *Osmolarität*, gemessen in Milliosmol (mOsm) pro Liter, im extrazellulären Milieu muss möglichst konstant gehalten werden. Genau hierfür sorgen die Nieren.

Schadstoffe gelangen nicht nur von außen, z. B. über die Nahrung, ins Blut. Bei den chemischen Reaktionen im Stoffwechsel entstehen Nebenprodukte, von denen manche giftig sind. Das wichtigste Exkretionsprodukt von Tieren und Mensch sind stickstoffhaltige Abfallprodukte (→ Abb. 3), die laufend beim Abbau von

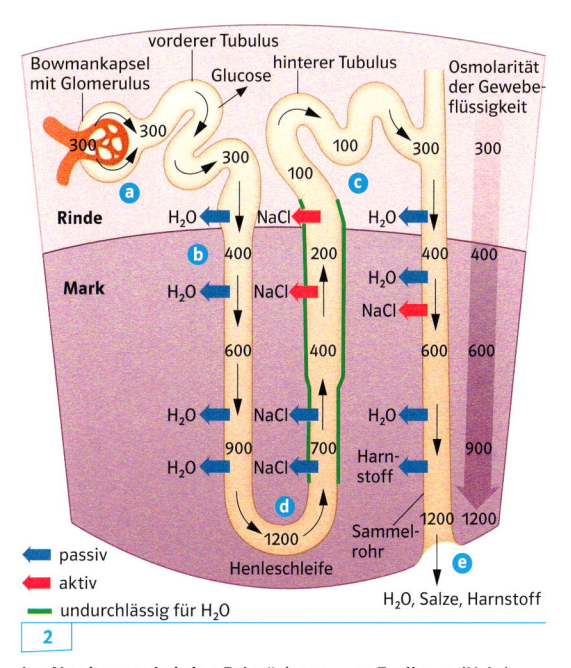

2 Im Nephron wird der Primärharn zum Endharn (Urin).

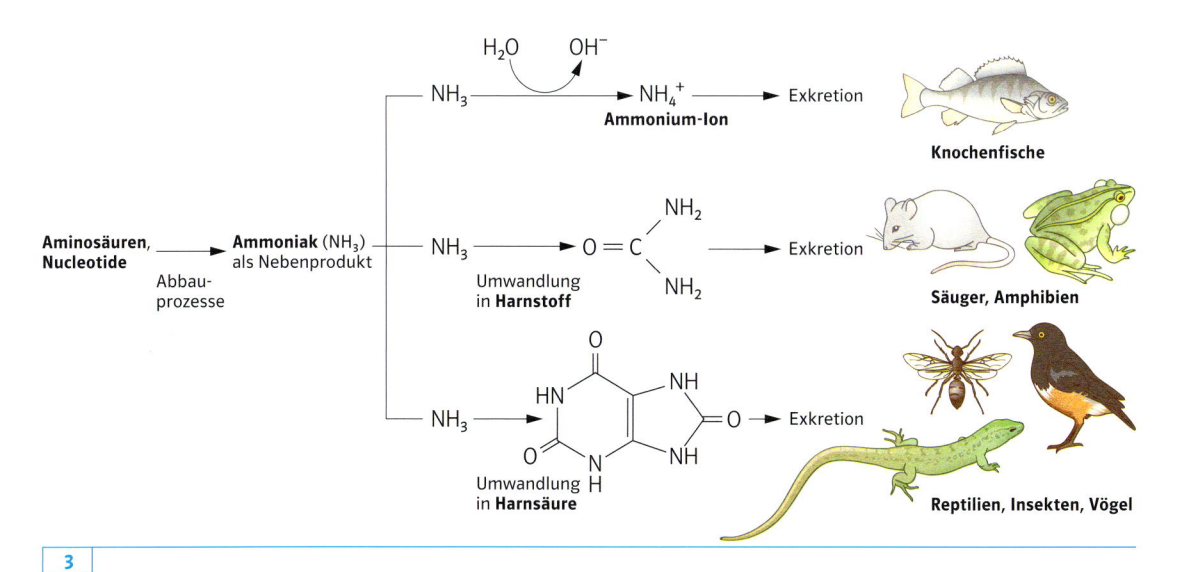

3 Der aus dem Protein- und Nucleinsäureabbau stammende Ammoniak ist als Ammonium-Ion ein starkes Zellgift. Die Bildung von Harnstoff oder Harnsäure entschärft das Problem. Die Exkretion beseitigt es.

Stoffwechsel

Methode: Blutwäsche durch Dialyse

Anwendung

Die sogenannte „künstliche Niere" ist eine Apparatur, die diejenigen Stoffe aus dem Blut entfernt, die bei normaler Nierenfunktion über den Harn ausgeschieden werden.

Methode

Bei dieser Blutwäsche, Hämodialyse genannt, wird aus einer Arterie das Blut über einen künstlichen Kurzschluss (Shunt) in eine Vene und von dieser durch ein Gerät geleitet. Dort wird das Blut von Harnstoff und anderen giftigen Stoffwechselprodukten, den harnpflichtigen Substanzen, gereinigt und eventuell mit Glucose und Salzen angereichert. Danach wird der Vene das Blut wieder zugeführt.

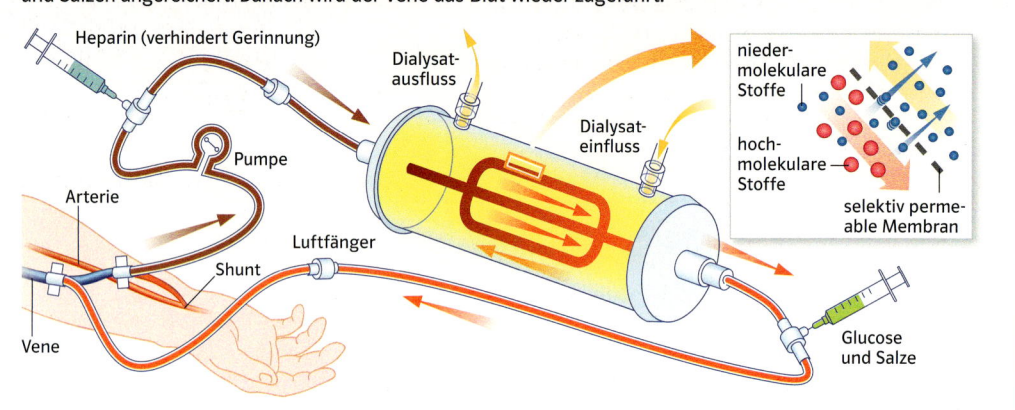

Die Abtrennung der Schadstoffe erfolgt nach dem verbreiteten Verfahren der Dialyse. Eine selektiv permeable Membran trennt das Blut von einer Lösung, die Dialysat genannt wird. Dabei diffundieren die niedermolekularen Stoffe des Blutes durch die selektiv permeable Membran, während die hochmolekularen Stoffe zurückbleiben. Da das Dialysat laufend erneuert wird, existiert stets ein hohes Konzentrationsgefälle.

4 Bei der Hämodialyse werden Harnstoff und andere harnpflichtige Substanzen aus dem Blut entfernt.

Struktur und Funktion

Proteinen und Nucleinsäuren entstehen. Wie Sie in Abb. 3, S. 101, sehen, bildet sich dabei zunächst Ammoniak (NH_3), der im Körper vor allem als Ammonium-Ion (NH_4^+) vorliegt. Dieses ist ein starkes Zellgift, weil es dem Kalium-Ion (K^+) gleicht und so die Membrankanäle für K^+ (→Kap. 28) verstopft. Zudem wirkt es als Entkoppler der Atmungskette (→6.4), d.h. die notwendige ATP-Bildung zwecks Energiegewinnung bei der Zellatmung erfolgt nicht. Die meisten Wassertiere sondern Ammonium-Ionen sofort über Haut und Kiemen ab.

Landtiere müssen jedoch mit Wasser sparsam umgehen. Sie beseitigen den Ammoniak durch Bildung von Harnstoff oder Harnsäure. Der von unserer Leber in großen Mengen gebildete Harnstoff ist zwar viel harmloser als das Ammonium-Ion, muss aber dennoch laufend durch Exkretion beseitigt werden. Harnsäure ist weniger problematisch und wird zum Beispiel vom Vogelembryo in größerer Menge im Ei abgelagert.

Was haben der Gasaustausch in der Fischkieme, der Wärmeaustausch in einer Delfinflosse und die Vorgänge im Bereich der Henleschleife gemeinsam? Diese drei Prozesse, und viele weitere im Tierreich, funktionieren nach dem **Gegenstromprinzip**. Dabei werden Stoffe stark angereichert oder es wird Wärmeenergie zurückgewonnen. Der Austausch im Nephron erfolgt zwischen zwei Medien, die in gegenläufiger Richtung aneinander vorbeiströmen, wobei sie durch eine selektiv permeable Scheidewand getrennt sind (→Abb. 2, S. 101). So wird über die gesamte Austauschstrecke ein maximales Konzentrationsgefälle aufrechterhalten. Dieses bewirkt eine stetige, einseitig gerichtete Diffusion des anzureichernden Stoffes von einem in das andere Medium. In der Niere wird dieses Prinzip durch aktive Transportvorgänge noch verstärkt. Auch bei der Blutwäsche, der Hämodialyse (→Abb. 4), wird dieses Prinzip genutzt.

Aufgabe 5.8

Beschreiben Sie, wie die Konzentrierung des Harns im Bereich der Henleschleife funktioniert.

5.9 Ein Muskel verkürzt sich, indem Proteinfilamente aneinander entlanggleiten

„Leben ist Bewegung." Die meisten Bewegungsvorgänge bei Tier und Mensch beruhen zellulär auf einem einzigen grundlegenden Mechanismus: *Motorproteine* springen unter ATP-Verbrauch zwischen zwei Konformationen hin und her. Dabei wandern sie an Proteinfilamenten des *Cytoskeletts* entlang (→ Abb. 1) oder ziehen diese an sich vorbei, wie Sie es beim Tauziehen machen würden. Das kostet Kraft, und die erforderliche Energie liefert das ATP. Wir wollen diesen Vorgang am Skelettmuskel der Wirbeltiere besprechen.

Ein solcher *Skelettmuskel* ist stets über Sehnen an zwei Knochen befestigt, die über ein Gelenk in Verbindung stehen und so gegeneinander beweglich sind. Ein zweiter Muskel ist gegenüber angeheftet und beide arbeiten als *Gegenspieler*, fachlich **Antagonisten** genannt. Dies ist erforderlich, weil sich Muskeln von selbst nur zusammenziehen, nicht aber dehnen können. Für die Dehnung sorgt der Antagonist.

Skelettmuskeln bestehen aus *Muskelfaserbündeln* (beim Rindfleisch als „Fasern" bekannt), die Tausende von *Muskelfasern* enthalten (→ Abb. 2). Jede ist aus zahlreichen länglichen *Muskelzellen* entstanden, die zu einer Einheit mit vielen Zellkernen verschmolzen sind. Muskelfasern haben die erstaunliche Fähigkeit, sich

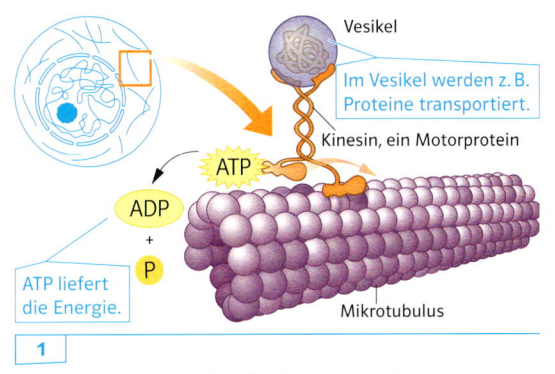

1 Motorproteine „wandern" auf dem Cytoskelett.

auf die Hälfte oder gar ein Drittel ihrer Ruhelänge verkürzen zu können. Wenn Sie im Elektronenmikroskop einzelne Muskelfasern betrachten, erkennen Sie darin noch viel feinere Fasern, die *Myofibrillen*. Sie sind von Zisternen des *endoplasmatischen Reticulums* umgeben, dem *sarkoplasmatischen Reticulum* (*SR*). Die Myofibrillen wiederum sind mit zahlreichen Proteinfäden gefüllt, den *Myofilamenten* aus Actin oder Myosin. Diese liegen jedoch keineswegs wirr

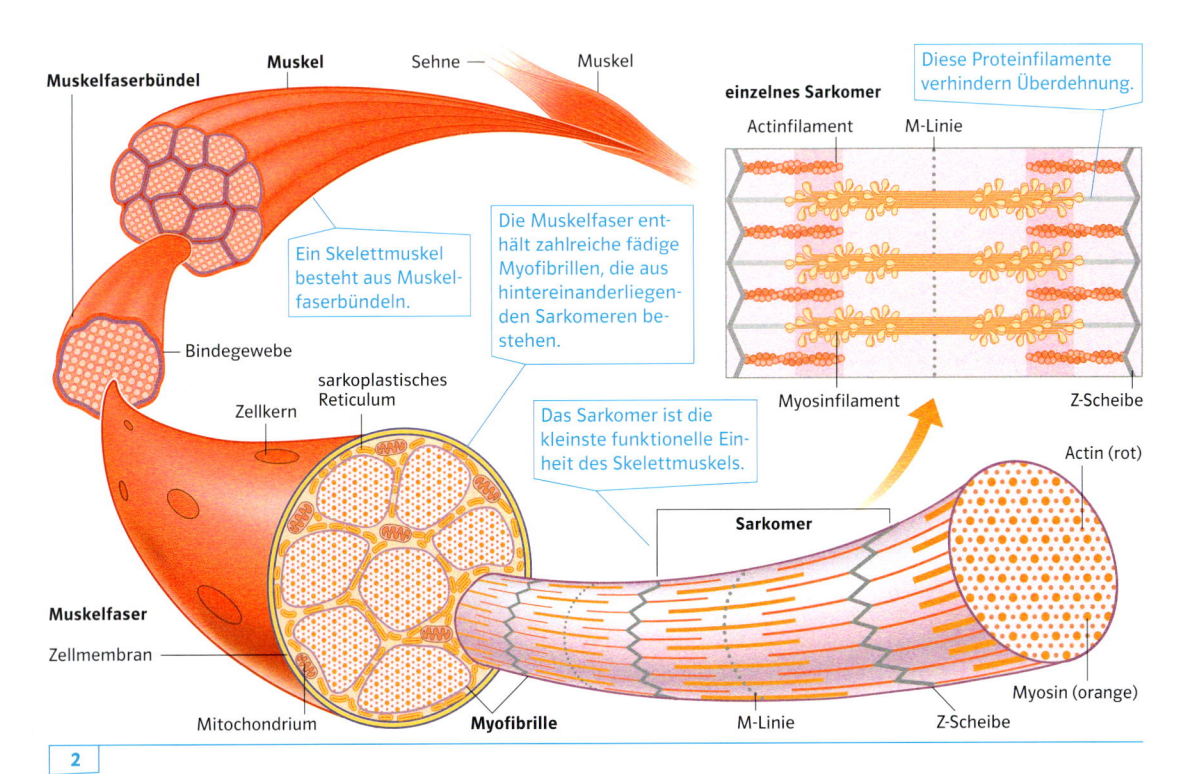

2 Skelettmuskeln zeigen einen hochgradig geordneten Aufbau.

Stoffwechsel

Sarkomer

- Kontraktion ↓ ↑ Dehnung
- Z-Scheibe
- Myosin
- Actin
- M-Linie

a Der Myosinkopf, an den ADP und anorganisches Phosphat (P) gebunden sind, heftet sich am Actin an. Es bildet sich der Actomyosinkomplex.

Myosinkopf heftet sich an

b ADP und P lösen sich ab, wodurch der Myosinkopf von selbst eine Kippbewegung durchführt, die ihn entspannt. Dies zieht das Actin näher zur Sarkomermitte.

Myosinkopf entspannt sich

c Nun dockt ein ATP-Molekül am entspannten Myosinkopf an, wodurch dieser sich vom Actin löst.

Myosinkopf löst sich ab

d Das Myosin spaltet das gebundene ATP-Molekül in ADP und P und nutzt die dabei freigesetzte Energie, um den Kopf erneut zu spannen. Dies ist der Energie verbrauchende Schritt.

Myosinkopf wird gespannt

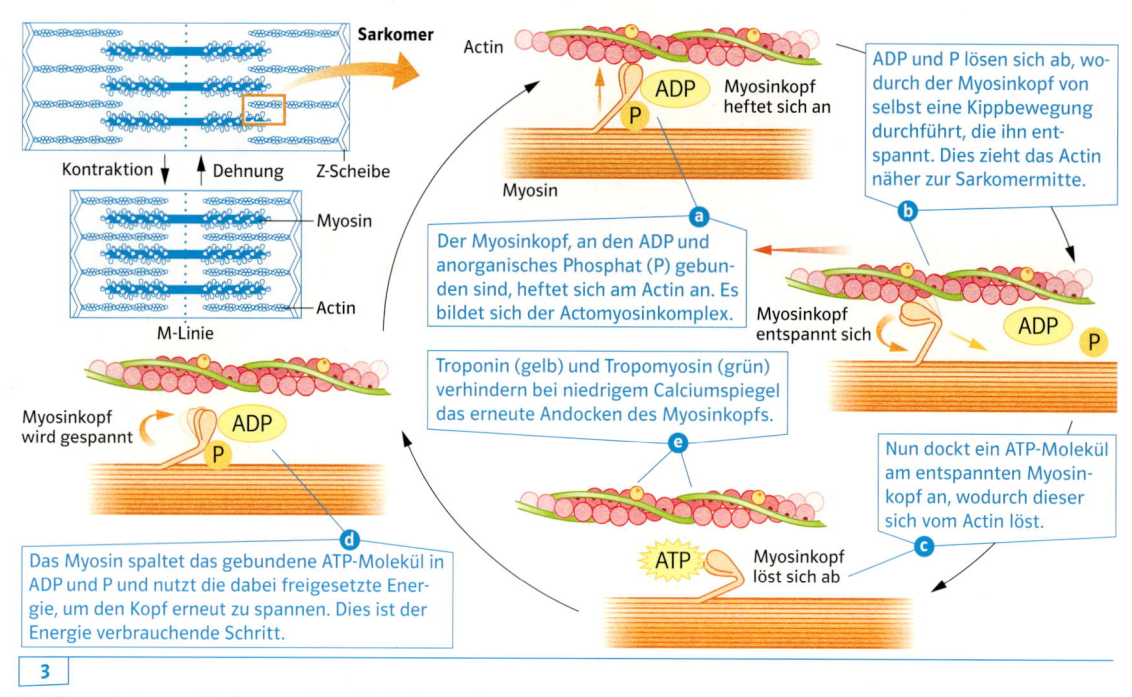

e Troponin (gelb) und Tropomyosin (grün) verhindern bei niedrigem Calciumspiegel das erneute Andocken des Myosinkopfs.

3 Bei Kontraktion und Dehnung eines Muskels werden Proteinfilamente relativ zueinander verschoben.

Struktur und Funktion

durcheinander, sondern bilden hoch geordnete Einheiten von wenigen µm Länge, die man **Sarkomere** nennt (→ Abb. 2, S. 103, rechts). Die Myofibrille besteht somit aus einer langen Kette von Sarkomeren. Das Sarkomer ist die kleinste funktionelle Einheit des Skelettmuskels, denn es kann sich aktiv unter Kraftentwicklung verkürzen. Wenn Sie es in seiner Funktion verstehen, haben Sie den ganzen Muskel verstanden.•

Die wichtigsten Bestandteile des Sarkomers sind 10 nm dicke Filamente des Motorproteins **Myosin** sowie 6 nm dünne Filamente des Cytoskelettproteins **Actin**. Myosinfilamente (Länge etwa 1,6 µm) tragen rund 1000 bewegliche Köpfe, Actinfilamente (Länge etwa 1 µm) gleichen zwei umeinander gewundenen Perlenketten und dienen den Myosinköpfen als „Zugseil". Im Sarkomer sind beide Filamenttypen parallel angeordnet, und zwar so, dass sie ein Stück weit überlappen. Bei der Kontraktion bieten die Actinfilamente den Myosinköpfen Bindungsstellen an. Daraufhin folgen am einzelnen Kopf die Bewegungsschritte, die Sie im Detail der Abb. 3 entnehmen können. Wie Sie dort sehen, verkürzt sich bei der Kontraktion nicht das einzelne Proteinmolekül, sondern Proteinfilamente gleiten aneinander vorbei, wodurch sich insgesamt das Sarkomer verkürzt (*Gleitfilamenttheorie* der Muskelkontraktion). Genau genommen ziehen die Myosinköpfe die peripheren Z-Scheiben an den Actinfilamenten näher zum Zentrum (M-Linie) des Sarkomers. Die erforderliche Energie liefert das ATP (→ 4.1).

Ein Kraftschlag all seiner Myosinköpfe verkürzt das Sarkomer lediglich um 0,4 µm. Eine Myofibrille aus 10 000 Sarkomeren schrumpft dabei jedoch um 4 mm.

Reguliert wird die Muskelkontraktion über den Calciumspiegel im Cytoplasma. Ein eintreffender Nervenimpuls führt zum Ausschütten von Calcium-Ionen aus dem SR. Der erhöhte Calciumspiegel in den Myofibrillen führt zu einer strukturellen Veränderung am Actinfilament, wodurch die Bindungsstellen für die Myosinköpfe freigelegt werden. Das SR nimmt jedoch laufend Calcium-Ionen aus dem Cytoplasma auf, sodass die Myosin-Bindungsstellen am Actin bald wieder blockiert sind, falls keine neuen Nervenimpulse eintreffen. Der Muskel erschlafft und kann vom Antagonisten wieder gedehnt werden. Hält die Erregung des Muskels jedoch an, so entwickelt er durch den ständigen Zyklus der Myosinköpfe (Anheften — Kippen — Lösen — Spannen — Anheften) weiterhin Muskelkraft. Anders als beim *Kinesin*, das tatsächlich die ganze Strecke wandert (→ Abb. 1, S. 103), handelt es sich beim Myosin eher um „einarmiges Tauziehen im Team". Bis man selbst erneut zugreifen kann, ist das Seil schon viel weiter.

Aufgabe 5.9

Beschreiben Sie die Veränderung des Myosinkopfs unter Berücksichtigung der Energie.

Zellatmung — Energie aus Nährstoffen

6

Brennender Würfelzucker

Mit Holz, das aus Cellulose und anderen Kohlenhydraten besteht, können Sie hervorragend heizen. Aber auch Zucker verbrennt unter Freisetzung einer beträchtlichen Wärmeenergie, wenn Sie ihn mit einem Streichholz entzünden. Die im Bild deutlich sichtbare Schwarzfärbung geht auf elementaren Kohlenstoff zurück, der aufgrund von Sauerstoffmangel entstand. Ist genügend Sauerstoff vorhanden, verbrennen Kohlenhydrate komplett zu Wasserdampf und Kohlenstoffdioxid. Findet diese Reaktion in lebenden Zellen statt, so nennt man sie Zellatmung. Bekanntlich gibt es dabei aber keine Flammen, was ja auch katastrophal wäre. Die Zellen verhindern dies, indem sie die Reaktion in viele Einzelschritte zerlegen. Dadurch wird die in den Kohlenhydraten steckende Energie in kleinen Portionen frei, die von der Zelle genutzt werden können. Wie dies geschieht, erfahren Sie in diesem Kapitel.

6.1	Die Zellatmung stellt chemische Energie bereit
6.2	Glucose wird im Cytoplasma zu Pyruvat abgebaut
6.3	In den Mitochondrien wird Pyruvat zu Kohlenstoffdioxid oxidiert
6.4	Die Atmungskette der Mitochondrien nutzt die Oxidationsenergie zur ATP-Bildung
6.5	Gärung liefert auch bei Sauerstoffmangel Energie
6.6	Der Citratzyklus ist die zentrale Drehscheibe des Stoffwechsels
6.7	Die Zellatmung wird durch Rückkopplung fein reguliert

6.1 Die Zellatmung stellt chemische Energie bereit

Stoff- und Energieumwandlung

Organismen nutzen die „Verbrennung" von Kohlenhydraten, Fetten und Proteinen zur Bereitstellung der Energie, die sie für die Aufrechterhaltung ihrer Lebensfunktionen benötigen.• Diesen Prozess bezeichnet man als **Zellatmung**. Bei der Zellatmung, einer Form der Dissimilation, werden organische Stoffe vollständig in anorganische abgebaut. Dadurch wird die in ihnen enthaltene chemische Energie nutzbar gemacht. Die zentrale energieliefernde Reaktion der Zellatmung ist die Vereinigung von Wasserstoff und Sauerstoff zu Wasser. Formal ist dies die Umkehrung der Fotosynthese (→ Kap. 8).

Offenbar steckt also in „gespaltenem Wasser" ein gehöriger Energiebetrag. Das Wassermolekül selbst ist eine sehr stabile, energiearme Verbindung aus Wasserstoff und Sauerstoff. Aber ein Gemisch seiner Ausgangsstoffe, Sauerstoffgas und Wasserstoffgas, ist ein hoch brisanter Sprengstoff. Schon ein Funke lässt dieses „Knallgas" mit lautem Schlag explodieren. Bei der *Knallgasreaktion* gibt der Wasserstoff Elektronen an den Sauerstoff ab. Es entsteht Diwasserstoffmonooxid, besser bekannt als Wasser (H_2O). Eine Reaktion, bei der Elektronen abgegeben werden, nennt man **Oxidation**, Elektronenaufnahme dagegen **Reduktion**. Wie Sie in Abb. 1 sehen, sind Oxidation und Reduktion stets gekoppelt; man spricht deshalb von *Redoxreaktionen*.

Die Knallgasreaktion und die Zellatmung haben überraschende Gemeinsamkeiten:

	Wasserstoff	Sauerstoff	Wasser
Knallgasreaktion	H_2 +	½ O_2	→ H_2O
Zellatmung	$C_6H_{12}O_6$ +	6 O_2	→ 6 H_2O + 6 CO_2
	Glucose +	Sauerstoff	→ Wasser + Kohlenstoffdioxid

In beiden Fällen wird Wasser gebildet und zwar jeweils mit elementarem Sauerstoff als Reaktionspartner. Sauerstoffgas ist in der Luft in ausreichender Menge vorhanden und gelangt durch die äußere Atmung (→ 5.7) in unseren Körper. Woher aber kommt der Wasserstoff bei der Zellatmung und wieso kommt es nicht zur Knallgasreaktion?

Wie sich zeigt, ist der Wasserstoff bei der Zellatmung ziemlich unauffällig und sicher verpackt. Er steckt in den Kohlenhydraten, Proteinen und Lipiden unseres Körpers und unserer Nahrung. Unser Unterhautfettgewebe könnte man daher als sehr praktische, ungefährliche Variante eines vollen Benzin- oder Wasserstofftanks ansehen, die außerdem noch wärmt und polstert. Das Prinzip Wasserstoffauto gibt es also in der Natur schon längst, und die Zellatmung ist der Prozess, die Knallgasreaktion zu bändigen.

Viele Reaktionen unseres Stoffwechsels sind Redoxreaktionen, in deren Abfolge die reduzierten Kohlenstoffverbindungen unserer Nahrung schrittweise oxidiert, „verbrannt", werden. Die dabei übertragenen Elektronen werden aber nicht frei, sondern sie werden von speziellen Elektronentransportern zwischengespeichert und übertragen. Ein solcher Transporter ist **Nikotinamidadenindinucleotid** (NAD^+). Die Funktionsweise von NAD^+ sehen Sie in Abb. 2.

NAD^+ kann auch noch Wasserstoff transportieren und ist zudem in der Lage, mit Enzymen zu interagieren; man bezeichnet es daher auch als **Coenzym** oder *Cosubstrat* (→ 4.3). NAD^+ kann Elektronen von einem Reaktionspartner übernehmen. Es wird dadurch zu $NADH + H^+$ reduziert. Von NADH können die Elektronen anschließend auf einen weiteren Partner übertragen werden. Dadurch werden Reaktionen des Zellstoffwechsels miteinander gekoppelt. Dies ist möglich, weil sich *Elektronenakzeptor* (Elektronenempfänger) und *Elektronendonator* (Elektronenspender) in ihrem Bestreben unterscheiden, Elektronen zu binden und wieder abzugeben (→ Abb. 1). Diese Eigenschaft wird durch das *Elektronenübertragungspotenzial*, das **Redoxpotenzial** ausgedrückt. Es kann als elektrische Spannung in Volt gemessen werden. Bezüglich des Redoxpotenzials lassen sich die Reaktionspartner des Stoffwechsels in eine kaskadenartige Reihe stellen (→ Abb. 1, S. 110, → Abb. 2, S. 137). Eine Verbindung mit negativerem Potenzial kann Elektronen auf eine Verbindung mit

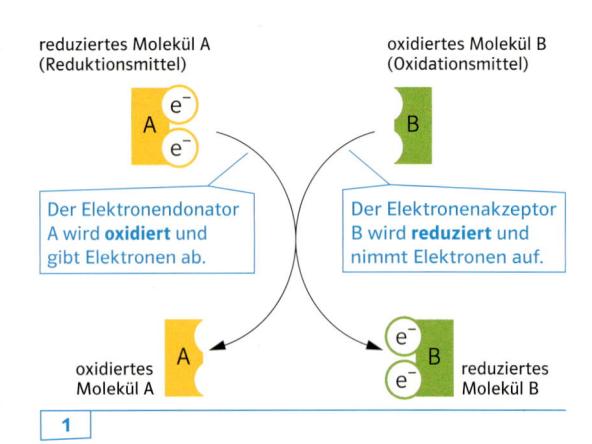

1 **Oxidation ist in der Chemie definiert als Abgabe von Elektronen, Reduktion als Elektronenaufnahme.** Da Reduktion und Oxidation stets gekoppelt sind, spricht man auch von Redoxreaktionen.

Zellatmung — Energie aus Nährstoffen

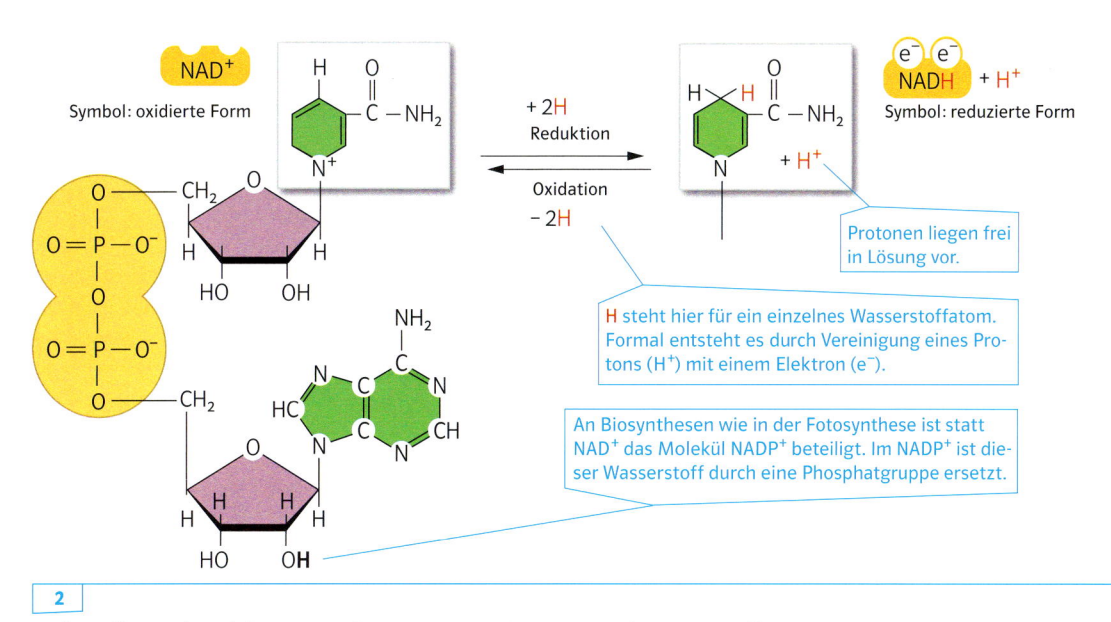

2 In der Zelle werden Elektronen meist zusammen mit Protonen als Wasserstoff transportiert.

positiverem Potenzial übertragen. Durch dieses schrittweise Vorgehen gelingt es der Zelle, die Brisanz der Knallgasreaktion zu entschärfen. Die Elektronen landen schlussendlich beim eingeatmeten Sauerstoff, aber ohne Knall. Dafür verantwortlich sind viele *Enzyme*, die gemäß ihrer Substratspezifität und Wirkungsspezifität dafür sorgen, dass Elektronen und Protonen nur zwischen ganz bestimmten Reaktionspartnern übertragen werden können. Dieser Transport verläuft strikt kontrolliert, Abkürzungen sind nicht erlaubt. Der Transportweg ist die Atmungskette, die Sie in → 6.4 genauer kennenlernen werden. In der Atmungskette wird das Redoxpotenzial von NADH ausgenutzt, um die Phosphorylierung von ADP zu ATP anzutreiben. ATP ist die universelle Energiewährung der zellulären Welt (→ Abb. 2, S. 67).

Aufgabe 6.1
Stellen Sie dar, wie die Zelle es schafft, die Brisanz der chemischen Knallgasreaktion zu entschärfen.

6.2 Glucose wird im Cytoplasma zu Pyruvat abgebaut

Verfolgen wir nun den Weg der Zellatmung Schritt für Schritt am Beispiel der Glucose. Glucose muss zunächst durch spezifische *Transportproteine* in die Zelle geschleust werden, bevor sie im Cytoplasma abgebaut werden kann.• Das Hormon *Insulin* aus der Bauchspeicheldrüse reguliert die Anzahl der Glucosetransporter in der Zellmembran. Die Glucose ist ein C_6-Körper, enthält also sechs C-Atome. In einem Prozess, den man **Glykolyse** nennt, wird Glucose in zwei energieärmere C_3-Körper umgewandelt, in *Pyruvat* (ionisierte Form der Brenztraubensäure).

Die Glykolyse läuft im Cytoplasma der Zellen ab. Die Reaktionsfolge sehen Sie in Abb. 1, S. 108. Zuerst muss Energie investiert werden, ähnlich wie Sie ein Streichholz brauchen, um Feuer zu machen. Im ersten Schritt wird ein Phosphatrest auf Glucose übertragen, wobei ATP verbraucht wird ⓐ. Diese Reaktion wird durch das Enzym *Hexokinase* katalysiert, dessen Funktionsweise Sie bereits kennen (→ Abb. 1, S. 70). Der Phosphatrest versetzt die Glucose in einen reaktionsfähigeren Zustand und verhindert den Rücktransport aus der Zelle ins Blut. Das entstandene *Glucose-6-Phosphat*

Kompartimentierung

Stoffwechsel

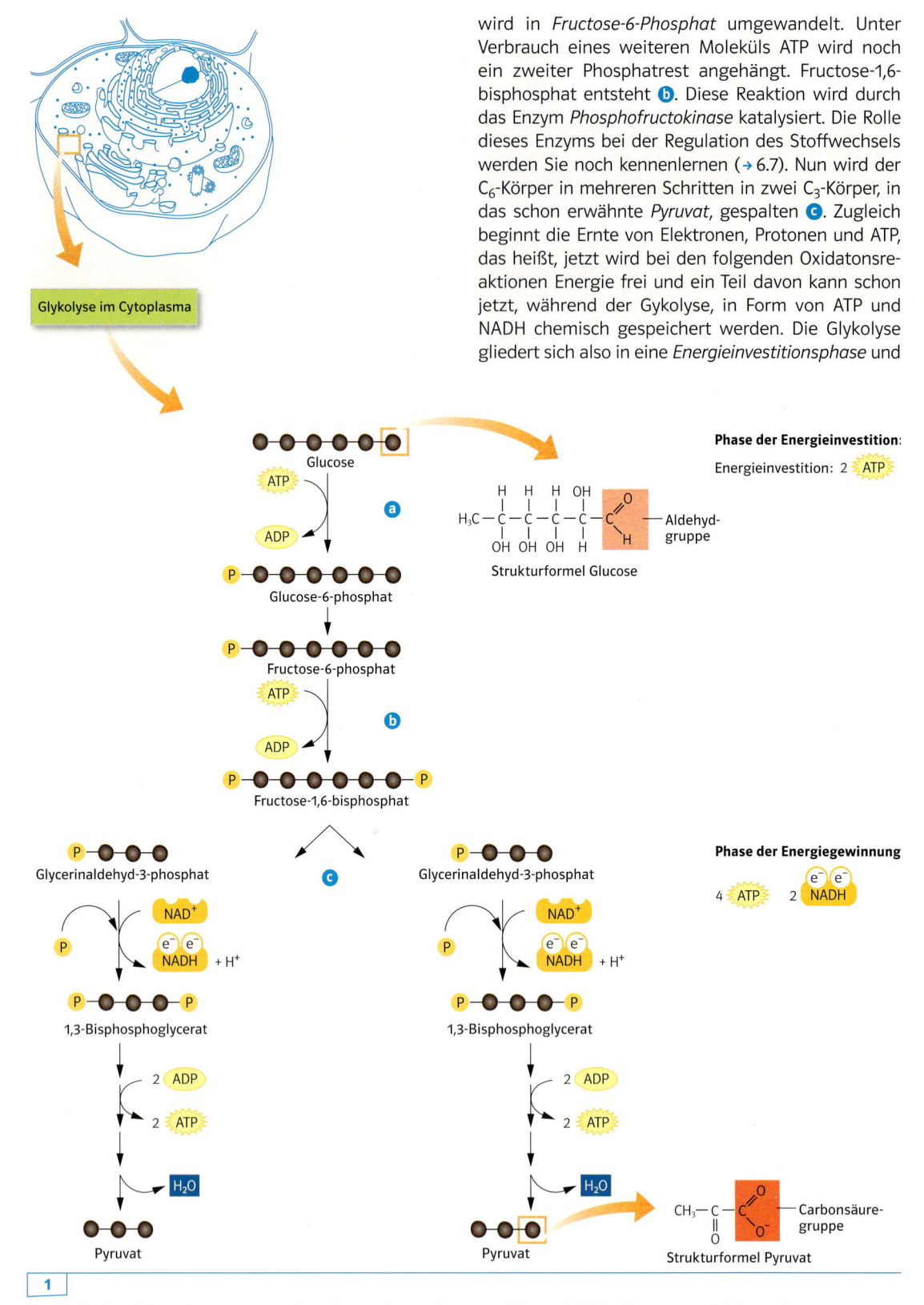

wird in *Fructose-6-Phosphat* umgewandelt. Unter Verbrauch eines weiteren Moleküls ATP wird noch ein zweiter Phosphatrest angehängt. Fructose-1,6-bisphosphat entsteht **b**. Diese Reaktion wird durch das Enzym *Phosphofructokinase* katalysiert. Die Rolle dieses Enzyms bei der Regulation des Stoffwechsels werden Sie noch kennenlernen (→ 6.7). Nun wird der C_6-Körper in mehreren Schritten in zwei C_3-Körper, in das schon erwähnte *Pyruvat*, gespalten **c**. Zugleich beginnt die Ernte von Elektronen, Protonen und ATP, das heißt, jetzt wird bei den folgenden Oxidationsreaktionen Energie frei und ein Teil davon kann schon jetzt, während der Gykolyse, in Form von ATP und NADH chemisch gespeichert werden. Die Glykolyse gliedert sich also in eine *Energieinvestitionsphase* und

Der oxidative Abbau der Glucose im Cytoplasma liefert Pyruvat, ATP und NADH. Hier sind die Kohlenstoffatome durch Kugeln symbolisert.

eine *Energiegewinnungsphase*. Netto werden 2 ATP pro Glucosemolekül gewonnen und 2 Moleküle NADH bereitgestellt. Vergleichen Sie die Aldehydgruppe des Ausgangsstoffs Glucose mit der Säuregruppe des Pyruvats. Dann sehen Sie sofort, dass die Zucker in der Glykolyse oxidiert werden.

Aufgabe 6.2

Begründen Sie, warum im Rahmen der Glykolyse zunächst Energie investiert werden muss, bevor ATP gewonnen werden kann.

6.3 In den Mitochondrien wird Pyruvat zu Kohlenstoffdioxid oxidiert

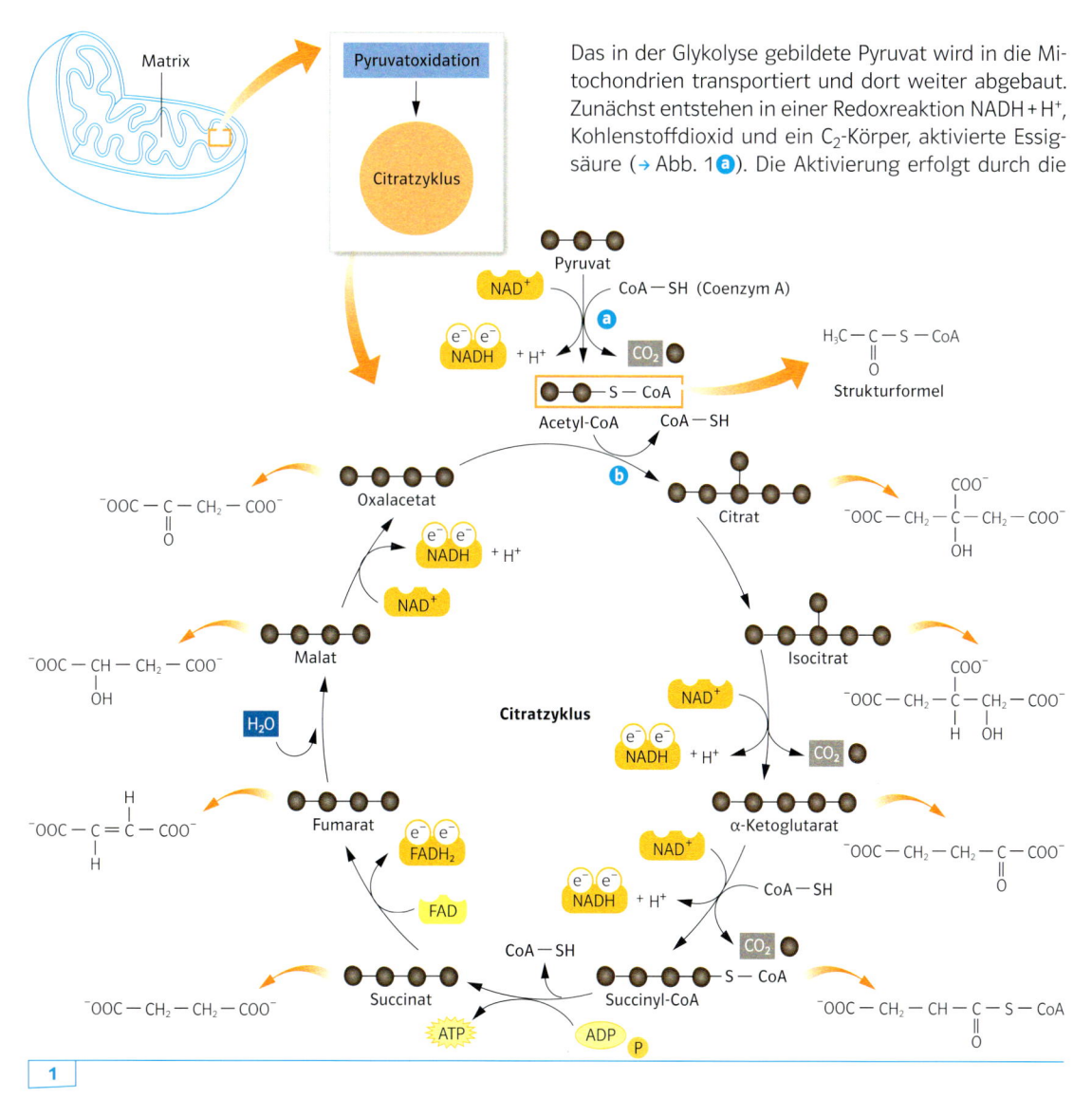

Das in der Glykolyse gebildete Pyruvat wird in die Mitochondrien transportiert und dort weiter abgebaut. Zunächst entstehen in einer Redoxreaktion NADH+H$^+$, Kohlenstoffdioxid und ein C$_2$-Körper, aktivierte Essigsäure (→ Abb. 1 **a**). Die Aktivierung erfolgt durch die

1 Aus Pyruvat entstandene Essigsäure wird an CoA—SH gekoppelt, in den Citratzyklus eingeschleust und vollständig oxidiert.

Stoffwechsel

Bindung der Essigsäure als Acetylrest an Coenzym A, wodurch *Acetyl-Coenzym A* (abgekürzt: Acetyl-CoA) entsteht. Dies verleiht dem Acetylrest eine besondere Bereitschaft, sich in der Mitochondrienmatrix mit den Enzymkomplexen des Citratzyklus zu verbinden. Das dritte Kohlenstoffatom des Pyruvats wurde ja als CO_2 abgetrennt.

Der Acetylrest (C_2) bindet an *Oxalacetat* (C_4); es entsteht *Citrat* (C_6) ⓑ. Durch eine Abfolge zyklischer enzymatischer Reaktionen wird Citrat nun zu CO_2 und Oxalacetat abgebaut, das heißt der Acetylrest aus dem Acetyl-CoA wird zu zwei CO_2-Molekülen oxidiert. Damit ist das Kohlenstoffgerüst der Glucose vollständig verarbeitet worden. Der Kreislauf, nach seinem Entdecker auch *Krebszyklus* genannt, schließt sich, wenn das übrig gebliebene Oxalacetat wieder einen Acetylrest vom Coenzym A übernimmt.

Die Nettoausbeute des Citratzyklus ist pro Umlauf 1 ATP, 3 NADH und 1 $FADH_2$ ($FADH_2$ ist ein Elektronentransporter ähnlich NADH). Pro Glucose muss der Zyklus zweimal durchlaufen werden, da pro Glucose 2 Pyruvat entstanden sind. Die Gesamtausbeute an ATP liegt nach dem vollständigen Abbau der Glucose zu CO_2 bei 4 ATP. Das ist immer noch recht wenig, gemessen am Energiegehalt der Glucose (Energiegehalt ATP = 30,5 kJ/mol; Glucose = 2870 kJ/mol). Allerdings ist die Reaktion und damit auch die ATP-Produktion noch bei weitem nicht abgeschlossen, denn die im Verlauf der Oxidationsreaktionen freigewordenen Elektronen werden zusammen mit Protonen in Form von NADH+H^+ und $FADH_2$ zunächst nur zwischengespeichert. Der endgültige Elektronenakzeptor, der elementare Sauerstoff, wartet erst am Ende der Atmungskette.

Aufgabe 6.3

Glykolyse und Citratzyklus laufen in unterschiedlichen Kompartimenten ab. Diskutieren Sie Vor- und Nachteile.

6.4 Die Atmungskette der Mitochondrien nutzt die Oxidationsenergie zur ATP-Bildung

Struktur und Funktion

Sauerstoff als endgültiger *Elektronenakzeptor* ermöglicht der Zelle eine gewaltige Steigerung der Ausbeute an chemisch verwertbarer Energie. Für die Funktion der **Mitochondrien** als Kraftwerke der Zelle sind die *innere* und die *äußere Membran* sowie der *Intermembranraum* von besonderer Bedeutung.• Die innere Mitochondrienmembran enthält vier große Proteinkomplexe (I–IV), die in ihrer Gesamtheit als **Atmungskette** bezeichnet werden. Die vier Komplexe sind in der Lage, sich gegenseitig entlang einem elektrischen Spannungsgefälle Elektronen zu übergeben (→ Abb. 1). Sie können das mit einer Kette von Dachdeckern vergleichen, die sich Ziegel von oben nach unten zuwerfen, um diese dann zur weiteren Verwendung zu stapeln. Die Alternativmethode, die Ziegel aus großer Höhe direkt auf den Stapel zu werfen, würde die meisten zerbersten lassen. Das Vorgehen in kleinen Schritten verhindert in der Atmungskette eine *Knallgasreaktion*, bei der schlagartig eine große Energiemenge freigesetzt wird.

Sehen Sie sich in Abb. 2 an, wie die Zelle mit der Energie umgeht. An der inneren Mitochondrienmembran gibt NADH zunächst zwei Elektronen und ein Proton an Komplex I ab und wird dabei zu NAD^+ oxidiert.

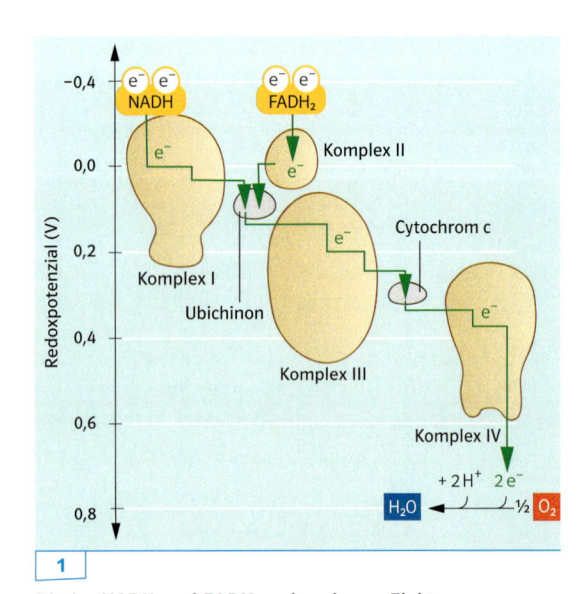

1 Die im NADH und $FADH_2$ gebundenen Elektronen werden in die Elektronentransportkette der inneren Mitochondrienmembran eingespeist. Sie werden entlang einem Energiegefälle auf den eingeatmeten Sauerstoff übertragen. Zusammen mit Protonen aus der Umgebung entsteht letztlich Wasser.

Anschließend gelangen die Elektronen zum Ubichinon, einem in der Membran beweglichen kleinen Molekül. Es steht in Kontakt mit Komplex II, der auch Elektronen und Protonen von FADH$_2$ aufnehmen kann. Das nächste Glied in der Atmungskette ist Komplex III, der die Elektronen an Cytochrom c, ein peripheres Protein im Intermembranraum, übergibt. Cytochrom c kann an den Komplex IV binden. Dieser ist für die Abgabe der Elektronen an den molekularen Sauerstoff verantwortlich. Der reduzierte, also mit Elektronen beladene und dadurch hochreaktive Sauerstoff verbindet sich mit frei vorhandenen Protonen zu Wasser, das in der Mitochondrienmatrix verbleibt.

Damit ist die Verarbeitung der Glucose, ihre Veratmung, in der Zelle abgeschlossen. Energiereiche Glucose wurde zu den energiearmen Molekülen Wasser und Kohlenstoffdioxid abgebaut. Wo aber ist die ganze Energie geblieben? Biochemiker haben nachgewiesen, dass pro Glucosemolekül 38 ATP-Moleküle synthetisiert werden können. Davon wurden nur 4 ATP in Glykolyse und Citratzyklus erwirtschaftet. Zusätzlich wurde noch Wärmeenergie frei, ein Umstand, der für endotherme Tiere wie Säuger und Vögel von großem Nutzen ist, aber den meisten Organismen nicht viel bringt. Wie werden die fehlenden 34 ATP-Moleküle pro Glucose gewonnen?

Der Biochemiker PETER MITCHELL hatte um 1960 die Idee, dass ein von der Elektronentransportkette erzeugtes *Protonen-Konzentrationsgefälle* zwischen Intermembranraum und Mitochondrienmatrix die ATP-Synthese antreiben könnte. Diese Idee einer **Chemiosmose** wurde als Mitchell-Hypothese bekannt und ist mittlerweile experimentell gesichert. MITCHELL erhielt dafür 1978 den Nobelpreis. Einen Beleg für die Chemiosmose finden Sie in Abb. 3, S. 112.

Wie entsteht in einer lebenden Zelle ein Protonen-Konzentrationsgefälle (auch *Protonengradient* genannt)? Hier spielt die innere Mitochondrienmembran eine große Rolle. Der Elektronentransport ist mit einem Transport von H$^+$-Ionen in den Intermembranraum verbunden, wodurch die Mitochondrienmatrix an Protonen verarmt. Wie tatsächlich gezeigt werden konnte, werden Protonen von den Komplexen I, III und IV aus der Matrix nach außen gepumpt. Dies wird in Abb. 2 deutlich. (Der entstehende Protonengradient drückt sich in einer messbaren Spannung von ca. 0,17 V an der inneren Mitochondrienmembran aus.) Dieses Ungleichgewicht wird zur Phosphorylierung von ADP zu ATP ausgenutzt. Verantwortlich dafür ist ein Enzymkomplex namens **ATP-Synthase**, der in vielen Kopien in der inneren Mitochondrienmembran angesiedelt

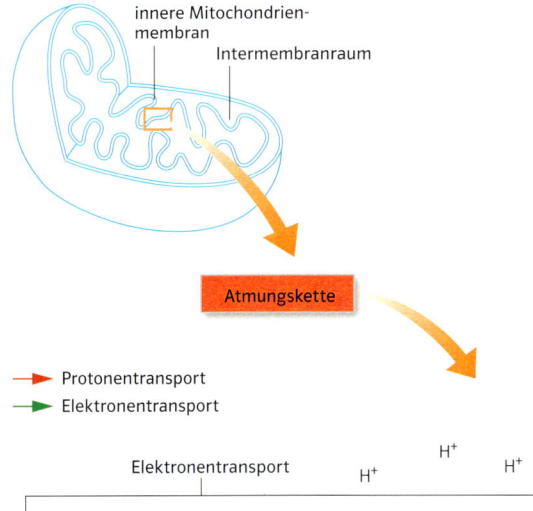

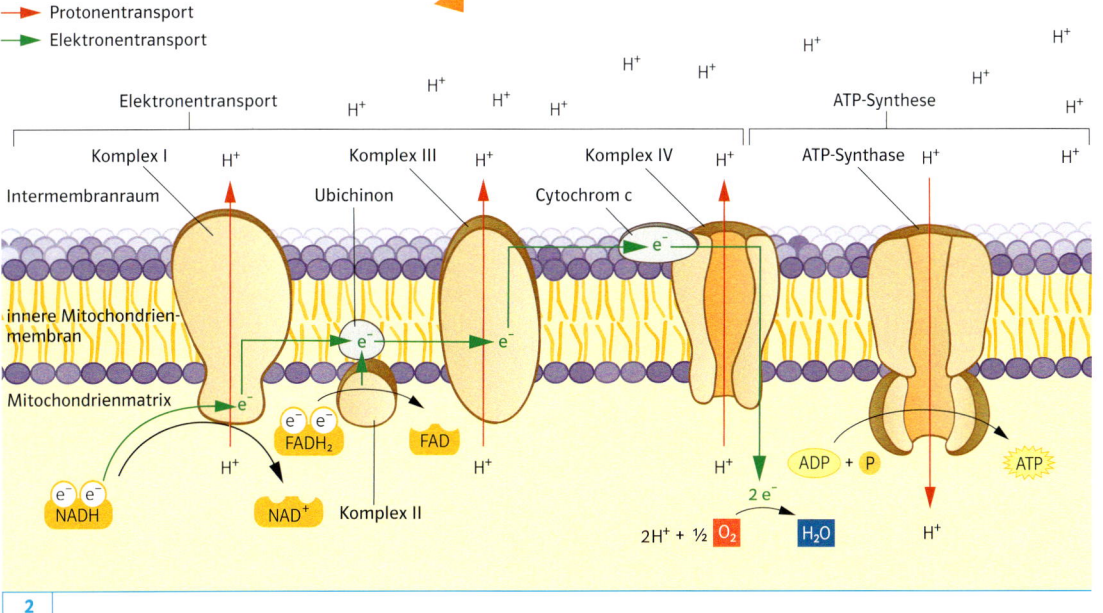

2 Elektronentransport und ATP-Synthese sind durch Chemiosmose gekoppelt. Dabei wird die Energie des Redoxgefälles genutzt, um Protonen aus der Matrix in den Raum zwischen innerer und äußerer Membran zu transportieren.

Stoffwechsel

ist. Das Enzym besteht aus einem Protonenkanal und einer zur Matrix gerichteten Kopfstruktur. Angetrieben wird diese molekulare Maschine durch Protonen, die auf der Außenseite der Membran im Kanal gebunden werden und unter Konformationsänderung einer Komponente der ATP-Synthase schließlich auf der Innenseite der Membran abgegeben werden. Dabei rotiert die Kopfstruktur des Proteins. Dieser kleinste Rotationsmotor der Welt (→ S. 19) erzeugt also die fehlenden 34 ATP-Moleküle pro Glucosemolekül. Sie werden ihm bei der Fotosynthese wieder begegnen (→ S. 138).

In Abb. 4 ist die **Energiebilanz** der Zellatmung zusammengefasst. Bei maximaler Ausnutzung der Energie beträgt die ATP-Ausbeute 38 ATP pro Glucosemolekül. Davon kommen 2 ATP aus der Glykolyse,

Experiment: Chemiosmose

Hypothese
Das H$^+$-Konzentrationsgefälle über der inneren Mitochondrienmembran treibt die ATP-Synthese an.

Experiment
Mitochondrien werden aus Zellen isoliert und in ein Medium mit dem pH-Wert 8 überführt, sodass sich innen der pH-Wert diesem Wert angleicht.

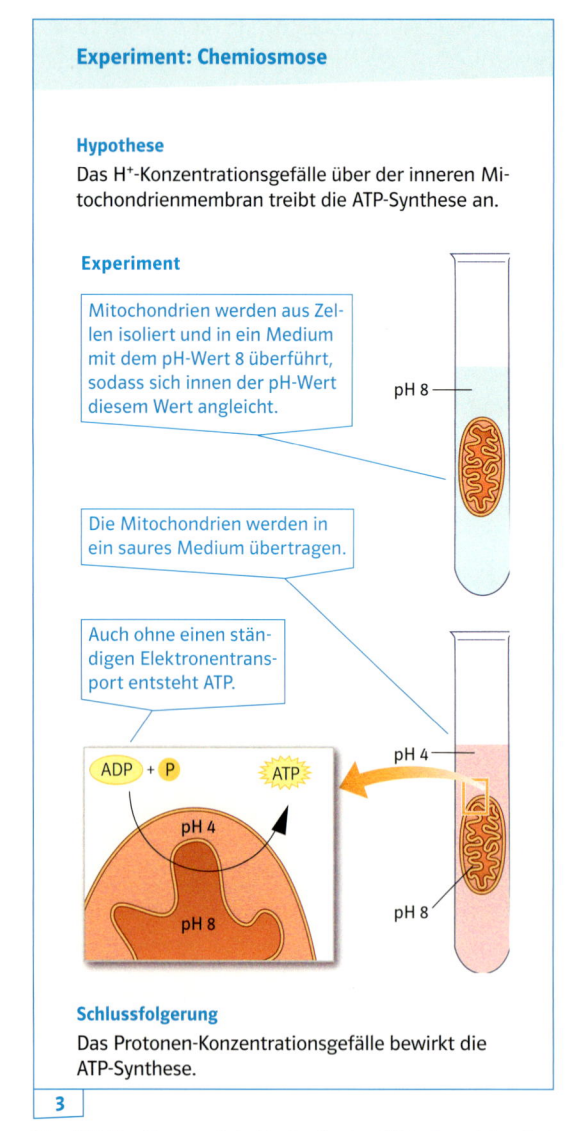

pH 8

Die Mitochondrien werden in ein saures Medium übertragen.

Auch ohne einen ständigen Elektronentransport entsteht ATP.

ADP + P → ATP
pH 4
pH 8
pH 4

Schlussfolgerung
Das Protonen-Konzentrationsgefälle bewirkt die ATP-Synthese.

3 Die ATP-Synthese erfolgt in isolierten Mitochondrien bei Vorliegen eines Protonen-Konzentrationsgefälles.

Kompartimentierung

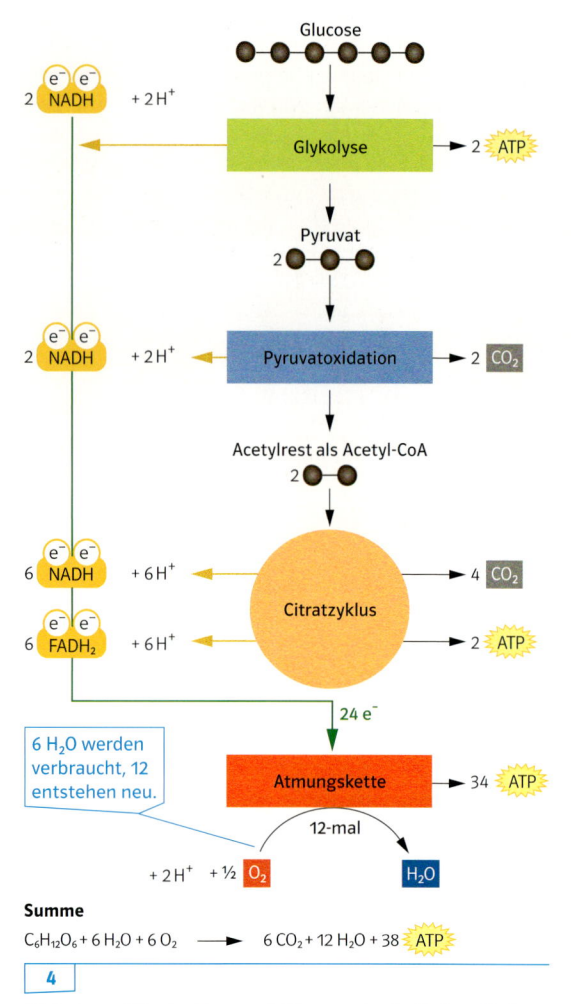

Glucose
↓
Glykolyse → 2 ATP
2 NADH + 2 H$^+$
↓
Pyruvat
2
↓
Pyruvatoxidation → 2 CO$_2$
2 NADH + 2 H$^+$
↓
Acetylrest als Acetyl-CoA
2
↓
Citratzyklus → 4 CO$_2$
6 NADH + 6 H$^+$
6 FADH$_2$ + 6 H$^+$ → 2 ATP
↓ 24 e$^-$
6 H$_2$O werden verbraucht, 12 entstehen neu.
Atmungskette → 34 ATP
12-mal
+ 2 H$^+$ + ½ O$_2$ → H$_2$O

Summe
$C_6H_{12}O_6 + 6 H_2O + 6 O_2 \longrightarrow 6 CO_2 + 12 H_2O + 38$ ATP

4 Glykolyse, Citratzyklus und Atmungskette liefern Beiträge zum Energiegewinn bei der Zellatmung.

2 ATP aus dem Citratzyklus (bei zwei Umläufen, da pro Glucose 2 Pyruvat und 2 Acetyl-CoA entstehen). Die zusätzlichen 34 ATP stammen aus der Phosphorylierung von ADP durch die mitochondriale ATP-Synthase. Jedes über NADH in die Elektronentransportkette eingeschleuste Elektronenpaar ist also 3 ATP wert. FADH$_2$ kann aufgrund seines positiveren Redoxpotenzials seine Elektronenladung erst auf der Stufe des Ubichinons abgeben (→ Abb. 2, S. 111). Daher erbringen die beiden Elektronen des FADH$_2$ nur 2 ATP.

Die Bilanz von 38 ATP gilt für alle Pflanzenzellen, aber nicht für alle tierischen Zellen. In manchen Organen, wie etwa unseren Skelettmuskeln, werden nur 36 ATP pro Glucosemolekül erzeugt. Der Grund hierfür ist die unterschiedliche Herkunft der NADH-Moleküle. Wie Sie sich erinnern, findet die Glykolyse im Cytoplasma statt. Das dort erzeugte NADH kann jedoch als polares Molekül die hydrophobe Mitochondrienmembran nicht ohne weiteres passieren.● Die

Elektronen müssen erst auf andere Überträger umgeladen werden, für die Membrantransportproteine vorhanden sind. In vielen Zelltypen der Tiere funktioniert das so, dass die Elektronen zwar aus dem Cytoplasma in die Mitochondrien gelangen, aber mit einem $FADH_2$-ähnlichen Redoxpotenzial. Somit werden pro NADH aus der Glykolyse nur 2 und nicht 3 ATP gebildet.

Aufgabe 6.4

Bei der Zellatmung entstehen CO_2 und H_2O als Endprodukte. Geben Sie begründet an, welche der beiden Verbindungen den eingeatmeten Sauerstoff enthält.

6.5 Gärung liefert auch bei Sauerstoffmangel Energie

Stellen Sie sich vor, Sie fahren mit dem Fahrrad einen steilen Berg hinauf. Der kleinste Gang ist allmählich nicht mehr ausreichend. Sie müssen aus dem Sattel gehen, aber der Berg nimmt kein Ende. Ihr Puls und Ihre Atemfrequenz sind schon am Limit. Ihre Oberschenkel beginnen zu brennen; das tut richtig weh! Jetzt hilft nur noch absteigen und ausruhen. Was ist da physiologisch mit Ihnen passiert? Die Muskelzellen Ihrer Beine hatten von *aerober Energiegewinnung* auf *anaerobe Energiegewinnung* umgestellt, sobald

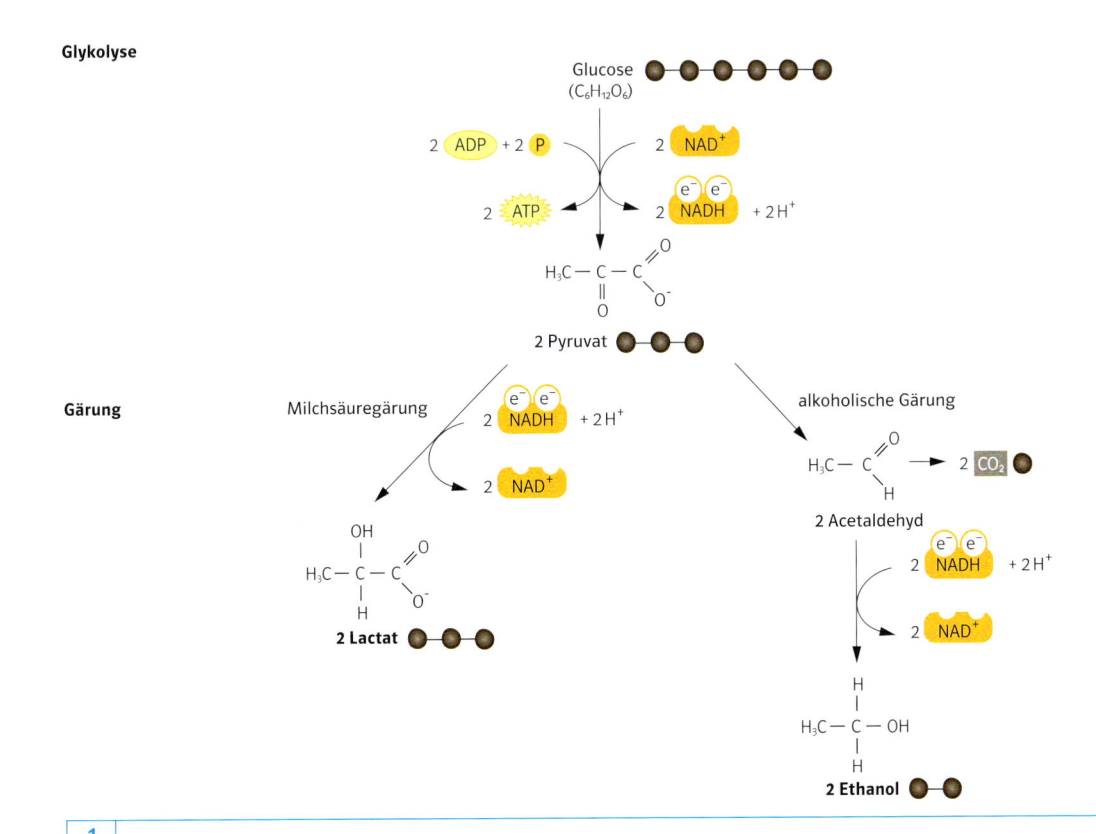

1

Viele Organismen bilden bei Sauerstoffmangel Lactat (Salz der Milchsäure). Manche Hefepilze sowie einige Pflanzen und Bakterien betreiben bei Sauerstoffmangel alkoholische Gärung.

Stoffwechsel

sie nicht mehr genügend Sauerstoff bekamen. Aber offenbar ist das nur eine kurzfristige Notlösung, denn in Abwesenheit von Sauerstoff kommt die Reaktionskette der *Zellatmung* fast vollständig zum Stillstand. Wenn nämlich der Endakzeptor Sauerstoff fehlt, dann bleiben alle Elektronentransporter in den Mitochondrien mit Elektronen beladen. Sie liegen also reduziert vor und es kommt zu einem Rückstau. Dieser setzt sich bis ins Cytoplasma fort und beeinträchtigt auch die Glykolyse.

Doch selbst unter diesen Bedingungen können Zellen noch eine gewisse Energieausbeute erzielen, zumindest für kurze Zeit. Auch in der Glykolyse wird ja ATP gebildet. Allerdings muss dafür ein Problem gelöst werden: Wenn die Glykolyse nämlich unter Sauerstoffausschluss erfolgt, liegen natürlich auch die cytoplasmatischen NAD^+-Moleküle in reduzierter Form vor, also als NADH. Dadurch muss auch die Glykolyse zum Stillstand kommen, selbst wenn genügend Glucose verfügbar ist. Zur Lösung des Problems muss das NADH wieder in NAD^+ umgewandelt werden, und dies leistet die **Gärung**.

Für die Regeneration des erschöpften NAD^+-Vorrats durch Gärung muss die Zelle allerdings „Schulden" aufnehmen und später zurückzahlen. Die meisten Tiere betreiben bei Sauerstoffmangel *Milchsäuregärung*. Dabei wird das Endprodukt der Glykolyse, das Pyruvat, zu *Milchsäure* (*Lactat*) reduziert und gleichzeitig NADH zu NAD^+ oxidiert (→ Abb. 1, S. 113). Physiologisch gesehen ist die Bildung von Lactat eine Sackgasse, denn die Milchsäure muss aus den Muskeln über das Blut zur Leber gebracht werden. Wenn man Ihnen kurz nach dem Absteigen vom Fahrrad Blut abgenommen hätte, um den Lactatspiegel zu bestimmen, so wäre dieser deutlich erhöht gewesen. Die dadurch angehäufte *Sauerstoffschuld* muss in der Erholungsphase wieder abgetragen werden. Das heißt, das Lactat wird in der Leber wieder in Glucose zurückverwandelt. Das kostet nicht nur Zeit, sondern auch Energie in Form von ATP und dafür brauchen Sie viel Sauerstoff: Sie atmen noch lange heftig.

Vor allem bestimmte Hefepilze führen zur Regeneration des NAD^+-Pools *alkoholische Gärung* durch. Dabei wird Pyruvat zunächst zu Acetaldehyd decarboxyliert, d.h. es wird CO_2 freigesetzt. Der Acetaldehyd wird anschließend zu Ethanol („Trinkalkohol") reduziert (→ Abb. 1, S. 113). Die dazu benötigten Elektronen stammen wiederum von NADH.

Stoff- und Energieumwandlung

Aufgabe 6.5

Erklären Sie die Bedeutung der Gärungsreaktionen für Organismen.

6.6 Der Citratzyklus ist die zentrale Drehscheibe des Stoffwechsels

Bis hierher haben Sie Zellatmung als die Veratmung von *Glucose* kennengelernt. Wie aber werden andere *Kohlenhydrate* sowie *Proteine* und *Fette* in die Zellatmung eingeschleust? Im Kapitel 5 haben Sie erfahren, wie Kohlenhydrate, Proteine und Fette im Verdauungstrakt in ihre Grundbausteine, die Monosaccharide, Aminosäuren und Fettsäuren plus Glycerol zerlegt werden (→ Abb. 2, S. 89). Als solche werden sie von Zellen aufgenommen und entweder wieder zu Makromolekülen zusammengebaut oder direkt für die Energiegewinnung verbraucht.

Aminosäuren werden abhängig von ihrer Struktur an verschiedenen Stellen eingeschleust. So kann die Aminosäure Alanin in Pyruvat umgewandelt werden. Andere Aminosäurensalze wie das Glutamat (→ Abb. 1) werden in Komponenten des *Citratzyklus* umgebaut und finden so Eingang in den Zellstoffwechsel. Natürlich gilt das auch für den umgekehrten Weg, also für

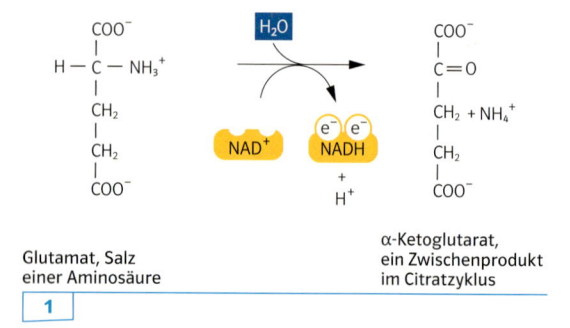

Glutamat, Salz einer Aminosäure

α-Ketoglutarat, ein Zwischenprodukt im Citratzyklus

1

Citratzyklus und Aminosäurestoffwechsel sind eng verbunden.

die Biosynthese vieler Bausteine. In Abb. 2 sehen Sie, wie Protein- und Fettstoffwechsel mit dem Kohlenhydratstoffwechsel in Beziehung stehen und dass *Acetyl-*

Zellatmung — Energie aus Nährstoffen

CoA dabei eine zentrale Rolle spielt. Aufbauender und abbauender Stoffwechsel stehen über den Citratzyklus in enger Beziehung.

Am Beispiel des *Fettstoffwechsels* soll dies verdeutlicht werden. Die Endprodukte der Fettverdauung im Dünndarm sind *Glycerol* und freie *Fettsäuren*. Sie werden aus dem Verdauungstrakt über das *Lymphsystem* und das *Blut* zu den Zellen des Körpers transportiert (→ Abb. 2, S. 89). Glycerol kann ohne weiteres in der Glykolyse weiter abgebaut werden. Die Fettsäuren dagegen werden zunächst im Cytoplasma an *Coenzym A* gebunden und dann in der Mitochondrienmatrix verarbeitet. Dabei werden die langen Kohlenwasserstoffketten der Fettsäuren (→ Abb. 1, S. 34) Schritt für Schritt in Acetyl-CoA umgewandelt und in den Citratzyklus eingeschleust. Die frei werdenden Elektronen bei dieser Oxidation werden auf NAD$^+$ übertragen. Pro C_2-Körper entstehen 1 Molekül NADH und 1 Molekül FADH$_2$. Ein Triglycerid aus Glycerol und drei Stearinsäureketten (enthalten je 18 C-Atome) liefert unter Berücksichtigung aller mit Abbau und Transport verbundenen ATP-Umwandlungen 458 ATP-Moleküle. Fette sind enorm energiereich (→ 5.5).

Der Fettsäureabbau ist umkehrbar. Also können unsere Fettzellen aus Kohlenhydraten Fett herstellen und dadurch aus überschüssigen Nährstoffen ein Energiedepot anlegen. Denn es spielt ja keine Rolle, ob das Acetyl-CoA vom Fettabbau oder aus der Oxidation von Pyruvat im Anschluss an die Glykolyse stammt. Der Umwandelbarkeit der Stoffe sind jedoch Grenzen gesetzt. So können zwar Pflanzen aus Acetyl-CoA Pyruvat herstellen, wir allerdings mangels passender Enzyme nicht. Daher können wir aus Fett keine Kohlenhydrate bilden. Das ist manchmal ein Problem, denn wie Sie bereits erfahren haben (→ S. 91), funktioniert ausgerechnet unser Gehirn ausschließlich mit Glucose.

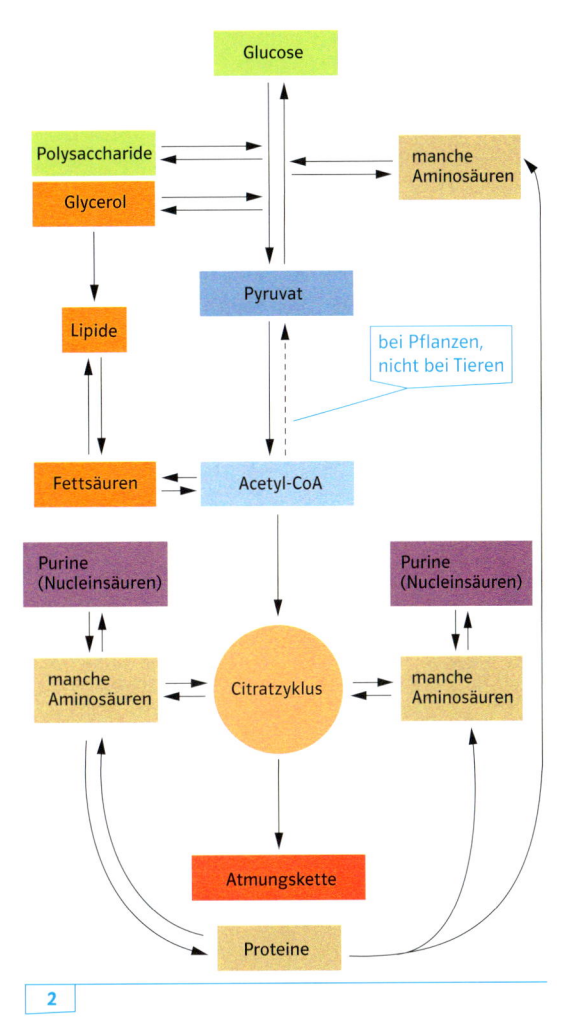

2 Der Stoffwechsel ist stark vernetzt.

Aufgabe 6.6

Begründen Sie, warum sich auch bei reiner Protein- und Kohlenhydratdiät Fettpolster entwickeln können.

6.7 Die Zellatmung wird durch Rückkopplung fein reguliert

Wenn immer noch weitere Autos in einen Stau auf der Autobahn hineinfahren, wird diese über Stunden völlig blockiert. Besser wäre es, wenn man die Autofahrer lange im Voraus informieren würde, damit sie gar nicht erst losfahren. Bei vielen Stoffwechselreaktionen erfolgt eine solche rechtzeitige Information.

Ein besonders effizientes Beispiel für eine „vorausschauende" Stoffwechselregulation soll hier herausgegriffen werden, nämlich die Regulation des Enzyms *Phosphofructokinase* aus der Glykolyse.• Den Effekt als solchen hatte im Prinzip bereits LOUIS PASTEUR im 19. Jahrhundert in Hefezellen beobachtet.

Steuerung und Regelung

Stoffwechsel

In Hefezellen wird die Glykolyse durch Sauerstoff gehemmt. Als Ursache fand man später die **negative Rückkopplung** oder *feedback-Hemmung* (feedback (engl.): Rückkopplung) des Enzyms Phosphofructokinase durch ATP, also durch das energiereiche Endprodukt der Zellatmung (→ Abb. 1).

Die Kinetik der Phosphofructokinase zeigt bei Auftragung der Reaktionsgeschwindigkeit gegen die Konzentration des Substrats Fructose-6-Phosphat keinen hyperbolischen Verlauf, sondern ist S-förmig (sigmoid, → Abb. 2). Das ist typisch für viele allosterische Enzyme (→ 4.7) und auch für kooperative Proteine wie das Hämoglobin (→ 5.7). Die Phosphofructokinase ist ein Tetramer, und jede Untereinheit hat gleich zwei Bindungsstellen für ATP, eine für ATP als Substrat und eine für ATP als *allosterischen Effektor*. Die allosterische Bindung von ATP verschiebt die Bindungskurve der Phosphofructokinase nach rechts, das heißt, die Affinität des Enzyms zum Substrat wird geringer. ADP und Phosphat können ebenfalls allosterisch regulieren. Sie verschieben die Kurve nach links, das heißt die Affinität steigt.

Was ist das Besondere an diesem Hemmprinzip? Genial ist das Prinzip der negativen Rückkopplung deshalb, weil es dadurch zu keinem Rückstau im System kommt, der unweigerlich entstehen würde, wenn ständig neue Glucose gespalten würde, obwohl ATP bereits im Überfluss vorhanden ist.

Übertragen auf die Zellatmung bewirkt die Hemmung der Phosphofructokinase durch ATP eine Entlastung des Citratzyklus. Der Zyklus bleibt voll funktionsfähig und kann beispielsweise weiterhin Bausteine für die Synthese von Aminosäuren abzweigen.

Die Regulation des Stoffwechsels erfolgt an vielen weiteren Stellen. Die Hemmung der Phosphofructokinase ist lediglich ein Beispiel. Tatsächlich wird der Stoffwechsel durch ein ganzes Netzwerk von Wechselwirkungen reguliert, das auf kleinste Schwankungen von Stoffkonzentrationen reagiert.

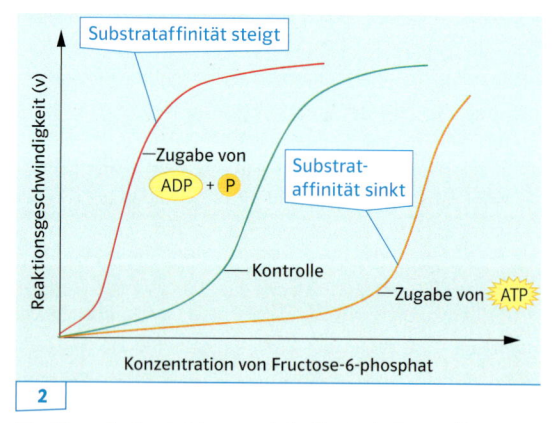

1 ATP hemmt über die Phosphofructokinase die Glykolyse.

2 Die Phosphofructokinase wird allosterisch reguliert.

Aufgabe 6.7

Erläutern Sie, welchen Vorteil die Hemmung durch Rückkopplung im Vergleich zu einer kompetitiven Hemmung (→ 4.7) bietet.

Stoff- und Energieumwandlung bei Pflanzen

7

Stinkkohl, Aronstabgewächs

Auch manche Pflanzen können fühlbar Wärme erzeugen. Hätten Sie das erwartet? Diese Pflanzen regulieren damit natürlich nicht ihre Körpertemperatur, so wie Säuger und Vögel das tun. Bei ihnen dient die Temperaturerhöhung einem ganz anderen Zweck. Der Stinkkohl, ein aus Nordamerika bei uns eingeschlepptes Aronstabgewächs, wird von Fliegen bestäubt. Die Blüten verströmen einen für uns unangenehmen Duft und verstärken das durch Temperaturerhöhung um bis zu 20 °C gegenüber ihrer Umgebung. Die Blüten schmelzen so durch die Wärmeentwicklung eine dünne Schneedecke einfach weg. Angelockt durch den Duft besuchen die bestäubenden Fliegen zu diesem frühen Blühzeitpunkt ausschließlich den Stinkkohl.

7.1	Pflanzen beziehen ihre Stoffwechselenergie aus dem Sonnenlicht
7.2	Blätter haben für die Lichtabsorption und den Gasaustausch eine große Oberfläche
7.3	Schließzellen sorgen für einen optimalen Kompromiss zwischen Gasaustausch und Transpiration
7.4	Licht, CO_2-Gehalt der Luft und Temperatur beeinflussen die Fotosyntheseleistung der Pflanzen
7.5	Mineralstoffe und Assimilate werden in Wasser gelöst durch unterschiedliche Leitungsbahnen transportiert
7.6	Viele Mineralstoffe sind für Pflanzen essenziell
7.7	Auch Pflanzen müssen atmen

Stoffwechsel

7.1 Pflanzen beziehen ihre Stoffwechselenergie aus dem Sonnenlicht

Pflanzen fressen, anders als Tiere, in der Regel keine anderen Organismen. Woher nehmen sie dann ihre Energie? Was hält ihren Stoffwechsel in Gang?

Pflanzen müssen nur bestimmte energiearme anorganische Moleküle wie Wasser (H_2O) und Kohlenstoffdioxid (CO_2) aufnehmen und können daraus auf dem Stoffwechselweg der **Fotosynthese** energiereiche organische Moleküle selbst herstellen. Man nennt sie daher „selbsternährt" oder **autotroph**. Die Energie für diesen Prozess stammt aus dem Sonnenlicht, deshalb bezeichnet man den Pflanzenstoffwechsel als *fotoautotroph*. Tiere dagegen müssen mit der Nahrung energiereiche organische Moleküle aufnehmen, die andere Organismen hergestellt haben, und heißen deswegen „fremdernährt" oder **heterotroph** (→ Abb. 1).•

Das wichtigste organische Molekül, das in der Fotosynthese aufgebaut wird, ist das Zuckermolekül *Glucose*. Die Bausteine dafür sind die energiearmen Moleküle CO_2 und H_2O, und bei deren Zusammenbau zu Glucose wird Sauerstoff (O_2) freigesetzt. Daher lässt sich die Geschwindigkeit der Fotosynthese, die *Fotosyntheserate*, bestimmen, indem man den CO_2-Verbrauch oder die O_2-Produktion misst (→ Abb. 2). Bei der Fotosynthese wird also körpereigene Substanz aus anorganischen, energiearmen Ausgangsmaterialien aufgebaut; dieser Vorgang heißt autotrophe **Assimilation**. Das energiereiche Assimilationsprodukt, wie zum Beispiel Glucose, heißt *Assimilat*. Was Lebewesen mit Glucose machen, wenn sie Energie in Form von *ATP* benötigen, haben Sie in Kapitel 6 erfahren: Auf dem Stoffwechselweg der **Zellatmung** wird in Pflanzen- und Tierzellen die Glucose zu den energiearmen Molekülen CO_2 und H_2O abgebaut und dabei wird Sauerstoff verbraucht. Die beim Abbau frei werdende Energie wird benutzt, um den Energieträger ATP herzustellen. Wie Sie in Abb. 1 sehen, haben die Fotosynthese und die Zellatmung genau entgegengesetzte Stoff- und Energiebilanzen. Die Zellatmung ist folglich eine **Dissimilation**.

Alle heterotrophen Organismen, wie z. B. wir Menschen, sind auf autotrophe Organismen wie Pflanzen und deren Assimilate angewiesen. Denn selbst wenn wir Produkte von Tieren essen, die sich wiederum von Tieren ernährt haben, ist das erste Glied in der Nahrungskette praktisch immer eine Pflanze. Letztlich ist

Stoff- und Energieumwandlung

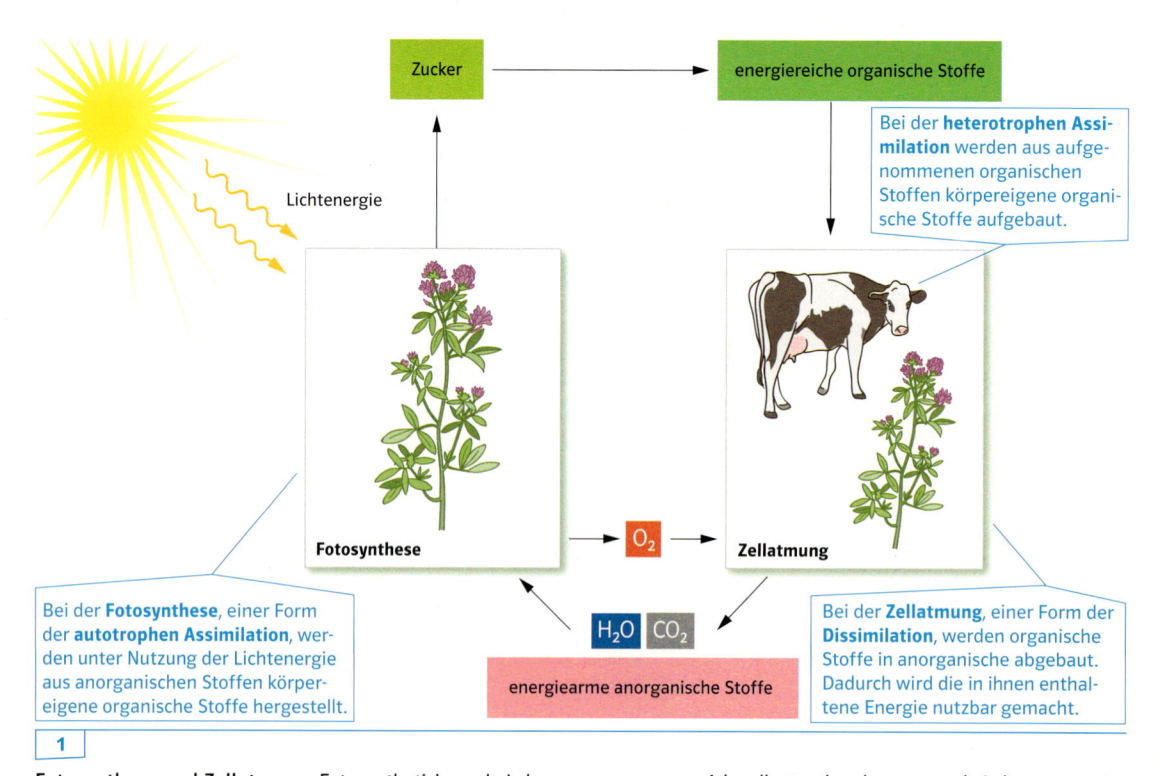

1 **Fotosynthese und Zellatmung.** Fotosynthetisierende Lebewesen versorgen sich selbst und andere atmende Lebewesen mit Nahrungsmolekülen und Sauerstoff und erhalten dafür Kohlenstoffdioxid.

Bei der **Fotosynthese**, einer Form der **autotrophen Assimilation**, werden unter Nutzung der Lichtenergie aus anorganischen Stoffen körpereigene organische Stoffe hergestellt.

Bei der **heterotrophen Assimilation** werden aus aufgenommenen organischen Stoffen körpereigene organische Stoffe aufgebaut.

Bei der **Zellatmung**, einer Form der **Dissimilation**, werden organische Stoffe in anorganische abgebaut. Dadurch wird die in ihnen enthaltene Energie nutzbar gemacht.

Online-Link
Steckbrief: Teufelszwirn
150010-1191

Stoff- und Energieumwandlung bei Pflanzen

Wenn eine Pflanze, zum Beispiel eine Grünalge, Fotosynthese betreibt, produziert sie Sauerstoff (O_2). Diesen kann man auffangen und aus der Volumenzunahme pro Zeiteinheit die Fotosyntheserate bestimmen.

Sauerstoffbläschen

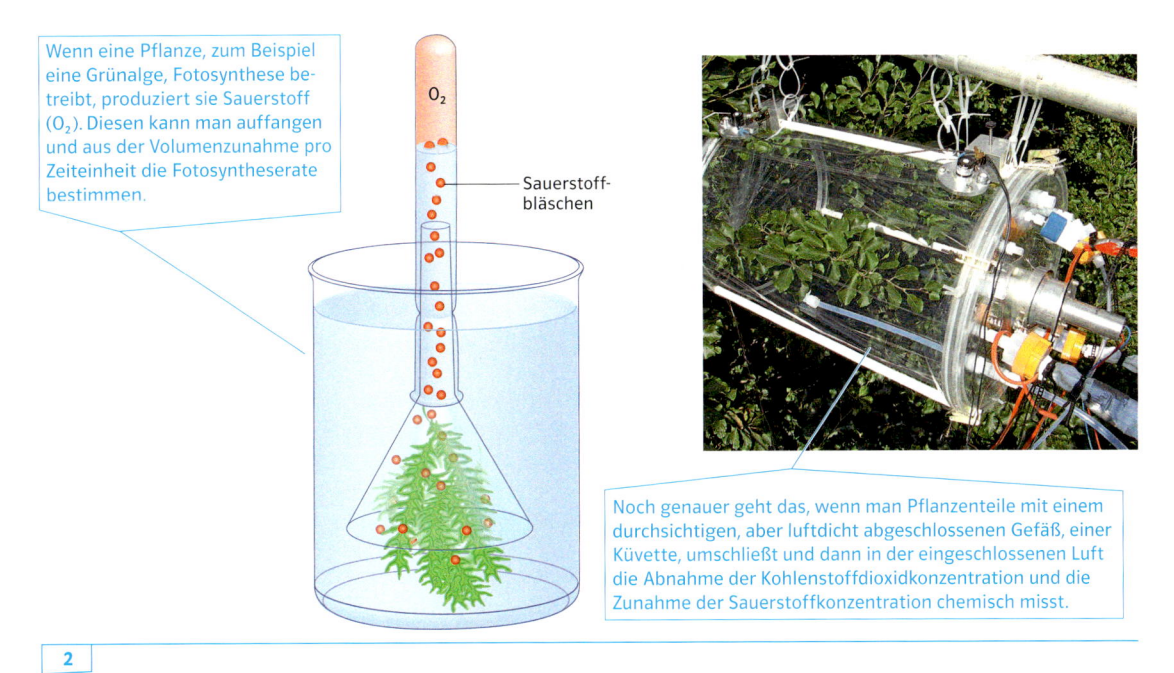

Noch genauer geht das, wenn man Pflanzenteile mit einem durchsichtigen, aber luftdicht abgeschlossenen Gefäß, einer Küvette, umschließt und dann in der eingeschlossenen Luft die Abnahme der Kohlenstoffdioxidkonzentration und die Zunahme der Sauerstoffkonzentration chemisch misst.

2
Die Fotosyntheserate lässt sich über die Sauerstoffabgabe oder die Kohlenstoffdioxidaufnahme messen.

es also die Sonnenenergie, die fast alles Leben energetisch antreibt. Wir und alle anderen heterotrophen Organismen sind aber noch in einer weiteren Hinsicht von Pflanzen abhängig: Wie Sie in Abb. 1 sehen, wird der Sauerstoff, der für die Zellatmung notwendig ist, in der Fotosynthese erzeugt; diese setzt ihn aus Wasser frei. Vor der Entwicklung der O_2-produzierenden Fotosynthese im Verlauf der Evolution vor schätzungsweise 3 Milliarden Jahren enthielt die Erdatmosphäre praktisch keinen molekularen Sauerstoff (→ 20.3). Jedes einzelne Sauerstoffmolekül, das wir veratmen, ist also durch die Fotosynthese erzeugt worden.

Diese doppelte Bedeutung der Fotosynthese für unsere Existenz ist ein guter Grund, sich den Prozess näher anzuschauen. In den nächsten Abschnitten und vor allem in Kapitel 8 werden Sie im Einzelnen erfahren, wie die pflanzliche Fotosynthese funktioniert.

Einige wenige Pflanzenarten haben im Verlauf der Evolution die Fotosynthese „verlernt". Diese Pflanzen können nicht mehr selbstständig leben, sondern müssen wie Heterotrophe energiereiche Moleküle von anderen Pflanzen beziehen und in der Zellatmung verwerten (→ 7.7). Ein Beispiel für eine solche parasitische Pflanze ist der Teufelszwirn (→Abb. 3). Diese fadenförmige Pflanze umschlingt ihre Wirtspflanze und zapft sie über Saugwurzeln an.

3
Der Teufelszwirn ist eine parasitische Pflanze, die nicht fotosynthetisieren kann und daher auf Assimilate ihrer Wirtspflanze als Energiequelle angewiesen ist.

Aufgabe 7.1

Auch Tiere können mit ihrem Stoffwechsel energiereiche organische Moleküle erzeugen. Denken Sie zum Beispiel an ein wachsendes Jungtier, das an Körpermasse zulegt. Dennoch sind Tiere nicht autotroph. Erklären Sie das.

Stoffwechsel

7.2 Blätter haben für die Lichtabsorption und den Gasaustausch eine große Oberfläche

Blätter dienen als Sonnensegel. Der Eichenkeimling kann mit waagerecht ausgebreiteten Blättern am meisten Licht auffangen.

Bei aller Formenvielfalt, die wir unter den Pflanzen finden — die Blätter der allermeisten Pflanzen folgen immer wieder dem gleichen Bauprinzip: Sie sind flach und dünn und mehr oder weniger waagerecht ausgerichtet (→ Abb. 1). Warum ist das so? Warum gibt es nicht auch Pflanzen, die quaderförmige oder kugelförmige Blätter haben? Und warum haben die meisten Pflanzen überhaupt Blätter und nicht einen kompakten Körper, wie er für Tiere typisch ist?

Struktur und Funktion

Struktur und Funktion hängen zusammen, also sehen wir uns zunächst die wichtigste Funktion des Blatts an, die **Fotosynthese**.* Sie benötigt Licht als Energiequelle. Also müssen die Blätter das Sonnenlicht einfangen. Sie dienen sozusagen als Sonnensegel, und dafür sind die ausgebreitete Form und die annähernd waagerechte Anordnung natürlich günstig. Allerdings nimmt ein einzelnes Blatt nur einen Teil des auftreffenden Lichts auf. Bäume ordnen viele Schichten von Blättern übereinander an, und erst unter dem dicken Blätterdach großer Bäume ist so viel Licht aufgefangen, dass Sie darunter im Dämmerlicht stehen. Aber warum nutzen Bäume dann nicht statt der vielen Blätter übereinander einfach eine entsprechend dicke kompakte Schicht zum Lichtauffangen? Der Grund dafür hängt auch wieder mit der Fotosynthese zusammen. Die benötigt ja nicht nur Licht, sondern ist auch auf **Gasaustausch** angewiesen. Die Aufnahme von CO_2 und die Abgabe von O_2 erfolgen durch Diffusion, und die ist umso effizienter, je größer die Austauschfläche ist, also die Fläche, über die der Baum mit der Luft im Kontakt steht.

Sehen wir uns die Austauschflächen an, die ein Laubbaum zu bieten hat (→ Abb. 2): Eine große Buche mit 12 m Kronendurchmesser deckt ungefähr 120 m² Grundfläche ab. Die zusammengezählte Blattfläche beträgt schätzungsweise 1200 m². Auch das würde für die schnelle CO_2-Aufnahme und O_2-Abgabe bei der Fotosynthese nicht ausreichen. Daher ist die Austauschfläche innerhalb der Blätter noch einmal vergrößert. Die Zellen im Blattinneren sind in zwei unterschiedlichen assimilierenden Schichten angeordnet, dem *Palisaden-* und dem *Schwammgewebe* (→ Abb. 3 und 4). Alle diese Zellen enthalten Chloroplasten, die Zellorganellen, die für die Fotosynthese verantwortlich sind. Zwischen diesen Zellen sehen Sie luftgefüllte Zwischenräume, die *Interzellularräume*. Durch die Interzellularräume beträgt die Gesamtoberfläche innerhalb der Blätter einer Buche bis zu 15 000 m²; das entspricht der Größe von zwei Fußballfeldern!

Wenn diese große Oberfläche ständig ungehindert der Luft ausgesetzt wäre, würden Pflanzen viel mehr Wasser verdunsten, als sie über die Wurzeln aus der Erde aufnehmen können. Die Pflanzen würden

Laubblätter bieten eine große äußere Oberfläche zum Auffangen des Sonnenlichts. Die Zellen der Blattgewebe bilden eine noch viel größere innere Oberfläche für den Gasaustausch.

rasch verwelken. Eine kontrollierte Wasserverdunstung der Blätter, die **Transpiration**, ist andererseits lebensnotwendig für Pflanzen, da sie zum Beispiel den Transport von Mineralstoffen antreibt (→7.5).

Sehen Sie sich in Abb. 4 an, wie dieses Problem im Blatt strukturell gelöst wird. Blätter sind mit einem geschlossenen Abschlussgewebe bedeckt, der *Epidermis*. Sie ist an der Außenseite zusätzlich mit einer wenig wasserdurchlässigen Wachsschicht geschützt, der *Cuticula*. In der Epidermis, zumeist auf der Blattunterseite, finden sich verschließbare *Spaltöffnungen*, die *Stomata*, die von Schließzellen und Nebenzellen gebildet werden (→Abb. 2, S. 113). Durch sie kann CO_2 in die Interzellularräume des Blatts gelangen, und umgekehrt können durch sie O_2 und Wasserdampf durch Diffusion entweichen. An der Blattunterseite sind die Spaltöffnungen immer im Schatten. Dadurch bleibt auch in einem von der Sonne beschienenen Blatt die Wasserverdunstung kontrollierbar.

Durch Gefäße (→Abb. 1, S. 128), die als *Xylem* bezeichnet werden, wird Wasser von der Wurzel herangeführt. Andere Leitungsbahnen, die *Siebröhren*

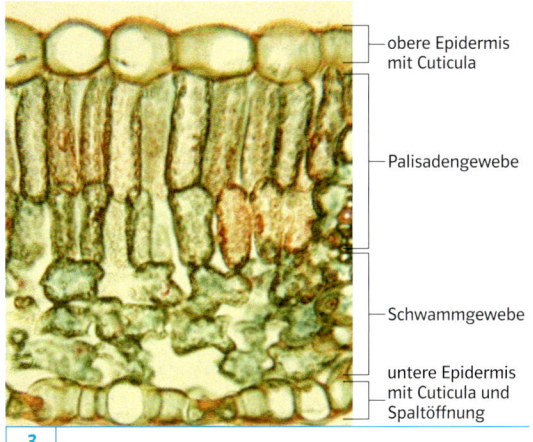

3 Dieser Querschnitt (LM) durch ein Fliederblatt zeigt den Aufbau eines Laubblatts. Im unteren Bildteil sehen Sie einen großen Interzellularraum über einer Spaltöffnung.

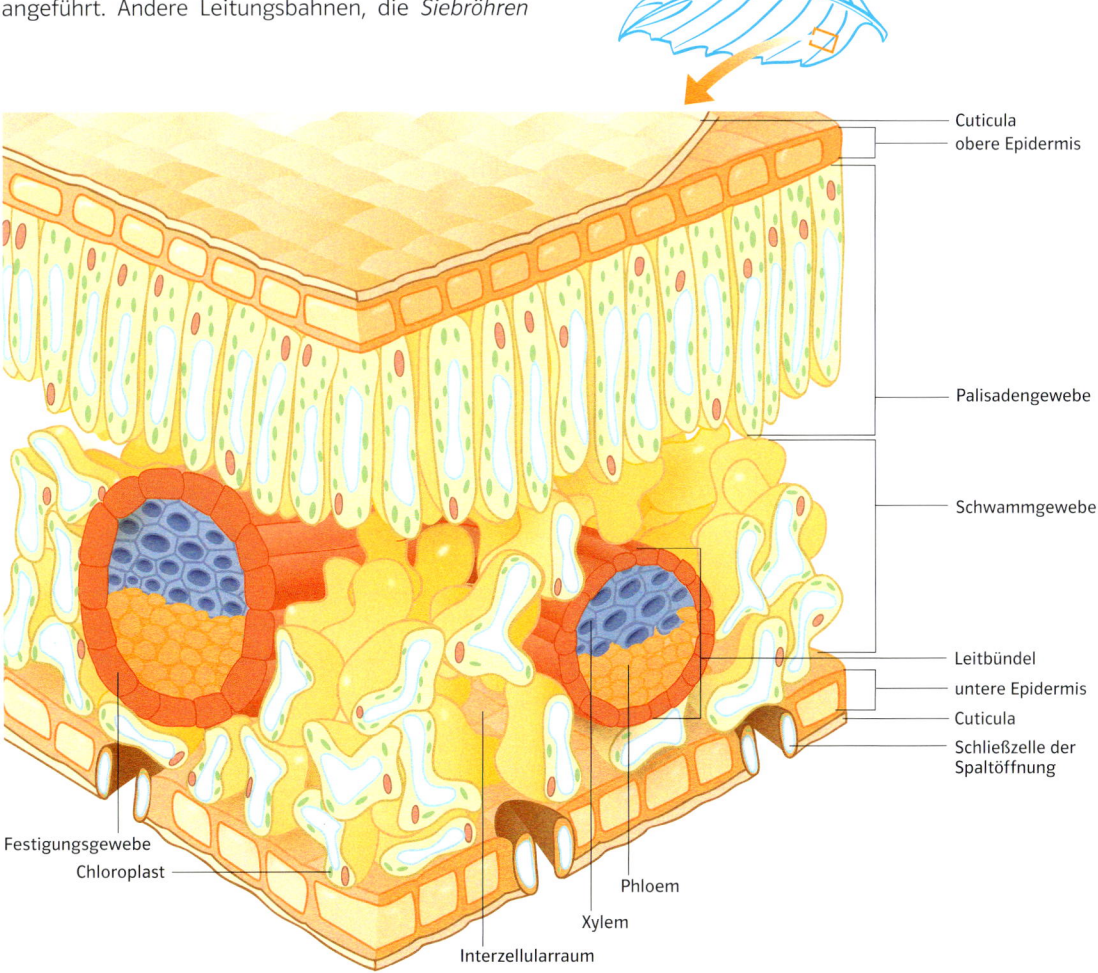

4 Ein Laubblatt ist für Gasaustausch, Transpiration und Auffangen von Sonnenlicht optimiert.

Stoffwechsel

(als *Phloem* zusammengefasst) sorgen für den Abtransport der *Assimilate* zu Verbrauchsorten, z. B. zur Wurzel. Xylem und Phloem zusammen bilden die *Leitbündel*, die man bei Betrachten eines Blatts als Blattadern erkennen kann.

Sie könnten einwenden, dass durch die kleinen Spaltöffnungen, die ja nur einen Teil der Gesamtoberfläche des Blatts ausmachen, die mehrstufige Oberflächenvergrößerung wieder zunichtegemacht wird. Das ist nur teilweise der Fall. Tatsächlich ist aufgrund des *Randeffekts* (→ Abb. 5) die Diffusionsgeschwindigkeit durch die geöffneten Spalte so hoch, wie sie über Zweidrittel der völlig offenen Blattoberfläche wäre, obwohl die Spaltöffnungen nur 1–2 % der Blattoberfläche ausmachen. Die Diffusion in Richtung auf den Spalt oder auf der anderen Seite der Epidermis vom Spalt weg kann nämlich nicht nur auf geradem Wege, sondern auch seitwärts, entlang der Blattoberfläche erfolgen. Dadurch behindern sich die diffundierenden Moleküle weniger, als sie das bei Diffusion durch eine größere offene Fläche tun würden.

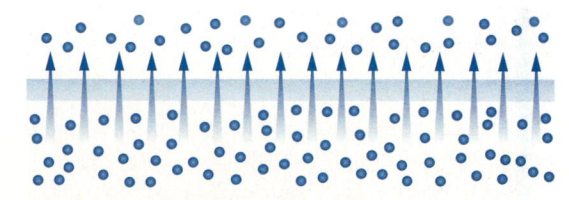

Verdunstung über eine offene Fläche

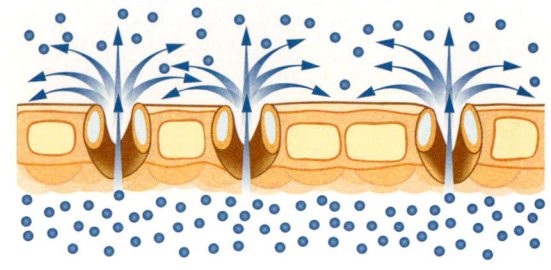

Verdunstung aus dem Blattinnenraum

5 Der Randeffekt erlaubt schnelle Diffusion durch die Spaltöffnungen.

Aufgabe 7.2

Bei vielen Kakteen haben sich im Verlauf der Evolution die Blätter zu „Stacheln" umgewandelt (botanisch sind dies Dornen). Die Fotosynthese läuft in der fleischigen grünen Sprossachse ab. Stellen Sie eine begründete Hypothese auf, wie effizient ein Kaktus an heißen, trockenen Standorten Fotosynthese betreiben kann im Vergleich zu einer Blätter tragenden Pflanze.

7.3 Schließzellen sorgen für einen optimalen Kompromiss zwischen Gasaustausch und Transpiration

Pflanzen verbrauchen bei der Fotosynthese Kohlenstoffdioxid (CO_2) und produzieren Sauerstoff (O_2) (→ 7.1). Indem Sie eines von beiden messen, können Sie die Geschwindigkeit der Fotosynthese, die *Fotosyntheserate*, bestimmen (→ Abb. 1). Wenn Sie das zum Beispiel bei einer Kiefer im Verlauf eines heißen, sonnigen Sommertags durchführen, stellen Sie etwas Erstaunliches fest. Wie erwartet, ist die O_2-Produktion vor Sonnenaufgang negativ, da ja nachts, wenn auch Pflanzen nur atmen können, Sauerstoff verbraucht wird (→ 7.7). Dann steigt die Fotosynthese und mit ihr die O_2-Produktion mit dem Sonnenstand an. Aber gegen Mittag, wenn das meiste Licht auf die Kiefernnadeln trifft, lässt der Baum seine Fotosyntheserate deutlich absinken! Erst gegen Abend steigt die Aktivität dann noch einmal an und verschwindet spätestens bei Sonnenuntergang. Warum ist das mittags so?

Diese Erscheinung, auch als **Mittagsdepression** der Fotosynthese bezeichnet, hängt mit der in → 7.2 beschriebenen Multifunktion der Blätter zusammen, nämlich Fotosynthese, Gasaustausch und Transpiration zu betreiben. Gegen Mittag eines sonnigen Sommertags steigt die Temperatur stark an und die relative Luftfeuchtigkeit sinkt. Damit steigt das Konzentrationsgefälle des Wasserdampfs zwischen den Interzellularräumen und dem Außenmilieu. Dies, zusammen mit der erhöhten Temperatur, beschleunigt die Wasserdampfdiffusion durch die Spaltöffnungen, die **Stomata**; die Transpiration steigt steil an. Übermäßiger Wasserverlust wird jetzt vermieden, indem die Kiefer ihre Stomata teilweise schließt und damit die Interzellularräume gegenüber dem Außenmilieu absperrt.* Damit kann weniger CO_2 ins Blatt diffundieren und die Fotosyntheserate sinkt.

Steuerung und Regelung

Stoff- und Energieumwandlung bei Pflanzen

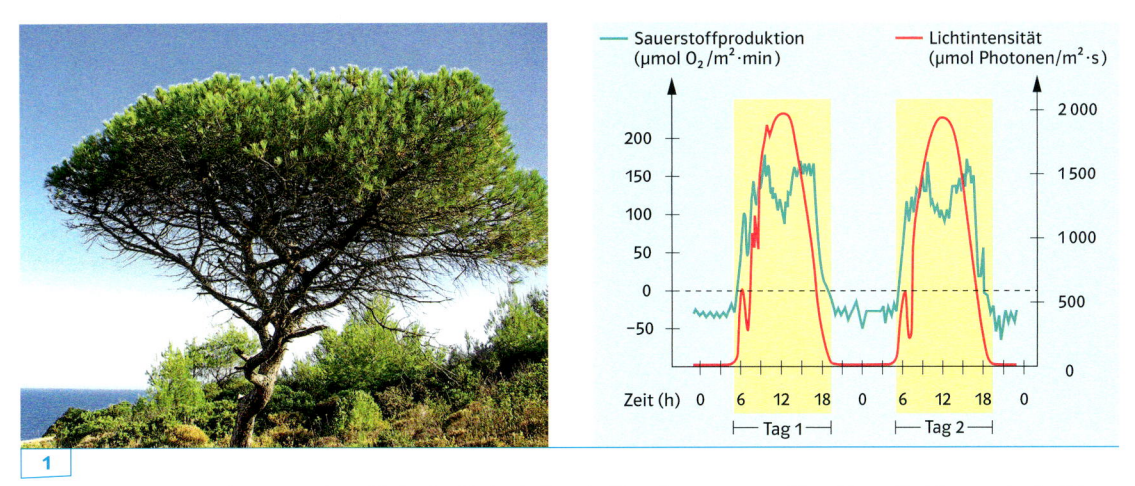

1 Messung der Fotosyntheserate einer Kiefer im Verlauf eines heißen Sommertags. Obwohl um die Mittagszeit die Lichtintensität (rote Messkurve) am höchsten ist, sinkt die Fotosyntheserate (grüne Messkurve) vorübergehend ab.

Die Stomata werden von den Schließzellen gebildet und auch geöffnet und geschlossen (→ Abb. 2). Das Öffnen der Stomata ist ein aktiver Prozess. In den Schließzellen muss dazu der Innendruck, den man als *Turgor* bezeichnet, steigen. Also bleiben in einer Dürrephase, wenn die Pflanze welkt und insgesamt Turgor verliert, die Stomata ständig geschlossen. Das ist für die Pflanze günstig, denn in einer solchen Situation darf ja auf keinen Fall ein weiterer Wasserverlust erfolgen. Die Pflanze nimmt „Hunger" in Kauf (Mangel an CO_2), aber schützt sich vor der viel größeren Gefahr des „Verdurstens" (Mangel an H_2O).

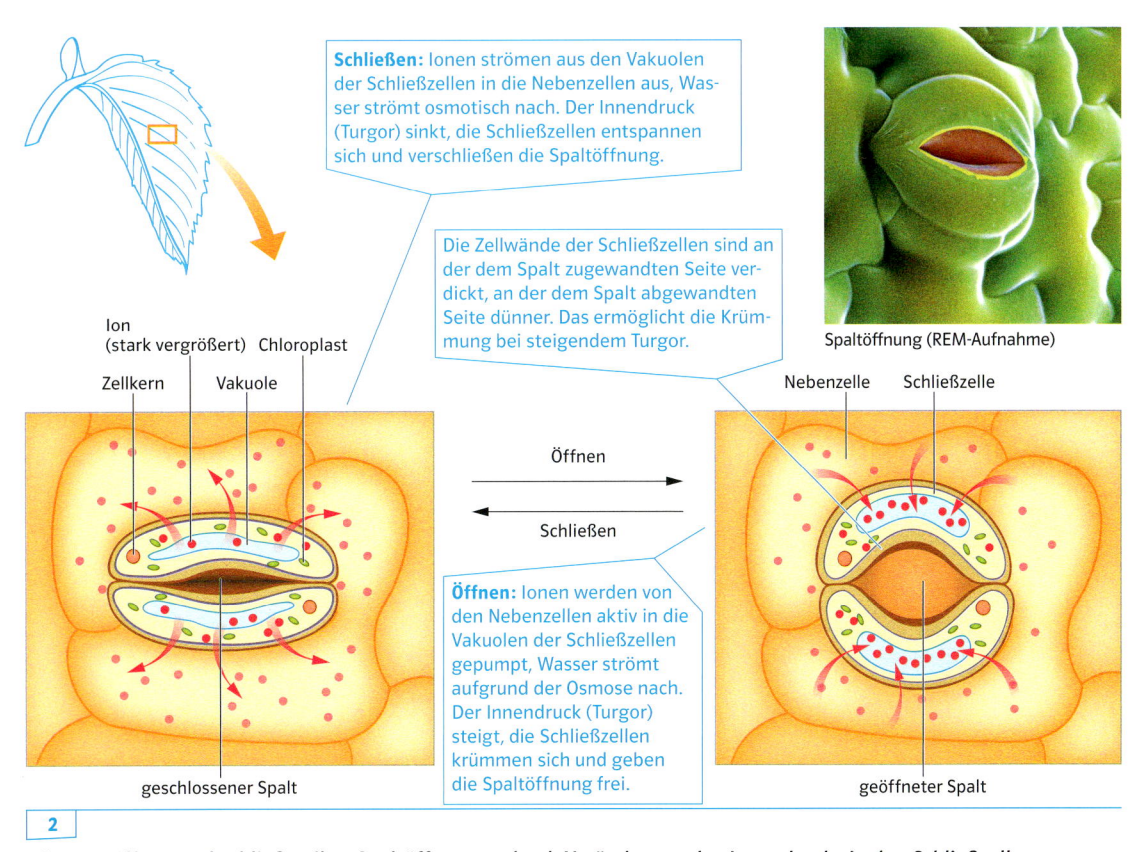

Schließen: Ionen strömen aus den Vakuolen der Schließzellen in die Nebenzellen aus, Wasser strömt osmotisch nach. Der Innendruck (Turgor) sinkt, die Schließzellen entspannen sich und verschließen die Spaltöffnung.

Die Zellwände der Schließzellen sind an der dem Spalt zugewandten Seite verdickt, an der dem Spalt abgewandten Seite dünner. Das ermöglicht die Krümmung bei steigendem Turgor.

Spaltöffnung (REM-Aufnahme)

Ion (stark vergrößert)   Chloroplast
Zellkern   Vakuole

Nebenzelle   Schließzelle

Öffnen →
← Schließen

Öffnen: Ionen werden von den Nebenzellen aktiv in die Vakuolen der Schließzellen gepumpt, Wasser strömt aufgrund der Osmose nach. Der Innendruck (Turgor) steigt, die Schließzellen krümmen sich und geben die Spaltöffnung frei.

geschlossener Spalt   geöffneter Spalt

2 Pflanzen öffnen und schließen ihre Spaltöffnungen durch Veränderung des Innendrucks in den Schließzellen.

Stoffwechsel

Der Öffnungszustand der Stomata hängt aber nicht nur von der aktuellen Wasserversorgung ab. Bei den meisten Pflanzen bleiben die Stomata nachts geschlossen. Bei Dunkelheit kann auch keine Fotosynthese betrieben werden, und die Pflanzen können somit Wasser sparen. Andererseits zeigt ein besonders niedriger CO_2-Gehalt in den Interzellularräumen, dass dringend CO_2 gebraucht wird, sodass die Stomata, wenn die anderen Faktoren es erlauben, dann eher aufgehen.

Licht, Temperatur, Wasserversorgung und CO_2-Gehalt der Luft sind demzufolge die Umweltfaktoren, die direkt oder indirekt das Öffnen der Stomata beeinflussen. Sie tun das in einem komplexen Zusammenspiel mit einer Reihe von Pflanzenhormonen, das erst in den letzten Jahren weitgehend verstanden worden ist. Jedes Blatt besitzt dieses aufwendige Regelungsnetzwerk, um zu jedem Zeitpunkt den goldenen Mittelweg zwischen Fotosynthese und Transpiration zu finden.

Steuerung und Regelung

Aufgabe 7.3

Wenn Gärtner ihre Pflanzen umtopfen, geht dabei häufig ein Teil der Wurzeln verloren. Danach werden die Pflanzen oft für einige Tage mit Wasser eingenebelt, oder es wird auf andere Weise für hohe Luftfeuchtigkeit gesorgt. Manchmal werden Substanzen eingesetzt, die teilweise die Stomata verkleben. Erläutern Sie, welche Überlegungen hinter diesen Maßnahmen stehen.

7.4 Licht, CO_2-Gehalt der Luft und Temperatur beeinflussen die Fotosyntheseleistung der Pflanzen

Wenn Gärtner ihre Gemüse- oder Zierpflanzen in Gewächshäusern heranziehen, wollen sie optimale Bedingungen für das Wachstum schaffen. Daher sorgen sie für ausreichende Bewässerung und Luftfeuchte, regulieren die Lichtstärke durch Zusatzbeleuchtung oder Abschattung und die Temperatur durch Heizung oder Belüftung. Manchmal erhöhen sie sogar den CO_2-Gehalt der Luft in Treibhäusern. Es ist klar, dass bei mangelnder Wasserversorgung die Fotosyntheseaktivität vollkommen zum Erliegen kommt. Aber wie wirken sich die anderen Faktoren auf die Fotosynthese insgesamt aus?

Die Fotosyntheserate kann über die O_2-Produktion oder den CO_2-Verbrauch gemessen werden, (→ Abb. 2, S. 119). Berücksichtigen muss man dabei natürlich, dass die Pflanzenatmung (→ 7.7) umgekehrt O_2 verbraucht und CO_2 produziert. Abb. 1 **a** (rote Kurve) zeigt eine solche Messung der Fotosyntheserate in Abhängigkeit von der Lichtstärke bei ansonsten optimalen Bedingungen für ein Sonnenblatt, das sich

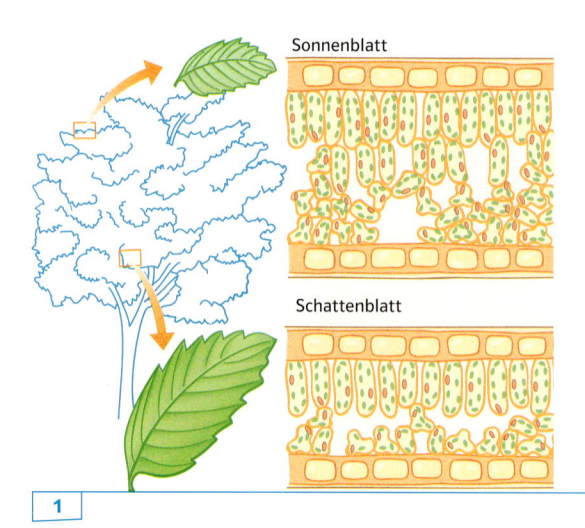

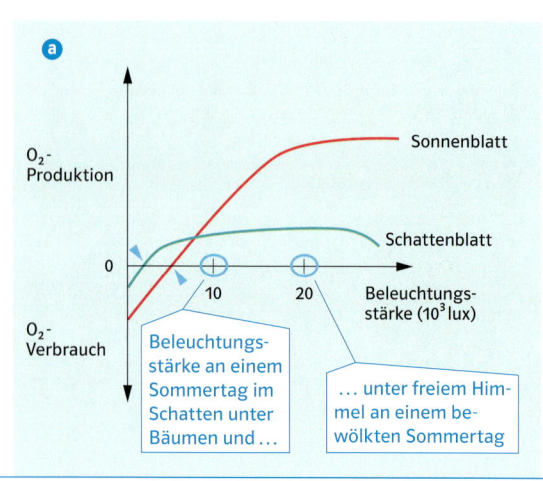

Steuerung und Regelung

1 Die Fotosyntheseleistung hängt von Außenfaktoren ab. Die blauen Pfeilspitzen zeigen auf die Kompensationspunkte.

oben bzw. außen in der Baumkrone befindet. Bei einer Lichtstärke von null, also im Dunkeln, ist keine Fotosynthese möglich. Sie sehen aber, dass die O_2-Bilanz nicht gleich null ist, sondern negativ: Es wird O_2 verbraucht. Das liegt an der Zellatmung. Bei steigender Lichtintensität steigt auch die Fotosyntheserate, aber erst bei einer bestimmten Lichtintensität gleicht die fotosynthetische O_2-Produktion den O_2-Verbrauch durch Zellatmung aus. Diese für die Pflanze bedeutsame Lichtintensität heißt **Lichtkompensationspunkt**. Danach steigt die Fotosyntheserate weiter linear mit der Beleuchtungsstärke an, bis sie sich in einem Sättigungsbereich befindet. Hier ist die Kapazität der Fotosynthesemaschinerie ausgeschöpft, sodass auch zusätzliches Licht die O_2-Produktion und damit die Fotosyntheseleistung nicht weiter steigern kann.

Der Lichtkompensationspunkt ist eine wichtige Größe, denn er stellt die Mindestlichtstärke dar, ab der eine Pflanze nicht nur Glucose produzieren, sondern an Substanz zulegen und damit wachsen kann. Er liegt bei unterschiedlichen Pflanzen bei unterschiedlichen Lichtintensitäten, je nachdem an welche Bestrahlung die Pflanzen angepasst sind. Das ist der Grund dafür, dass ein Usambaraveilchen auch in einer weniger hellen Ecke einer Wohnung überlebt, während andere Pflanzen wie Kakteen nur am Südfenster gedeihen. Sogar wenn Sie ein Schattenblatt aus dem unteren Kronenbereich eines Laubbaums (→ Abb. 1 **a**, grüne Kurve) mit einem direkt bestrahlten Sonnenblatt aus der Spitze desselben Baums (rote Kurve) vergleichen, sehen Sie Unterschiede: Das Schattenblatt erreicht den Lichtkompensationspunkt früher, kommt also mit deutlich weniger Licht aus. Andererseits kommt die O_2-Produktion schon bei relativ niedrigen Werten in den Sättigungsbereich; bei höheren Lichtintensitäten ist ein Sonnenblatt also viel produktiver als ein Schattenblatt. Wenn Sie die Lichtintensität bis in den Bereich direkter Sonnenbestrahlung weiter steigern, dann sinkt die Fotosyntheserate des Schattenblatts sogar wieder ab, da es im ungewohnten direkten Sonnenlicht strukturell geschädigt wird.

Die CO_2-Abhängigkeit der Fotosyntheserate (→ Abb. 1 **b**) zeigt einen **CO_2-Kompensationspunkt**: Eine Mindestmenge an CO_2 muss vorhanden sein, damit die Fotosynthese die Zellatmung überwiegen kann. Sie könnten einwenden, dass die CO_2-Konzentration in der Atmosphäre sich doch kaum ändert und sicher nicht so weit absinkt. Das ist richtig, aber denken Sie an den Blattinnenraum bei geschlossenen Stomata. Dort wird das CO_2 verbraucht und kann nicht nachströmen. Auf diese Weise wird der CO_2-Kompensationspunkt schnell erreicht. Wie Sie in der Abbildung sehen, läuft auch die CO_2-Abhängigkeit der Fotosyntheserate in eine Sättigung. Dort bringt eine weitere Zunahme an CO_2 in der Luft keine Fotosynthesesteigerung mehr. Diese Sättigung wird aber bei vielen Pflanzen erst bei einem CO_2-Anteil in der Luft über 0,1% erreicht, während die tatsächliche CO_2-Konzentration ca. 0,04% beträgt. Das ist der Grund dafür, dass Gärtner durch eine CO_2-Anreicherung der Gewächshausluft eine Wachstumssteigerung ihrer Pflanzen erzielen können.

Auch die Temperaturabhängigkeit der Fotosyntheserate kann ganz unterschiedlich aussehen, je nachdem an welchen Standort die betreffende Pflanze angepasst ist (→ Abb. 1 **c**). Pflanzen unserer Breiten stellen bei Temperaturen deutlich unter dem Gefrierpunkt die Fotosynthese ein, falls sie den Frost überleben und im Winter noch Blätter haben. Andererseits gibt es viele Alpenpflanzen, die bei erstaunlich niedrigen Temperaturen noch wachsen können und schon im Schnee zu blühen beginnen. Typischerweise steigt bei höheren Temperaturen die Fotosyntheserate immer steiler an, da die beteiligten Enzyme wie viele Proteine dann schneller arbeiten

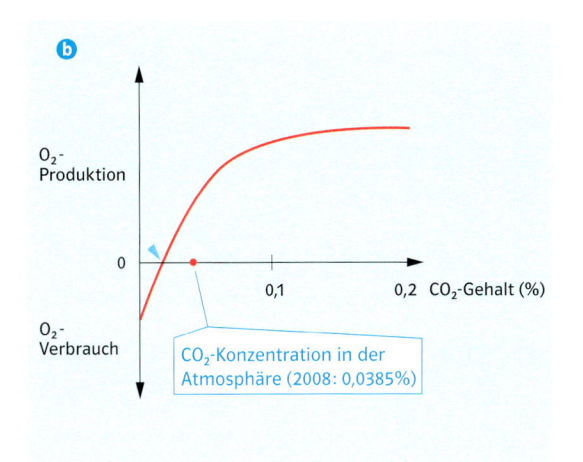

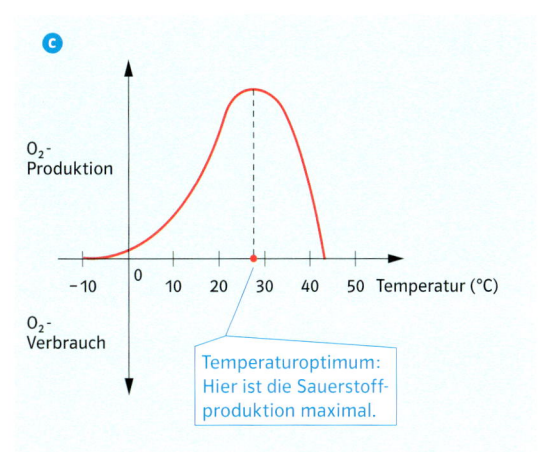

Variabilität und Angepasstheit

b

O_2-Produktion / O_2-Verbrauch vs. CO_2-Gehalt (%); Markierung bei 0,04%: CO_2-Konzentration in der Atmosphäre (2008: 0,0385%)

c

O_2-Produktion / O_2-Verbrauch vs. Temperatur (°C); Maximum bei ca. 30 °C: Temperaturoptimum: Hier ist die Sauerstoffproduktion maximal.

Stoffwechsel

(→ Abb. 3, S. 75). Auch die Diffusionsgeschwindigkeit beim Gasaustausch steigt temperaturabhängig an (→ 3.3). Pflanzen unserer Breiten erreichen meistens zwischen 20 °C und 30 °C (bei optimaler Wasserversorgung) ein **Temperaturoptimum**; danach sinkt die Sauerstoffproduktion immer steiler ab, weil bei hohen Temperaturen Enzyme zu denaturieren beginnen (→ 4.6). Bei Wüstenpflanzen liegt das Temperaturoptimum deutlich höher und bei kälteangepassten Pflanzen nördlicher Breiten entsprechend niedriger.

Aufgabe 7.4

Die Abhängigkeit der Fotosyntheseraten von verschiedenen Umweltfaktoren in Abb. 1, S. 124/125, ist jeweils so gemessen, dass die nicht veränderten Faktoren optimal eingestellt sind und eine maximale Fotosyntheserate ermöglichen. Erstellen Sie eine Hypothese zum Verlauf der Kurve in Abb. 1 C , wenn 1. gleichzeitig nur Schwachlichtbedingungen herrschen oder 2. die Luftfeuchte relativ niedrig ist.

7.5 Mineralstoffe und Assimilate werden in Wasser gelöst durch unterschiedliche Leitungsbahnen transportiert

Der höchste Baum der Welt ist derzeit (2010) ein Mammutbaum des Redwood-Nationalparks in Kalifornien mit einer Höhe von 115,5 m. Der höchste Baum Deutschlands, eine Douglasie in Freiburg, ist immerhin 63,3 m hoch. In diesen Baumriesen muss, wie in jeder anderen Landpflanze auch, Wasser von den Wurzeln bis hin zu den obersten Blättern transportiert werden, und umgekehrt müssen die Wurzeln mit Fotosyntheseprodukten aus den Blättern versorgt werden. Wie geschieht dieser Ferntransport?

Die „Pipelines" für den Ferntransport haben Sie schon kennengelernt, nämlich die **Leitbündel**, die an Blättern als Blattadern erkennbar sind (→ Abb. 4, S. 121). Diese Leitbündel ziehen sich nicht nur durch die Blätter, sondern auch durch Stängel bzw. Stamm und Wurzel. Jedes Leitbündel enthält eine ganze Reihe von Leitungsbahnen. Zum einen sind das die Gefäße des *Xylems* (→ Abb. 1), die aus dem Boden aufgenommenes Wasser und Mineralstoffe von den Wurzeln zu den anderen Pflanzenteilen transportieren. Das Xylem besteht aus langen Röhren aus Zellwandmaterial. Die Zellen, die die einzelnen Segmente dieser Röhren hergestellt haben, sind abgestorben. Die anderen Leitungsbahnen sind die *Siebröhren* des *Phloems* (→ Abb. 1), die Fotosyntheseprodukte (Assimilate) von den Blättern zu Verbrauchsorten leiten.

Das Phloem besteht aus röhrenförmigen Zellen, die durch Siebplatten voneinander getrennt sind und daher Siebröhren bilden. Die Siebröhrenzellen leben zwar — im Gegensatz zu Xylemzellen —, haben aber den Zellkern und andere wichtige Bestandteile im Lauf ihrer Differenzierung verloren; daher müssen sie durch die benachbarten Geleitzellen von außen versorgt werden.

Die Transportvorgänge laufen im Phloem und im Xylem unterschiedlich ab. Der Transport des Wassers von den Wurzeln zu den Blättern wird hauptsächlich durch den *Transpirationssog* angetrieben. Infolge der **Transpiration** verdunstet Wasser aus den Blattzellen in die Interzellularräume hinein. Die

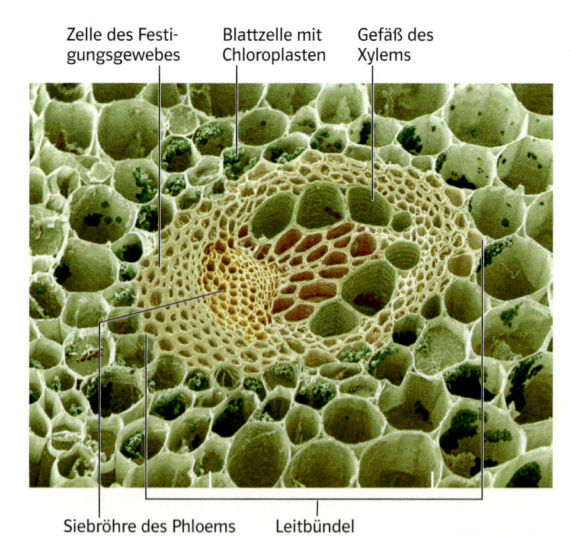

Struktur und Funktion

Kompartimentierung

1 Dieser Querschnitt durch den Stängel einer Butterblume zeigt ein typisches, ovales Leitbündel mit großen Xylemgefäßen und kleinen Siebröhren des Phloems. Gegen die Blattzellen mit Chloroplasten ist das Leitbündel durch ein Festigungsgewebe abgegrenzt (→ Abb. 4, S. 121).

Beschriftungen: Zelle des Festigungsgewebes — Blattzelle mit Chloroplasten — Gefäß des Xylems — Siebröhre des Phloems — Leitbündel

Stoff- und Energieumwandlung bei Pflanzen

Abb. 2

- **Blatt** — Interzellularraum, Schließzelle, Epidermiszelle
  - **a** Wasserdampf diffundiert aus den Interzellularräumen durch die Spaltöffnungen.
  - **b** Wasser verdunstet durch die Zellwände der Blattzellen in die Interzellularräume.
  - **c** Der Transpirationssog zieht Wasser aus den Blattadern in die Blattzellen und Interzellularräume …
  - **d** … und zieht die Wassersäule im Xylem aufwärts und nach außen in die Blattadern nach.
- **Spross**
  - **e** Kapillarkräfte unterstützen in den Xylemgefäßen den Wasserstrom nach oben.
- **Wurzel** — Xylem, Wurzelhaar, Bodenpartikel, Wasser
  - **f** Wasser gelangt osmotisch vom Boden in die Wurzelzellen und von da auch in das Xylem.

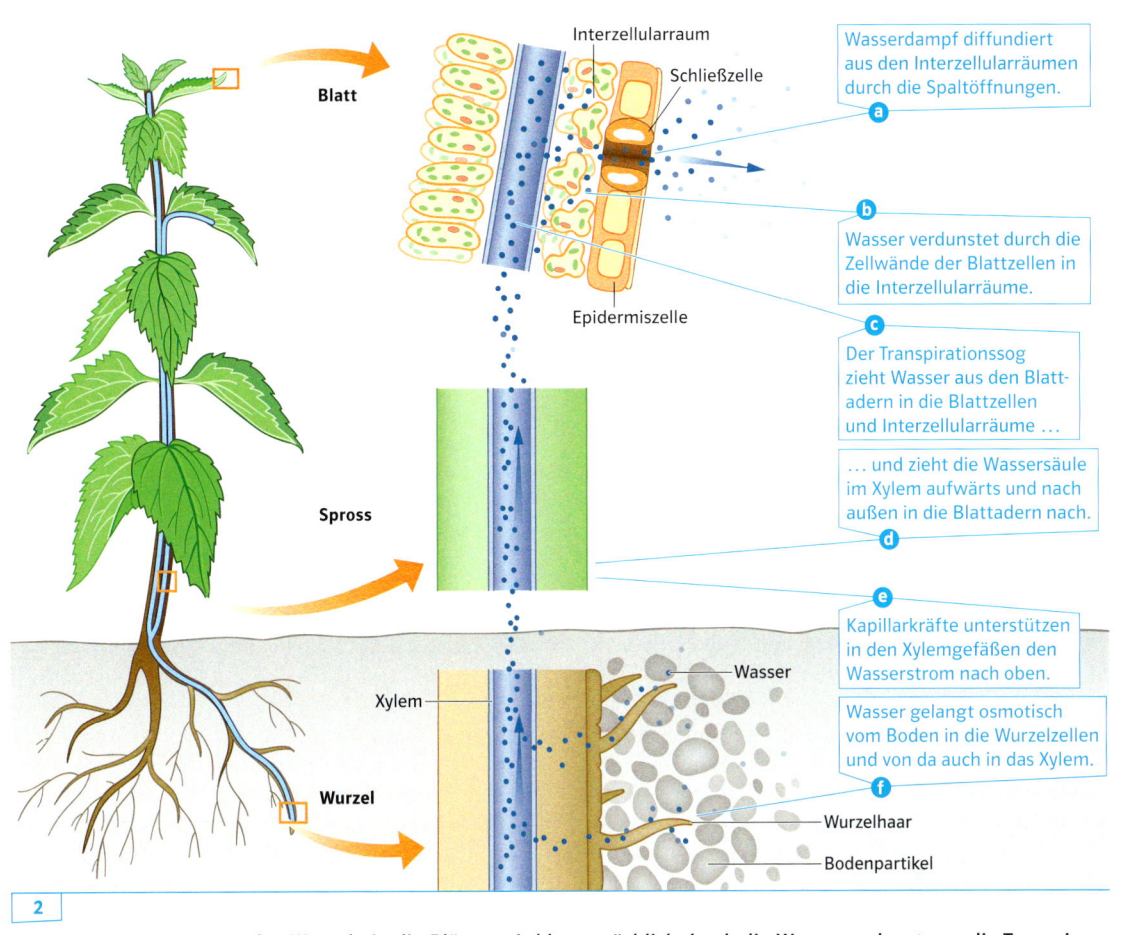

Der Wassertransport von den Wurzeln in die Blätter wird hauptsächlich durch die Wasserverdunstung, die Transpiration, angetrieben, die im oberen Teil des Xylems einen Unterdruck erzeugt.

Zellen ziehen Wasser aus den Blattadern nach, sodass hier ein Unterdruck entsteht. Dieser Unterdruck setzt sich bis in den oberen Teil des Xylems fort und saugt hier das Wasser nach oben (→ Abb. 2). Da die Wassersäule im Xylem durch die *Kohäsion* genannte *Dipolanziehung* der Wassermoleküle (Polarität, → S. 25) zusammengehalten wird, kann dieser Unterdruck das Wasser über große Höhendifferenzen nach oben ziehen. Das funktioniert allerdings nur, wenn das Xylem komplett mit Wasser gefüllt ist. Gerät Luft hinein, etwa durch eine Verletzung der Pflanze, dann ist die Wassersäule unterbrochen und die Pflanze welkt. Unterstützend beim Wassertransport wirken *Kapillarkräfte*, die das Wasser an der gut benetzbaren Innenseite der Leitungsbahnen nach oben ziehen (*Adhäsion*), ähnlich wie Sie es an einer ins Wasser gehaltenen Glaskapillare beobachten können.

Das durch Transpiration abgegebene Wasser muss ständig aus dem Boden nachgeliefert werden. Dafür sorgen Wurzelzellen, die zunächst aktiv Mineralstoffe als Ionen aus dem Boden aufnehmen (→ Abb. 4, S. 355). Hierdurch erhöhen sie die Konzentration an gelösten Stoffen in ihrem Inneren gegenüber dem Außenmedium, sodass Wasser osmotisch in die Wurzel nachströmt. In gleicher Weise pumpen die Wurzelzellen indirekt Wasser zum Weitertransport in das Xylem. Dadurch baut sich am unteren Ende des Xylems ein Druck auf, der *Wurzeldruck*. Dieser sorgt zusammen mit dem Transpirationssog für den Aufwärtstransport des aufgenommenen Wassers. In bestimmten Situationen spielt der Wurzeldruck eine besonders wichtige Rolle, etwa vor dem Frühjahrsaustrieb von Laubbäumen: Zum Austreiben der Knospen wird Wasser benötigt, aber wegen fehlender Blätter ist noch keine Transpiration möglich.

Bodenwasser und darin gelöste Ionen werden in zwei Stufen aufgenommen. In den Wurzelhärchen können sie von Zellwand zu Zellwand diffundieren. Dieser Bereich außerhalb der Zellmembran heißt *Apoplast* (→ 2.7). Weiter im Wurzelinneren wird dieser Weg durch eine undurchlässige Einlagerung versperrt, den *Caspary-Streifen*. Wasser und Ionen müssen hier die Zellmembran überqueren. Anschließend können sie jedoch in Nachbarzellen gelangen, ohne eine weitere

Steuerung und Regelung

Stoffwechsel

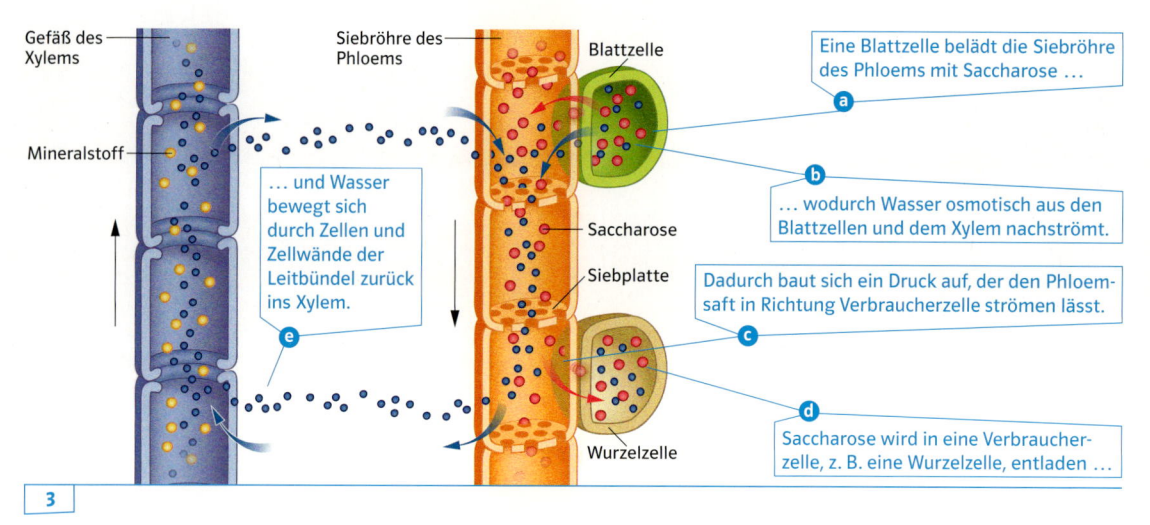

Gefäß des Xylems — Siebröhre des Phloems — Blattzelle

a Eine Blattzelle belädt die Siebröhre des Phloems mit Saccharose ...

Mineralstoff

b ... wodurch Wasser osmotisch aus den Blattzellen und dem Xylem nachströmt.

... und Wasser bewegt sich durch Zellen und Zellwände der Leitbündel zurück ins Xylem.

Saccharose
Siebplatte

c Dadurch baut sich ein Druck auf, der den Phloemsaft in Richtung Verbraucherzelle strömen lässt.

e

d Saccharose wird in eine Verbraucherzelle, z. B. eine Wurzelzelle, entladen ...

Wurzelzelle

3 Der Transport von Assimilaten im Phloem wird durch aktiven Transport angetrieben.

Stoff- und Energieumwandlung

Membran zu passieren, nämlich durch *Plasmodesmen* (→ Abb. 1, S. 47). Alle Zellinnenräume zusammen bilden also eine Einheit und heißen daher *Symplast*.

Das wichtigste *Assimilat*, das im Phloemsaft transportiert wird, ist das Kohlenhydrat *Saccharose*, also die Substanz, die Sie als Haushaltszucker zum Süßen verwenden (→ Abb. 1, S. 31). Die Saccharose wird in den Blättern aus fotosynthetisch erzeugter *Glucose* hergestellt. Der Flüssigkeitstransport im Phloem wird durch *aktiven Transport* (→ 3.6) angetrieben.* In den Blättern wird Saccharose aktiv, also unter Energieaufwand, in die Siebröhren der Leitbündel gepumpt und Wasser strömt passiv nach (→ Abb. 3). An den Verbrauchsorten, z. B. in der Wurzel, diffundiert Saccharose aus dem Phloem heraus. Dadurch wird die Dichte gelöster Teilchen dort geringer als im Xylem, Wasser strömt osmotisch dorthin und fließt im Xylem zurück.

Aufgabe 7.5

In den frühen Morgenstunden, wenn die kühle Morgenluft wassergesättigt ist, sehen Sie häufig an Blatträndern oder -spitzen kleine Flüssigkeitströpfchen. Diese Tropfen werden oft irrtümlich für Tau gehalten, in Wirklichkeit handelt es sich um Flüssigkeit aus dem Xylem, die nach außen abgegeben wird. Erläutern Sie, welche Kraft diese Flüssigkeitsabgabe antreibt und erklären Sie, worin der Vorteil für die Pflanzen liegt.

7.6 Viele Mineralstoffe sind für Pflanzen essenziell

Wenn Sie am Lagerfeuer oder im Kamin Holzstücke vollständig verbrennen, das heißt bei hoher Temperatur und guter Luftzufuhr, dann bleibt trotzdem etwas übrig: weißlich-graue Asche. Asche ist eine Mischung aus einer ganzen Reihe anorganischer Salze und Oxide. Das beweist, dass Holz, ebenso wie jedes andere Pflanzenmaterial, nicht nur organische Substanzen enthält, sondern auch anorganische Ionen. Genau wie wir müssen Pflanzen Mineralien aufnehmen und bauen diese in ihre Körpersubstanz ein. Pflanzen beziehen anorganische Ionen, die **Mineralstoffe**, zusammen mit Wasser aus dem Boden. Viele Mineralstoffe sind für Pflanzen *essenziell*. Das heißt, Pflanzen kümmern oder sterben gar ab, wenn ihnen nur eine dieser essenziellen Substanzen fehlt, auch wenn alle anderen in ausreichender Menge vorhanden sind. JUSTUS VON LIEBIG hat das bereits Mitte des 19. Jahrhunderts erkannt und das *Gesetz des Minimums* aufgestellt. So wie in einem Fass die kürzeste Daube den Wasserstand bestimmt, unabhängig davon wie lang die anderen Dauben sind,

Online-Link
Überblick: Spurenelemente
150010-1291

Stoff- und Energieumwandlung bei Pflanzen

so bestimmt der am meisten fehlende Mineralstoff die Geschwindigkeit des Pflanzenwachstums. In Abb. 1 sehen Sie Mangelerscheinungen an Tomatenpflanzen, die mit bestimmten Mineralstoffen unterversorgt sind. Natürlich sind die sichtbaren Folgen des Mineralstoffmangels von Pflanze zu Pflanze unterschiedlich, aber die im Text zur Abbildung genannten Symptome sind sehr häufig. Solche Mangelerscheinungen erkennen zu können, ist für Landwirte und Gärtner extrem wichtig. Aber auch Ihnen hilft diese Diagnosemöglichkeit weiter, wenn die Pflanzen auf Ihrer Fensterbank oder in Ihrem Garten einmal kümmern sollten.

Pflanzen können auch Mineralstoffe aufnehmen, die sie nicht zum Leben brauchen, ja sogar Schwermetall-Ionen, die für alle Lebewesen giftig sind, wie Arsen (As), Cadmium (Cd) oder Quecksilber (Hg). Manche Pflanzen sind gegenüber solchen Giften bemerkenswert resistent und können daher auf Böden wachsen, die eine für alle anderen Pflanzen tödliche Menge von Schwermetallen enthalten, etwa auf Erz-Abraumhalden. Solche Pflanzen verfrachten die giftigen Ionen, bevor diese ihnen gefährlich werden können, in ihre Vakuole und halten sie dort unter Verschluss. Eine Reihe von Pflanzen sind in der Lage, Schwermetalle in großen Mengen in ihren Blättern und Stängeln anzureichern und werden daher zur Entgiftung schwermetallverseuchter Böden eingesetzt.

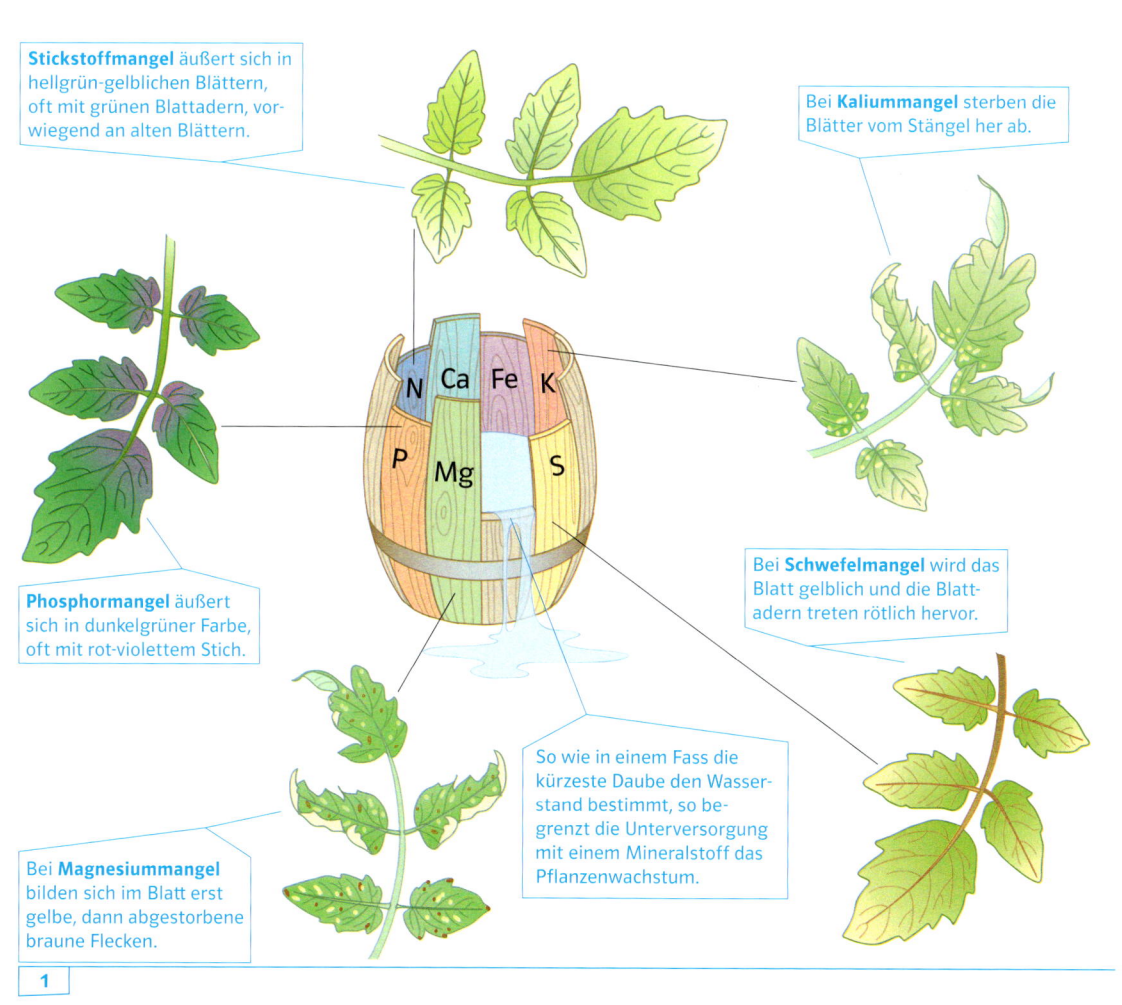

Stickstoffmangel äußert sich in hellgrün-gelblichen Blättern, oft mit grünen Blattadern, vorwiegend an alten Blättern.

Bei **Kaliummangel** sterben die Blätter vom Stängel her ab.

Phosphormangel äußert sich in dunkelgrüner Farbe, oft mit rot-violettem Stich.

Bei **Schwefelmangel** wird das Blatt gelblich und die Blattadern treten rötlich hervor.

So wie in einem Fass die kürzeste Daube den Wasserstand bestimmt, so begrenzt die Unterversorgung mit einem Mineralstoff das Pflanzenwachstum.

Bei **Magnesiummangel** bilden sich im Blatt erst gelbe, dann abgestorbene braune Flecken.

1 Mangelsymptome zeigen das Fehlen essenzieller Mineralstoffe an.

Aufgabe 7.6

Seit einer Reihe von Jahren weiß man, dass das Element Selen (Se) für uns ein unverzichtbares Spurenelement ist. Im menschlichen Stoffwechsel wird es in die Aminosäure Selenocystein eingebaut. Selen liegt in Böden oft als Selenit (SeO_3^{2-}) oder Selenat (SeO_4^{2-}) vor. Aber ist es auch für Pflanzen essenziell? Schlagen Sie Experimente vor, um das herauszufinden.

7.7 Auch Pflanzen müssen atmen

Pflanzen sind *fotoautotroph* und beziehen ihre Stoffwechselenergie per Fotosynthese aus dem Sonnenlicht. Aber wie sieht es zum Beispiel bei keimenden Erbsen aus? Die haben noch keine Blätter, ja noch nicht einmal das grüne Fotosynthesepigment *Chlorophyll*. Dennoch wachsen sie, also haben sie offensichtlich genug Energie für einen intensiven Stoffwechsel. Woher nehmen die Erbsensamen diese Energie?

Fast alle Pflanzensamen enthalten energiereiche Vorratsstoffe, wie *Stärke* (alle Getreidearten) oder *Lipide* (Sonnenblume, Raps) oder auch *Protein* (Hülsenfrüchtler). Sie können im Stoffwechselweg der Zellatmung mit Sauerstoff zu Kohlenstoffdioxid und Wasser „veratmet" werden (→ 6.4). Von der Samenkeimung an bis zum Einsetzen der Fotosynthese nach Ausbildung und Ergrünen der Blätter liefert dieser Prozess die Stoffwechselenergie.* Bei keimenden Erbsen kann man die Atmungsaktivität nachweisen, indem man die CO_2-Produktion misst (→ Abb. 1). Aber auch in anderen Lebensphasen atmen Pflanzen. Wurzeln und andere nichtgrüne Pflanzenorgane wie Blütenblätter und reife Früchte können keine Fotosynthese betreiben. Und sogar grüne Blätter, die ja mit ihrer Fotosynthese die ganze Pflanze fotoautotroph machen, müssen atmen, d.h. Zellatmung betreiben.

Die grünen Blätter veratmen nachts die Kohlenhydrate, die sie tagsüber fotosynthetisch als Glucose erzeugt und als Stärke in den Chloroplasten gespeichert haben. Nichtgrüne Pflanzenorgane wie die Wurzel sind darauf angewiesen, Tag und Nacht von den Blättern mit Kohlenhydraten versorgt zu werden. Dazu dient der Transport von Saccharose im Phloem, den Sie in → 7.5 kennengelernt haben.

Die Zellatmung verläuft in Pflanzen im Wesentlichen genauso, wie Sie es im Kapitel 6 kennengelernt haben. Aber eine Besonderheit gibt es bei manchen Pflanzen, die diese mit kleinen Winterschläfern gemeinsam haben: Sie können ihre Zellatmung so umschalten, dass kein ATP, sondern ausschließlich Wärme produziert wird. Diese sogenannte alternative Atmung erlaubt es dem Stinkkohl, seine Blütenstände aufzuheizen (→ S. 117).

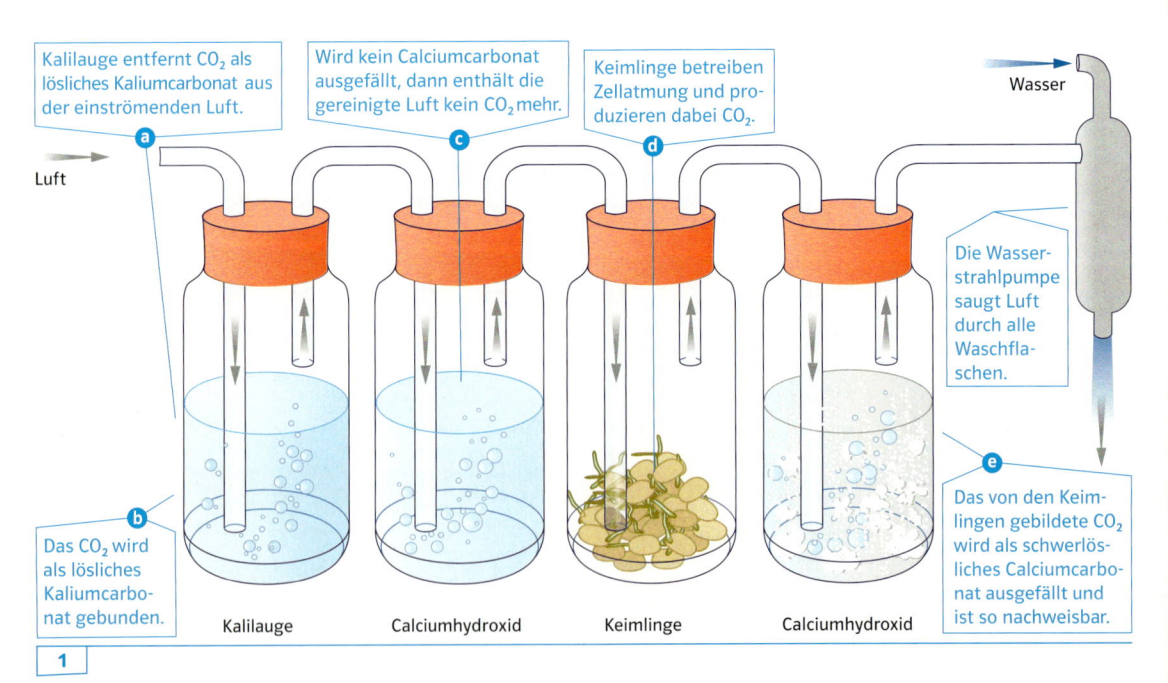

Stoff- und Energieumwandlung

a Kalilauge entfernt CO_2 als lösliches Kaliumcarbonat aus der einströmenden Luft.

b Das CO_2 wird als lösliches Kaliumcarbonat gebunden.

c Wird kein Calciumcarbonat ausgefällt, dann enthält die gereinigte Luft kein CO_2 mehr.

d Keimlinge betreiben Zellatmung und produzieren dabei CO_2.

e Das von den Keimlingen gebildete CO_2 wird als schwerlösliches Calciumcarbonat ausgefällt und ist so nachweisbar.

Wasser — Die Wasserstrahlpumpe saugt Luft durch alle Waschflaschen.

Luft — Kalilauge — Calciumhydroxid — Keimlinge — Calciumhydroxid

1 Mit dieser Versuchsanordnung lässt sich die Kohlenstoffdioxidabgabe von keimenden Samen nachweisen.

Aufgabe 7.7

Eine einjährige Pflanze keimt zu Beginn einer Saison, wächst und geht beim ersten Frost ein. Hat diese Pflanze im Laufe ihres Lebens mehr Fotosynthese betrieben oder mehr geatmet? Begründen Sie Ihre Antwort.

Fotosynthese — Solarenergie für das Leben

8

Vom Weltraum aus betrachtet, herrscht in Europa eine Farbe vor: Grün. Ein einziges Molekül ist für diese Farbe verantwortlich: Chlorophyll, der Blattfarbstoff aller grünen Pflanzen. Über eine Milliarde Tonnen davon werden Jahr für Jahr weltweit von der Vegetation neu synthetisiert. Und das ist gut so, denn ohne diesen grünen Farbstoff könnten die meisten Organismen auf der Erde nicht existieren, auch wir Menschen nicht. Chlorophyll spielt eine zentrale Rolle in der Fotosynthese, einem Prozess, der die Solarenergie für das Leben nutzbar macht. Was dabei abläuft, erfahren Sie in diesem Kapitel.

Ein Blick aus dem Weltraum auf die Erde

8.1	Die Fotosynthese ist die Umkehrung von Verbrennung und Zellatmung
8.2	Fotosynthesepigmente fangen blaues und rotes Licht ein
8.3	Die Fotosynthesepigmente sind an Membranproteine gebunden
8.4	Der lichtabhängige Elektronentransport ermöglicht die Synthese von ATP
8.5	In den lichtunabhängigen Reaktionen wird aus sechs CO_2-Molekülen ein Zuckermolekül aufgebaut
8.6	Manche Bakterien können ganz ohne Licht oder organische Nährstoffe leben

Stoffwechsel

8.1 Die Fotosynthese ist die Umkehrung von Verbrennung und Zellatmung

Stoff- und Energieumwandlung

Ein Stück Papier brennt. Sie sehen eine helle Flamme und spüren die Verbrennungswärme — es wird also Energie freigesetzt. Ohne Luftzufuhr würde das Papier nicht verbrennen, demzufolge wird Sauerstoff benötigt. Papier besteht aus *Cellulose*, einem pflanzlichen Biomolekül aus vielen Glucoseeinheiten (→ Abb. 1, S. 31). Glucose verbrennt mit Sauerstoff (O_2) zu Kohlenstoffdioxid (CO_2) und Wasser (H_2O), und dabei werden Licht- und Wärmeenergie frei.* Ganz ähnlich verläuft die Zellatmung. Dabei wird *Glucose* über die Zwischenschritte *Glykolyse*, *Citratzyklus* und *Atmungskette* zu CO_2 und H_2O abgebaut: Nur wird hier keine Lichtenergie, sondern stattdessen chemische Energie in Form von ATP sowie Wärmeenergie freigesetzt (→ Kap. 6). Könnten Sie den Verbrennungsprozess, die Papierverbrennung, rückgängig machen? Keine leichte Aufgabe, denn wie sollen Sie die frei gewordene Energie wieder einfangen? Und wie könnten Sie das gasförmige CO_2 einsammeln, um es in Glucose einzubauen? Pflanzen lösen genau diese Aufgaben bei ihrer **Fotosynthese**. Mithilfe der Sonnenenergie erzeugen sie energiereiche Glucose aus gasförmigem CO_2 der Luft und H_2O aus dem Boden, also aus energiearmen Molekülen, und dabei wird O_2 frei. Dieser elementare Sauerstoff stammt aus dem Wassermolekül, nicht aus dem CO_2 (→ Abb. 1).

In der Fotosynthese wird somit Wasser gespalten, und zwar zu Sauerstoff und Wasserstoff. Diese sehr energieaufwendige Reaktion läuft in der Natur nur mithilfe der Sonnenenergie ab. Man bezeichnet sie als **Fotolyse** des Wassers. Im lichtabhängigen ersten Schritt der Fotosynthese wird also energiereicher Solarwasserstoff produziert. Im zweiten Schritt wird dieser Wasserstoff als Reduktionsmittel dazu benutzt, um aus energiearmem CO_2 die energiereiche Glucose herzustellen. Dieser Schritt kann auch im Dunkeln erfolgen, er ist also lichtunabhängig (→ Abb. 2).

Die beiden Teilreaktionen der Fotosynthese als chemische Reaktionen in Form von Reaktionsgleichungen stehen unten in Abb. 2. Beide Gleichungen addiert ergeben die *Gesamtgleichung der Fotosynthese*. In den lichtabhängigen Reaktionen werden 12 H_2O gespalten, und in den lichtunabhängigen Reaktionen werden 6 H_2O neu gebildet. Daher taucht H_2O auf beiden Seiten der Gesamtgleichung auf, ähnlich wie bei der Zellatmung (→ Abb. 4, S. 112). Zusätzlich entsteht im ersten Schritt aus ADP und Phosphat *ATP*, dessen Energie im zweiten Schritt zum Aufbau der Glucose gebraucht wird. Da die Zahl der gebildeten ATP-Moleküle pro gespaltenem Wassermolekül variieren kann, wird ATP meist nicht gesondert aufgeführt.

Der Wasserstoff in den beiden Teilreaktionen der Fotosynthese ist in Abb. 2 rot hervorgehoben (H), weil es sich hier nicht um molekularen Wasserstoff (H_2) handelt. Der wäre gasförmig und würde zusammen mit dem fotosynthetisch erzeugten Sauerstoff gefährliches Knallgas ergeben. Deshalb wird Wasserstoff im Stoffwechsel der Lebewesen fast immer an einen biologischen Überträger gebunden, in der Zellatmung an NAD^+ oder FAD und im Fall der Fotosynthese an $NADP^+$. Dadurch wird $NADP^+$ zu $NADPH + H^+$ reduziert (→ Abb. 2, S. 107).

Experiment: Herkunft des Sauerstoffs bei der Fotosynthese

Frage
Stammt der in der Fotosynthese gebildete Sauerstoff (O_2) aus dem Wasser (H_2O) oder aus Kohlenstoffdioxid (CO_2)?

Methode
Eine Gruppe von Pflanzen ❶ wächst in Wasser, das das Sauerstoffisotop ^{18}O (gesprochen O-achtzehn) enthält, während das Kohlenstoffdioxid das normale Isotop ^{16}O aufweist. Andere Pflanzen erhalten mit ^{18}O markiertes Kohlenstoffdioxid und normales Wasser ❷. Der produzierte Sauerstoff wird jeweils aufgefangen und analysiert.

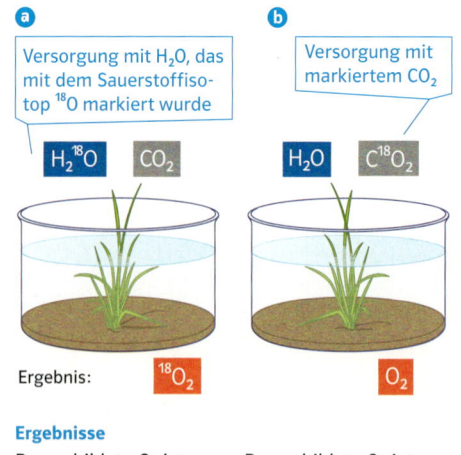

❶ Versorgung mit H_2O, das mit dem Sauerstoffisotop ^{18}O markiert wurde
$H_2{}^{18}O$ CO_2
Ergebnis: $^{18}O_2$

❷ Versorgung mit markiertem CO_2
H_2O $C^{18}O_2$
Ergebnis: O_2

Ergebnisse
Das gebildete O_2 ist markiert.
Das gebildete O_2 ist nicht markiert.

Schlussfolgerung
Das in der Fotosynthese gebildete O_2 wird aus H_2O freigesetzt.

1 Der fotosynthetisch erzeugte Sauerstoff stammt aus dem Wassermolekül.

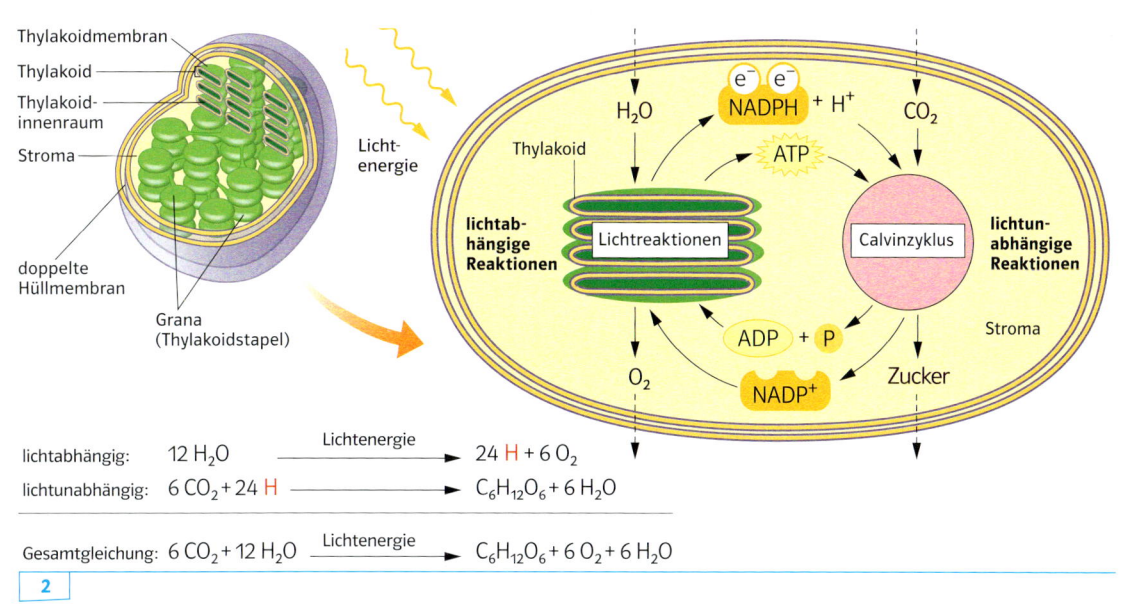

Online-Link
Fotosynthese im Überblick (interaktiv)
150010-1331

Fotosynthese — Solarenergie für das Leben

Bildbeschriftungen (Abb. 2):
- Thylakoidmembran
- Thylakoid
- Thylakoidinnenraum
- Stroma
- doppelte Hüllmembran
- Grana (Thylakoidstapel)
- Lichtenergie
- Thylakoid
- lichtabhängige Reaktionen
- Lichtreaktionen
- Calvinzyklus
- lichtunabhängige Reaktionen
- Stroma
- Zucker

$$\text{lichtabhängig:}\quad 12\,H_2O \xrightarrow{\text{Lichtenergie}} 24\,H + 6\,O_2$$

$$\text{lichtunabhängig:}\quad 6\,CO_2 + 24\,H \longrightarrow C_6H_{12}O_6 + 6\,H_2O$$

$$\text{Gesamtgleichung:}\quad 6\,CO_2 + 12\,H_2O \xrightarrow{\text{Lichtenergie}} C_6H_{12}O_6 + 6\,O_2 + 6\,H_2O$$

2 Die lichtabhängigen Reaktionen der Fotosynthese sind in der Thylakoidmembran der Chloroplasten lokalisiert, die lichtunabhängigen Reaktionen laufen im Stroma ab.

Beim Blick vom Weltraum aus verrät die grüne Farbe auf der Erdoberfläche, dass hier Leben herrscht und Fotosynthese betrieben wird. Die grüne Farbe verrät ebenso, wo genau innerhalb eines Pflanzenblatts die Fotosynthese stattfindet. In den Zellen des Schwamm- und vor allem des Palisadengewebes befinden sich die **Chloroplasten**, die grünen Organellen für die Fotosynthese (→ Abb. 2, → Abb. 4, S. 121). Die Thylakoidstapel sind der Ort der lichtabhängigen Reaktionen, im Stroma finden die lichtunabhängigen Reaktionen statt, auch als **Calvinzyklus** bezeichnet (→ Abb. 3, S. 141). Wie in den Mitochondrien (→ Abb. 2, S. 111) laufen auch hier Stoffwechselvorgänge in Kompartimenten ab.*

Kompartimentierung

Aufgabe 8.1

Pflanzen bilden in chlorophyllhaltigen Zellen gleichzeitig Wasserstoff und Sauerstoff. Trotzdem kommt es nicht zur Knallgasreaktion. Erläutern Sie diesen Sachverhalt.

8.2 Die Fotosynthesepigmente fangen blaues und rotes Licht ein

Das Sonnenlicht liefert die Energie für die Fotosynthese, genauer für die Spaltung des Wassers in Wasserstoff und Sauerstoff. Warum fühlen wir uns dann nach einem allzu ausgiebigen Sonnenbad keineswegs gestärkt, sondern empfinden das eher als unangenehm, zumal wenn wir uns einen gefährlichen Sonnenbrand holen (→ 12.4)?

Organismen können mit Lichtenergie nur dann ihren Stoffwechsel antreiben, wenn sie zwei Voraussetzungen mitbringen: Sie müssen erstens besondere Farbstoffmoleküle zur Aufnahme von Lichtenergie besitzen und zweitens eine molekulare Vorrichtung, die diese aufgenommene Solarenergie dann noch in chemische Energie umwandelt. Genau das haben uns Pflanzen mit ihren Fotosynthesepigmenten und dem Fotosyntheseapparat voraus.

Neben Pflanzen können Algen und bestimmte Bakterien Fotosynthese betreiben. Die verwendeten Farbstoffe unterscheiden sich etwas, aber das Grundprinzip der Sonnenenergienutzung ist immer

Stoffwechsel

das gleiche. Praktisch alle in der Natur existierenden Fotosyntheseapparate stammen folglich von einem gemeinsamen Vorläufer ab.

Pflanzen nutzen für die Fotosynthese nicht das gesamte **Lichtspektrum** mit gleicher Effizienz (→ Abb. 1), sondern bevorzugt den kurzwelligen Bereich (blaues Licht) und den langwelligen Bereich (rotes Licht). Um das nachzuweisen, kann man das Licht mithilfe eines Prismas in seine Anteile unterschiedlicher *Wellenlänge* und damit *Farbe* zerlegen. Wenn die verschiedenen Lichtanteile auf Pflanzen gestrahlt werden, führen sie zu unterschiedlich intensiver Sauerstoffbildung. Also sind die verschiedenen Lichtfarben in der Fotosynthese unterschiedlich wirksam. Der Grund dafür wird klar, wenn die **Fotosynthesepigmente** (*Fotosynthesefarbstoffe*) aus grünen Pflanzenblättern extrahiert und isoliert werden (→ Abb. 2) und man ermittelt, welche Anteile des weißen Lichts diese Pigmente besonders gut einfangen können.

Wie alle Farbstoffe fangen die Fotosynthesepigmente Licht bestimmter Wellenlänge ein. Dadurch werden Elektronen der Pigmentmoleküle auf ein höheres Energieniveau angehoben. Wir sprechen von der **Absorption** der Lichtenergie. Nach der Absorption ist das Pigmentmolekül in einem *angeregten Zustand*. Die ursprüngliche Lichtenergie ist dann als Anregungsenergie in dem Pigmentmolekül enthalten. Der absorbierte Lichtanteil verschwindet aus dem Gesamtspektrum des weißen Lichts, mit dem das Pigment bestrahlt worden ist, sodass nun nur die übrig-

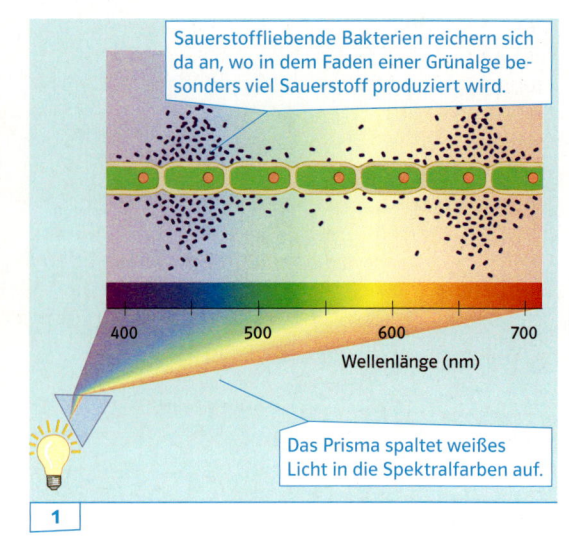

1 Rotes und blaues Licht treiben die Fotosynthese wirkungsvoller an als grünes Licht.

Sauerstoffliebende Bakterien reichern sich da an, wo in dem Faden einer Grünalge besonders viel Sauerstoff produziert wird.

Das Prisma spaltet weißes Licht in die Spektralfarben auf.

Methode: Dünnschichtchromatografie

Anwendung
Isolierung von Fotosynthesepigmenten aus Pflanzenblättern

Methode
Blätter werden zerkleinert **a** und dann in einem Mörser mit Quarzsand und Propanon (Aceton) verrieben **b**; dabei lösen sich die Pigmente im Propanon und können mit dem Lösungsmittel abfiltriert werden **c**. Die Lösung wird auf eine Dünnschichtchromatografie-(DC-)Platte aufgetragen **d**. Auf der Platte befindet sich eine dünne Schicht von Trägermaterial, in diesem Fall Kieselgel. Man stellt die Platte nach Verdunstung des Propanons in ein Gefäß, sodass sie gerade in das Laufmittel eintaucht **e**. Das Laufmittel ist zumeist ein Lösungsmittelgemisch. Das Lösungsmittel steigt im Trägermaterial auf der DC-Platte nach oben. Da die verschiedenen Pigmente im Lösungsmittel unterschiedlich gut löslich sind und unterschiedlich stark an das Trägermaterial binden, wandern sie unterschiedlich weit mit und werden dadurch voneinander getrennt.

Ergebnis
Am weitesten wandert der Farbstoff β-Carotin (rotorange), dann folgt Chlorophyll *a* (blaugrün), Chlorophyll *b* (gelbgrün) und ein Gemisch von carotinähnlichen Pigmenten, den Carotinoiden (gelborange). Die Pigmente können einzeln aus dem Trägermaterial extrahiert werden, um zum Beispiel ihr Absorptionsspektrum zu messen.

2 Fotosynthesepigmente können aus grünen Blättern extrahiert und chromatografisch aufgetrennt werden.

bleibende *Komplementärfarbe* wahrgenommen wird. Also absorbieren die gelborange erscheinenden Farbstoffe, die *Carotinoide* (β-Carotin und seine Abkömmlinge), blaues Licht, und die grünen Farbstoffe, die *Chlorophylle*, absorbieren rotes Licht (und außerdem noch blaues Licht). Bei welcher Wellenlänge ein bestimmtes Pigment das Licht besonders gut absorbiert, lässt sich aus seinem **Absorptionsspektrum** ablesen (→ Abb. 3). Zum Messen eines Absorptionsspektrums wird eine Farbstofflösung nacheinander mit Licht verschiedener Wellenlängen aus dem ganzen Spektralbereich bestrahlt. Aufgetragen wird, wie viel Prozent des Lichts jeweils absorbiert werden. Im grünen und gelben Spektralbereich absorbiert keines der Fotosynthesepigmente besonders gut. Das erklärt zum einen, warum Pflanzenblätter grün aussehen. Zum anderen ist dies der Grund dafür, dass die Grünalge in Abb. 1 bei gelber und grüner Belichtung besonders wenig Sauerstoff produziert.

Die Abhängigkeit der Fotosyntheserate eines Blatts oder einer Pflanze von der Wellenlänge des auftreffenden Lichts kann man, ähnlich wie ein Absorptionsspektrum, genau messen und erhält dann ein **Wirkungsspektrum** (→ Abb. 3). Die Fotosyntheserate bestimmt man z. B., indem man die Geschwindigkeit der Sauerstoffproduktion misst (→ Abb. 1, S. 123).

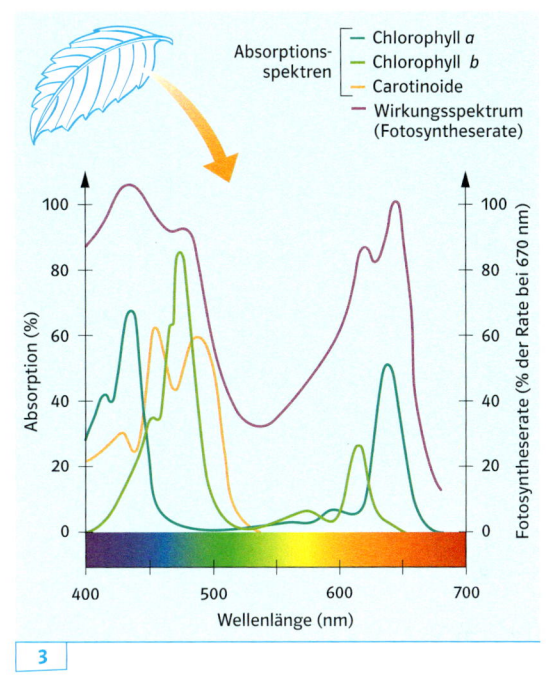

3
Die Fotosynthese ist in den Spektralbereichen des Lichts besonders effizient, in denen die Fotosynthesepigmente besonders gut absorbieren.

Aufgabe 8.2

In tieferen Wasserschichten treten Algen mit anderen Pigmenten auf als in höheren Wasserschichten. Im Tiefen absorbieren sie gerade im grünen Spektralbereich gut. Erklären Sie diesen Befund.

8.3 Die Fotosynthesepigmente sind an Membranproteine gebunden

Innerhalb der Chloroplasten ist das Grün konzentriert in einem ausgedehnten inneren Membransystem, der *Thylakoidmembran*, die auffallende Stapel, die *Grana*, ausbildet. In dieser Membran befindet sich das Fotosynthesepigment **Chlorophyll**.

Das Chlorophyllmolekül besteht wie die Hämgruppe (→ Abb. 5, S. 99) aus einem *Porphyrinring*, hat aber ein zentral gebundenes Magnesium-Ion sowie eine Phytolkette (→ Abb. 1, S. 136). Der Porphyrinring mit seinen zahlreichen Doppelbindungen ist für die grüne Farbe verantwortlich. Die beiden Versionen des Moleküls, Chlorophyll *a* und Chlorophyll *b*, deren unterschiedliche Absorptionsspektren Sie in Abb. 3 oben bereits kennengelernt haben, unterscheiden sich nur in einer einzigen Seitengruppe am Porphyrinring. Die hydrophobe Phytolkette hält das Chlorophyll im hydrophoben Bereich der Thylakoidmembran fest.

Die Chlorophylle schwimmen allerdings nicht frei beweglich in der Lipiddoppelschicht der Thylakoidmembran, sondern sind an Proteine gebunden (→ Abb. 1, S. 136). Die meisten sind in zwei unterschiedlichen **Fotosystemen** organisiert (FS I bzw. FS II).* Jedes dieser Fotosysteme enthält in seinem Reaktionszentrum ein herausgehobenes Chlorophyll-*a*-Molekül (P_{700} bzw. P_{680}), das für die Umwandlung der aufgenommenen Lichtenergie in chemische Energie zuständig ist. Der Buchstabe P steht dabei für „Pigment", und die Zahl gibt die Wellenlänge der maximalen Absorption in Nanometern (10^{-9} m) an. Alle anderen Chlorophyll-*a*- und Chlorophyll-*b*-Moleküle sowie die Carotinoide —

Kompartimentierung

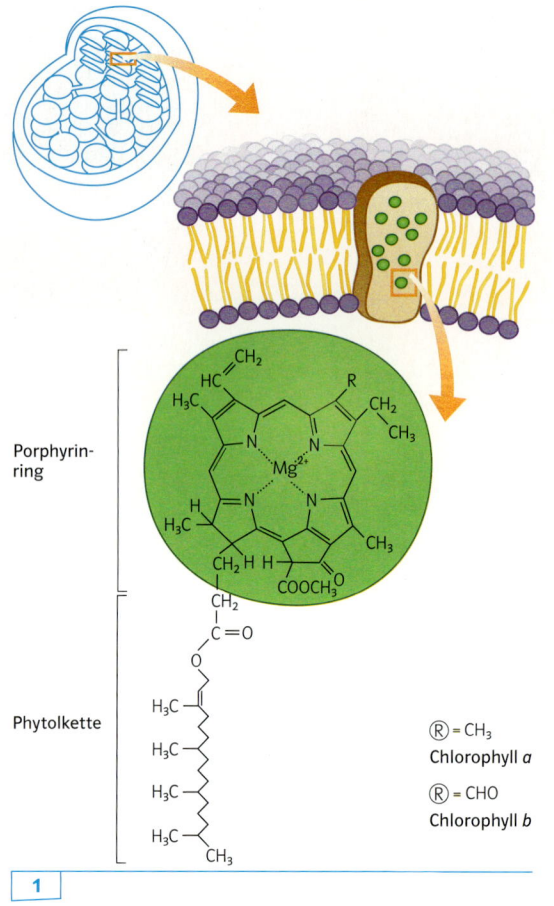

Stoffwechsel

1

Alle Chlorophylle befinden sich in Transmembranproteinen der Thylakoidmembranen.

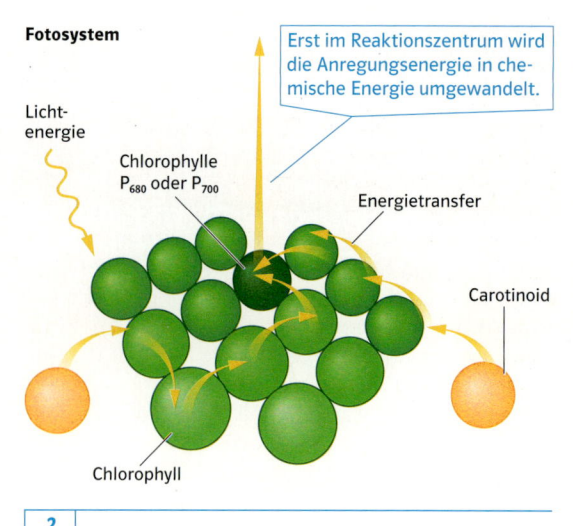

R = CH_3 Chlorophyll *a*
R = CHO Chlorophyll *b*

Porphyrinring
Phytolkette

Fotosystem

Lichtenergie

Chlorophylle P_{680} oder P_{700}

Energietransfer

Carotinoid

Chlorophyll

Erst im Reaktionszentrum wird die Anregungsenergie in chemische Energie umgewandelt.

2

Viele Lichtsammelpigmente bilden ein Fotosystem. Sie absorbieren Licht und leiten die Energie weiter bis zum P_{680} oder P_{700} (dunkelgrün) im Reaktionszentrum.

das sind zusammen über 100 Pigmentmoleküle pro Fotosystem — absorbieren ebenfalls Lichtenergie, geben diese jedoch von Pigment zu Pigment weiter (*Energietransfer*). Schließlich erreicht diese Anregungsenergie P_{700} bzw. P_{680} im Reaktionszentrum (→ Abb. 2). Jedes Fotosystem besitzt also sein eigenes „Sonnensegel" aus Lichtsammelpigmenten, um möglichst viel Lichtenergie umsetzen zu können. Es bildet eine *Lichtsammelfalle*. Beide Fotosysteme werden in der Fotosynthese benötigt (→ 8.4).

Aufgabe 8.3

Die meisten Pflanzen können die Zahl der Lichtsammelpigmente pro Reaktionszentrum ihrem Bedarf anpassen. Stellen Sie eine Hypothese auf, wie sich diese Zahl ändern wird, wenn eine zuvor sonnenbeschienene Pflanze durch ihre wachsende Nachbarpflanze dauerhaft beschattet wird.

8.4 Der lichtabhängige Elektronentransport ermöglicht die Synthese von ATP

Im Jahr 1957 machte R. EMERSON eine erstaunliche Entdeckung. Wenn er Pflanzen gleichzeitig mit 700-nm-Licht für FS I (P_{700}) und 680-nm-Licht für FS II (P_{680}) anregte, so war die Fotosyntheserate größer, als wenn er sie mit den einzelnen Wellenlängen bestrahlte und die jeweils beobachteten Fotosyntheseraten zusammenzählte (→ Abb. 1). Wie dieser sogenannte *Emerson-Effekt* zeigt, arbeiten die beiden Fotosysteme zusammen. Tatsächlich arbeiten sie in einer Abfolge chemischer Reaktionen Hand in Hand.

Aber wie kommt die geheimnisvolle Umwandlung von Lichtenergie in chemische Energie zustande? Fangen wir beim FS II mit dem Chlorophyll P_{680} in seinem Reaktionszentrum an. Der Clou liegt darin, dass P_{680} nach seiner Anregung mit Lichtenergie zu einem hervorragenden *Reduktionsmittel* wird.

Das angeregte P^*_{680} kann sehr viel leichter Elektronen auf andere Moleküle übertragen als das stabilere P_{680}. Das sehen Sie in Abb. 2 daran, dass P_{680} bei Anregung zum P^*_{680} auf der Y-Achse viel weiter nach oben rutscht, hin zu negativeren Redoxpotenzialen. Je negativer das **Redoxpotenzial**, desto höher ist das *Elektronenübertragungspotenzial*, also die Bereitschaft, an einen Reaktionspartner Elektronen abzugeben (→ 6.1). Moleküle mit einem hohen Elektronenübertragungspotenzial können leicht und spontan Elektronen auf Moleküle mit einem niedrigeren Potenzial übertragen und diese reduzieren, während sie selbst dabei oxidiert werden. Solche Reaktionen nennt man **Redoxreaktionen** (→ Abb. 1, S. 106). Angeregtes P^*_{680} gibt also spontan ein Elektron ab, das über eine Reihe von Stationen energetisch bergab weitergereicht wird zum P_{700} (→ Abb. 2 ⓐ). Dieses wird wiederum durch Anregung mit Lichtenergie auf ein höheres Elektronenübertragungspotenzial katapultiert, sodass die Elektronen jetzt bergab bis zum $NADP^+$ fließen ⓑ. Umgekehrt besitzt das P_{680}, das sein Elektron und damit auch seine Anregungsenergie abgegeben hat, ein niedrigeres Elektronenübertragungspotenzial als Wasser. Elektronen können also vom Wasser energetisch bergab zum P_{680} fließen und dessen Elektronenlücke wieder auffüllen ⓒ. Wenn ein Wassermolekül (H_2O) zwei Elektronen abgegeben hat, bleiben ½ O_2 und 2 H^+ übrig.

Im Endeffekt landen also Elektronen vom Wasser mit seinem niedrigen Elektronenübertragungspotenzial nach ihrer Weiterleitung über die lange **Elektronentransportkette** im viel besseren Reduktionsmittel NADPH. Dafür muss allerdings an zwei Stellen in der Kette, im FS II und im FS I, durch Lichtenergie das Elektronenübertragungspotenzial von P_{680} bzw. P_{700}

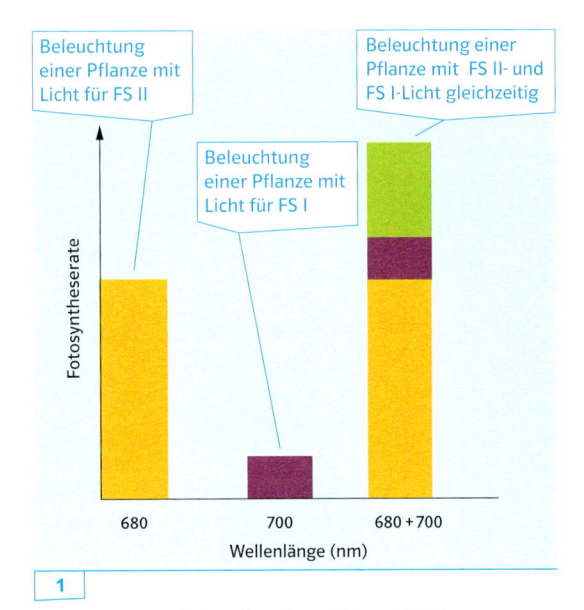

1 Der Emerson-Effekt zeigt, dass FS I und FS II zusammenarbeiten.

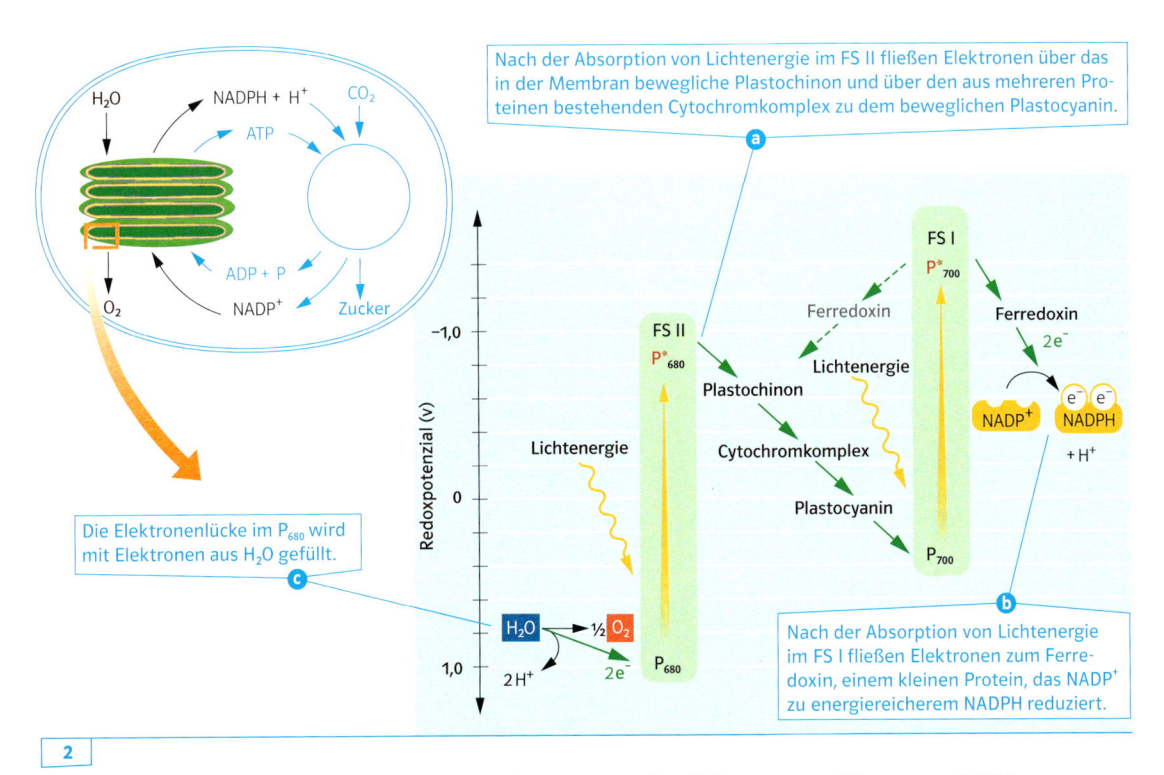

2 Die Elektronentransportkette in der Thylakoidmembran transportiert Elektronen vom Wasser zum $NADP^+$.

Stoffwechsel

Plastochinon nimmt 2 e⁻ und 2 H⁺ an der Thylakoidaußenseite auf ... ⓑ

... und gibt sie auf der Innenseite wieder ab. Durch einen Verstärkungsmechanismus werden bis zu 2 H⁺ pro e⁻ über die Membran transportiert. ⓒ

Bei der Reduktion von NADP⁺ auf der Thylakoidaußenseite wird pro 2 e⁻ ein H⁺ gebunden. ⓓ

Ein Protonengradient treibt die ATP-Synthese an. ⓔ

Bei der Wasserspaltung im Thylakoidinnenraum wird für jedes freigesetzte Elektron ein Proton erzeugt. ⓐ

3

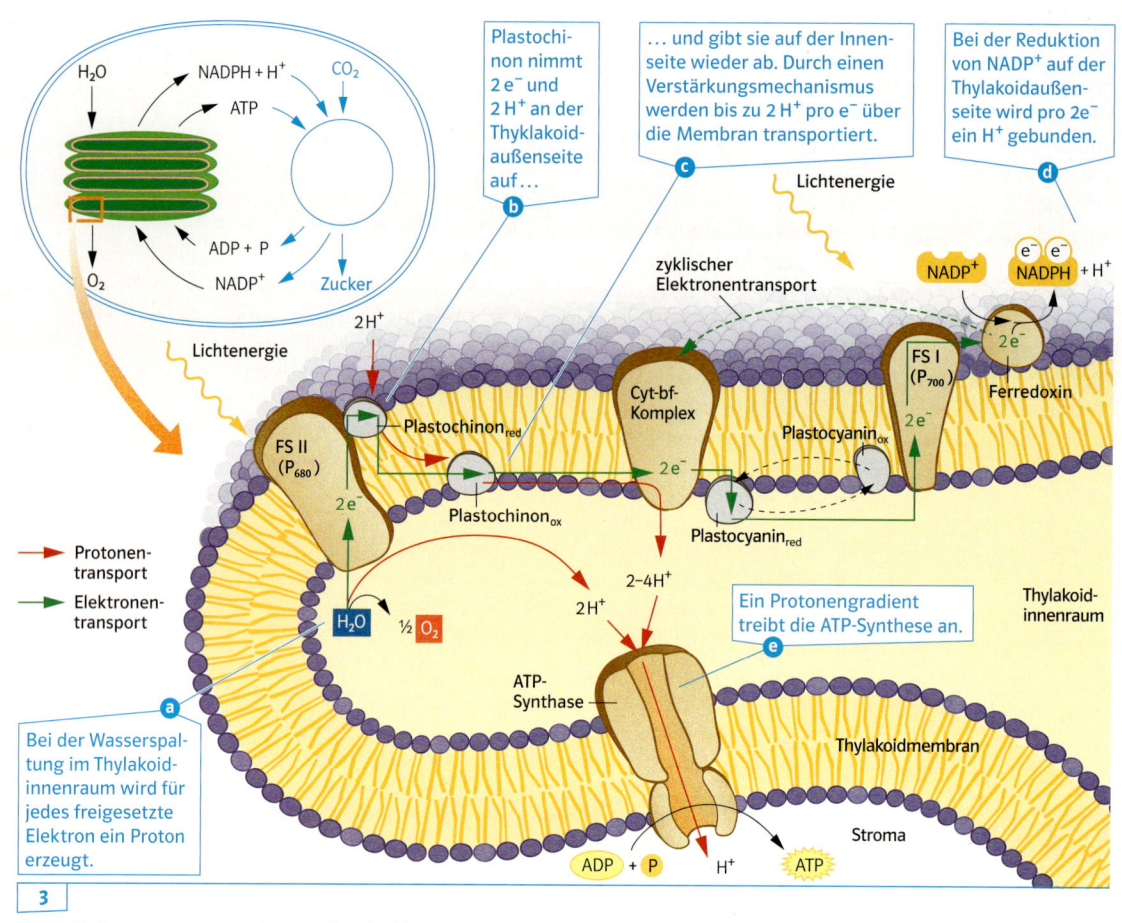

Beim Elektronentransport in der Thylakoidmembran wird über die Membran ein Protonen-Konzentrationsgefälle (Protonengradient) aufgebaut. („red" und „ox" bedeuten „reduziert" bzw. „oxidiert".)

Kompartimentierung

drastisch erhöht werden. FS I und FS II sind in Reihe geschaltet – das ist der Grund für EMERSONS Entdeckung, dass sie bei gleichzeitiger Anregung am besten arbeiten. Wegen des Zickzackverlaufs der Elektronentransportkette im Redoxschema wird dieses auch *Z-Schema* genannt. Die einzelnen Glieder der Elektronentransportkette, die die Elektronen in der Thylakoidmembran weiterreichen, sind in Abb. 3 dargestellt.

Für die *lichtunabhängigen Reaktionen* (→ 8.1 und → 8.5) wird neben dem Reduktionsmittel NADPH auch das energiereiche Molekül ATP (→ Abb. 2, S. 67) benötigt. Wenn Pflanzen in der Lage sind, ihre Stoffwechselenergie aus dem Licht zu beziehen, dann müssen sie also auch ATP mithilfe von Lichtenergie synthetisieren können. Wie geschieht das?

Tatsächlich befinden sich in den Chloroplasten, genauer in der Thylakoidmembran, **ATP-Synthasen**, die denen in der inneren Mitochondrienmembran (→ Abb. 2, S. 111) ähneln. Auch die ATP-Synthasen der Chloroplasten werden durch ein Protonen-Konzentrationsgefälle angetrieben, in diesem Fall zwischen dem Thylakoidinnenraum und dem Stroma (→ Abb. 3).

Die neue Frage lautet also: Wie kommt die gegenüber dem Stroma erhöhte Protonenkonzentration im Thylakoidinnenraum zustande?

Der *lichtgetriebene Elektronentransport* in der Thylakoidmembran bewirkt gleichzeitig einen Protonentransport in den Thylakoidinnenraum hinein. Energetisch kann man sich das so vorstellen, dass beim Elektronenfluss von Molekülen mit hohem Elektronenübertragungspotenzial zu solchen mit niedrigem Potenzial (etwa vom Plastochinon zum Plastocyanin) Energie frei wird. Ein Teil dieser Energie wird dazu verwendet, ein H⁺-Konzentrationsgefälle über die Thylakoidmembran hinweg aufzubauen. Wie Sie in Abb. 3 sehen, ist dafür die räumliche Verteilung der einzelnen Redoxreaktionen von entscheidender Bedeutung.* Bei der Wasserspaltung im Thylakoidinnenraum werden zwei H⁺ pro zwei transportierten Elektronen freigesetzt ⓐ. Plastochinon übernimmt 2 Elektronen vom FS II und gleichzeitig 2 H⁺ an der Thylakoidaußenseite ⓑ. Bei der Übergabe der Elektronen an Plastocyanin gibt Plastochinon diese H⁺ an der Thylakoidinnenseite wieder ab ⓒ. Durch einen Verstärkungsmechanismus können hier sogar bis zu 4 H⁺ pro 2 Elektronen über die Membran transportiert werden. Im letzten Schritt der Elektronentransportkette wird ein H⁺ auf der Thylakoidaußenseite, im Stroma, zusammen mit den beiden Elektronen an NADP⁺ gebunden, wodurch NADPH entsteht **d**. Alle diese Schritte tragen dazu bei, dass die H⁺-Konzentration im Thylakoidinnenraum zu- und im Stroma abnimmt. Als Ergebnis wird in einer aktiv fotosynthetisierenden Pflanzenzelle der Thylakoidinnenraum auf einen pH-Wert von ca. 5 angesäuert, während das Stroma schwach alkalisch ist (pH 8). Das ist immerhin ein tausendfacher Konzentrationsunterschied an Protonen, da sich die Protonenkonzentration mit jeder pH-Einheit um den Faktor 10 ändert (→ Abb. 2, S. 26).

Wenn die Protonen aufgrund des Konzentrationsgefälles durch die ATP-Synthase zurückfließen **e**, treiben sie diese wie eine Turbine an und versetzen sie in die Lage, das energiereiche ATP aus den energieärmeren Molekülen ADP und Phosphat zu synthetisieren. Wie in den Mitochondrien wird ATP also auch hier durch **Chemiosmose** erzeugt (→ Abb. 2, S. 111). Das heißt, das Protonen-Konzentrationsgefälle liefert die notwendige Energie für die ATP-Herstellung. Die Chemiosmose wurde zuerst für die ATP-Synthese in der mitochondrialen Atmungskette gezeigt (→ Abb. 3, S. 112) und später in einem ähnlichen Experiment auch für die fotosynthetische ATP-Erzeugung nachgewiesen.

Pro NADPH werden 1–2 ATP gebildet. Diese beiden Energieträger werden aber nicht immer im gleichen Verhältnis gebraucht; manchmal reicht das ATP nicht aus. Hierauf kann die Pflanze flexibel reagieren, indem sie auf *zyklischen Elektronentransport* umschaltet (→ Abb. 2, S. 137, gestrichelter Pfeil). Dabei überträgt FS I die Elektronen nach wie vor auf Ferredoxin, aber von hier laufen sie zurück zum Plastochinon und von dort aus wieder zu FS I, also im Kreis herum. Beim zyklischen Elektronentransport wird kein Wasser gespalten und auch kein NADPH gebildet. Aber das Plastochinon kann weiter Protonen in den Thylakoidinnenraum pumpen und damit die ATP-Synthese antreiben.

Stoff- und Energieumwandlung

Aufgabe 8.4
Substanzen, die die Thylakoidmembranen für Protonen durchlässig machen, sind giftig für Pflanzen. Erklären Sie.

| 8.5 | **In den lichtunabhängigen Reaktionen wird aus sechs CO₂-Molekülen ein Zuckermolekül aufgebaut** |

Die beiden energiereichen Moleküle NADPH und ATP speichern einen Teil der Lichtenergie, die die *lichtabhängigen* Fotosynthesereaktionen antreibt. Aber wie kann mithilfe dieser Substanzen das energiearme, gasförmige CO_2 in energiereichen Zucker umgewandelt werden? Wie gelangt das anorganische CO_2 überhaupt in die Welt der organischen Moleküle hinein? Das war lange Zeit ein großes Rätsel, bis es in den 1950er Jahren von M. CALVIN auf genial einfache Weise gelöst wurde (→ Abb. 1, S. 140). Ihm zu Ehren werden die lichtunabhängigen Reaktionen auch als **Calvinzyklus** bezeichnet. CALVIN bot fotosynthetisierenden Grünalgen radioaktiv markiertes CO_2 an, ließ ihnen für die CO_2-Fixierung aber nur wenige Sekunden Zeit, sodass keine Folgereaktionen auftreten konnten. Anschließend identifizierte er das radioaktive Einbauprodukt mittels Papierchromatografie. Dieses Verfahren erlaubt die Auftrennung kleiner Biomoleküle.

Wie sich bei diesen und ähnlichen Messungen herausstellte, wird CO_2 zunächst auf einen phosphathaltigen Zucker mit fünf C-Atomen (C_5) übertragen, nämlich auf *Ribulose-1,5-bisphosphat*. Dieses Zwischenprodukt zerfällt dann aber sehr schnell unter Reaktion mit Wasser zu zwei Molekülen *3-Phosphoglycerat* (C_3). 3-Phosphoglycerat ist die ionisierte Form der 3-Phosphoglycerinsäure (PGS; → Abb. 2, S. 141).

$$C_5 + CO_2 + H_2O \rightarrow 2\, C_3$$

Diese Reaktion wird katalysiert durch ein Enzym mit dem Namen *Ribulose-1,5-bisphosphat-carboxylase-oxygenase*. Da nur wenige Wissenschaftler Lust haben, diesen langen Namen auszusprechen, nennt fast jeder das Enzym **Rubisco**. Es ist wahrscheinlich das häufigste Enzym auf der Erde. In Blättern kann es bis zu 50 % der Proteinmasse ausmachen. Gleichzeitig ist es ein ungewöhnlich langsames Enzym, das nur 2 bis 3 Substratumsätze pro Sekunde schafft. Wahrscheinlich brauchen Pflanzen deshalb so viel davon. Rubisco ist ein riesiges Protein (13 nm) aus acht großen und acht kleinen

Stoff- und Energieumwandlung

Experiment: Identifizierung des ersten Produkts nach CO₂-Einbau im Calvinzyklus

Frage
In welches organische Molekül wird fixiertes CO_2 als erstes eingebaut?

Methode

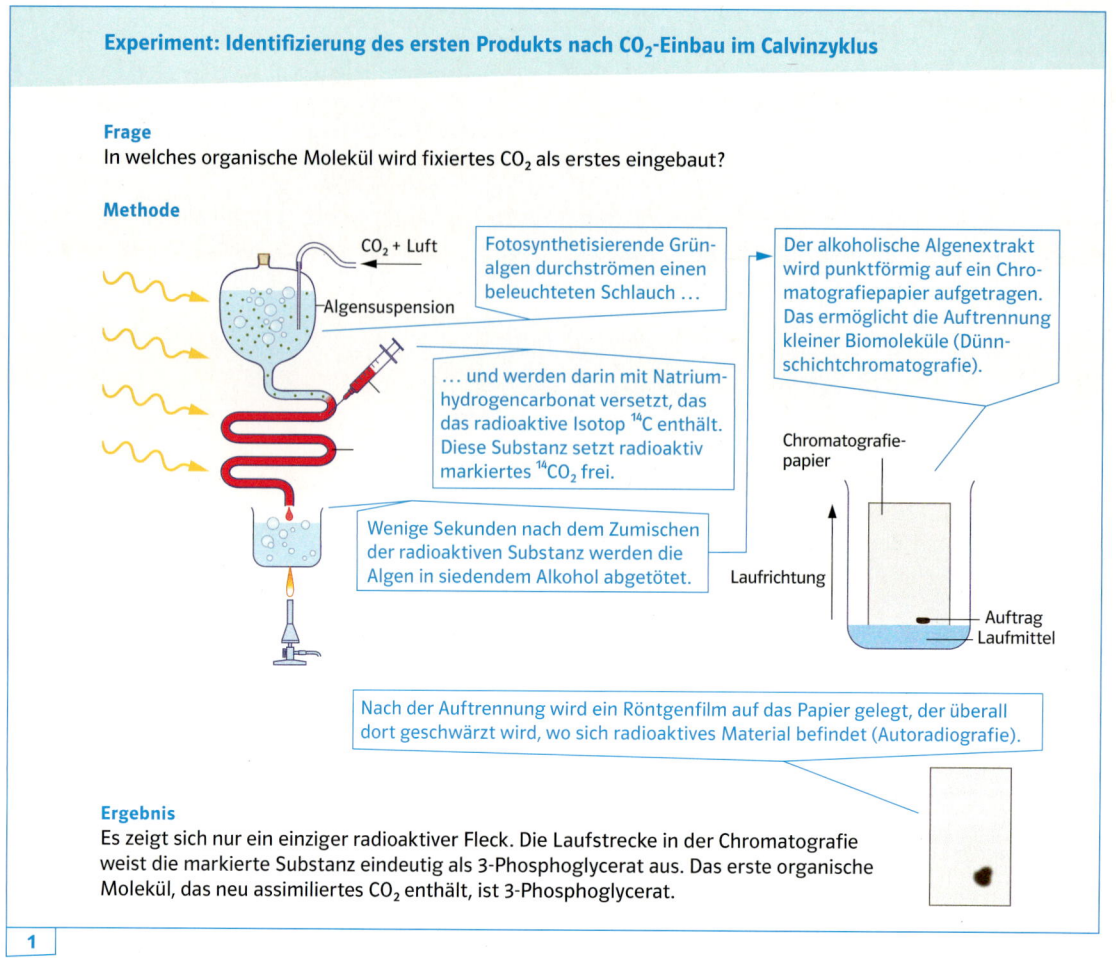

Fotosynthetisierende Grünalgen durchströmen einen beleuchteten Schlauch …

… und werden darin mit Natriumhydrogencarbonat versetzt, das das radioaktive Isotop ^{14}C enthält. Diese Substanz setzt radioaktiv markiertes $^{14}CO_2$ frei.

Wenige Sekunden nach dem Zumischen der radioaktiven Substanz werden die Algen in siedendem Alkohol abgetötet.

Der alkoholische Algenextrakt wird punktförmig auf ein Chromatografiepapier aufgetragen. Das ermöglicht die Auftrennung kleiner Biomoleküle (Dünnschichtchromatografie).

Nach der Auftrennung wird ein Röntgenfilm auf das Papier gelegt, der überall dort geschwärzt wird, wo sich radioaktives Material befindet (Autoradiografie).

Ergebnis
Es zeigt sich nur ein einziger radioaktiver Fleck. Die Laufstrecke in der Chromatografie weist die markierte Substanz eindeutig als 3-Phosphoglycerat aus. Das erste organische Molekül, das neu assimiliertes CO_2 enthält, ist 3-Phosphoglycerat.

1 Assimiliertes CO_2 taucht zuerst in 3-Phosphoglycerat (PGS) auf.

Untereinheiten. Interessanterweise werden nur die großen Untereinheiten im Chloroplasten synthetisiert, die kleinen werden aus dem Cytoplasma importiert. Noch ein weiterer Superlativ macht Rubisco zu einem der wichtigsten Enzyme. Fast alle organischen Moleküle auf der Erde entstanden aus CO_2, das irgendwann von Rubisco fixiert wurde.

Letztendlich wird das CO_2 überwiegend zum Aufbau von Glucose genutzt, einem Zuckermolekül mit sechs C-Atomen. Dazu muss die Carbonsäuregruppe von PGS zu einer Aldehydgruppe reduziert werden; es entsteht 3-Phosphoglycerinaldehyd (PGA, → Abb. 2). Hierfür werden NADPH als Reduktionsmittel und ATP als Energiequelle benötigt. In dieser Reaktion wird der überwiegende Teil der energiereichen Substanzen aus den lichtabhängigen Fotosynthesereaktionen verbraucht. Aus diesem Grund läuft die fotosynthetische Zuckersynthese aus CO_2 nur im Licht ab; sie ist auf die energiereichen Substanzen aus den lichtabhängigen Reaktionen angewiesen. Trotzdem werden die Reaktionen in diesem Abschnitt der Fotosynthese als licht-

unabhängig bezeichnet, da Lichtabsorption in diesem Fall nicht direkt beteiligt ist.

Aus zwei C_3-Zuckern (zweimal 3-Phosphoglycerinaldehyd, PGA) kann die Pflanze recht einfach den C_6-Zucker Glucose herstellen. Wenn jedoch ausschließlich dies passierte, dann wäre in kurzer Zeit das Ribulose-1,5-bisphosphat verbraucht, das Cosubstrat für die CO_2-Fixierung durch Rubisco. Daher verwenden Pflanzenzellen nur einen kleinen Teil des gebildeten 3-Phosphoglycerinaldehyds zur Glucosesynthese. Das meiste wird in einer Folge von Zucker-Umwandlungsreaktionen zu Ribulose-1,5-bisphosphat regeneriert. Damit schließen sich die lichtunabhängigen Reaktionen der Fotosynthese zu einem Stoffkreislauf, dem Calvinzyklus (→ Abb. 3). Zusammengefasst laufen dort folgende Schritte ab:

- *Fixierung* von 6 Molekülen CO_2
- *Reduktion* von 12 PGS zu 12 PGA
- *Regeneration* von 10 PGA zu 6 Ribulose-1,5-bisphosphat
- *Kondensation* der zwei übrigen PGA zu **Glucose**

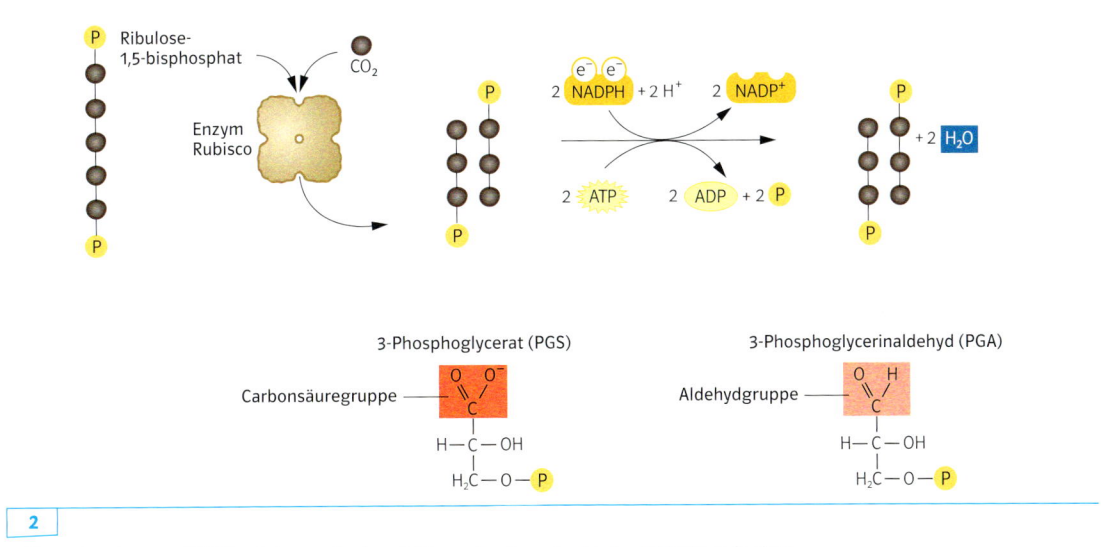

2

3-Phosphoglycerat (PGS) wird zum Zucker 3-Phosphoglycerinaldehyd (PGA) reduziert.

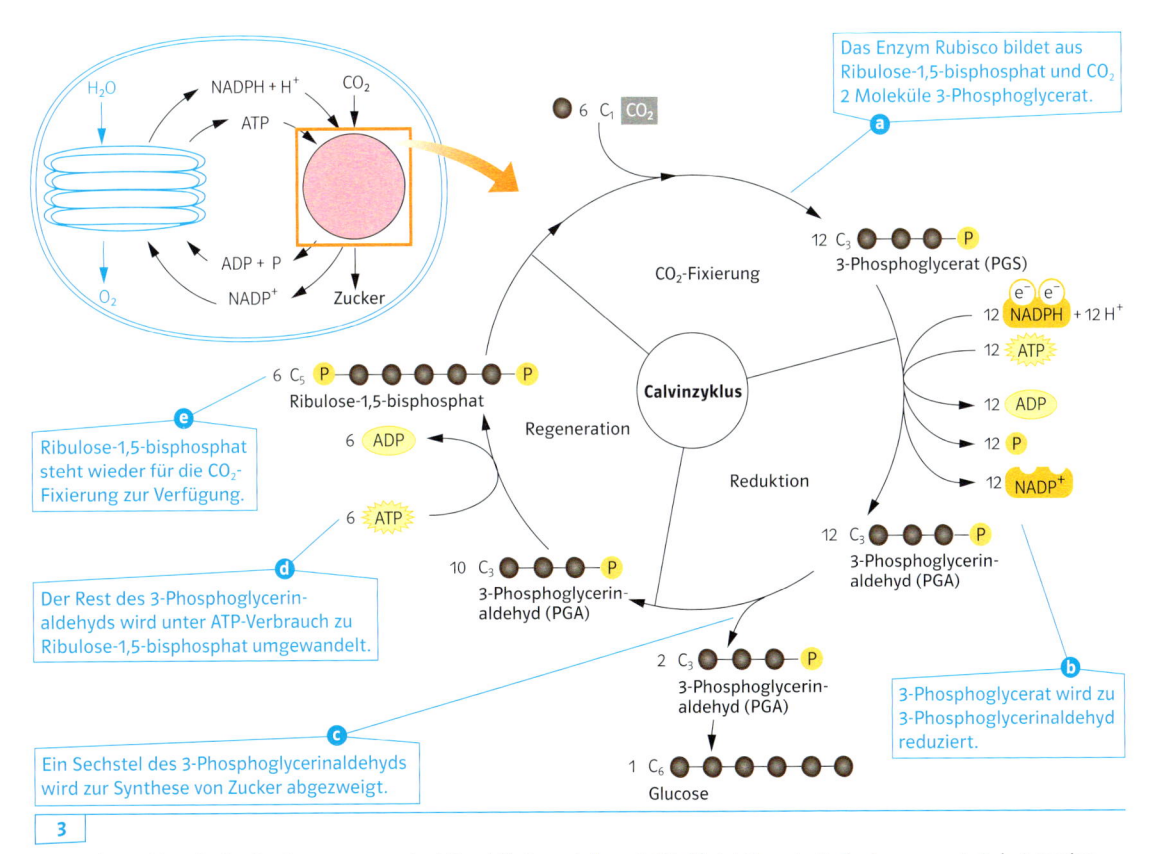

a Das Enzym Rubisco bildet aus Ribulose-1,5-bisphosphat und CO_2 2 Moleküle 3-Phosphoglycerat.

b 3-Phosphoglycerat wird zu 3-Phosphoglycerinaldehyd reduziert.

c Ein Sechstel des 3-Phosphoglycerinaldehyds wird zur Synthese von Zucker abgezweigt.

d Der Rest des 3-Phosphoglycerinaldehyds wird unter ATP-Verbrauch zu Ribulose-1,5-bisphosphat umgewandelt.

e Ribulose-1,5-bisphosphat steht wieder für die CO_2-Fixierung zur Verfügung.

3

Der Calvinzyklus findet im Stroma statt. In 6 Durchläufen wird aus 6 CO_2-Molekülen ein C_6-Zucker erzeugt. Dabei werden insgesamt 12 NADPH sowie 18 ATP verbraucht.

Aufgabe 8.5

Erläutern Sie die Wechselbeziehungen zwischen den lichtabhängigen und den lichtunabhängigen Reaktionen.

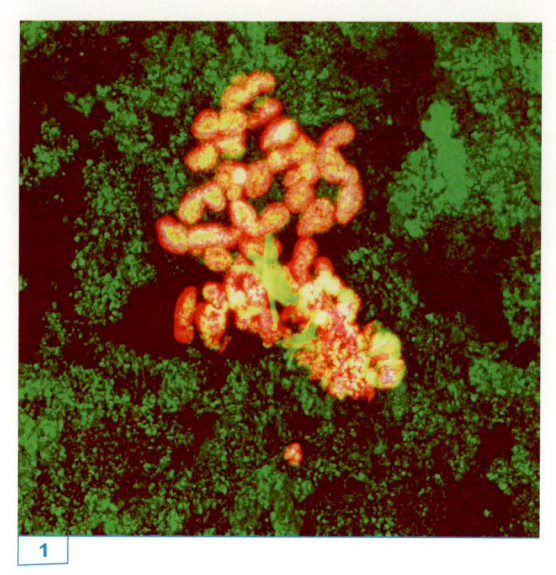

8.6 Manche Bakterien können ganz ohne Licht oder organische Nährstoffe leben

1 Methan produzierende Mikroorganismen leben tief im Urgestein von Wasserstoff und CO_2. Die Organismen sind gelb-rot angefärbt, während das Basaltgestein grünlich erscheint.

Gibt es Leben auf dem Mars? Auf dem Mars sieht man vom Weltraum aus kein Pflanzengrün, und es gibt bisher keinerlei Anzeichen von Lebewesen auf diesem Planeten. Aber hier auf der Erde findet man lebende Organismen unter Bedingungen, die fast so unwirtlich erscheinen wie die auf dem Mars. Oder hätten Sie mit Leben gerechnet mitten in Urgesteinsschichten viele hundert Meter unter der Erdoberfläche?

Im Jahr 1995 bohrten amerikanische Wissenschaftler bis zu 1200 m tief in Basaltgestein unter dem Snake River in Washington State und fanden tatsächlich dort in Wasseradern jede Menge Bakterien (→ Abb. 1). Mitten im Gestein ist es stockdunkel, es gibt keinen Sauerstoff, und außer den Bakterien selbst und dem von ihnen produzierten Methan (siehe unten) fanden die Forscher kein anderes organisches Material, das als Nahrungsquelle dienen könnte. Diese Mikroorganismen leben also „bei Wasser und Stein". Obwohl sie tatsächlich als „Steinfresser" (*Lithophagen*) bezeichnet werden, ernähren sie sich nur indirekt von Steinen. Bei einer Reaktion von O_2-armem Wasser mit eisenhaltigem Gestein entsteht Wasserstoff (H_2) und dieser dient den Organismen als Energiequelle. Sie produzieren aus CO_2 und H_2 die gasförmige Kohlenstoffverbindung Methan (CH_4), die sie teilweise freisetzen, sowie andere organische Verbindungen. Diese Mikroorganismen sind also nur auf CO_2 als Kohlenstoffquelle und ein anorganisches Molekül (H_2) als Energiequelle angewiesen, nutzen also nicht Licht, sondern chemische Energie. Sie sind **chemoautotroph**. Die CO_2-Fixierung erfolgt bei dieser **Chemosynthese** nach dem gleichen Prinzip wie bei der Fotosynthese. In den untersuchten Bohrproben gab es auch *heterotrophe* Mikroorganismen, die Methan als organische Nahrungsquelle nutzen und so mit den Methanproduzenten eine Lebensgemeinschaft bilden.

Bereits 20 Jahre früher war die Überraschung ebenfalls groß, als in der Tiefsee, 2 500–3 000 m unter der Meeresoberfläche, an bestimmten Punkten eine große Vielfalt von Lebewesen entdeckt wurde. In der Nähe von heißen Quellen, die Schwefelwasserstoff aus der Erdkruste ausspucken, fanden sich auf engstem Raum zahllose in Röhren lebende Bartwürmer (→ Abb. 2), Muscheln, Krabben und Fische. In dieser Tiefe ist es ebenfalls stockdunkel, es ist also keine Fotosynthese möglich (→ 26.6). Und die vielen Organismen konnten unmöglich alle von dem organischen Material leben, das ständig von geringeren Tiefen zum Meeresgrund sinkt. Stattdessen existieren hier ebenfalls chemoautotrophe Mikroorganismen, nämlich Bakterien, die die Oxidation von Schwefelwasserstoff als Energiequelle benutzen. Diese Bakterien leben in Symbiose mit den Bartwürmern und ernähren sie, und die Abfälle der Bartwürmer dienen den übrigen Organismen als Nahrungsquelle. Auch in der Tiefsee bilden also chemoautotrophe

2 Bartwürmer sind Teil einer Lebensgemeinschaft an heißen Quellen in der Tiefsee.

Organismen die Grundlage für eine vielfältige Lebensgemeinschaft.*

Chemoautotrophe Bakterien finden sich auch unter weniger extremen Lebensbedingungen. So gehören die Schwefel oxidierenden Bakterien zu dieser Gruppe, die in Gewässern und in Kläranlagen den Schwefelwasserstoff aus Fäulnisprozessen zu Schwefelsäure oxidieren. Wichtig sind ebenfalls die nitrifizierenden Bodenbakterien, denn sie oxidieren Ammoniak aus zersetztem organischem Material zu Nitrit und anschließend weiter zu Nitrat, das dann wieder von Pflanzen aufgenommen werden kann (→ Abb. 1, S. 351). Auch bei diesen Reaktionen werden energiereichere anorganische Substanzen zu energieärmeren umgebaut (→ Abb. 3). Die Chemoautotrophie ist demzufolge für eine Reihe von Stoffkreisläufen in der Natur wichtig. Für die globale Energiebilanz des Lebens spielen diese Prozesse allerdings nur eine ganz untergeordnete Rolle. Der weitaus größte Teil der Lebewesen auf der Erde hängt, direkt oder indirekt, von der Solarenergie und damit von der Fotosynthese ab, die auf dem Festland und im Wasser stattfindet. Die Grünfärbung der Kontinente, die Sie am Beginn dieses Kapitels aus Weltraumperspektive betrachten können, signalisiert also tatsächlich die Grundlage praktisch allen Lebens auf unserem Globus.

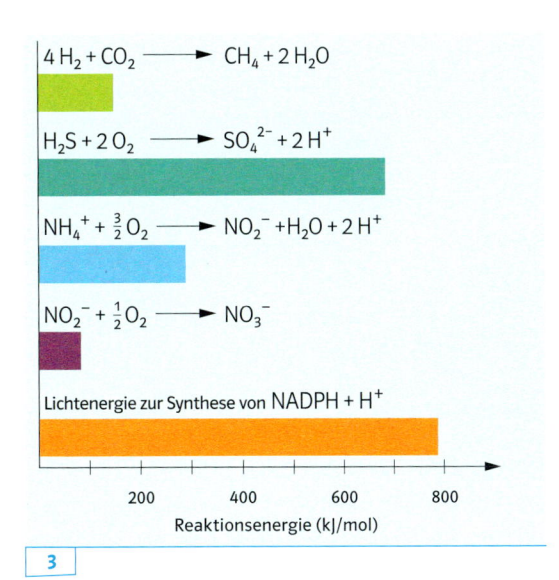

Variabilität und Angepasstheit

$4 H_2 + CO_2 \longrightarrow CH_4 + 2 H_2O$

$H_2S + 2 O_2 \longrightarrow SO_4^{2-} + 2 H^+$

$NH_4^+ + \frac{3}{2} O_2 \longrightarrow NO_2^- + H_2O + 2 H^+$

$NO_2^- + \frac{1}{2} O_2 \longrightarrow NO_3^-$

Lichtenergie zur Synthese von $NADPH + H^+$

Reaktionsenergie (kJ/mol)

3 Chemoautotrophe Bakterien beziehen ihre Energie aus energiereichen anorganischen Substanzen. Die Balken geben die relativen Energiemengen an, die aus den jeweiligen Reaktionen bezogen werden können. Zum Vergleich ist die Mindestmenge an Lichtenergie angegeben, die zur fotosynthetischen Herstellung von $NADPH + H^+$ aufgefangen werden muss.

Aufgabe 8.6

Erläutern Sie, welche der in diesem Abschnitt genannten chemoautotrophen Organismen im Verlauf der Evolution vor dem Entstehen der wasserspaltenden Fotosynthese existiert haben können.

Wer sind die ELTERN?
Wer ist der TÄTER?

Gentests helfen, solche Fragen zu beantworten. Künftig werden die Erkenntnisse der Genforschung in verschiedenen Lebensbereichen bedeutsam.
Einem Vater kommen Zweifel: Ist seine sechs Monate alte Tochter wirklich sein leibliches Kind? Die Eltern lassen einen DNA-Test (DNA = Desoxyribonucleinsäure, das Material der Erbanlagen) machen. Das Ergebnis: Er ist tatsächlich nicht der Vater. Doch der Test bringt noch etwas völlig Unerwartetes ans Licht. Das Kind ist auch nicht mit der Ehefrau verwandt; sie ist nicht die Mutter.

Der Verdacht liegt nahe: Nach der Geburt ist das eigene Baby in der Klinik mit einem fremden Neugeborenen vertauscht worden. Doch mit welchem der mehr als zehn Babys, die in jenen Tagen auf der Säuglingsstation versorgt wurden? Wieder kommen DNA-Tests zum Einsatz und ermöglichen es letztlich, dass die verwechselten Babys wieder zu den leiblichen Eltern kommen, also in ihre Familie.

Längst gehört der „genetische Fingerabdruck" zum gerichtsmedizinischen Alltag

Eine ähnliche Geschichte hat sich 2007 in Saarlouis zugetragen. Sie hat in ganz Deutschland Schlagzeilen gemacht. Wohl kaum ein Leser der Zeitungsartikel hat dabei allerdings noch darüber gestaunt, dass sich durch die Analyse von Erbmaterial zuverlässig und unkompliziert Verwandtschaftsverhältnisse aufklären oder Personen identifizieren lassen. Längst gehört der „genetische Fingerabdruck" zum gerichtsmedizinischen Alltag, wenn es gilt, Gewaltverbrecher z. B. anhand von Blutspuren zu überführen. Weniger bekannt hingegen ist, dass bei den genannten DNA-Tests nicht die eigentlichen Gene untersucht werden, die die Informationen zum Bau von Proteinen enthalten. Stattdessen wird das Füllmaterial zwischen den Genen untersucht, in dem sich kurze DNA-Abschnitte häufig wiederholen und das so individuell wie ein Fingerabdruck ist. Aus diesen Abschnitten lässt sich weder ablesen, ob der zugehörige Mensch Mann oder Frau ist, noch ob er eventuell unter bestimmten Krankheiten leidet oder Veranlagungen dafür besitzt.

Dies unterscheidet den genetischen Fingerabdruck von anderen DNA-Analysen, mit denen sich beispielsweise voraussagen lässt, ob jemand zwischen dem 30. und 50. Lebensjahr am sogenannten Veitstanz erkrankt. Dieser äußert sich in unkontrollierbaren Schüttelkrämpfen der Muskeln und später in geistigem Verfall. Das Wissen um fatale Erblasten ist für die Betroffenen und für ihre Angehörigen

Genetik

9	DNA — Träger der Erbinformationen
10	Genetischer Code und Proteinbiosynthese
11	Neukombination von Genen bei der Fortpflanzung
12	Gene und Merkmalsbildung
13	Entwicklungsgenetik
14	Anwendungen und Methoden der Gentechnik
15	Humangenetik
16	Die Immunabwehr

psychisch extrem bedrückend — insbesondere dann, wenn die Aussichten auf eine erfolgreiche Behandlung gering sind. Insofern muss schon die Entscheidung, die Erbanlagen testen zu lassen, gut überlegt sein. Die entsprechenden Beratungsgespräche stellen Ärzte vor besondere Herausforderungen. Bei bestimmten Gentests diskutieren Mediziner sogar, ob sie überhaupt angeboten werden sollten.

Strittig sind vor allem Tests, die als unzuverlässig gelten. So kann man das eigene Erbgut darauf untersuchen lassen, ob ein erhöhtes Risiko besteht, an Krebs zu erkranken oder einen Herzinfarkt zu bekommen. Derzeit noch eher selten durchgeführt, werden diese Tests künftig für unseren Alltag möglicherweise sehr bedeutsam: Grundsätzlich denkbar wäre es, dass die Höhe des Krankenversicherungsbeitrags oder die Chancen auf dem Arbeitsmarkt von genetischen Befunden abhängig gemacht werden. Solche Möglichkeiten beschäftigen heute schon nicht nur Wissenschaftler, sondern auch Rechtsexperten, Politiker und Journalisten. Wer mitreden und urteilen will, benötigt Grundwissen über die moderne Genetik.

Die Vision: eine personalisierte Medizin durch Genforschung

Dieses kann auch helfen, die Hoffnungen der Genforscher besser zu verstehen. Zu ihnen gehört die Vision von einer personalisierten Medizin. Denn Medikamente wirken längst nicht bei jedem Menschen gleich und werden auch unterschiedlich gut vertragen. Durch die jeweilige Analyse des Erbguts sollen Ärzte jedem Patienten den individuell besten Arzneistoff verabreichen können. Außerdem suchen Wissenschaftler weltweit nach Methoden, Gene auf Körperzellen zu übertragen, um erbliche Krankheiten zu lindern oder zu heilen.

Fast nebenbei liefert die aktuelle Genforschung Erkenntnisse, die unser Selbstbild verändern. So hat sie die alte Vorstellung widerlegt, die Menschheit sei in verschiedene „Rassen" eingeteilt. Wie genetische Untersuchungen in den 1990er Jahren ergaben, sind die Unterschiede zwischen Europäern, Asiaten, Afrikanern usw. viel geringer als die Variabiliät innerhalb dieser Gruppen. Die Menschheit ist genetisch viel einheitlicher als früher angenommen. ■

DNA — Träger der Erbinformationen

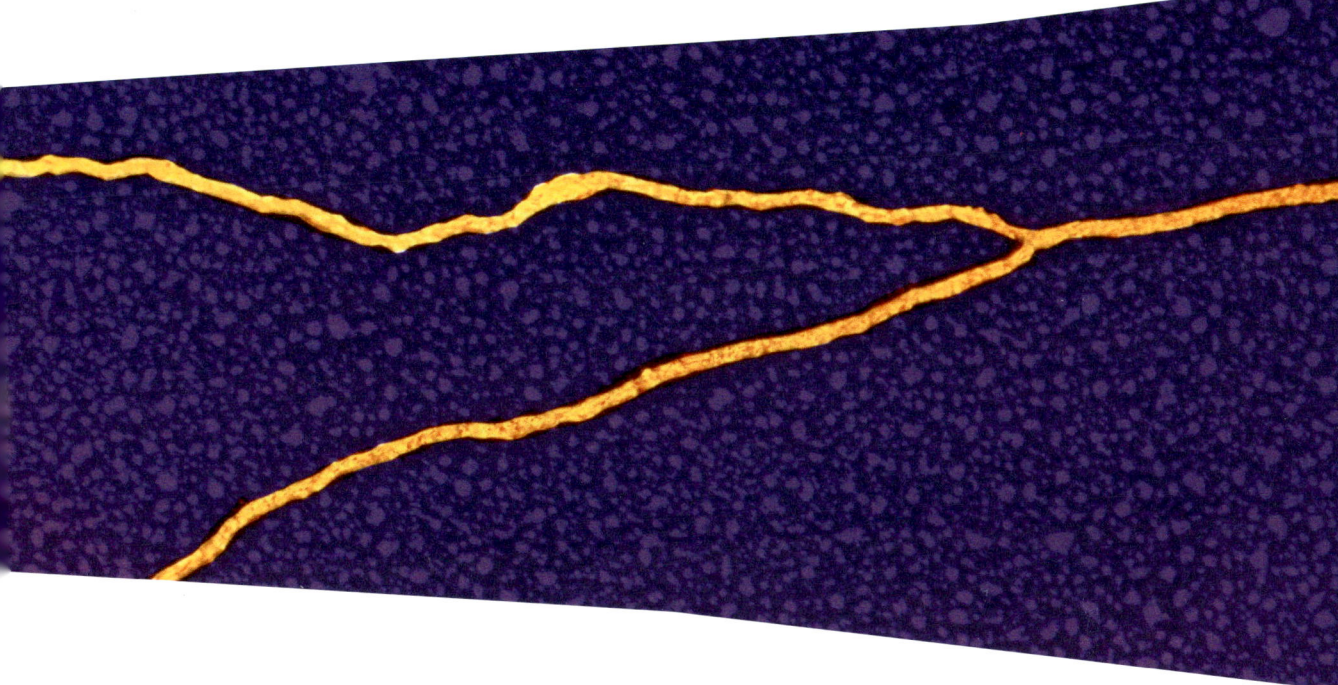

9

Das Leben hängt an einem dünnen Faden, genauer gesagt, an einem fadenförmigen Makromolekül, der Desoxyribonucleinsäure (DNA). Die Aufklärung der Molekülstruktur gelang 1953. Seitdem ist die DNA-Doppelhelix zum Symbol der modernen Genetik geworden. DNA hat alles, was ein Molekül als Informationsträger braucht: Die Sprache der Basen Adenin, Thymin, Guanin und Cytosin lässt vielfache Variationen zu. Durch geeignete Verpackung passt der DNA-Faden selbst bei einer Gesamtlänge von ein bis zwei Metern in einen Zellkern mit einem Durchmesser von nur wenigen Mikrometern. Die DNA liegt im Zellkern nicht als durchgehender Faden vor, sondern gestückelt und auf die Chromosomen verteilt. DNA lässt sich identisch verdoppeln, sodass bei einer Zellteilung jede Tochterzelle eine Kopie der Erbinformationen erhält.

Die DNA wird verdoppelt (Falschfarben-REM-Aufnahme).

9.1	Erbinformationen werden als Nucleinsäuren weitergegeben
9.2	Im DNA-Molekül bilden zwei Nucleotidstränge eine Doppelhelix
9.3	Die DNA wird im Verlauf des Zellzyklus abgelesen, verdoppelt und verteilt
9.4	Die DNA wird durch komplementäre Ergänzung der Einzelstränge kopiert
9.5	In der Eucyte wird die DNA mit Proteinen zu Chromosomen verpackt
9.6	In der Procyte ist die DNA ringförmig, histonfrei und ohne Kernhülle

Genetik

9.1 Erbinformationen werden als Nucleinsäuren weitergegeben

Reproduktion

„Ganz die Mutter", „Das hat er vom Opa", solche Kommentare sind wohl jedem von Familientreffen vertraut. Verwandte gleichen sich in vielen Merkmalen, sie haben ein gemeinsames genetisches Erbe. Rote Haare oder braune Augen werden natürlich nicht wie ein Familienerbstück, z. B. wie eine goldene Uhr, von Generation zu Generation weitergegeben. Das genetische Erbe besteht lediglich aus Informationen.• Diese Erbinformationen können Sie sich vereinfacht als Bauanweisungen für Proteine vorstellen, die zu einem Merkmal führen. In der Sprache der Genetiker heißen diese Bauanweisungen **Gene** und das gesamte Erbgut heißt **Genom**.

Die stoffliche Natur der Gene kennen wir heute ziemlich genau, es handelt sich um das Makromolekül **Desoxyribonucleinsäure (DNA**; engl. **deoxyribonucleic acid)**. Den Beweis lieferten Experimente mit Bakterien. Der Mediziner FREDERICK GRIFFITH versuchte in den 1920er Jahren, Impfstoffe gegen *Streptococcus pneumoniae* zu entwickeln. Diese Bakterien können bei Menschen lebensgefährliche Infektionen wie Lungen- oder Hirnhautentzündung hervorrufen. GRIFFITH experimentierte mit Mäusen und verschiedenen Stämmen des Bakteriums. Die S-Bakterien sind infektiös und lösen Erkrankungen aus, die R-Bakterien jedoch nicht (→ Abb. 1).

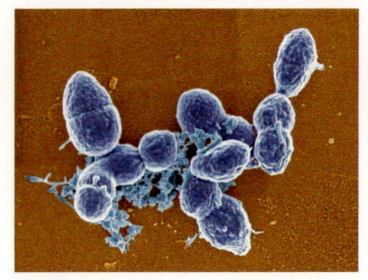

Streptococcus pneumoniae (REM)

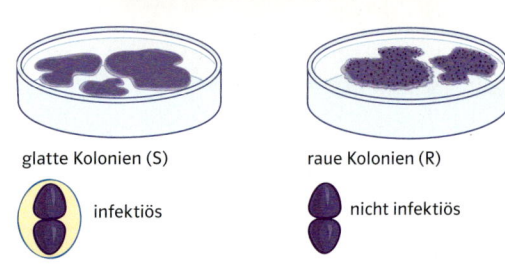

glatte Kolonien (S) — infektiös

raue Kolonien (R) — nicht infektiös

S-Bakterien (s für engl. smooth) tragen eine Kapsel aus Kohlenhydraten, die sie vor dem Immunsystem schützt.

R-Bakterien (r für engl. rough) können vom Immunsystem erkannt und vernichtet werden, weil ihnen die Kapsel fehlt.

1 S-Bakterien und R-Bakterien von *Streptococcus pneumoniae* unterscheiden sich in einem Merkmal.

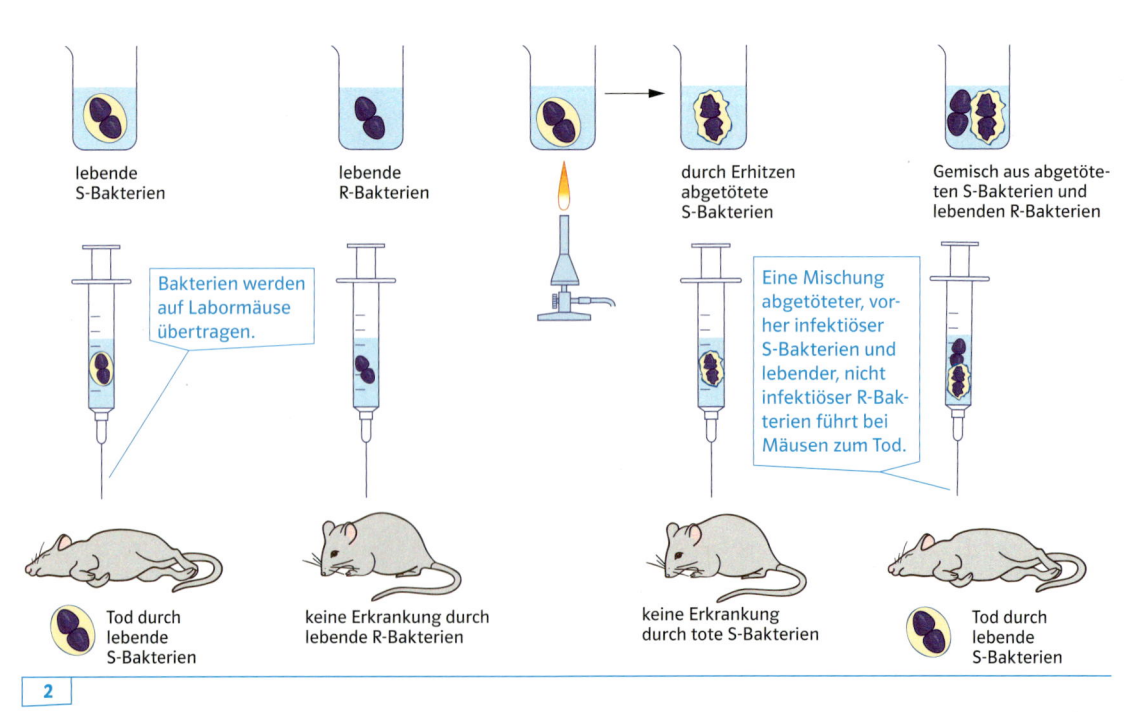

lebende S-Bakterien — Bakterien werden auf Labormäuse übertragen. — Tod durch lebende S-Bakterien

lebende R-Bakterien — keine Erkrankung durch lebende R-Bakterien

durch Erhitzen abgetötete S-Bakterien — keine Erkrankung durch tote S-Bakterien

Gemisch aus abgetöteten S-Bakterien und lebenden R-Bakterien — Eine Mischung abgetöteter, vorher infektiöser S-Bakterien und lebender, nicht infektiöser R-Bakterien führt bei Mäusen zum Tod. — Tod durch lebende S-Bakterien

2 Transformation. Die Fähigkeit zur Kapselbildung kann von S-Bakterien auf R-Bakterien übergehen und macht sie infektiös.

DNA — Träger der Erbinformationen

GRIFFITH stellte überrascht fest, dass bestimmte Merkmale wie die Fähigkeit, eine Kapsel zu bilden, von einem Bakterium auf ein anderes übergehen können (→ Abb. 2). Er führte das auf einen *transformierenden Faktor* zurück. Diese **Transformation** lässt sich auch im Testgefäß nachweisen: Mischungen von abgetöteten, vorher infektiösen S-Bakterien und lebenden nicht infektiösen R-Bakterien führen zu infektiösen S-Bakterien. Über die stoffliche Natur des transformierenden Faktors konnte man damals nur spekulieren. Allerdings wusste man aus vielen Experimenten mit Eukaryoten, dass der Zellkern der Eukaryoten die Erbinformationen enthält. Er besteht vor allem aus *Proteinen* und *Nucleinsäuren* (DNA und RNA, → 1.6). Vom detaillierten molekularen Bau der Nucleinsäuren war bis 1950 noch nichts bekannt, man kannte nur ihre Bestandteile Phosphat, Zucker und Basen. Daher schienen die vielgestaltigen Proteine eher geeignet, die Erbinformationen zu tragen. Diese Vermutung wurde 1944 durch Experimente von OSWALD T. AVERY, COLIN MACLEOD und MACLYN MCCARTY widerlegt, die an die Experimente von GRIFFITH anknüpften (→ Abb. 3). Diese Forscher kultivierten die infektiösen S-Bakterien in großen Mengen und töteten dann die Zellen

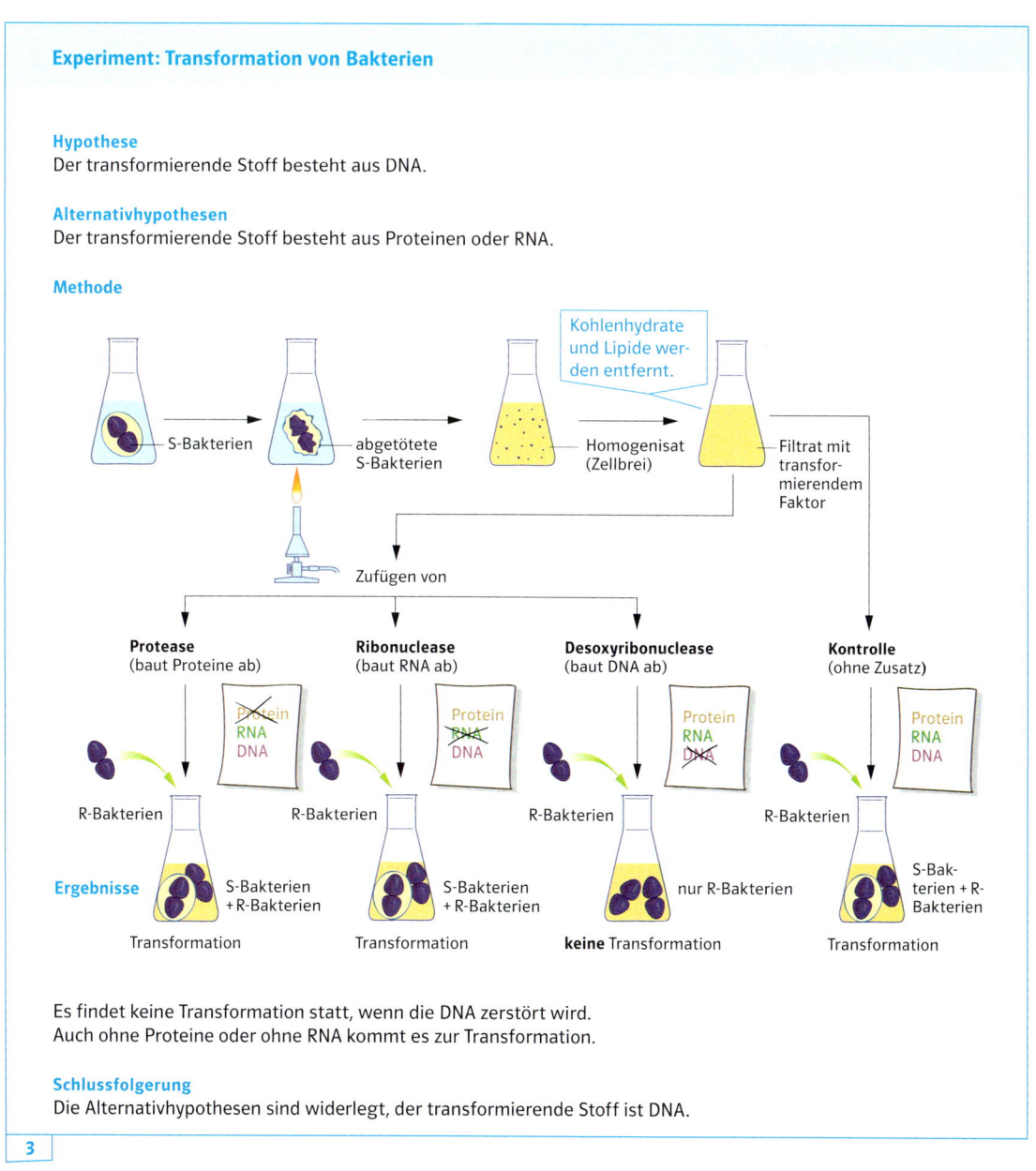

Experiment: Transformation von Bakterien

Hypothese
Der transformierende Stoff besteht aus DNA.

Alternativhypothesen
Der transformierende Stoff besteht aus Proteinen oder RNA.

Methode

[Schema: S-Bakterien → abgetötete S-Bakterien → Homogenisat (Zellbrei) → Filtrat mit transformierendem Faktor (Kohlenhydrate und Lipide werden entfernt.)]

Zufügen von:
- **Protease** (baut Proteine ab) → R-Bakterien → S-Bakterien + R-Bakterien → Transformation
- **Ribonuclease** (baut RNA ab) → R-Bakterien → S-Bakterien + R-Bakterien → Transformation
- **Desoxyribonuclease** (baut DNA ab) → R-Bakterien → nur R-Bakterien → keine Transformation
- **Kontrolle** (ohne Zusatz) → R-Bakterien → S-Bakterien + R-Bakterien → Transformation

Ergebnisse
Es findet keine Transformation statt, wenn die DNA zerstört wird.
Auch ohne Proteine oder ohne RNA kommt es zur Transformation.

Schlussfolgerung
Die Alternativhypothesen sind widerlegt, der transformierende Stoff ist DNA.

3 AVERY, MACLEOD und MCCARTY zeigten, dass die DNA die Information für die Kapselbildung trägt.

Genetik

Online-Link
Bau der DNA (interaktiv)
150010-1501

ab. Nun zerkleinerten sie die Zellen und entfernten Kohlenhydrate und Lipide. Aus Proben des so gewonnenen Filtrats entfernten sie mithilfe von Enzymen entweder Proteine oder RNA oder DNA. Den Proben wurden dann nicht infektiöse R-Bakterien zugesetzt. Nur solange die DNA erhalten blieb, zeigte die Probe Transformation, bildete also glatte S-Kolonien. Die DNA wurde so als der transformierende Faktor identifiziert. Sie trägt die Information zur Kapselbildung. Weitere Experimente bestätigten die Rolle der DNA als chemische Grundlage der Gene. Die Struktur der DNA war aber weiterhin ein Rätsel.

Aufgabe 9.1

Erläutern Sie die Bedeutung des Kontrollansatzes im Transformationsexperiment von AVERY (→ Abb. 3, S. 149).

9.2 Im DNA-Molekül bilden zwei Nucleotidstränge eine Doppelhelix

Was erwarten Sie von einem Stoff, der Erbinformationen speichern und weitergeben kann?
Der Stoff sollte:
- Erbinformationen lesbar und übertragbar machen,
- stabil genug sein, um die Lebenszeit einer Zelle zu überdauern,
- identische Kopien ermöglichen,
- Varianten bilden können, die eine evolutionäre Anpassung über Generationen zulassen,
- regulierbar sein, um eine physiologische Anpassung an die Umwelt zu ermöglichen.

Struktur und Funktion

Den Genetikern war klar, dass die Aufklärung der molekularen DNA-Struktur Wissenschaftsgeschichte schreiben würde. Mehrere Labors arbeiteten mit verschiedenen Methoden an diesem Problem. ROSALIND FRANKLIN (1920–1958) und MAURICE WILKINS (Nobelpreis 1962) bestrahlten DNA-Kristalle mit Röntgenstrahlen. Dabei werden die Strahlen am Kristallgitter gebeugt und das Beugungsmuster gibt Aufschluss über die räumliche Struktur und die Symmetrie des Moleküls (→ Abb. 3, S. 28). Die Wissenschaftler folgerten, dass die DNA aus schraubig gewundenen Einzelsträngen besteht.

Etwa zeitgleich gingen JAMES D. WATSON und FRANCIS CRICK (Nobelpreis 1962) ganz anders vor: Sie experimentierten nicht selbst im Labor, sondern sammelten alle verfügbaren Informationen über die DNA. Sie entwickelten durch logische Schlussfolgerungen und Modellbau eine Molekülstruktur, die alle vorliegenden Daten der DNA erklärte. 1953 stellten sie das Doppelhelixmodell der Öffentlichkeit vor. Es war nur ein kurzer Artikel in einer internationalen Zeitschrift, aber er bewirkte einen Durchbruch in der biologischen Forschung.

Stellen Sie sich eine Strickleiter vor, die um ihre eigene Längsachse gedreht ist — dann haben Sie ein anschauliches Bild der **DNA-Doppelhelix** (→ Abb. 1). Die Stränge werden von sich abwechselnden Zucker- (Desoxyribose) und Phosphatmolekülen gebildet. In der Doppelhelix sind die beiden Stränge gegenläufig angeordnet: Dem Anfang des einen (5´-Ende) liegt das Ende des anderen (3´-Ende) gegenüber. Die Sprossen der Strickleiter bestehen immer aus Basenpaaren, und zwar jeweils einer *Purinbase* (Adenin, Guanin) und einer *Pyrimidinbase* (Cytosin, Thymin). Die Kombination aus Phosphat, Zucker und Base bezeichnet man als *Nucleotid* (→ Abb. 2, S. 33). Adenin (A) bindet über zwei Wasserstoffbrücken mit Thymin (T), Guanin bindet über drei Wasserstoffbrücken mit Cytosin (C). A und T, C und G passen also zueinander, es sind *komplementäre Basen*. Die Reihenfolge der Basen, die *Basensequenz*, verschlüsselt die Erbinformation — aber das ist ein eigenes Thema (→ 10.1).

Die Aufklärung der DNA-Struktur läutete das „Zeitalter der Biologie" ein, in dem neue Wirtschaftszweige wie Biotechnologie und Gentechnik entstanden. Der postulierte Bau der DNA wurde später experimentell bestätigt. Er besticht nicht nur durch seine Ästhetik, sondern macht auch grundlegende genetische Vorgänge wie Verdopplung, Verschlüsselung und Abwandlung der Erbinformationen erklärbar.

Aufgabe 9.2

Beim Vergleich der DNA verschiedener Arten formulierte ERWIN CHARGAFF aufgrund von Konzentrationsmessungen 1951 folgende Regel: Für die Anzahl der Basen gilt in allen DNA-Molekülen: A gleich T und C gleich G. Erklären Sie.

Online-Link
Biografie: Rosalind Franklin
150010-1511

DNA — Träger der Erbinformationen

WATSON und CRICK konstruierten ein Modell der DNA-Doppelhelix

Über Basenpaare sind zwei gegenläufige Nucleotidstränge zu einem Doppelstrang verbunden.

Die violetten Bänder stellen das Zucker-Phosphat-Rückgrat dar.

A und T binden über 2 Wasserstoffbrücken.

C und G binden über 3 Wasserstoffbrücken.

Die beiden Einzelstränge verlaufen in entgegengesetzte Richtungen, dem 5'-Ende liegt ein 3'-Ende gegenüber.

Ein Nucleotid besteht aus Base, Zucker und Phosphat.

Am 3'-Ende des Zuckers wird das nächste Nucleotid angeknüpft.

1 Das Modell der DNA-Doppelhelix ähnelt einer gedrehten Strickleiter.

Genetik

9.3 Die DNA wird im Verlauf des Zellzyklus abgelesen, verdoppelt und verteilt

In Ihrem Körper entstehen ständig neue Zellen und ersetzen verbrauchte: Haare und Fingernägel wachsen, Wunden heilen — mehr noch, Ihr ganzer Körper ist durch Zellteilungen aus einer einzigen Zelle, der befruchteten Eizelle, hervorgegangen. Bei jeder Zellteilung werden die Erbinformationen an die entstehenden Tochterzellen weitergegeben. Eine eukaryotische Zellteilung (→2.8) besteht aus:
- *Mitose*: Teilung des Zellkerns,
- *Cytokinese*: Aufteilung des Cytoplasmas.

Oft spricht man vereinfachend von Mitose, wenn man die gesamte Zellteilung meint. Die Zellteilung wird durch lichtmikroskopisch zunächst unsichtbare Schritte vorbereitet (→Abb. 1). Dabei werden die benötigten Proteine bereitgestellt (*G-Phasen*) und die DNA wird kopiert (*S-Phase*). Diese originalgetreue Synthese bzw. Verdopplung von DNA nennt man **Replikation**. G_1-, S- und G_2-Phase bezeichnet man zusammenfassend als *Interphase*, denn sie liegen zwischen zwei Zellteilungen. Jede sich teilende Zelle durchläuft einen Zyklus aus Interphase und Zellteilung, den **Zellzyklus**.*

Am Ende eines Zellzyklus liegen zwei Tochterzellen mit identischer DNA vor. Jede Tochterzelle kann nun den Zellzyklus erneut durchlaufen. Allerdings gibt es nur wenige Zelltypen, die das beliebig oft können. Dazu gehören *Stammzellen*, die für den Ersatz gealterter oder zerstörter Zellen zuständig sind (→13.4). Ihrer Teilungsfähigkeit verdanken wir z. B. die Regeneration der Haut nach einer Abschürfung oder eines Knochens nach einem Bruch. Aber auch entartete Zellen durchlaufen den Zellzyklus immer wieder. Ihre unkontrollierten Teilungen lassen Zellwucherungen, *Tumore*, entstehen

Reproduktion

(→13.6). Eine normale Körperzelle durchläuft den Zellzyklus je nach Zelltyp 10- bis 100-mal, bevor sie sich ganz auf ihre Funktion im Organismus einstellt. Nach dieser *Differenzierung* verliert die Zelle die Teilungsfähigkeit. Sie bildet von da an nur noch diejenigen Proteine, die für den betreffenden Zelltyp typisch sind (G_0-Phase), die S-Phase wird nicht mehr durchlaufen.

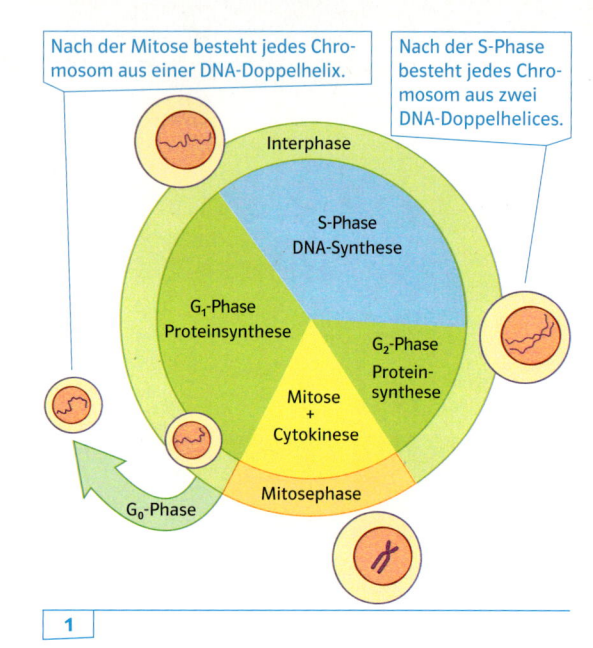

1 Jede sich teilende Zelle durchläuft einen Zyklus aus Interphase und Zellteilung, den Zellzyklus.

Aufgabe 9.3
Es gibt Zellen, z. B. im Embryo, bei denen die Cytokinese nach der Mitose unterbleibt. Beschreiben Sie die Auswirkungen auf den DNA-Gehalt der Tochterzellen.

9.4 Die DNA wird durch komplementäre Ergänzung der Einzelstränge kopiert

Aus eins mach zwei — Sie kennen den Vorgang beim Kopieren von Dokumenten auf dem Fotokopierer oder beim Kopieren von Dateien am PC. Doch wie kopiert die Zelle eine DNA-Doppelhelix? Bei den genannten technischen Verfahren bleibt das Original komplett erhalten. Diese Art der Verdopplung bezeichnet man als *konservativ*. Theoretisch denkbar ist auch eine *dispersive* Verdopplung, bei der Original und Kopie

Online-Link
Meselson-Stahl-Experiment (interaktiv)
150010-1531

DNA — Träger der Erbinformationen

stückweise aus alt und neu zusammengesetzt werden. Schon WATSON und CRICK sahen, dass ihr Doppelhelixmodell ein ganz anderes Verfahren zur Kopie, zur *Replikation*, der DNA nahelegt: Sobald sich die Wasserstoffbrückenbindungen zwischen den Basen der Einzelstränge öffnen, können sich komplementäre Nucleotide an die freien Basen anlagern und so jeweils passende Einzelstränge ergänzen. In den so entstandenen Doppelsträngen ist dann jeweils ein Nucleotidstrang der ursprünglichen DNA-Doppelhelix erhalten, der andere ist neu synthetisiert. Eine solche Replikation ist *semikonservativ*. Experimente mit Bakterien, deren Nucleinsäuren mit dem schweren Stickstoffisotop ^{15}N markiert wurden, bestätigen: Die DNA wird semikonservativ repliziert (→ Abb. 1). Später gelang dieser Nachweis auch bei Eukaryoten.

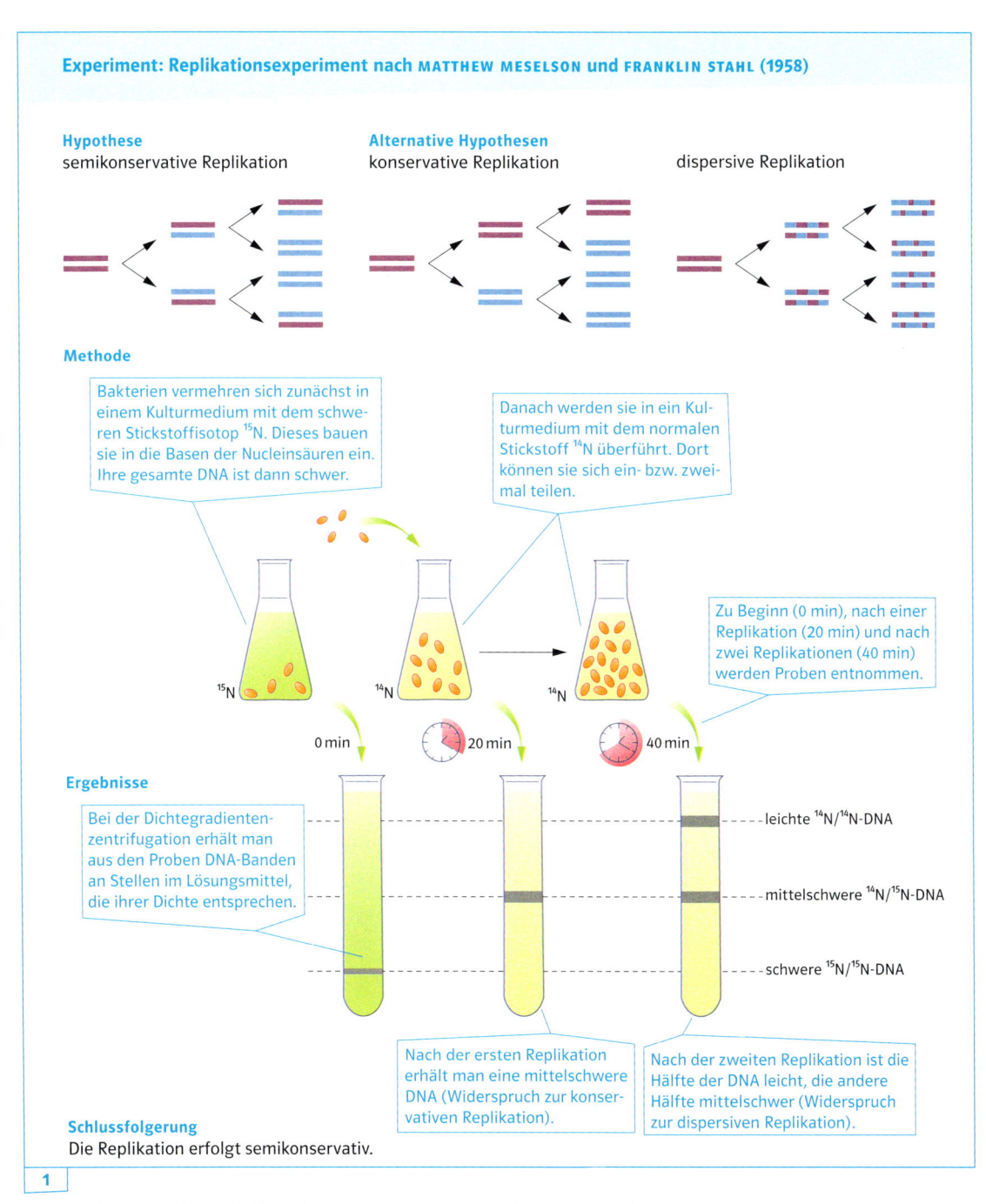

Reproduktion

Experiment: Replikationsexperiment nach MATTHEW MESELSON und FRANKLIN STAHL (1958)

Hypothese
semikonservative Replikation

Alternative Hypothesen
konservative Replikation

dispersive Replikation

Methode

Bakterien vermehren sich zunächst in einem Kulturmedium mit dem schweren Stickstoffisotop ^{15}N. Dieses bauen sie in die Basen der Nucleinsäuren ein. Ihre gesamte DNA ist dann schwer.

Danach werden sie in ein Kulturmedium mit dem normalen Stickstoff ^{14}N überführt. Dort können sie sich ein- bzw. zweimal teilen.

Zu Beginn (0 min), nach einer Replikation (20 min) und nach zwei Replikationen (40 min) werden Proben entnommen.

^{15}N ^{14}N ^{14}N

0 min   20 min   40 min

Ergebnisse

Bei der Dichtegradientenzentrifugation erhält man aus den Proben DNA-Banden an Stellen im Lösungsmittel, die ihrer Dichte entsprechen.

leichte $^{14}N/^{14}N$-DNA
mittelschwere $^{14}N/^{15}N$-DNA
schwere $^{15}N/^{15}N$-DNA

Nach der ersten Replikation erhält man eine mittelschwere DNA (Widerspruch zur konservativen Replikation).

Nach der zweiten Replikation ist die Hälfte der DNA leicht, die andere Hälfte mittelschwer (Widerspruch zur dispersiven Replikation).

Schlussfolgerung
Die Replikation erfolgt semikonservativ.

1 Jedes replizierte DNA-Molekül besteht aus einem alten und einem neuen Strang.

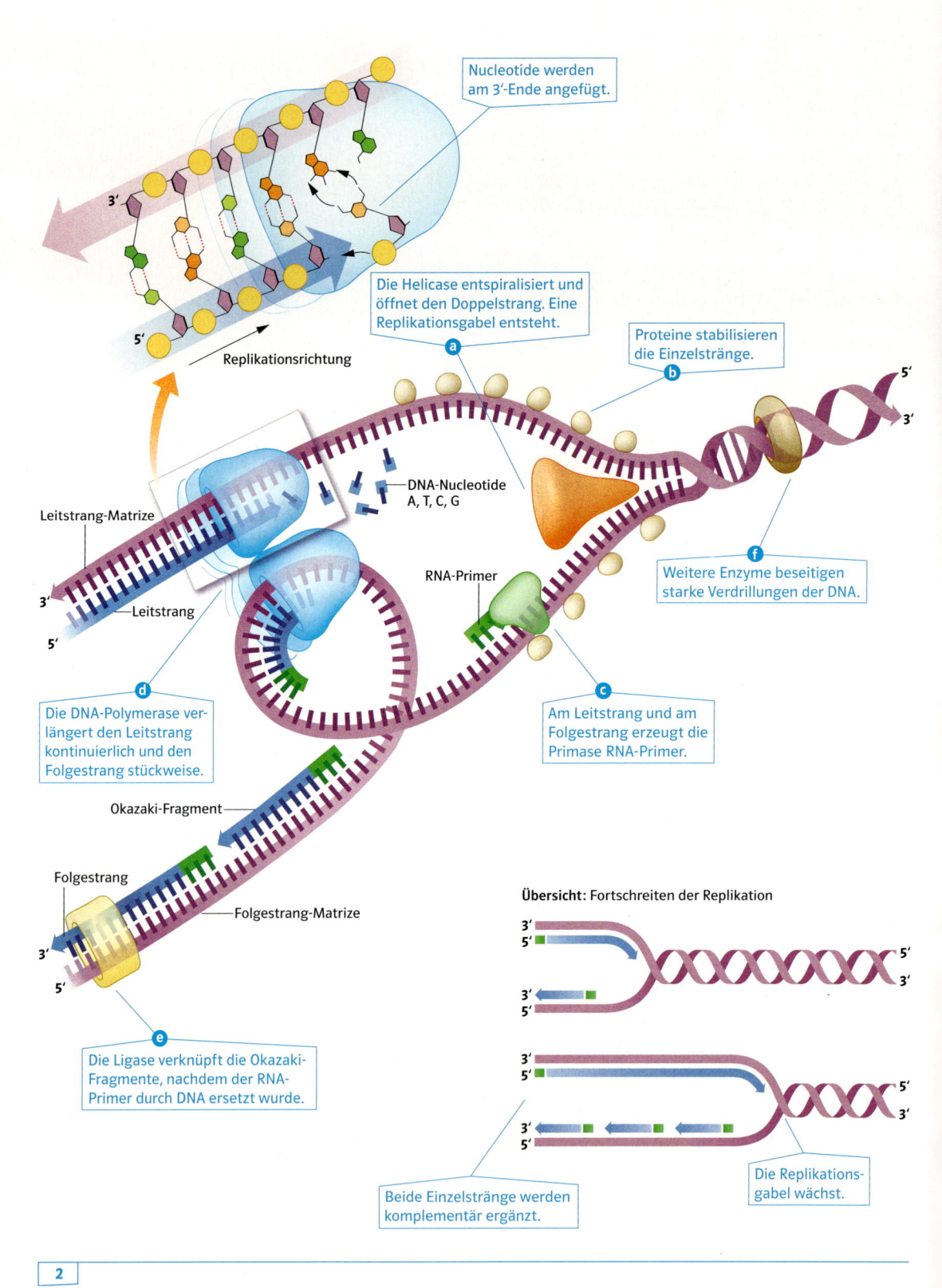

Genetik

Nucleotide werden am 3'-Ende angefügt.

a Die Helicase entspiralisiert und öffnet den Doppelstrang. Eine Replikationsgabel entsteht.

b Proteine stabilisieren die Einzelstränge.

Replikationsrichtung

Leitstrang-Matrize

Leitstrang

DNA-Nucleotide A, T, C, G

RNA-Primer

f Weitere Enzyme beseitigen starke Verdrillungen der DNA.

c Am Leitstrang und am Folgestrang erzeugt die Primase RNA-Primer.

d Die DNA-Polymerase verlängert den Leitstrang kontinuierlich und den Folgestrang stückweise.

Okazaki-Fragment

Folgestrang

Folgestrang-Matrize

e Die Ligase verknüpft die Okazaki-Fragmente, nachdem der RNA-Primer durch DNA ersetzt wurde.

Übersicht: Fortschreiten der Replikation

Beide Einzelstränge werden komplementär ergänzt.

Die Replikationsgabel wächst.

2

Die Replikation erfolgt durch eine Gruppe von Enzymen. So wird die DNA-Doppelhelix identisch kopiert.

DNA — Träger der Erbinformationen

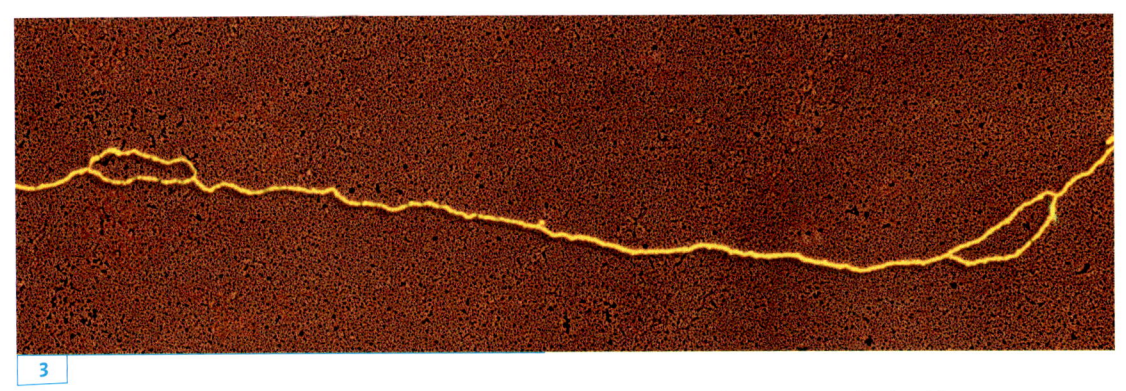

3
Bei Eukaryoten findet man gleichzeitig mehrere Replikationseinheiten von je etwa 15 000 Nucleotiden.

Auch wenn es so aussieht, als könnte die DNA-Doppelhelix leicht wie ein Reißverschluss geöffnet werden (→Abb., S. 147), ganz so einfach läuft die Replikation nicht ab. Wie man am ringförmigen Chromosom der Bakterien feststellen konnte, ist ein ganzer Komplex spezieller Replikationsenzyme an dem Kopiervorgang der DNA beteiligt (→Abb. 2). Im **Replikationskomplex** hat jedes Enzym seine spezielle Aufgabe: Die **DNA-Polymerase** d ist das eigentliche Replikationsenzym. Sie besteht aus zwei Untereinheiten, sodass beide DNA-Einzelstränge erfasst werden. Sie arbeitet also ähnlich wie der Schieber eines Reißverschlusses. Die beiden Einzelstränge werden zwar gleichzeitig (simultan), aber nicht in gleicher Weise repliziert. Das liegt an der Gegenläufigkeit der Einzelstränge und daran, dass die DNA-Polymerase nur an das 3'-Ende eines DNA-Strangs Nucleotide anknüpfen kann. Daher wird nur einer der Einzelstränge kontinuierlich abgelesen, es ist die *Leitstrang*-Matrize. Die *Folgestrang*-Matrize wird dagegen stückweise gegenläufig abgelesen. Die dort gebildeten DNA-Stücke werden nach ihren Entdeckern TSUNEKO und REIJI OKAZAKI **Okazaki-Fragmente** genannt. Man stellt sich heute vor, dass die Folgestrang-Matrize eine Schleife bildet, sodass die Matrizen von Leit- und Folgestrang im Enzymkomplex gleich ausgerichtet sind.

Die Replikation beginnt an einem DNA-Abschnitt, den man als *Replikationsursprung* (→Abb. 2, S. 158) bezeichnet. Folgen Sie nun in Abb. 2 dem Ablauf der Replikation.

- *Helicase*: a Damit überhaupt DNA-Einzelstränge vorliegen, muss die Doppelhelix von diesem Enzym aufgedrillt werden. *Einzelstrangbindende Proteine* b stabilisieren die Öffnung der DNA-Gabel.
- *Primase*: c Sie bereitet die Ansatzstelle für die DNA-Polymerase vor, indem sie die ersten Nucleotide an den Einzelstrang fügt. Das von der Primase synthetisierte Stück bezeichnet man als *Primer* (engl. „Zünder"). Es besteht aus RNA-Nucleotiden. Für den Leitstrang ist nur ein Primer nötig. Für den Folgestrang wird dagegen jedes Okazaki-Fragment durch einen Primer „gezündet". Der Primer ist die Ansatzstelle für die DNA-Polymerase.
- *DNA-Polymerase*: d Sie knüpft an das 3'-Ende des Primers Nucleotide an, indem sie Zucker und Phosphatrest verbindet. Die Basen finden ihren Partner durch komplementäre Basenpaarung.
- *Ligase*: e Ligasen verknüpfen die an der Folgestrang-Matrize stückweise synthetisierten Okazaki-Fragmente, nachdem der RNA-Primer gegen DNA ausgetauscht wurde.
- *Topoisomerase*: f Wird eine Doppelhelix in einem Abschnitt aufgedrillt, kommt es in anderen Bereichen zu Überdrillungen. Das können Sie an einer Kordel leicht überprüfen. Topoisomerasen verhindern dies, indem sie DNA-Stränge durchschneiden und wieder verknüpfen. Anschaulich kann man sich Topoisomerasen auch als Drehgelenke in der Doppelhelix vorstellen.

Die ringförmige DNA der Bakterien wird in etwa 20 bis 40 Minuten in einem Durchgang kopiert, sie bildet eine einzige Replikationseinheit (→9.6). Die DNA der Eukaryoten ist wesentlich umfangreicher. Sie liegt in linearen Chromosomen vor. Hier wird ein Chromosom nicht in einem Durchgang repliziert, sondern in mehreren Replikationseinheiten (→Abb. 3). Das beschleunigt den Vorgang erheblich. Die DNA einer Zelle wird so in wenigen Stunden komplett repliziert.

Aufgabe 9.4

Die DNA wird bildhaft als Strickleiter oder Reißverschluss bezeichnet. Bewerten Sie diese Modellvorstellungen und ihre Grenzen.

Genetik

Online-Link
Erstellen eines Karyogramms
(interaktiv)
150010-1561

9.5 In der Eucyte wird die DNA mit Proteinen zu Chromosomen verpackt

Struktur und Funktion

Können Sie sich vorstellen, Zwirnfäden von insgesamt 18 km Länge in einem Tischtennisball unterzubringen? Im verkleinerten Maßstab gelingt genau das in menschlichen Zellen: Jeder Zellkern enthält DNA-Fäden von insgesamt etwa 1,8 m Länge — eine Meisterleistung der Verpackung. Dabei muss die DNA so untergebracht sein, dass sie streckenweise abgelesen, kopiert und verlustfrei auf Tochterzellkerne übertragen werden kann.

Lichtmikroskopisch sehen können wir die DNA in der Zelle allerdings nur bei geeigneter Färbung. Die gefärbte Substanz im Zellkern bezeichnet man als **Chromatin**. Biochemisch gesehen besteht Chromatin etwa aus 40 % DNA, 40 % Verpackungsproteinen (*Histonen*), 15 % anderen Proteinen und 5 % RNA. Histone wickeln die eukaryotische DNA zu einer *Nucleosomenkette* auf (→ Abb. 1). Sie können verschoben werden und so unterschiedliche DNA-Abschnitte z. B. für die Replikation wieder freigeben.

Vor jeder Zellteilung muss die Nucleosomenkette zu Transporteinheiten verpackt werden. Die im Laufe der S-Phase des Zellzyklus verdoppelte DNA wird weiter zu lichtmikroskopisch sichtbaren **Chromosomen** spiralisiert. Am besten sehen und unterscheiden kann man die Chromosomen in der Metaphase der **Mitose**, wenn sie auf der Äquatorialplatte angeordnet sind (→ 2.8). Sie liegen sozusagen auf dem Präsentierteller. Dieses Stadium wird daher in der Biologie und der Medizin genutzt, um die Chromosomen eines Lebewesens abzuzählen, zu vergleichen und auf Veränderungen zu untersuchen. Dazu wird eine Zelle in der Metaphase der Mitose fotografiert, und die Chromosomen werden einzeln aus dem Bild ausgeschnitten und systematisch angeordnet. Diese Collage nennt man **Karyogramm**. Heutzutage übernehmen Computerprogramme die Sortierarbeit und versehen die Chromosomen zur besseren Unterscheidung mit Falschfarben (→ Abb. 2).

Bei sortierten Metaphase-Chromosomen fällt auf, dass es jeweils zwei Exemplare gibt, die sich in Größe und Gestalt gleichen, es sind die **homologen Chromosomen**. Eine Körperzelle enthält also zwei Sätze homologer Chromosomen, sie ist **diploid**, abgekürzt 2n. Die Anzahl der Chromosomen ist arttypisch, aber sehr unterschiedlich. Sie reicht von 2n = 2 Chromosomen beim Pferdespulwurm bis 2n = 1260 Chromosomen bei einem bestimmten Farn. Die Körperzelle eines Menschen enthält 2n = 46 Chromosomen. Vergleicht man das Karyogramm von Mann und Frau, zeigt sich eine weitere Besonderheit: Im männlichen Geschlecht gibt es ein ungleiches Paar Chromosomen, das *X-Chromosom* und das deutlich kleinere *Y-Chromosom*.

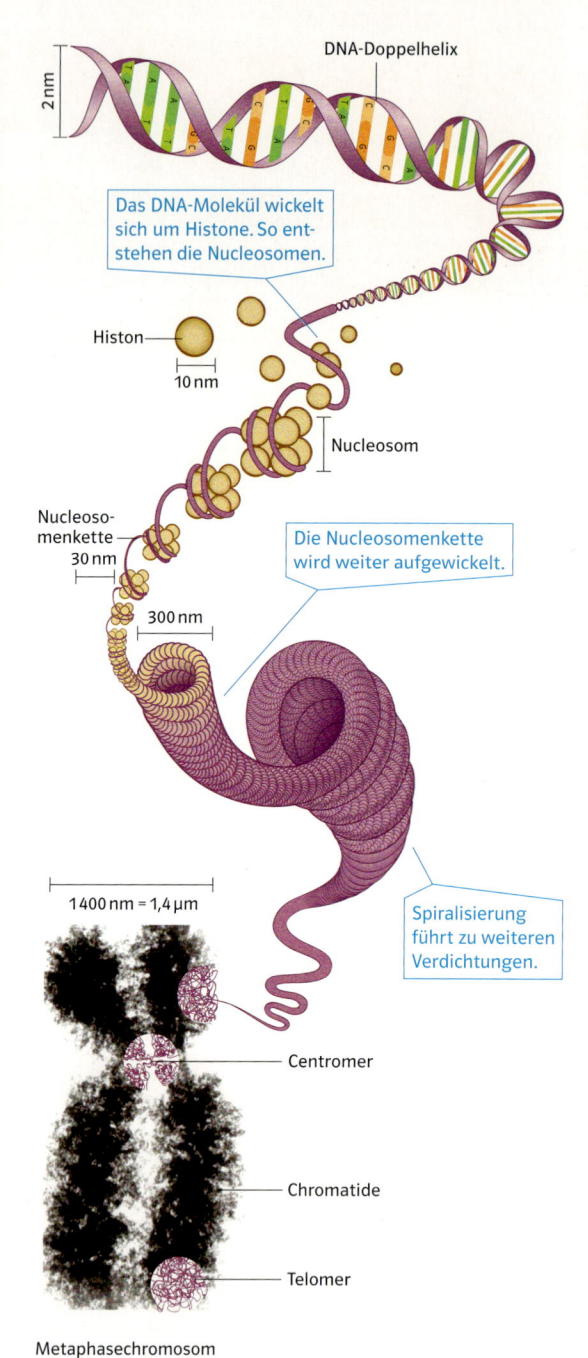

DNA-Doppelhelix
2 nm

Das DNA-Molekül wickelt sich um Histone. So entstehen die Nucleosomen.

Histon
10 nm

Nucleosom

Nucleosomenkette
30 nm

Die Nucleosomenkette wird weiter aufgewickelt.

300 nm

1400 nm = 1,4 µm

Spiralisierung führt zu weiteren Verdichtungen.

Centromer

Chromatide

Telomer

Metaphasechromosom aus 2 Chromatiden

1

Die DNA wird mithilfe von Proteinen zu Chromosomen verpackt. Histone rollen die Doppelhelix wie Lockenwickler auf und können unterschiedliche Bereiche der DNA gezielt wieder freigeben.

DNA — Träger der Erbinformationen

Im weiblichen Geschlecht taucht das X-Chromosom zweifach auf. Auch bei allen anderen Säugetieren kennzeichnen X- und Y-Chromosom das männliche, X- und X-Chromosom das weibliche Geschlecht. Man bezeichnet X und Y daher als *Geschlechtschromosomen* (*Heterosomen*, **Gonosomen**) und grenzt sie damit von den übrigen Chromosomen, den **Autosomen**, ab. Von der Rolle dieser Gonosomen bei der Bestimmung der Geschlechtsmerkmale werden Sie in der Humangenetik (→ Kap. 15) und in → 12.1 noch Näheres erfahren.

Jedes Metaphasechromosom besteht aus zwei DNA-Doppelhelices, den **Chromatiden**, die am *Centromer* über Proteine verbunden sind. Das **Centromer** ist eine besondere Chromosomenstruktur. Dort sind Proteine gebunden, die als Spindelfaseransatzstelle dienen (→ 2.8). Chromosomen sehen keineswegs immer so aus wie ein Metaphasechromosom. Chromosomen, die sich in der G_0- oder G_1-Phase des Zellzyklus befinden, enthalten nur eine einzige DNA-Doppelhelix und sind erheblich weniger kondensiert. Die Enden eines Chromosoms, die **Telomere**, sind eine Art Schutzkappen, die z. B. ein Verkleben der DNA-Enden verhindern. Telomere spielen auch eine Rolle beim Altern und Sterben von Zellen (→ 10.7 und → 13.5).

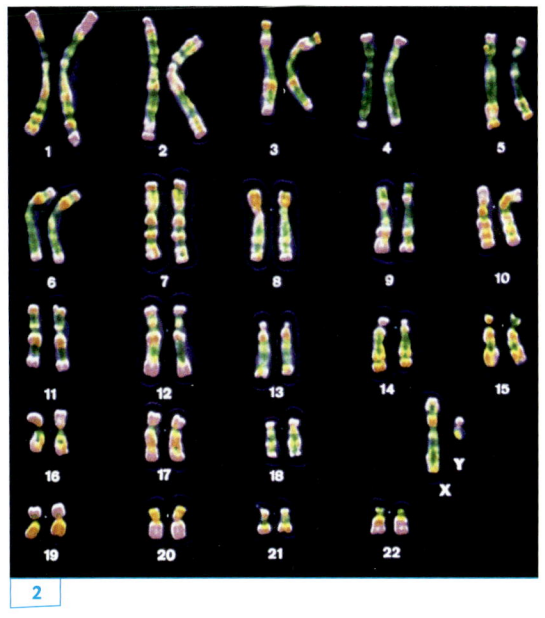

2 Das (Falschfarben-)Karyogramm eines Menschen zeigt 44 Autosomen und 2 Gonosomen (hier X- und Y-Chromosom eines Mannes).

Aufgabe 9.5
Chromosomen sind in den Zellen nur zeitweise lichtmikroskopisch sichtbar. Erklären Sie.

9.6 In der Procyte ist die DNA ringförmig, histonfrei und ohne Kernhülle

Die meisten unserer Erkenntnisse über die DNA und die Gene verdanken wir Experimenten mit *Procyten*, wie z. B. dem Bakterium *Escherichia coli* (*E. coli*). Aber kann man von der DNA eines Darmbakteriums wirklich Rückschlüsse auf die Vererbungsmechanismen beim Menschen und bei anderen Lebewesen ziehen?

Anders als die linearen Chromosomen einer *Eucyte* ist die Erbsubstanz der Bakterien eine ringförmige DNA-Doppelhelix (→ Abb. 1). Sie besteht bei *E. coli* aus 4 Millionen Basenpaaren und enthält rund 3 000 Gene. Ihre Länge von 1 mm entspricht etwa 1/1000 der Länge der eukaryotischen DNA. Die bakterielle DNA enthält keine Histone und ist nicht von einer Kernhülle umgeben. Dieses sogenannte *Bakterienchromosom* ist einem eukaryotischen Chromosom also allenfalls ähnlich. Man nennt den Bereich, in dem es liegt, *Nucleoid*. Zusätzlich gibt es im Cytoplasma kleinere DNA-Ringe mit bis zu zwei Dutzend Genen, die *Plasmide* (→ 2.2).

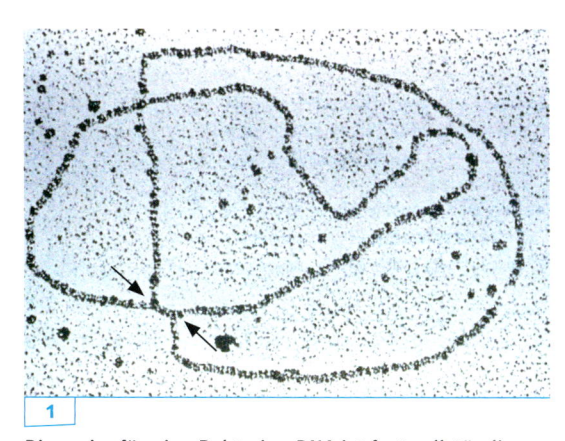

1 Diese ringförmige Bakterien-DNA ist fast vollständig verdoppelt. Erkennbar sind zwei Replikationsgabeln (→ Pfeile). In einigen Minuten werden bei Prokaryoten Millionen von Basenpaaren repliziert.

Die Replikation der Bakterien-DNA erfolgt von einem Ursprungsort ausgehend in zwei Richtungen (→ Abb. 1, S. 157, → Abb. 2). Daher erkennt man eine Replikationsblase mit zwei Gabelstellen. Die Replikationsblase wächst, bis die beiden Replikationsgabeln am Replikationsende aufeinandertreffen. Durch die Replikation sind zwei genetisch identische Kopien des DNA-Rings gebildet worden. Anschließend wird das Cytoplasma durchschnürt. Entstanden sind zwei Tochterzellen, die wie alle weiteren Nachkommen genetisch identisch sind, wenn sie nicht durch äußere Einflüsse verändert werden. Solche als *Mutationen* bezeichneten DNA-Veränderungen werden Sie in Kapitel 12 noch kennenlernen.

Es gibt also Unterschiede zwischen der Replikation der DNA in einer Procyte und einer Eucyte, und daher kann man Forschungsergebnisse sicher nicht eins zu eins übertragen. Bakterien sind genau wie bestimmte Labortiere oder Laborpflanzen genetische *Modellorganismen* — man benutzt sie, um Neues zu entdecken und Hypothesen zu entwickeln, die an anderen Organismen überprüft werden müssen. Als Modellorganismen eignen sich besonders Arten, die sich leicht im Labor halten lassen, sich schnell vermehren, dem Menschen nicht schaden können und sich für die betreffende Fragestellung eignen.

Zum Umgang mit Bakterien im Labor gibt es genaue Sicherheitsvorschriften, die sich nach der Gefährlichkeit des verwendeten Bakterienstamms richten. In der Grundlagenforschung werden biologische Sicherheitsstämme verwendet, also speziell gezüchtete Bakterienstämme, die im Freiland sofort eingehen würden. Außerdem wird Schutzkleidung getragen und auf strenge Hygiene geachtet. Ganz strikt gilt im Labor: Nicht essen, rauchen, trinken und schminken! Zum Schluss kommen alle verwendeten Gefäße und Bakterienabfall in den *Autoklaven*. Das ist eine Art Dampfkochtopf, der die Gegenstände mit Hitze und Druck völlig sterilisiert. Sie werden noch weitere Modellorganismen kennenlernen. Als Modellorganismus für Eucyten werden oft Hefezellen verwendet, für Pflanzen z. B. Erbsen oder das Wildkraut Ackerschmalwand, für Tiere Taufliege oder Maus.

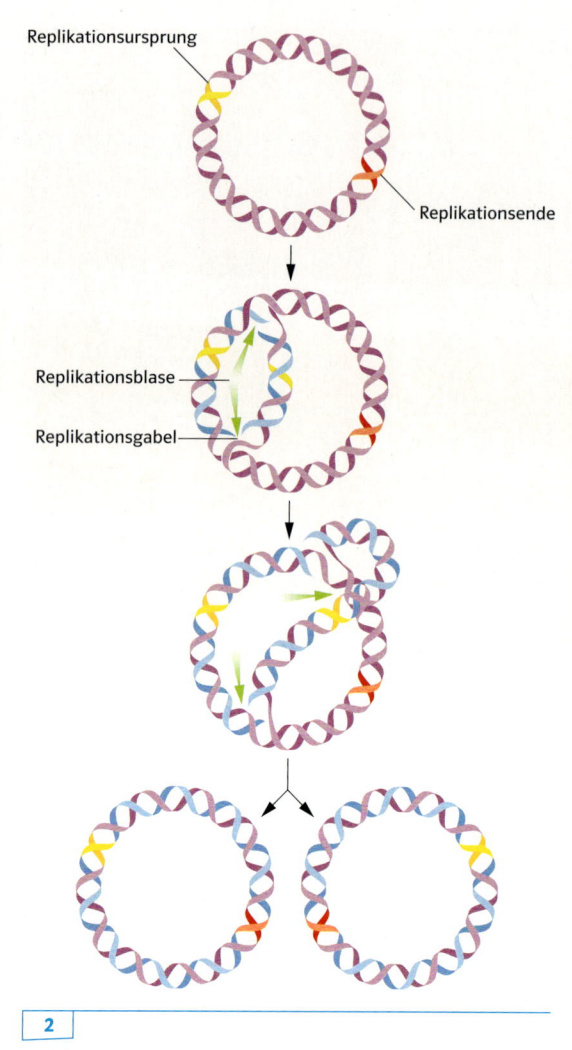

2

Bei der Replikation der ringförmigen DNA von Bakterien bilden sich zwei gegenüberliegende Replikationsgabeln, die sich blasenartig ausweiten. Schließlich lösen sich die beiden identischen Tochterringe voneinander.

Aufgabe 9.6

Im Prinzip erfolgt die Replikation bei Eukaryoten und Prokaryoten gleich. Skizzieren Sie, wie die DNA-Matrizen in der Replikationsblase in beide Richtungen komplementär ergänzt werden. Kennzeichnen Sie jeweils Folge- und Leitstrang.

Genetischer Code und Proteinbiosynthese

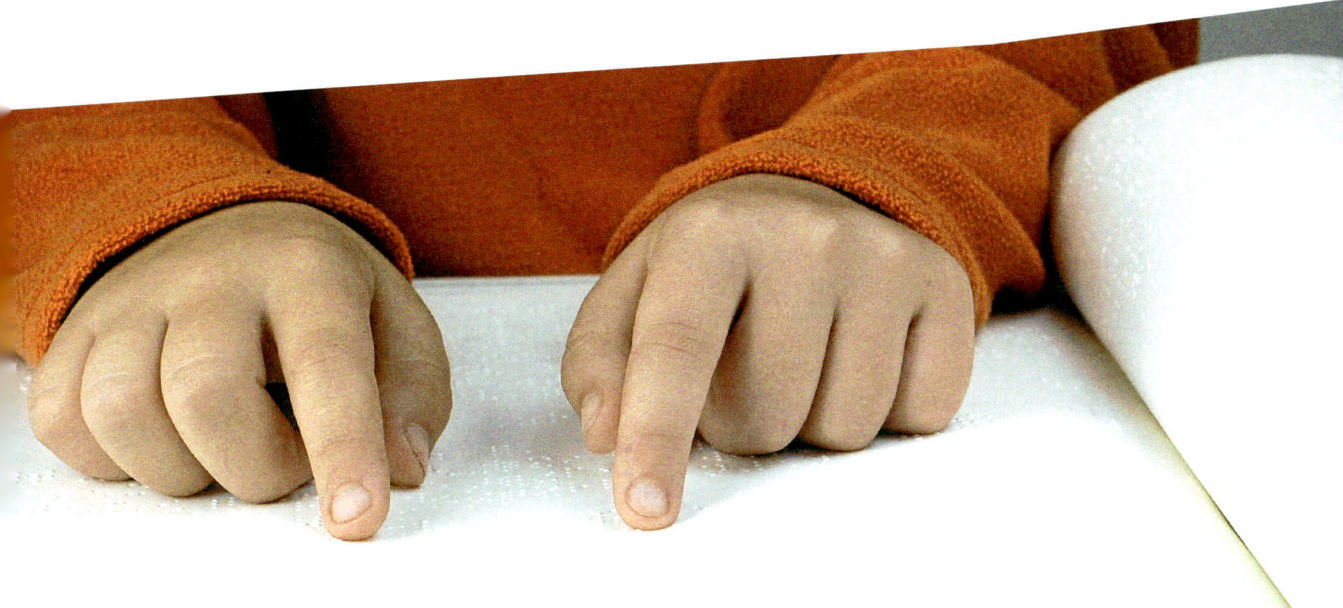

10

Code — das klingt nach Nachrichtentechnik und Spionage. Einen Code benutzt man zur Verschlüsselung von Nachrichten, die nur Eingeweihte verstehen sollen. Es handelt sich um eine Vorschrift, die die Zeichen eines Alphabets eindeutig den Zeichen eines anderen Alphabets zuordnet, so wie das Kind auf dem Foto dem gefühlten Punktmuster Buchstaben zuordnet. Die DNA codiert Proteine, dabei ordnet der genetische Code jeweils Dreiergruppen der vier Basen bestimmten Aminosäuren zu. Alle Lebewesen sind in diese Verschlüsselung eingeweiht — der genetische Code ist universell. Zur Umsetzung des Codes bedarf es bestimmter Bestandteile einer lebenden Zelle. Diese Decodiermaschinerie übersetzt die Basensequenz der DNA in die Aminosäuresequenz der Proteine.

Ein Kind ertastet Buchstaben in Blindenschrift.

10.1	Eine Dreiergruppe der DNA-Basen A, T, G, C verschlüsselt eine Aminosäure
10.2	Bei der Transkription wird ein DNA-Abschnitt in RNA umgeschrieben
10.3	Bei der Translation wird die Basensequenz in die Aminosäuresequenz übersetzt
10.4	Eukaryotische mRNA wird noch im Kern zerschnitten und neu zusammengefügt
10.5	Durch Genregulation hat jede Zelle eine typische Proteinausstattung
10.6	Viren nutzen den Proteinsyntheseapparat ihrer Wirtszelle
10.7	Eukaryotische DNA enthält zu einem großen Teil nicht codierende Sequenzen
10.8	Ein Gen ist ein DNA-Abschnitt, der für eine RNA codiert
10.9	Der Erbinformationsfluss läuft nicht immer in Richtung DNA→RNA→Protein

Genetik

10.1 Eine Dreiergruppe der DNA-Basen A, T, G, C verschlüsselt eine Aminosäure

Gene sind die Träger der Vererbung. Bevor Sie erfahren, wie diese von Generation zu Generation weitergegeben werden, sollten Sie zunächst wissen, wie Gene überhaupt Merkmale bestimmen. Gene sind biochemisch betrachtet DNA-Abschnitte. Zellen sind in der Lage, deren Informationen zu lesen und in Merkmale umzusetzen. Die Merkmale einer Zelle oder eines vielzelligen Lebewesens werden vor allem durch das Wirken von Proteinen bestimmt: Sie können beispielsweise als Enzyme Stoffwechselreaktionen katalysieren, als Muskelproteine Bewegung ermöglichen oder Sauerstoff im Blut transportieren.

Die Gesamtheit der in einem bestimmten Stadium vorhandenen Proteine einer Zelle ist das **Proteom**. Ein Protein besteht, wie Sie wissen, aus mindestens einem Polypeptid mit einer bestimmten Tertiärstruktur (→ 1.3). Polypeptide sind lange Ketten aus Aminosäuren, von denen zwanzig verschiedene in natürlichen Proteinen vorkommen können. Die Reihenfolge (Sequenz) der Aminosäuren bestimmt die spätere Faltung und damit Bau und Funktion des Proteins. Zunächst interessiert uns daher, wie die Zelle die Information der Gene liest und in Proteine umsetzt. Diese Umsetzung der genetischen Information bezeichnet man als **Genexpression**.

Mehrere Schritte sind nötig, um die Sequenz der DNA-Nucleotide in die Sequenz der Aminosäuren zu übersetzen. Kurz gefasst, vollzieht sich die Genexpression folgendermaßen (→ Abb. 1): Zunächst wird der gewünschte Abschnitt der DNA in Ribonucleinsäure, *mRNA*, umgeschrieben, m steht für das englische Wort „messenger", also Bote. RNA ist aufgrund ihrer Kürze viel mobiler als *DNA* (Molekülstruktur, → Abb. 1, S. 32). Das Umschreiben von DNA in RNA wird als **Transkription** bezeichnet und findet bei Eukaryoten im Zellkern statt.

Erst an den Ribosomen im Cytoplasma wird die Reihenfolge der Nucleotide (Basensequenz) in die Aminosäuresequenz übersetzt. Diesen Übersetzungsvorgang nennt man **Translation**. Bei Eukaryoten ist noch ein weiterer Schritt, die **RNA-Prozessierung**, dazwischengeschaltet. Dabei wird die RNA u. a. zugeschnitten, bevor sie den Kern verlässt. Die RNA gelangt dann zwecks Translation, also Proteinsynthese, zu den Ribosomen ins Cytoplasma. Die grundsätzliche Richtung des Erbinformationsflusses ist damit DNA → RNA → Protein. Die Basensequenz der DNA wird letztlich in die Aminosäuresequenz von Proteinen umgeschrieben. Auf den nächsten Seiten lernen Sie die Teilschritte und die Decodiermaschinerie der Zelle kennen.

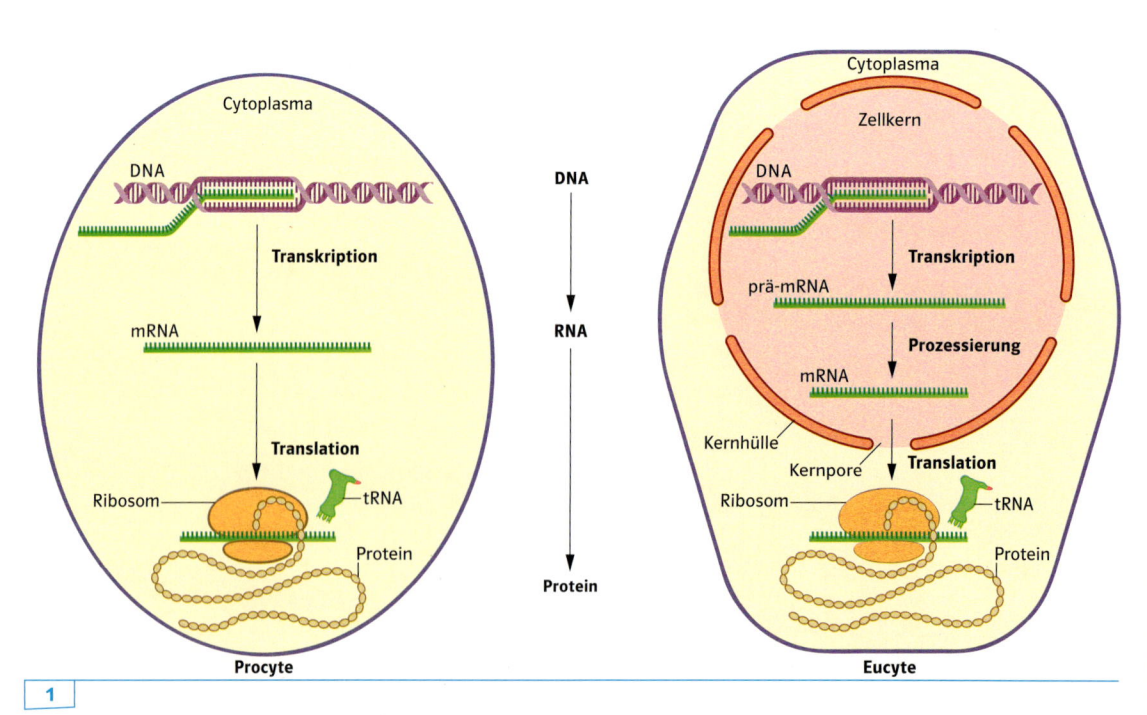

Information und Kommunikation

1 Die Genexpression besteht aus den Schritten Transkription und Translation. Anders als bei Prokaryoten wird die entstandene RNA bei Eukaryoten im Zellkern noch weiter prozessiert, das heißt bearbeitet.

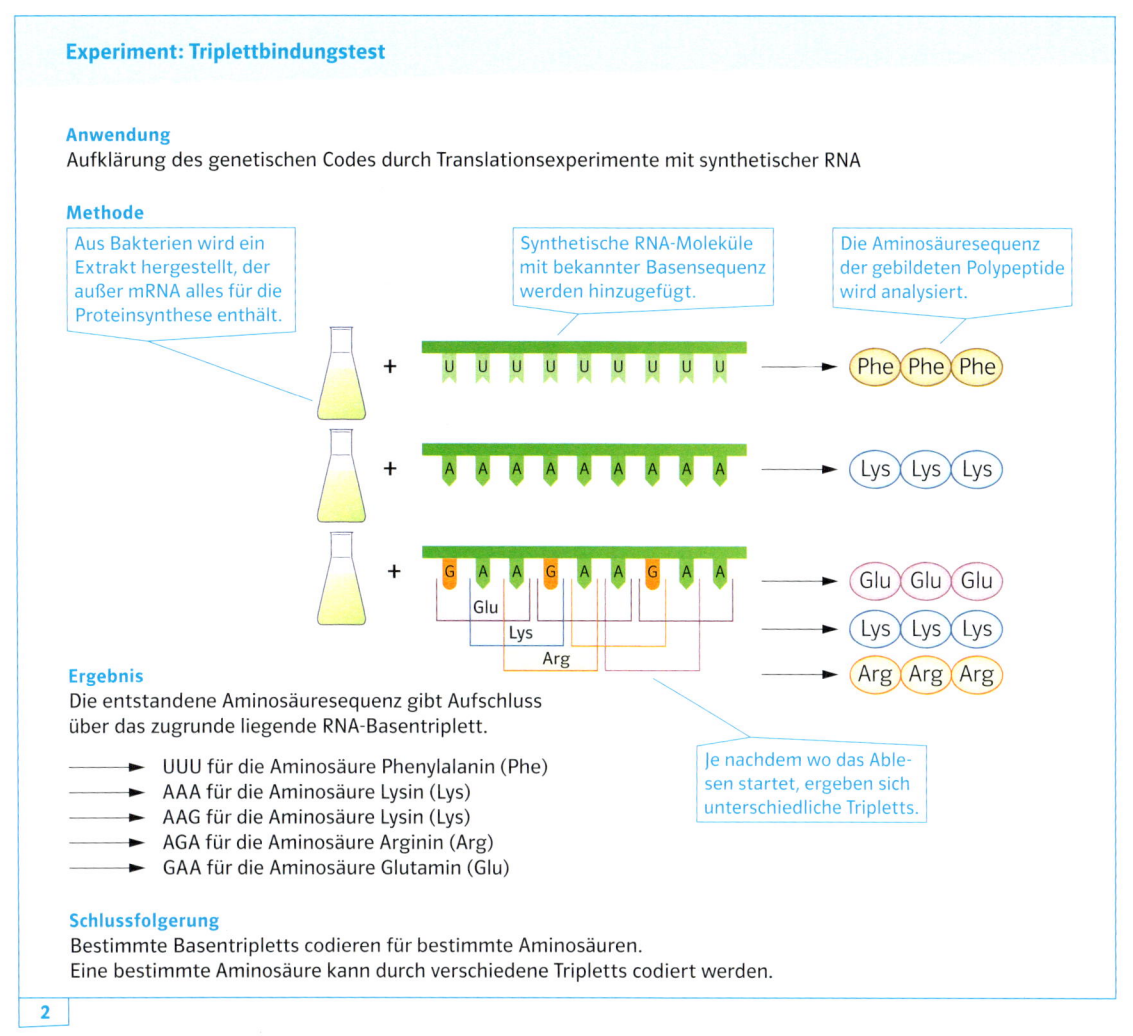

Experiment: Triplettbindungstest

Anwendung
Aufklärung des genetischen Codes durch Translationsexperimente mit synthetischer RNA

Methode

Aus Bakterien wird ein Extrakt hergestellt, der außer mRNA alles für die Proteinsynthese enthält.

Synthetische RNA-Moleküle mit bekannter Basensequenz werden hinzugefügt.

Die Aminosäuresequenz der gebildeten Polypeptide wird analysiert.

+ U U U U U U U U U → Phe Phe Phe

+ A A A A A A A A A → Lys Lys Lys

+ G A A G A A G A A
  Glu
       Lys
           Arg
→ Glu Glu Glu
→ Lys Lys Lys
→ Arg Arg Arg

Je nachdem wo das Ablesen startet, ergeben sich unterschiedliche Tripletts.

Ergebnis
Die entstandene Aminosäuresequenz gibt Aufschluss über das zugrunde liegende RNA-Basentriplett.

- → UUU für die Aminosäure Phenylalanin (Phe)
- → AAA für die Aminosäure Lysin (Lys)
- → AAG für die Aminosäure Lysin (Lys)
- → AGA für die Aminosäure Arginin (Arg)
- → GAA für die Aminosäure Glutamin (Glu)

Schlussfolgerung
Bestimmte Basentripletts codieren für bestimmte Aminosäuren.
Eine bestimmte Aminosäure kann durch verschiedene Tripletts codiert werden.

2
Der Triplettbindungstest zeigt, welche Basentripletts der RNA für welche Aminosäuren codieren.

Versetzen Sie sich einmal in die Lage eines Wissenschaftlers, der versucht, den **genetischen Code** der DNA zu knacken. Sie gehen dazu rein rechnerisch vor und überlegen, wie man mit den vier DNA-Basen A, T, G, C eine Codierung von 20 Aminosäuren erreichen kann:
- 1:1-Codierung: Base A für Aminosäure 1, T für Aminosäure 2, G für Aminosäure 3, C für Aminosäure 4. So können nur 4 unterschiedliche Aminosäuren codiert werden.
- 2:1-Codierung: Basenpaare, also AA für Aminosäure 1, AT für Aminosäure 2, AG für Aminosäure 3 usw. Das ergibt 4^2, also 16 Basenpaare, auch das reicht nicht aus.
- 3:1-Codierung: Dreiergruppen (*Basentripletts*), also AAA für Aminosäure 1, AAT für Aminosäure 2, AAG für Aminosäure 3 usw. Das ergibt 4^3, also 64 Basentripletts; mehr als genug für die Codierung der 20 Aminosäuren.

Experimente mit RNA haben bestätigt, dass tatsächlich Basentripletts Aminosäuren codieren. Ein codierendes Triplett, eine Dreiergruppe, heißt **Codon**. Welches RNA-Triplett welche Aminosäure codiert, konnte mit dem *Triplettbindungstest* geklärt werden. Abb. 2 zeigt dieses Verfahren zur Analyse des genetischen Codes. MARSHALL W. NIRENBERG und J. HEINRICH MATTHAI verwendeten 1961 statt einer natürlichen RNA einfache künstliche Polynucleotide mit bekannter Basensequenz zur *Proteinbiosynthese*. Dieser mRNA wird alles hinzugefügt, was eine Bakterienzelle zur Translation braucht. Sie werden diesen Translationsansatz noch näher kennenlernen, er enthält u.a. Aminosäuren und Ribosomen (→ Abb. 3, S. 165).

Für eine eindeutige Zuordnung von Triplett und Aminosäure wurden die Triplettbindungstests noch weiter verfeinert. Die Tripletts UAG, UAA und UGA führten stets zum Abbruch der Translation, es sind die *Stoppcodons*.

Genetik

Online-Link
Überblick: Aminosäuren
150010-0231

Die Übersetzungsvorschrift von mRNA-Tripletts in Aminosäuren wird gerne durch eine *Codesonne* dargestellt (→ Abb. 3). Die Codesonne wird von innen (5') nach außen (3') gelesen. Jeder Buchstabe der drei inneren Ringe steht für eine Base im RNA-Nucleotid, immer drei in einem Strahl bilden ein Codon. AUG ist also das Startcodon, UAG ein Stoppcodon. Im äußeren Ring stehen die Abkürzungen für die Aminosäuren (→ 1.1). Die meisten Aminosäuren sind mehrfach verschlüsselt, der Code ist **redundant**. So codieren die Codons UUA und UUG für die Aminosäure Leu (Leucin). Da der Code **universell** ist, kann man Nucleotidsequenzen von einer Art auf die andere übertragen und sie werden auch dort verstanden und in Proteine übersetzt. Diese Möglichkeiten werden heute routinemäßig in der Gentechnik genutzt (→ 14.1). Doch bevor wir uns mit der Übersetzung von mRNA in Proteine befassen, sehen wir uns zunächst die mRNA-Synthese an.

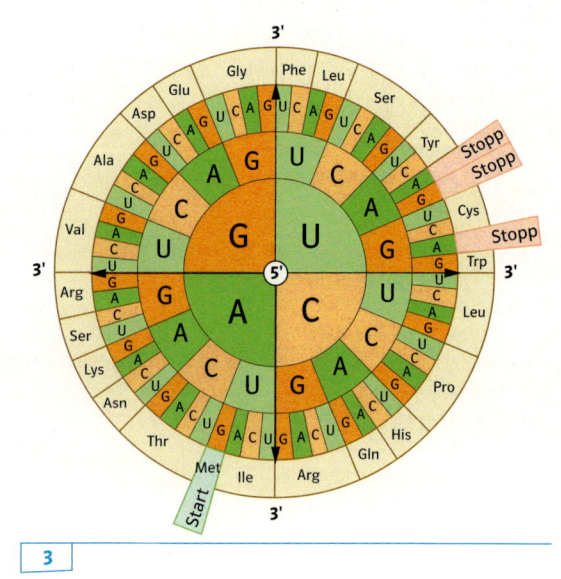

3

Die Codesonne gibt die Übersetzungsvorschrift von mRNA-Codons in Aminosäuren an, z. B. GCC für Ala.

Aufgabe 10.1
Der genetische Code ist universell und redundant. Erklären Sie die Begriffe.

10.2 Bei der Transkription wird ein DNA-Abschnitt in RNA umgeschrieben

Um ein Gen abzulesen, benutzt die Zelle ein Enzym, das RNA entlang einer DNA-Matrize synthetisieren kann. Dieses Enzym ist die **RNA-Polymerase**. Sie verwendet als Substrat *RNA-Nucleotide*, die komplementär zu den Basen der DNA-Matrize verknüpft werden (→ Abb. 1). RNA-Nucleotide unterscheiden sich in

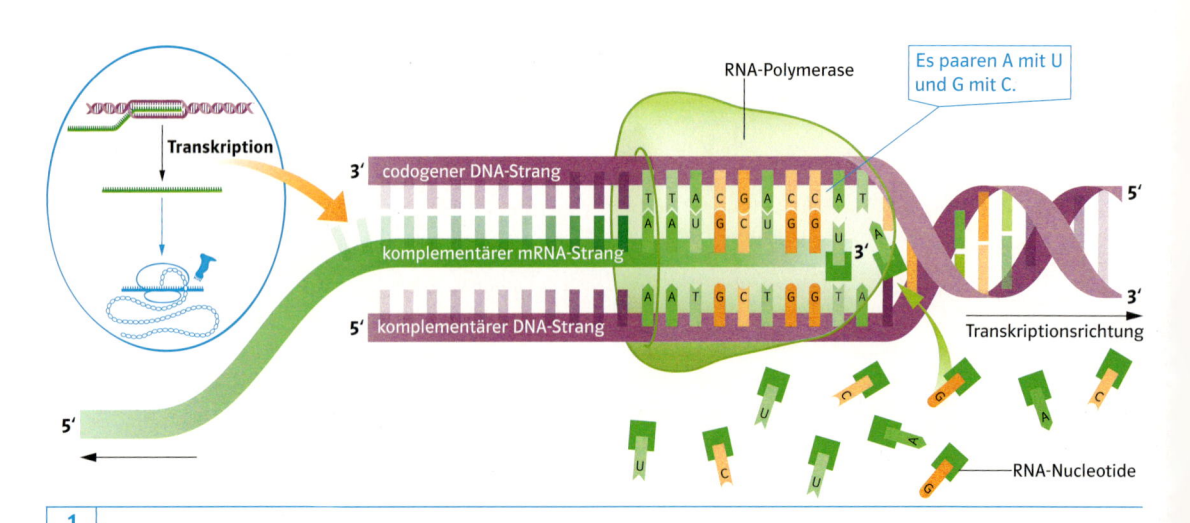

1

Bei der Trankription werden komplementäre RNA-Nucleotide an den codogenen DNA-Strang angelagert.

mehreren Punkten von *DNA-Nucleotiden*. Sie enthalten die Basen A, U, G, C (→ Abb. 1, S. 32). *Uracil* (U) steht anstelle der DNA-Base *Thymin* (T) und paart wie Thymin mit *Adenin* (A). RNA ist weniger stabil als DNA. Das liegt unter anderem an einer OH-Gruppe am zweiten C-Atom der *Ribose*, welche die Hydrolyse begünstigt. Im Zucker *Desoxyribose* der DNA ist diese OH-Gruppe dagegen durch ein H-Atom ersetzt (→ Abb. 2, S. 33).

Sehen Sie sich in Abb. 2 die Arbeitsweise der RNA-Polymerase genauer an. Jedes Gen besitzt einen **Promotor**, eine DNA-Sequenz, an die die RNA-Polymerase binden kann und an der die Transkription startet ⓐ. Hier öffnet die RNA-Polymerase die DNA-Doppelhelix und lagert das erste passende RNA-Nucleotid an. Weitere RNA-Nucleotide werden am 3'-Ende des vorherigen Nucleotids angeknüpft ⓑ. Den auf diese Weise abgeschriebenen DNA-Strang bezeichnet man deshalb als *codogenen Strang*. Die Transkription endet an einer bestimmten DNA-Sequenz, die man **Terminator** nennt. Hier löst sich die RNA-Polymerase von der DNA ⓓ. Es ist ein einzelsträngiges mRNA-Molekül entstanden. Diese mRNA hat eine zum codogenen DNA-Strang komplementäre Basensequenz, sie ist gewissermaßen das Negativ, nur anstelle der Base Thymin (T) steht die Base Uracil (U). Die mRNA-Sequenz entspricht (bis auf die Base Uracil) dem komplementären, nicht codogenen Strang der DNA (→ Abb. 1). In Gendatenbanken wird daher dieser nicht abgelesene Strang als DNA-Basensequenz aufgelistet, um das Gen zu beschreiben.

In ähnlicher Weise werden auch andere RNA-Moleküle synthetisiert: Die *ribosomale RNA* (rRNA) ist ein Strukturbestandteil der Ribosomen, die *Transfer-RNA* (tRNA) sorgt für den Transport der Aminosäuren. Daneben hat man inzwischen viele weitere RNA-Typen identifizieren können.

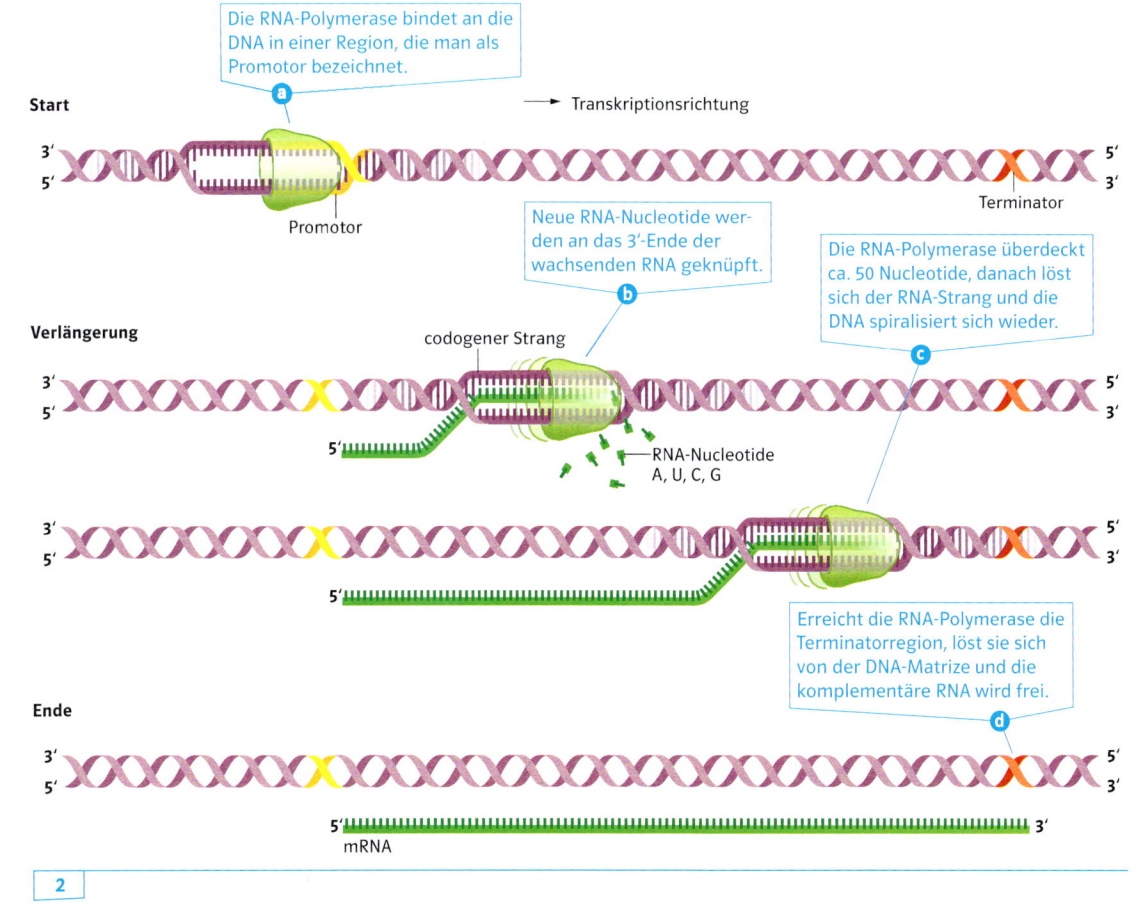

2

Die Transkription eines DNA-Abschnitts umfasst: Start (Initiation), Verlängerung (Elongation) und Ende (Termination).

Aufgabe 10.2

Vergleichen Sie Aufgabe und Arbeitsweise von RNA- und DNA-Polymerase (→ 9.4).

10.3 Bei der Translation wird die Basensequenz in die Aminosäuresequenz übersetzt

Strukturmodell der tRNA

- Bindungsstelle für Aminosäure
- Symbol für tRNA
- Wasserstoffbrückenbindung
- Anticodon
- Ribonucleinsäure (RNA)

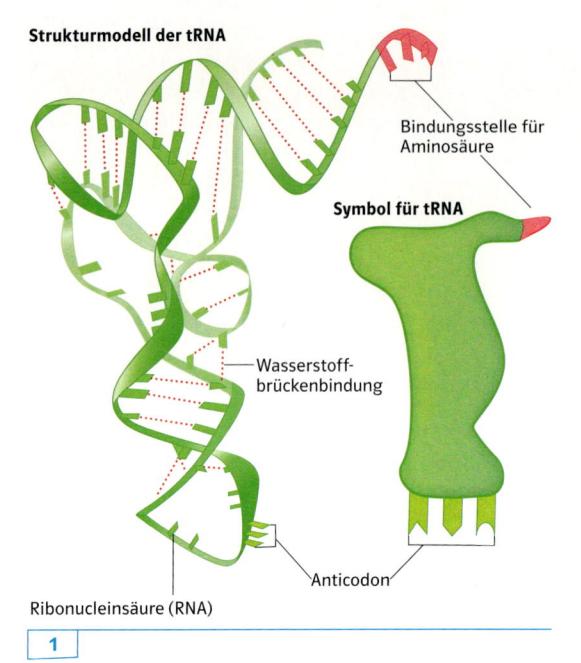

1 Die tRNA hat eine Erkennungsstelle für das mRNA-Codon, Anticodon genannt, und eine Bindungsstelle für die zugehörige Aminosäure.

Die mRNA gleicht einem „Fotonegativ" der genetischen Information, sie besteht aus der komplementären Basensequenz eines codogenen DNA-Abschnitts. Diese mRNA-Basensequenz muss nun im Rahmen der *Proteinbiosynthese* in die Aminosäuresequenz übersetzt werden. Diesen Vorgang nennt man **Translation** (translation (engl.): Übersetzung). Die Übersetzungsvorschrift, den *genetischen Code*, haben Sie bereits kennengelernt (→ Abb. 3, S. 162). Die Translation findet im Cytoplasma der Zelle statt. Bei Eukaryoten verlässt die mRNA den Zellkern durch die Kernporen und gelangt zu den Ribosomen (→ Abb. 1, S. 44).

Als Vermittler der Translation arbeitet die **Transfer-RNA** (tRNA). Eine tRNA zeigt eine spezifische Sekundärstruktur (→ Abb. 1).• An einem Ende hat sie eine Erkennungsstelle für ein Basentriplett der mRNA. Das ist ein zum mRNA-Codon komplementäres Triplett, ein **Anticodon**. Am anderen Ende der tRNA haftet die gemäß Code dazu gehörende Aminosäure. Mit diesen beiden Bindungsstellen gleicht die tRNA einem Adapter zwischen mRNA und Aminosäure. Die Beladung der tRNA mit der zum Anticodon gehörenden Aminosäure wird durch ein spezifisches Enzym katalysiert, die *Aminoacyl-tRNA-Synthetase* (→ Abb. 2). Sie ist der eigentliche Dolmetscher der Nucleinsäurensprache in die Proteinsprache. Die mit einer Aminosäure beladenen tRNA-Moleküle gelangen zu den *Ribosomen* und heften sich mit ihrem Anticodon am passenden mRNA-Codon an. Am Ribosom (→ Abb. 3, S. 42) werden die Aminosäuren in der vorgegebenen Reihenfolge verbunden.• Seltene Fehler sind dabei möglich. Sie können zu leicht abgewandelten Sequenzen führen, die aber meistens von Enzymen repariert werden.

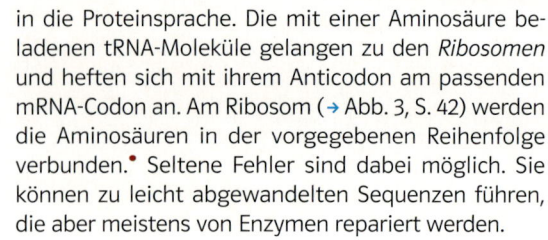

Sehen sie sich in Abb. 3 an, wie ein Translationskomplex aus mRNA, Ribosom und tRNA-Molekülen arbeitet. Der mRNA-Strang stellt eine Verbindung zwischen der großen und der kleinen Untereinheit eines Ribosoms her. Innerhalb des Ribosoms sind die mRNA-Tripletts so ausgerichtet, dass jeweils ein Anticodon der tRNA hier binden kann. Für die tRNA gibt es im Ribosom passende Bindungsregionen, zwei davon sind in Abb. 3 schematisch dargestellt. Die Translation startet, wenn eine tRNA mit passendem Anticodon an das mRNA-Triplett AUG bindet **a**. Kontrollieren Sie in der Codesonne (→ Abb. 3, S. 162): AUG ist das Startcodon, hier bindet eine tRNA, die mit der Aminosäure Methionin (Met) beladen ist. Am folgenden Codon (hier: CCG) bindet die nächste passende tRNA, beladen mit der Aminosäure Prolin (Pro) **b**. Das Prolin wird durch Peptidbindung mit der Aminosäure Methionin verknüpft **c** und die mRNA rückt ein Codon weiter in 5'-Richtung **d**. Dadurch wird die entladene tRNA freigesetzt.

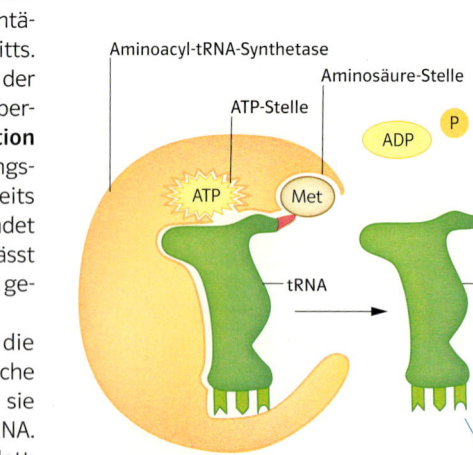

- Aminoacyl-tRNA-Synthetase
- Aminosäure-Stelle
- ATP-Stelle
- ADP
- P
- Aminosäure
- ATP
- Met
- Met
- tRNA
- beladene tRNA

Spezifische Enzyme beladen das tRNA-Molekül mit der passenden Aminosäure.

Jede der 20 Aminosäuren hat ihren eigenen Typ von tRNA.

2 Die tRNA-Moleküle werden enzymatisch mit einer Aminosäure passend zum Anticodon beladen.

Online-Link
Translation (interaktiv)
150010-1651

Genetischer Code und Proteinbiosynthese

3

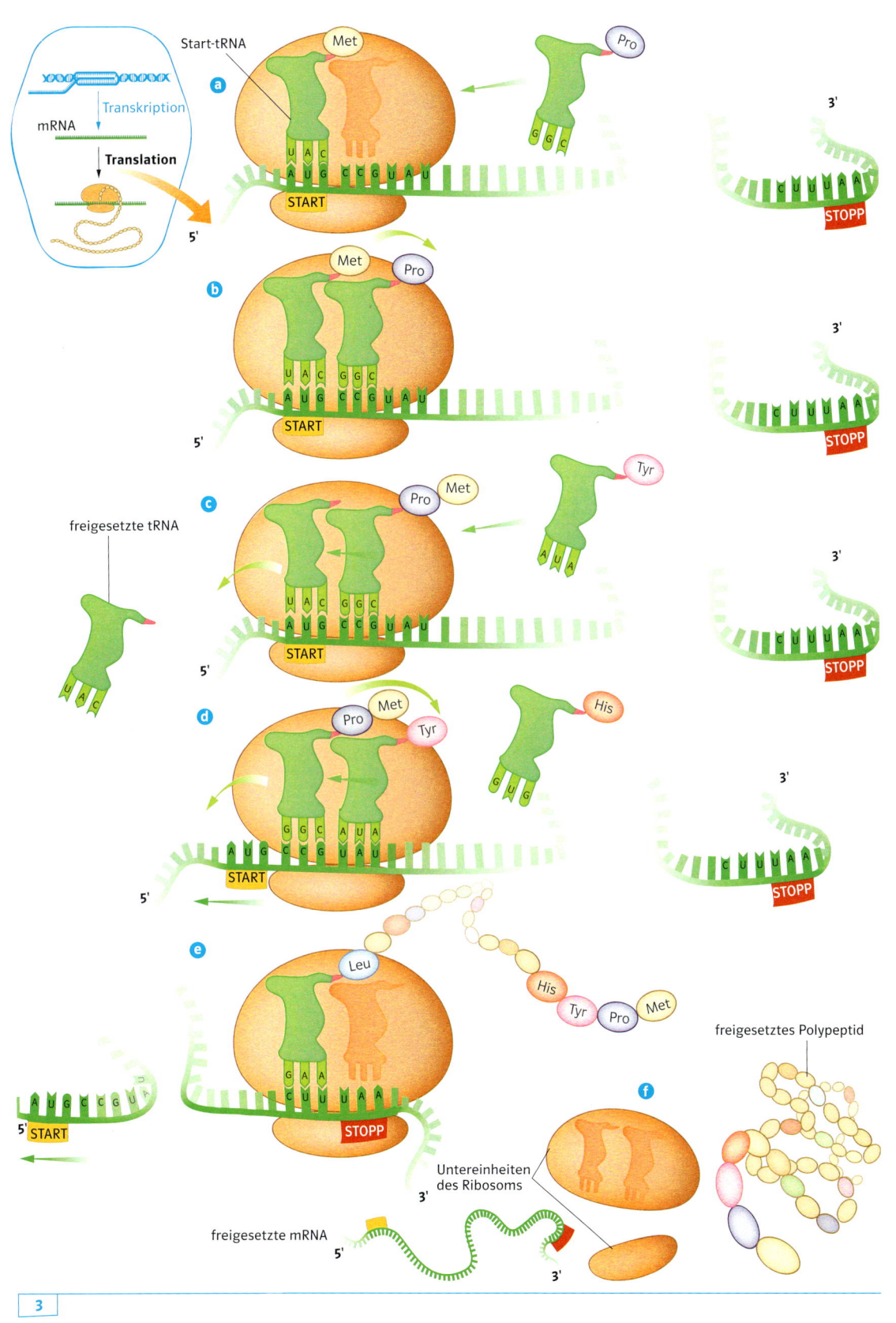

Bei der Translation rückt die mRNA triplettweise durch das Ribosom.

Die nun mit zwei Aminosäuren beladene tRNA wird verschoben. Eine weitere tRNA mit ihrer Aminosäure (hier Tyrosin, Tyr) kann nun an das Codon UAU binden. An die Aminosäure Tyrosin wird wiederum die vorhergehende Aminosäurekette gebunden ❶. So wird bis zum Erreichen eines Stoppcodons das Polypeptid verlängert ❷. Dann zerfällt das Ribosom und das Polypeptid wird frei ❸. Die mRNA wurde sozusagen durch das Ribosom hindurchgefädelt und steht nun für eine weitere Translation zur Verfügung.

Mit dem Rasterelektronenmikroskop kann die Proteinbiosynthese sichtbar gemacht werden. In Abb. 4 sehen Sie ein **Polysom**. Das sind kettenartig aufgereihte Ribosomen, die an einer einzelnen mRNA alle das gleiche Polypeptid bilden, in unterschiedlichen Stadien. Polysomen beschleunigen die Proteinsynthese auf diese Weise ganz erheblich.

Fast alle Lebewesen benutzen denselben genetischen Code. Sie haben ihre Proteine in der gleichen Weise verschlüsselt. Ausnahmen gibt es nur bei einigen Mitochondrien, Pilzen und Bakterien. Gerade diese seltenen Abweichungen sind Spuren der Evolution, die verschiedene Varianten testete, bis sich der heutige, universelle Code als Ergebnis eines Optimierungsprozesses durchsetzte.•

Geschichte und Verwandtschaft

4

In dieser als Polysom bezeichneten Struktur synthetisieren zahlreiche Ribosomen (blau) an einem mRNA-Molekül (rot) immer das gleiche Polypeptid (grün).

Aufgabe 10.3
Übersetzen Sie folgende Basensequenz des codogenen DNA-Strangs in die Aminosäuresequenz. Verwenden Sie die Codesonne (→ Abb. 3, S. 162). Bedenken Sie, dass die Sequenz zunächst in mRNA übersetzt werden muss, dann Triplett für Triplett in die Aminosäuresequenz. Codogene DNA-Sequenz: 3'-TACGCCCTGTGGCGCCTC-5'. Leiten Sie ab, warum in Gendatenbanken der Übersicht halber nicht die Basensequenz des codogenen DNA-Strangs, sondern die des komplementären Strangs angegeben wird.

10.4 Eukaryotische mRNA wird noch im Kern zerschnitten und neu zusammengefügt

Bei der Transkription im Zellkern der Eukaryoten entsteht ein langes RNA-Molekül, das noch weiter bearbeitet werden muss, bevor es sich zur Translation eignet. Diese *prä-mRNA* ist lediglich der Vorläufer der eigentlichen mRNA. Die prä-mRNA enthält Abschnitte, die keine genetische Information tragen, die **Introns**. Im Vergleich mit unserer menschlichen Sprache können Sie sich diese Introns als Zwischengeräusche oder Stammeln bei einer Rede vorstellen (→ Abb. 1). Der Zuhörer versteht den Sinn des Textes, weil er die informationsfreien Geräusche ignoriert. In der Zelle müssen die nicht codierenden Abschnitte herausgeschnitten und die verbleibenden codierenden Sequenzen zusammengefügt werden. Genetiker bezeichnen diesen Vorgang als **Spleißen**. **Exons** (von engl. executable) heißen die codierenden DNA-Abschnitte, deren Information für die Genexpression zusammengefügt wird. Das Spleißen ist Teil der **Prozessierung**, bei der die RNA außerdem für eine Passage durch die Kernporen vorbereitet wird. Erst durch die Prozessierung entsteht aus der prä-mRNA eine übersetzbare mRNA. Die Prozessierung ist ein zusätzlicher Schritt in der Proteinbiosynthese, der Eukaryoten von Prokaryoten unterscheidet.

Aus manchen prä-mRNAs können auch verschiedene Abschnitte herausgeschnitten und dann bausteinartig in unterschiedlicher Weise zusammengefügt werden. Dieses *alternative Spleißen* (→ Abb. 2) stellt

Genetischer Code und Proteinbiosynthese

aus der gleichen prä-mRNA verschiedene mRNA-Moleküle zusammen. Ein transkribierter DNA-Abschnitt kann also für mehrere unterschiedliche Proteine codieren. Das ermöglicht erst die Vielfalt an Proteinen. Sie übersteigt bei Weitem die Anzahl der Gene.•

Zuständig für das Spleißen ist ein großer Enzymkomplex, das *Spleißosom*. Hier werden auch das 5'-Ende und das 3'-Ende der mRNA durch Anheften spezifischer Nucleotidsequenzen stabilisiert, die nicht für Aminosäuren codieren.

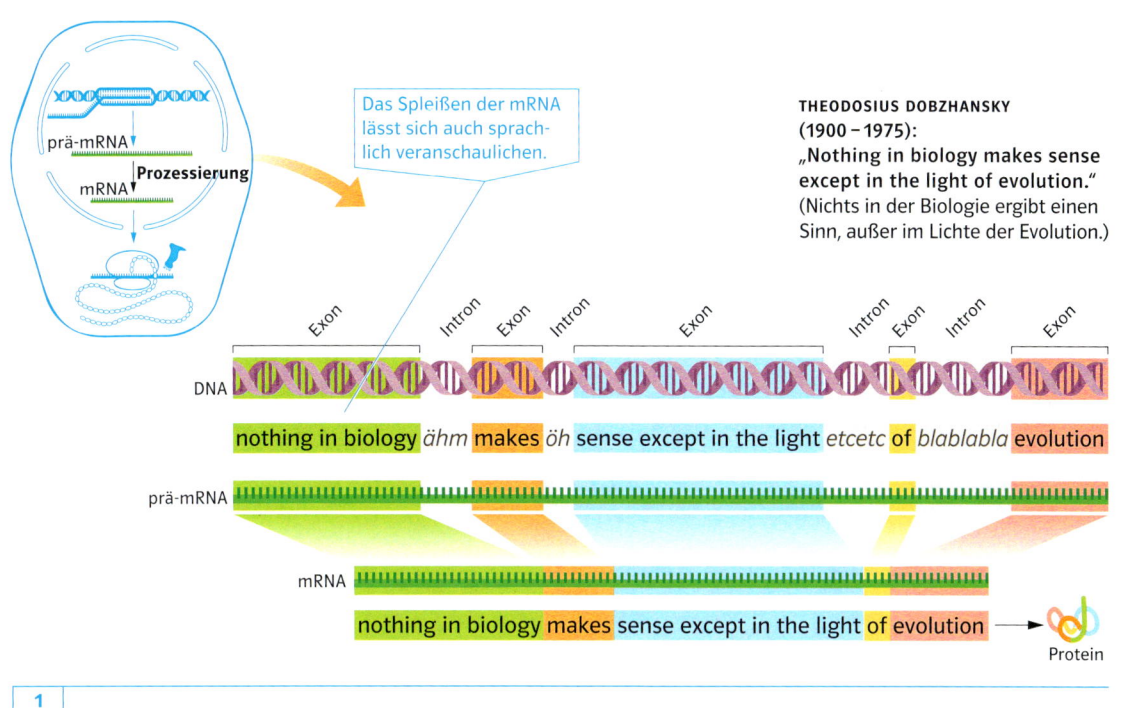

Variabilität und Angepasstheit

THEODOSIUS DOBZHANSKY (1900 – 1975):
„Nothing in biology makes sense except in the light of evolution." (Nichts in der Biologie ergibt einen Sinn, außer im Lichte der Evolution.)

Das Spleißen der mRNA lässt sich auch sprachlich veranschaulichen.

1
Beim Spleißen geht aus den verknüpften Exons der eukaryotischen prä-mRNA die reife mRNA hervor.

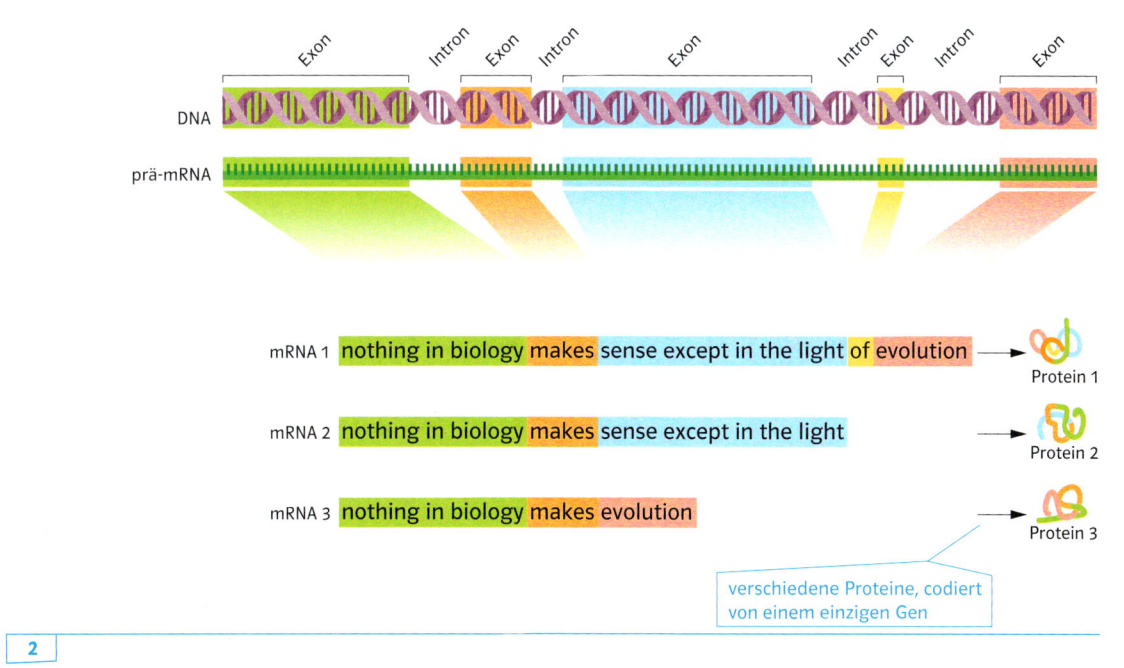

2
Beim alternativen Spleißen können verschiedene mRNAs aus der gleichen prä-mRNA entstehen.

verschiedene Proteine, codiert von einem einzigen Gen

Genetik

Erst durch die Prozessierung, also durch Spleißen sowie Anhängen von Kappe und Schwanz, ist die prä-mRNA der Eukaryoten zur mRNA gereift. Die mRNA verlässt den Kern durch die Kernporen und gelangt zu den Ribosomen. Hier findet wie in → 10.3 beschrieben die Proteinsynthese statt.

Die Introns in der DNA der Eucyte lassen sich wahrscheinlich auf DNA-Sequenzen zurückführen, die im Laufe der Evolution funktionslos geworden sind, aber weiter als „DNA-Müll" (junk DNA, → 10.7) mitgeschleppt wurden. Manche Introns haben jedoch eine Funktion beim alternativen Spleißen. Inzwischen hat sich auch herausgestellt, dass die zugehörigen RNA-Schnipsel an einzelsträngige RNA binden und sie damit funktionslos machen können (→ 10.9). Das wird uns noch näher beschäftigen, denn es hat nicht nur Bedeutung in der Genregulation, sondern auch in der Gentechnik. Die Aufklärung dieser RNA-Interferenz durch ANDREW Z. FIRE und CRAIG C. MELLO wurde 2006 mit einem Nobelpreis ausgezeichnet.

Aufgabe 10.4

Alternatives Spleißen erhöht die genetische Variabilität. Erläutern Sie diese Aussage in eigenen Worten.

10.5 Durch Genregulation hat jede Zelle eine typische Proteinausstattung

Lesen Sie eigentlich eine Tageszeitung von der ersten bis zur letzten Zeile? Vermutlich nicht. Vielleicht interessieren Sie sich neben der Tagespolitik speziell für die Sportnachrichten, an Wochenenden zusätzlich für den Veranstaltungskalender oder das Wetter. Ähnlich ist es in einer Zelle: Alle Muskelzellen, Nervenzellen oder Epidermiszellen in unserem Körper enthalten die gleichen Gene, denn sie sind aus einer einzigen

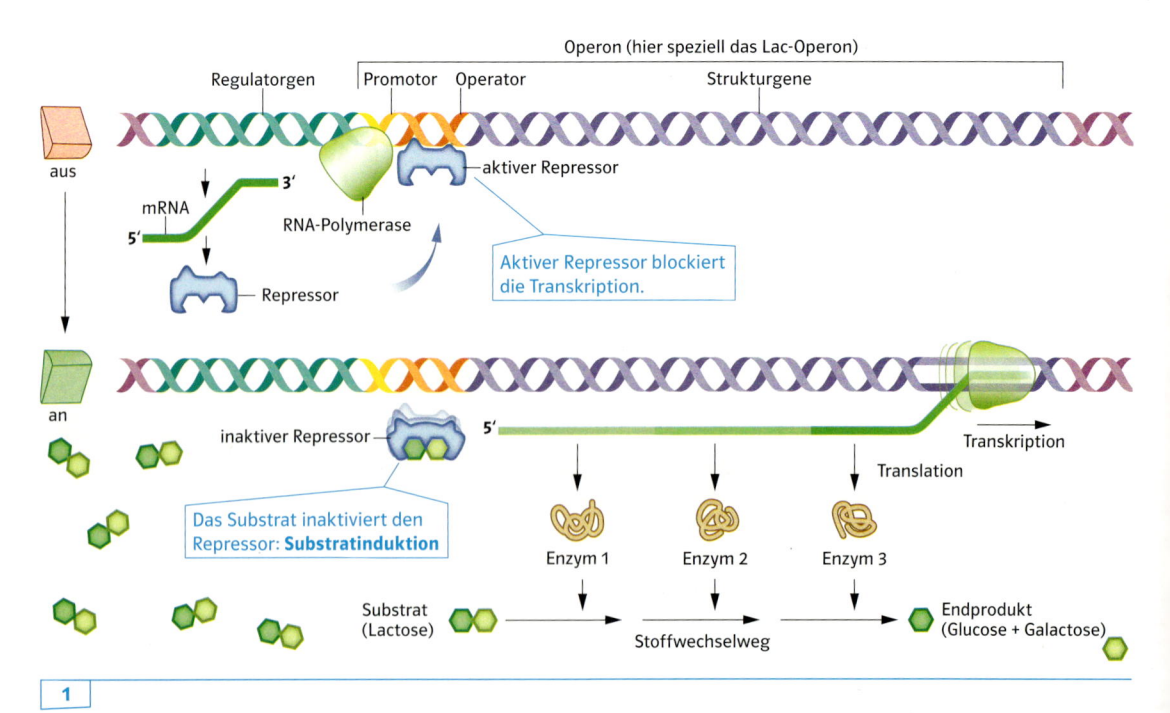

1 Im abbauenden Stoffwechsel starten Substrate die Genexpression. Durch diese Substratinduktion werden die zum Abbau notwendigen Enzyme gebildet.

Online-Link
Regulation der Genexpression
(interaktiv)
150010-1691

Genetischer Code und Proteinbiosynthese

befruchteten Eizelle durch Replikation und Mitose hervorgegangen. Allen Zellen stehen damit zwar die gleichen genetischen Informationen zur Verfügung, je nach Aufgabe und Alter lesen sie aber einen anderen Teil davon ab. Die *Genexpression* ist also von Zelle zu Zelle verschieden und lässt die Zellen entsprechend unterschiedlich aussehen und arbeiten. Die Aktivität von Genen wird reguliert.

Bakterien können durch **Genregulation** flexibel auf Umweltbedingungen reagieren: Die Biosynthese von Proteinen beansprucht Energie und Rohstoffe. Lebewesen, die nur die gerade nötigen Proteine produzieren, haben einen Vorteil gegenüber weniger sparsamen Vertretern. Sie setzen sich im Laufe der Evolution durch. So entstanden verschiedene Wege der Genregulation. FRANÇOIS JAKOB und JACQUES L. MONOD (Nobelpreis 1965) beschrieben Wege der Genregulation bei Prokaryoten. Ihre Schlussfolgerungen sind als **Operonmodell** bekannt. Das Modell erklärt, ob und wann die Enzyme für einen Stoffwechselweg synthetisiert werden. Sehen Sie sich das Modell im Schema an (→ Abb. 1). Anders als bei Eukaryoten sind Transkription und Translation bei Prokaryoten räumlich und zeitlich nicht getrennt. Sie erfolgen direkt und fast zeitgleich. Gene sind in Funktionseinheiten organisiert, denn Gene eines Stoffwechselwegs werden gemeinsam reguliert und abgelesen. Eine solche Funktionseinheit besteht aus *Promotor*, *Operator* und *Strukturgenen*, zusammen bilden sie ein **Operon**.

Die Strukturgene eines Operons codieren für eine Enzymkette, die schrittweise ein Substrat in ein Endprodukt überführt (→ Abb. 1). Die Strukturgene eines Operons haben einen gemeinsamen Promotor, also eine Bindungsstelle für die *RNA-Polymerase*. Ob die Transkription startet, entscheidet ein Operator. Er liegt zwischen dem Promotor und den Strukturgenen und ist gewissermaßen der An-Aus-Schalter für die Aktivität der Strukturgene. Bedient wird dieser Schalter durch einen *Repressor*, ein vom Regulatorgen codiertes Protein. Der Repressor blockiert den Operator (Schalterstellung „aus"). Nur wenn der Repressor inaktiv ist, steht der Operator in Schalterstellung „an", die RNA-Polymerase kann die Strukturgene ablesen. Die Aktivität eines Repressors hängt davon ab, ob ein Substrat bzw. ein Endprodukt an ihn bindet oder nicht.

- Im abbauenden Stoffwechsel (*Katabolismus*) wird die Transkription abbauender Enzyme erst dann gestartet, wenn bestimmte Nährstoffe als Substrat zur Verfügung stehen. Hier inaktiviert der Nährstoff den Repressor und schaltet die Enzymsynthese an. Der Vorgang heißt **Substratinduktion** (→ Abb. 1).
- Im aufbauenden Stoffwechsel (*Anabolismus*) ist es sinnvoll, dass die Transkription synthetisierender Enzyme nur so lange läuft, bis ausreichend Endprodukte gebildet worden sind. Hier aktiviert das Endprodukt den Repressor und stoppt so die Enzymsynthese. Dieser Vorgang heißt **Endproduktrepression** (→ Abb. 2).

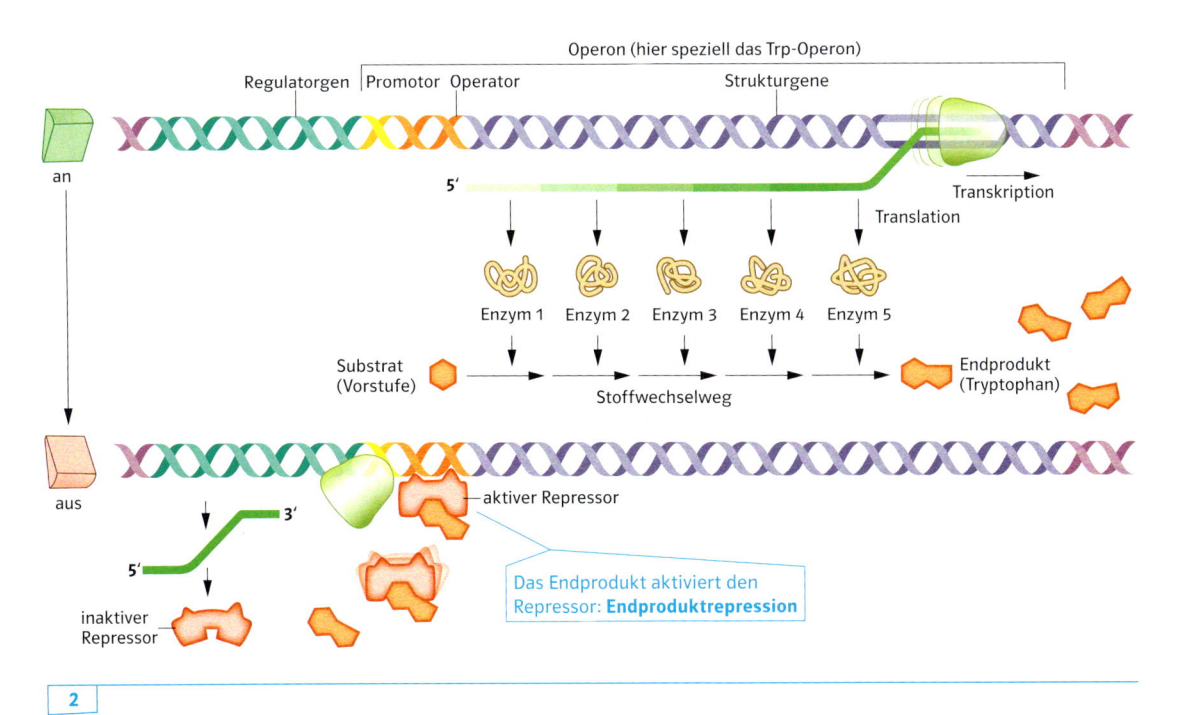

Steuerung und Regelung

2

Im aufbauenden Stoffwechsel stoppen die Produkte eines Stoffwechselwegs die Genexpression. Durch diese Endproduktrepression werden die entsprechenden Enzyme und damit das Produkt nicht mehr gebildet.

Bei Eukaryoten ist der Weg von der DNA über die RNA zum Protein länger und vielfältiger, wie die Übersicht zeigt (→ Abb. 3). Die Genregulation kann an verschiedenen Stellen dieser Genexpression eingreifen.

Der Grad der Spiralisierung der DNA beeinflusst die genetische Aktivität **a**. Schon im lichtmikroskopischen Bild erkennt man intensiver gefärbte Bereiche des Chromatins. Sie sind besonders stark spiralisiert und genetisch wenig aktiv. DNA-Abschnitte können ohne Veränderung der Sequenz auch chemisch durch Enzyme abgewandelt werden. So werden durch *Methylierung von Basen* gezielt bestimmte DNA-Abschnitte inaktiviert.

Auch auf der Ebene der Transkription greifen Regulationsmechanismen **b**. Am Promotor, der Bindungsstelle für die RNA-Polymerase (→ Abb. 2, S. 163), können Proteine binden, die **Transkriptionsfaktoren** genannt werden. Sie sind für die Aktivierung oder Inaktivierung eines Gens verantwortlich. Die Wirkung des Promotors kann in der Eucyte durch einen sogenannten *Enhancer* verstärkt werden. Das ist ein DNA-Abschnitt in einiger Entfernung oder sogar auf einem anderen Chromosom als der Promotor. Sowohl an den Promotor als auch an den Enhancer binden wieder Transkriptionsfaktoren. Aber erst durch Verschlingungen der DNA kommen sie miteinander in Kontakt und sorgen so für die Aktivierung eines Gens. Entsprechend vermindert ein *Silencer* die Genexpression.

Auch nach der Transkription kann noch regulatorisch eingewirkt werden, indem die mRNA unterschiedlich gespleißt wird **c**. Dabei anfallende RNA-Schnipsel können später an mRNA binden und eine Translation verhindern (RNA-Interferenz, → 10.9). Nicht alle mRNA-Moleküle dringen überhaupt bis zu den Ribosomen vor **d**. Manche werden zuvor zerschnitten. Andererseits kann die Proteinbiosynthese auch gesteigert werden, indem gleich mehrere Ribosomen als Polysom die gleiche mRNA ablesen **e** (→ Abb. 4, S. 166).

Eine weitere Regulationsmöglichkeit besteht darin, die entstandenen Proteine chemisch abzuwandeln (*posttranslationale Modifikation*) **f** oder ihren Transport zum Wirkungsplatz zu beeinflussen. Für den Abbau von Proteinen **g** ist ein spezieller Enzymkomplex zuständig, das *Proteasom* (→ Abb. 1, S. 44).

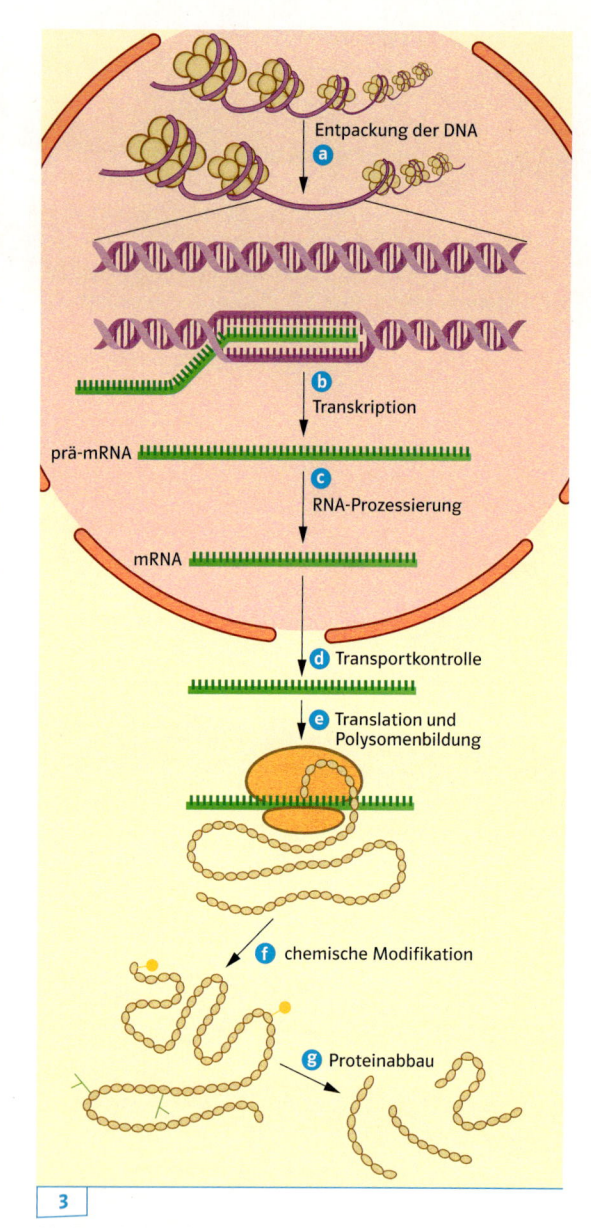

3 Die Regulation der Genexpression in der Eucyte setzt auf dem Weg vom Chromosom zum funktionsfähigen Protein auf unterschiedlichen Ebenen an.

Aufgabe 10.5

Vergleichen Sie die Wirkung des Repressors bei der Regulation aufbauender und abbauender Stoffwechselwege nach dem Operonmodell.

Genetischer Code und Proteinbiosynthese

10.6 Viren nutzen den Proteinsyntheseapparat ihrer Wirtszelle

Sicher haben auch Sie in Ihrem Leben schon einmal Bekanntschaft mit **Viren** gemacht — sie bringen uns grippale Infekte, Windpocken, Warzen oder schlimmer: Influenza, AIDS und weitere schwere Krankheiten. Auch Pflanzen und Bakterien werden von Viren befallen. Oft werden Viren in einem Atemzug mit anderen Krankheitserregern wie Bakterien genannt. Viren haben aber ganz besondere Kennzeichen:
- Sie bestehen nicht aus Zellen.
- Sie können sich nur in Zellen vermehren.
- Sie sind klein genug, um bakteriendichte Filter zu durchdringen.
- Sie können Kristalle bilden.

Die kleinsten bekannten Viren sind nur ca. 15 nm groß, also kleiner als ein Ribosom. Viren enthalten einzelsträngige oder doppelsträngige DNA oder einzelsträngige RNA, die zwischen 1 und 300 Gene trägt. Außerhalb von Zellen sind sie von einer Proteinhülle, dem **Capsid**, umgeben; man bezeichnet sie dann auch als *Virionen*. Vermehren können sich Viren aber nur, wenn ihre Nucleinsäure in eine lebende Zelle gelangt und deren Stoffwechsel nutzt. Oft weisen sie dafür zusätzliche Strukturen aus Glykoproteinen auf. Diese helfen beim Andocken an der Wirtszellmembran. Das kann ihnen die Gestalt kleiner Mondfähren verleihen, wie bei den *Bakteriophagen*. Bakteriophagen sind Viren, deren Wirt eine Bakterienzelle ist (→ Abb. 2).

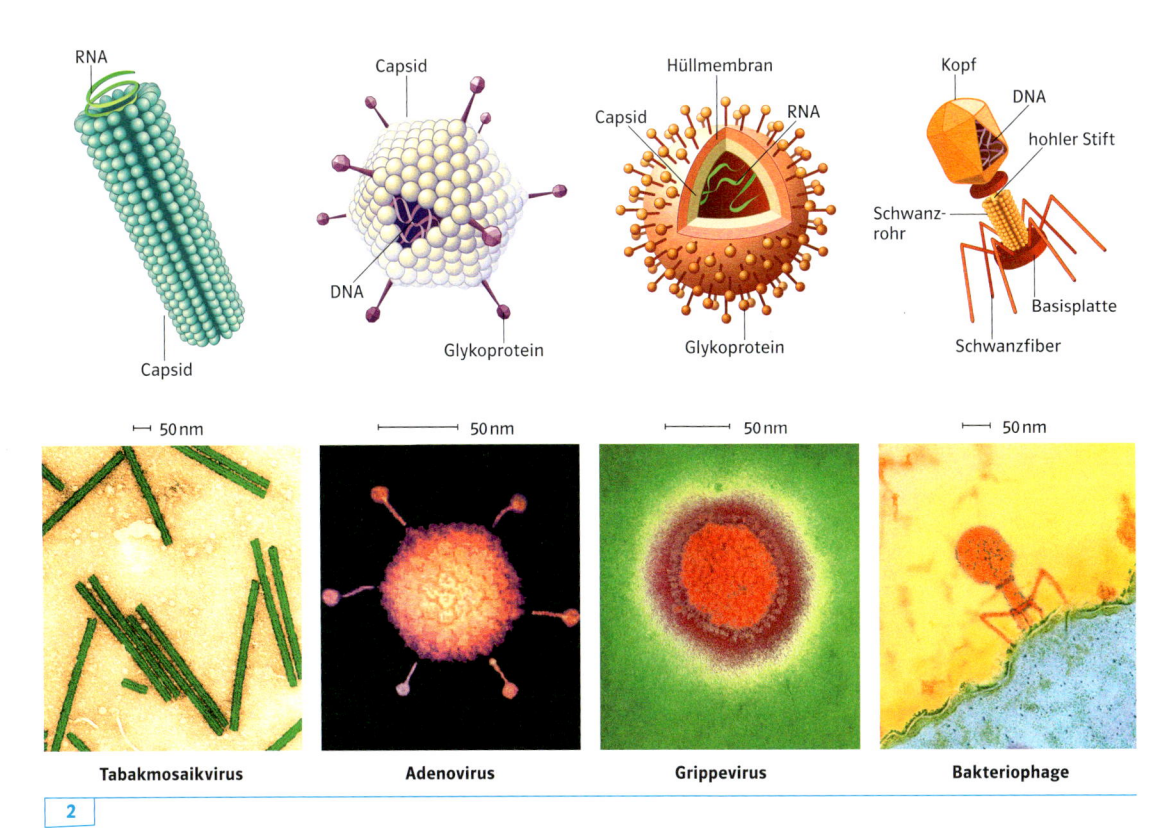

1 Tabakmosaikviren schädigen das Blattgewebe der Tabakpflanze, sodass ein Muster entsteht.

2

Tabakmosaikvirus — Adenovirus — Grippevirus — Bakteriophage

Viren sind verselbstständigte Nucleinsäuren mit Proteinhülle. Sie variieren stark in Größe, Gestalt und Eigenschaften.

Genetik

Glykoprotein
Virus
Capsid (Proteine)

a Viren docken an Membranrezeptoren der Wirtszelle an.

e Neue Viren bauen sich spontan zusammen und verlassen die Wirtszelle durch Exocytose oder zerstören sie.

Membranrezeptor

Virus-DNA

Replikation

DNA

Transkription

mRNA

Translation

d Wirtsribosomen produzieren Capsidproteine.

b Die Virus-DNA gelangt in die Wirtszelle.

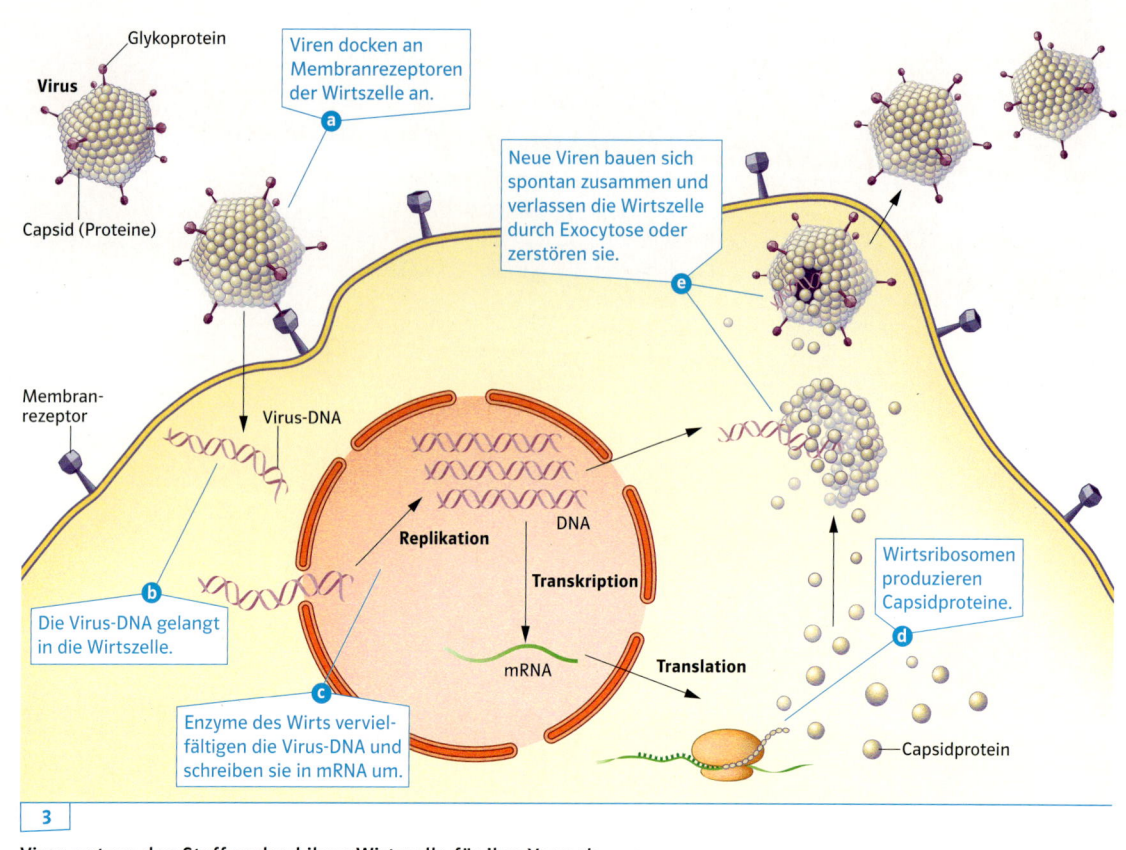

c Enzyme des Wirts vervielfältigen die Virus-DNA und schreiben sie in mRNA um.

Capsidprotein

3 Viren nutzen den Stoffwechsel ihrer Wirtszelle für ihre Vermehrung.

Struktur und Funktion

Viren binden an Oberflächenstrukturen der Zellen ihres Wirts **a** nach dem *Schlüssel-Schloss-Prinzip*• und haben daher ein begrenztes Wirtsspektrum (→ Abb. 3). Manche Viren injizieren ihr genetisches Material in die Wirtszelle. Anderen gelingt das Einschleusen ihrer Erbinformationen durch Endocytose (→ 3.7) oder dadurch, dass die Virushülle und die Zellmembran verschmelzen (→ Abb. S. 51). Einmal in die Wirtszelle gelangt, nutzen Viren die DNA-Polymerase des Wirts. Die Virus-DNA **b** wird entweder gleich von der Wirtszelle abgelesen oder zunächst in die Wirts-DNA integriert. Manche RNA-Viren, die *Retroviren*, enthalten zusätzlich ein eigenes Enzym, die *Reverse Transkriptase*. Sie schreibt die Virus-RNA in DNA um. Eine integrierte Virus-DNA heißt *Prophage*, den Prozess der Vervielfältigung und Weitergabe mit der Wirts-DNA nennt man *lysogenen Zyklus*. Wird die Virus-DNA nicht integriert, sondern sofort vervielfältigt und abgelesen **c**, spricht man vom *lytischen Zyklus*, da dieser oft mit dem Platzen (*Lyse*) der Zelle endet.•

Reproduktion

Viren benutzen, wie in Abb. 3 dargestellt, die Enzyme der Wirtszelle zu ihrer Vermehrung. Die Wirtszelle macht sozusagen Sklavendienste für die Viren und bildet Virusproteine **d**. Diese Proteine bauen sich spontan ohne Energieaufwand zu neuen Capsiden um die Virus-DNA zusammen **e**. Die neuen Viren können bei ihrer Freisetzung die Wirtszelle zerstören oder aus ihr ausknospen und so weitere Zellen infizieren. Oft haben sich Virus-Nucleinsäuren und Capsid im Laufe des Vermehrungszyklus verändert und machen Abwehrreaktionen des Wirts wirkungslos (→ Kap. 16).

Viren sind selbstständig gewordene Nucleinsäuren, die mit einer Proteinhülle umgeben sind. Sie sind keine Lebewesen, aber dennoch *intrazelluläre Parasiten*. Neben den Viren gibt es noch weitere mobile genetische Elemente, vor allem die *Transposons* und die *Plasmide*, die Sie noch kennenlernen werden (→ Kap. 12).

Retroviren sind durch das Humane Immunschwächevirus (HIV) zu trauriger Berühmtheit gelangt (→ Kap. 16).

Aufgabe 10.6

Viren sind keine Lebewesen. Bestätigen Sie diese Aussage, indem Sie die Kennzeichen des Lebendigen überprüfen.

10.7 Eukaryotische DNA enthält zu einem großen Teil nicht codierende Sequenzen

Es gelingt einer Zelle nicht immer, das Eindringen von Virus-DNA in den Zellkern zu verhindern. Aber Zellen können die Virus-DNA oft zumindest inaktivieren. Im Laufe der Evolution haben sich dadurch verschiedene Sequenzen im Zellkern angesammelt, die sich auf „kaltgestellte" Virus-DNA zurückführen lassen. Sie gehören damit zu den vielen nicht oder nicht mehr für Proteine codierenden DNA-Sequenzen im Genom.

Genetiker vermuten, dass z. B. beim Menschen nur etwa 5 % der DNA für Proteine codieren, also Gene im eigentlichen Sinne darstellen. Der „Rest" von 95 % wurde früher als „junk", also Plunder, angesehen, als „DNA-Müll". Diese Einschätzung ist aber eher auf unsere bisherige Unkenntnis zurückzuführen. Fachlich korrekt spricht man von „nicht für Proteine codierenden Sequenzen". Auch die Introns der Gene zählen dazu.

Einige der nicht codierenden Sequenzen kann man bereits im mikroskopischen Bild erkennen: Es sind die **Centromere** und die **Telomere** (→ Abb. 1, S. 156). Zentrifugiert man die DNA eines Zellkerns, so bildet die Centromer- und Telomer-DNA eine separate Bande im Dichtegradienten, sozusagen einen Satelliten. DNA, die sich so abtrennen lässt, nennt man *Satelliten-DNA*. Satelliten-DNA enthält keine Gene, sondern übernimmt Aufgaben in der Zelle, die noch nicht alle erforscht sind.

Ein Strukturmerkmal der Satelliten-DNA sind besonders viele Wiederholungssequenzen. Bei Telomeren in den Körperzellen des Menschen lautet die Sequenz TTAGGG. Dieses *DNA-Motiv* wird etwa 2 000-mal wiederholt. Telomer-Einzelstränge können sich auffalten, Proteine binden und so das offene Ende der linearen Chromosomen versiegeln (→ Abb. 1). Sonst könnten Chromosomen untereinander verkleben und bei Zellteilungen nicht mehr korrekt verteilt werden.

Außerdem vermindern die Wiederholungssequenzen Probleme bei der *Replikation* (→ 9.4): Am Ende der DNA-Doppelhelix kann die DNA-Polymerase nur die Matrize des Leitstrangs bis zum Ende komplementär ergänzen. Bei der Folgestrang-Matrize wird dagegen ein Endabschnitt aus ca. 100 Nucleotiden nicht verdoppelt. Dieser Abschnitt entspricht

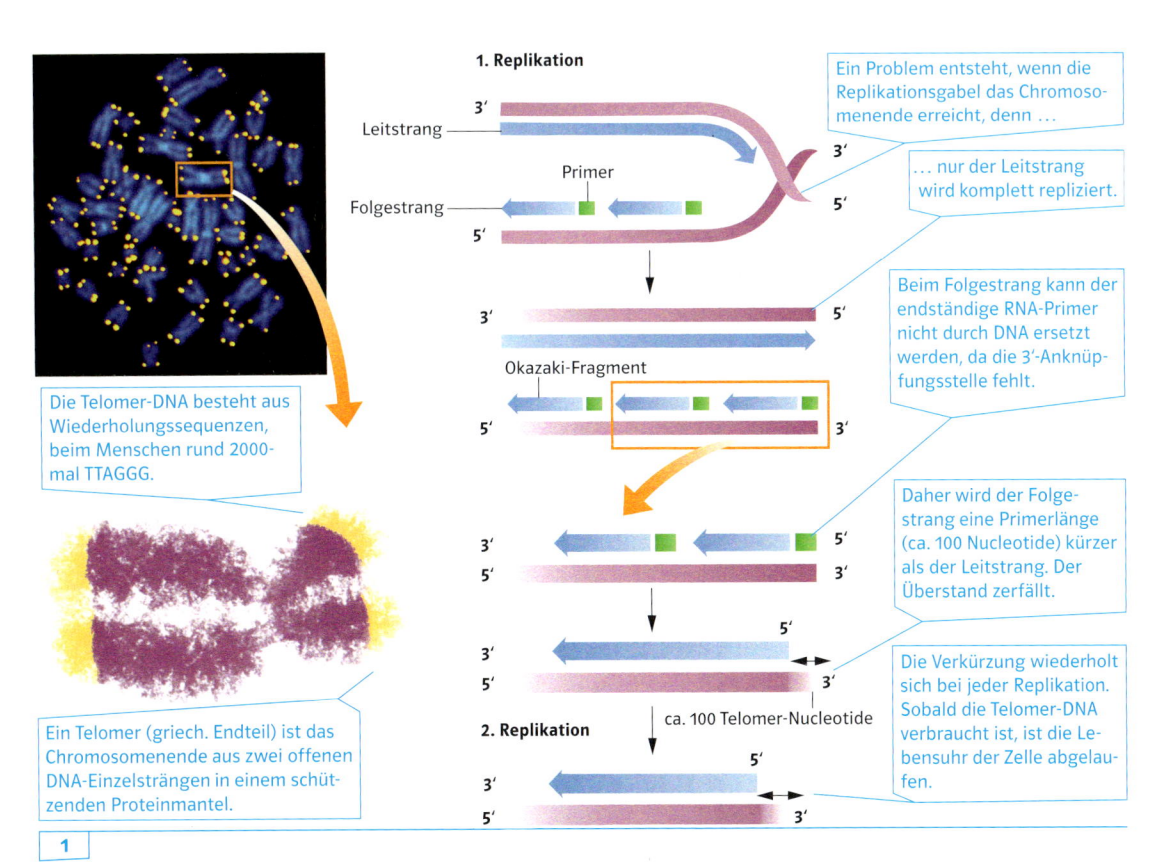

1 Die Abschlussstrukturen eines Chromosoms (Telomere) werden nur unvollständig verdoppelt.

- Die Telomer-DNA besteht aus Wiederholungssequenzen, beim Menschen rund 2000-mal TTAGGG.
- Ein Telomer (griech. Endteil) ist das Chromosomenende aus zwei offenen DNA-Einzelsträngen in einem schützenden Proteinmantel.
- Ein Problem entsteht, wenn die Replikationsgabel das Chromosomenende erreicht, denn …
- … nur der Leitstrang wird komplett repliziert.
- Beim Folgestrang kann der endständige RNA-Primer nicht durch DNA ersetzt werden, da die 3'-Anknüpfungsstelle fehlt.
- Daher wird der Folgestrang eine Primerlänge (ca. 100 Nucleotide) kürzer als der Leitstrang. Der Überstand zerfällt.
- Die Verkürzung wiederholt sich bei jeder Replikation. Sobald die Telomer-DNA verbraucht ist, ist die Lebensuhr der Zelle abgelaufen.

Genetik

genau dem RNA-Primer des letzten Okazaki-Fragments (→ Abb. 2, S. 154). Hier fehlt der DNA-Polymerase das 3'-Ende eines Nucleotids zum Anknüpfen. Mit jeder Replikationsrunde werden die Telomere am 3'-Ende also kürzer. Aber da die Telomer-DNA aus nicht codierenden Wiederholungssequenzen besteht, schadet dieser Verlust erst nach etwa 25 Replikationsrunden, wenn die Telomere verbraucht sind. Telomere werden daher oft als „Lebensuhren" der Zelle bezeichnet. Einige Zelltypen, z. B. Stammzellen (→ 13.4), können mit dem Enzym *Telomerase* die Telomer-DNA nachsynthetisieren (ELIZABETH H. BLACKBURN, JACK W. SZOSTAK, CAROL W. GREIDER, Nobelpreis 2009).

Steuerung und Regelung

Es gibt noch weitere Wiederholungssequenzen, die verteilt auf den Chromosomen liegen und keine Gene enthalten, also nicht für Proteine codieren. Diese DNA-Abschnitte sind unterschiedlich lang. Bei den *Minisatelliten* (VNTRs, engl.: **v**ariable **n**umber of **t**andem **r**epeats) werden ca. 12 bis 100 Basenpaare 100- bis 1000-mal wiederholt, bei den *Mikrosatelliten* (STRs, engl.: **s**hort **t**andem **r**epeats) 2 bis 6 Basenpaare (z. B. TACTAC…, ATAT…) 10- bis 50-mal. Man kennt die Aufgaben dieser DNA-Bereiche noch nicht, weiß aber, dass die Häufigkeit der Wiederholungen individuell stark variiert und kann diese Sequenzen daher zum Identifizieren von Personen nutzen (→ 14.2).

Aufgabe 10.7

Begründen Sie, weshalb Stammzellen unendlich oft teilungsfähig sind, Körperzellen jedoch nicht.

10.8 Ein Gen ist ein DNA-Abschnitt, der für eine RNA codiert

Bei einer Genetik-Konferenz im Jahre 2005 brauchten 25 Wissenschaftler fast zwei Tage, um sich auf eine Definition des Begriffs **Gen** zu einigen:

„Ein Gen ist der lokalisierbare Bereich einer genomischen Basensequenz, die zu einer Erbeinheit gehört. Es ist verknüpft mit regulatorischen, transkribierten und/oder anderen funktionellen Bereichen."

Unsere anfängliche Definition eines Gens als „Bauanweisung für ein Protein" (→ 9.1) ist also in Kenntnis der molekularen Grundlagen nicht mehr ausreichend. Die aktuelle Definition des Gens berücksichtigt folgende Forschungsergebnisse:

- Ein Gen codiert nicht immer für nur eine mRNA. Durch alternatives Spleißen können verschiedene mRNA-Moleküle und damit verschiedene Proteine aus dem gleichen DNA-Abschnitt entstehen (→ 10.4).
- Neben mRNA existieren noch weitere RNA-Typen mit wichtigen Funktionen, beispielsweise ribosomale RNA (rRNA) und Transfer-RNA (tRNA).
- Der größte Teil der DNA im Zellkern von Eukaryoten codiert gar nicht für RNA bzw. Proteine (→ 10.7).
- Zur Expression eines Gens gehören regulatorische Sequenzen, die sich nicht unbedingt in der Nähe des betreffenden Gens befinden müssen (→ 10.5).
- Ein Gen wirkt sich oft auf mehrere Merkmale aus. Ein Merkmal wird meist von mehreren Genen beeinflusst (→ 12.3).
- Es gibt DNA-Abschnitte, die ihre Position im Chromosom und im Zellkern verändern (→ 12.7).
- Gene sind nicht unbedingt hintereinander aufgereiht wie Perlen auf der Schnur. Sie können vielmehr ineinander verschachtelt oder sogar überlappend angeordnet sein.
- Es gibt Nucleinsäuren außerhalb des Kerns, die zur Vererbung beitragen, z. B. DNA in Mitochondrien und Plastiden sowie RNA-Schnipsel (→ 10.9).

Es gab viele Versuche, beobachtete Merkmale einem ganz bestimmten Ort oder Abschnitt auf der DNA-Doppelhelix zuzuordnen. Je genauer die Struktur und die Funktionsweise der DNA erforscht wird, umso klarer wird, warum das nur selten gelingt. Es ist also treffender, einem Gen nicht ein bestimmtes Protein oder gar Merkmal gegenüberzustellen, sondern die transkribierte RNA, sei es nun mRNA, prä-mRNA, rRNA oder tRNA.

Also lautet eine verbesserte und zugleich einprägsame Definition: „Ein Gen ist ein DNA-Abschnitt, der für ein RNA-Molekül codiert."

Aufgabe 10.8

„Ein Gen trägt die genetische Information für ein Polypeptid." Nehmen Sie Stellung zu dieser Aussage.

10.9 Der Erbinformationsfluss läuft nicht immer in Richtung DNA → RNA → Protein

Fast alles, was Sie bisher über Genetik erfahren haben, spricht für einen Informationsfluss von der DNA über die RNA zum Protein. Doch Retroviren wandeln die RNA zunächst mittels *Reverser Transkriptase* in DNA um, und erst danach läuft der Informationsfluss wie üblich (→ 10.6). Weitere Ausnahmen sind möglich. Das zeigen Befunde zu *Prionen* und *mikro-RNAs*.•

Aufsehen erregten sogenannte Prionen (engl. proteinaceous infectious particle), die Krankheiten wie *BSE* (Bovine Spongiforme Enzephalopathie, „Rinderwahnsinn"), *Creutzfeldt-Jakob*, *Scrapie* u. a. verursachen. Besonders BSE machte in den 1990er Jahren Schlagzeilen und hatte immense Auswirkungen auf Landwirtschaft, Lebensmittelverarbeitung und Verbraucherschutz. **Prion** ist ein Sammelbegriff für Proteine, die sich in eine ganz andere Form umfalten können und dieses Verhalten an benachbarte Kopien desselben Proteins weitergeben. Sie wirken sozusagen ansteckend auf ihre Verwandten. In normaler Form erfüllt ein solches Prion wichtige Aufgaben in einer Zelle, vor allem im Nervengewebe. Verwandelt es sich in die abnorme Form, ist es nicht mehr funktionsfähig (→ Abb. 1). Dominoartig kann sich diese Proteinumformung in der Zelle und im Gewebe ausbreiten. Abnorme Prionen lagern sich zusammen. Der betroffene Organismus erkrankt. Anders als Viren vermehren sich Prionen also nicht über die Vervielfachung genetischer Informationen. Sie breiten sich vielmehr aus, indem sie anderen Proteinmolekülen ihren „Stempel" aufdrücken. Die Richtung des Informationsflusses ist hier Protein → Protein. Was die Verwandlung eines harmlosen Proteins in einen todbringenden Krankheitserreger auslöst, ist noch nicht vollständig geklärt. Diese Umwandlung kann spontan, also ohne erkennbare Ursachen ablaufen, auf einen Fehler im Erbmaterial zurückzuführen sein oder aber durch die Aufnahme veränderter Prionen ausgelöst werden. Nach bisherigem Kenntnisstand löste unzureichend behandeltes Tierfutter aus erkrankten Tieren die BSE-Epidemie aus. Auch Demenzerkrankungen des Menschen wie Alzheimer könnten mit Prionen zusammenhängen. Auch hier findet man veränderte Proteine im Nervengewebe.

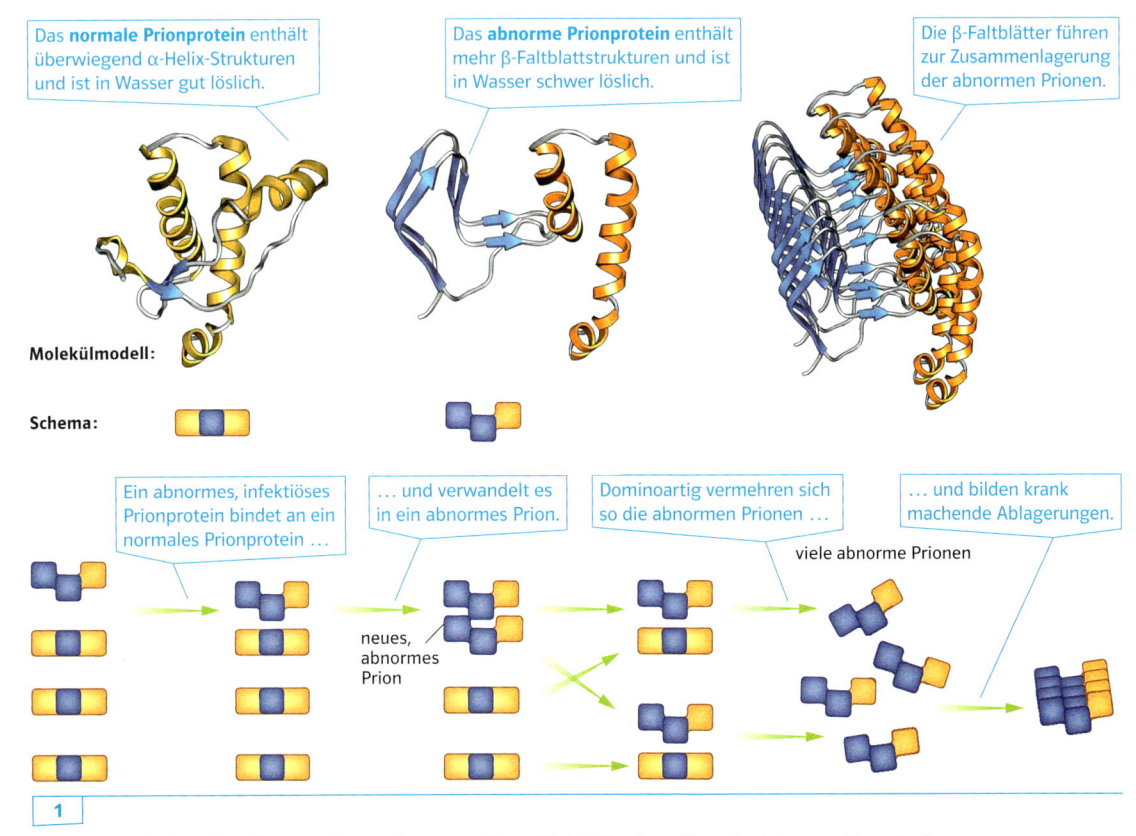

Reproduktion

1 Prionen verändern ihre Form und veranlassen weitere Moleküle desselben Proteins zur Formänderung.

Das **normale Prionprotein** enthält überwiegend α-Helix-Strukturen und ist in Wasser gut löslich.

Das **abnorme Prionprotein** enthält mehr β-Faltblattstrukturen und ist in Wasser schwer löslich.

Die β-Faltblätter führen zur Zusammenlagerung der abnormen Prionen.

Molekülmodell:

Schema:

Ein abnormes, infektiöses Prionprotein bindet an ein normales Prionprotein …

… und verwandelt es in ein abnormes Prion.

neues, abnormes Prion

Dominoartig vermehren sich so die abnormen Prionen …

viele abnorme Prionen

… und bilden krank machende Ablagerungen.

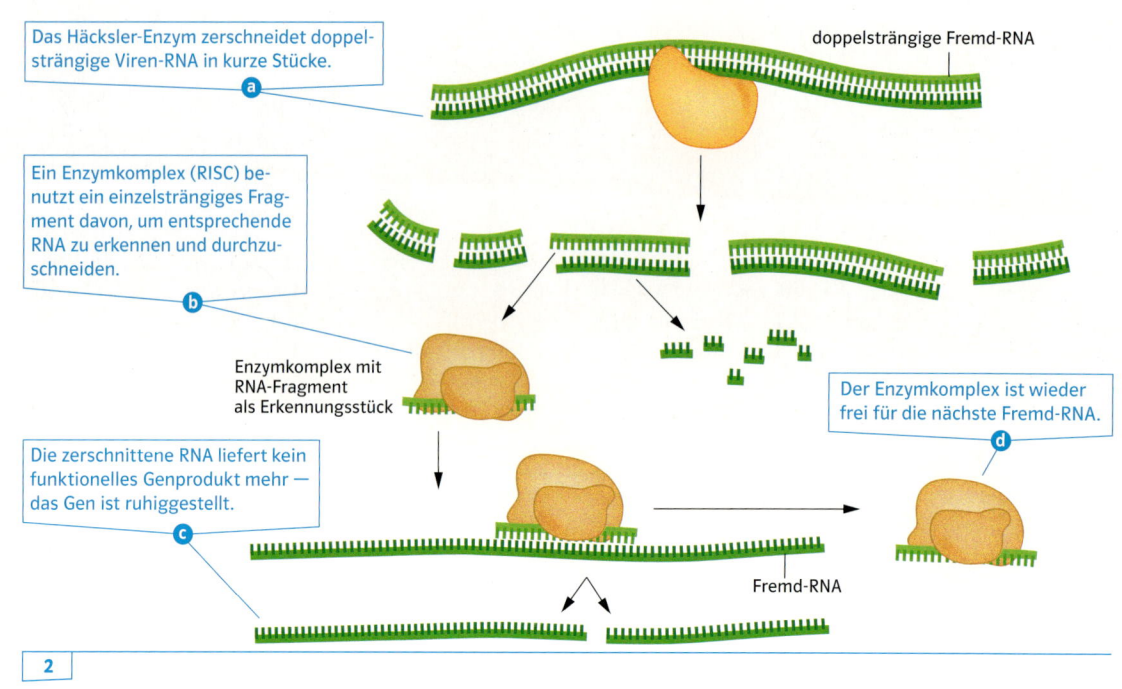

Genetik

a Das Häcksler-Enzym zerschneidet doppelsträngige Viren-RNA in kurze Stücke.

doppelsträngige Fremd-RNA

b Ein Enzymkomplex (RISC) benutzt ein einzelsträngiges Fragment davon, um entsprechende RNA zu erkennen und durchzuschneiden.

Enzymkomplex mit RNA-Fragment als Erkennungsstück

d Der Enzymkomplex ist wieder frei für die nächste Fremd-RNA.

c Die zerschnittene RNA liefert kein funktionelles Genprodukt mehr — das Gen ist ruhiggestellt.

Fremd-RNA

2 Durch RNA-Interferenz können Gene zum Verstummen gebracht werden.

Steuerung und Regelung

Reproduktion

Im Informationsfluss DNA→RNA→Protein haben Sie RNA-Moleküle als eher passive Boten oder Adapter kennengelernt. Unter bestimmten Bedingungen können RNA-Moleküle aber durchaus aktiv in die Bildung von Proteinen eingreifen. Das ändert den Informationsfluss auf RNA→Protein. Erst allmählich gewinnt man eine Vorstellung von der Rolle der beim Spleißen durch die Introns massenweise anfallenden *RNA-Schnipsel*. Solche *mikro-RNAs* können untereinander und an DNA binden. Sie dienen dann selbst als Matrize für die Proteinsynthese oder entziehen bestimmte Sequenzen der Transkription. Sie legen sie still. Das nennt man dann *Silencing* (Verstummen). RNA-Schnipsel gelangen über Keimzellen auch in die befruchtete Eizelle und transportieren unabhängig von der DNA Informationen von einer Generation zur nächsten.

Einen Erbinformationsfluss, der nicht über die DNA verläuft, bezeichnet man als *epigenetische Vererbung*. In diesem spannenden aktuellen Forschungsgebiet, der **Epigenetik**, sind noch viele Überraschungen zu erwarten (→ 17.8).

Die regulatorische Wirkung der RNA-Schnipsel hat sich im Laufe der Evolution vermutlich aus der *RNA-Interferenz* (RNAi) entwickelt (FIRE & MELLO, Nobelpreis 2006). Das ist ein natürlicher Vorgang, mit dem eine Zelle die Translation von doppelsträngiger RNA verhindert. Diese doppelsträngige RNA stammt im Allgemeinen von Viren, kann also schädlich für die Zelle sein. Ein Enzym (eine *Ribonuclease*, *Häcksler* genannt; engl.: dicer) zerschneidet doppelsträngige RNA in Stücke von ca. 20 Basenpaaren **a**. Diese Fragmente werden dann von anderen Enzymen (RNA-Helicasen) in Einzelstränge getrennt. Ein Enzymkomplex namens RISC (**R**NA-**i**nduced **s**ilencing **c**omplex) belädt sich nun mit einem der Stücke **b**, erkennt damit weitere unerwünschte RNA an ihrer komplementären Sequenz und zerschneidet diese **c**. Die Fremd-RNA wird so an der Translation gehindert.

Gentechnisch nutzt man diesen Vorgang, um bestimmte Gene, genauer gesagt deren transkribierte RNA, verstummen zu lassen.

Aufgabe 10.9

Geben Sie je ein konkretes Beispiel für DNA, RNA und Proteine als Informationsträger.

Neukombination von Genen bei der Fortpflanzung

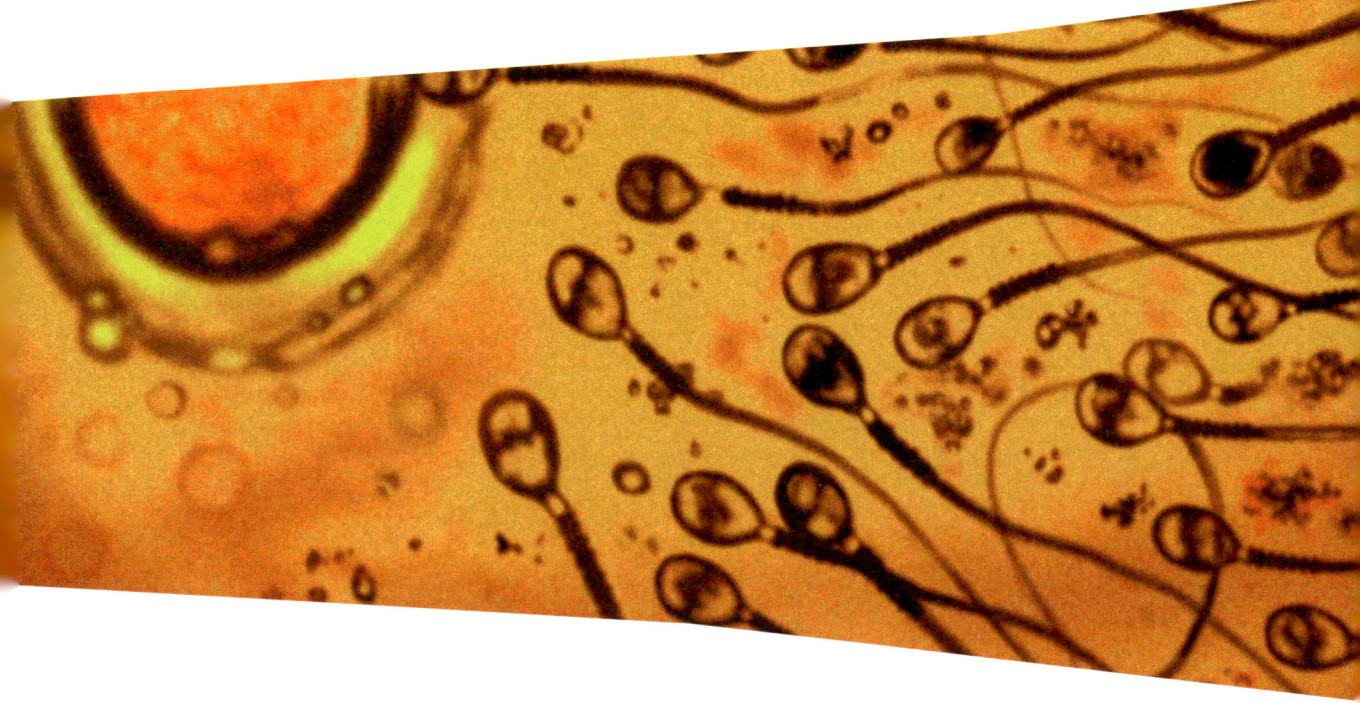

11

Spermien auf dem Weg zur Eizelle

„Immer dasselbe" entsteht zwar bei der Verdopplung der DNA, immer dasselbe beobachten Sie aber nicht bei einem Blick auf die Menschen in Ihrer Schule oder auf die Bäume in einem Wald. Für die Vielfalt des Lebens muss es neben der kopierenden DNA-Replikation auch Vorgänge geben, bei der die DNA „aufgemischt" wird. Diese Neukombination (fachsprachlich: Rekombination) des genetischen Materials findet beim Entstehen und beim Verschmelzen von Keimzellen statt, also bei der sexuellen Fortpflanzung. Bevor die Chromosomen auf Keimzellen verteilt werden, tauschen sie Stücke aus und sortieren sich um. Bewährtes wird in neuer Kombination an die nächste Generation weitergegeben.

11.1	Bei der ungeschlechtlichen Fortpflanzung entstehen genetische Kopien
11.2	Meiose und Befruchtung kennzeichnen die geschlechtliche Fortpflanzung
11.3	Die Rekombination von Genen führt zur Variabilität innerhalb der Art
11.4	Vererbungsregeln beschreiben Merkmalsverteilungen in den Generationen
11.5	Nicht alle Gene werden unabhängig voneinander vererbt
11.6	Prokaryoten kennen keine Meiose, aber andere Wege der Rekombination

Genetik

11.1 Bei der ungeschlechtlichen Fortpflanzung entstehen genetische Kopien

Reproduktion

„Never change a winning team", empfiehlt der Mannschaftstrainer — „If you don't need change, maybe you don't need sex", meinen Biologen. Warum sollte man auch etwas ändern, wenn alles gut läuft. Einem Einzeller genügt oft die mitotische Zellteilung, um sich zu vermehren. Die Nachkommen werden sich in gleicher Weise mit der Umwelt auseinandersetzen, wie er selbst es getan hat. Sie sind genetisch identisch bis auf kleine Variationen durch spontan veränderte DNA. Die Bedeutung solcher *Mutationen* werden Sie in Kapitel 12 noch kennenlernen. Auch Vielzeller können auf mitotischem Weg genetisch identische Nachkommen hervorbringen: Viele Pflanzen vermehren sich durch Ableger, Korallenpolypen bilden über Knospen neue Polypen. Die Folgegeneration entsteht also mitotisch durch **ungeschlechtliche Fortpflanzung**.

Genetisch identische Lebewesen bilden zusammen einen **Klon**. Nach dieser Definition kann man auch eineiige Zwillinge beim Menschen als Klon bezeichnen, sie entstammen einer einzigen befruchteten Eizelle, der **Zygote**. Bei Zuchttieren entstehen Klone in Form eineiiger Mehrlinge, indem man die ersten Zellabkömmlinge einer Zygote voneinander trennt (*Embryosplitting*) und von verschiedenen Leihmüttern austragen lässt. Die Geschwister sind also untereinander genetisch identisch, aber verschieden von den Eltern (→ Abb. 2). Ein Züchter wünscht aber gerade identische Nachkommen von Individuen, bei denen er mühsam bestimmte Merkmale herausgezüchtet hat. Das ist im Tierreich oft nur mit großem Aufwand zu erreichen und wird als **Klonen** bezeichnet. Spezialisten entnehmen dazu einer Körperzelle des Spendertiers den Zellkern und übertragen ihn auf eine entkernte Eizelle. Entnehmen Sie das weitere Vorgehen der Abb. 1. Schlagzeilen machte 1997 Dolly, das so entstandene Schaf. Inzwischen wurden viele weitere Tierarten geklont (→ Abb. 3). Zuchttiere mit „Qualitätsgarantie" sind wirtschaftlich interessant, aber die Vorstellung von uniformen Klonmenschen schreckt uns. Solche Versuche sind in Deutschland verboten.

In der Pflanzenzüchtung hat das Klonen eine lange Tradition. Sie haben selbst vielleicht auch schon einmal aus Ablegern eine neue Pflanze gezogen (→ Abb. 4). Mit modernen *Gewebekulturen* lassen sich auch solche Pflanzen ungeschlechtlich vermehren, die das in der Natur nicht tun (→ Abb. 5).

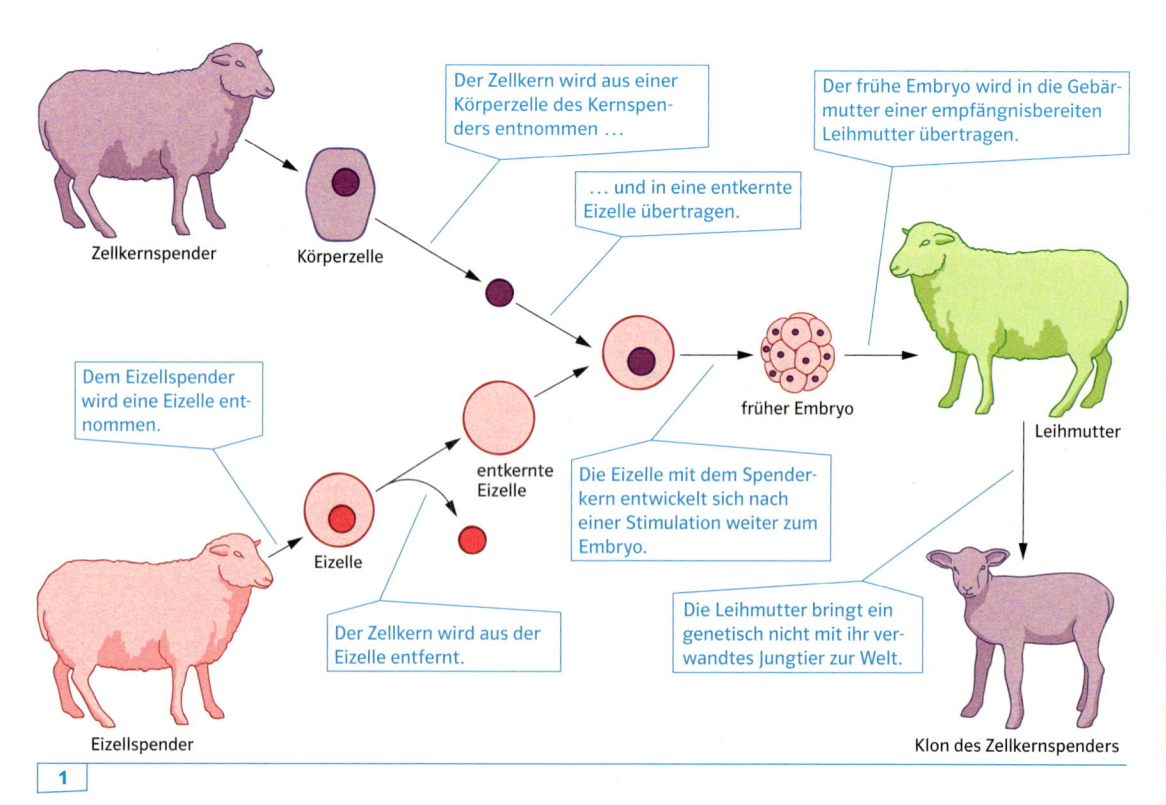

1 Klonen führt zu Nachkommen, die mit dem Zellkernspender genetisch identisch sind.

Online-Link
Info: Das Klonschaf Dolly
150010-1791

Neukombination von Genen bei der Fortpflanzung

2
Diese sechs Kälber bilden einen Klon. Sie wurden nach Embryosplitting von verschiedenen Leihmüttern ausgetragen.

3
Die junge Klonkatze (Copy Cat) wurde von einer Leihmutter ausgetragen.

4
Das Brutblatt (*Kalanchoe*) bildet Klone an den Blatträndern, die abfallen und Wurzeln schlagen.

Methode: Anfertigung von Gewebekulturen

Anwendung
Die Gewebekultur findet als biotechnisches Verfahren Anwendung in der Pflanzenvermehrung und in der Pflanzenzüchtung, z. B. bei Nutzpflanzen wie der Kartoffel. Da die Bildungsgewebe von Sprossen meist frei von Krankheitserregern sind, können aus Zellen dieser Gewebe gesunde Mutterpflanzenbestände aufgebaut werden.

Methode
Bestimmte Pflanzengewebe, z. B. die Spross- und Wurzelspitzen, Blattachseln oder die Wachstumsschicht unter der Rinde und in der Wurzel, enthalten teilungsfähige Zellen. Solche Zellen bezeichnet man auch als *Meristemzellen*. Durch mitotische Teilungen kann aus ihnen eine komplette Pflanze mit Spross, Blättern und Wurzel entstehen. Für eine Gewebekultur werden Meristemzellen einer gezüchteten Pflanzensorte auf ein Nährmedium gegeben. Durch Zugabe geeigneter Pflanzenhormone wachsen sie zu kleinen Pflänzchen heran, die sich genetisch nicht von der ursprünglichen Pflanze unterscheiden. Diese Pflanzen bilden einen Klon.

Teilungsfähige Zellen werden entnommen und auf einem Nährmedium großgezogen.

Meristeme der Sprossspitze oder Blattachseln

Meristemkultur

5
Mithilfe von Gewebekulturen lassen sich Pflanzen in großer Zahl ungeschlechtlich vermehren.

Aufgabe 11.1
Bei geklonten Tieren muss neu definiert werden, was man unter den Begriffen Mutter und Vater versteht. Erläutern Sie diese Aussage.

Genetik

11.2 Meiose und Befruchtung kennzeichnen die geschlechtliche Fortpflanzung

Ein prachtvoller Pfau, ein röhrender Hirsch, eine bizarre Orchidee — in der Natur wird ganz schön viel Aufwand betrieben, um den passenden Partner zu finden. Wir Menschen machen da keine Ausnahme. Genetisch gesehen dient das alles dazu, männliche und weibliche Keimzellen zusammenzubringen. Dabei werden die Gene von Mutter und Vater vereint und gemischt. Diese Neukombination des genetischen Materials wird als **Rekombination** bezeichnet.•

Aus **geschlechtlicher (sexueller) Fortpflanzung** gehen Nachkommen hervor, die genetisch von den Eltern mehr oder minder abweichen und veränderte Eigenschaften haben. Die durch Befruchtung der Eizelle mit der Spermienzelle entstandene Zygote enthält zwei Chromosomensätze, einen von der Mutter und einen vom Vater; sie ist **diploid** (2n).

Zur Bildung von *Keimzellen* (*Gameten*), also von Spermienzellen und Eizellen, ist eine besondere Zellteilung nötig, in der der Chromosomenbestand halbiert wird. Sonst gäbe es schon nach wenigen Generationen Probleme durch die Anhäufung von Chromosomen. Von den zwei Chromosomensätzen einer

Reproduktion

Meiose 1 – Trennung der homologen Chromosomen

a In der Interphase vor der Meiose findet eine DNA-Replikation statt.

diploide Urkeimzelle nach der Replikation

Crossingover

Interphase — Paarung homologer Chromosomen

Prophase 1 — Metaphase 1 — Anaphase 1 — Telophase 1

b Lang andauernde Phase, in der die Chromosomen allmählich spiralisieren. Dabei lagern sich die Homologen zur Tetrade aneinander und es findet ein Crossingover statt. Die Kernhülle löst sich auf.

c Die Tetraden ordnen sich auf der Äquatorialplatte an. Es bildet sich ein Spindelapparat.

d Die Spindelfasern trennen die homologen Chromosomen voneinander, ohne die Centromere zu trennen.

e An jedem Pol liegen nun n Chromosomen, jedes aus zwei leicht entspiralisierten Chromatiden. Das Cytoplasma teilt sich in zwei Zellkörper.

1 Die Meiose ist eine Zellteilung, bei der aus einer diploiden Urkeimzelle haploide Keimzellen mit neu kombinierten Chromosomen entstehen (hier dargestellt an 2n = 4 Chromosomen).

Online-Link
Mitose und Meiose im Vergleich
(interaktiv)
150010-1811

Neukombination von Genen bei der Fortpflanzung

Körperzelle gelangt nur ein Chromosomensatz (1n) in die Keimzelle — und das ist nicht etwa entweder der mütterliche oder der väterliche, sondern eine zufällige Kombination aus beiden. Zwischen **homologen** mütterlichen und väterlichen Chromosomen, also zwischen Chromosomen gleicher Form und Größe, werden Bruchstücke ausgetauscht. In Abbildungen wird das meistens durch eine verschiedenfarbige Darstellung der homologen Chromosomen symbolisiert, im mikroskopischen Bild sind mütterliche und väterliche Anteile nicht zu unterscheiden. Eine Keimzelle enthält einen einfachen Chromosomensatz aus mütterlichen und väterlichen Chromosomenanteilen, sie ist **haploid** (1n). Eine Zellteilung, die zur Entstehung haploider Zellen mit neu kombinierten Genen führt, heißt **Meiose** (→ Abb. 1). Sie findet bei Tieren in spezialisierten Körperzellen und Organen statt, den diploiden **Urkeimzellen** in den Keimdrüsen.

Zur Beschreibung der Vorgänge wird die Meiose ähnlich wie die Mitose (→ 2.8) in Phasen unterteilt. Natürlich handelt es sich auch hier um einen kontinuierlichen Vorgang mit Übergängen — keine Phase ist ohne die vorausgehende vorstellbar. Die Meiose-Phasen lassen sich gruppieren in *Meiose 1*, an deren Ende die homologen Chromosomen auf zwei Tochterzellen verteilt sind, und *Meiose 2*, in der die Chromatiden verteilt werden. Sehen Sie sich das am besten Schritt für Schritt an (→ Abb. 1), und lesen Sie dabei die folgende Beschreibung. Vor dem Eintritt in die Meiose hat die diploide Urkeimzelle bereits einen Zellzyklus durchlaufen, daher bestehen die Chromosomen beider Sätze aus jeweils zwei

Meiose 2 – Trennung der Chromatiden

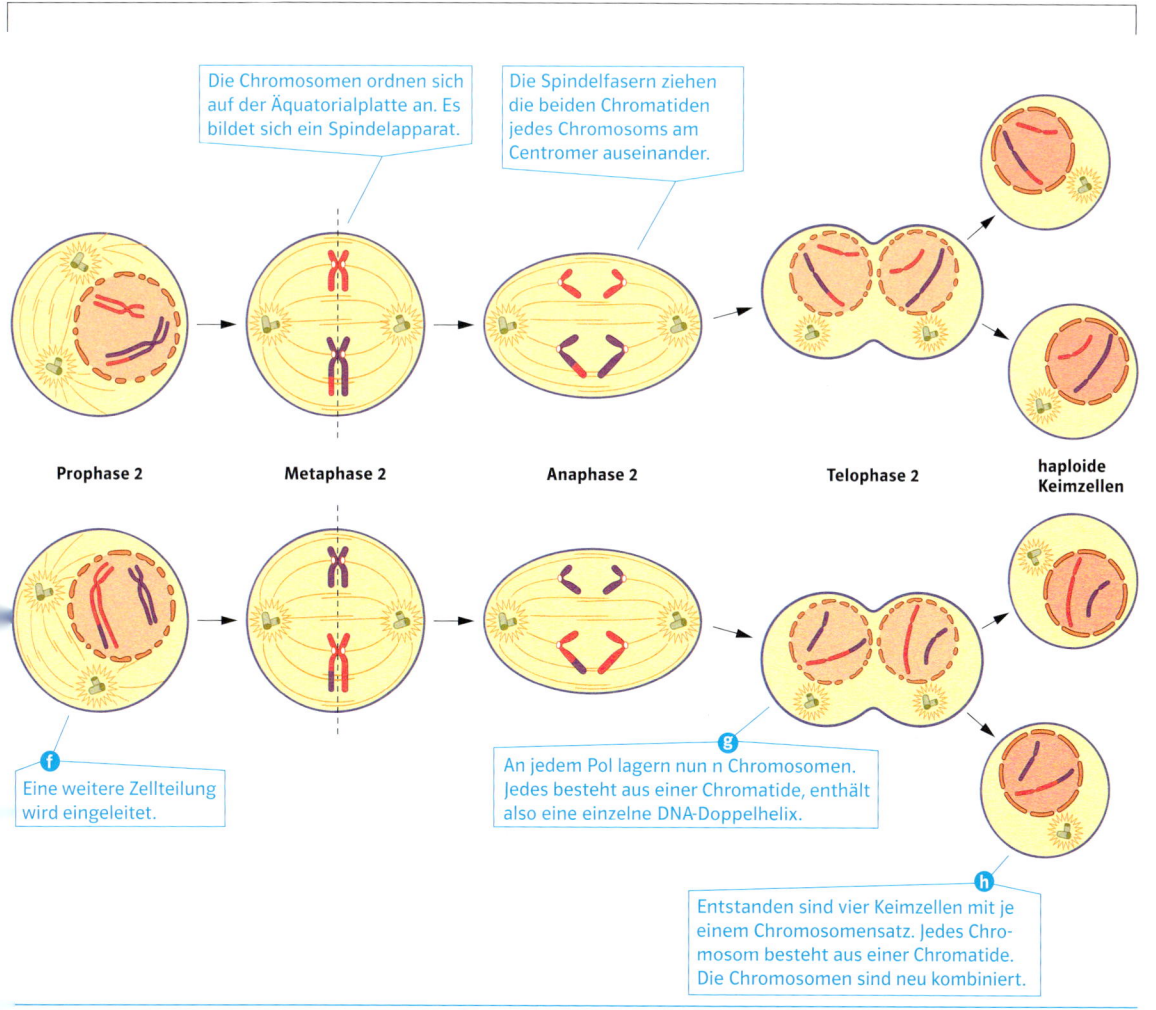

Die Chromosomen ordnen sich auf der Äquatorialplatte an. Es bildet sich ein Spindelapparat.

Die Spindelfasern ziehen die beiden Chromatiden jedes Chromosoms am Centromer auseinander.

Prophase 2 — **Metaphase 2** — **Anaphase 2** — **Telophase 2** — **haploide Keimzellen**

f Eine weitere Zellteilung wird eingeleitet.

g An jedem Pol lagern nun n Chromosomen. Jedes besteht aus einer Chromatide, enthält also eine einzelne DNA-Doppelhelix.

h Entstanden sind vier Keimzellen mit je einem Chromosomensatz. Jedes Chromosom besteht aus einer Chromatide. Die Chromosomen sind neu kombiniert.

Genetik

Chromatiden **a**. In der Prophase 1 lagern sich die homologen Chromosomen zu einer *Tetrade* zusammen. Jede Tetrade besteht aus vier Chromatiden **b**, die über Proteine regelrecht verkleben. Während die DNA sich spiralisiert und so zusammenlagert, gleichen die Partner untereinander Sequenzen ab und tauschen auch ganze DNA-Abschnitte aus. Diesen Austausch von homologen DNA-Sequenzen nennt man **Crossingover**. Man sieht den Effekt deutlich in der anschließenden Metaphase **c**, wenn sich die Tetraden auf der Äquatorialplatte anordnen und im Bereich der Überkreuzungsstellen noch lange zusammenkleben. Inzwischen ist auch die Kernhülle aufgelöst. Es bildet sich ein Spindelapparat. Erst in der Anaphase **d** trennen sich die Homologen, sie bestehen weiterhin aus zwei identischen Chromatiden, die am Centromer zusammenhängen. In der Telophase **e** erkennt man allmählich zwei Zellen, die sich ohne eine Interphase, also ohne DNA-Replikation, weiter teilen **f**. Dieser als Meiose 2 bezeichnete Teilungsschritt ähnelt einer Mitose, allerdings mit einfachem Chromosomensatz. Erst jetzt werden die Chromatiden am Centromer getrennt und auf die Tochterzellen verteilt **g**. Ergebnis der Meiose **h** sind vier Keimzellen (Gameten), die sich im männlichen Geschlecht zu vier kleinen, beweglichen Spermienzellen weiterentwickeln. Im weiblichen Geschlecht entwickelt sich dagegen nur eine der vier Keimzellen zur Eizelle; sie enthält fast das gesamte Cytoplasma. Die anderen drei werden zu winzigen Polkörpern. Eizellen sind durch ihren Gehalt an Dotter vergleichsweise groß und unbeweglich.

Erst bei der **Befruchtung** entsteht wieder eine diploide Zelle, die **Zygote**. Im Entwicklungszyklus wechseln also diploide und haploide Phasen ab, wobei deren Dauer und Gestalt unterschiedlich sein kann. Bei Tieren ist die haploide Phase, wie oben beschrieben, auf die Keimzellen beschränkt. Sie entwickeln sich nur nach einer Befruchtung weiter. Bei bestimmten Pilzen und Algen ist dagegen nur die Zygote diploid, haploide Zellen wachsen ohne Befruchtung zu vielzelligen Organismen heran. Solche ungeschlechtlichen Fortpflanzungszellen nennt man *Sporen*. Bei Landpflanzen gibt es meist eine unauffällige haploide Generation, die sich geschlechtlich, und eine auffällige diploide, die sich ungeschlechtlich fortpflanzt (→ Abb. 2).

Eine diploide Genausstattung bedeutet neue Möglichkeiten — veränderte Gene und Genkombinationen können gewissermaßen einem Test in der Umwelt ausgesetzt werden, das unveränderte homologe Gen wirkt ausgleichend.* Das ist ein Vorteil. In der haploiden Phase wirkt sich dagegen jedes Gen im Erscheinungsbild (**Phänotyp**) aus.

Variabilität und Angepasstheit

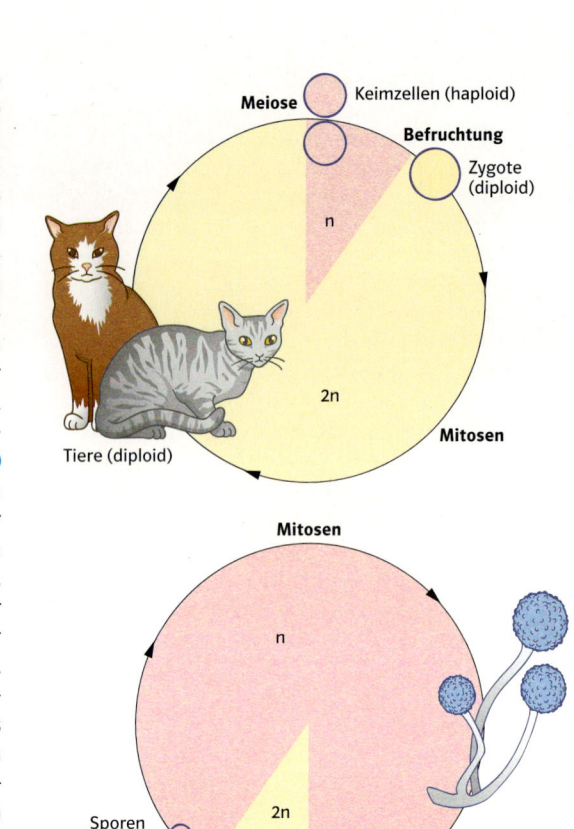

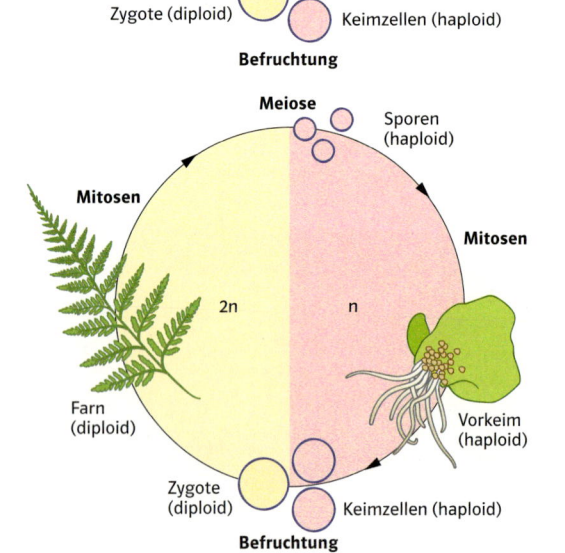

2 Im Entwicklungszyklus von Vielzellern wechseln haploide und diploide Phasen mit unterschiedlicher Dauer.

diploide Phase | haploide Phase

Aufgabe 11.2

Stellen Sie Mitose und Meiose tabellarisch bezüglich Ablauf und Ergebnis gegenüber.

11.3 Die Rekombination von Genen führt zur Variabilität innerhalb der Art

Bei der Meiose entstehen aus einer diploiden Zelle haploide Zellen, bei der Befruchtung verschmelzen die haploiden Zellen wieder zu einer diploiden Zelle. Was nach viel Aufwand für nichts klingt, ist bei näherer Betrachtung ein wichtiger Motor der Evolution, denn Meiose und Befruchtung leisten einen wesentlichen Beitrag zur Variabilität innerhalb der Arten.•

Versuchen Sie einmal, dies an dem in Abb. 1 dargestellten Rechenexempel für drei homologe Chromosomenpaare nachzuvollziehen. Auf jedem Chromosom ist die Lage eines beliebigen Gens, also sein **Genort**, mit einem Buchstaben symbolisiert. Ein von der Mutter übernommenes Gen codiert vielleicht für rote Haare (*a*), das vom Vater übernommene entsprechende Gen für schwarze Haare (*A*). Solche unterschiedlichen *Varianten* eines Gens bezeichnen wir als **Allele**. Auf einem anderen Chromosomenpaar liegen beispielsweise die Allele für glattes (*B*) oder lockiges Haar (*b*), auf einem dritten für Sommersprossen (*C*) oder keine Sommersprossen (*c*). Die dargestellte Urkeimzelle enthält Chromosomen mit der Genausstattung *AaBbCc*, dem Erbbild (**Genotyp**) dieser Zelle. Unterscheiden sich die mütterlichen und väterlichen Allele (*Aa*), ist die Zelle **heterozygot** bezogen auf das betrachtete Gen, andernfalls (*AA* oder *aa*) ist sie **homozygot**.

Vor der Meiose findet, wie Sie bereits wissen, eine Replikation statt. Jedes Chromosom besteht anschließend aus zwei identischen Chromatiden, der Genotyp ist unverändert *AaBbCc*. Im Laufe der Meiose werden die mütterlichen und die väterlichen Allele zufällig auf die Keimzellen (n = 3) verteilt und dabei neu kombiniert. Bei drei betrachteten Homologen (2n = 6, n = 3) ergeben sich rechnerisch acht, also 2^3 genetische Varianten der Keimzellen (→ Abb. 1). Bei 10 Chromosomenpaaren (2n = 20, n = 10) sind es bereits 2^{10}, also 1024 mögliche Keimzelltypen. Der Mensch hat n = 23 verschiedene Chromosomenpaare, rechnen Sie sich einmal aus, wie viele Keimzelltypen daraus theoretisch gebildet werden könnten! Und dabei ist noch nicht einmal berücksichtigt, dass die Homologen zusätzlich untereinander Chromosomenabschnitte austauschen. Dieses Crossingover erhöht die Anzahl der Möglichkeiten noch weiter. Verringert wird die Anzahl der möglichen Keimzelltypen dagegen, wenn die Allele nicht heterozygot, sondern homozygot sind.

Nun kommt der Sexualpartner ins Spiel. Innerhalb einer Art gibt es in der Regel mehr als zwei Allele pro Genort. Für die Hauptblutgruppen des Menschen sind es z. B. drei (→ Kap. 15), meistens ist die Anzahl der Allele noch sehr viel größer. Der Partner wird an den gleichen Genorten also wahrscheinlich andere Allele aufweisen und ebenfalls verschiedene Keimzelltypen bilden. Bei der Befruchtung verschmelzen Keimzellen miteinander zur diploiden Zygote. Bei drei Chromosomen gibt es dafür $2^3 \cdot 2^3 = 64$ Kombinationsmöglichkeiten, bei 10 Chromosomen bereits über eine Million. Das sind enorm viele genetische Varianten innerhalb der gleichen Organismenart.

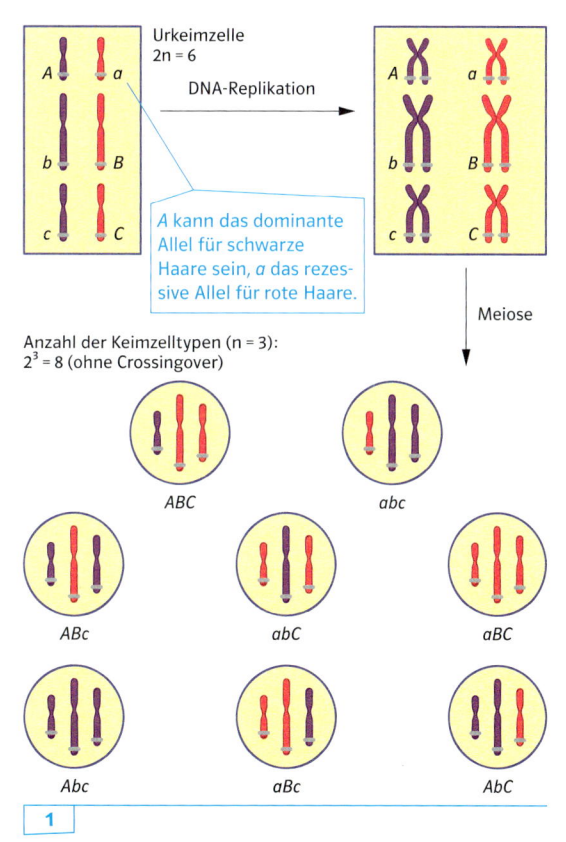

Variabilität und Angepasstheit

A kann das dominante Allel für schwarze Haare sein, *a* das rezessive Allel für rote Haare.

1 Bei der Bildung haploider Keimzellen aus diploiden Urkeimzellen gibt es 2^n mögliche Keimzelltypen.

Aufgabe 11.3

Vergleichen Sie die Anzahl möglicher genetischer Varianten beim Menschen mit der Weltbevölkerungszahl (2009: 6,8 Mrd.).

Genetik

11.4 Vererbungsregeln beschreiben Merkmalsverteilungen in den Generationen

Reproduktion

„Erbsenzählen" gilt als kleinliche und langwierige Beschäftigung. Aber gerade mit dieser Fleißarbeit gelang es dem Benediktinermönch GREGOR MENDEL im Jahr 1866, die Vererbungsregeln aufzudecken. *Vererbungsregeln* zeigen, wie Merkmale sich über Generationen zahlenmäßig verteilen und wiederkehren. MENDEL untersuchte das mithilfe von Erbsen. Er wandte zu seiner Zeit vollkommen ungebräuchliche Methoden an, indem er Blüten künstlich bestäubte und mit großen Datenmengen rechnete (→ Abb. 1).

Merkmal	F_1-Generation	F_2-Generation
Samenfarbe gelb (G) grün (g)	alle gelb	6022 : 2001 (3,01 : 1)
Samenform rund (R) runzlig (r)	alle rund	5474 : 1850 (2,96 : 1)
Blütenfarbe violett (W) weiß (w)	alle violett	705 : 224 (3,15 : 1)
Wuchsform hoch (N) niedrig (n)	alle hochwüchsig	787 : 277 (2,84 : 1)

2

MENDEL verwendete verschiedene reinerbige Erbsensorten, die sich in jeweils einem Merkmal unterscheiden. Er zählte die Merkmalsverteilung in der F_1- und F_2-Generation.

P-Generation
runde Erbsensorte runzlige Erbsensorte
künstliche Bestäubung

Pollen

Die Staubbeutel werden abgeschnitten, um Selbstbefruchtung auszuschließen. Der Pollen wird mit einem Pinsel auf die Narbe des Fruchtknotens der jeweils anderen Erbsensorte übertragen.

F_1-Generation
Alle F_1-Samen sind rund.
Die F_1-Hybridpflanzen werden untereinander künstlich bestäubt (Inzucht).
Die F_2-Samen sind rund oder runzlig etwa in einem Zahlenverhältnis von 3:1.

Pollen

F_2-Generation

1

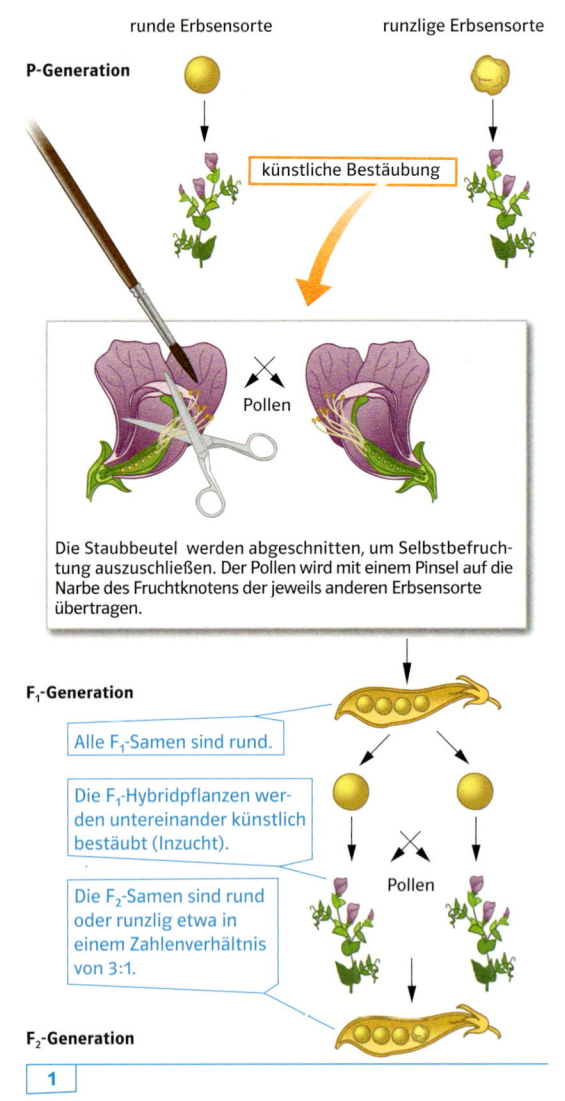

MENDELS Methode bestand aus der künstlichen Bestäubung von Erbsenblüten und dem Auszählen von Merkmalsträgern in den Folgegenerationen.

Mit der Erbse als Versuchspflanze hatte MENDEL eine gute Wahl getroffen, denn er konnte auf lange Zuchterfolge zurückgreifen. Kreuzt man Erbsenpflanzen mit runden Samen über mehrere Generationen untereinander, erhält man schließlich nur noch runde Samen. Die Erbse ist *reinerbig* bezogen auf die Samenform, genetisch ausgedrückt **homozygot** (→ 11.3). Zu MENDELS Zeiten gab es eine ganze Reihe reinerbiger Erbsensorten im Saathandel. Er wählte Sortenpaare, bei denen ein Merkmal in jeweils zwei Ausprägungen vorlag, beim Merkmal Samenform z. B. rund und runzlig (→ Abb. 2). Aus diesen Samen zog er Erbsenpflanzen, entfernte die Staubblätter und übertrug den Pollen gezielt von einer Blüte auf die andere. Durch diese künstliche Bestäubung schloss er eine unkontrollierte Befruchtung aus (→ Abb. 1). Die gezüchteten Mischsorten (*Hybriden*) sind *mischerbig* (**heterozygot**) bezogen auf ein einzelnes Merkmal. Er sprach von einer **monohybriden Kreuzung**. Alle Erbsensamen, die aus dieser Kreuzung hervorgingen, waren rund. In der ersten Tochtergeneration F_1 (Filialgeneration) hatte sich also eine Merkmalsausprägung der Elterngeneration P (Parenteralgeneration) durchgesetzt, die MENDEL als **dominant** bezeichnete. Die andere Ausprägung des betrachteten Merkmals, hier runzlig, war in der

Neukombination von Genen bei der Fortpflanzung

F_1-Generation dagegen verschwunden, er nannte sie **rezessiv**. Auch bei den übrigen Sortenpaaren erwies sich immer eine der Merkmalsausprägungen in der F_1-Generation als dominant gegenüber der anderen.

Nun zog MENDEL F_1-Erbsenpflanzen aus den F_1-Samen und bestäubte ihre Blüten wieder künstlich. Er erzeugte also eine F_2-Generation (2. Tochtergeneration) durch Inzucht. In dieser F_2-Generation tauchte das bei den Eltern verschwundene Merkmal der Großeltern wieder auf. Je mehr F_2-Erbsen er auszählte, umso näher kam er einem Verhältnis 3 : 1 von dominanten zu rezessiven Merkmalsträgern. Daraus schloss MENDEL: Organismen haben in Körperzellen zwei Erbanlagen für ein Merkmal und geben eine davon in ihre Keimzellen weiter. Die Erbanlage für die dominante Merkmalsausprägung kann die für die rezessive überdecken. MENDEL formulierte folgende Vererbungsregeln:

1. Uniformitätsregel: Kreuzt man zwei reinerbige Eltern, die sich nur in einem Merkmal voneinander unterscheiden, so erhält man in der ersten Filialgeneration Nachkommen, die in ihrem Aussehen gleich sind.

2. Spaltungsregel: Kreuzt man die Individuen der F_1-Generation untereinander, gehen aus dieser Kreuzung Nachkommen (F_2) hervor, deren Merkmale in einem bestimmten Zahlenverhältnis aufspalten.

Als MENDEL seine Vererbungsregeln veröffentlichte, fehlten ihm und seinen Zeitgenossen jegliche Kenntnisse von Genen, Chromosomen oder über zellbiologische Vorgänge wie die Meiose. Umso verblüffter waren die Zellbiologen des frühen 20. Jahrhunderts, als sie merkten, wie genau MENDELS Ergebnisse zum Verhalten der Chromosomen während Meiose und Befruchtung passen: MENDELS Erbanlagen sind die Gene bzw. Allele auf den Chromosomen, in der Körperzelle liegen jeweils zwei Homologe vor, die bei Meiose und Befruchtung neu kombiniert werden. Damit war die **Chromosomentheorie der Vererbung** geboren (→Abb. 3), sie hat sich seitdem ständig weiterentwickelt. Danach lässt sich die Vererbung in einem Kreuzungsschema darstellen, bei dem zwischen den äußeren Merkmalen (**Phänotyp** = Erscheinungsbild) und den zugrunde liegenden Genen (**Genotyp** = Erbbild) in Körper- und Keimzellen unterschieden wird.

Rückblickend ist es erstaunlich, wie genau die von MENDEL postulierten Erbanlagen mit den Genen auf den Chromosomen übereinstimmen, sie bilden

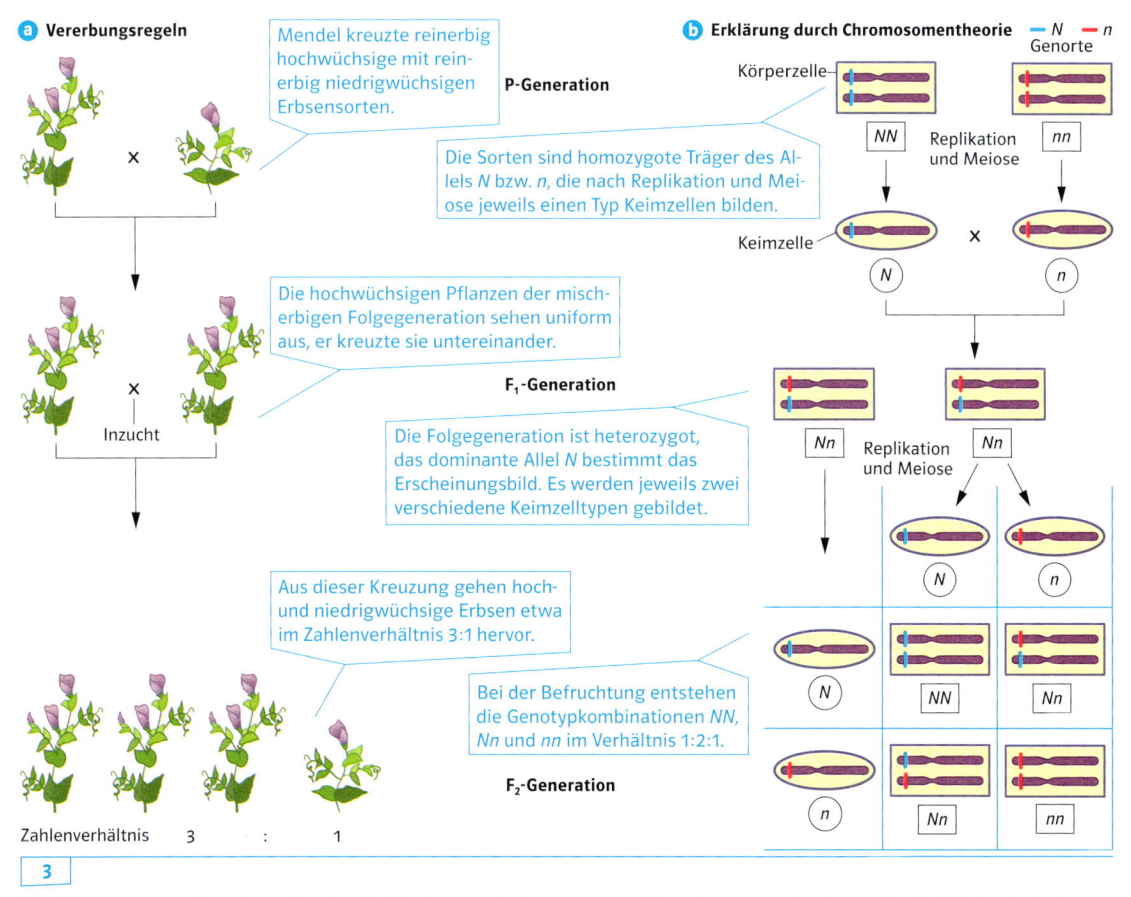

Struktur und Funktion

3 Die Chromosomentheorie stellt eine Verbindung zwischen MENDELS Vererbungsregeln ⓐ und der Zellbiologie ⓑ her.

Genetik

Online-Link
Merkmal Blütenfarbe, Merkmal Fellfarbe, Merkmal Farbe und Form (interaktiv)
150010-1861

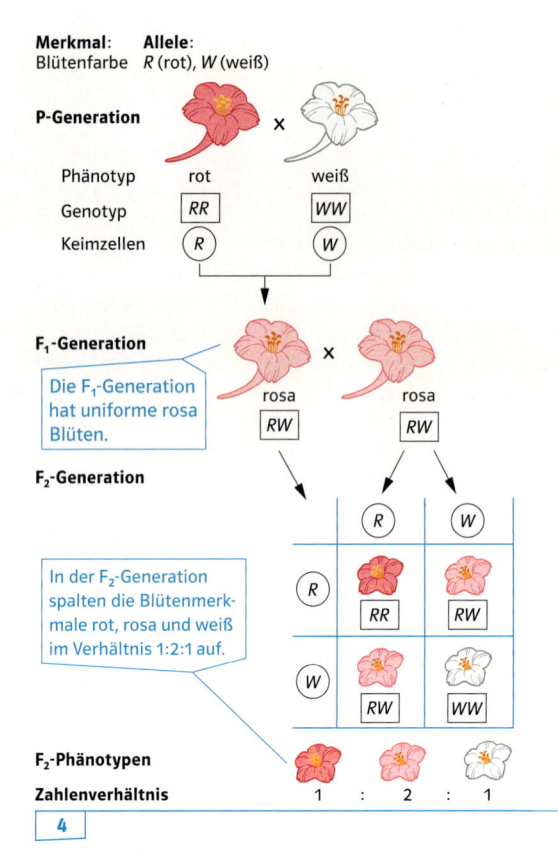

Merkmal: Blütenfarbe **Allele:** R (rot), W (weiß)

P-Generation
- Phänotyp: rot × weiß
- Genotyp: RR / WW
- Keimzellen: R / W

F₁-Generation
Die F₁-Generation hat uniforme rosa Blüten.
- rosa RW × rosa RW

F₂-Generation
In der F₂-Generation spalten die Blütenmerkmale rot, rosa und weiß im Verhältnis 1:2:1 auf.

	R	W
R	RR	RW
W	RW	WW

F₂-Phänotypen
Zahlenverhältnis 1 : 2 : 1

4 Im intermediären Erbgang treten Nachkommen mit mittlerer Merkmalsausprägung auf; auch hier gelten MENDELS Vererbungsregeln.

Farbstoffbildung nur unvollständig ausgleichen. Das führt zu einer mittleren Merkmalsausprägung in der F₁-Generation, der Erbgang ist *intermediär*. Manchmal wirken sich auch beide Allele aus, dann spricht man von einem **codominanten** Erbgang (→ 15.1).

MENDEL beschäftigte sich außerdem mit Kreuzungen, bei denen er zwei Merkmalspaare beobachtete (→ Abb. 5). Er konnte die ersten beiden Vererbungsregeln für diesen **dihybriden Erbgang** bestätigen. In der F₂-Generation fand er ganz neue Merkmalskombinationen. Neue Merkmalskombinationen führen, wie Sie bereits wissen (→ 11.3), zur Variabilität der Arten. MENDEL formulierte eine weitere Vererbungsregel:

3. Unabhängigkeitsregel (Regel von der freien Kombinierbarkeit): Bei dihybriden Erbgängen spalten sich die einzelnen Merkmale in der F₂-Generation unabhängig voneinander auf und sind somit frei kombinierbar. In → 11.5 werden Sie erfahren, dass diese Regel nur eingeschränkt gilt.

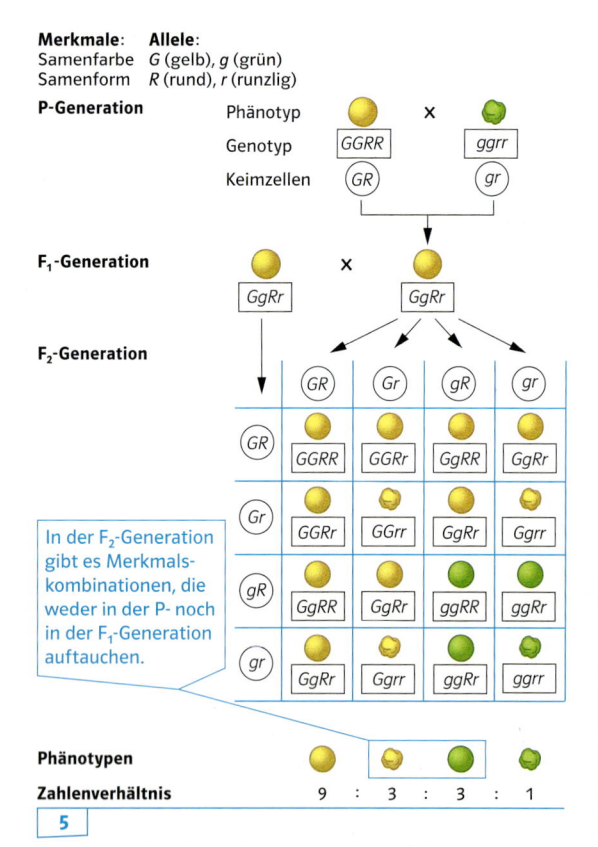

---

den Genotyp der Erbse; Beispiel Samenform: Genotyp RR bzw. rr im homozygoten, Rr im heterozygoten Fall. Dabei symbolisiert ein großer Buchstabe das Allel für die dominante, ein kleiner das Allel für die rezessive Merkmalsausprägung.

Was muss man sich unter dem Begriff Dominanz genetisch vorstellen? Ein Gen kann die Fähigkeit verlieren, für ein merkmalbestimmendes Protein zu codieren. Kann das Allel auf dem homologen Chromosom das ausgleichen, also sozusagen für den ausgefallenen Partner mit arbeiten, kommt es zu einer unveränderten (dominanten) Merkmalsausprägung. MENDEL sprach ausdrücklich von dominanten Merkmalen. Spricht man von dominanten Allelen, sollte man sich darüber im klaren sein, dass es sich nicht um die Eigenschaft eines einzelnen Gens, sondern eher um das „Kräfteverhältnis" von Allelen handelt. Vergleichen Sie dazu den Erbgang bei der Wunderblume (→ Abb. 4). Hier kann das homologe Allel die fehlende

---

Merkmale: **Allele:**
Samenfarbe G (gelb), g (grün)
Samenform R (rund), r (runzlig)

P-Generation
- Phänotyp: ×
- Genotyp: GGRR / ggrr
- Keimzellen: GR / gr

F₁-Generation
GgRr × GgRr

F₂-Generation

	GR	Gr	gR	gr
GR	GGRR	GGRr	GgRR	GgRr
Gr	GGRr	GGrr	GgRr	Ggrr
gR	GgRR	GgRr	ggRR	ggRr
gr	GgRr	Ggrr	ggRr	ggrr

In der F₂-Generation gibt es Merkmalskombinationen, die weder in der P- noch in der F₁-Generation auftauchen.

Phänotypen
Zahlenverhältnis 9 : 3 : 3 : 1

5 Aus einer dihybriden Kreuzung gehen F₂-Nachkommen mit neu kombinierten Merkmalen hervor. Die zugehörigen Gene werden unabhängig vererbt.

Aufgabe 11.4

Setzen Sie ein weiteres Fallbeispiel aus Abb. 2, S. 184, in ein Kreuzungsschema mit Genotyp und Phänotyp um.

11.5 Nicht alle Gene werden unabhängig voneinander vererbt

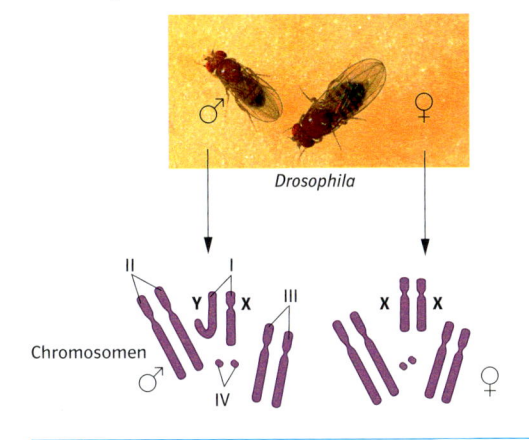

Zuchtgefäß

Taufliegen lassen sich im Labor auf Maisbrei züchten.

Drosophila

Chromosomen ♂ / ♀

1 Die Taufliege *Drosophila melanogaster* (2n = 8) ist ein Modelltier der Genetik.

Entscheidende Erkenntnisse zur Vererbung brachten Versuche mit der Taufliege *Drosophila melanogaster*. Sie kennen sie als Besucher von überreifem Obst. Sie lässt sich leicht auf Maisbrei vermehren, und genau das tat THOMAS HUNT MORGAN in seinem Labor. Auf verschiedene Handelssorten wie bei der Erbse konnten MORGAN und seine Mitarbeiter dabei nicht zurückgreifen. Sie mussten die Fliegen vielmehr selbst aus wilden Fliegen für ihre Versuche züchten (→ Abb. 1). Dazu wählten sie Fliegen aus, die in ihrem Äußeren von dem normalen **Wildtyp** abwichen. Diese sogenannten **Mutanten** hatten z. B.
- schwarze Körper (Allel *b*) statt des hellbraunen (*B*)
- raue Beborstung (Allel *s*) statt normal glatter (*S*)
- leuchtend rote Augen (*c*) statt normal roter (*C*)
- verkümmerte Flügel (*v*) statt normaler (*V*).

Diese Mutanten kreuzten sie untereinander, bis sie nur noch Nachkommen mit dem abweichenden Phänotyp, also reinerbige (homozygote) Linien erhielten (Genotyp: *bb*, *ss*, *cc*, *vv*). Beim dominanten Phänotyp lassen sich homozygote und heterozygote Formen durch eine bereits von MENDEL entwickelte Methode unterscheiden. Dabei kreuzt man Fliegen des fraglichen Genotyps mit einem homozygot rezessiven (→ Abb. 2). Gehen aus dieser sogenannten **Rückkreuzung** nur Fliegen mit dem dominanten Phänotyp hervor, handelte es sich um homozygote Eltern. Dominante und rezessive Phänotypen in der 1. Rückkreuzungsgeneration (RF$_1$) im Verhältnis 1:1 lassen dagegen auf ein heterozygotes Elternteil schließen (→ Abb. 2).

So erhielt MORGAN reinerbige Taufliegen, um an ihnen MENDELS Vererbungsregeln zu überprüfen. Bei monohybriden Kreuzungen von Wildtyp-Fliegen mit Mutanten setzte sich in der F$_1$-Generation das Wildtyp-Merkmal durch, es war also dominant. Damit war

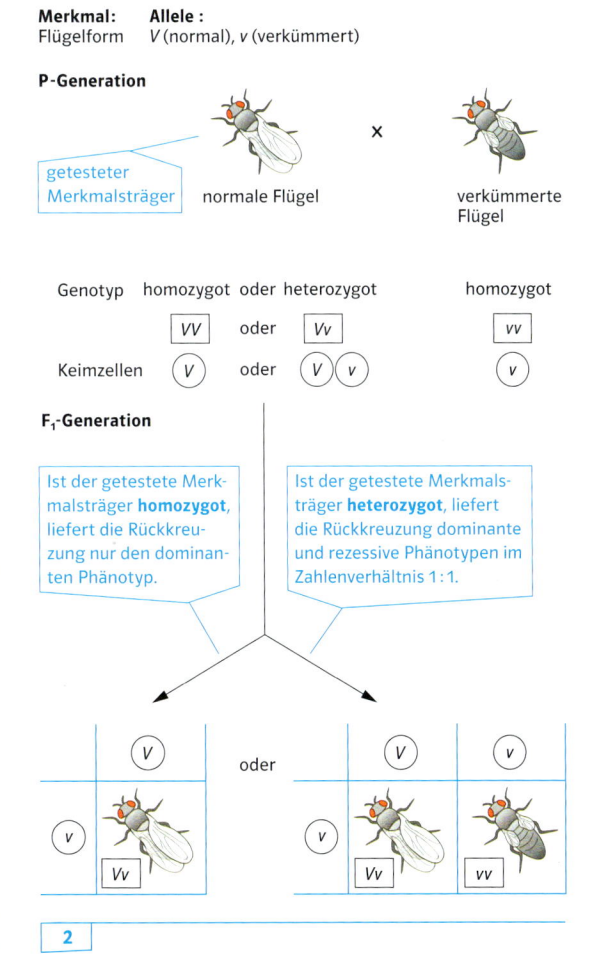

Reproduktion

Merkmal: Flügelform **Allele:** *V* (normal), *v* (verkümmert)

P-Generation

getesteter Merkmalsträger — normale Flügel × verkümmerte Flügel

Genotyp: homozygot oder heterozygot | homozygot
VV oder *Vv* | *vv*

Keimzellen: *V* oder *V* *v* | *v*

F$_1$-Generation

Ist der getestete Merkmalsträger **homozygot**, liefert die Rückkreuzung nur den dominanten Phänotyp.

Ist der getestete Merkmalsträger **heterozygot**, liefert die Rückkreuzung dominante und rezessive Phänotypen im Zahlenverhältnis 1:1.

Vv | *Vv* *vv*

2 Durch Rückkreuzung lassen sich homozygote und heterozygote Träger eines dominanten Merkmals unterscheiden, obwohl sie im Phänotyp übereinstimmen.

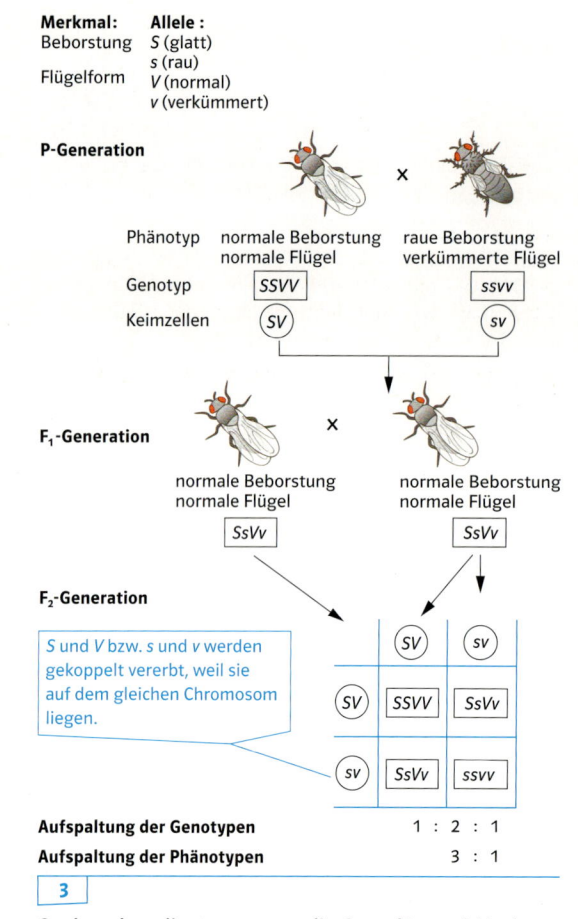

Genetik

Merkmal: Beborstung
Allele: S (glatt), s (rau)
Merkmal: Flügelform
Allele: V (normal), v (verkümmert)

P-Generation

Phänotyp: normale Beborstung, normale Flügel × raue Beborstung, verkümmerte Flügel
Genotyp: SSVV × ssvv
Keimzellen: SV, sv

F₁-Generation

normale Beborstung, normale Flügel × normale Beborstung, normale Flügel
SsVv × SsVv

F₂-Generation

S und V bzw. s und v werden gekoppelt vererbt, weil sie auf dem gleichen Chromosom liegen.

	SV	sv
SV	SSVV	SsVv
sv	SsVv	ssvv

Aufspaltung der Genotypen 1 : 2 : 1
Aufspaltung der Phänotypen 3 : 1

3 Genkopplung liegt vor, wenn die Gene für zwei Merkmale auf dem gleichen Chromosom liegen und nicht durch Crossingover getrennt werden.

die 1. Vererbungsregel bestätigt. Kreuzt man die F₁-Fliegen untereinander, tauchte das rezessive Merkmal in der F₂-Generation wieder auf, wie nach der 2. Vererbungsregel zu erwarten.

Es gab aber auch Ergebnisse, die MENDEL überrascht hätten, sich aber mit der Chromosomentheorie der Vererbung erklären lassen. Es gibt Merkmale, die nicht unabhängig voneinander, sondern *gekoppelt* vererbt werden. Sie folgen also nicht der 3. Vererbungsregel, sondern verhalten sich fast wie ein einziges Merkmal (→ Abb. 3). Das gilt für Gene, die auf dem gleichen Chromosom liegen, denn sie werden bei Meiose und Befruchtung meist als Einheit — man sagt: *Kopplungsgruppe* — weitergegeben. Es gibt genauso viele Kopplungsgruppen von Merkmalen im Phänotyp wie Chromosomen im Genotyp.

Die Kopplung von Merkmalen kann aufgehoben werden, wie Rückkreuzungen zeigen (→ Abb. 4). Gene, die auf dem gleichen Chromosom liegen, können während der Meiose voneinander getrennt werden, weil ein Stückaustausch zwischen homologen Chromosomen stattfindet (*Crossingover*, → Abb. 1, S. 180). Bei Taufliegen gibt es Crossingover nur bei der Bildung von Eizellen, nicht bei der von Spermienzellen.

Die Trennung gekoppelter Gene ist umso unwahrscheinlicher, je dichter die Gene beieinanderliegen. Die Häufigkeit von solchen Kopplungsbrüchen ist also ein Maß, mit dem man den Abstand von Genen auf dem Chromosom bestimmen kann. Auf diese Weise erhält man eine einfache Genkarte (→ Abb. 5). Die aus Kopplungsdaten gewonnene Genkarte enthält keine absoluten Werte zur Lage der Gene, sondern zeigt die relative Lage auf dem Chromosom. Bei Berücksichtigung weiterer Merkmale können sich die Zahlenwerte verändern. Mehrfache Crossingover, die vor allem bei entfernt gelegenen Genen auftreten, führen auch zu Abweichungen zwischen errechneten Abstandswerten und experimentell ermittelten Rekombinationsfrequenzen. Heute werden zusätzlich molekularbiologische Methoden zur Kartierung angewandt (→ 14.4).

MORGAN fand außerdem heraus, dass bestimmte Merkmale besonders häufig bei männlichen Taufliegen auftreten. So eine *geschlechtsgekoppelte* Vererbung tritt auch bei Menschen auf, wie Sie noch erfahren werden (→ 15.3).

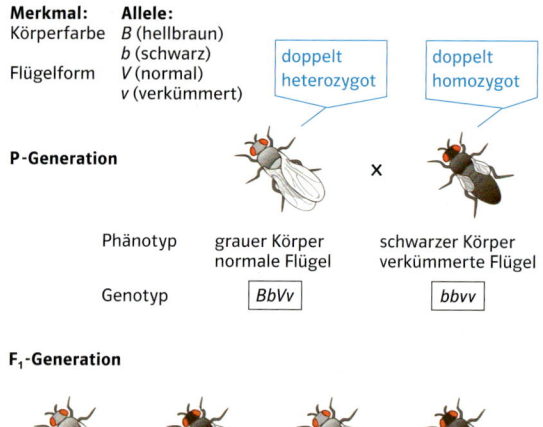

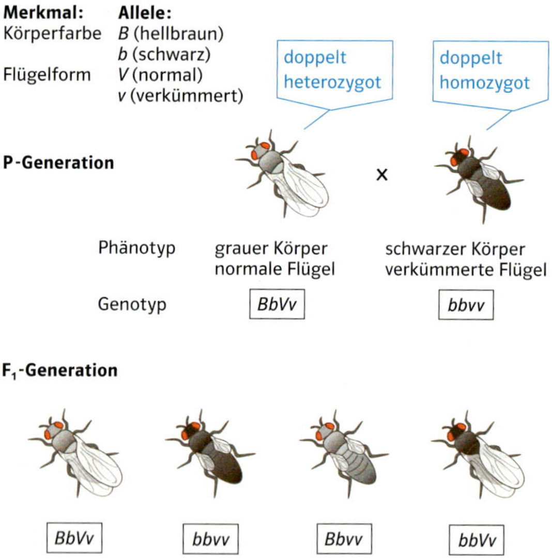

Merkmal: Körperfarbe
Allele: B (hellbraun), b (schwarz)
Merkmal: Flügelform
Allele: V (normal), v (verkümmert)

P-Generation

doppelt heterozygot × doppelt homozygot

Phänotyp: grauer Körper, normale Flügel × schwarzer Körper, verkümmerte Flügel
Genotyp: BbVv × bbvv

F₁-Generation

BbVv | bbvv | Bbvv | bbVv

Erwartete Zahlenverhältnisse	BbVv	bbvv	Bbvv	bbVv
bei unabhängigen Genen	575	575	575	575
bei gekoppelten Genen	1150	1150	0	0
Tatsächliches Ergebnis	965	944	206	185
Bei 17% der Nachkommen ist die Genkopplung aufgehoben	83%		17%	

4 Crossingover während der Meiose führt zum Kopplungsbruch und damit zur unabhängigen Verteilung ursprünglich gekoppelter Merkmale.

Methode: Relative Genkarten aus Kopplungsdaten

Anwendung
Bestimmung der Reihenfolge von Genorten und ihrer relativen Abstände auf einem *Drosophila*-Chromosom.

Methode
Je häufiger zwei gekoppelte Gene durch Crossingover getrennt werden, umso größer ist ihr Abstand auf dem Chromosom. MORGAN definierte: Werden zwei Gene 1 von 100-mal (1%) voneinander getrennt, ist die Rekombinationsfrequenz 1%, der relative Genabstand beträgt 1 Centimorgan (Cm). Für die Allele *b* (schwarzer Körper), *c* (leuchtend rote Augen), *v* (verkümmerte Flügel) ermittelte er folgende Rekombinationsfrequenzen:

zwischen *b* und *v*: 17 % (siehe Abb. 4)
zwischen *b* und *c*: 9 %

Es ergibt sich als mögliche Reihenfolge:

a *c – b – v*, dann ist die Rekombinationsfrequenz zwischen *c* und *v* (9 + 17), also ca. 26 %
b *b – c – v*, dann ist die Rekombinationsfrequenz zwischen *c* und *v* (17 – 9), also ca. 8 %

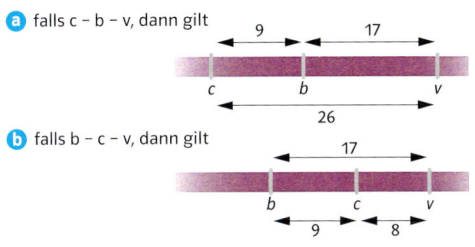

Experimente liefern eine Rekombinationsfrequenz zwischen *v* und *c* von 9,5 %, damit ist die Reihenfolge *b – c – v* wahrscheinlicher. Absolute Angaben des Genortes sind nicht möglich.

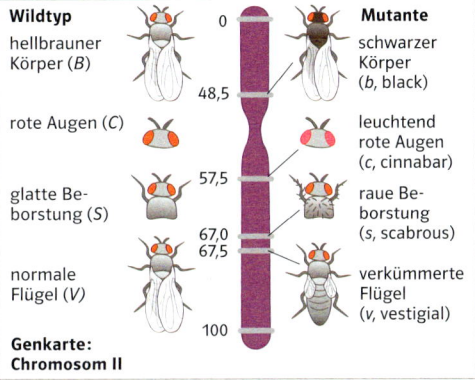

Genkarte: Chromosom II

Wildtyp	Position	Mutante
hellbrauner Körper (*B*)	0	schwarzer Körper (*b*, black)
rote Augen (*C*)	48,5	leuchtend rote Augen (*c*, cinnabar)
glatte Beborstung (*S*)	57,5	raue Beborstung (*s*, scabrous)
normale Flügel (*V*)	67,0 / 67,5	verkümmerte Flügel (*v*, vestigial)
	100	

5 Relative Genkarten lassen sich über die Häufigkeit von Kopplungsbrüchen erstellen.

Aufgabe 11.5
Formulieren Sie eine Einschränkung zu MENDELS dritter Regel, die MORGANS Ergebnisse berücksichtigt.

11.6 Prokaryoten kennen keine Meiose, aber andere Wege der Rekombination

Eukaryoten geben genetische Informationen bei jeder sexuellen Fortpflanzung an die nächste Generation weiter. Dabei werden Gene bei Meiose und Befruchtung neu gemischt und rekombiniert. Bewährtes kann sich so von Vorfahren auf die Nachkommen vererben, und neue Merkmalskombinationen erhöhen die Chancen für das Überleben in einer veränderlichen Umwelt.

Bei Bakterien gibt es ebenfalls Rekombinationsvorgänge. Diese sind allerdings weder an einen Generationenübergang noch an eine Vermehrung gebunden. Es gibt weder Meiose noch Befruchtung. Für die Übertragung von DNA nehmen die Bakterienzellen allenfalls vorübergehend Kontakt miteinander auf und trennen sich anschließend wieder. Man spricht von einem *horizontalen Gentransfer*.

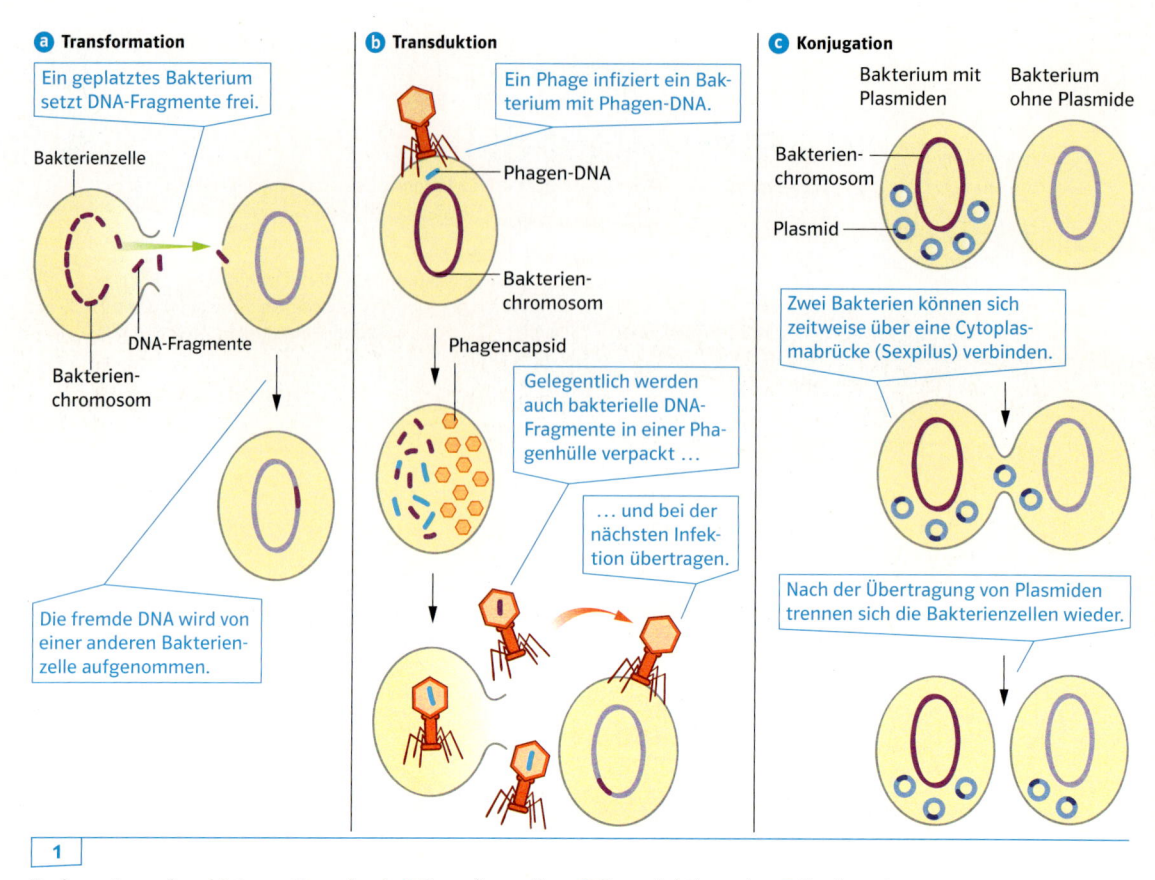

Genetik

a Transformation

Ein geplatztes Bakterium setzt DNA-Fragmente frei.

Bakterienzelle

DNA-Fragmente

Bakterienchromosom

Die fremde DNA wird von einer anderen Bakterienzelle aufgenommen.

b Transduktion

Ein Phage infiziert ein Bakterium mit Phagen-DNA.

Phagen-DNA

Bakterienchromosom

Phagencapsid

Gelegentlich werden auch bakterielle DNA-Fragmente in einer Phagenhülle verpackt …

… und bei der nächsten Infektion übertragen.

c Konjugation

Bakterium mit Plasmiden | Bakterium ohne Plasmide

Bakterienchromosom

Plasmid

Zwei Bakterien können sich zeitweise über eine Cytoplasmabrücke (Sexpilus) verbinden.

Nach der Übertragung von Plasmiden trennen sich die Bakterienzellen wieder.

1

Prokaryoten rekombinieren Gene durch a Transformation, b Transduktion oder c Konjugation.

Variabilität und Angepasstheit

In Abb. 1 sind drei Formen der Rekombination bei Bakterien gegenübergestellt. Auf der linken Seite ist immer der Spender der genetischen Information und auf der anderen Seite der Empfänger dargestellt. Übertragen werden DNA-Abschnitte.

- **Transformation a**: Nackte DNA wird aus der Umgebung aufgenommen und in das Bakterienchromosom eingebaut. Diese Form der Rekombination kennen Sie bereits aus den Versuchen von GRIFFITH (→ 9.2), wo Bakterien die Fähigkeit zur Kapselbildung von abgetöteten Zellen übernahmen. Die Versuche haben gezeigt, dass DNA der Informationsträger in Zellen ist.
- **Transduktion b**: Ein Gen wird nicht nackt, sondern verpackt von einem Bakteriophagen übertragen. Bakteriophagen sind Viren, die Bakterien infizieren und ihre DNA zeitweise in das Bakterienchromosom einbauen (→ 10.6). Beim Verlassen können sie Bakterien-DNA mitnehmen. Diese gelangt dann bei der nächsten Infektion in eine andere Bakterienzelle.
- **Konjugation c**: Über Cytoplasmabrücken (*Sexpili*, → S. 38) nehmen zwei Bakterienzellen direkten Kontakt zueinander auf, sodass **Plasmide** von einer Zelle in die andere gelangen können. Plasmide sind DNA-Ringe außerhalb des Bakterienchromosoms mit besonderen Genen, z. B. für eine *Antibiotikaresistenz*. Welche der beiden Zellen als Spender fungiert, entscheidet ein DNA-Ring, den man als F-Plasmid bezeichnet. Nur eine Bakterienzelle mit dem F-Plasmid hat die Gene zur Bildung von Sexpili, sie übernimmt gewissermaßen den männlichen Part beim „Bakteriensex". Das F-Plasmid kann sich in das Bakterienchromosom integrieren und beim Verlassen auch DNA des Bakterienchromosoms auf die Partnerzelle übertragen.

Aufgabe 11.6

Bakterien vermehren sich durch Zweiteilung, dennoch treten rekombinante Nachkommen auf. Erklären Sie.

Gene und Merkmalsbildung

12

Ein einzelnes weißes Tier zwischen braunen Geschwistern, ein vierblättriger Glücksklee inmitten unzähliger dreiblättriger, eine einzige Kolonie Bakterien auf penicillinhaltigem Kulturboden — Merkmale können plötzlich aus der Reihe tanzen, spontan verändert sein. Der Weg von der Basensequenz der DNA über RNA-Moleküle und Proteine bis zu einem Merkmal ist lang. Außerdem wird er oft durch äußere Einflüsse geändert — das kann Merkmale verschlechtern oder verbessern. Nicht trotz, sondern wegen der vielen Abwandlungen hat der Weg vom Gen zum Merkmal über Jahrmillionen letztlich immer wieder zum gleichen Ergebnis geführt: Lebewesen, die in ihrer jeweiligen Umwelt überleben und sich dort erfolgreich fortpflanzen.

Nordamerikanischer Maultierhirsch

12.1	Merkmale werden durch Gene und Umwelteinflüsse bestimmt
12.2	Bestimmte Merkmale lassen sich auf ein einziges Gen zurückführen
12.3	Vielen einzelnen Merkmalen liegen mehrere Gene zugrunde
12.4	Genmutationen können Struktur und Funktion von Proteinen verändern
12.5	Chromosomenmutationen verändern den Bau von Chromosomen
12.6	Viele Genommutationen wirken sich auf Stoffwechselrate und Meiose aus
12.7	Bewegliche DNA-Abschnitte verändern ihre Position im Genom

Genetik

12.1 Merkmale werden durch Gene und Umwelteinflüsse bestimmt

Man nehme zwei Zweige einer Weide und pflanze den einen an das Ufer eines Bachs, den anderen in einen kleinen Blumentopf. Beide Stecklinge stammen von der gleichen Pflanze, sind also genetisch identisch. Stellen Sie sich vor, Sie lassen die Uferweide ungehindert wachsen, während Sie die Zweige der Topfweide regelmäßig zurückschneiden. Mit etwas Glück steht nach einigen Jahren am Ufer ein stattlicher Baum (→ Abb. 1), während die Topfweide klein wie ein Bonsaibaum (→ Abb. 2) geblieben ist. Der Kleinwuchs ist nicht erblich: Pflanzen Sie zum Beweis einen Zweig der Topfweide am Bachufer ein — er wächst zu einer normal großen Weide heran.

Durch Umweltfaktoren hervorgerufene Varianten des Phänotyps bezeichnet man als **Modifikationen**. Sie wirken sich nur im Leben des Individuums aus und werden nicht vererbt. Ein unterschiedliches Aussehen von Individuen einer Art kann also umweltbedingt sein und lässt nicht unbedingt auf Unterschiede im Genotyp, auf **genetische Variabilität**, schließen.•

Männchen und Weibchen einer Tierart sehen oft sehr verschieden aus, denken Sie nur an einen Rothirsch mit Geweih oder an einen Pfauhahn mit Schmuckfedern. Auch ohne auffallend unterschiedliche sekundäre *Geschlechtsmerkmale* gibt es immer Unterschiede in den primären Geschlechtsmerkmalen: Männchen entwickeln Hoden, Weibchen Eierstöcke.

Hat diese Variabilität einer Art nun genetische Ursachen oder ist sie umweltbedingt? Erstaunlicherweise gibt es im Tierreich beides.

Bei Krokodilen und Schildkröten entstehen die Geschlechtsmerkmale durch Modifikation, also in Abhängigkeit von der Umwelt. Es gibt keinen charakteristischen Genotyp von Männchen oder Weibchen. Wenn sich Eizelle und Spermienzelle zur Zygote vereinen, ist also noch nicht über das Geschlecht des Nachkommen entschieden. Erst während der weiteren Zellteilungen wird die Genaktivität offenbar durch temperaturabhängige Enzyme reguliert. Dadurch wird entweder die weibliche oder die männliche Richtung in der Entwicklung eingeschlagen (→ Abb. 3). Man spricht von **phänotypischer Geschlechtsbestimmung**.•

Bei Säugetieren, Vögeln und vielen Insekten liegt dagegen eine **genotypische Geschlechtsbestimmung** vor. Männchen und Weibchen sind hier genetische Varianten einer Art. Es wird Sie vielleicht überraschen, dass sich das Geschlecht eines Säugetiers auf ein einziges Gen zurückführen lässt. Genetiker haben das nachgewiesen, indem sie das *geschlechtsbestimmende Gen* von einem Mäusemännchen auf einen weiblichen Mausembryo übertrugen: Es entwickelten sich Mäuse, die sich in Aussehen und Sexualverhalten nicht von Mäusemännchen unterschieden. Das geschlechts-

Reproduktion

Variabilität und Angepasstheit

1 Weiden sind je nach Umweltbedingungen normal- oder zwergwüchsig. Das sind Modifikationen innerhalb des genetischen Rahmens.

2 Diese Bonsai-Weide wurde mit Schere und Drähten klein gehalten und in ihre Wuchsform gebracht. Genetisch ist sie unverändert.

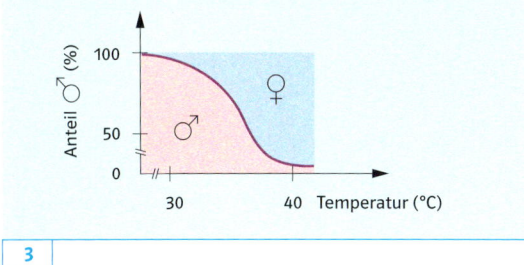

3 Phänotypische Geschlechtsbestimmung. Das Geschlecht hängt von der Außentemperatur vor dem Schlüpfen ab.

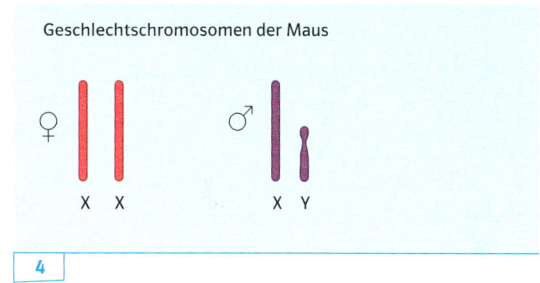

4 Genotypische Geschlechtsbestimmung. X- und Y-Chromosomen bestimmen das Geschlecht.

bestimmende Gen löst die Hodenbildung und damit die Ausschüttung männlicher Sexualhormone aus. Dadurch werden Gene aktiviert, die für die Ausprägung männlicher Geschlechtsmerkmale sorgen. Fehlt das geschlechtsbestimmende Gen, entstehen im Embryo Eierstöcke und unter der Wirkung weiblicher Hormone wächst ein Weibchen heran. Das verläuft beim Menschen im Prinzip nicht anders als bei der Maus.

Dass die Geschlechtsbestimmung bei Säugetieren eine genetische Grundlage hat, sehen Sie schon an den Chromosomen (→ Abb. 4). Bei Männchen gibt es darunter ein ungleiches Chromosomenpaar, es besteht aus den *Gonosomen* X und Y. Das Y-Chromosom trägt das geschlechtsbestimmende Gen. Gene, die für weitere männliche Merkmale zuständig sind, können auch auf den *Autosomen* liegen. Ihre Aktivität wird aber letztlich durch das geschlechtsbestimmende Gen reguliert. Männchen bilden in der Meiose Spermienzellen, die entweder das X- oder das Y-Chromosom enthalten. Bei weiblichen Säugetieren liegen gleichartige Gonosomen (X und X) vor, sie bilden ausschließlich Eizellen mit einem X-Chromosom. Schon bei der Zygotenbildung liegt also das Geschlecht fest: Enthält die Zygote X- und Y-Chromosom, entwickelt sich ein Männchen, bei X und X ein Weibchen.

Sie sehen schon: Genetische Varianten lassen sich oft schwer von Modifikationen unterscheiden. Gerade beim Menschen interessiert uns aber, ob und zu welchen Anteilen Merkmale wie Intelligenz, Talent, Temperament, Übergewicht oder die Anfälligkeit für Krankheiten erblich sind und welchen Einfluss Umweltbedingungen wie Ernährung, Erziehung, Medien auf einen Heranwachsenden haben. Um diese Frage zu klären, vergleicht man die Merkmale von Zwillingen auf ihrem Lebensweg. Es spricht für eine genetische Verankerung, wenn das beobachtete Merkmal bei eineiigen Zwillingen, also genetisch gleichen Geschwistern, weniger variiert als bei zweieiigen.

Sicher gibt es viele Merkmale, die von der Umwelt völlig unbeeinflussbar sind. Es ist gleichgültig, in welcher Umwelt ein Mensch aufwächst, er wird seine Blutgruppe oder seinen Fingerabdruck im Laufe des Lebens nicht ändern. Auch die Weide behält bestimmte Merkmale unabhängig davon, wie ihre Umwelt aussieht — aus einer Weide wird keine Eiche. Gene legen also den Rahmen der Merkmale fest. Die Umwelt wirkt abwandelnd. Der Rahmen kann dabei je nach Merkmal unterschiedlich weit gesteckt sein.

Aufgabe 12.1

Interpretieren Sie folgende Statistik: Bei der Erkrankung an Keuchhusten stimmen 94 % der zweieiigen und 96 % der eineiigen Zwillinge überein, bei der Zuckerkrankheit 37 % der zweieiigen und 84 % der eineiigen.

12.2 Bestimmte Merkmale lassen sich auf ein einziges Gen zurückführen

Struktur und Funktion

Kompostierbares Einweggeschirr und biologisch abbaubare Mülltüten — Amylose macht es möglich. Diese besondere Stärkeform lässt sich u. a. aus einigen Hülsenfrüchten wie der Amylose-Erbse isolieren. Die Amylose-Erbse gewinnt daher als *nachwachsender Rohstoff* in der Landwirtschaft an Bedeutung. In der Genetik ist die Amylose-Erbse einer der wenigen Fälle, in denen sich ein Merkmal bis zum Gen zurückverfolgen lässt.•

Verfolgen Sie nun das Beispiel in Abb. 1: Stärke ist ein Polysaccharid aus Glucose-Einheiten, die verzweigt (*Amylopektin*) oder linear (*Amylose*) verknüpft sein können. Die lineare Amylose ist wasserlöslich und fördert die Keimung. Ein spezielles Enzym stellt aus der linearen Amylose das verzweigte Amylopektin her, das osmotisch wenig aktiv ist und sich daher für die Samenruhe eignet. Die Stärke herkömmlicher Erbsen besteht überwiegend aus Amylopektin, die der Amylose-Erbse dagegen vor allem aus Amylose. Schon zu MENDELS Zeiten fielen Amylose-Erbsen durch ihre runzlige Form auf. Durch den hohen Amylose-Gehalt quellen sie zunächst osmotisch auf, um dann bei Austrocknung zu schrumpfen. So wird die Samenschale auffällig runzlig. MENDEL unterschied bei den Merkmalen der Erbsen daher den Phänotyp „runzlig" von „rund" (→ 11.4).

Mit molekularbiologischen Verfahren lässt sich zeigen, welches Gen bei runzligen Samen im Vergleich zu runden Samen verändert ist, wie es also zu den verschiedenen Allelen (*R, r*) kommt. Runzlige Erbsen weisen eine **Mutation** in dem Gen auf, das für das amylopektinbildende Enzym codiert, d. h. die genetische Information ist verändert. In dieses Gen sind 800 Basenpaare Fremd-DNA eingebaut (→ Abb. 1). Das führt zu folgender Wirkkette:
- Die transkribierte RNA ist zu lang,
- das translatierte Protein ist verändert,
- es hat seine enzymatische Funktion verloren,
- Amylose wird nicht in Amylopektin umgewandelt,
- die Amylose-Konzentration in der Erbse steigt,
- die Erbse quillt durch Wasser auf und wird beim Trocknen runzlig.

Bei heterozygoten Trägern der Mutation ist zumindest ein intaktes Allel vorhanden, sodass ausreichend viel Enzym gebildet werden kann. Der Phänotyp der Erbsensamen ist rund, zeigt also das dominante Merkmal.

Kann ein Gen genau einem Merkmal zugeordnet werden, spricht man von einem **monogenetischen Merkmal**. Es folgt MENDELS Vererbungsregeln (→ 11.4). Tatsächlich gelingt es aber nur in Einzelfällen, einem Merkmal eine bestimmte Basensequenz auf der DNA zuzuordnen. MENDEL hatte Forscherglück!

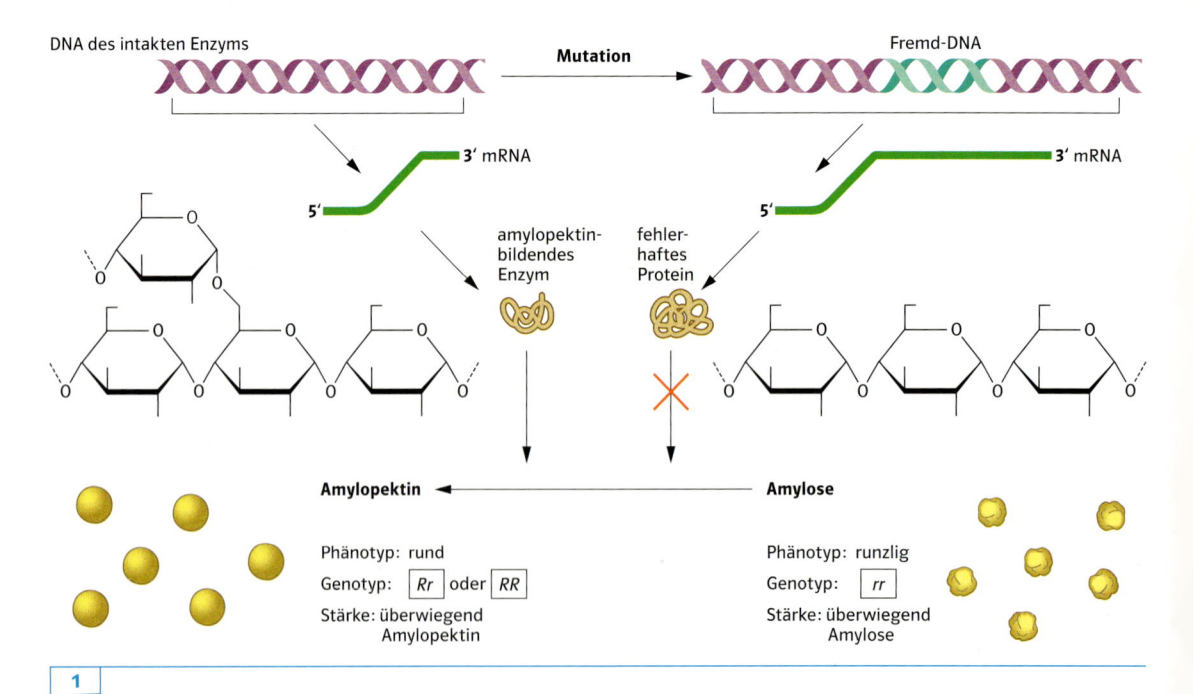

1 Der Phänotyp „runzlig" bei der Erbse lässt sich auf eine Mutation in der DNA des zugehörigen Gens zurückführen.

Oft bestimmt ein Gen nicht nur ein einzelnes Merkmal, sondern gleich mehrere, man spricht dann von **Polyphänie** (ein Gen → viele Merkmale). So codiert ein bestimmtes Gen der Erbse sowohl für die Blütenfarbe als auch für die Farbe der Samenschale. Auch bei einigen Krankheiten des Menschen lassen sich die vielfältigen Symptome auf nur ein bestimmtes Gen zurückführen, z. B. bei *Cystischer Fibrose*, *Sichelzellenanämie*, *Huntington-Krankheit* oder *Hämophilie*. Darüber werden Sie in Kapitel 15 mehr erfahren.

Aufgabe 12.2

Auch bei Polyphänie gelten MENDELS Vererbungsregeln. Erklären Sie.

12.3 Vielen einzelnen Merkmalen liegen mehrere Gene zugrunde

Eine Erbse ist entweder rund oder runzlig, das Fliegenauge ist entweder rot oder leuchtend rot — Merkmalsübergänge gibt es bei solchen *qualitativen Merkmalen* nicht. In Zeitungen erscheinen jedoch regelmäßig Fotos vom größten Hecht, der höchsten Sonnenblume oder der kleinsten Hunderasse — also von *quantitativen Merkmalen*, die innerhalb einer gewissen Bandbreite Extremwerte aufweisen. Einige lassen sich auf *Modifikationen* (→ 12.1) zurückführen, also auf unterschiedliche Ernährung oder andere Umwelteinflüsse, andere auf das Zusammenspiel von Genen.

Verstärken sich mehrere Gene gegenseitig in ihrer Wirkung, spricht man von **additiver Polygenie**. Jedes Gen kann zwar auch allein das Merkmal hervorrufen, aber nur in abgeschwächter Form. Dadurch entstehen Abstufungen. In Abb. 1 sehen Sie, wie sich drei Gene in je zwei Allelformen zusammen auf die Farbe von Weizenkörnern auswirken. Ergebnis ist eine Verteilung der Farbvarianten, die man durch eine glockenförmige Kurve darstellen kann. Auch bei Haar- und Hautfarbe des Menschen verstärken sich mehrere Gene, sodass Abstufungen der Pigmentierung entstehen.

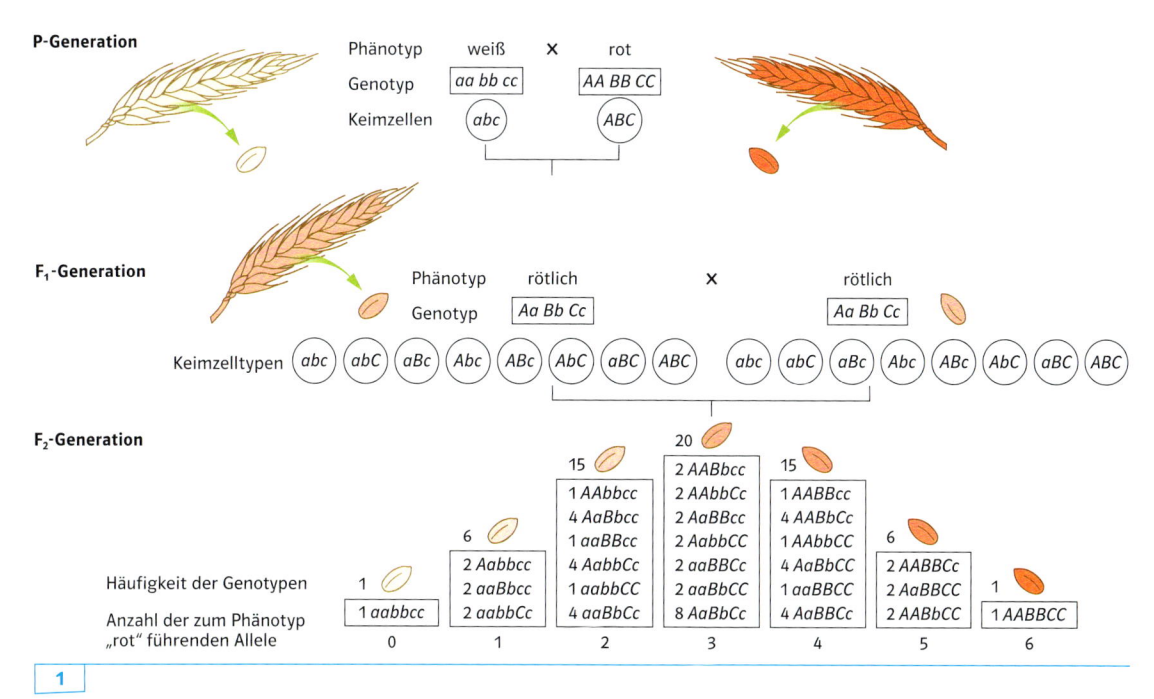

1 Additive Polygenie führt zu Merkmalen mit Abstufungen, wie hier für drei Gene und die Weizenkornfarbe gezeigt.

Genetik

2

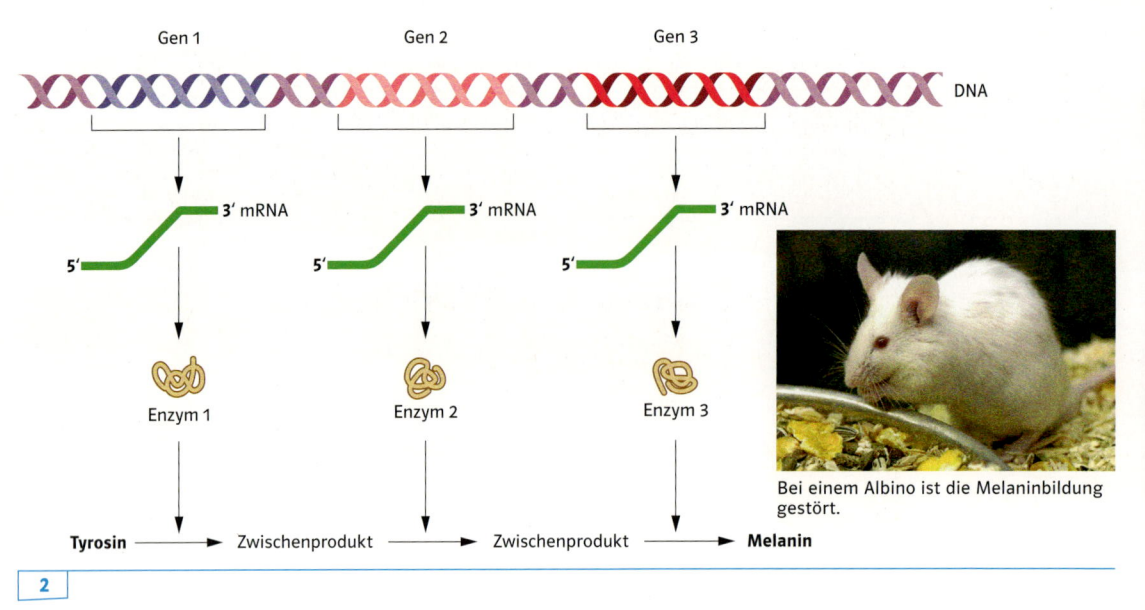

Eine Kette von Enzymen wandelt die Aminosäure Tyrosin in das braun-schwarze Pigment Melanin um.

Bei einem Albino ist die Melaninbildung gestört.

Anders als bei der additiven Polygenie kommt ein Merkmal bei der **komplementären Polygenie** nur dann zustande, wenn alle beteiligten Gene zusammenwirken. Der Ausfall eines Gens in dieser *Genwirkkette* führt zum Verlust des Merkmals (→ Abb. 2). Bei **Albinos** ist ein Gen ausgefallen, das zur Bildung von Melanin führt. Haut und Haare sind farblos oder erscheinen weiß.

Aufgabe 12.3
Auch in einzelnen Körperzellen kann die Melaninbildung durch eine Mutation ausfallen. Erklären Sie die Folgen.

12.4 Genmutationen können Struktur und Funktion von Proteinen verändern

„DAS ERGIBT DOCH KEINEN SINN!" Entfernen Sie in diesem Satz einmal den Buchstaben K und Sie haben die Aussage des Satzes in das Gegenteil verkehrt. Tauschen Sie das D in DOCH durch ein N aus, ist der Sinn nur leicht abgewandelt. Tauschen Sie das O gegen ein A, ist der Satz sinnlos geworden. Entfernen Sie die Buchstabenfolge D-O-C-H vollständig, dann ist der Satz zwar verändert, aber die Aussage ist erhalten geblieben. Änderungen in der DNA-Sequenz wirken ganz ähnlich: Sie können die Erbinformation verändern, zerstören oder aber unauffällig, neutral, bleiben (Abb. 1).

Eine Mutation, die sich nur auf ein einzelnes Gen beschränkt, also nur eine oder wenige Basen betrifft, bezeichnet man als **Genmutation**. Ist nur eine Base verändert, spricht man speziell von einer *Punktmutation*. Lichtmikroskopisch ist das nicht erkennbar, aber durch eine Analyse der Basensequenz nachweisbar. Oft liegen die Genmutationen in nicht codierenden Abschnitten. Folgende Genmutationen lassen sich unterscheiden (→ 14.3).
- *Substitution*: Basen sind ausgetauscht,
- *Insertion*: Basen sind eingefügt,
- *Deletion*: Basen sind ausgefallen,
- *Duplikation*: Basen sind verdoppelt.

Insertionen und Deletionen sind nicht immer leicht zu benennen. Vergleichen Sie die Basensequenzen:
1. TATCACCGCAAGGGA und 2. TATCGCAAGGGA
Enthält Basensequenz 1 die Insertion CAC oder liegt in Basensequenz 2 eine Deletion von CAC vor? Man

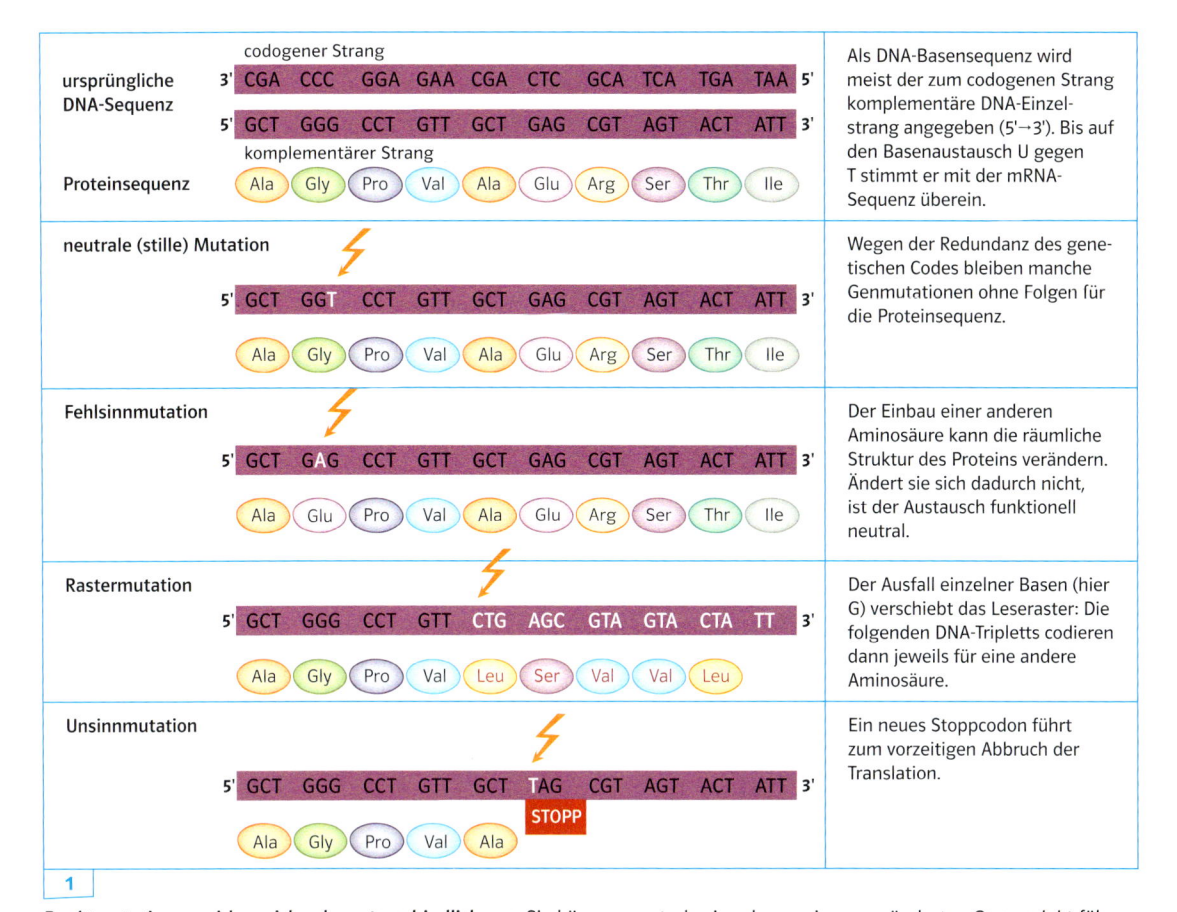

Online-Link
Wirkung von Genmutationen
(interaktiv)
150010-1971

Gene und Merkmalsbildung

	codogener Strang	
ursprüngliche DNA-Sequenz	3' CGA CCC GGA GAA CGA CTC GCA TCA TGA TAA 5' 5' GCT GGG CCT GTT GCT GAG CGT AGT ACT ATT 3' komplementärer Strang	Als DNA-Basensequenz wird meist der zum codogenen Strang komplementäre DNA-Einzelstrang angegeben (5'→3'). Bis auf den Basenaustausch U gegen T stimmt er mit der mRNA-Sequenz überein.
Proteinsequenz	Ala Gly Pro Val Ala Glu Arg Ser Thr Ile	
neutrale (stille) Mutation	5' GCT GG**T** CCT GTT GCT GAG CGT AGT ACT ATT 3' Ala Gly Pro Val Ala Glu Arg Ser Thr Ile	Wegen der Redundanz des genetischen Codes bleiben manche Genmutationen ohne Folgen für die Proteinsequenz.
Fehlsinnmutation	5' GCT G**A**G CCT GTT GCT GAG CGT AGT ACT ATT 3' Ala **Glu** Pro Val Ala Glu Arg Ser Thr Ile	Der Einbau einer anderen Aminosäure kann die räumliche Struktur des Proteins verändern. Ändert sie sich dadurch nicht, ist der Austausch funktionell neutral.
Rastermutation	5' GCT GGG CCT GTT CTG AGC GTA GTA CTA TT 3' Ala Gly Pro Val Leu Ser Val Val Leu	Der Ausfall einzelner Basen (hier G) verschiebt das Leseraster: Die folgenden DNA-Tripletts codieren dann jeweils für eine andere Aminosäure.
Unsinnmutation	5' GCT GGG CCT GTT GCT **T**AG CGT AGT ACT ATT 3' Ala Gly Pro Val Ala **STOPP**	Ein neues Stoppcodon führt zum vorzeitigen Abbruch der Translation.

1 Punktmutationen wirken sich sehr unterschiedlich aus. Sie können neutral sein oder zu einem veränderten Genprodukt führen.

nennt solche eingeschobenen bzw. ausgelassenen Basen daher übergreifend *Indels*.

Die Auswirkung einer Genmutation auf das Genprodukt, also auf das Protein und letztlich auf das Merkmal, hängt von verschiedenen Faktoren ab. Wird bei einer Substitution die dritte Base in einem Triplett ausgetauscht, so wird oft weiterhin für die gleiche Aminosäure codiert, da der genetische Code *redundant* ist (z. B. GCA, GCG für Alanin, →Abb. 3, S. 162). Wird eine Purinbase gegen eine Pyrimidinbase ausgetauscht, verändert sich die Breite des Basenpaars. Das macht die DNA-Doppelhelix besonders bruchgefährdet. Indels, die nicht exakt ein oder mehrere Basentripletts umfassen, verschieben das Leseraster bei der Transkription. Bei der Translation werden dann die folgenden Basen zu versetzten Tripletts zusammengefasst. Eine solche, eigentlich minimale *Rastermutation* hat eine große Wirkung: Alle folgenden Tripletts codieren für die falschen Aminosäuren (→Abb. 1).

Beim Ablesen der DNA, also während der Replikation oder Transkription, passiert etwa an jedem milliardsten Basenpaar ein Paarungsfehler. Die **Mutationsrate** beträgt also 10^{-9} Mutationen pro Basenpaar. Das ist selten, meinen Sie? Die DNA des Menschen besteht aus 3 Milliarden Basenpaaren. In jeder Generation ist also mit drei Mutationen zu rechnen ($3 \cdot 10^9 \cdot 10^{-9}$). Diese liegen aber überwiegend im nicht codierenden Bereich der DNA und wirken sich daher im Phänotyp nicht aus. Das Bakteriengenom enthält etwa 5 Millionen Basenpaare, unter tausend Bakterien sind also 5 Mutanten ($5 \cdot 10^6 \cdot 10^{-9}$). Angesichts der hohen Vermehrungsrate bei Bakterien ist das genug, um gelegentlich mutierte Bakterien hervorzubringen, die z. B. eine bei Medizinern und Patienten gefürchtete Antibiotikaresistenz aufweisen.

Mutationen in Keimzellen oder bei Einzellern werden an die nächste Generation weitergegeben, wie beim Albino oder der resistenten Bakterienzelle. Mutationen in einer Körperzelle betreffen dagegen nur die Zellen, die durch Mitose aus dieser Zelle hervorgehen; sie werden nicht an die nächste Generation vererbt. Glückskleeblätter, Leberflecken, aber auch Krebszellen enthalten solche **somatischen Mutationen**.

Durch äußere Einwirkungen kann die Mutationsrate erheblich steigen, dazu zählen chemische Substanzen und Strahlen, sogenannte **Mutagene** (→Abb. 2 und 3, S. 198). Lebewesen haben viele Mechanismen entwickelt, um DNA-Schäden durch Umwelteinflüsse

Genetik

Variabilität und Angepasstheit

Mutagene Wirkung von Grillrauch. Benzpyren im Rauch und Nitrosamine in gegrilltem Pökelfleisch können zu Genmutationen führen.

Viele Mutationen im codierenden DNA-Bereich wirken sich negativ aus. Selbst wenn sie nicht tödlich sind, führen sie oft zu Merkmalen, die nicht in die Umwelt passen — ein Albinotier wird in der Natur besonders leicht von Fressfeinden entdeckt. Doch ungeachtet aller Schutz- und Korrekturmechanismen ist eine leichte Veränderlichkeit der DNA für die Evolution von essenzieller Bedeutung. Mit vollkommen stabiler DNA gäbe es keine Möglichkeit, sich an veränderte Umweltbedingungen anzupassen. Mutationen liefern das Rohmaterial für die Evolution in einer veränderlichen Umwelt, die genetische Variabilität der Arten. Eine resistente Bakterienzelle setzt sich in einer Antibiotika-Umwelt durch, ein Albinotier ist im Schnee hervorragend getarnt.

zu vermindern, z. B. Behaarung, Verhornung, Pigmentierung der Haut gegen die Sonnenstrahlung. DNA-Veränderungen werden vielfach repariert, bevor sie Schaden anrichten können. Bei jeder Replikation liest die DNA-Polymerase Korrektur und tauscht falsche Bausteine aus (→ 9.4). Bei der Paarung der Homologen in der Meiose können homologe DNA-Abschnitte verglichen und Fehler ausgebessert werden (→ 11.2). Oft kann das intakte Gen auf dem einen homologen Chromosom einen Defekt auf dem anderen ausgleichen. Diploide Zellen sind daher weniger durch Mutationen gefährdet als haploide, vererben sie aber verdeckt weiter. Als vernünftige Menschen können wir Mutagene meiden. So kennt man die krebsfördernde Wirkung mutagener Substanzen im Zigarettenrauch, aber auch von Grillrauch (→ Abb. 2) und UV-Strahlen (→ Abb. 3).

Mutagene Wirkung von Strahlen. Die Haut vergisst nicht — ein starker Sonnenbrand kann somatische Mutationen auslösen und Jahre später zu Hautkrebs führen.

Aufgabe 12.4
Erklären Sie, bei welcher Form der Genmutation das Leseraster nicht verschoben wird.

12.5 Chromosomenmutationen verändern den Bau von Chromosomen

Struktur und Funktion

Sie können sich sicher vorstellen, wie leicht ein dünner DNA-Faden reißen kann. So ein *Chromosomenbruch* wird besonders begünstigt, wenn die Basenpaarung gestört ist oder wenn die Spindelfasern in verschiedene Richtungen ziehen, weil das Chromosom fälschlicherweise zwei Centromere enthält. Die telomerfreien Enden der Bruchstücke können nachträglich mit anderen Chromosomen verkleben oder werden von Enzymen, den Nucleasen, angegriffen und abgebaut. Solche veränderten Chromosomen erkennt man oft schon unter dem Lichtmikroskop während der Mitose oder Meiose.

Gene und Merkmalsbildung

Deletion nach Doppelbruch	A B C D E F G → A B E F G (C D)	Bei zwei Chromosomenbrüchen geht ein Mittelstück verloren und die Enden der verbleibenden Stücke verkleben.
Deletion nach Einzelbruch	A B C D E F G → A B C D (E F G)	Zerbricht ein Chromosom in zwei Teile, enthält nur eines das Centromer und kann bei der Kernteilung verteilt werden. Beiden Teilen fehlt ein Telomer, sodass sie leicht mit anderen Chromosomen verkleben.
reziproke Translokation	A B C D E F G / H I J K L M N O → A B L M N O / H I J K C D E F G	Chromosomenbruchstücke werden zwischen nicht homologen Chromosomen ausgetauscht.
Inversion	A B C D E F G → A B E D C F G	Ein Chromosomenabschnitt wird nach einem Doppelbruch umgedreht wieder eingebaut.
Duplikation	A B C D E F G → A B C D C D E F G	Ein Chromosomenabschnitt liegt zweifach vor, er kann aus dem homologen Chromosom stammen oder durch fehlerhafte Replikation entstanden sein.

1

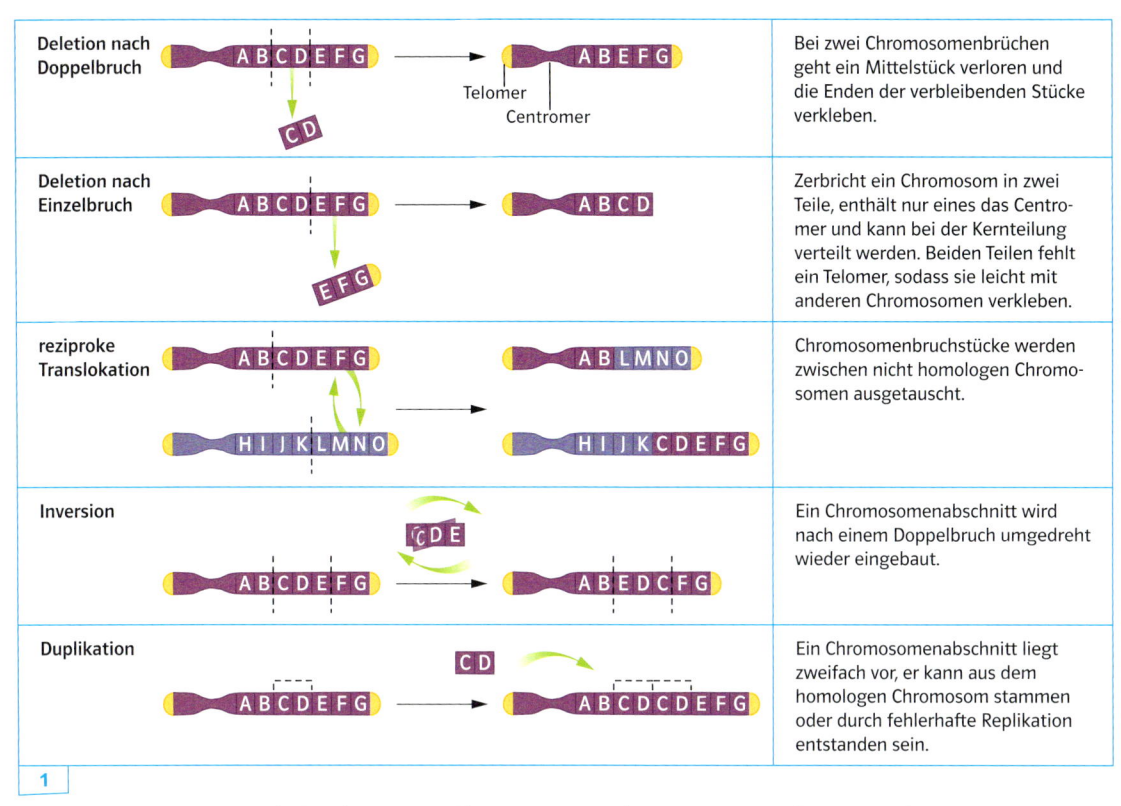

Chromosomenmutationen sind Umbauten von Chromosomen nach einem DNA-Bruch. A, B, C, … bezeichnen Gene.

Abweichungen im Chromosomenbau bezeichnet man als **Chromosomenmutationen**. Sie führen normalerweise nicht zur Veränderung von einzelnen Genen, sondern eher zu einem kompletten Ausfall, einer Vervielfachung oder aber nur zu einer anderen Position der Gene im Chromosom. Die Auswirkungen reichen von unauffällig bis tödlich. Einige Chromosomenmutationen wirken sich nicht beim Träger selbst aus, sondern erst bei seinen Nachkommen, weil eine fehlerfreie Kernteilung und Keimzellbildung nicht mehr möglich ist. Das gilt besonders, wenn das Centromer betroffen ist oder das umgebaute Chromosom nicht mehr zu dem homologen Partner passt. Viele Chromosomenmutationen haben eine besondere Rolle in der Evolution gespielt. Abb. 1 zeigt verschiedene Typen von Chromosomenmutationen und wie sie entstehen.

- *Deletion*: Ausfall eines Chromosomenabschnitts am Ende oder in der Mitte des Chromosoms. Das Deletionsstück kann verloren gehen oder in ein anderes Chromosom eingebaut werden (vgl. Translokation). In jedem Fall sind die Auswirkungen auf die Zelle verheerend.
- *Translokation*: Verschiebung eines Chromosomenabschnitts. Durch die neue Position kann sich die Aktivität der betroffenen Gene ändern, wenn sie in den Einfluss anderer Regulatorsequenzen geraten. Die Verschiebung kann innerhalb eines Chromosoms stattfinden oder zu einem Stückaustausch zwischen Chromosomen führen. Im letzten Fall spricht man von *reziproker Translokation*. Dieser Austausch findet zwischen nicht homologen Chromosomen statt, ist also nicht mit dem *Crossing-over* zu verwechseln, das Sie bereits als regulären Vorgang der Meiose kennen (→ 11.2).
- *Inversion*: Umkehrung eines Chromosomenabschnitts. Die Anzahl der Gene ist gleich geblieben, ihre Reihenfolge wurde aber verändert.
- *Duplikation*: Verdopplung eines Chromosomenabschnitts. Da keine Gene fehlen, kann solch eine Duplikation unauffällig bleiben. Sie ermöglicht Mutationen in den Wiederholungsstücken, die zu Variationen des Gens führen. Die Verdopplung kann sich mehrfach wiederholen. Ergebnis sind ganze *Genfamilien*, Spielmaterial für die Evolution.

Variabilität und Angepasstheit

Aufgabe 12.5

Erläutern Sie, was geschieht, wenn bei einer Translokation ein Chromosomenabschnitt mit Centromer eingebaut wird.

Genetik

12.6 Viele Genommutationen wirken sich auf Stoffwechselrate und Meiose aus

Reproduktion

Beim Biss in eine leckere Erdbeere macht sich wohl niemand klar, dass er Zellen mit besonders vielen Chromosomen vernascht. Eine Kulturerdbeere enthält in jeder Zelle nicht nur zwei, sondern gleich acht bis zehn Chromosomensätze. Dabei handelt es sich aber nicht um gentechnische Konstrukte, sondern lediglich um die züchterische Nutzung der **Polyploidie**, der Vervielfachung des Chromosomensatzes. Von dieser Mutation ist fast die Hälfte aller wilden Pflanzenarten betroffen. Im Tierreich ist Polyploidie dagegen meist auf bestimmte Gewebe begrenzt, also eine *somatische Mutation*. Bei allen Typen einer **Genommutation** ist die Anzahl der Chromosomen verändert.

Variabilität und Angepasstheit

Stoffwechselaktivität und Proteinsynthese sind in einer polyploiden Zelle erhöht, da mehr als die üblichen zwei homologen Gene vorliegen. Das führt zu vergrößerten Zellen und Geweben. Vergrößerte Früchte werden bevorzugt wahrgenommen, verzehrt und verbreitet. Polyploidie kann also von Vorteil sein (→ 19.4).• In der Zucht wird dieser Effekt gezielt ausgenutzt, um besonders große Früchte zu erhalten. Viele unserer Kulturäpfel sind triploid (3n), Erdbeeren wie gesagt bis zu decaploid (10n). In Abb. 1 sehen Sie, wie es zur Polyploidie kommen kann. Gezeigt ist ein Beispiel der **Autopolyploidie**. Dabei enthält der Zellkern mehr als zwei komplette arteigene Chromosomensätze (AA), z. B. drei (AAA) wie beim Kulturapfel. Triploidie ist auf Mehrfachbefruchtung ⓐ oder auf diploide Keimzellen ⓑ zurückzuführen. Diploide Keimzellen entstehen z. B., wenn die Trennung der Homologen in der Meiose unterbleibt. Triploide Pflanzen können selbst keine Keimzellen bilden, weil nicht alle Chromosomen einen homologen Partner in der Meiose finden. Solche Pflanzen sind daher steril.•

Das Genom der Rapspflanze (*Brassica napus*) ist ein Beispiel für einen anderen Typ der Polyploidisierung, hier liegt **Allopolyploidie** vor. Sie entsteht durch *Hybridisierung*, also wenn Keimzellen von zwei verschiedenen Arten verschmelzen und ihre Chromosomensätze (A und B) anschließend nebeneinander im Zellkern vorliegen (→ Abb. 2). Allopolyploide Sorten vereinen also Chromosomen und Merkmale verschiedener Arten miteinander. Die Ölpflanze Raps ist aus einer Hybridisierung von Rübsen (*B. rapa*) und Weißkohl (*B. oleracea*) hervorgegangen. Das Genom von Raps besteht aus 38 Chromosomen, davon sind 20 vom Rübsen, 18 vom Weißkohl. In der Natur kommen Fremdbefruchtungen nur bei ganz nahe verwandten Arten vor. Hybridisierungen von Artfremden werden durch verschiedene ökologische oder physiologische Mechanismen normalerweise verhindert: Blütezeit bzw. Bestäuberarten stimmen nicht überein oder der Pollen keimt nicht auf der Narbe einer anderen Art. Allopolyploide Arten sind steril, wenn es vom jeweiligen Chromosomensatz nur eine ungerade Anzahl gibt (z. B. AB). Nur wenn die Chromosomensätze A und B im Keimling verdoppelt werden (AABB), kann die

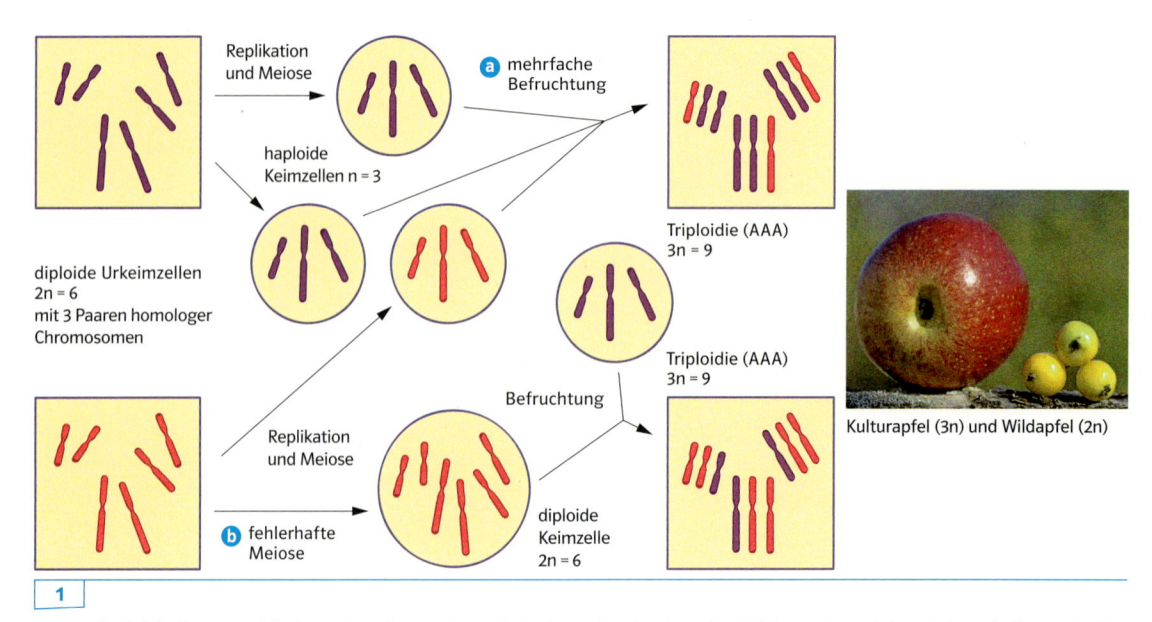

1 Autopolyploidie hat verschiedene Ursachen, z. B. mehrfache Befruchtung oder Fehler während der Meiose (schematisch).

Online-Link
Biografie: Barbara McClintock
150010-2011

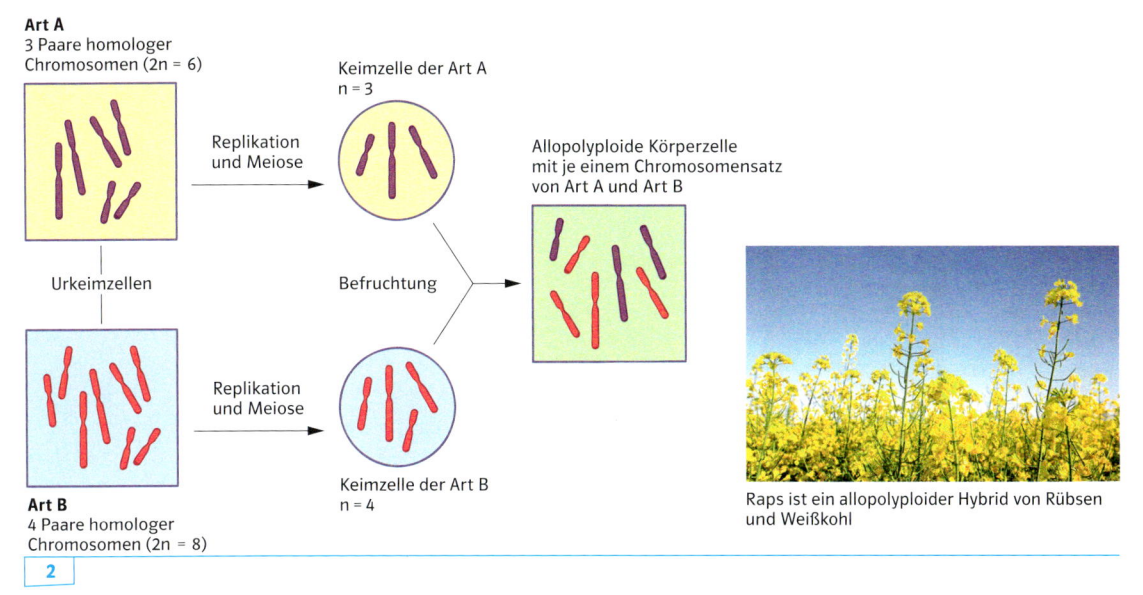

Gene und Merkmalsbildung

Art A
3 Paare homologer Chromosomen (2n = 6)

Keimzelle der Art A
n = 3

Replikation und Meiose

Allopolyploide Körperzelle mit je einem Chromosomensatz von Art A und Art B

Urkeimzellen

Befruchtung

Replikation und Meiose

Keimzelle der Art B
n = 4

Art B
4 Paare homologer Chromosomen (2n = 8)

Raps ist ein allopolyploider Hybrid von Rübsen und Weißkohl

2 Allopolyploide Pflanzen vereinen die Chromosomensätze und Merkmale von mehreren Arten (schematisch).

ausgewachsene Pflanze befruchtungsfähige Keimzellen bilden. Denn nur dann findet jedes Chromosom im Verlauf der Meiose einen homologen Partner.

Starke Auswirkungen auf den Phänotyp haben Genommutationen, bei denen nicht der ganze Chromosomensatz, sondern einzelne Chromosomen in veränderter Zahl vorliegen. Dabei kann das homologe Chromosom fehlen (**Monosomie**) oder ein Chromosom liegt gleich dreifach vor (**Trisomie**). Das ist auf Fehler während der Keimzellbildung und der Verteilung der Chromosomen auf die Tochterzellen zurückzuführen. Die entstehenden Zygoten sind oft nicht entwicklungsfähig.

Auch bei den Chromosomen des Menschen kommen Monosomie und Trisomie vor. Solche Fälle werden Sie im Kapitel Humangenetik näher kennenlernen (→ 15.4).

Aufgabe 12.6
Beschreiben und skizzieren Sie eine Möglichkeit, wie eine tetraploide Pflanze theoretisch entstehen kann.

12.7 Bewegliche DNA-Abschnitte verändern ihre Position im Genom

Gene wie Perlen auf der Schnur, abzählbar und in fester Reihenfolge, das waren Vorstellungen, ohne die man die ersten Genkartierungen wohl gar nicht versucht hätte. Gene, die von einem Chromosom zum anderen springen können, passen nicht in dieses Bild. Aber genau das war die einzige Erklärung, die BARBARA MCCLINTOCK für ihre Beobachtungen am Mais geben konnte (Nobelpreis 1983).

Wilder Mais bildet violette Maiskörner, die bekannten Kulturformen sehen dagegen gelb aus, weil die Farbbildung gestört ist. Einzelne Zellen eines ansonsten gelben Maiskorns können jedoch wieder eine violette Farbe annehmen, alle mitotischen Zellabkömmlinge sind dann ebenfalls violett. Umgekehrt können violette Zellen plötzlich gelbe Tochterzellen bilden. Dadurch entstehen gesprenkelte Maiskörner (→ Abb. 1, S. 202). BARBARA MCCLINTOCK fragte sich, wie es sein kann, dass ein Merkmal somatischer Zellen unvorhersagbar zwischen violett und gelb wechselt. Die Wissenschaftlerin untersuchte die Zellen von

Genetik

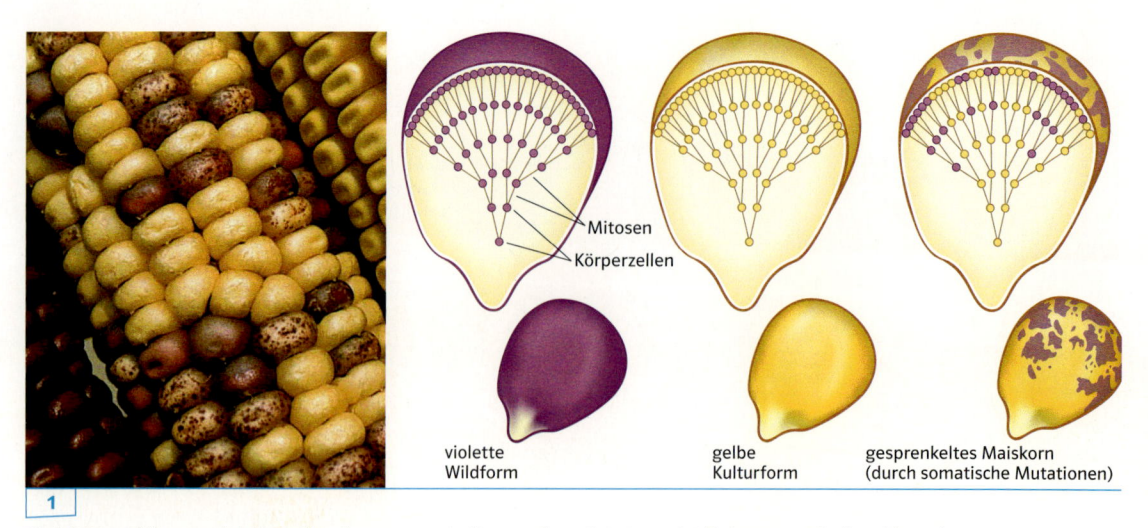

1 Maiskörner können violett, gelb oder gesprenkelt aussehen, letzteres ist Folge somatischer Mutationen.

gesprenkelten Maiskörnern unter dem Mikroskop. Bei jeder Farbänderung fand sie auch eine Veränderung im Chromosomenbau, oft sogar einen Chromosomenbruch, und zwar immer an den gleichen Stellen. Sie kam zu dem Schluss, dass bei gelben Maiskornzellen ein kurzer Chromosomenabschnitt eine andere Position einnimmt als bei violetten — er ist „gesprungen".

Springende Gene sind im Genom häufiger als zunächst angenommen. Allerdings betreffen sie vor allem nicht codierende Sequenzen, machen sich im Phänotyp also nur ausnahmsweise bemerkbar und zwar dann, wenn sie in ein codierendes Gen springen und seine Funktion stören, so wie beim Maiskorn. Oder sie hinterlassen einen Chromosomenbruch, weil sich die Absprungstelle (Quell-DNA) oder die Landestelle (Ziel-DNA) nicht wieder schließt (→ Abb. 2). Der Ausdruck „springendes Gen" ist etwas ungeschickt gewählt, denn meistens nimmt nur eine Kopie des betreffenden DNA-Abschnitts eine andere Position im Genom ein. Übertragen auf Computerdaten gibt es also häufiger ein „copy and paste" als ein „cut and paste". Man nennt ein „springendes Gen" **Transposon**.

Ein Transposon enthält immer das Gen für die *Transposase*, ein Enzym, das DNA schneiden und verkleben kann. Ein Transposon bringt im Allgemeinen also alles mit, was seine Mobilität ermöglicht (→ Abb. 2). Vermutlich stammen Transposons von Viren ab, die sich in das Genom eingenistet haben.* Transposons sind oft stark spiralisiert und dadurch inaktiviert. So richten sie im Zellkern keinen Schaden an.

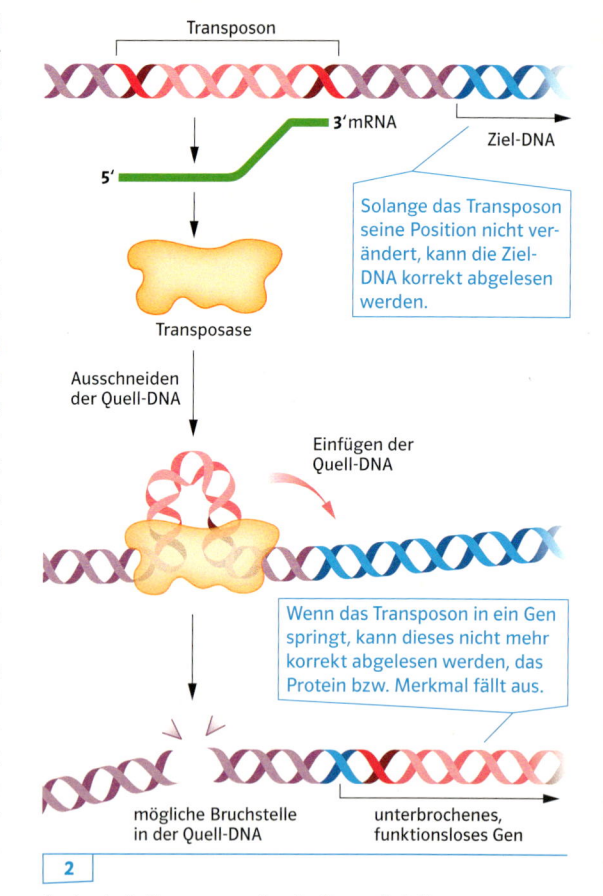

Geschichte und Verwandtschaft

2 Springt ein Transposon in ein Gen, wird dieses ausgeschaltet, an der Quell-DNA kann ein Bruch entstehen.

Aufgabe 12.7

Nennen Sie die Gemeinsamkeiten und die Unterschiede bei Transposition, Translokation und Crossingover.

13 Entwicklungsgenetik

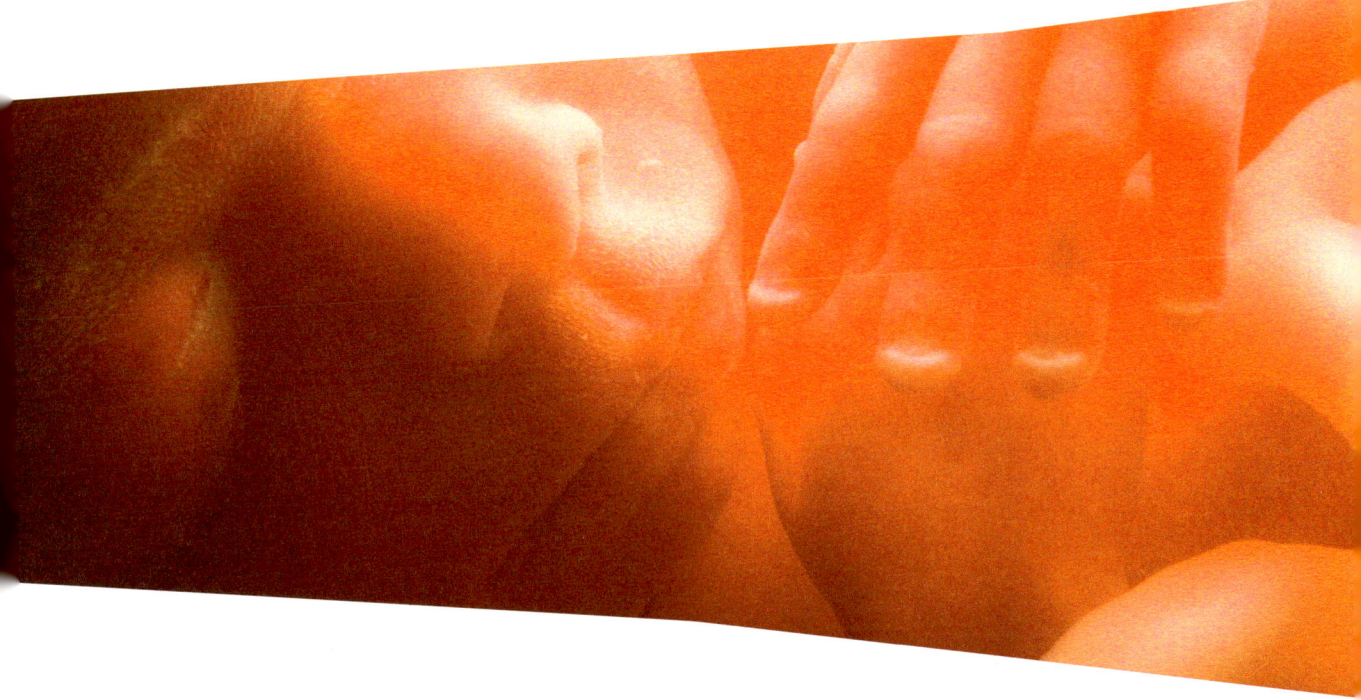

Kleine Hände, zierliche Finger und winzige Fingernägel — schon Wochen vor der Geburt ist ein Kind in vielen Merkmalen ein verkleinertes Abbild von uns erwachsenen Menschen. Entstanden ist es wie wir alle aus einer einzigen Zelle mit einer einmaligen Mischung mütterlicher und väterlicher Erbinformationen. Zellteilungen lassen daraus schrittweise einen länglichen Miniaturkörper mit Kopf und seitlichen Arm- und Beinknospen entstehen. Hände wachsen am Ende der Arme und nicht etwa der Beine, sie sind links und rechts spiegelgleich. Zunächst sehen sie wie kleine Paddel aus, aber dann bildet sich das Gewebe zwischen den Fingern teilweise zurück und gibt genau fünf Finger frei. So war das schon bei unseren Eltern und Urahnen — das Werden und Vergehen von Zellen im Organismus muss also eine genetische Grundlage haben. Diese ist das Forschungsgebiet der Entwicklungsgenetik.

Menschlicher Fetus im letzten Schwangerschaftsdrittel

13.1	Zellen entwickeln sich zu unterschiedlichen Zell- und Gewebetypen
13.2	Mütterliche Faktoren steuern die ersten Entwicklungsschritte des Embryos
13.3	Die Zellentwicklung wird durch benachbarte Zellen und Signalstoffe beeinflusst
13.4	Stammzellen behalten ihre Teilungs- und Differenzierungsfähigkeit
13.5	Auch der Zelltod wird durch Gene gesteuert
13.6	Krebs entsteht durch die Anhäufung von DNA-Fehlern in Körperzellen

Genetik

13.1 Zellen entwickeln sich zu unterschiedlichen Zell- und Gewebetypen

Möchten Sie das auch — zur richtigen Zeit an der richtigen Stelle sein und dann die vorgesehene Aufgabe erfüllen? Genau das ist der Lebenslauf einer Körperzelle. Tausende bis Milliarden von Einzelzellen, aus denen ein Tier besteht, bilden keinen beliebigen Zellhaufen, sondern eine koordiniert funktionierende Einheit. Der Vorgang, bei dem eine Zelle durch Spezialisierung eine bestimmte Funktion im Organismus übernimmt, wird als **Differenzierung** bezeichnet. Beim Menschen lassen sich die Körperzellen je nach Bau, Lage und Funktion etwa 200 verschiedenen Zelltypen zuordnen, dazu gehören Muskelzellen, Nervenzellen, Knochenzellen, rote Blutzellen, … Die Differenzierung findet auf dem Weg von der nicht spezialisierten Zygote zum Organismus im sogenannten *Embryo* (Keim) statt.• Eine undifferenzierte Zelle bezeichnet man daher oft auch als *embryonale Zelle*. Da alle Zellen durch Mitose aus der Zygote hervorgehen, sind sie genetisch gleich. Das haben nicht zuletzt Klonexperimente in der Pflanzen- und der Tierzüchtung bewiesen (→ 11.1). Unterschiede in Bau und Funktion von Körperzellen gehen überwiegend auf unterschiedliche Genexpression zurück. Das

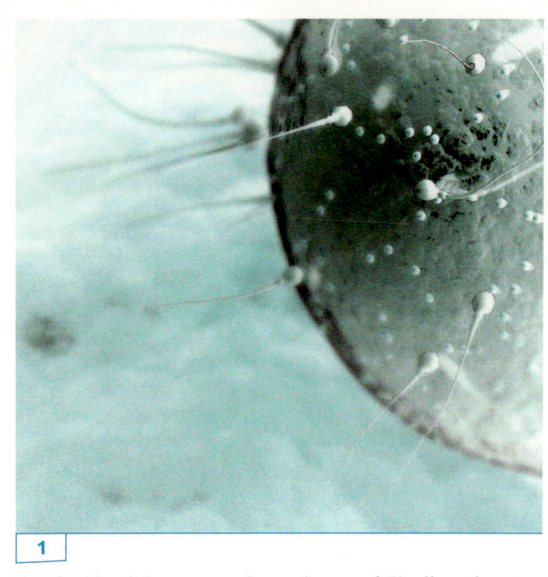

Reproduktion

1 Bei der Vereinigung von Spermien- und Eizelle gelangt nur der Zellkern der Spermienzelle in die zukünftige Zygote.

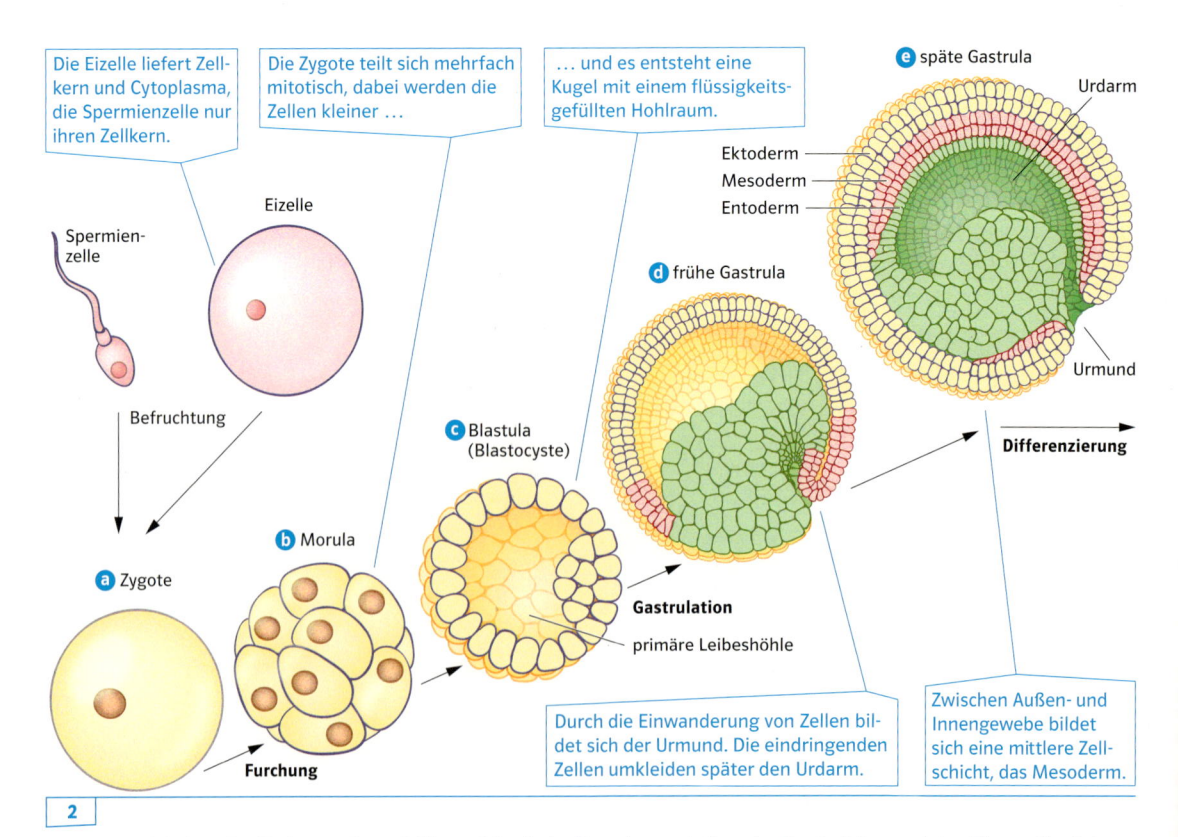

Die Eizelle liefert Zellkern und Cytoplasma, die Spermienzelle nur ihren Zellkern.

Die Zygote teilt sich mehrfach mitotisch, dabei werden die Zellen kleiner …

… und es entsteht eine Kugel mit einem flüssigkeitsgefüllten Hohlraum.

Spermienzelle

Eizelle

Befruchtung

ⓐ Zygote

ⓑ Morula

ⓒ Blastula (Blastocyste)

primäre Leibeshöhle

Gastrulation

ⓓ frühe Gastrula

ⓔ späte Gastrula

Urdarm

Ektoderm
Mesoderm
Entoderm

Urmund

Differenzierung

Furchung

Durch die Einwanderung von Zellen bildet sich der Urmund. Die eindringenden Zellen umkleiden später den Urdarm.

Zwischen Außen- und Innengewebe bildet sich eine mittlere Zellschicht, das Mesoderm.

2 Die ersten Schritte der Embryonalentwicklung (hier beim Frosch gezeigt) verlaufen bei den meisten Tieren ähnlich.

Entwicklungsgenetik

3

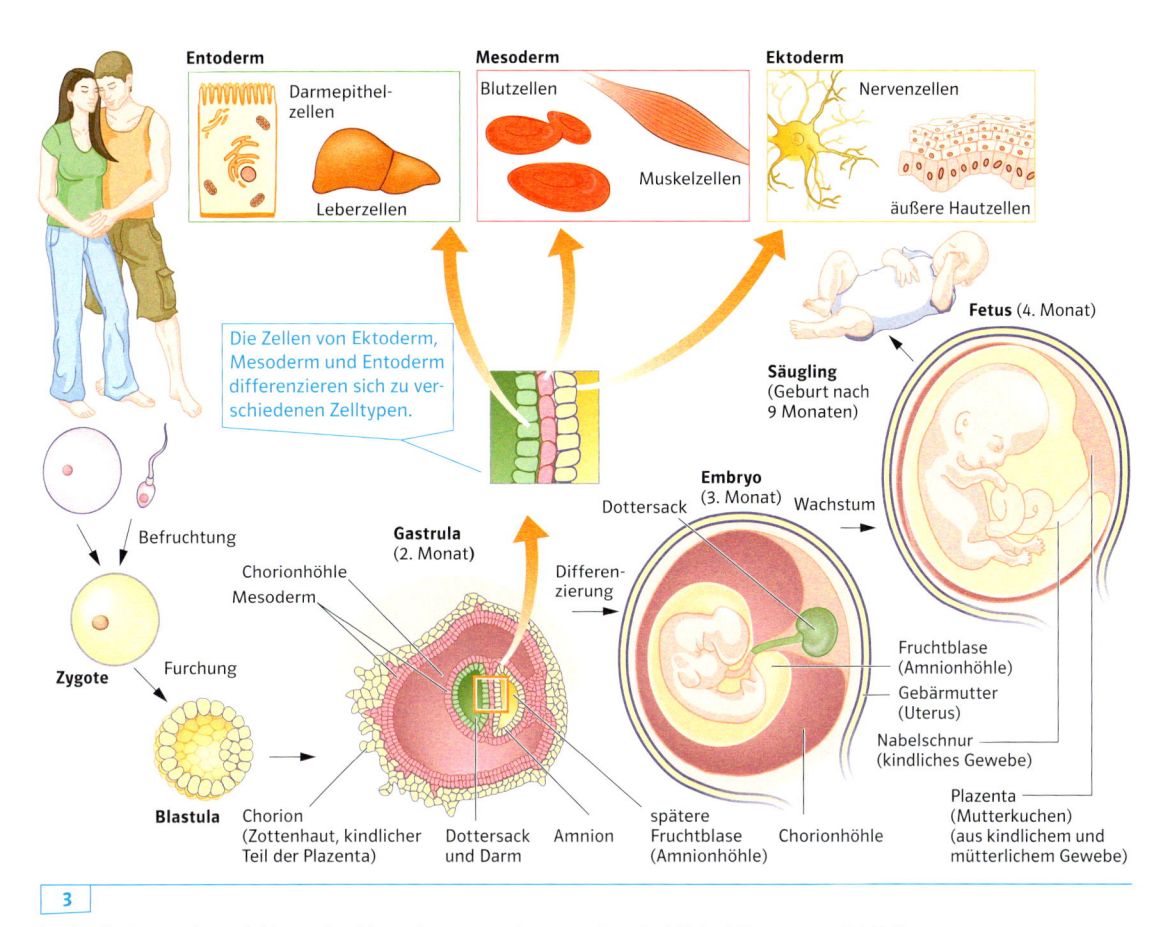

In der Embryonalentwicklung des Menschen entstehen aus den drei Keimblättern ca. 200 Zelltypen.

sind regulatorische Vorgänge (→ 10.5), die Weichen für die weitere Entwicklung des Embryos stellen. Aus einer spezialisierten Zelle kann normalerweise keine embryonale Zelle mehr hervorgehen — die Differenzierung ist irreversibel.

Die *Entwicklungsgenetik* sucht nach Gemeinsamkeiten bei der Zelldifferenzierung von Lebewesen: Welche Gene sind wann, wo und wie stark aktiv und wie decken sich die genetischen Vorgänge mit äußerlichen Veränderungen des Embryos? Obwohl es natürlich auch bei Pflanzen und Pilzen eine embryonale Genregulation gibt, werden wir uns auf das Tierreich konzentrieren, denn hier hat es in den letzten Jahren besonders viele neue Erkenntnisse gegeben.

Ob Fadenwurm, Taufliege, Seeigel, Zebrafisch, Frosch, Huhn, Maus oder Mensch, bei allen folgt die genetische Kontrolle der Differenzierung und Entwicklung erstaunlich übereinstimmenden Grundlinien (→ Abb. 2): Aus der Befruchtung, bei der haploide Eizelle und haploide Spermienzelle verschmelzen, geht eine diploide *Zygote* **a** hervor. Ihre ersten Zellteilungen sind als Einschnürungen gut sichtbar und werden **Furchung** genannt. Der Embryo durchläuft die Stadien *Morula* **b**, *Blastula* **c** und *Gastrula* **d**. Dabei entstehen drei **Keimblätter** **e**: das äußere *Ektoderm*, aus dem später Haut und Nervensystem hervorgehen, das innere *Entoderm*, das Verdauungskanal und wichtige Drüsen bildet, und das dazwischenliegende *Mesoderm* für Bindegewebe, Muskeln und Knochen (→ Abb. 3). In der Embryonalentwicklung des Menschen bilden die Keimblätter außerdem die Embryonalhüllen (Amnion, Chorion, Dottersack). Schließlich ist ein Körper mit Kopfende, rechter und linker Seite, Bauch und Rücken entstanden. Diese Bauweise wird *Bilateralsymmetrie* genannt.

Aufgabe 13.1

Erläutern Sie den Begriff Differenzierung am Beispiel der Embryonalentwicklung des Menschen.

Genetik

13.2 Mütterliche Faktoren steuern die ersten Entwicklungsschritte des Embryos

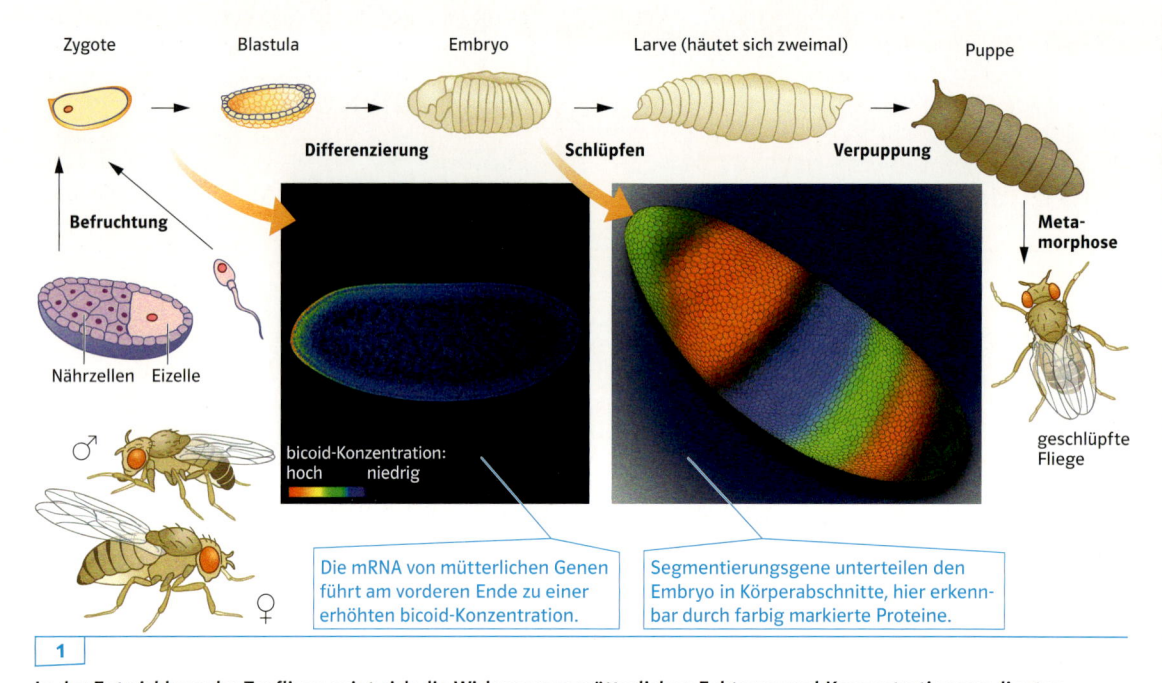

1 In der Entwicklung der Taufliege zeigt sich die Wirkung von mütterlichen Faktoren und Konzentrationsgradienten.

Bildbeschriftungen: Zygote → Blastula → Embryo → Larve (häutet sich zweimal) → Puppe; Differenzierung, Schlüpfen, Verpuppung, Metamorphose; Befruchtung; Nährzellen, Eizelle; bicoid-Konzentration: hoch niedrig; geschlüpfte Fliege.

Die mRNA von mütterlichen Genen führt am vorderen Ende zu einer erhöhten bicoid-Konzentration.

Segmentierungsgene unterteilen den Embryo in Körperabschnitte, hier erkennbar durch farbig markierte Proteine.

Steuerung und Regelung

Eizelle und Spermienzelle sind ein ungleiches Paar und so ist der Beitrag von Mutter und Vater zur nächsten Generation unterschiedlich. Während die Spermienzelle bei der Befruchtung normalerweise nur ihre Chromosomen beisteuert, spendet die Eizelle zusätzlich das Cytoplasma mit all seinen Inhaltsstoffen und Organellen. Der mütterliche (*maternale*) Einfluss auf die Entwicklung des Embryos ist entsprechend groß.

Ein Teil der mütterlichen Mitgift ist der *Dotter*, denn dieser wird schon der Eizelle von benachbarten Nährzellen zugeschleust und sichert die Ernährung des Embryos während der ersten Entwicklungsschritte.

Die Mitochondrien der Eizelle sind ebenfalls ein mütterlicher Faktor. Sie enthalten DNA und Ribosomen und tragen zur Merkmalsbildung bei. Diese *extrachromosomale Vererbung* folgt nicht MENDELS Vererbungsregeln.

Weitere mütterliche Faktoren sind mRNA sowie Proteine, die als *Transkriptionsfaktoren* auf die Genexpression wirken (→ 10.5). Schon in der unbefruchteten Eizelle weisen sie eine ungleichmäßige Verteilung auf, einen Konzentrationsgradienten. Bei den Furchungsteilungen erhalten die vorderen Tochterzellen also jeweils andere mütterliche Anteile als weiter hinten liegende, damit ist vorne — hinten, später auch rechts — links, Bauch- und Rückenseite festgelegt. Man sieht den Kopf zwar noch nicht, aber es ist bereits entschieden, wo er liegen wird. Diese als **Determinierung** bezeichnete Entscheidung wird später im Rahmen der *Differenzierung* verwirklicht.•

Beim Basteln einer Papierschwalbe würden Sie zunächst Längsachse und Kopfende festlegen und dann Kopf, Flügel und Schwanz falten. Auch die Entwicklung eines bilateralen Tieres folgt einem Muster, das schrittweise erst die Körperachsen und dann die Ausgestaltung der Körperabschnitte bestimmt. Viele Erkenntnisse der Entwicklungsgenetik verdanken wir einer alten Bekannten: der Taufliege *Drosophila*. Die Biologin CHRISTIANE NÜSSLEIN-VOLHARD erhielt im Jahr 1995 zusammen mit ERIC F. WIESCHAUS und EDWARD B. LEWIS einen Nobelpreis für die Aufklärung der Entwicklungsgenetik dieses Modelltiers. Besonderes Augenmerk legten sie auf das Gen *bicoid*. Seine Transkription erfolgt in den dotterbildenden Nährzellen der Mutterfliege. Die entstandene bicoid-mRNA gelangt von hier aus in die noch unbefruchtete Eizelle. Nach der Befruchtung enthält die Zygote also mütterliche bicoid-mRNA, deren Konzentration am späteren Kopfende des Embryos am höchsten ist. Durch Translation entsteht das bicoid-Protein. Sobald sich bei den nachfolgenden Mitosen die trennenden Zellmembranen bilden, enthält zwar jede Zelle die gleichen Gene, aber unterschiedliche Mengen an bicoid-Protein. Das bicoid-Protein bindet als Transkriptionsfaktor an die DNA und löst die Transkription weiterer Gene aus. Ist die bicoid-Konzentration in einer Zelle hoch, werden Gene für die Kopfbildung aktiviert, ist sie niedrig, die für den Hinterleib (→ Abb. 1). Die Kopfseite des Embryos wird also von einem *mütterlichen Gen* bestimmt, sie ist schon vor der Befruchtung festgelegt (*epigenetische Vererbung*, → 10.9). Plakativ gesagt: „Mutter entscheidet, wo uns der Kopf steht".

Anschließend bestimmen **Segmentierungsgene** die Unterteilung in Körperabschnitte (Segmente). Die Segmente gleichen sich untereinander zunächst im Aufbau, etwa so wie Sie es vielleicht vom Regenwurm kennen. Fallen einzelne Segmentierungsgene aus, fehlen später bestimmte Körperabschnitte oder verlieren ihre Abgrenzung zum Nachbarsegment. Die Produkte der Segmentierungsgene aktivieren außerdem die nächste Gengruppe, die **homöotischen Gene**. Diese codieren für Transkriptionsfaktoren und bestimmen dadurch, ob ein Segment Mundwerkzeuge, Beine, Flügel oder nichts von alledem entwickelt. Für die Ausgestaltung jedes Segments ist ein eigenes homöotisches Gen zuständig. Taufliegen, bei denen in einem Segment das falsche homöotische Gen aktiviert wird, haben z. B. ein zusätzliches Flügelpaar an einem Brustsegment oder Beine anstelle von Antennen am Kopf (→ Abb. 2). Homöotische Gene enthalten neben der segmenttypischen Basensequenz auch einen übereinstimmenden DNA-Abschnitt, sie bilden eine *Genfamilie*. Vermutlich sind sie durch Duplikationen aus einem Ursprungsgen hervorgegangen, Mutationen führten anschließend zu den Variationen (→ 12.5). Parallel dazu entstanden im Verlauf der Evolution aus zunächst einheitlichen Segmenten wie heute noch modellhaft beim Regenwurm die spezialisierten Segmente eines Gliederfüßers, beispielsweise der Taufliege.

Vergleicht man den Bauplan eines Tieres mit dem eines Hauses, dann sind maternale Gene und Segmentierungsgene für Ausrichtung und Grundriss, also die Lage und Anzahl der Räume (Segmente) verantwortlich, homöotische Gene für die Zimmereinrichtung, also Ausgestaltung und Funktion.

Solche *Entwicklungsgene* wie bei der Taufliege hat man auch bei Säugetieren, inklusive dem Menschen, gefunden. Das bestätigt die Vermutung, dass alle Tiere mit einer bilateralen Symmetrie einen gemeinsamen Vorfahren haben, der sie weitervererbte. Man fasst Gliederfüßer, Wirbeltiere und alle anderen bilateral-symmetrischen Stämme daher als Verwandtschaftsgruppe *Bilateria* (Zweiseitentiere) zusammen.

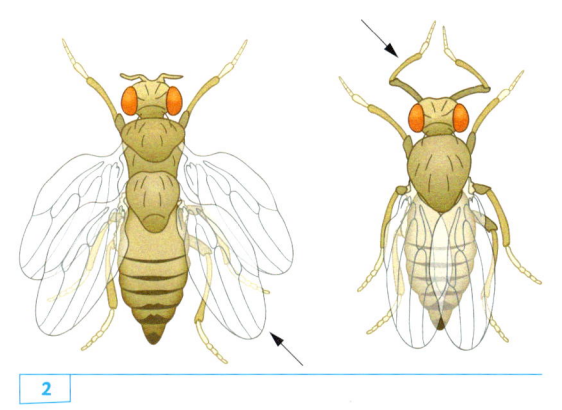

2

Mutationen in den homöotischen Genen führen zur falschen Ausstattung von Segmenten bei der Taufliege.

Aufgabe 13.2

Skizzieren Sie in einem Flussdiagramm die Abfolge der Genaktivierungen.

13.3 Die Zellentwicklung wird durch benachbarte Zellen und Signalstoffe beeinflusst

Im Körper eines Tieres ist jede Zelle von anderen Zellen umgeben. Im wachsenden Embryo verändert sich die Zellnachbarschaft ständig durch Faltungen und Zellwanderungen. Neben wechselnden Zellkontakten nehmen entfernte Zellen über Signalstoffe Einfluss. Das sind Proteine, die von einer als Sender arbeitenden Zelle nach außen abgegeben werden und von Zellen empfangen werden, die auf ihrer Zellmembran passende Rezeptormoleküle aufweisen (→ 3.2). Der Signalstoff dringt nicht in die Empfängerzelle ein, sondern dockt nur außen am **Rezeptor** an. Im Zellinneren löst das weitere biochemische Reaktionen aus. Am Ende dieses Signalweges wird im Empfängerzellkern ein Gen aktiviert. Signalmoleküle in embryonalen Zellen heißen **Wachstumsfaktoren**. Auch ihr Signal wird nur von Zellen mit den passenden Rezeptormolekülen erkannt und führt zur Differenzierung der Empfängerzellen. Es gibt Zellen und Gewebe im Embryo, die sich

Information und Kommunikation

Genetik

Experiment: Transplantation am Froschembryo (HANS SPEMANN, Nobelpreis 1935, und HILDE MANGOLD)

Hypothese

Signalstoffe der oberen Urmundlippe einer Frosch-Gastrula organisieren die Entwicklung benachbarter Zellen.

Experiment

Gewebestücke der Urmundlippe einer Gastrula werden an eine andere Stelle in einer zweiten Gastrula verpflanzt.

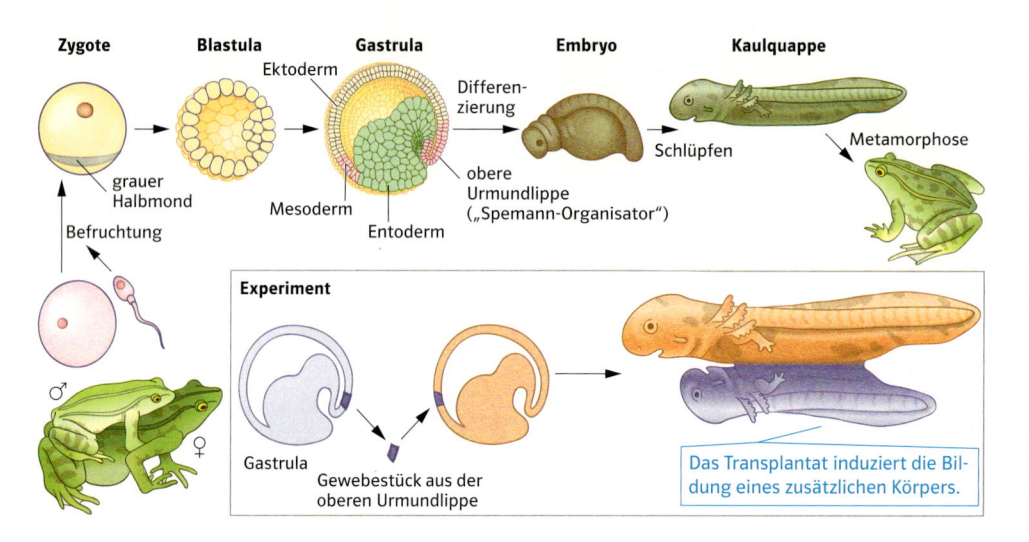

Das Transplantat induziert die Bildung eines zusätzlichen Körpers.

Kontrolle: Andere Gewebestücke der Gastrula werden transplantiert.

Ergebnis

Das Transplantat der Urmundlippe entwickelt sich herkunftsgemäß und bringt an der neuen Körperstelle gänzlich unpassende Organe hervor. Die Kontrolltransplantate entwickeln sich ortsgemäß, eine normale Kaulquappe schlüpft.

Schlussfolgerung

Die Zellen der Urmundlippe beeinflussen als Organisatoren die weitere Entwicklung der umgebenden Zellen.

1 In einem Froschembryo beeinflussen Organisatorzellen die weitere Entwicklung.

als besonders aktive Sender von Signalstoffen erwiesen haben. Sie organisieren durch *Induktion* das Entwicklungsschicksal von benachbarten Zellen. Biologen identifizierten sie schon in den 1920er Jahren durch Transplantationsversuche am Froschembryo und bezeichneten sie als *Organisatoren* (→ Abb. 1). Schon in der Froschzygote fällt ein anders gefärbter Bereich auf, der *graue Halbmond*. Von ihm gehen die ersten Signalstoffe aus. Sie veranlassen das umliegende Gewebe zu einer Einwärtsbewegung, sodass sich eine neue innere Zelllage bildet, das Entoderm. In der Gastrula übernimmt die obere (bauchseitige) Lippe des Urmunds die weitere Organisation des Embryos. Sie bildet Signalstoffe, die im Mesoderm zur Ausbildung einer steifen Skelettachse, der *Chorda*, am Rücken des Embryos führen. Dort entsteht später die Wirbelsäule. Die Chordazellen induzieren wiederum eine Einsenkung des benachbarten Ektoderms. Dadurch bildet sich das *Neuralrohr*, aus dem das zentrale Nervensystem hervorgeht.

Aufgabe 13.3

HILDE MANGOLD, Doktorandin von HANS SPEMANN, durchschnürte eine Froschzygote. Die beiden Hälften entwickelten sich nur dann weiter, wenn sie Teile des grauen Halbmonds enthielten. Erklären Sie.

13.4 Stammzellen behalten ihre Teilungs- und Differenzierungsfähigkeit

Wissen Sie eigentlich, wie alt Ihr Körper ist? Natürlich, werden Sie sagen, das steht doch sogar im Ausweis. Genau genommen lässt sich dort jedoch nur das Alter Ihrer Person entnehmen — das Alter Ihrer Körperzellen kann erheblich davon abweichen. Ihre Hautzellen sind etwa 2 Wochen alt, die Knochen 10 Jahre, Muskeln 15 Jahre, nur Herz, Gehirn und Augen entsprechen unserem wirklichen Lebensalter. Im Mittel ist ein erwachsener Körper deshalb nur sieben bis zehn Jahre alt. Die Aufgabe, fehlende oder abgestorbene Zellen zu ersetzen, also die *Regeneration*, wird von **Stammzellen** übernommen. Das sind undifferenzierte Zellen, aus denen durch Teilung spezialisierte Zelltypen hervorgehen. Bilden die Zellen verschiedene Zelltypen innerhalb eines der drei Keimblätter (Ekto-, Meso- oder Entoderm; → 13.1), nennt man diese Stammzellen *pluripotent*. Regenerieren sie nur einen bestimmten Zelltyp, sind sie *multipotent*.

Am Beispiel der Blutbildung lässt sich die Arbeitsweise von Stammzellen verfolgen (→ Abb. 1). Die Stammzellen von Blutzellen liegen beim Erwachsenen im roten Knochenmark. Nach der mitotischen Teilung einer Stammzelle bleibt eine der beiden Tochterzellen pluripotent und erhält damit einen Bestand von 0,01 % Blutstammzellen im Knochenmark. Die andere Tochterzelle differenziert sich zur multipotenten Stammzelle. Aus dieser entstehen in mehreren Schritten etwa 10 000 reife Blutzellen (→ Kap. 16). Gesteuert wird dieser komplizierte Regenerations- und Differenzierungsprozess durch Transkriptions- und Wachstumsfaktoren, wie Erythropoietin (EPO; → 5.7).

Ähnlich wie bei der Blutbildung wird auch bei der Knochen- oder Hautbildung das Entwicklungspotenzial der zugehörigen pluripotenten Stammzellen von Teilung zu Teilung eingeschränkt, während die Anzahl der Zellen zunimmt. Nur die Zellen eines frühen Embryos können noch alle Gewebetypen und damit den gesamten Organismus regenerieren, sie sind *totipotent* (= *omnipotent*). Man bezeichnet sie vor allem in der Rechtsprechung als *embryonale Stammzellen* und fasst pluri- und multipotente Stammzellen als *adulte Stammzellen* zusammen. Stammzellen wecken in der Medizin große Hoffnungen, denn sie könnten geschädigte Gewebe im menschlichen Körper ersetzen und so vielleicht irgendwann einmal „Blinde sehend und Lahme gehend" machen. In embryonalen Stammzellen steckt die Möglichkeit, sich zu einem kompletten Menschen zu entwickeln. Nach deutscher Rechtsprechung steht diesen Zellen daher das volle Personenrecht zu, sie dürfen in der Medizin und der Forschung nicht verwendet werden. Andere Staaten erlauben Experimente. Unter bestimmten Voraussetzungen dürfen embryonale Stammzellen zu Forschungszwecken nach Deutschland importiert werden. Die zwiespältige Situation führt seit Jahren zu heftigen ethischen Diskussionen.

Variabilität und Angepasstheit

1 Unser Blutkreislauf enthält 4 bis 6 Liter Blut; fast die Hälfte davon besteht aus Zellen.

Aufgabe 13.4
Grenzen Sie embryonale und adulte Stammzellen voneinander ab.

Genetik

13.5 Auch der Zelltod wird durch Gene gesteuert

Mord und Selbstmord wie im Krimi, aber betroffen sind einzelne Körperzellen. Sie sterben gewaltsam oder bringen sich selbst um. Bei einem erwachsenen Menschen gehen in jeder Sekunde etwa 10 000 Zellen zugrunde. Sie platzen nach Verletzungen (*Nekrose*) oder sterben programmgemäß ab (*Apoptose*). Fresszellen beseitigen die Zellreste.

Die **Apoptose** (→ Abb. 1 b) kommt einem Selbstmord der Zelle gleich. Er wird im Gegensatz zur Nekrose durch Gene gesteuert. Bei der Entwicklung einer Kaulquappe zum Frosch sieht man besonders deutlich, dass dieser *programmierte Zelltod* ein regulärer Teil der Differenzierung ist: Der Kaulquappenschwanz verschwindet durch den kontrollierten Abbau von Zellen, seine Bestandteile kommen dem Froschkörper zugute — ein perfektes Recycling.

Apoptose spielt nicht nur in der Entwicklung eine wichtige Rolle, sondern auch beim Entfernen defekter und gealterter Zellen im ausgewachsenen Körper. Im Zusammenspiel von Mitose und Apoptose werden Gewebe regeneriert. Eine Schlüsselrolle spielt dabei das Kontrollgen *p53*, das für den Transkriptionsfaktor p53 codiert. Es wird oft als Wächter des Genoms bezeichnet, denn es ist gewissermaßen die „Notbremse" im Zellzyklus (→ Abb. 2, → 9.3): Enthält die DNA Fehler, häuft sich das Protein p53 in der Zelle an und verlängert die S-Phase für Reparaturen. Gelingt eine DNA-Reparatur nicht, wird die Apoptose eingeleitet. Dazu

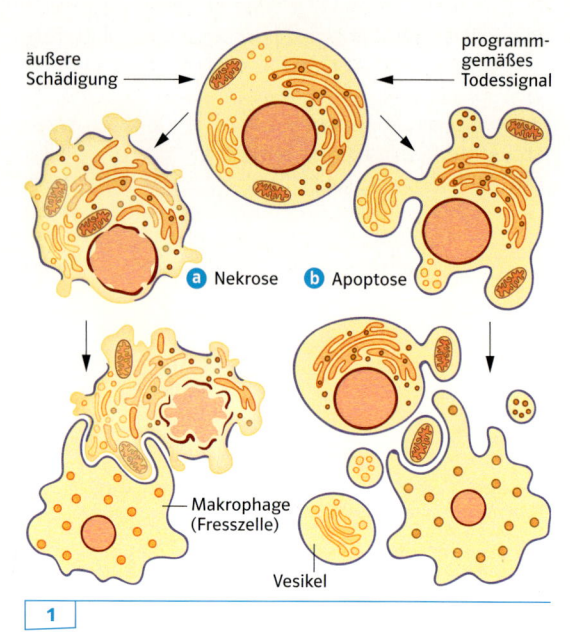

1 Zellen sterben nach Verletzungen (Nekrose a) oder durch ein genetisches Selbstmordprogramm (Apoptose b).

aktiviert p53 Gene, die kaskadenartig zur Synthese von abbauenden Enzymen führen. Dadurch werden die Zellbestandteile systematisch zerlegt, in Vesikeln

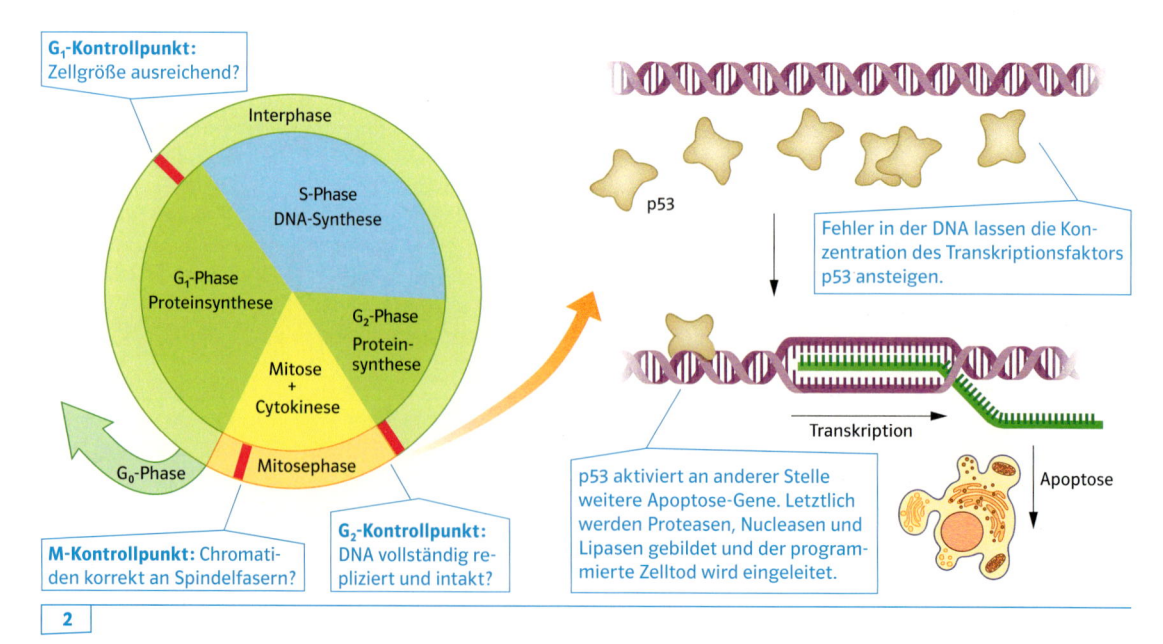

2 Der Transkriptionsfaktor p53 arbeitet als Notbremse im Zellzyklus und leitet den programmierten Zelltod ein.

abgeschnürt und schließlich von Fresszellen verdaut. So wird sichergestellt, das die defekte DNA nicht über Mitose weitergegeben wird. Neben solchen inneren Signalen können auch äußere Signale, z. B. fehlende Zellkontakte oder Wachstumsfaktoren, zum programmgemäßen Tod einer Zelle führen.

Zellen altern und sterben nach einer vorgegebenen Zeit. Die Lebensuhr befindet sich an den Chromosomenenden, den *Telomeren*, die bei jeder Replikation stückweise verbraucht werden (→ 10.7). Schließlich geht auch codierende DNA verloren und p53 leitet die Apoptose ein. Stammzellen und Tumorzellen enthalten ein spezielles Enzym (*Telomerase*), das die verloren gegangene Telomer-DNA nachsynthetisiert. Daher bleiben Replikations- und Teilungsfähigkeit in solchen Zellen erhalten.

Bei Zellen, die sich nicht mehr teilen, werden Altern und Tod vor allem durch die Anhäufung von Schadstoffen in den Mitochondrien verursacht; dieser „Müll" schädigt die Nucleinsäuren, Proteine und Lipide. Es verschlechtert sich die Balance zwischen Zellregeneration und Zelltod. Der Tod betrifft schließlich nicht nur einzelne Zellen, sondern den ganzen Körper. Das Lebensalter einer Art variiert in einem genetisch fixierten Rahmen: Günstige Umweltbedingungen, gesunde Lebensführung und geeignete Anlagen können verlängernd wirken, und so werden manche Menschen über 100 Jahre alt.

Aufgabe 13.5
Ohne Apoptose hätte eine Menschenhand Schwimmhäute. Erklären Sie (→ S. 203).

13.6 Krebs entsteht durch die Anhäufung von DNA-Fehlern in Körperzellen

Was ist Krebs, wie entsteht Krebs, wie behandelt und wie vermeidet man Krebs? Das sind Fragen, die Mediziner und Patienten schon seit Generationen beschäftigen. Krebs ist nach Herzkrankheiten die zweithäufigste Todesursache in der westlichen Welt. Etwa 100 verschiedene Erkrankungen werden unter dem Begriff Krebs zusammengefasst. Bei allen teilen sich Körperzellen unkontrolliert und differenzieren sich nicht. Der entstehende Zellhaufen (*Tumor*, *Geschwür*) verdrängt das gesunde Gewebe in der Nachbarschaft, kann in dieses einwachsen und führt zu Beschwerden. Hinzu kommt die Fähigkeit einzelner Zellen, sich aus diesem Zellverband zu lösen und sich über Blut- und Lymphstrom auszubreiten. Solche Zellen wachsen in anderen Geweben zu Tochtergeschwüren (*Metastasen*) heran. Diese Eigenschaften machen einen gutartigen Tumor zu einem bösartigen Tumor, also zu *Krebs*.

In Krebszellen häufen sich neben mikroskopisch sichtbaren Chromosomenmutationen (→ Abb. 1) auch Genmutationen. Bei Krebszellen ist offenbar die feine Abstimmung von Zellteilung, Zelldifferenzierung und Zelltod außer Kraft gesetzt. Normalerweise überwachen sogenannte *Proto-Onkogene* und *Tumorsuppressorgene* den Zellzyklus, also die Übergänge von der G_1-Phase in die S-Phase und von der G_2-Phase in die Mitose. Dabei sind Proto-Onkogene für die Anregung, Tumorsuppressorgene für die Hemmung des Zellzyklus zuständig — vergleichbar mit Gaspedal und Bremse im Auto. Sie kontrollieren die korrekte Basenpaarung in der DNA, halten den Zellzyklus gegebenenfalls an, bis Reparaturen ausgeführt sind, oder veranlassen den programmierten Zelltod, falls die Reparatur nicht zum Erfolg führt (→ 13.5).

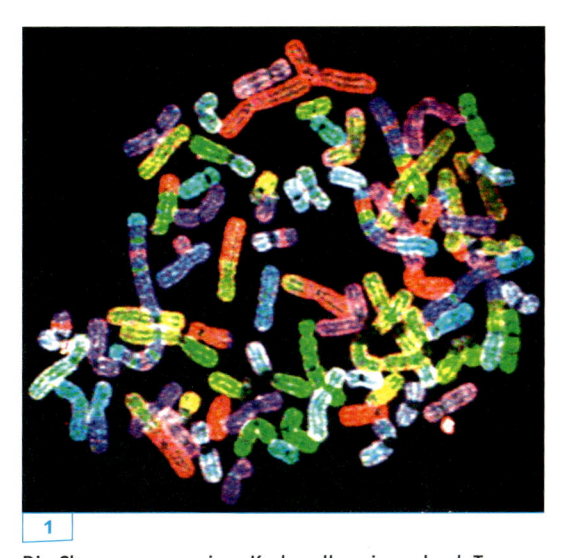

1 Die Chromosomen einer Krebszelle zeigen durch Translokationen verschiedenfarbige Abschnitte; in gesunden Zellen sind sie jeweils einfarbig (Karyotypisierung).

Genetik

| Zygote | Zelle eines Säuglings | Zelle eines Erwachsenen | erste unkontrollierte Teilungen | gutartige Tumorzelle | Krebszelle |

zelluläre Vorgänge (Replikationsfehler)

○ begleitende (krebsunabhängige) Mutationen

äußere Einflüsse (Lebensführung, Umwelt)

☆ krebsfördernde Mutationen

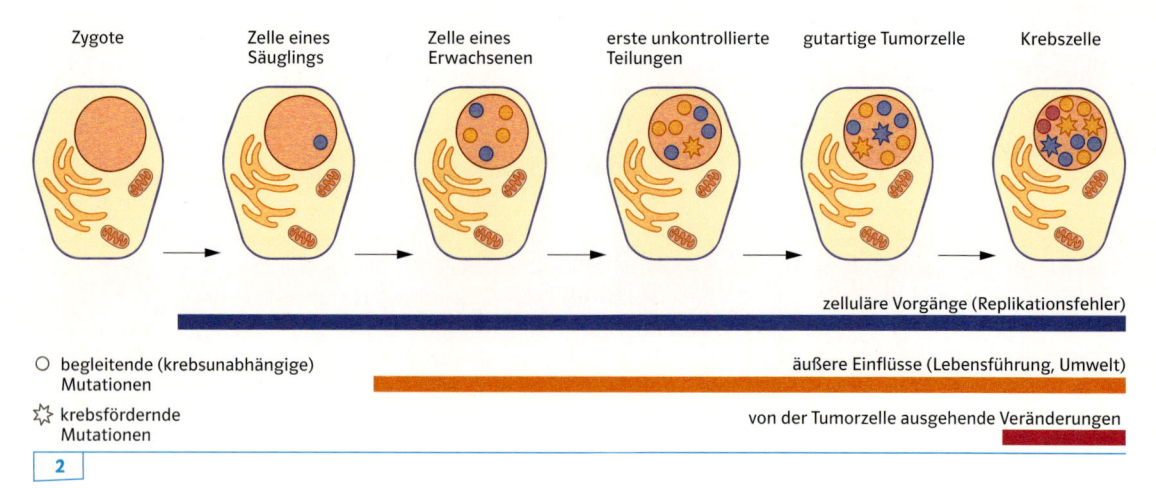

von der Tumorzelle ausgehende Veränderungen

2 Mit dem Alter steigt das Risiko einer Krebserkrankung.

In Krebszellen werden diese regulierenden Signale nicht gesendet, nicht erkannt oder Signalwege werden unterbrochen. Dadurch teilen sich diese Zellen auch dann weiter, wenn sie Mutationen tragen. Oft tun sie dies sogar schneller und häufiger als gesunde Zellen und ohne Rücksicht auf weitere Veränderungen der DNA. Die „Entartung" zu einer Krebszelle ist schließlich auf viele DNA-Fehler zurückzuführen, die sich in der Tumorzelle angehäuft haben.

Ein krebsauslösendes **Onkogen** entsteht durch Mutation aus einem Proto-Onkogen, es sendet dauernde oder verstärkte Signale zur Zellteilung aus. Normalerweise kann nun der Gegenspieler, ein Tumorsuppressorgen, die Apoptose einleiten. Aber wenn auch dieses Gen funktionsunfähig geworden ist, teilt sich die kranke Körperzelle und gibt die krebsauslösenden Gene an die Tochterzellen weiter. Ein Tumor ist also ein Klon von Körperzellen mit DNA-Fehlern. Häufig beobachtet man in Geschwüren Mutationen, bei denen große DNA-Abschnitte verschoben, verdoppelt oder entfernt sind, also *Chromosomenmutationen* (→ Abb. 1, S. 211). Krebserkrankungen betreffen Körperzellen, sie werden also nicht vererbt. Trotzdem gibt es gelegentlich familiäre Häufungen von Krebserkrankungen. Sie sind auf krebsbegünstigende Mutationen in den Keimzellen zurückzuführen. Diese führen aber nur dann zu einer Erkrankung, wenn weitere somatische Mutationen hinzukommen. Der Betroffene hat also allenfalls ein erhöhtes Risiko, an einer bestimmten Krebsform zu erkranken, er kann aber auch gesund bleiben.

Begünstigt wird eine Krebserkrankung durch alle Umwelteinflüsse, die Sie bereits als *Mutagene* kennen, also bestimmte Chemikalien und ionisierende Strahlen. Besonders Tabakrauch hat sich als hoch *karzinogen* (krebsfördernd) erwiesen. Eine Erkrankung tritt oft erst Jahre oder Jahrzehnte nach dem Kontakt mit dem Karzinogen auf, wie beim übermäßigen Sonnenbaden (→ 12.4.). Das ist eine mögliche Erklärung für eine steigende Krebshäufigkeit im Alter (→ Abb. 2). Auch Viren können bestimmte Krebsformen, wie z. B. Gebärmutterhalskrebs, begünstigen, da sie Fremd-DNA in Körperzellen einschleusen. Für seine Befunde zur Rolle der Viren beim Gebärmutterhalskrebs wurde 2008 der Nobelpreis an HARALD ZUR HAUSEN vergeben; eine vorbeugende Impfung ist heute möglich.

Die zentrale Behandlung von Krebs ist das chirurgische Entfernen des Tumors. Haben sich bereits Krebszellen ausgebreitet, wird ergänzend vorher oder nachher eine Chemotherapie oder Strahlentherapie angewandt. Sie zielt darauf ab, die Teilung der Krebszellen zu stoppen. Das kann inzwischen durch verbesserte Medikamente so gezielt erfolgen, dass gesunde Zellen nur wenig in ihrem Zellzyklus gestört werden. Trotzdem sind Nebenwirkungen wie Haarausfall oder Blutarmut nicht ausgeschlossen, denn alle teilungsaktiven Gewebe werden beeinträchtigt.

Durch neue genetische Erkenntnisse und Methoden können Krebszellen und auch das persönliche Krebsrisiko schon sehr früh entdeckt werden. Das vergrößert die Heilungschancen beträchtlich. Neue immunologische Therapieformen sind in der Entwicklung.

Aufgabe 13.6

Der Transkriptionsfaktor p53 (→ 13.5) wird von einem Gen codiert, das zu den Tumorsuppressorgenen zählt. Erklären Sie.

Anwendungen und Methoden der Gentechnik

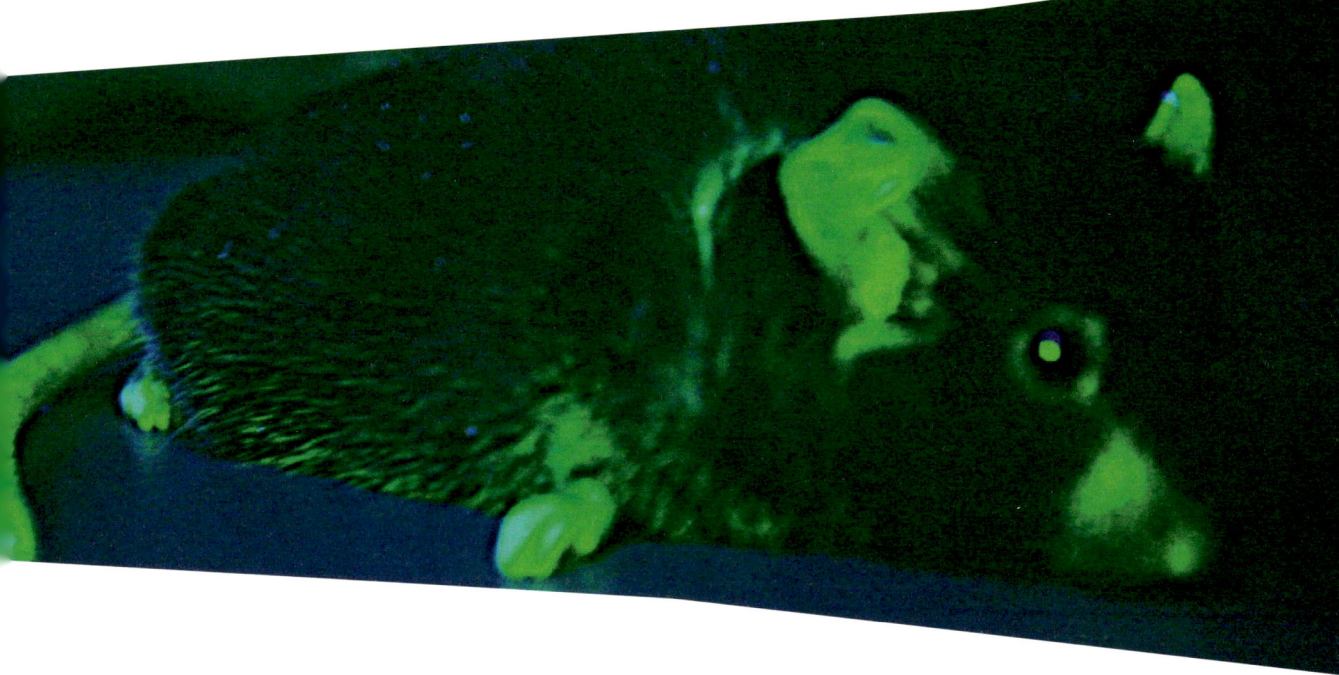

14

Eine Maus, die grün leuchtet! Sie trägt offensichtlich ein Merkmal, das nicht zu ihr, sondern zu einer ganz anderen Art gehört, der Leuchtqualle. Dieses Meerestier besitzt ein Gen, das für ein grün fluoreszierendes Protein codiert. Entnimmt man dieses Gen einer Quallenzelle und überträgt es auf eine Mauszygote, wächst eine Maus wie auf dem Foto heran. Was veranlasst Gentechniker, solche skurrilen Formen zu züchten? Wollen sie ein neues Modetier erzeugen? Nein, sie testen ein Reportergen, das ihnen den Erfolg einer Genübertragung anzeigen soll. Das Leuchten ist leicht zu erkennen und signalisiert die Aktivität des Reportergens und gleichzeitig übertragener Gene. Das Leuchten zeigt also an, in welchen Zellen ein übertragenes Gen eingebaut und aktiv ist. Gentechnik ist keine eigenständige Disziplin, sondern ein Methodenpaket, das in fast allen biologischen und medizinischen Bereichen Verwendung findet.

Transgene Maus, in der das Leuchtgen einer Qualle aktiv ist

14.1	Durch die Übertragung fremder Gene werden Arten gezielt verändert
14.2	DNA-Spuren lassen sich eindeutig einer Person zuordnen
14.3	Vergleichende Genomanalysen belegen die Verwandtschaft von Arten
14.4	Lage und Funktion von Genen lassen sich in Genkarten einzeichnen
14.5	Gentechnische Methoden ergänzen medizinische Diagnostik und Therapie

Genetik

14.1 Durch die Übertragung fremder Gene werden Arten gezielt verändert

„Der genetische Code ist universell": Gene der Art A können also prinzipiell auch von Art B gelesen werden. Übertragen Gentechniker ein Gen von A auf B, zeigt Art B Merkmale von Art A. Mäuse leuchten wie eine Qualle, Darmbakterien bilden menschliches Insulin, obwohl sie es selbst überhaupt nicht brauchen. Es ist eine **transgene Art** entstanden mit *rekombinanter DNA*, also eine gentechnisch veränderte Art mit neu zusammengesetzten eigenen und fremden Genen.•

Das Gen, das die genetische Information für ein gewünschtes Merkmal trägt, wird mit einer „Genfähre", dem **Vektor**, von der Spenderzelle auf die Zielzelle übertragen. Als Vektoren eignen sich zum Beispiel *Plasmide*, also ringförmige DNA-Stücke, die natürlicherweise zwischen Bakterienzellen ausgetauscht werden (→ 11.6.). Gentechniker schneiden das gewünschte Gen aus Zellen der Spenderart heraus und bauen es anschließend in ein Plasmid ein, indem sie auch dieses aufschneiden und anschließend wieder verkleben, vergleichbar einer neuen Szene, die man in einen Spielfilm hineinschneidet. Als DNA-Schere dient ein **Restriktionsenzym**, das die DNA-Doppelhelix an einer spezifischen Sequenz mit glattem oder versetztem Schnitt zerteilt. Als DNA-Kleber dient eine *Ligase* (→ Abb. 1). Wird mit dem Vektor nicht nur das gewünschte Gen übertragen, sondern gleichzeitig ein *Reportergen*, dann erfahren die Gentechniker, ob das Gen auch wirklich in der Zielzelle abgelesen wird. Reportergene codieren nämlich für Merkmale, die sich im Labor leicht nachweisen

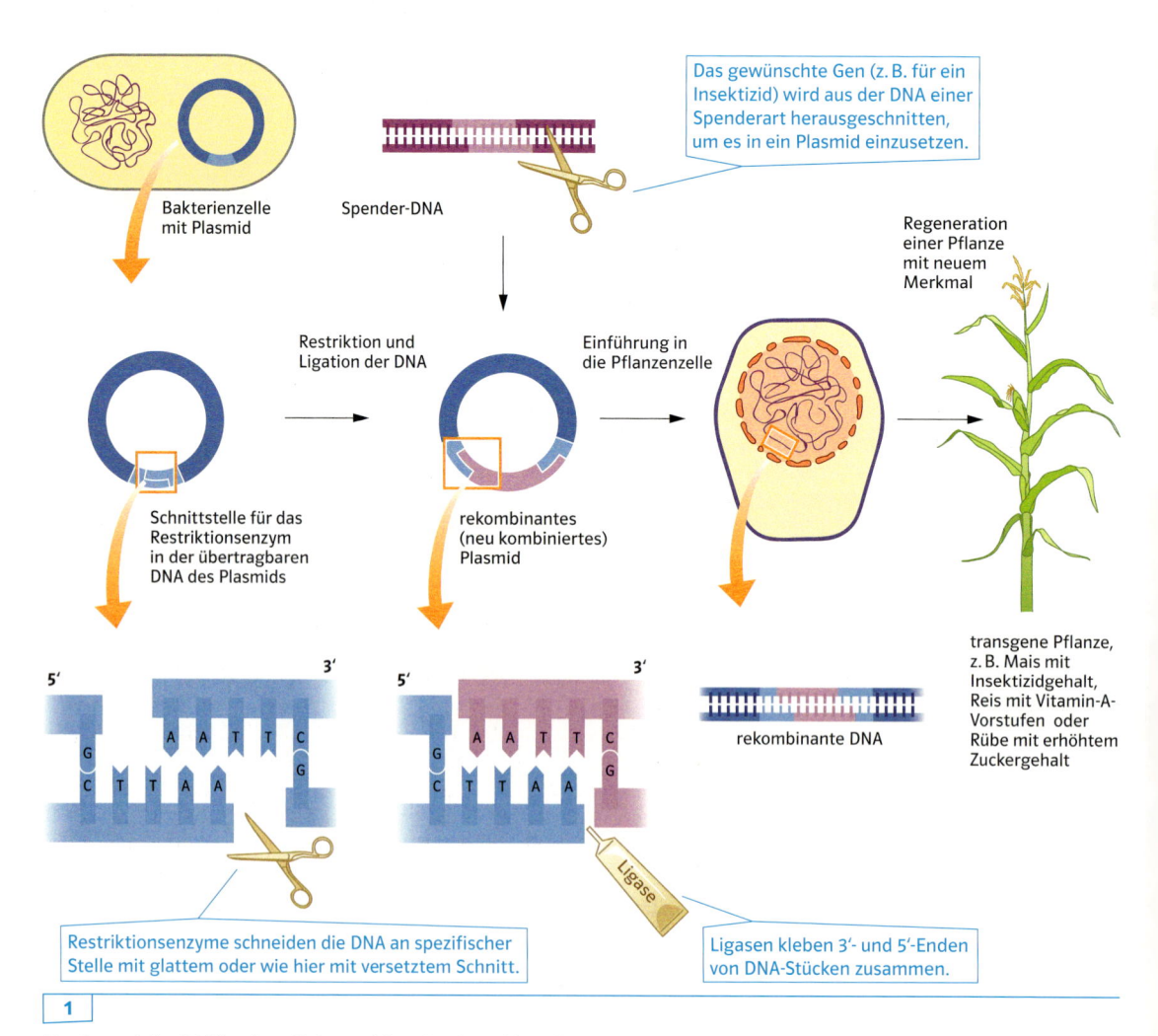

Reproduktion

1 Ein Gen wird mithilfe eines Vektors, hier ein Plasmid, auf eine Nutzpflanze übertragen. Diese wird so zum GvO.

Online-Link
Restriktionsenzyme (interaktiv)
150010-2151

Anwendungen und Methoden der Gentechnik

a Ein Plasmid mit einem Reportergen (z. B. für Antibiotikaresistenz) und einer Schnittstelle für das Restriktionsenzym (hier glatter Schnitt) dient als Genfähre.

b Die cDNA des gewünschten Gens aus der Spenderart wird hergestellt, vervielfältigt und in das Plasmid transferiert.

c Der Gentransfer gelingt nur bei einigen Bakterienzellen, nur diese zeigen Antibiotikaresistenz und wachsen.

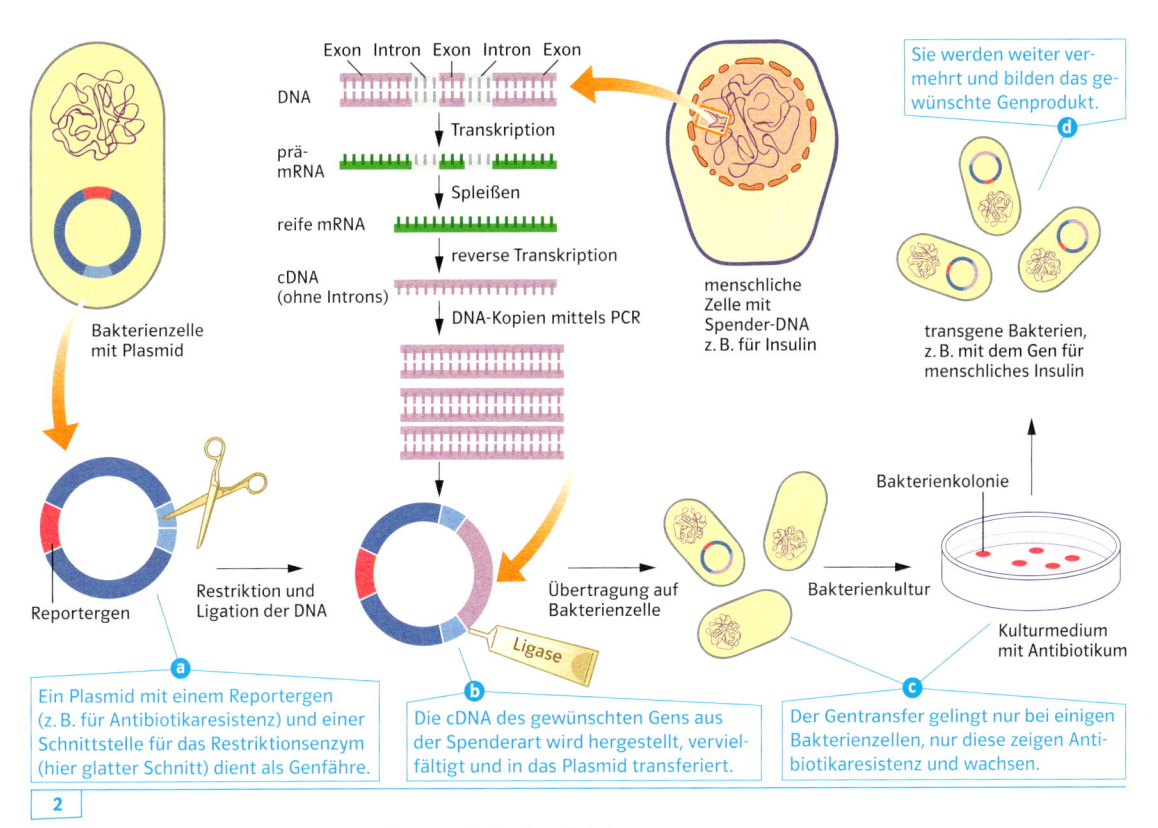

d Sie werden weiter vermehrt und bilden das gewünschte Genprodukt.

2 Transgene Organismen lassen sich in der Arzneimittelproduktion nutzen.

lassen, wie die „Leuchtmaus" anschaulich zeigt (→ S. 213). Als Reportergene werden vielfach auch Antibiotikaresistenz-Gene eingesetzt. Sie machen transgene Zellen überlebensfähig in einem antibiotikahaltigen Medium. Nur die wachsenden Zellkulturen tragen also das Reportergen und das gewünschte Gen.

Gentechnisch veränderte Organismen (GvOs, → Abb. 1) haben die Züchtung in den letzten Jahren vollkommen verändert, denn anders als mit konventionellen Methoden, lassen sich dabei Merkmale bzw. Gene nicht verwandter Arten neu kombinieren. Tomaten, die nicht matschig werden, trockenheitsresistenter Reis gegen den Welthunger, Mais, der von Insekten verschmäht wird: In der Landwirtschaft wünscht man sich vor allem Merkmale, die die Erträge steigern. Sie sollen die Arten z. B. gegen Schädlinge resistent machen, geeigneter für die Ernährung oder besser für die Ernte sein. Transgene Nutzpflanzen lassen sich ungeschlechtlich vermehren (→ 11.1). Vor der Freisetzung transgener Arten sind aufwendige Genehmigungsverfahren zu absolvieren. Viele Verbraucher und Umweltschützer stehen der neuen Entwicklung skeptisch gegenüber: Was geschieht, wenn Herbizidresistenzen auf Wildpflanzen übergehen? Wie wirken sich Lebensmittel, die aus transgenen Nutzarten hergestellt wurden, auf unsere Gesundheit aus? Hier ist die Diskussion noch lange nicht abgeschlossen.

Bei der biotechnologischen Herstellung von Medikamenten werden z. B. Gene des Menschen auf Bakterien übertragen, diese bilden von nun an *Insulin* oder humane Wachstumsfaktoren (→ Abb. 2). Anders als die eukaryotischen Spenderzellen kennen Bakterien keine Aufteilung der DNA in Introns und Exons und besitzen auch keine Enzyme zum Spleißen (→ 10.4). Bei der Expression eines humanen Gens durch eine Bakterienzelle würde daher nicht das gewünschte Protein entstehen. Übertragen wird daher nicht das Gen selbst, sondern seine **cDNA** (engl. complementary DNA). Diese cDNA ist komplementär zur bereits gespleißten mRNA, also um die Introns gekürzt, und wird mit dem Enzym *Reverse Transkriptase* aus der mRNA abgeschrieben. Anders als diese enthält die cDNA die typischen DNA-Nucleotide und bildet die übliche Doppelhelix aus. Daher wird sie in die Bakterien-DNA problemlos integriert.

Aufgabe 14.1

Erklären Sie den Namen „Reverse Transkriptase" und die Aufgabe dieses Enzyms beim Gentransfer.

Genetik

Online-Link
Polymerasekettenreaktion
Arbeitsschritte der PCR (interaktiv)
150010-2161

14.2 DNA-Spuren lassen sich eindeutig einer Person zuordnen

Möchten Sie einmal Ihre eigene DNA sehen? Dann spülen Sie Ihren Mund mit ein wenig Isogetränk, spucken Sie es in ein Reagenzglas mit etwas Spülmittel und überschichten das Gemisch vorsichtig mit eiskaltem Alkohol. Die DNA der Schleimhautzellen zeigt sich als weiße „Watte" in der Grenzschicht der Flüssigkeiten. Mit einer verfeinerten Methode gewinnen Kriminaltechniker DNA-Proben für einen **genetischen Fingerabdruck**. Das ist ein DNA-Muster, das eine Person so eindeutig charakterisiert wie die feinen Rillen an unseren Fingerkuppen. Man spricht daher auch von **DNA-Typisierung**.

Die Gene aller Menschen stimmen in ihrer Basensequenz weitgehend überein, schließlich gehören wir alle zur selben Art *Homo sapiens*. DNA-Abschnitte, die für Proteine codieren, lassen sich daher nicht zur Charakterisierung einzelner Personen verwenden. Man betrachtet vielmehr *nicht codierende DNA-Abschnitte*, denn diese variieren von einem Individuum zum anderen oft sehr stark. Geeignet sind z. B. Wiederholungssequenzen wie ATATAT… oder TACTAC… (*STR*, *Mikrosatelliten*, → 10.7). Die Anzahl der Wiederholungen und damit auch die Länge dieser Abschnitte ist individuell verschieden. Betrachtet man mehrere *Mikrosatelliten* — üblich sind acht bis fünfzehn — ist es extrem unwahrscheinlich, bei zwei Menschen das gleiche Muster zu erhalten.

Zum Durchbruch der DNA-Typisierung führte ein Verfahren, mit dem man DNA-Abschnitte gezielt und beliebig oft vervielfältigen kann. So reichen bereits Spuren DNA-haltigen Materials (z. B. Blut, Haare, Speichel, Sperma) für eine Typisierung aus. Diese DNA-

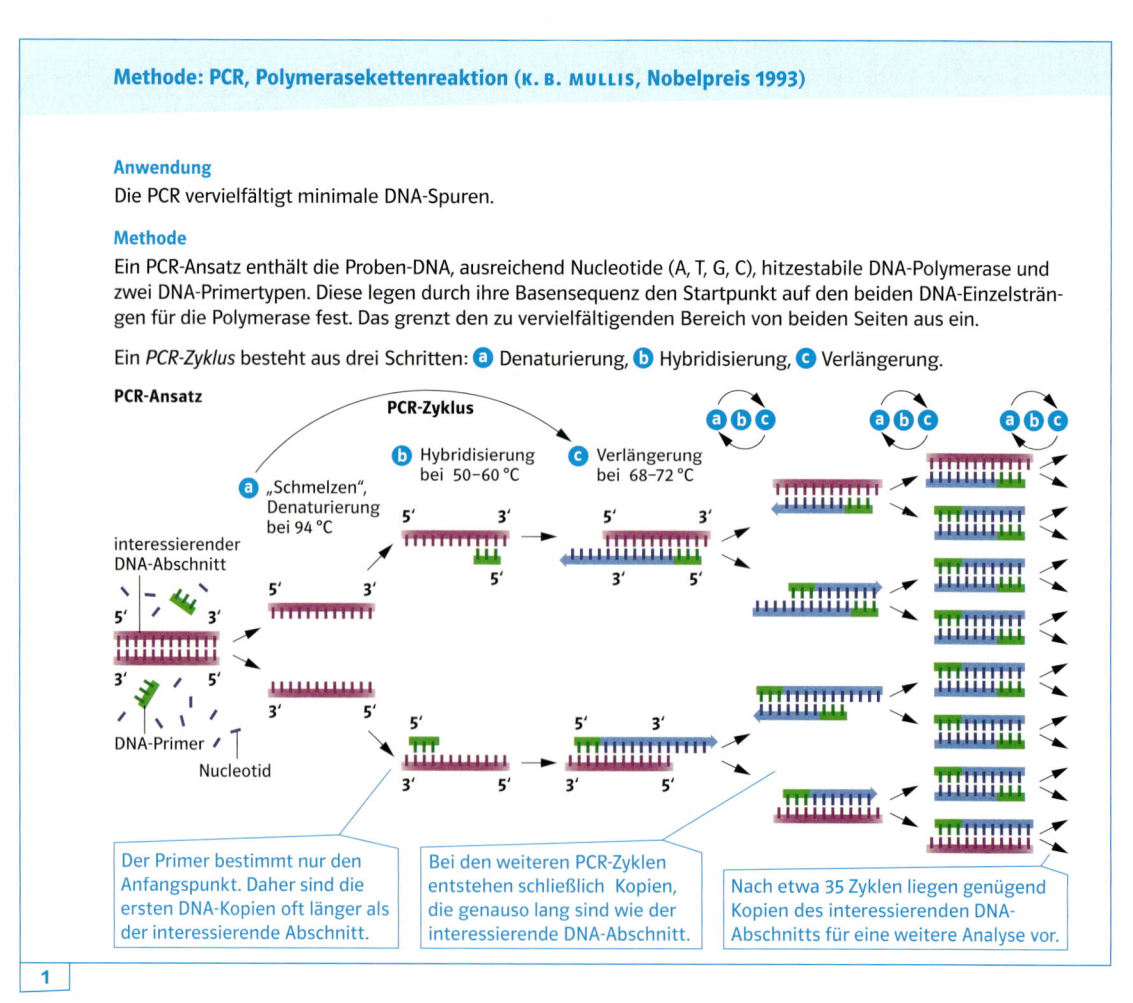

Methode: PCR, Polymerasekettenreaktion (K. B. MULLIS, Nobelpreis 1993)

Anwendung
Die PCR vervielfältigt minimale DNA-Spuren.

Methode
Ein PCR-Ansatz enthält die Proben-DNA, ausreichend Nucleotide (A, T, G, C), hitzestabile DNA-Polymerase und zwei DNA-Primertypen. Diese legen durch ihre Basensequenz den Startpunkt auf den beiden DNA-Einzelsträngen für die Polymerase fest. Das grenzt den zu vervielfältigenden Bereich von beiden Seiten aus ein.

Ein *PCR-Zyklus* besteht aus drei Schritten: ⓐ Denaturierung, ⓑ Hybridisierung, ⓒ Verlängerung.

1 DNA-Spuren werden vor weiteren Analysen durch die Polymerasekettenreaktion vervielfältigt.

Anwendungen und Methoden der Gentechnik

2

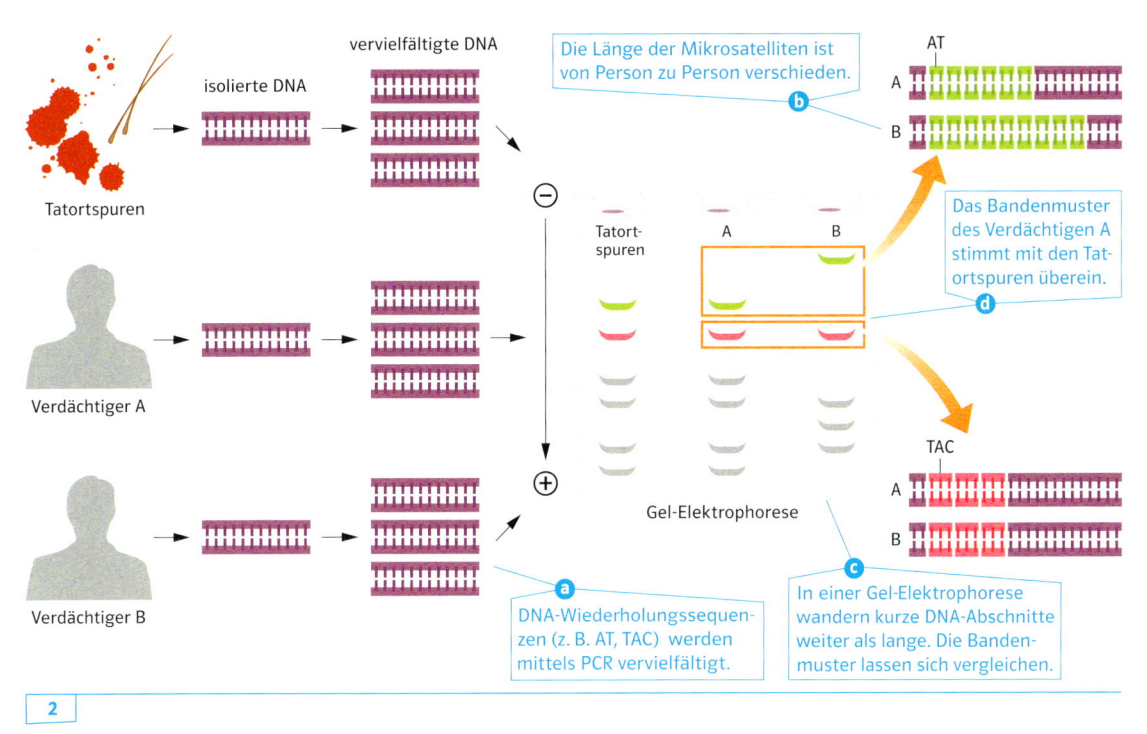

Für einen genetischen Fingerabdruck werden die Methoden DNA-Isolierung, PCR und Gel-Elektrophorese kombiniert.

Bildbeschriftungen: Tatortspuren, isolierte DNA, vervielfältigte DNA, Verdächtiger A, Verdächtiger B, Gel-Elektrophorese.

a DNA-Wiederholungssequenzen (z. B. AT, TAC) werden mittels PCR vervielfältigt.
b Die Länge der Mikrosatelliten ist von Person zu Person verschieden.
c In einer Gel-Elektrophorese wandern kurze DNA-Abschnitte weiter als lange. Die Bandenmuster lassen sich vergleichen.
d Das Bandenmuster des Verdächtigen A stimmt mit den Tatortspuren überein.

Vervielfältigungsmethode nennt sich **Polymerasekettenreaktion** (**PCR**, polymerase chain reaction, → Abb. 1). Damit in der PCR lediglich die gewünschten DNA-Abschnitte vervielfältigt werden, setzt man *Primer* hinzu, die komplementär zu den äußeren DNA-Sequenzen des interessierenden Strangs sind. Hitzebeständige *DNA-Polymerasen* starten die DNA-Synthese dann an der gewünschten Stelle. Anschließend werden die DNA-Duplikate durch Erhitzen erneut getrennt, dann wieder verdoppelt, wieder erhitzt, wieder verdoppelt usw. Nach etwa 35 Durchgängen hat man genügend DNA-Kopien des gewünschten Abschnitts.

Für eine DNA-Typisierung werden diese Mikrosatelliten mithilfe der *Gel-Elektrophorese* nach Länge getrennt (→ Abb. 2; → Abb. 4, S. 24). Es entsteht ein DNA-Bandenmuster, das eine Person eindeutig charakterisiert (außer bei eineiigen Zwillingen). Teilweise übereinstimmende Banden weisen auf eine Verwandtschaft der Personen hin.

Durch vergleichende DNA-Typisierung lassen sich z. B. Tatortspuren einem Täter zuordnen, Opfer oder Eltern identifizieren (→ S. 144). Ein genetischer Fingerabdruck gibt keine Auskunft über Merkmale der Person, da nur nicht codierende DNA berücksichtigt wird.

Aufgabe 14.2
Erklären Sie die Notwendigkeit hitzeresistenter Polymerasen bei der PCR.

14.3 Vergleichende Genomanalysen belegen die Verwandtschaft von Arten

Der Hund ist näher mit dem Wolf verwandt als mit einem Fuchs, alle drei sind — anders als Haushuhn oder Karpfen — Säugetiere und gehören mit diesen gemeinsam zu den Wirbeltieren. Je näher zwei Arten verwandt sind, umso mehr Gemeinsamkeiten sind in der Basensequenz zu erwarten. Evolutionsbiologen

Genetik

Online-Link
Gensequenzierung (interaktiv)
150010-2181

Methode: Strangabbruchmethode von FREDERICK SANGER (Nobelpreise 1958, 1980) und ALAN COULSON

Anwendung

Die Strangabbruchmethode liefert die Basensequenz beliebiger DNA-Abschnitte. Dadurch kann man DNA vergleichen, z. B. um Genmutationen aufzudecken. Anhand überlappender Bereiche lassen sich einzeln sequenzierte Abschnitte zusammensetzen, bis hin zum gesamten Genom einer Art. Abgewandelt eignet sich die Methode auch für die indirekte Sequenzanalyse von RNA und Proteinen.

Methode

Der Ansatz enthält einzelsträngige Proben-DNA, DNA-Polymerase, einen DNA-Primer für den als Matrize dienenden DNA-Strang und ein Gemisch aus Nucleotiden (A, T, G, C). Es werden Strangabbruch-Nucleotide (A*, T*, C*, G*) zugesetzt, denen die OH-Gruppe fehlt, an der die DNA-Polymerase das nächste Nucleotid anhängt.

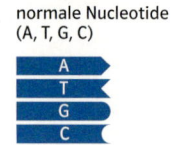

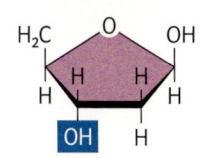

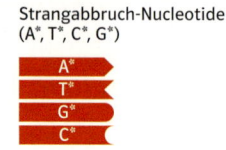

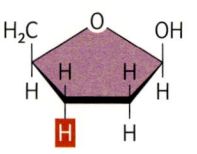

A*, T*, G*, C* werden mit unterschiedlichen Fluoreszenzfarbstoffen markiert und die synthetisierten DNA-Stränge in einer gelgefüllten Kapillare elektrophoretisch nach Größe aufgetrennt (Kapillar-Elektrophorese). Die Auswertung erfolgt mithilfe eines Fluoreszenzdetektors.

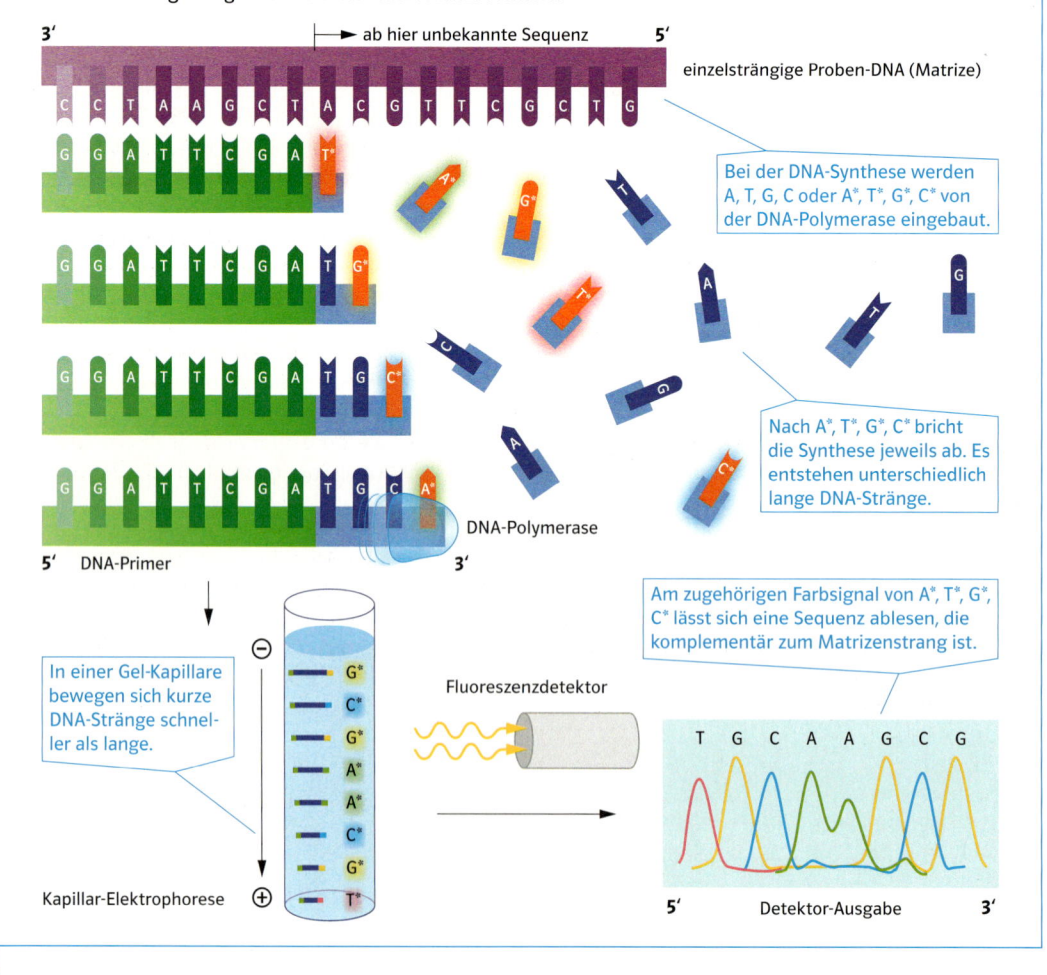

1

Mit der Strangabbruchmethode lässt sich die Basensequenz eines beliebigen DNA-Abschnitts entschlüsseln.

Anwendungen und Methoden der Gentechnik

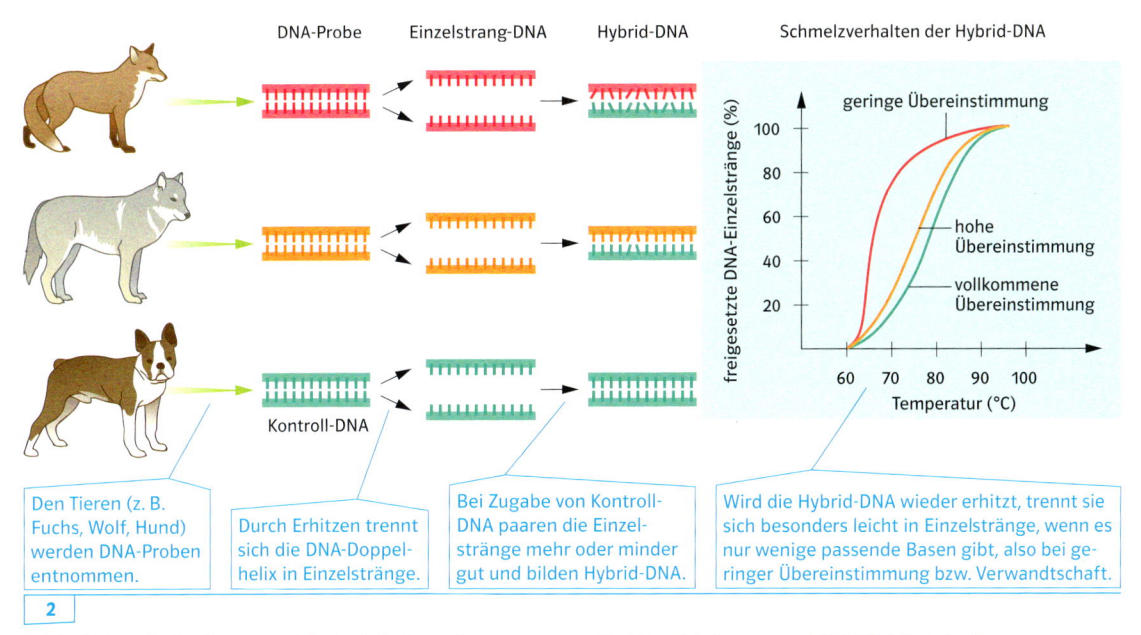

2 Je ähnlicher die DNA von zwei Arten ist, desto besser paaren die Einzelstränge zum DNA-DNA-Hybridstrang.

- Den Tieren (z. B. Fuchs, Wolf, Hund) werden DNA-Proben entnommen.
- Durch Erhitzen trennt sich die DNA-Doppelhelix in Einzelstränge.
- Bei Zugabe von Kontroll-DNA paaren die Einzelstränge mehr oder minder gut und bilden Hybrid-DNA.
- Wird die Hybrid-DNA wieder erhitzt, trennt sie sich besonders leicht in Einzelstränge, wenn es nur wenige passende Basen gibt, also bei geringer Übereinstimmung bzw. Verwandtschaft.

betrachten ausgewählte Gene, denn diese unterscheiden sich von einer Art zur anderen, sind aber nicht so variabel wie die Mikrosatelliten, die bereits von Individuum zu Individuum variieren (→ 14.2).

Die betreffenden Gene lassen sich z. B. durch **DNA-DNA-Hybridisierung** vergleichen. Dabei wird bei mehreren Arten die DNA des gleichen Gens in Einzelstränge getrennt und dann jeweils mit dem entsprechenden DNA-Abschnitt einer Kontrollart gemischt (→ Abb. 2). Je mehr Sequenzen übereinstimmen, umso fester ist die komplementäre Paarung. Das erkennt man indirekt daran, wie schwer (also bei welcher Schmelztemperatur) sich der DNA-Hybridstrang bei erneutem Erhitzen wieder trennen lässt. Ergebnis dieser Analyse sind lediglich Vergleichswerte: „Die DNA des Hundes hat mehr gemeinsam mit der des Wolfes als mit der des Fuchses".*

Viel exakter wird die Verwandtschaftsanalyse, wenn man die Basensequenzen direkt vergleicht, denn dann kann man den Anteil übereinstimmender Basen auszählen und DNA-Abschnitte oder sogar das ganze Genom einer Art entschlüsseln. Das Ergebnis einer **DNA-Sequenzierung** ist eine lange Buchstabenkette, die die genaue Reihenfolge der Basen A, T, G und C in der DNA-Probe angibt. Die Methode läuft heute voll automatisiert ab (→ Abb. 1). Bei der *Strangabbruchmethode* werden einem DNA-Einzelstrang mit unbekannter Basensequenz alle für eine DNA-Synthese nötigen Stoffe zur Verfügung gestellt. Zusätzlich werden farbig markierte und veränderte A*-, T*-, G*-, C*-Nucleotide angeboten. Sie führen zum Abbruch der DNA-Synthese jeweils nach Einbau von A*, T*, G* oder C*. Es werden daher lauter DNA-Stücke synthetisiert, die sich in der Länge jeweils um eine Base unterscheiden. Sortiert man die DNA-Abschnitte nach ihrer Länge, lässt sich die Basensequenz direkt ablesen. Das kann man in einer Gel-Elektrophorese oder noch eleganter per Kapillare machen. Oft wird nicht die DNA untersucht, sondern das bereits abgelesene Gen, also die mRNA. Diese wird zunächst mit Reverser Transkriptase in DNA umgeschrieben. Die Reverse Transkription kennen Sie bereits (→ 14.1). Anschließend wird diese cDNA mit der Strangabbruchmethode sequenziert.

Proteine werden heute fast nur noch indirekt über die DNA sequenziert. Dafür muss man allerdings wissen, an welcher Base die Translation eines Tripletts ansetzt, denn für jede Sequenz gibt es in beiden Richtungen drei mögliche Leseraster. Computerprogramme suchen aus diesen sechs Triplettfolgen die wahrscheinlichste heraus. Das ist die, bei der der Abstand zwischen Start- und erstem Stoppcodon am größten ist. Sie ist die Kandidatenregion für das Gen.

Die DNA- bzw. Proteinsequenzen verschiedener Arten können anschließend verglichen werden. Wie man daraus Organismen-Stammbäume konstruiert, erfahren Sie beim Thema Evolution (→ S. 303).

Geschichte und Verwandtschaft

Aufgabe 14.3

Sequenzierung und Hybridisierung helfen bei vergleichenden Genomanalysen. Erläutern Sie kurz das Prinzip der Methoden.

14.4 Lage und Funktion von Genen lassen sich in Genkarten einzeichnen

Ist ein Gen bereits isoliert und sequenziert, kann man seine Lage im Genom durch eine Gensonde bestimmen. Wie aber findet man den Genort eines noch unbekannten Gens, das ein Merkmal verursacht? Hier hilft die **Genkartierung**.

Ganz ohne Kenntnis von Basensequenzen gelang es schon MORGAN, die Gene der Taufliege zu kartieren (→ 11.5). Er beobachtete, welche Merkmale gemeinsam auftreten und wie häufig diese Kopplung durch Crossingover gebrochen wird. Gene von gekoppelten Merkmalen liegen auf dem gleichen Chromosom und werden umso seltener voneinander getrennt, je dichter sie beisammen liegen. MORGANS Methode lässt sich auf die Kopplung von Merkmalen mit charakteristischen DNA-Abschnitten im Genom übertragen: Tritt z. B. eine Krankheit häufig zusammen mit einer bestimmten Basensequenz-Variante auf, liegt das Gen für die Krankheit wahrscheinlich in der Nähe dieser Basensequenz. Charakteristische Basensequenzen mit bekannter Position im Genom bezeichnet man als **Marker**. Dazu gehören *Mikrosatelliten* (*STR*, engl. short tandem repeats), also kurze Wiederholungssequenzen variabler Länge, Sie haben sie schon kennengelernt (→ 10.7, → 14.2). Andere Marker sind auf *Punktmutationen* zurückzuführen, dabei ist manchmal nur eine einzige Base ausgetauscht oder ausgefallen (→ 12.4). Solche *SNPs* (engl. single nucleotid polymorphisms, gesprochen „snips") lassen sich durch vergleichende Sequenzanalysen aufspüren. Man entdeckt sie zum Teil aber bereits, wenn man DNA mit Restriktionsenzymen behandelt (→ 14.1). Weil diese molekularen Scheren die DNA-Doppelhelix immer an einer charakteristischen Basensequenz schneiden, kann eine Punktmutation einen Schnitt verhindern oder auslösen. Es entstehen also DNA-Fragmente unterschiedlicher Länge, die sich mittels Gel-Elektrophorese trennen lassen. Dieser sogenannte *Restriktionsfragmentlängen-Polymorphismus*, *RFLP* (gesprochen: „riflip") liefert daher ebenfalls Marker und kann auf Kopplung mit einem Merkmal untersucht werden.

Verfolgen Sie am Beispiel von Brustkrebs, wie sich ein Genort mit dieser Methode schrittweise eingrenzen lässt (→ Abb. 1). Brustkrebs ist die häufigste Krebsform bei Frauen und tritt familiär gehäuft auf. Das spricht für eine erbliche Grundlage; gesucht ist also ein Gen, dessen Mutation Brustkrebs begünstigt. Für eine Kartierung des „Brustkrebs-Gens" sammelten Genetiker zunächst DNA-Proben von Frauen, bei denen in mindestens drei Generationen Brustkrebs aufgetreten ist. Anschließend suchten sie nach einer Kopplung der Brustkrebserkrankung mit DNA-Markern. Bei erkrankten Frauen wurde auffallend oft das gleiche RFLP-Fragment auf dem langen Arm von Chromosom 17 gefunden. Die gekoppelte Vererbung mit Brustkrebs ließ darauf schließen, dass auch das gesuchte Brustkrebsgen hier liegt. In dem betreffenden

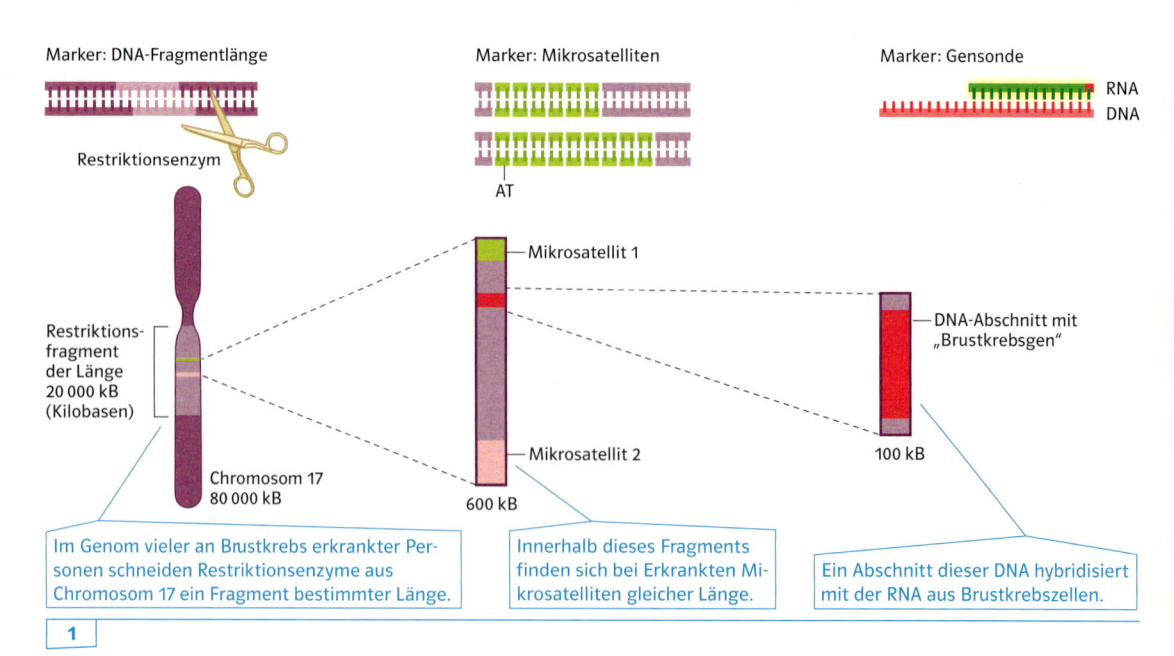

1 Ein Gen (hier „Brustkrebs-Gen") lässt sich durch schrittweise Eingrenzung des Chromosomenbereichs kartieren.

- Im Genom vieler an Brustkrebs erkrankter Personen schneiden Restriktionsenzyme aus Chromosom 17 ein Fragment bestimmter Länge.
- Innerhalb dieses Fragments finden sich bei Erkrankten Mikrosatelliten gleicher Länge.
- Ein Abschnitt dieser DNA hybridisiert mit der RNA aus Brustkrebszellen.

Marker: DNA-Fragmentlänge — Restriktionsenzym — Restriktionsfragment der Länge 20 000 kB (Kilobasen) — Chromosom 17 80 000 kB

Marker: Mikrosatelliten — AT — Mikrosatellit 1 — Mikrosatellit 2 — 600 kB

Marker: Gensonde — RNA — DNA — DNA-Abschnitt mit „Brustkrebsgen" — 100 kB

Aus der mRNA des Testgewebes wird mittels Reverser Transkriptase cDNA hergestellt und mit unterschiedlichen Fluoreszenzmarkern gekoppelt.

In jedem kleinen Feld ist die einzelsträngige DNA-Sequenz eines anderen Gens fixiert, die mit passender cDNA hybridisiert. Ein Computer wertet die Lichtsignale aus. Rot bedeutet hier, dass das entsprechende Gen in Gewebe A aktiv ist, blau in Gewebe B, gelb in beiden.

Gewebe A — mRNA — cDNA

reverse Transkription und Fluoreszenzmarkierung → Hybridisieren und Abspülen

hybridisierende cDNA

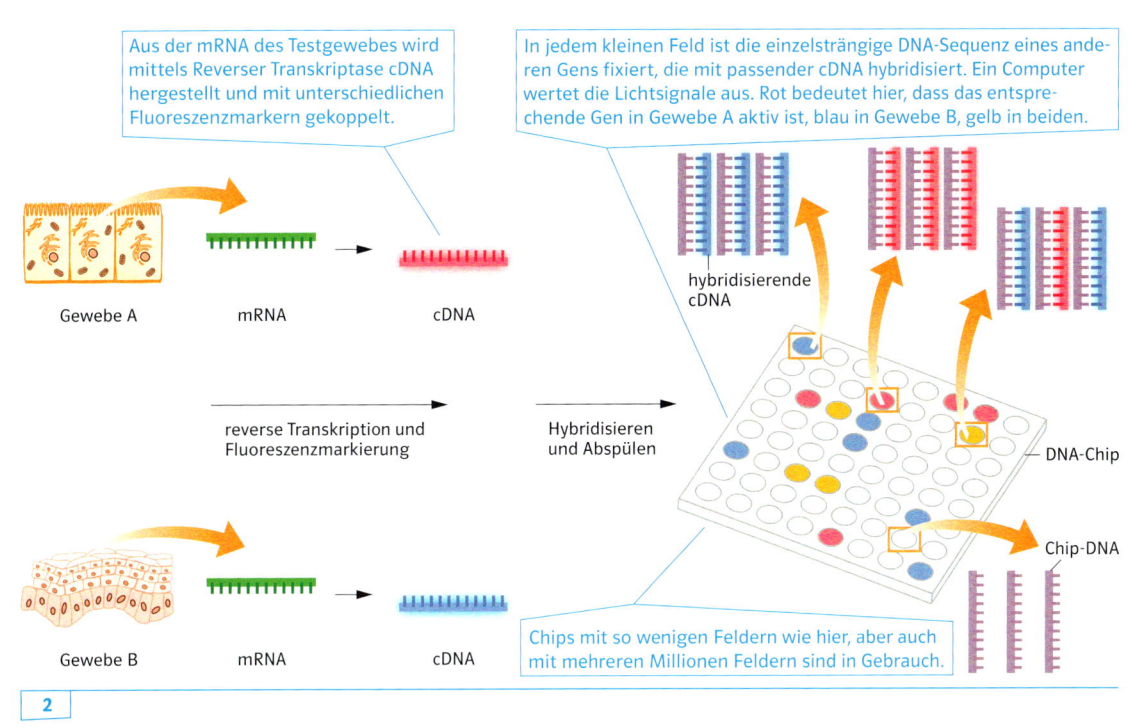

DNA-Chip

Chip-DNA

Gewebe B — mRNA — cDNA

Chips mit so wenigen Feldern wie hier, aber auch mit mehreren Millionen Feldern sind in Gebrauch.

2 Jeder Farbpunkt auf einem DNA-Chip mit bekannten DNA-Sequenzen zeigt die Hybridisierung mit cDNA.

---

20 000 Kilobasen großen Abschnitt liegen aber noch Hunderte weiterer Gene. Für die feinere Kartierung dieses DNA-Abschnitts eignen sich Mikrosatelliten als Marker. Auch ihre Kopplung mit einer Brustkrebserkrankung wurde verfolgt. So ließ sich der Bereich auf 600 000 Basen eingrenzen, darin liegen 60 verschiedene Kandidaten-Gene. Dieser Abschnitt war übersichtlich genug, um eine RNA-DNA-Hybridisierung durchzuführen. Für die Hybridisierung verwendete man RNA aus Brustkrebszellen: Die vom „Brustkrebs-Gen" abgeschriebene RNA bindet an bestimmte Basensequenzen der einzelsträngigen Kandidaten-DNA. So ließ sich das „Brustkrebs-Gen" namens BRCA-1 auf einen Bereich von 100 000 Basen eingrenzen und schließlich identifizieren.

Wie dieses Gen und seine Mutationen genau die Brustkrebsentstehung beeinflussen, ist allerdings noch unklar. Sicher sind Mutationen weiterer Gene und bestimmte Umwelteinflüsse beteiligt (→ 13.4). Viele Frauen bleiben von einer Erkrankung verschont, obwohl sie das „Brustkrebs-Gen" tragen, sie haben lediglich ein erhöhtes Erkrankungsrisiko.

Mit **Genchips** (*DNA-Chips*, *Microarrays*) lässt sich das Auffinden von aktiven Genen automatisieren. Ein Genchip ist ein Glasplättchen mit Tausenden, regelmäßig angeordneten kleinen Feldern. Der Hersteller hat in jedem davon einzelsträngige Kopien der DNA-Sequenz eines anderen bekannten Gens fixiert. Im Labor gibt man darauf die farbig markierte cDNA des Testgewebes. Diese bindet an die passende DNA-Sequenz in dem betreffenden Feld, nicht hybridisierte Reste werden abgespült. Das Muster der Lichtsignale auf dem Chip lässt sich durch Computer auswerten und zeigt die aktiven Gene der Testzellen.

Die Aufgaben eines Gens lassen sich oft erst ermessen, wenn das Gen ausfällt. In der Gentechnik kann ein Gen z. B. ausgeschaltet werden, indem man in das Gen Nucleotide transferiert, die es unbrauchbar machen, oder indem man die transkribierte RNA durch *RNA-Interferenz* unbrauchbar macht (→ 10.9).

Hochdurchsatz-Sequenziermethoden ermöglichen es heute, ganze Genome binnen einer Woche zu sequenzieren. Das Problem ist hier eher die wissenschaftliche Auswertung dieser Datenflut.

Aufgabe 14.4

Stellen Sie Methode und Ergebnis von Gensequenzierung und Genkartierung gegenüber.

14.5 Gentechnische Methoden ergänzen medizinische Diagnostik und Therapie

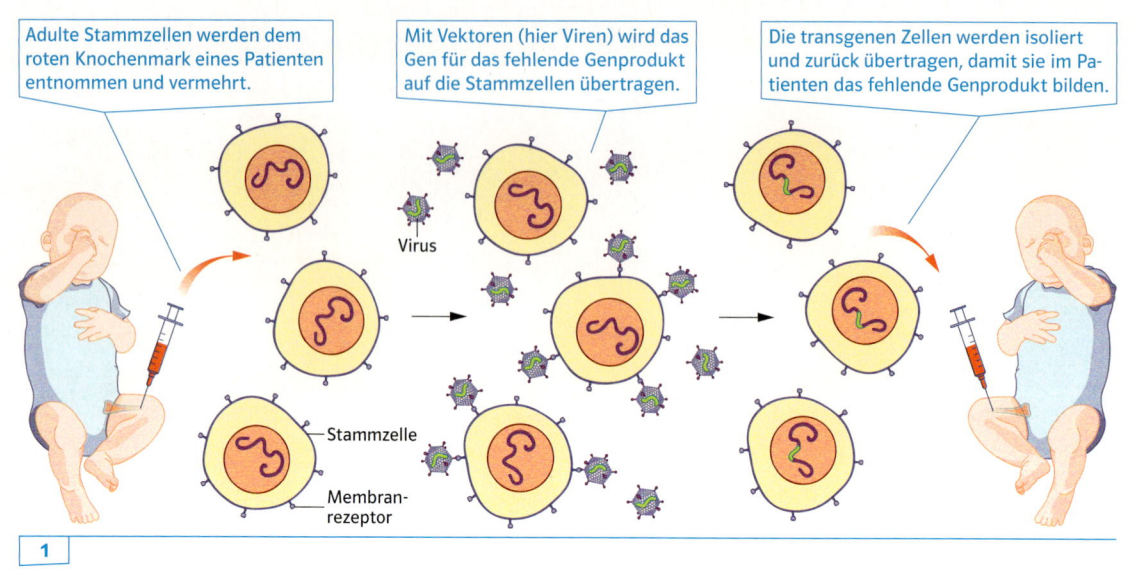

> Adulte Stammzellen werden dem roten Knochenmark eines Patienten entnommen und vermehrt.

> Mit Vektoren (hier Viren) wird das Gen für das fehlende Genprodukt auf die Stammzellen übertragen.

> Die transgenen Zellen werden isoliert und zurück übertragen, damit sie im Patienten das fehlende Genprodukt bilden.

Virus — Stammzelle — Membranrezeptor

1 Bei der somatischen Gentherapie werden teilungsfähige Körperzellen entnommen, transformiert und übertragen.

Die Verlockung, krankmachende Gene auf den Chromosomen nicht nur zu finden, sondern auch zu reparieren oder gegen intakte auszutauschen, ist groß. Theoretisch kann man Krankheiten, die sich auf ein einzelnes Gen zurückführen lassen, durch Austausch des Gens in den Körperzellkernen heilen. *Mukoviszidose* ist so eine monogenetische Krankheit (→ Abb. 2, S. 227). Schon 1994 wurde ein Nasenspray entwickelt, mit dem das normale Gen auf die Epithelzellen in der Lunge Erkrankter übertragen werden sollte. Der Gentransfer muss nicht bei allen kranken Zellen gelingen, transgene Epithelzellen sollten sich aber teilen und vermehren, um das fehlende Genprodukt bereitzustellen. Die Behandlungserfolge waren ernüchternd: Die Immunabwehr vernichtet den größten Teil der transgenen Zellen, man kehrte überwiegend zu traditionellen Behandlungsmethoden zurück. Grundsätzlich sind die richtige Dosierung und der günstigste Behandlungszeitpunkt bei einer **somatischen Gentherapie** bisher sehr unsicher. Bei einer Übertragung von Genen ist außerdem nicht auszuschließen, dass sie an die falsche Position gelangen und andere Gene in ihrer Funktion beeinflussen. Das gilt auch für somatische Therapien, bei denen die adulten Stammzellen (→ 13.4) von Patienten mit Blutbildungsstörungen genetisch verändert werden (→ Abb. 1). Die Risiken sind oft so unkalkulierbar, dass der Gesetzgeber die Möglichkeiten der somatischen Gentherapie sehr stark eingeschränkt hat. In Ei- oder Spermienzellen würde sich genetisch veränderte DNA sogar auf folgende Generationen auswirken. Daher sind gentechnische Eingriffe an Keimzellen in Deutschland gesetzlich verboten (Stand 2010).

Medizinische Anwendungen der Gentechnik gehen heute eher in Richtung „personalisierte Therapie": So verschieden wie einzelne Menschen, so individuell sollte auch ihre Behandlung sein. Dafür muss man nicht nur Genom und Proteom eines Menschen kennen, sondern auch die Abwandlungen im Krankheitsfall. Mit Genchips (→ 14.4) steht dazu eine wichtige Methodik bereit. Bis es aber auf einem Medikamentenbeipackzettel nicht mehr heißt „3-mal täglich 1 Tablette", sondern „Herr Müller 2-mal täglich 1 Tablette und Diät M", oder „Frau Schmidt 1-mal täglich 2 Tabletten und Diät S" ist noch viel Grundlagenforschung notwendig.

Aufgabe 14.5

Stellen Sie Chancen und Risiken der somatischen Gentherapie gegenüber.

Humangenetik

15

Menschen und Affen haben genetisch viel gemeinsam — einschließlich einer fatalen Mutation. Sie machte sich jedoch erst bemerkbar, als die Menschheit die Meere eroberte: Unser Stoffwechsel ist nicht in der Lage, Ascorbinsäure (Vitamin C) selbst herzustellen. Dieses Coenzym ist für die Synthese von Kollagen essenziell, dem wichtigsten Gerüstprotein des Bindegewebes. Bei Ascorbinsäuremangel fallen die Zähne aus, die Haut entwickelt zunehmend Blutergüsse und schließlich stirbt man an Erschöpfung. Skorbut heißt die gefürchtete Krankheit. Sie war bereits im Altertum bekannt und bis ins 18. Jahrhundert die häufigste Todesursache auf Seereisen. Erst um 1750 erkannte der englische Schiffsarzt JAMES LIND, dass bestimmte Nahrungsmittel, z. B. Citrusfrüchte, die Krankheit verhindern. Da die Menschheit von Afrika aus große Teile der Erde auf dem Landweg besiedelt hatte, wo ausreichend Pflanzen und Früchte vorhanden waren, hatte Skorbut kaum eine Rolle gespielt. Auch viele andere Mutationen machen sich nur bei bestimmten Umweltbedingungen als Krankheit bemerkbar.

Bei Seeleuten machte sich eine Mutation im Genom der Menschen erstmals bemerkbar.

15.1 Nur ein Bruchteil der Human-DNA legt die erblichen Merkmale des Menschen fest
15.2 Genmutationen können Erkrankungen des Menschen verursachen
15.3 Mutationen der Gonosomen wirken sich bei Mann und Frau verschieden aus
15.4 Chromosomenanomalien können die Entwicklung stören
15.5 Genomanalysen geben Auskunft über Erkrankungsrisiken

Genetik

15.1 Nur ein Bruchteil der Human-DNA legt die erblichen Merkmale des Menschen fest

„Das Genom des Menschen ist vollständig sequenziert." Diese Meldung machte im Jahre 2001 weltweit Schlagzeilen. Vorausgegangen war ein Jahrzehnt intensiver Genomforschung. Das *Humangenomprojekt* (HGP) wurde 1990 in den USA von einem öffentlich finanzierten, internationalen Forschungsverbund gegründet, 1995 schloss sich Deutschland an. Schon bald (1998) bekam das Projekt Konkurrenz durch eine private Firma in den USA. Schließlich präsentierten beide Institutionen ein gemeinsames vorläufiges Ergebnis: Das menschliche Genom mit seinen 44 Autosomen und zwei Gonosomen besteht aus etwa 3 Milliarden Basenpaaren.

Wenn Sie eine Base als Buchstaben des Alphabets betrachten, dann besteht unser Erbgut aus 3 000 Büchern mit jeweils 1 000 Seiten und 1 000 Buchstaben pro Seite — eine ansehnliche Bibliothek, von der jede einzelne Körperzelle zwei Kopien aufweist. Unser Genom enthält 20 000 – 30 000 für Proteine codierende Gene. Wenn Sie bedenken, dass bereits eine Hefezelle 6 000 Gene enthält, ist das überraschend wenig. Die Gene des Menschen machen nur etwa 5 % des Genoms aus (→ Abb. 1, → 10.7).

Die Basensequenz des Schimpansen-Genoms stimmt zu etwa 98,5 % mit unserer überein. Selbst DARWIN, der die nahe Verwandtschaft von Mensch und Affe erkannte, hätte das wohl überrascht. Die 1,5 % Unterschied liegen aber auch im codierenden Bereich und betreffen vermutlich über 1000 Gene. Außerdem sind deutliche Unterschiede auf der Ebene der Genregulation zu erwarten (→ 21.5). Die Gemeinsamkeiten im Genom von Mensch und Maus betragen immerhin ca. 70 %, 200 Gene des Menschen ähneln sogar denen von Prokaryoten.

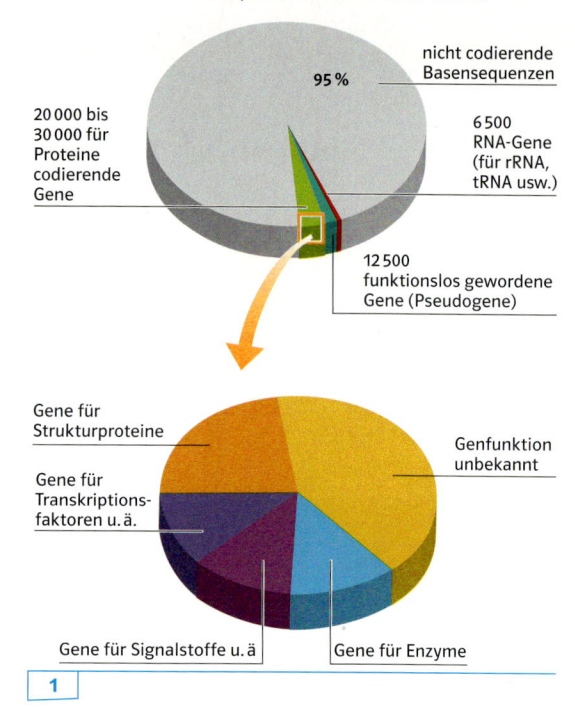

1 Das Humangenom besteht zu 95 % aus nicht codierenden Sequenzen (Stand 2009).

Alle Menschen stimmen untereinander zu 99,9 % in ihrem Genom überein — umso erstaunlicher ist die Beobachtung, dass keine zwei Menschen im Phänotyp vollkommen identisch sind, nicht einmal eineiige Zwillinge. Manche Unterschiede und Variationen

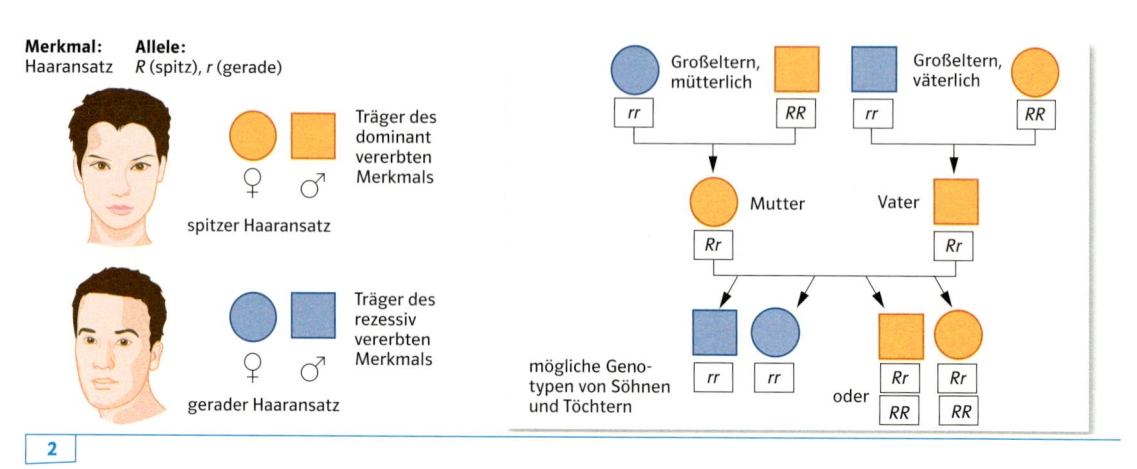

2 Ein rezessiv vererbtes Merkmal wie gerader Haaransatz kann Generationen „überspringen".

lassen sich durch abweichende Lebensbedingungen und kulturelle Einflüsse erklären. Das sind *Modifikationen*, die sich in einem genetisch festgelegten Rahmen abspielen (→ 12.1). Variabilität entsteht aber auch, wenn das Merkmal auf mehrere Gene zurückzuführen ist und dann in den Folgegenerationen unterschiedlich aufspaltet und kombiniert wird. Die Hautfarbe des Menschen ist ein Beispiel für solch einen *polygenen Erbgang* (→ 12.3).

Viele Merkmale des Menschen folgen MENDELS Vererbungsregeln. Daher kann es nicht überraschen, wenn Merkmale eines Kindes bei den Eltern fehlen, aber bei den Großeltern auftreten, wie bei den rezessiven Merkmalen gerader Haaransatz oder angewachsenes Ohrläppchen (→ Abb. 2).

Von medizinischem Interesse sind *Blutgruppenmerkmale*. Blut ist nicht gleich Blut, sondern kommt in verschiedenen Varianten vor (Hauptgruppen A, B, AB und 0 sowie Nebengruppen). Blutgruppenmerkmale lassen sich auf Membranmoleküle (Zuckerbäume von Glykoproteinen und Glykolipiden) der roten Blutzellen zurückführen und haben eine genetische Grundlage (→ Abb. 3). Das Gen für die Hauptblutgruppen liegt auf Chromosom 9. Es kommt in drei verschiedenen Allelen vor (*A*, *B* und *0*), die für Varianten eines Membranmoleküls codieren. Die Blutgruppenallele *A* und *B* sind **codominant**, d. h. sie erscheinen im Phänotyp und sorgen bereits im heterozygoten Fall, also in einfacher Dosierung, für die Expression der zugehörigen Membranmoleküle. Das Allel *0* ist rezessiv.

Neben den Membranmolekülen der Hauptgruppen A, B und 0 gibt es die Membranmoleküle der Nebengruppen. Sie werden heute üblicherweise als Rhesusfaktoren (Rh) bezeichnet. Medizinisch von Bedeutung ist vor allem der Rhesusfaktor D, weil er bei Unverträglichkeiten zwischen Mutter und Kind in der Schwangerschaft zu Komplikationen führen kann. Das

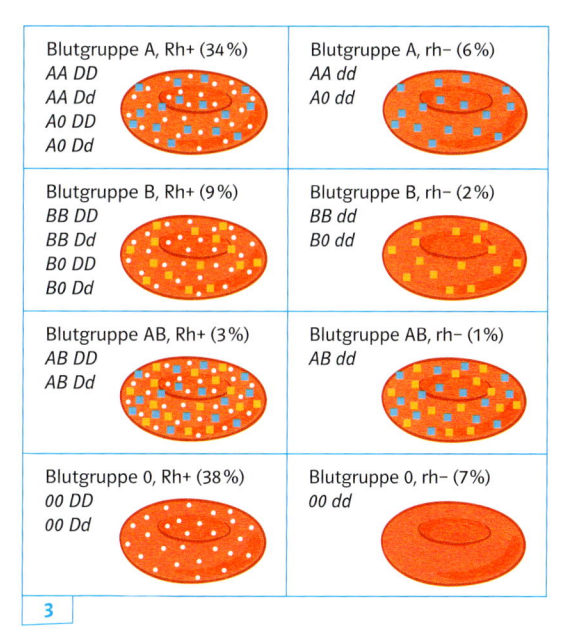

Blutgruppe A, Rh+ (34%) *AA DD* *AA Dd* *A0 DD* *A0 Dd*	Blutgruppe A, rh− (6%) *AA dd* *A0 dd*
Blutgruppe B, Rh+ (9%) *BB DD* *BB Dd* *B0 DD* *B0 Dd*	Blutgruppe B, rh− (2%) *BB dd* *B0 dd*
Blutgruppe AB, Rh+ (3%) *AB DD* *AB Dd*	Blutgruppe AB, rh− (1%) *AB dd*
Blutgruppe 0, Rh+ (38%) *00 DD* *00 Dd*	Blutgruppe 0, rh− (7%) *00 dd*

3 Die Blutgruppen sind in der Bevölkerung unterschiedlich häufig (Prozentzahlen in Klammern).

Reproduktion

Gen für den Rhesusfaktor D liegt auf Chromosom 1 und wird dominant vererbt. Die Schreibweise d kennzeichnet das Fehlen des Membranmoleküls. Träger von D nennt man rhesus-positiv (Rh+). Fehlt der Rhesusfaktor, spricht man von rhesus-negativ (rh−).

Bevor es möglich wurde, über den genetischen Fingerabdruck DNA-Basensequenzen zu vergleichen (→ 14.2), waren Blutgruppenvergleiche die wichtigste Methode zur Verwandtschaftsanalyse. Heute spielt die Blutgruppenzugehörigkeit noch eine bedeutende Rolle bei Blutspenden.

Aufgabe 15.1

Ein Kind hat die Blutgruppe 0 rh−, die Mutter A rh−. Schließen Sie auf mögliche Blutgruppen des Vaters zurück.

15.2 Genmutationen können Erkrankungen des Menschen verursachen

Gendefekte verursachen wahrscheinlich einige Tausend Humanerkrankungen. Allerdings erkranken nicht alle Menschen mit defekten Genen, auch nicht im homozygoten Fall. Viele Mutationen wirken sich in Abhängigkeit von der jeweiligen Umwelt unterschiedlich aus, das haben Sie bereits beim Eingangsbeispiel Vitamin C erfahren. Oft wird eine Erkrankung auch erst durch die Kombination mehrerer Mutationen verursacht, die für sich allein nur das Erkrankungsrisiko erhöhen. Zu solchen komplexen, *polygenen Erkrankungen*

Genetik

Online-Link
Stammbaum Vielfingrigkeit
Albinismus (interaktiv)
150010-2261

gehören *Krebs* (→ 13.6), *Diabetes*, *Asthma* oder *Schizophrenie*. Tritt eine genetisch bedingte Krankheit ohne familiäre Vorbelastung auf, sprechen Mediziner von einer *sporadischen* Erkrankungsform. Diese kann nur dann an die Nachkommen vererbt werden, wenn Keimzellen betroffen sind.

Reproduktion

Viele Erbkrankheiten haben eine lange Geschichte und wurden schon seit Generationen von Eltern an Kinder weitergegeben; man kann das an Familienstammbäumen verfolgen. Besonderheiten ergeben sich für Mutationen auf den Gonosomen (→ 15.3). Für die Autosomen lassen sich dominanter und rezessiver Erbgang unterscheiden.

Bei **autosomal-dominantem Erbgang** führt ein defektes Gen zur Erkrankung bzw. einem Defekt des Trägers, auch wenn das entsprechende Allel auf dem homologen Chromosom intakt ist (→ Abb. 1 ⓐ). Trotzdem muss das Phänomen nicht von Geburt an in Erscheinung treten wie bei der *Vielfingrigkeit*. Oft äußert es sich erst in einer späteren Entwicklungsphase oder wie *Chorea Huntington* erst bei Erwachsenen. Bewegungsstörungen und psychische Symptome sind die ersten Anzeichen dieser schweren Nervenkrankheit. Sie bricht meist erst zwischen dem 30. und 60. Lebensjahr aus und führt nach etwa 15 Jahren zum Tod. Verursacht wird diese Krankheit durch ein verändertes Protein, das *Huntingtin*. Das Huntingtin-Gen liegt auf Chromosom 4 und enthält normalerweise 9 bis 35 Wiederholungen der Sequenz CAG. Das CAG-Triplett codiert für die Aminosäure Glutamin (→ 10.1). Glutamin kommt in Muskelzellen vor und ist eng verwandt mit der Glutaminsäure (Glutamat, auch als Geschmacksverstärker bekannt). Freies Glutamat hat eine wichtige Aufgabe als Neurotransmitter (→ 29.3). Über die Aufgaben des intakten Huntingtin-Proteins gibt es noch keine vollständige Klarheit, die mutierte Form kennt man dagegen recht genau. Bei Chorea-Huntington-Kranken kommt das CAG-Basentriplett im Huntingtin-Gen 36- bis 250-mal vor, bei der Proteinbiosynthese wird also übermäßig viel Glutamin verkettet. Ursache dieser Mutation ist vermutlich eine fehlerhafte Replikation. Das so verlängerte Huntingtin ist giftig und kann nicht abgebaut werden. Es häuft sich in den Zellen an. Für die Kinder eines betroffenen Elternteils besteht ein 50-%-Risiko ebenfalls zu erkranken oder anders gesagt: eine 50-%-Chance gesund zu bleiben. Eine Genanalyse schafft sofort und eindeutig Gewissheit, obwohl die Krankheit oft erst nach der Familiengründungsphase erkennbar wird. Das kann eine große Erleichterung bedeuten oder aber deprimierende Aussichten, denn die Krankheit ist nicht heilbar. Das macht die Problematik solcher Genanalysen deutlich.

Bei **autosomal-rezessivem Erbgang** kann ein gesunder Partner den Defekt bei den gemeinsamen Kindern ausgleichen: Heterozygote haben ein gesundes Erscheinungsbild, können die Mutation aber verdeckt als genetische Überträger (**Konduktoren**) an ihre Kinder weitergeben (→ Abb. 1 ⓑ). Beispiele dafür sind *Albinismus* (→ 12.3) oder *Mukoviszidose*. Mukoviszidose (*Cystische Fibrose*) ist eine angeborene Stoffwechselerkrankung, bei der die Körpersekrete (Speichel, Schweiß usw.) zu wenig Wasser enthalten und daher dickflüssig sind. Das führt zu Funktionsstörungen in Lunge, Bauchspeicheldrüse, Dünndarm, Gallenwegen und Schweißdrüsen. Diese polyphänen Auswirkungen sind auf ein einziges verändertes Protein zurückzuführen. Bei Gesunden arbeitet es als Kanalprotein in der Zellmembran und transportiert Chlorid-Ionen zusammen mit Wasser aus der Zelle. Das macht die Körpersekrete fließfähig. Das Gen für diesen

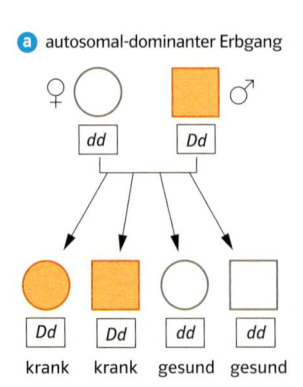

ⓐ **autosomal-dominanter Erbgang**

♀ ○ — ■ ♂
dd — Dd

↓ ↓ ↓ ↓
● ■ ○ □
Dd Dd dd dd
krank krank gesund gesund

Beispiele:
Polydactylie: Vielfingrigkeit ⓐ
Marfansyndrom: Bindegewebserkrankung

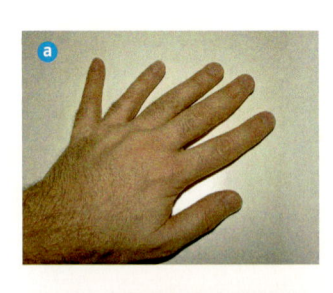

ⓑ **autosomal-rezessiver Erbgang**

● ■
Rr Rr
beide Eltern Mutationsüberträger (Konduktoren)

↓ ↓ ↓ ↓
● ■ ○ ■
Rr rr RR Rr
Mutations- krank gesund Mutations-
überträger   überträger

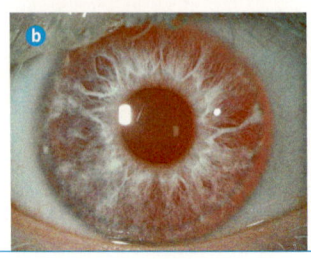

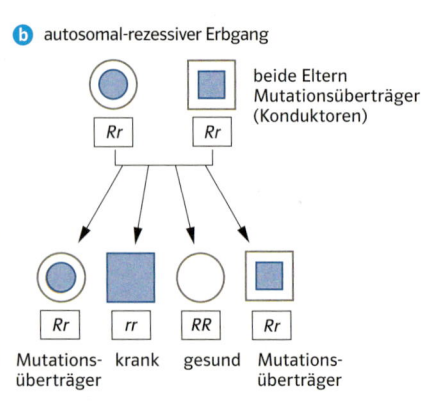

Beispiele:
Albinismus: gestörte Melaninbildung ⓑ
Mukoviszidose (Cystische Fibrose): Stoffwechselkrankheit
Phenylketonurie: Stoffwechselkrankheit
Sichelzellenanämie: veränderte Form der roten Blutzellen

1 Schema und Beispiele für einen autosomal-dominanten ⓐ und einen autosomal-rezessiven Erbgang ⓑ.

Humangenetik

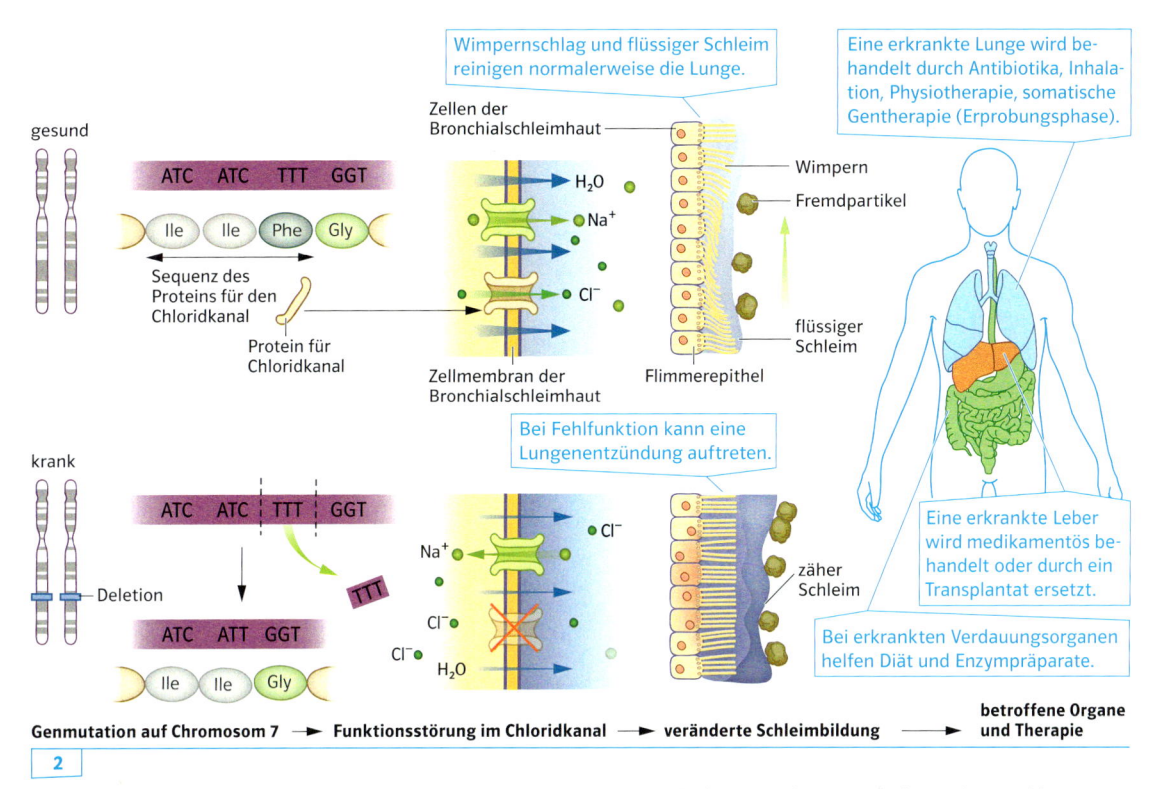

2 Mukoviszidose: Eine Deletion auf Chromosom 7 führt zu einem fehlerhaften Kanalprotein und zu zähem Schleim.

Chloridkanal liegt auf Chromosom 7. Verschiedene Mutationen dieses Gens können die Funktionsfähigkeit des Chloridkanals stören, z. B. eine Deletion der Aminosäure Phenylalanin an einer bestimmten Position in der Polypeptidkette. Die Auswirkungen dieser vergleichsweise kleinen Abwandlung sind dramatisch und bei Nichtbehandlung lebensbedrohend (→ Abb. 2).

Vielleicht fragen Sie sich, wie Erbkrankheiten mit derart nachteiligen Auswirkungen über Generationen in der Bevölkerung erhalten bleiben konnten. Möglicherweise haben heterozygote Träger der Mutation einen Überlebensvorteil, weil sie vor Tuberkulose oder vor Darmerkrankungen wie Typhus und Cholera besser geschützt sind (*Heterozygotenvorteil*, → S. 254).

Variabilität und Angepasstheit

Aufgabe 15.2
Grenzen Sie die Begriffe erbliche, genetische, angeborene Krankheit voneinander ab.

15.3 Mutationen der Gonosomen wirken sich bei Mann und Frau verschieden aus

Zwei beliebig ausgewählte Menschen stimmen zu 99,9 Prozent in ihrer Basensequenz überein — allerdings nur, wenn man zwei Frauen oder Männer miteinander vergleicht. Der „kleine Unterschied" im Genom von Mann und Frau ist etwas größer und auf die Gonosomen X und Y zurückzuführen (→ Abb. 1, S. 228).

Eine Frau besitzt zwei X-Chromosomen in jeder diploiden Zelle, ein Mann je ein X- und ein Y-Chromosom. Das X-Chromosom enthält etwa 1000, das Y-Chromosom lediglich 78 Gene, nur 16 Gene haben X und Y gemeinsam. Schon früh in der weiblichen Entwicklung wird eines der X-Chromosomen weitgehend inaktiviert,

Genetik

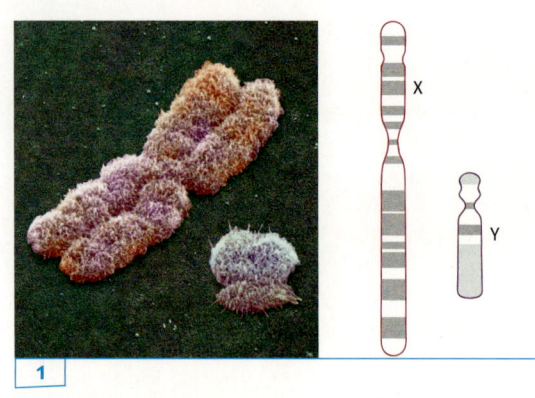

1 Die Chromosomen X und Y (Gonosomen) unterscheiden sich deutlich in der Größe und in der Anzahl der Gene.

das verhindert eine Überdosierung der X-Genprodukte. Dieses inaktivierte X-Chromosom ist als etwas dunkler gefärbter *Barr-Körper* im Interphase-Zellkern erkennbar (→ Abb. 2). Es ist dem Zufall überlassen, ob das väterliche oder das mütterliche X-Chromosom in einer Zelle zum Barr-X wird. Eine Frau besteht also aus einem Mosaik von Zellen, in denen entweder das väterliche oder das mütterliche X-Chromosom aktiv ist. Da mütterliche und väterliche Allele auf dem X-Chromosom oft für abgewandelte Proteine codieren, sind die Körperzellen einer Frau heterogener als die des Mannes. Eineiige Zwillingsschwestern unterscheiden sich genetisch stärker voneinander als eineiige Zwillingsbrüder, denn sie haben ein unterschiedliches Muster im Zellmosaik aktiver väterlicher und mütterlicher X-Chromosomen. Alle Zellen von eineiigen Zwillingsbrüdern enthalten dagegen das gleiche aktive (mütterliche) X-Chromosom.

Merkmale, die von Genen auf dem X-Chromosom bestimmt werden, erscheinen in der männlichen Linie stets im Phänotyp; es fehlt der homologe Partner. Die Zellen eines Mannes sind **hemizygot** bezogen auf die Gonosomen. Überraschend viele Gene des X-Chromosoms codieren für Proteine, die mit der Gehirnfunktion zu tun haben; es sind etwa dreimal so viele wie auf einem Autosom. Kognitive Fähigkeiten waren in der Evolution des Menschen besonders wichtig. Es scheint sinnvoll zu sein, dass entsprechende Gene sich gerade auf dem X-Chromosom konzentrierten, denn von dort setzen sich positive Mutationen im männlichen Geschlecht sofort durch. Geht man zusätzlich davon aus, dass Frauen intelligente Männer als Väter ihrer Kinder bevorzugen und dass diese Präferenz genetisch ebenfalls an das X-Chromosom gekoppelt ist, stand einer schnellen Ausbreitung intellektueller Fähigkeiten in der Humanevolution nichts mehr im Wege. Umgekehrt setzen sich aber auch ungünstige Mutationen auf dem X-Chromosom im männlichen Geschlecht leichter durch. Statistisch gesehen gibt es daher unter den Männern mehr extrem intelligente, aber auch mehr gehirnkranke Personen.

Das X-Chromosom enthält nur etwa 4 % der menschlichen Gene, trotzdem lassen sich etwa 10 % aller mendelnden Erbkrankheiten hier lokalisieren. Die Häufung von Mutationen auf X ist vielleicht damit zu erklären, dass X– und Y-Gonosomen in der Meiose nur unvollständig miteinander paaren. Dadurch fällt ein wichtiger DNA-Reparaturmechanismus aus, nämlich die Abgleichung der Homologen.

Im **X-chromosomal-dominanten Erbgang** erkranken alle Mutationsträger, ob Mann oder Frau. Söhne übernehmen nur das X-Gonosom der Mutter, Töchter dagegen das vom Vater und eines von der Mutter. Da wegen der Dominanz der Mutation auch heterozygote Frauen erkranken, ist das Erkrankungsrisiko für sie statistisch gesehen höher als bei Männern. Es gibt nur sehr wenige dominante krankmachende Mutationen auf dem X-Chromosom, z. B. die *angeborene Rachitis* (→ Abb. 3 **a**).

X-chromosomal-rezessiv vererbte Krankheiten wirken sich bei Frauen nur im homozygoten Fall aus, also wenn beide X-Chromosomen die Mutation tragen. Ein intaktes X-Chromosom reicht bereits aus, um den Defekt zu kompensieren. Allerdings können Frauen die Mutation an ihre Kinder vererben, ohne überhaupt zu wissen, dass sie Überträger (*Konduktorinnen*) des veränderten Gens sind. Beim Mann kann das Y-Chromosom die Mutation nicht kompensieren, es kommt zur Erkrankung, wenn das (einzige) X-Chromosom das mutierte Gen enthält. Von X-chromosomal-rezessiv vererbten Krankheiten sind Männer also häufiger als Frauen betroffen (→ Abb. 3 **b**).

Muskeldystrophie (Typ *Duchenne*) ist eine Form der Muskelschwäche, bei der das Muskelprotein *Dystrophin* defekt ist. Langfristig werden Muskelfasern durch Fett- und Bindegewebe ersetzt. Mutationen (meist Deletionen) im Dystrophin-Gen treten oft spontan auf, es können also auch Kinder erkranken, deren Eltern nicht Träger der Mutation waren (→ S. 226).

Auch die *Rot-Grün-Sehschwäche* wird X-chromosomal rezessiv vererbt. Es sind etwa 9 % aller Männer

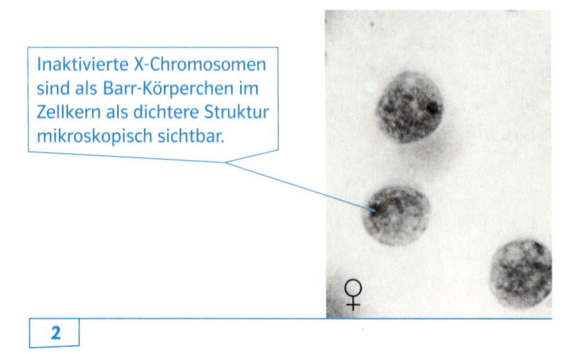

2 Eines der beiden X-Chromosomen im Zellkern wird weitgehend inaktiviert.

Inaktivierte X-Chromosomen sind als Barr-Körperchen im Zellkern als dichtere Struktur mikroskopisch sichtbar.

Humangenetik

ⓐ X-chromosomal-dominanter Erbgang

ⓑ X-chromosomal-rezessiver Erbgang

Beispiele: angeborene Rachitis, erbliche Nachtblindheit, gelbbrauner Zahnschmelz[1] (D)

Beispiele: Muskeldystrophie, Hämophilie, Rot-Grün-Sehschwäche[2] (r)

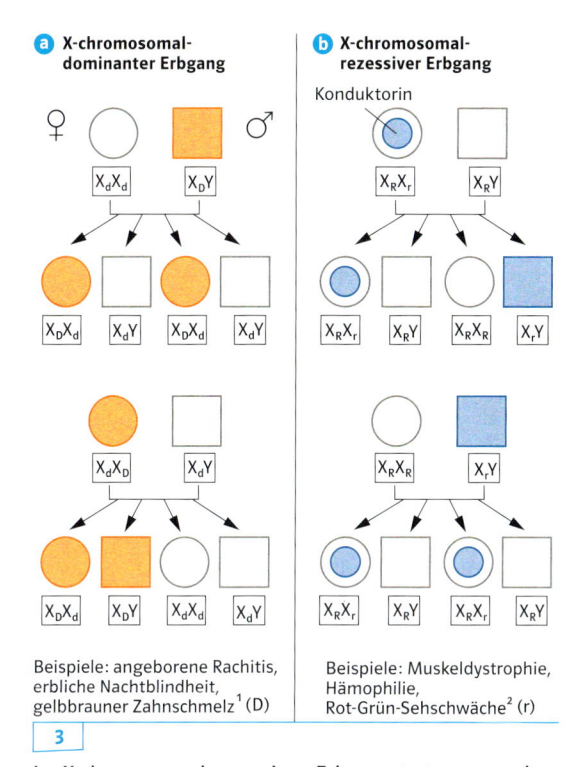

3 Im X-chromosomal-rezessiven Erbgang treten gesunde Frauen als Konduktorinnen eines Gendefekts auf.

Y-chromosomaler Erbgang: Das Y-Chromosom trägt nur sehr wenige Gene. Es ist daher seltener als das X-Chromosom von krankmachenden Mutationen betroffen. Eines der Y-Gene ist das *SRY*-Gen, das über die Entwicklung der Hoden und damit über die Ausprägung des männlichen Geschlechts entscheidet (→ 12.1). Eine Deletion in diesem Gen verhindert die Entwicklung der Hoden und damit die Synthese männlicher Hormone. Dadurch entwickeln sich trotz des Genotyps XY keine männlichen Geschlechtsorgane. Ohne hormonelle Behandlung entsteht ein *Intersex*, also ein uneindeutiges Geschlecht, man spricht vom *Swyer-Syndrom*. Auch bestimmte Genmutationen auf X können zum Swyer-Syndrom führen.

und 0,8 % aller Frauen betroffen. Bei dieser Farbfehlsichtigkeit wird Rot und Grün schlechter unterschieden als bei Normalsichtigen (→ Abb. 4). Das ist auf Veränderungen im Protein Opsin zurückzuführen, das ein Bestandteil der Sehpigmente in den Zapfen der Netzhaut ist und durch Gene auf dem X-Chromosom codiert wird. Eine *Blau-Gelb-Sehschwäche* ist viel seltener.

4 Testen Sie sich selbst. Personen mit Rot-Grün-Sehschwäche erkennen die verborgene Zahl nicht.

Aufgabe 15.3
Beim Y-chromosomalen Erbgang unterscheidet man nicht zwischen rezessiv und dominant. Erklären Sie.

15.4 Chromosomenanomalien können die Entwicklung stören

Viele Fehlgeburten erfolgen so früh in der Schwangerschaft, dass die Frau eine Empfängnis noch gar nicht bemerkt hat und von einer stärkeren Regelblutung ausgeht. Sehr häufig haben *Chromosomenanomalien*, also Umbau, Ausfall oder Verdopplung von Chromosomen, die Entwicklung des Embryos gestört. Sie behindern nicht nur die ordnungsgemäße Verteilung der Chromosomen bei einer Zellteilung, sondern auch die Genexpression: Genprodukte fehlen oder werden bei zusätzlichen Genen vermehrt gebildet. Also ist die *Gendosis* verändert. Wenn sich ein Embryo dann weiterentwickelt, können Behinderungen die Folge sein.

Genetik

Struktur und Funktion

Reproduktion

Mit einer Häufigkeit von einer auf 700 Geburten ist das *Down-Syndrom* die am meisten verbreitete Chromosomenanomalie. Auch Sie kennen vielleicht einen dieser Menschen mit den freundlichen runden Gesichtern und der auffälligen Augenstellung. Bei dieser Mutation tritt das Chromosom 21, oder zumindest ein Teil davon, dreifach in den Körperzellen auf, daher der genetische Begriff *Trisomie 21*. In 95 % der Down-Syndrom-Fälle handelt es sich um eine spontane Mutation. Sie lässt sich auf eine Fehlverteilung (*Non-Disjunction*) der Chromosomen in der Meiose zurückführen, und zwar entweder eine Nichttrennung der Homologen in Meiose I oder der Chromatiden in Meiose II bei einem Elternteil (→ Abb. 1). Selten kann die Fehlverteilung auch in einer an die Zygotenbildung anschließenden Mitose stattfinden. Dann sind nur die Abkömmlinge dieser Zelle verändert, die Trisomie-21-Zellen also mosaikartig im Körper verteilt. Die restlichen ca. 5 % der Down-Syndrom-Menschen haben die Chromosomenanomalie von einem Elternteil geerbt, bei dem Chromosom 21 mit Chromosom 14 verschmolzen war. Diese Translokation gilt als balanciert, weil die Gendosis unverändert ist und es im Phänotyp keine Auffälligkeiten gibt. Bei der Keimzellbildung können die Chromosomen aber so verteilt werden, dass unbalancierte Kombinationen auftreten und ein Kind mit Trisomie 21 entsteht. Zum Down-Syndrom gehören Herzfehler, Seh- und Hörstörungen sowie eine unterschiedlich ausgeprägte Intelligenzminderung. Bei Frühförderung lernen heute die meisten betroffenen Kinder Lesen und Schreiben und erwerben zumindest Grundkenntnisse im Rechnen.

Auf eine unbalancierte Chromosomenmutation geht auch das *Cri-du-chat-Syndrom* (CDC-Syndrom, *Katzenschrei-Syndrom*) zurück. Diese schwere Entwicklungsstörung ist auf den Verlust eines Stückes von Chromosom 5 zurückzuführen. So eine Deletion kann spontan auftreten, ist in 15 % der Fälle aber die Folge einer Translokation bei einem Elternteil, wenn z. B. ein Abschnitt von Chromosom 5 auf Chromosom 19 übertragen ist. So eine balancierte Chromosomenanomalie macht sich bei betroffenen Eltern kaum bemerkbar, denn die Gendosis ist unverändert. Sie haben aber ein erhöhtes Risiko, Kinder mit Chromosomenstörungen zur Welt zu bringen (→ Abb. 2). Gemeinsam ist solchen Säuglingen eine Fehlbildung des Kehlkopfs, die besonders beim Neugeborenen und Säugling zu einem eigenartigen Schreien führt, das dem Miauen einer Katze ähnelt. Hinzu kommen körperliche und geistige Entwicklungsverzögerungen.

Auch Gonosomen können fehlen oder überzählig sein. Beim *Turner-Syndrom* (*Monosomie X*) liegt in den Körperzellen nur ein X-Chromosom vor, weitere Gonosomen fehlen (Karyotyp: 45, X0). Da bei einem XX-Genotyp normalerweise ohnehin nur ein X-Chromosom aktiv ist (→ 15.2), ist X0 der einzige Fall, bei dem eine Entwicklung möglich ist, obwohl ein komplettes Chromosom fehlt. Allerdings sterben 98 % der Embryonen in den ersten Schwangerschaftsmonaten. Die Ursache des Syndroms besteht in einer Fehlverteilung der Gonosomen bei der Meiose, aus der eine Keimzelle ohne Gonosom hervorgeht. Weil das Y-Chromosom mit dem SRY-Gen fehlt, entwickeln sich im Embryo die weiblichen Geschlechtsorgane. Bei

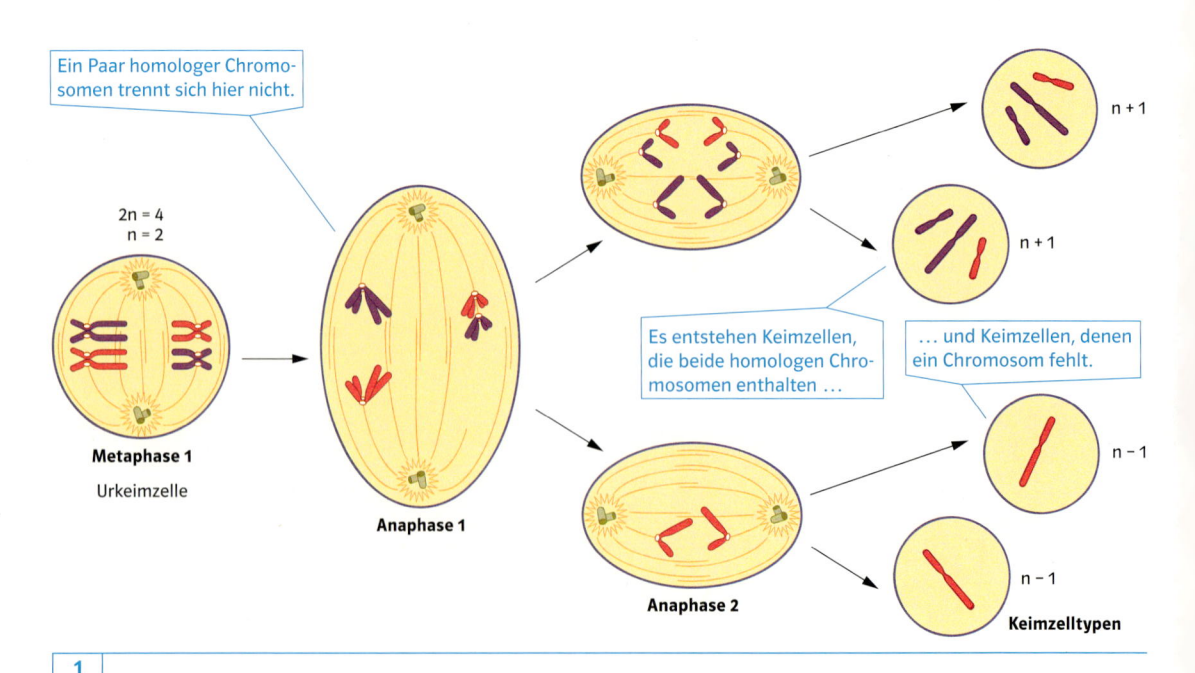

Ein Paar homologer Chromosomen trennt sich hier nicht.

2n = 4
n = 2

Metaphase 1
Urkeimzelle

Anaphase 1

Es entstehen Keimzellen, die beide homologen Chromosomen enthalten …

Anaphase 2

… und Keimzellen, denen ein Chromosom fehlt.

n + 1

n + 1

n − 1

n − 1

Keimzelltypen

1 Keimzellen mit überzähligen oder fehlenden Chromosomen entstehen durch Fehlverteilung in der Meiose.

Humangenetik

Teile der Chromosomen 5 und 19 sind ausgetauscht. Da im Zellkern keine Gene fehlen, nennt man diese Translokation balanciert. Sie bleibt phänotypisch unauffällig.

Diese Keimzelltypen weisen eine unbalancierte Translokation auf. Nach einer Befruchtung kommt es zu erheblichen Entwicklungsstörungen.

Urkeimzelle eines Elternteils

↓ Replikation und Meiose ↓

Keimzelltypen:
- 5 und 19 normal
- 5 und 19 mit balancierter Translokation
- Teile von 5 fehlen, Teile von 19 sind doppelt
- Teile von 5 sind doppelt, Teile von 19 fehlen

Befruchtung ↓ Katzenschrei-Syndrom

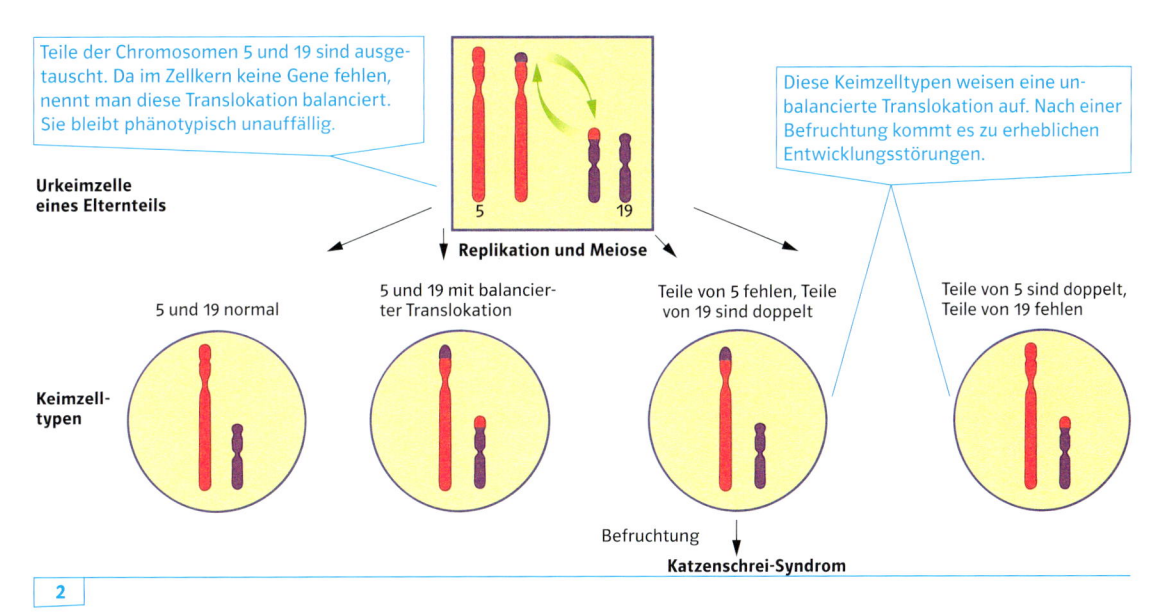

2 Eine Translokation im Chromosom 5 eines Elternteils kann zum Katzenschrei-Syndrom beim Kind führen.

---

den Mädchen bleibt die Pubertät allerdings aus, sie sind kleinwüchsig, aber von normaler Intelligenz und Lebenserwartung. Durch Behandlung mit Wachstumsfaktoren und Hormonen können diese Entwicklungsabweichungen vermieden werden. Äußerlich unterscheiden sich X0-Frauen dann nicht von XX-Frauen.

Beim *Klinefelter-Syndrom* taucht im männlichen Karyotyp ein zusätzliches X-Chromosom auf (47, XXY). Das SRY-Gen auf dem Y-Chromosom löst die Entwicklung der männlichen Keimdrüsen aus, eines der beiden X-Chromosomen kann als Barr-Körper inaktiviert werden. Unbehandelt kommt es bei den Jungen trotzdem zu einer Keimdrüsenunterfunktion im Pubertätsalter. Die verringerte Testosteronproduktion verhindert dann einige typisch männliche Ausprägungen, wie Bartwuchs oder Spermienproduktion und erhöht das Risiko einer Osteoporose. Durch eine Hormonbehandlung kann dem entgegengewirkt werden. XXY-Männern unterscheiden sich äußerlich dann nicht von XY-Männern.

Aufgabe 15.4
Der Karyotyp von Personen mit dem Triple-X-Syndrom ist 47, XXX. Es sind Frauen ohne besondere phänotypische Auffälligkeiten. Ihre Söhne haben oft ein Klinefelter-Syndrom. Erklären Sie das.

15.5 Genomanalysen geben Auskunft über Erkrankungsrisiken

Reproduktion

Bislang untersuchen Mediziner bei ihren Patienten vor allem die Symptome von Krankheiten. Sie betrachten den Menschen von außen sowie dessen Organe, Zellen und biochemischen Blutwerte. Durch die Genomanalyse lässt sich dieser Weg jetzt umkehren: Vom Zellkern mit seinen etwa 25 000 für Proteine codierenden Genen aus lässt sich eine Prognose über die zukünftige Entwicklung erstellen und damit auch die Wahrscheinlichkeit von Erkrankungen frühzeitig erkennen.* Die Risiken für Gendefekte bei den Kindern steigen mit zunehmendem Alter der Eltern (→ Abb. 1, S. 232). Bei später Mutterschaft ist vor allem das Risiko für eine Trisomie 21 erhöht, bei später Vaterschaft häufen sich andere genetische Defekte.

In der **pränatalen Diagnostik** (**PND**) werden dem Ungeborenen Zellen für eine genetische Analyse

Genetik

Alter der Mutter	Alter des Vaters			
Jahre	20–29	30–34	35–39	40–64
20–29	Standard-Risiko	Standard-Risiko	Standard-Risiko	Standard-Risiko
30–34	Standard-Risiko	Standard-Risiko	Standard-Risiko	hohes Risiko
35–44	hohes Risiko	hohes Risiko	hohes Risiko	sehr hohes Risiko

1 Das Risiko einer genetisch bedingten Erkrankung des Kindes nimmt mit dem Alter von Mutter und Vater zu.

entnommen (→Abb. 2). Chromosomen- und Genommutationen (→15.4) sind bereits im lichtmikroskopischen Bild erkennbar. Um Genmutationen zu entdecken, setzt man Gensonden oder DNA-Chips ein (→14.4). Mit verfeinerten Verfahren lassen sich zukünftig wohl bereits im Blut der werdenden Mutter vereinzelte Zellen des ungeborenen Kindes aufspüren. Die kindliche DNA wird dann mittels PCR (→14.2) vervielfältigt und auf krankmachende Gene getestet.

Ethisch problematisch werden solche Genomanalysen in Kombination mit der *künstlichen Befruchtung* (*in-vitro-Fertilisation*). Darunter versteht man eine Schwangerschaft, die durch einen medizinischen Eingriff hervorgebracht wurde. Ei- und Spermienzelle verschmelzen „im Reagenzglas", und der Embryo wird erst einige Tage nach der Befruchtung in die Gebärmutter übertragen. Theoretisch kann man vor dieser Implantation einzelne Zellen des Embryos (*embryonale Stammzellen*, →13.4) entnehmen, analysieren und z. B. Embryonen mit bestimmtem Geschlecht auswählen. Diese **Präimplantationsdiagnostik** (**PID**) ermöglicht eine Selektion von Embryonen. PID ist in Deutschland daher gemäß *Embryonenschutzgesetz* verboten (allerdings sind Ausnahmen bei absehbaren schweren Gendefekten erlaubt; Stand 2010), in anderen Ländern dagegen nicht. In England wurde Anfang 2009 ein Mädchen geboren, das als Embryo ausgewählt wurde, weil ihm das „Brustkrebs-Gen" (→14.4) fehlt.

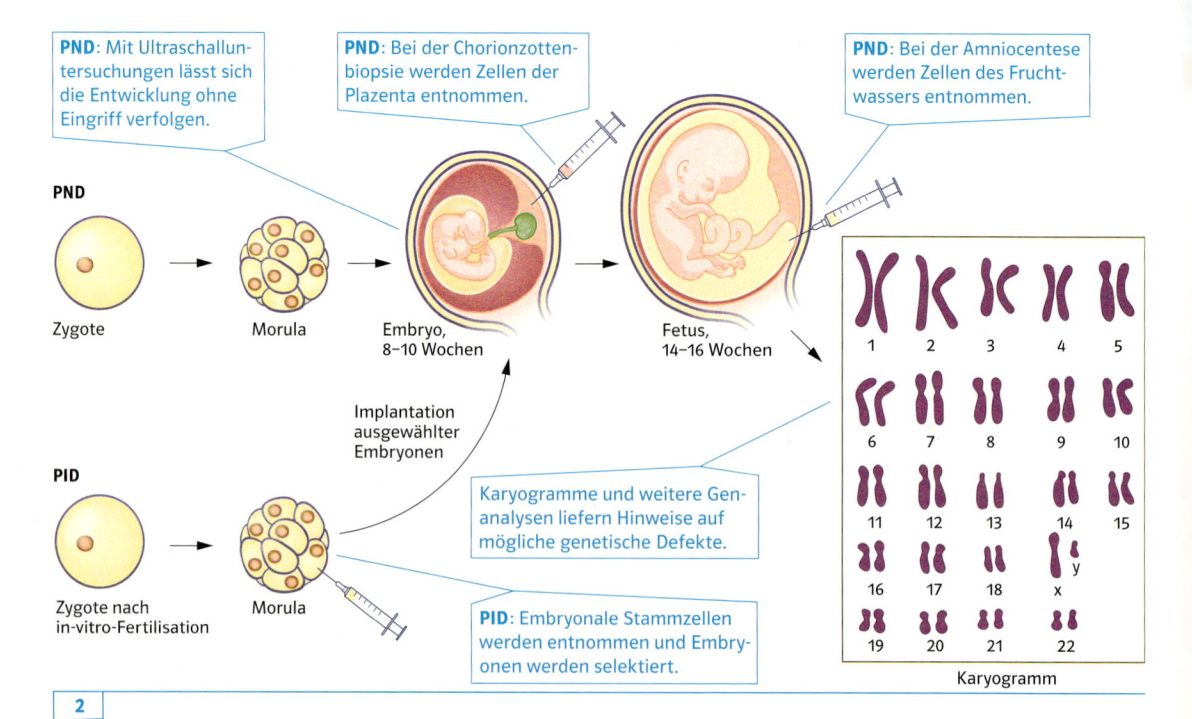

2 Schon vor der Geburt lassen sich genetisch bedingte Erkrankungen des Embryos entdecken, anders als die PND (pränatale Diagnostik) ist PID (Präimplantationsdiagnostik) in Deutschland gesetzlich verboten (Stand 2010).

Aufgabe 15.5

Erklären Sie die umgangssprachlichen Schlagwörter „Retortenbaby" und „Designerbaby" auf biologischer Grundlage.

Die Immunabwehr

16

Aktion anlässlich des Welt-Aids-Tages 2009 in Berlin

25 Jahre nach der Entdeckung des Humanen Immunschwächevirus HIV gibt es noch immer keinen Impfstoff gegen AIDS. Andererseits hat die von EDWARD JENNER vor 200 Jahren erfundene Schutzimpfung zur fast völligen Ausrottung der meisten lebensbedrohlichen Infektionskrankheiten geführt. Warum kann man sich dann nicht auch gegen AIDS impfen lassen? Was ist an dieser Krankheit anders? Die Erforschung der Ursachen der Immunschwächekrankheit hat viel zum grundlegenden Verständnis des Immunsystems beigetragen. In diesem Kapitel werden Sie die Mechanismen kennenlernen, mit denen wir uns gegen Infektionen durch Bakterien, Viren und Parasiten verteidigen.

16.1	Das Immunsystem unterscheidet zwischen Selbst und Fremd
16.2	Krankheitserreger aktivieren zunächst die angeborene, unspezifische Immunabwehr
16.3	Bei der erworbenen, adaptiven Immunabwehr kommunizieren weiße Blutzellen gezielt miteinander
16.4	Die Anpassungsfähigkeit der Immunantwort beruht auf der Vielfalt möglicher Antikörper und Rezeptoren
16.5	Impfstoffe stimulieren das immunologische Gedächtnis
16.6	Das Immunsystem kann überreagieren, falsch reagieren oder versagen

Genetik

16.1 Das Immunsystem unterscheidet zwischen Selbst und Fremd

Schwämme sind einfach gebaute Tiere (→ 3.2), deren Zellen sich untereinander mithilfe artspezifischer Oberflächenproteine erkennen und so einen vielzelligen Organismus aufbauen können. Schwämme wachsen unter Wasser auf Steinen und filtrieren Plankton. Es kann durchaus vorkommen, dass der sich langsam ausbreitende Schwamm nach Jahren auf sich selbst trifft, etwa wenn er einen Stein umwachsen hat. Dann erfolgt eine friedliche Verschmelzung der beiden Ausläufer. Trifft er jedoch auf einen andersartigen Schwamm, kommt es zu vehementen Abstoßungsreaktionen. Auch sehr einfach gebaute Organismen können also zwischen Selbst und Fremd unterscheiden.*
Ohne diese Fähigkeit gäbe es keine Individualität und auch keine Abgrenzung der Arten.

Auch auf den Zellen des Menschen gibt es typische Oberflächenproteine. Sie bilden Komplexe, *MHC* genannt, und sind so etwas wie der Personalausweis unserer Zellen. Besser bekannt sind sie als *Transplantations-Antigene*. MHC steht für **M**ajor **H**istocompatibility **C**omplex (deutsch: Haupthistokompatibilitätskomplex). Hinter diesem Wortungetüm verbirgt sich der Begriff *Gewebeverträglichkeit*. MHCs sind es, die bei Organverpflanzungen von einem Menschen auf einen anderen die oft lebensgefährlichen Abstoßungsreaktionen verursachen. Keine zwei Menschen — außer eineiige Zwillinge — gleichen sich in der MHC-Ausstattung ihrer Zellen.

Das Vermögen, Fremdartiges zu erkennen, ist die Grundlage für die Abwehr von Krankheitserregern, aber auch für die Beseitigung entarteter Zellen wie Tumorzellen. Diese Leistung erbringt unser **Immunsystem** (→ Abb. 1). Die mächtigste Waffe des Immunsystems sind die *weißen Blutzellen*, die *Leukocyten*. Dazu zählen *natürliche Killerzellen*, Phagocyten wie *dendritische Zellen* und *Makrophagen*, *Mastzellen*, *Granulocyten*

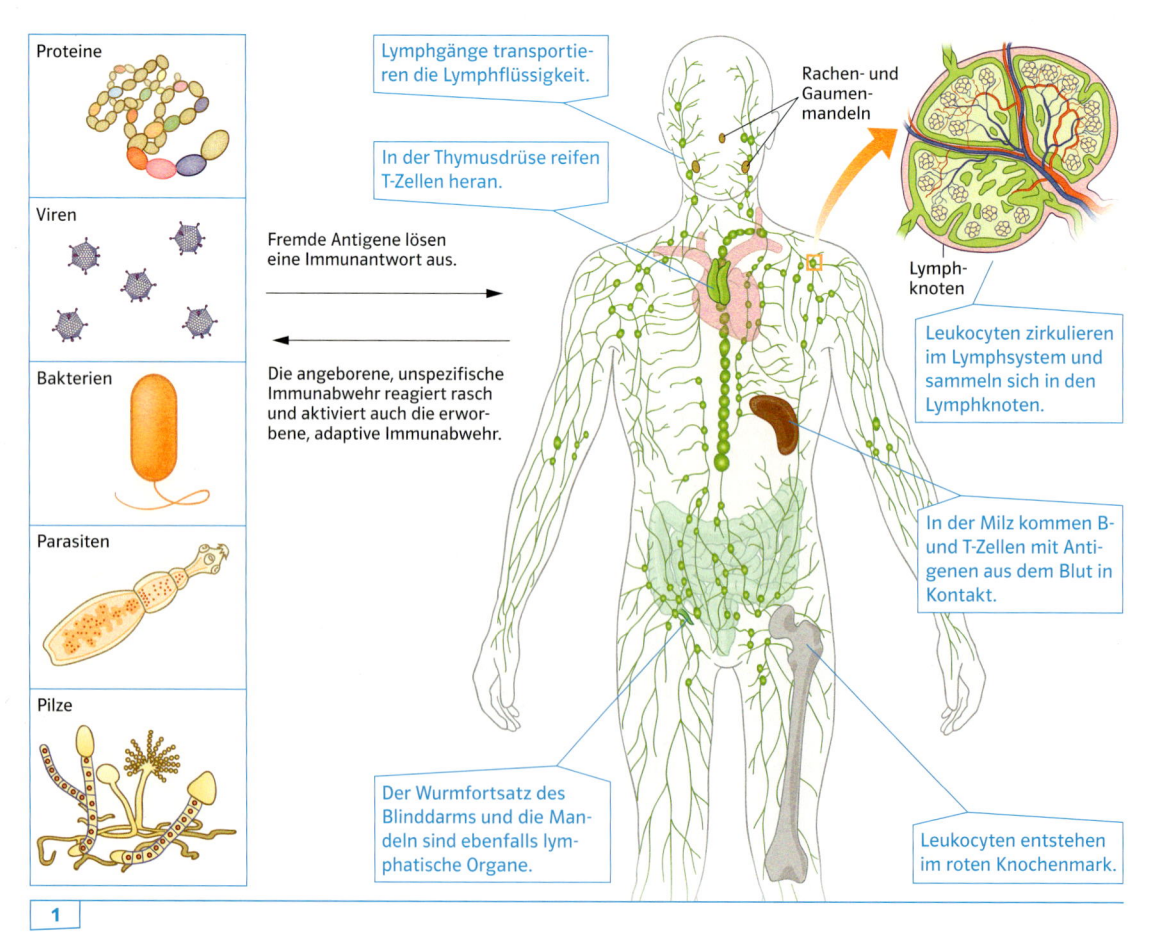

Information und Kommunikation

1

Das Immunsystem unterscheidet zwischen Selbst und Fremd. Es erkennt und bekämpft fremde Antigene.

Online-Link
Überblick: Barrieren des Immunsystems
150010-2351

Die Immunabwehr

Erregertypen	Erkrankungen (Erreger)
Viren (intrazellulär)	Pocken (*Variola*) Grippe (*Influenza*) Windpocken (*Varicella*)
Bakterien (intrazellulär) (extrazellulär)	Lepra (*Mycobacterium*) Tetanus (*Clostridium*)
Protisten (intrazellulär) (extrazellulär)	Malaria (*Plasmodium*) Schlafkrankheit (*Trypanosoma*)
Würmer (extrazellulär)	Bilharziose (*Schistosoma*)
Pilze (extrazellulär)	Fußpilz (*Trichophyton*)

2 Das Immunsystem schützt vor fünf Gruppen von Krankheitserregern und vor giftigen Proteinen.

In diesem Kapitel werden Sie nach und nach die unterschiedlichen Mitspieler der **Immunabwehr** kennenlernen. Für das Erkennen und Bekämpfen körperfremder Antigene verfügen wir über zwei verschiedene Abwehrsysteme. Alle Tiere sind in der Lage, mithilfe ihrer *angeborenen, unspezifischen Immunabwehr* Krankheitserreger zu bekämpfen. Dieses angeborene System reagiert sehr schnell. Der Körper besitzt eine Vielzahl mechanischer, chemischer und zellulärer Barrieren. Dazu zählen unsere derbe Haut, der Bakterien abtötende Speichel, die zersetzende Magensäure und die reinigende Tränenflüssigkeit. Zelluläre Mitspieler der unspezifischen Immunabwehr sind natürliche Killerzellen und Makrophagen (wörtlich „große Fresser"). Sie können andere Zellen, Partikel oder Makromoleküle aufnehmen und verdauen (→ 16.2).

Das zweite Abwehrsystem, das nur die Wirbeltiere zusätzlich haben, ist die *erworbene, adaptive Immunabwehr*. Sie muss durch die unspezifische Immunabwehr aktiviert werden und reagiert dadurch langsamer. Aber dafür geht sie spezifisch gegen ein ganz bestimmtes Antigen vor und ist äußerst anpassungsfähig (adaptiv). Bei der adaptiven Immunabwehr wird zwischen *humoraler Immunantwort* und *zellulärer Immunantwort* unterschieden. Humoral bedeutet „gelöst in den Körperflüssigkeiten". Wichtige Mitspieler der humoralen Immunantwort sind die **Antikörper**, Proteine, die von B-Zellen (*B-Lymphocyten*) gebildet werden (→ 16.4). B-Zellen sind nach einem speziellen Organ junger Vögel benannt, in dem B-Zellen zuerst entdeckt wurden: der *Bursa fabricii*. Die zelluläre Immunantwort stützt sich auf T-Zellen (*T-Lymphocyten*). Sie sorgen sowohl für die Kommunikation zwischen den vielen Zellen des Immunsystems als auch für die Zerstörung von Krankheitserregern. T-Zellen sind nach ihrem Entstehungsort benannt, der Thymusdrüse. Die spannende Rolle dieser Zellen als Mitspieler der Immunabwehr lernen Sie noch kennen (→ 16.3).

Im Gegensatz zur unspezifischen Immunabwehr hat die adaptive Immunabwehr ein **immunologisches Gedächtnis** (→ 16.5). Es speichert Informationen über frühere Krankheitserreger und bekämpft sie bei der nächsten Infektion sehr viel schneller und wirksamer. Deshalb bekommen wir bestimmte Infektionskrankheiten wie etwa Windpocken oder Masern meist nur einmal. Dieser Schutz funktioniert aber nicht immer, wie Sie an der jährlichen Grippewelle sehen. In diesen Fällen ist der Erreger so wandelbar, dass er das immunologische Gedächtnis täuscht. In diese Kategorie gehört auch das Immunschwächevirus HIV (→ 16.6).

sowie *B-* und *T-Zellen* (→ Abb. 1, S. 209). Bei Säugetieren entwickeln sich die Blutzellen im roten Knochenmark aus Stammzellen. Die meisten Leukocyten patrouillieren im Blut und im *Lymphsystem*, das die verschiedenen Teile des Immunsystems miteinander verbindet. Die Zellen sammeln sich in besonderen lymphatischen Organen wie *Thymusdrüse, Lymphknoten, Milz, Mandeln* und *Wurmfortsatz* des Blinddarms. Die in der Nähe des Herzens angesiedelte Thymusdrüse ist so etwas wie eine „Schule für Immunzellen". Dort reifen sie heran und werden „ausgebildet". Deshalb ist die Thymusdrüse bei Kindern und Jugendlichen größer und aktiver als bei Erwachsenen.

In der Peripherie des Körpers können Leukocyten in Blut und Lymphe mit Krankheitserregern in Kontakt kommen und werden dadurch aktiviert. Geschieht dieser Kontakt zum ersten Mal, wandern die betreffenden Zellen anschließend in Lymphknoten ein und reifen dort zu kompetenten Zellen heran; so nennt man die Immunzellen, die den neuen Krankheitserreger bekämpfen können.

Krankheitserreger lassen sich in verschiedene Gruppen einteilen (→ Abb. 2). Das Immunsystem erkennt sie als fremd, denn auch sie tragen auf ihrer Oberfläche eine Art Namensschild, nämlich besondere Makromoleküle. Solche dem Immunsystem als Ziel dienende Makromoleküle werden **Antigene** genannt.

Aufgabe 16.1
Vergleichen Sie die unspezifische mit der adaptiven Immunabwehr.

Genetik

16.2 Krankheitserreger aktivieren zunächst die angeborene, unspezifische Immunabwehr

Information und Kommunikation

Wie oft hatten Sie schon einen Holzsplitter im Finger? Und wie oft hat sich die Stelle entzündet, obwohl Sie den Splitter sofort entfernt hatten und kaum Blut geflossen ist? Rötung, Wärme, Schwellung und Schmerz sind Anzeichen einer klassischen Entzündung, medizinisch sehr bildlich als Inflammation bezeichnet (inflammare (lat.): entflammen). Was geht da vor sich?

Sobald Bakterien, Pilze oder andere Mikroorganismen in die Zellschichten der Körperoberfläche eindringen, werden sie von dort vorhandenen Zellen und Molekülen der unspezifischen Immunabwehr attackiert (→ Abb. 1). Erkannt werden sie anhand ihrer „Namensschilder", also genetisch festgelegter Oberflächenstrukturen, die als Antigene wirken. Bei Bakterien sind das die *Glykolipide* der Zellwand. Auch auf Pilzfäden befinden sich ganz typische Zuckerstrukturen. Anhand dieser Antigene werden die Erreger von den sogenannten *Toll-Rezeptoren* erkannt, die sich auf der Oberfläche von **Makrophagen** befinden; diese „Fresszellen" verschlingen dann den Erreger, d.h. sie phagocytieren und verdauen ihn. Toll-Rezeptoren kommen im ganzen Tierreich vor. Entdeckt hat sie die Nobelpreisträgerin CHRISTIANE NÜSSLEIN-VOLHARD bei der Taufliege *Drosophila*. Fliegenlarven mit mutiertem Toll-Rezeptor sahen irgendwie verrückt aus — eben „toll". Bei erwachsenen Fliegen bewirkt die Aktivierung des Toll-Rezeptors die Produktion von Peptiden, die bakterielle Zellwände zerstören können.

Das Erkennen und die Phagocytose von Krankheitserregern sind erst der Anfang einer koordinierten Folge von Abwehrreaktionen, an denen zahlreiche Immunzellen beteiligt sind. Dazu müssen sie perfekt kommunizieren, was durch den Austausch von *Botenstoffen* geschieht.• Meist sind das kleine Proteine, die sie in die Umgebung entlassen und die an spezifische Rezeptoren auf ihren Zielzellen andocken. *Cytokine* beispielsweise regen Zellen zur weiteren Differenzierung an. Cytokine, die zwischen Leukocyten vermitteln, heißen *Interleukine*. Andere Botenstoffe dienen als „chemische" Lockstoffe (*Chemokine*). Sie veranlassen ihre Zielzellen, in die Richtung der Signalquelle zu wandern.

Die Immunreaktion bewirkt eine verstärkte Durchblutung, die sich durch Rötung und Wärme äußert. Gleichzeitig kommt es auch zu einer Schwellung, weil die Blutgefäße durch ausgeschüttetes Histamin

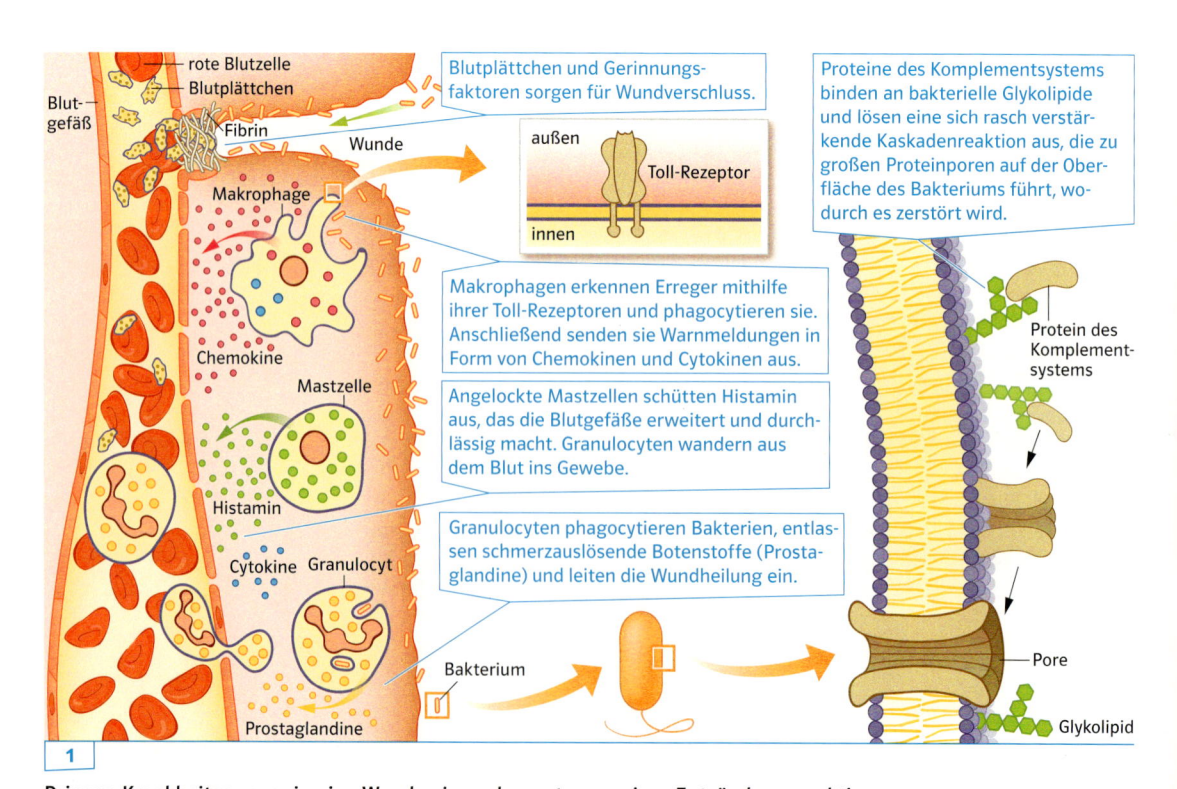

1 Dringen Krankheitserreger in eine Wunde ein, so kommt es zu einer Entzündungsreaktion.

Beschriftungen der Abbildung:
- Blutgefäß, rote Blutzelle, Blutplättchen, Fibrin, Wunde
- Makrophage, Chemokine, Mastzelle, Histamin, Cytokine, Granulocyt, Bakterium, Prostaglandine
- außen, Toll-Rezeptor, innen
- Protein des Komplementsystems, Pore, Glykolipid

- Blutplättchen und Gerinnungsfaktoren sorgen für Wundverschluss.
- Makrophagen erkennen Erreger mithilfe ihrer Toll-Rezeptoren und phagocytieren sie. Anschließend senden sie Warnmeldungen in Form von Chemokinen und Cytokinen aus.
- Angelockte Mastzellen schütten Histamin aus, das die Blutgefäße erweitert und durchlässig macht. Granulocyten wandern aus dem Blut ins Gewebe.
- Granulocyten phagocytieren Bakterien, entlassen schmerzauslösende Botenstoffe (Prostaglandine) und leiten die Wundheilung ein.
- Proteine des Komplementsystems binden an bakterielle Glykolipide und lösen eine sich rasch verstärkende Kaskadenreaktion aus, die zu großen Proteinporen auf der Oberfläche des Bakteriums führt, wodurch es zerstört wird.

> **Online-Link**
> Überblick: Immunzellen
> 150010-2371

durchlässig werden und Blutplasma austritt. Lücken in der Wand der Blutgefäße erlauben sogar das Auswandern bestimmter Immunzellen ins Gewebe. Zu diesen Zellen gehören vor allem Makrophagen und *neutrophile Granulocyten*. Letztere sind reich an cytoplasmatischen Vesikeln (Granula) und werden durch Cytokine dazu gebracht, den Inhalt ihrer Vesikel in die Gewebeflüssigkeit zu entleeren. Darunter sind auch schmerzauslösende Substanzen, *Prostaglandine* genannt. Deshalb tut die entzündete Stelle weh, was Tiere veranlasst, Wunden zu schonen.

Der Entzündungsherd gleicht einem Schlachtfeld voller toter Zellen und Zelltrümmer und in großer Anzahl angelockter Leukocyten. Diese Ansammlung kennen Sie als *Eiter*. Wenn es nicht gelingt, die Entzündung lokal unter Kontrolle zu bringen, wird schließlich der ganze Körper in die Abwehrmaßnahmen einbezogen — die Entzündung wird *systemisch*. Unser Körper kann sich zusätzlich durch Temperaturerhöhung wehren, weil viele Krankheitserreger dies schlecht vertragen. Fieber ist also durchaus hilfreich, solange es nicht zu hoch wird. Fieber auslösende Stoffe, allgemein als *Pyrogene* bezeichnet, können aus den Erregern oder aus körpereigenen Zellen stammen.

Verstärkt werden die Abwehrmaßnahmen durch das sogenannte **Komplementsystem**. Komplement bedeutet Vervollständigung oder Ergänzung. Ursprünglich hat man die Komplementreaktion als Bestandteil der adaptiven Immunabwehr entdeckt. Erst später fanden Immunologen heraus, dass auch eine angeborene Variante des Komplementsystems existiert, die stammesgeschichtlich viel älter ist und auch bei wirbellosen Tieren vorkommt. Die Mitspieler des Komplementsystems, eine Reihe von Proteinen, zirkulieren als lösliche Vorstufen im Blut. So gelangen sie mit dem austretenden Plasma auch an den Entzündungsherd, wo sie bakterielle Zellmembranen angreifen und durchlöchern können (→ Abb. 1).

Aufgabe 16.2
Stellen Sie die Mitspieler bei einer Entzündungsreaktion und ihre Funktionen zusammen.

16.3 Bei der erworbenen, adaptiven Immunabwehr kommunizieren weiße Blutzellen gezielt miteinander

Die angeborene, unspezifische Immunabwehr reagiert schnell und effizient, ist aber hilflos, wenn kein ererbter, auf den Erreger passender Toll-Rezeptor vorhanden ist. Die Ausstattung an Toll-Rezeptoren wird zwar in der Generationenfolge durch zufällige Mutationen verändert, aber auch die Erreger verändern sich.• Nur dort, wo beides zusammenpasst, ist das Individuum geschützt. Bei Erregern, denen der Mensch seit vielen Generationen begegnet, funktioniert die unspezifische Immunabwehr recht zuverlässig, aber gegen ganz neu auftretende Erreger wie HIV oder sehr veränderliche Erreger wie Grippeviren sind nur solche Individuen gefeit, die zufällig über einen passend mutierten Toll-Rezeptor verfügen. Erreger, mit denen die angeborene Abwehr nicht sofort fertig wird, sind ein Fall für die adaptive Immunabwehr.

Nur die *Wirbeltiere* verfügen über eine wirklich leistungsfähige adaptive Immunabwehr. Eine Schlüsselrolle spielen dabei Zellen, die in der Lage sind, Antigene auf ihrer Oberfläche zu präsentieren. Zu diesen sogenannten *antigenpräsentierenden Zellen* gehören die bereits erwähnten Makrophagen, aber auch bestimmte Immunzellen mit auffälligen, verzweigten Ausläufern, **dendritische Zellen** genannt (→ Abb. 1, S. 238), sowie B-Zellen.

Erinnern Sie sich an den zu Beginn dieses Kapitels (→ S. 234) erwähnten Personalausweis unserer Zellen, den MHC-Komplex? Den lernen Sie jetzt genauer kennen, weil er für die **Antigenpräsentation** wichtig ist. Es gibt zwei Typen: MHC I kommt auf allen Körperzellen vor (sofern sie einen Zellkern besitzen). MHC II kommt nur auf den antigenpräsentierenden Zellen des Immunsystems vor, und zwar zusätzlich zu MHC I. Die antigenpräsentierenden Zellen haben damit also einen „Sonderausweis".

Interessant ist, wie die Zellen zu diesen „Ausweisen" an ihrer Oberfläche kommen. Jede unserer Körperzellen recycelt ihre Proteinausstattung ständig. Die meisten Proteine haben nur eine kurze Existenzdauer von Minuten bis Stunden. Ist ihr Verfallsdatum erreicht, werden sie aussortiert und im Cytoplasma in einer Art Schredder, dem *Proteasom*, in kurze Peptide zerhäckselt (→ Abb. 1, S. 44). Die meisten dieser Peptide werden von der Zelle weiter zu

Variabilität und Angepasstheit

Genetik

Online-Link
Immunreaktion (interaktiv)
150010-2381

Struktur und Funktion

Aminosäuren abgebaut, aber einige werden an neu synthetisierte MHC-I-Moleküle gekoppelt, mit diesen in die Zellmembran integriert und dort der Außenwelt präsentiert. Auch die Proteine infektiöser Viren, die in eine Zelle eingedrungen sind, fallen den Proteasomen zum Opfer. Virusinfizierte Zellen präsentieren also auf ihrem MHC I nicht nur zelleigene Peptide, sondern auch Virusfragmente. Auf diese Weise signalisiert jede Zelle ihrer Umgebung, ob sie gesund oder infiziert ist.

Es ist die Aufgabe **cytotoxischer T-Zellen** (früher *T-Killerzellen* genannt), ständig „Ausweiskontrollen" durchzuführen. Ihre T-Zellrezeptoren erkennen ausschließlich und spezifisch Antigenfragmente, die im MHC I präsentiert werden. Tragen die MHC-I-Moleküle nur körpereigene Peptide, wird die Zelle toleriert. Trifft die cytotoxische T-Zelle aber auf eine virusinfizierte Zelle, so wird sie an den präsentierten Viruspeptiden als fremd erkannt und vernichtet.* Auch die meisten

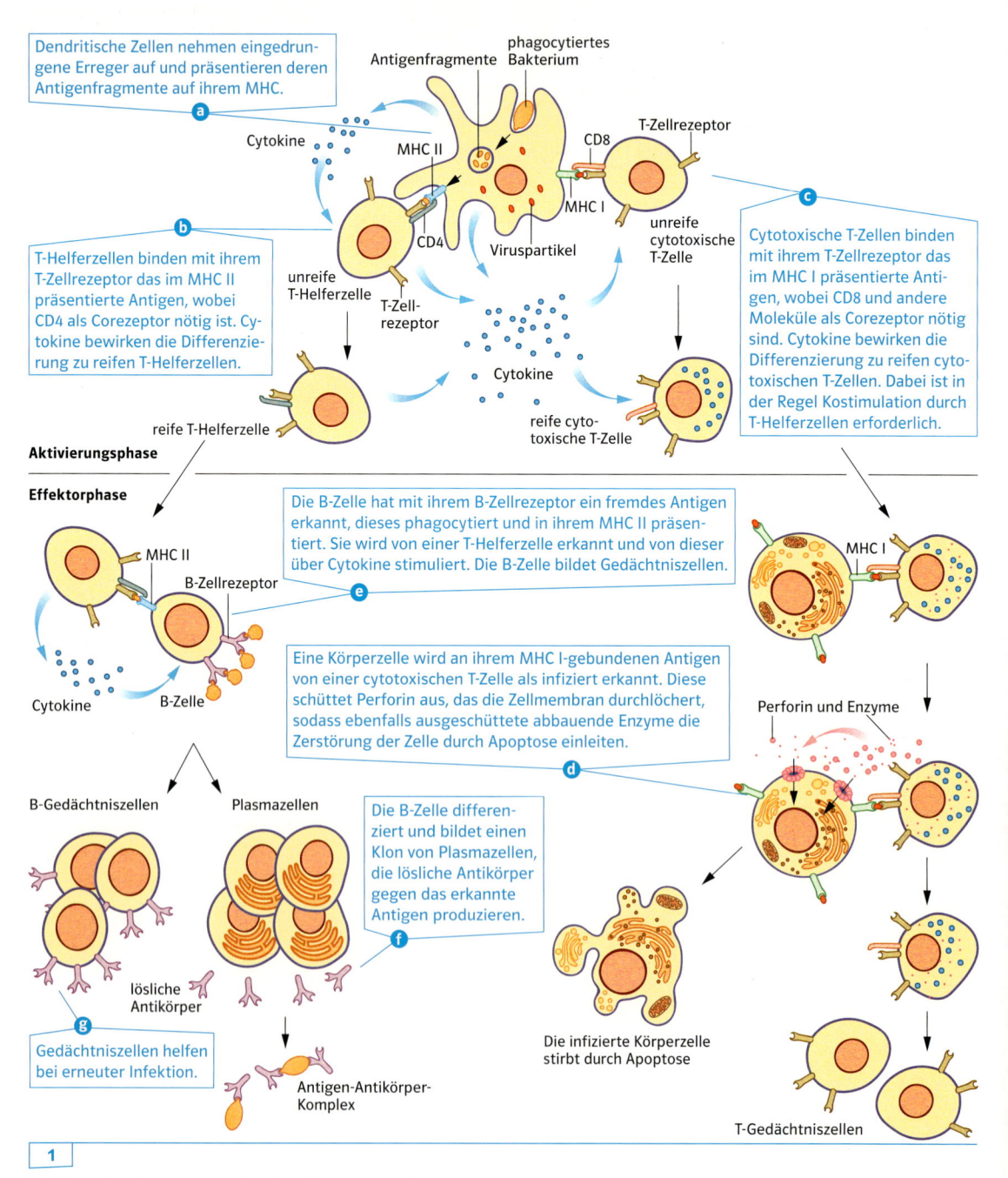

a Dendritische Zellen nehmen eingedrungene Erreger auf und präsentieren deren Antigenfragmente auf ihrem MHC.

b T-Helferzellen binden mit ihrem T-Zellrezeptor das im MHC II präsentierte Antigen, wobei CD4 als Corezeptor nötig ist. Cytokine bewirken die Differenzierung zu reifen T-Helferzellen.

c Cytotoxische T-Zellen binden mit ihrem T-Zellrezeptor das im MHC I präsentierte Antigen, wobei CD8 und andere Moleküle als Corezeptor nötig sind. Cytokine bewirken die Differenzierung zu reifen cytotoxischen T-Zellen. Dabei ist in der Regel Kostimulation durch T-Helferzellen erforderlich.

Aktivierungsphase

Effektorphase

e Die B-Zelle hat mit ihrem B-Zellrezeptor ein fremdes Antigen erkannt, dieses phagocytiert und in ihrem MHC II präsentiert. Sie wird von einer T-Helferzelle erkannt und von dieser über Cytokine stimuliert. Die B-Zelle bildet Gedächtniszellen.

d Eine Körperzelle wird an ihrem MHC I-gebundenen Antigen von einer cytotoxischen T-Zelle als infiziert erkannt. Diese schüttet Perforin aus, das die Zellmembran durchlöchert, sodass ebenfalls ausgeschüttete abbauende Enzyme die Zerstörung der Zelle durch Apoptose einleiten.

f Die B-Zelle differenziert und bildet einen Klon von Plasmazellen, die lösliche Antikörper gegen das erkannte Antigen produzieren.

g Gedächtniszellen helfen bei erneuter Infektion.

1 Bei der adaptiven Immunabwehr gibt es eine Aktivierungsphase, eine Effektorphase und ein Gedächtnis.

der im Körper spontan entstehenden Krebszellen werden auf diese Weise sofort eliminiert, da ihre Proteinausstattung entartet ist. Tumore bilden sich nur, wenn es die entarteten Zellen schaffen, vom Immunsystem toleriert zu werden.

Die MHC-II-Moleküle der antigenpräsentierenden Immunzellen haben zusätzlich die Aufgabe, Fragmente von phagocytierten Antigenen zu präsentieren. Dendritische Zellen präsentieren die an MHC II gebundenen Antigenfragmente dann unreifen T-Zellen, wodurch diese über ihre T-Zellrezeptoren andocken (→ Abb. 1 ⓐ, ⓑ, ⓒ). Aufgrund dieser Bindung an den dendritische Zellen entwickeln sich die unreifen T-Zellen dann zu reifen, funktionsfähigen T-Helferzellen bzw. cytotoxischen T-Zellen.

T-Helferzellen und cytotoxische T-Zellen kann man anhand typischer Oberflächenrezeptoren unterscheiden. T-Helferzellen besitzen *CD4-Moleküle*, die cytotoxischen T-Zellen dagegen *CD8-Moleküle*. CD heißt in der Sprache der Immunologie „**C**luster of **D**ifferentiation". Dahinter verbirgt sich eine Vielfalt verschiedener Oberflächenmoleküle, die für bestimmte Zelltypen kennzeichnend sind. CD4 und CD8 erlauben zusammen mit den T-Zellrezeptoren ein eindeutiges Erkennen bei Zell-Zell-Interaktionen.•

Die Kommunikation zwischen antigenpräsentierenden Zellen und T-Zellen wird durch *Interleukine* stimuliert, die an andere spezifische Rezeptoren auf der T-Zelle binden. Das Zusammenwirken von T-Zellrezeptor und MHC II, unterstützt durch CD4/CD8 und stimulierende Interleukine, führt zur Reifung der T-Zellen. Auf diese Weise aktivierte und instruierte T-Zellen können nun verschiedene Aufgaben erfüllen. So sind cytotoxische T-Zellen darauf programmiert, infizierte Zellen zu erkennen und zum Selbstmord durch Apoptose (→ Abb. 1, S. 210) zu zwingen (→ Abb. 1 ⓓ). Dabei schütten sie Abwehrproteine aus, Perforine genannt, die die Zellmembran der Zielzelle durchlöchern. Dann können Enzyme eindringen, die die Apoptose auslösen. Programmierte T-Helferzellen haben vor allem zwei Aufgaben: Als regulatorische T-Zellen beeinflussen sie die Immunantwort an vielen Stellen, und sie veranlassen **B-Zellen**, sich in sogenannte **Plasmazellen** umzuwandeln (→ Abb. 1 ⓔ, ⓕ). Der B-Zellrezeptor besitzt zwei

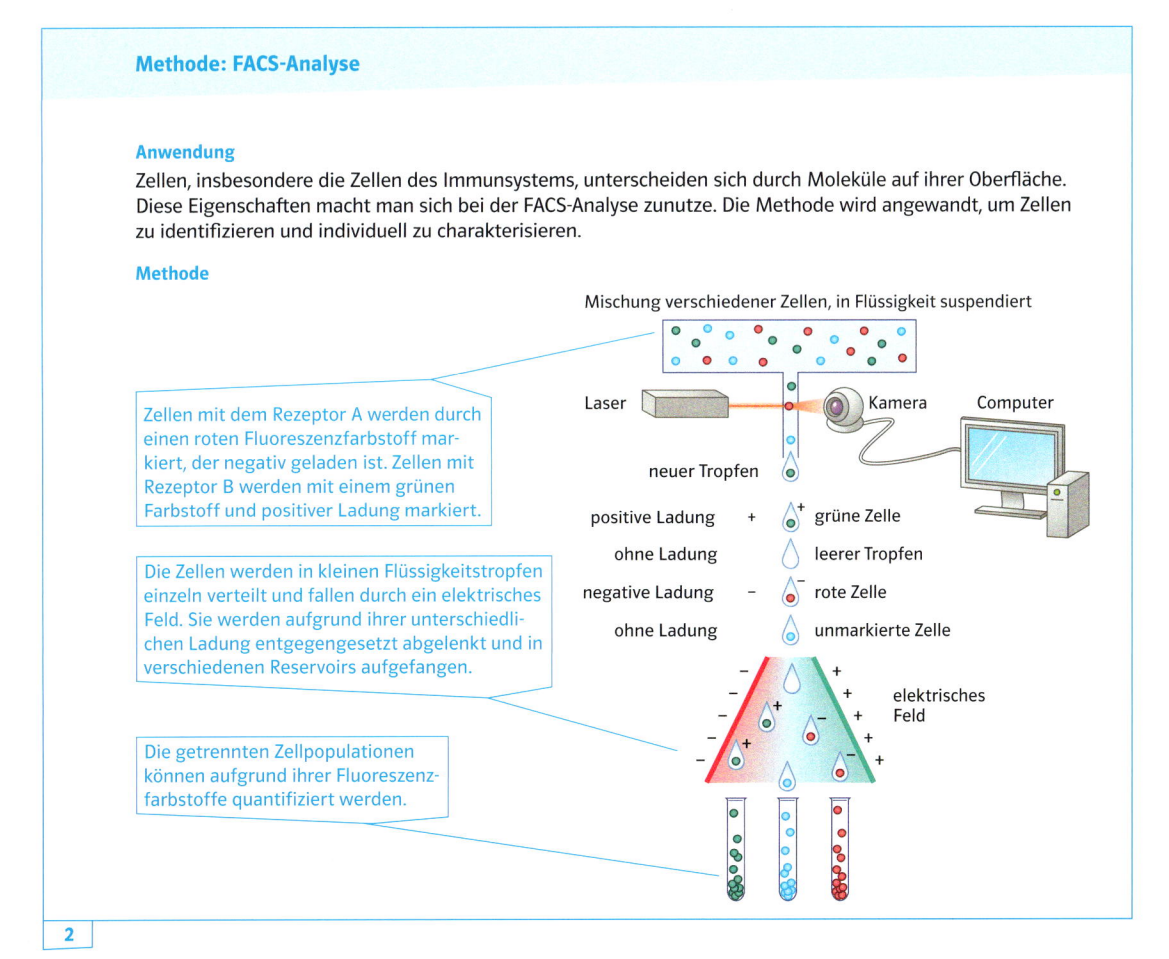

Information und Kommunikation

Methode: FACS-Analyse

Anwendung
Zellen, insbesondere die Zellen des Immunsystems, unterscheiden sich durch Moleküle auf ihrer Oberfläche. Diese Eigenschaften macht man sich bei der FACS-Analyse zunutze. Die Methode wird angewandt, um Zellen zu identifizieren und individuell zu charakterisieren.

Methode

- Zellen mit dem Rezeptor A werden durch einen roten Fluoreszenzfarbstoff markiert, der negativ geladen ist. Zellen mit Rezeptor B werden mit einem grünen Farbstoff und positiver Ladung markiert.
- Die Zellen werden in kleinen Flüssigkeitstropfen einzeln verteilt und fallen durch ein elektrisches Feld. Sie werden aufgrund ihrer unterschiedlichen Ladung entgegengesetzt abgelenkt und in verschiedenen Reservoirs aufgefangen.
- Die getrennten Zellpopulationen können aufgrund ihrer Fluoreszenzfarbstoffe quantifiziert werden.

2 Anhand ihrer unterschiedlichen Oberflächenstrukturen können Immunzellen voneinander isoliert werden.

identische, hochspezifische Bindungsstellen für Antigenmoleküle. Bindet eine B-Zelle das zu ihrem Rezeptor passende Antigen, wird auch sie über ihren MHC II zur antigenpräsentierenden Zelle. Nach Stimulation durch eine programmierte T-Helferzelle entwickeln sich B-Zellen zu Plasmazellen, die große Mengen löslicher Antikörper produzieren (→ Abb. 1 ❶). Gleichzeitig entwickeln sich Gedächtniszellen (→ Abb. 1 ❷, → 16.5).

Antikörper sind Proteine aus der Klasse der *Immunglobuline*. Sie befinden sich in den Körperflüssigkeiten, erkennen das ursprüngliche Antigen und binden es. Antigen-Antikörperkomlexe können von Makrophagen phagocytiert werden. Es gibt mehrere Typen von Antikörpern (IgA, IgE, IgG, IgM) mit unterschiedlichen Strukturen und Aufgaben.

Die Bedeutung von Antikörpern zeigt sich auch bei einer *passiven Immunisierung*, etwa gegen Tollwut. Dabei wird ein sogenanntes *Antiserum* injiziert. Es enthält Antikörper gegen den betreffenden Krankheitserreger und stammt aus dem Blutserum eines Spendertiers. Die Passivimpfung wird dann angewendet, wenn bereits eine gefährliche Infektion vorliegt. Auch bei Giftbissen helfen Antiseren. Dagegen wird bei der *aktiven Immunisierung* (→ 16.5), beispielsweise gegen Masern oder Grippe, das eigene Immunsystem angeregt, selbst einen Immunschutz aufzubauen. Dazu injiziert man ungefährliche Antigene des betreffenden Erregers. Der Körper produziert daraufhin Antikörper. Auch die Spendertiere von Antiseren werden zuvor durch aktive Impfung immun gemacht, d. h. zur Antikörperproduktion angeregt.

Die verschiedenartigen Zellen des Immunsystems können anhand ihrer typischen Oberflächenmoleküle identifiziert werden. Dies ist zum Beispiel bei der Diagnose von Krankheiten des Immunsystems eine wichtige Untersuchungsmethode. In Abb. 2, S. 239, ist die in der Immunologie unverzichtbare Methode der Durchflusscytometrie dargestellt (engl.: **f**luorescence-**a**ctivated **c**ell **s**orting, FACS). Damit gelingt es, die verschiedenen Zelltypen nicht nur zu unterscheiden, sondern sie auch für eine genauere Untersuchung ihrer individuellen Funktionen voneinander zu trennen.

Aufgabe 16.3
Die „molekularen Personalausweise" von Körperzellen und Immunzellen sind unterschiedlich bezüglich der Rezeptorproteine MHC I und MHC II. Stellen Sie den wesentlichen Unterschied heraus.

16.4 Die Anpassungsfähigkeit der Immunantwort beruht auf der Vielfalt möglicher Antikörper und Rezeptoren

Antikörper zirkulieren in Blut und Lymphe. Sie sind wichtige Komponenten der humoralen Immunantwort. Antikörper sind wie die B- und T-Zellrezeptoren Proteine vom Typ *Immunglobulin*. Sie sind Y-förmig und bestehen aus vier Polypeptidketten, zwei schweren und zwei leichten (→ Abb. 1). Der von den schweren Ketten gebildete Stiel des Y ist beim B-Zellrezeptor in der Zellmembran verankert (→ Abb. 2). Antikörper sind im Prinzip lösliche B-Zellrezeptoren mit verkürztem Stiel. An den beiden kurzen Armen des Y ist je eine Bindungsstelle für ein Antigenmolekül lokalisiert. Schwere wie leichte Ketten besitzen konstante und variable Abschnitte. Die Aminosäuresequenz der variablen Abschnitte ist hochgradig unterschiedlich. Die Antigenbindungsstellen werden von den variablen Regionen der schweren und leichten Ketten gemeinsam gebildet und sitzen am Ende der Arme des Y (→ Abb. 1).

Es gibt Antigene in unzähligen Varianten, und es entstehen wie bei Grippeviren immer neue. Für

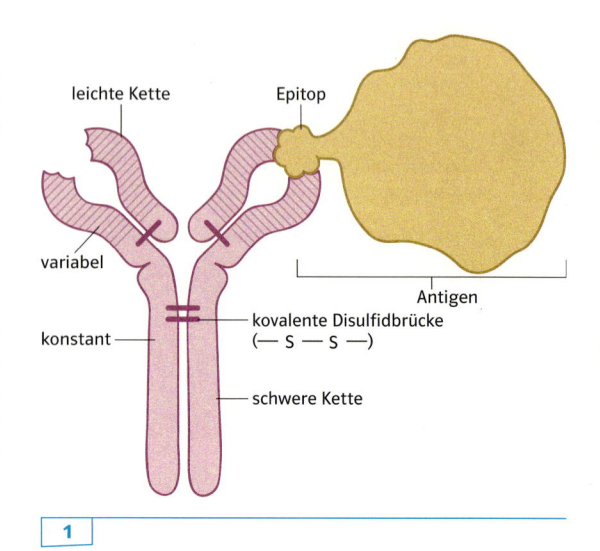

1 Antikörper sind lösliche B-Zellrezeptoren.

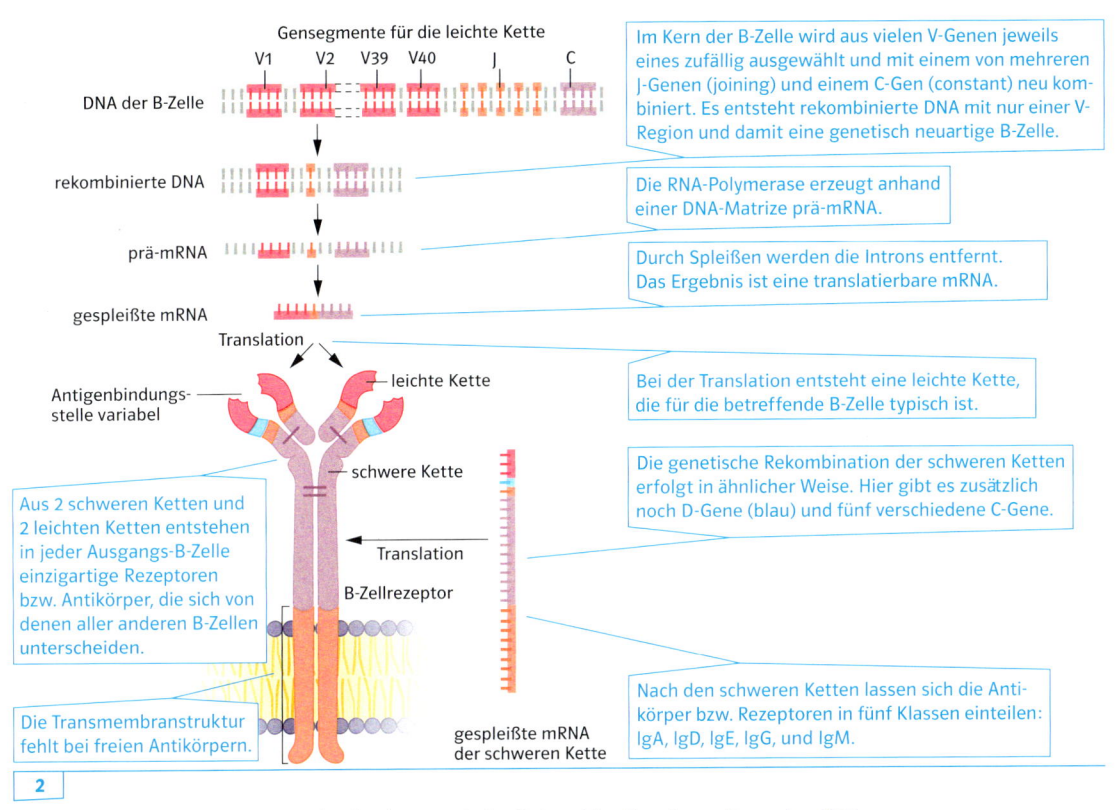

Die Vielfalt der Antikörper entsteht durch somatische Rekombination der codierenden DNA.

Abb. 2 – Schema zur somatischen Rekombination:

- **DNA der B-Zelle**: Gensegmente für die leichte Kette (V1, V2, ... V39, V40, J, C)
- Im Kern der B-Zelle wird aus vielen V-Genen jeweils eines zufällig ausgewählt und mit einem von mehreren J-Genen (joining) und einem C-Gen (constant) neu kombiniert. Es entsteht rekombinierte DNA mit nur einer V-Region und damit eine genetisch neuartige B-Zelle.
- **rekombinierte DNA** → Die RNA-Polymerase erzeugt anhand einer DNA-Matrize prä-mRNA.
- **prä-mRNA** → Durch Spleißen werden die Introns entfernt. Das Ergebnis ist eine translatierbare mRNA.
- **gespleißte mRNA** → Translation
- Bei der Translation entsteht eine leichte Kette, die für die betreffende B-Zelle typisch ist.
- **Antigenbindungsstelle variabel**, **leichte Kette**, **schwere Kette**, **B-Zellrezeptor**, **gespleißte mRNA der schweren Kette**
- Die genetische Rekombination der schweren Ketten erfolgt in ähnlicher Weise. Hier gibt es zusätzlich noch D-Gene (blau) und fünf verschiedene C-Gene.
- Aus 2 schweren Ketten und 2 leichten Ketten entstehen in jeder Ausgangs-B-Zelle einzigartige Rezeptoren bzw. Antikörper, die sich von denen aller anderen B-Zellen unterscheiden.
- Die Transmembranstruktur fehlt bei freien Antikörpern.
- Nach den schweren Ketten lassen sich die Antikörper bzw. Rezeptoren in fünf Klassen einteilen: IgA, IgD, IgE, IgG, und IgM.

---

sie alle entwickelt unsere adaptive Immunabwehr spezifische Rezeptoren und Antikörper. Das hat bei den Biologen des vorigen Jahrhunderts viel Kopfzerbrechen verursacht, weil für die Codierung einer so großen Zahl unterschiedlicher Proteine auf der DNA nicht genügend Platz vorhanden ist. Wie wir heute wissen, hat die Natur dieses Problem sehr elegant gelöst: Statt für jeden möglichen Antikörper und für jeden T- bzw. B-Zellrezeptor ein eigenes Gen bereitzuhalten, werden aus einer überschaubaren Anzahl von Genbausteinen nach dem Zufallsprinzip neue, einzigartige Gene für Antikörper und Rezeptoren zusammengestellt. Diesen Vorgang nennt man **somatische Rekombination**. Er läuft in den Vorläuferzellen unserer B-Zellen und T-Zellen ab. Bevor der Japaner SUSUMU TONEGAWA (Nobelpreis 1987) diese bahnbrechende Entdeckung machte, war die Rekombination von Genen nur aus der Meiose bekannt, wo im Rahmen des Crossingover homologe väterliche und mütterliche Chromosomenabschnitte ausgetauscht und damit neu kombiniert werden (→ 11.2).

Wie die somatische Rekombination der DNA für die B-Zell-Rezeptoren und damit auch für die löslichen Antikörper abläuft, zeigt Abb. 2 am Beispiel der leichten Kette. Durch diesen Vorgang lassen sich geschätzte 10 Milliarden verschiedener Rezeptorvarianten herstellen, darunter bei jedem Menschen zahllose neuartige. Zunächst liegen die vielen unterschiedlichen Varianten an B- und T-Zellen jeweils nur in sehr geringer Stückzahl vor. Bei Kontakt mit ihrem spezifischen Antigen werden diese Immunzellen dann als Zellklon spezifisch vermehrt, was man als *klonale Selektion* bezeichnet (→ Abb. 3, S. 242).

Die im Blut zirkulierenden, gegen ein bestimmtes Antigen gerichteten Antikörper gehen meist auf eine Reihe unterschiedlicher B-Zellen zurück und haben daher unterschiedliche Spezifitäten. Ein Antikörper erkennt nämlich meist nicht das komplette Antigen, etwa ein gesamtes Proteinmolekül, sondern lediglich einen kleinen besonderen Teil davon, das **Epitop**. Die antigenpräsentierenden Zellen präsentieren also eigentlich Epitope. Die meisten Antigene tragen mehrere Epitope. Die resultierende heterogene Antikörperpopulation gegen ein bestimmtes Antigen nennt man *polyklonale Antikörper*. Mit einem zellbiologischen Trick gelang es jedoch GEORGE KÖHLER, CÉSAR MILSTEIN und NIELS JERNE (Nobelpreis 1984), einzelne B-Zellklone zu isolieren und als dauerhaft verfügbare (permanente) Zelllinie zu vermehren. Die von einer solchen Zelllinie hergestellten *monoklonalen Antikörper* sind alle identisch (→ Abb. 3, S. 242). Sie sind hochspezifisch für ein ganz bestimmtes Epitop und daher als molekulare Sonden in Biologie und Medizin sehr wertvoll und nützlich.

Variabilität und Angepasstheit

Genetik

Aufgrund der somatischen Rekombination der DNA trägt jede B-Zelle einen individuellen B-Zellrezeptor, der ein ganz bestimmtes Antigen-Epitop bindet.

Bindet dieses Antigen, wird die B-Zelle zur Teilung angeregt und es entsteht ein Zellklon.

Die Mehrheit der B-Zellen entwickelt sich zu Plasmazellen, die lösliche Antikörper sezernieren, die alle die Antigenbindungsstelle des ursprünglich aktivierten B-Zellrezeptors aufweisen.

Einige B-Zellen werden zu Gedächtniszellen, die als Klon weiter existieren.

Antigen – Epitop

Population spezifischer B-Zellen

Plasmazelle — Antikörper — Gedächtniszelle

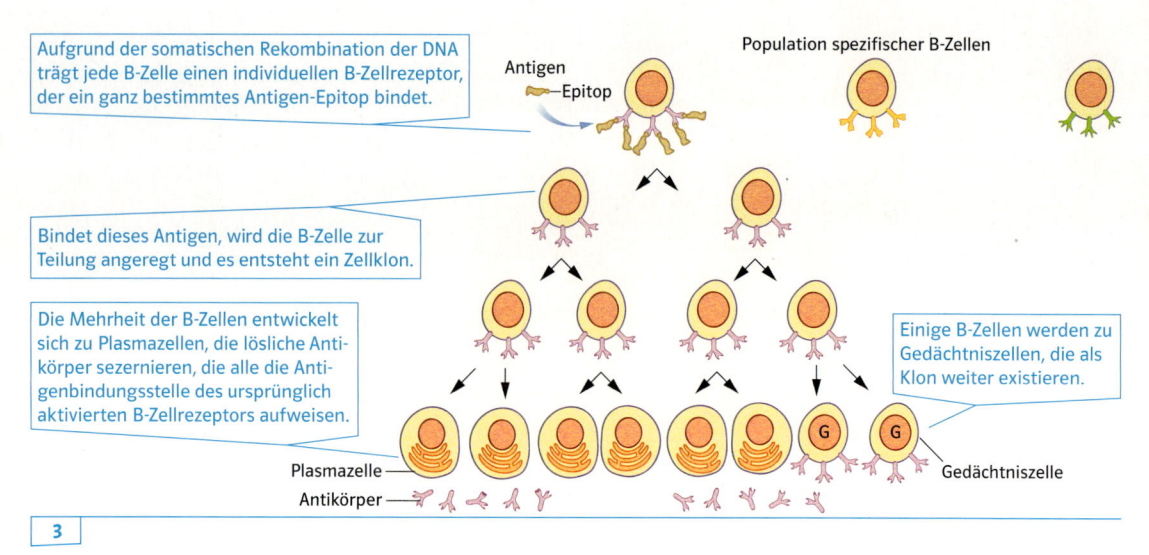

3 B-Zellen werden klonal selektiert. Gedächtniszellen ermöglichen bei einer Neuinfektion eine viel effizientere Abwehr.

Aufgabe 16.4

Erläutern Sie in eigenen Worten, wodurch die Vielfalt der Antikörper möglich wird.

16.5 Impfstoffe stimulieren das immunologische Gedächtnis

Der zeitliche Verlauf der adaptiven Immunabwehr wird Ihnen klar, wenn Sie Abb. 1 betrachten. Nach dem Erstkontakt mit den Antigenen vergehen zwei bis drei Wochen, bis die Zahl antigenspezifischer Antikörper deutlich angestiegen ist. In diesem Zeitraum sind aus B-Zellen Antikörper produzierende Plasmazellen entstanden. Vier bis fünf Wochen nach der Erstinfektion sinkt die Konzentration (der „Titer") an Antikörpern wieder. Die *primäre Immunantwort* geht zu Ende. Erfolgt danach eine Erstinfektion mit einem anderen Antigen, so läuft eine gleichartige Reaktion ab. Jedes neue Antigen ruft eine ganz individuelle Primärantwort hervor, weil es neue, andersartige B-Zellen stimuliert. Kommt es jedoch zu wiederholtem Kontakt mit einem schon bekannten Antigen, so wird eine *sekundäre Immunantwort* hervorgerufen. Diese ist wesentlich schneller und stärker als die Primärantwort. Das liegt an den bei der primären Reaktion gebildeten T- und B-Gedächtniszellen, die teils in den Lymphknoten gespeichert werden, teils im Blut zirkulieren.

Dieses **immunologische Gedächtnis** der adaptiven Immunabwehr macht man sich bei der bereits beschriebenen aktiven Immunisierung (→ S. 240) zunutze. Einer anschließenden Infektion kann das Immunsystem dann mit schon vorhandenen Gedächtniszellen begegnen: Der Organismus ist immun gegen diesen Erreger geworden. Solche Schutzimpfungen gegen vormals verheerende Infektionskrankheiten wie *Pocken, Diphtherie, Keuchhusten, Wundstarrkrampf* (Tetanus), *Kinderlähmung* (Polio), *Haemophilus influenzae, Hepatitis B, Masern, Mumps* und *Röteln* werden meist schon im Kleinkindalter verabreicht und haben sich zu einem Segen für die Menschheit entwickelt. Heutzutage werden die meisten Schutzimpfungen als Kombinationsimpfstoffe gespritzt oder geschluckt, um die Zahl der Injektionen möglichst gering zu halten.

Viele Menschen haben die potenziellen Gefahren durch Infektionskrankheiten schon so weit aus ihrem Bewusstsein verdrängt, dass sie den Sinn einer Schutzimpfung nicht mehr einsehen. Das äußert sich in einer weit verbreiteten Impfmüdigkeit. Das Risiko von Nebenwirkungen durch die Impfung erscheint diesen Menschen größer als das Risiko zu erkranken. Einige der alten Infektionskrankheiten sind daher heute wieder auf dem Vormarsch.

Die Immunabwehr

1

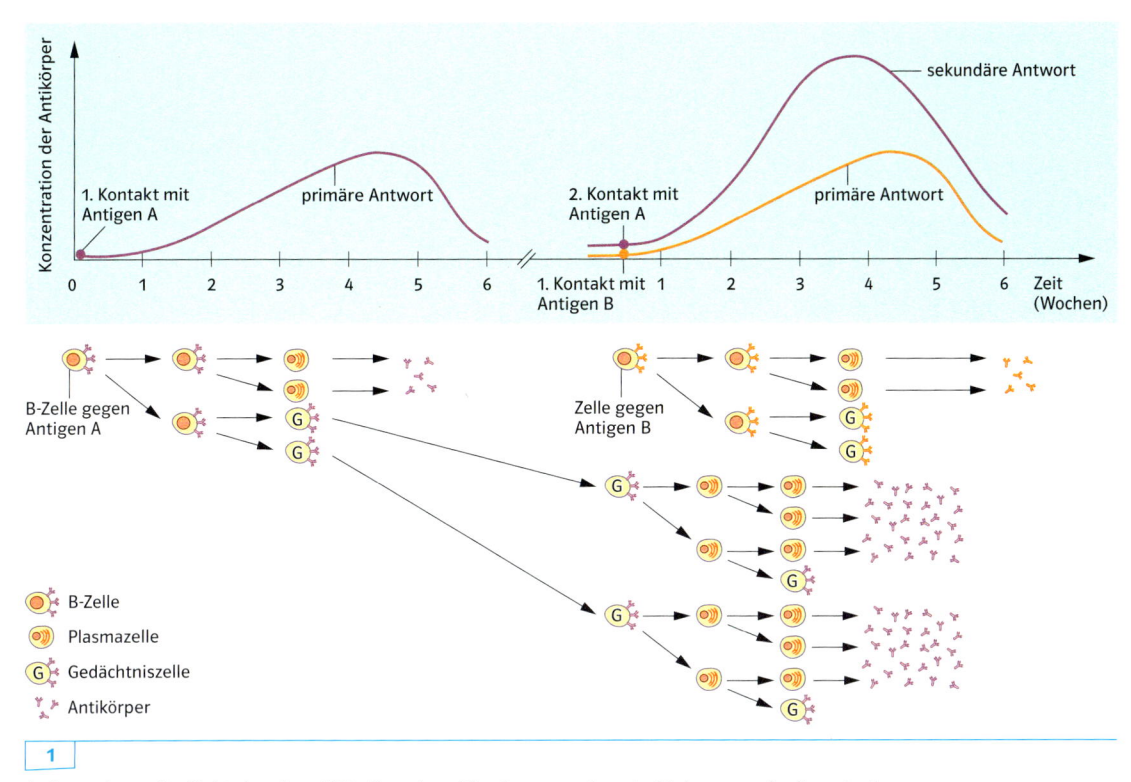

Aufgrund von Gedächtniszellen fällt die sekundäre Immunantwort stärker aus als die primäre.

Aufgabe 16.5

Nur die aktive Immunisierung führt zu einer echten Immunität. Begründen Sie.

16.6 Das Immunsystem kann überreagieren, falsch reagieren oder versagen

Allergien sind ein weit verbreitetes Übel, mit dem vielleicht auch Sie in irgendeiner Form zu kämpfen haben. Was ist eine Allergie eigentlich? Es handelt sich dabei um eine Überreaktion unseres Immunsystems gegen scheinbar harmlose Auslöser wie Pflanzenpollen (*Heuschnupfen*), Hausstaub (*Asthma*) oder nickelhaltige Metalllegierungen (*Kontaktallergie*). Eine Hausstauballergie (→ Abb. 1, S. 244) zum Beispiel wird durch mikroskopisch kleine Milben hervorgerufen, genauer gesagt durch deren Kot. Der Kot enthält ein Enzym, das die auskleidende Schleimhaut unserer Atemwege auflockert. Dadurch können Antigene eindringen, die dann bei manchen Menschen eine Abwehrreaktion hervorrufen, selbst wenn sie eigentlich harmlos sind. Mastzellen werden dabei unter dem Einfluss von Antikörpern des IgE-Typs zur Ausschüttung von *Histamin* angeregt. Die Schleimhaut der Atemwege schwillt an, es kommt zu Atemnot bis hin zu einem Asthmaanfall. Wie das Beispiel Allergie veranschaulicht, kann das Immunsystem nicht nur positive, sondern auch negative Auswirkungen haben. Eine positive Reaktion ist, wenn es einen Krankheitserreger erkennt und konsequent ausschaltet. Geht es jedoch ähnlich vehement gegen eine harmlose Substanz vor, wird eine Allergie ausgelöst. Eine Abschwächung des Immunsystems würde zwar die Häufigkeit von Allergien reduzieren, dafür aber die Anfälligkeit für Infektionen erhöhen. Andererseits ist eine gute Balance ganz offensichtlich möglich, denn viele Menschen haben nur sehr geringe Allergieprobleme. Die biomedizinische Forschung ist

Steuerung und Regelung

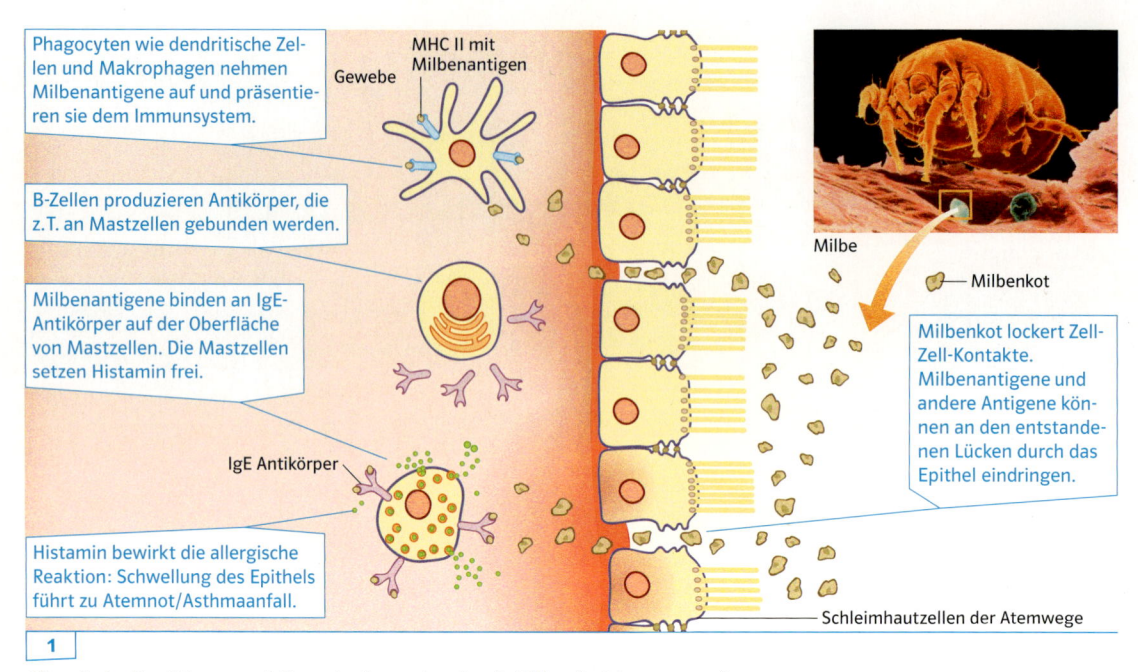

Genetik

Phagocyten wie dendritische Zellen und Makrophagen nehmen Milbenantigene auf und präsentieren sie dem Immunsystem.

B-Zellen produzieren Antikörper, die z.T. an Mastzellen gebunden werden.

Milbenantigene binden an IgE-Antikörper auf der Oberfläche von Mastzellen. Die Mastzellen setzen Histamin frei.

Histamin bewirkt die allergische Reaktion: Schwellung des Epithels führt zu Atemnot/Asthmaanfall.

Gewebe — MHC II mit Milbenantigen
IgE Antikörper
Milbe — Milbenkot

Milbenkot lockert Zell-Zell-Kontakte. Milbenantigene und andere Antigene können an den entstandenen Lücken durch das Epithel eindringen.

Schleimhautzellen der Atemwege

1 Allergische Reaktionen auf Hausstaub werden durch Milbenkot hervorgerufen.

---

bestrebt, bei den Betroffenen gezielt die Allergieanfälligkeit zu senken, ohne das Immunsystem insgesamt zu schwächen. In diesem Zusammenhang ist die Beteiligung der IgE-Antikörper interessant, denn dieser Typ dient dem Körper normalerweise zur Verteidigung gegen tierische Parasiten. Die zunehmende Allergiehäufigkeit ist offenbar eine Zivilisationserscheinung, und der Parasitenbefall hat in den zivilisierten Ländern aufgrund der Hygienemaßnahmen immer mehr abgenommen. Daher wird vermutet, das IgE-System überreagiere deshalb gegen harmlose Antigene, weil es zu wenig mit Parasiten zu tun bekommt.

Weitere negative Seiten des Immunsystems zeigen sich, wenn es Tumore toleriert, ein Organtransplantat abstößt oder in einer Autoimmunreaktion gegen körpereigene Antigene vorgeht. Tumore werden toleriert, weil es die betreffenden Krebszellen irgendwie geschafft haben, das Immunsystem zu täuschen.

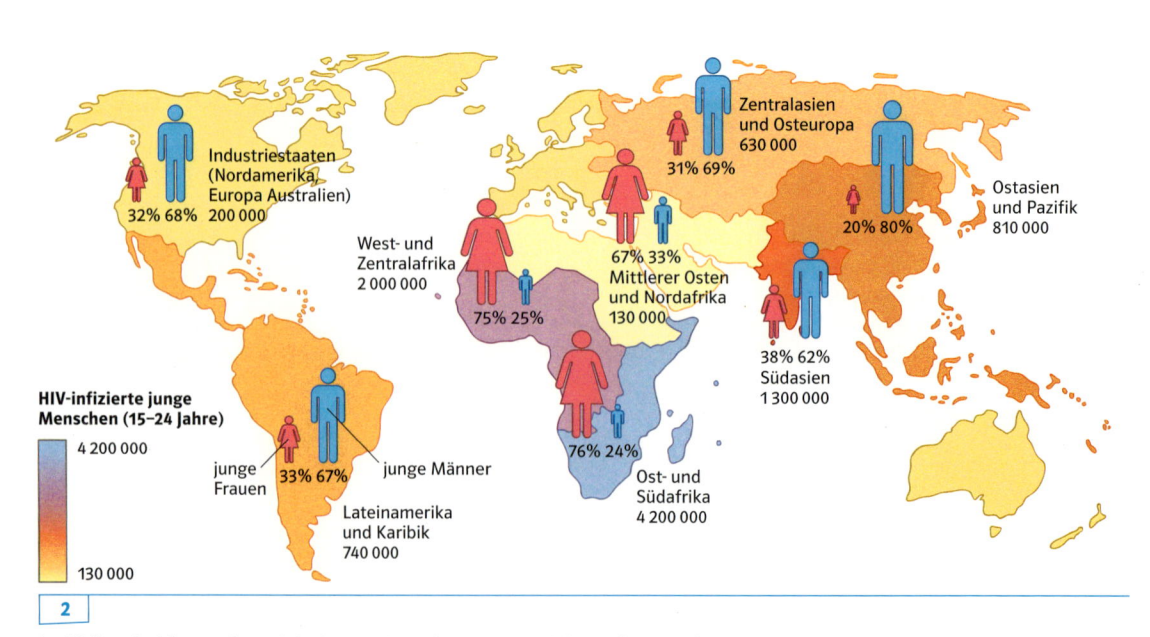

Industriestaaten (Nordamerika, Europa Australien) 32% 68% 200 000

Zentralasien und Osteuropa 630 000 31% 69%

Ostasien und Pazifik 810 000 20% 80%

West- und Zentralafrika 2 000 000 75% 25%

Mittlerer Osten und Nordafrika 130 000 67% 33%

Südasien 1 300 000 38% 62%

Lateinamerika und Karibik 740 000 33% 67%
junge Frauen — junge Männer

Ost- und Südafrika 4 200 000 76% 24%

HIV-infizierte junge Menschen (15–24 Jahre)
4 200 000
130 000

2 In Afrika sind besonders viele junge Menschen von AIDS betroffen, und zwar überwiegend Frauen.

Die Immunabwehr

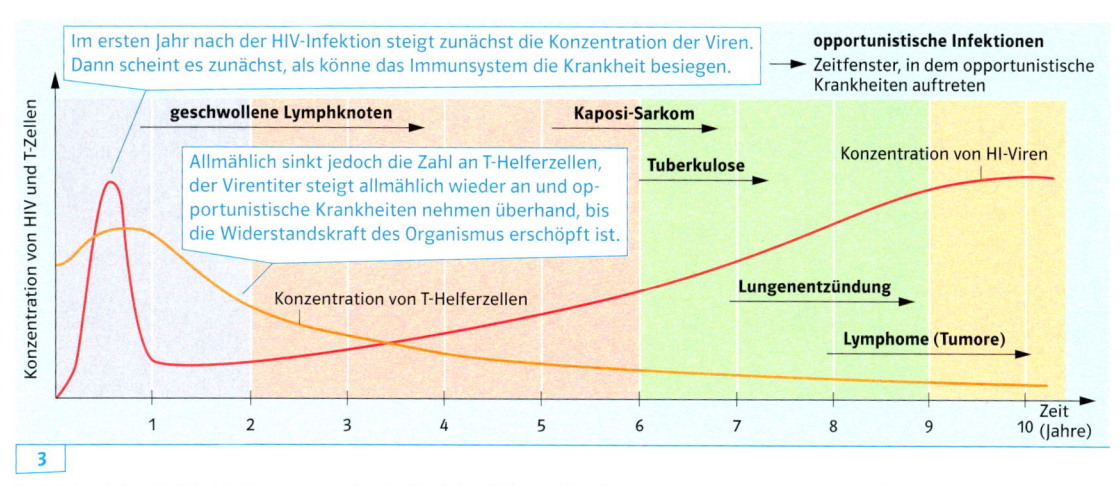

Abb. 3 Im Verlauf der HIV-Infektion treten durch die Schwächung des Immunsystems opportunistische Erkrankungen auf.

- Im ersten Jahr nach der HIV-Infektion steigt zunächst die Konzentration der Viren. Dann scheint es zunächst, als könne das Immunsystem die Krankheit besiegen.
- Allmählich sinkt jedoch die Zahl an T-Helferzellen, der Virentiter steigt allmählich wieder an und opportunistische Krankheiten nehmen überhand, bis die Widerstandskraft des Organismus erschöpft ist.
- **opportunistische Infektionen**: Zeitfenster, in dem opportunistische Krankheiten auftreten (geschwollene Lymphknoten, Kaposi-Sarkom, Tuberkulose, Lungenentzündung, Lymphome (Tumore))

Im Rahmen neu entwickelter Immuntherapien versucht man, das Immunsystem auf die entarteten Zellen aufmerksam zu machen. Bei *Organtransplantationen* wird ein Spender mit möglichst hoher Übereinstimmung zur MHC-Ausstattung des Empfängers gesucht, und die Immunabwehr wird nach der Transplantation langfristig medikamentös abgeschwächt.

Körpereigene Strukturen werden vom Immunsystem toleriert, obwohl ursprünglich T- und B-Zellen gegen sämtliche denkbaren Antigene vorhanden waren. Allerdings werden solche Immunzellen, die körpereigene Zellen erkennen und attackieren könnten, schon während der Embryonalentwicklung im Thymus vernichtet. Dadurch wird *immunologische Toleranz* gegen körpereigene Zellen und Makromoleküle erzeugt. Nur wo das an einer Stelle nicht perfekt funktioniert hat, kommt es zu **Autoimmunkrankheiten** wie bestimmten Formen von *Rheuma* und *Diabetes*.

Ohne Immunsystem ist ein Überleben auf unserem Planeten praktisch unmöglich. Dies wird besonders deutlich an der erworbenen Immunschwächekrankheit **AIDS** (**A**quired **I**mmune **D**eficiency **S**yndrome). AIDS ist weltweit auf dem Vormarsch; besonders junge Menschen sind betroffen (→ Abb. 2). Der AIDS-Erreger, ein Virus mit der Bezeichnung *HIV* (Human Immunodeficiency Virus), wird durch den direkten Kontakt von Körperflüssigkeiten (Blut, Sperma) übertragen. Die Strategie des HIV ist deshalb besonders fatal für die Erkrankten, weil das Virus ausschließlich einen für unser Immunsystem essenziellen Zelltyp befällt, die CD4 tragenden T-Helferzellen. Wie Sie bereits erfahren haben, spielen diese Zellen im Immunsystem als Effektoren eine Schlüsselrolle (→ Abb. 1, S. 238). Ohne T-Helferzellen bricht die adaptive Immunabwehr zusammen. Abb. 3 veranschaulicht, wie HIV über Jahre hinweg die Zahl der T-Helferzellen vermindert und so die adaptive Immunabwehr immer mehr schwächt und schließlich ausschaltet. Die Infizierten leiden dann mehr und mehr an opportunistischen Infektionskrankheiten, verursacht durch Erreger, mit denen ein intaktes Immunsystem problemlos fertig werden würde. Die bislang verfügbaren Medikamente haben die Situation der Infizierten zwar erheblich verbessert, aber eine ursächliche Heilung der Infektion in dem Sinne, dass der Erreger völlig besiegt und aus dem Körper entfernt wird, ist bisher nicht möglich.

Das Erbgut von HIV integriert sich vollständig in das Genom der von ihm befallenen Zellen, überdauert dort unbemerkt und wird bei der Zellteilung mit vermehrt.* Irgendwann wird es aktiviert und massenhaft in der Zelle vermehrt (→ Abb. 3, S. 172). Diese setzt die Viren frei und stirbt ab. Moderne Medikamentencocktails vernichten das Virus, sobald es im Blut auftaucht. Doch es verbirgt sich in vielen Verstecken und bricht bei nächster Gelegenheit wieder hervor. Um HIV ganz aus dem Körper zu bekommen, müssten alle seine Quellen vernichtet werden. Dazu würde auch gehören, ruhende T-Gedächtniszellen zu aktivieren, die das Virus tragen. Auch müsste der Vermehrungszyklus des Virus an noch mehr Stellen unterbrochen werden, als das bisher möglich ist. Viele Labors in aller Welt arbeiten daran. So schrecklich diese Infektionskrankheit ist, so hat ihre Erforschung doch zahlreiche neue Details zur Wirkungsweise des Immunsystems enthüllt, und wir sind jetzt viel besser gegen solche Angriffe aus der Nanowelt gerüstet.

Reproduktion

Aufgabe 16.6

Erläutern Sie, wie infolge einer HIV-Infektion die Immunabwehr lahmgelegt wird.

Woher stammt der MENSCH?
Wo geht er hin?

Diesen spannenden Fragen nach Herkunft und Zukunft des Menschen kann man sich aus naturwissenschaftlicher Sicht nur dann nähern, wenn man die Prinzipien der Evolution berücksichtigt.

Sie konnten aufrecht gehen und ihre Eckzähne waren kleiner als die von Affen. Doch in ihrem Hirnvolumen von 400 bis 500 Kubikzentimetern unterschieden sich die Vormenschen der Gattung *Australopithecus*, vor rund drei Millionen Jahren in Afrika lebend, kaum von demjenigen eines heutigen Schimpansen. Zwei Millionen Jahre später hatte der *Homo erectus*, der bereits Werkzeuge und Feuer gebrauchte, 800 bis 1300 Kubikzentimeter Gehirnmasse im Schädel. Der „vernunftbegabte Mensch" von heute, der *Homo sapiens*, bringt es auf 1200 bis 1700 Kubikzentimeter. Klar also, dass das Gehirn des Menschen in weiteren drei Millionen Jahren 3000 Kubikzentimeter groß sein wird? Oder aber ist mit der heutigen Hirngröße ein Ende der Entwicklung erreicht?

Die Kenntnis, welche Grundprinzipien dafür verantwortlich sind, dass sich Organismen über die Jahrmillionen hinweg verändern, hilft beim Blick in die Vergangenheit wie in die Zukunft. Vor über 150 Jahren hat der geistige Vater der Evolutionstheorie, CHARLES DARWIN, Folgendes herausgefunden: Erbliche

Strittig ist, inwieweit der Mensch noch der Evolution unterliegt

Veränderungen — später Mutationen genannt — können sich vor allem dann durchsetzen, wenn sich die Lebensbedingungen ändern und die Pioniergruppe einer Art gefordert ist, diesen zu widerstehen. Nur die Angepassten überleben auf Dauer und pflanzen sich erfolgreich fort. Für manche Evolutionsspezialisten ist die biologische Evolution des Menschen weitgehend abgeschlossen. Die Menschheit hat die ganze Welt besiedelt und vermischt sich sehr stark. Sie muss sich nicht mehr der Umwelt anpassen, sondern hat die Umwelt sich angepasst.

Moderne Medizin wirkt sich auf die natürliche Selektion aus

Darüber hinaus scheint der Hauptmechanismus der Evolution — die natürliche Auslese oder Selektion — nicht mehr so recht zu greifen, wie das Beispiel schlechter Zähne zeigt: Ein junger Steinzeitmensch, der nicht mehr kauen konnte, verhungerte und konnte so seine Gene für schlechte Zähne nicht weitergeben. Bei uns hier gehen die heutigen Jugendlichen zum Zahnarzt — und das Problem ist gelöst. »

Evolution

17	Mechanismen der Evolution
18	Konsequenzen der Evolution
19	Die Entstehung von Arten
20	Evolution als historisches Ereignis
21	Evolution des Menschen

Andere Forscher sind dagegen überzeugt, dass etwa die Errungenschaften der Medizin den Menschen nicht dauerhaft von der Evolution abkoppeln können. Denn wenn sich in der Bevölkerung Mutationen ansammeln, die früher unter starker Selektion standen und verschwunden wären, nehmen genetisch bedingte Defekte zu. Irgendwann werden medizinischer Fortschritt und medizinische Versorgung nicht mehr Schritt halten können.

Die natürliche Umwelt verändert sich in einem Ausmaß, dass Technik, Medizin und Zivilisation den Menschen vor den natürlichen Selektionskräften kaum schützen können

Außerdem: Zwar gibt es für den Menschen keine neuen Lebensräume mehr zu erobern. Doch er selbst bewirkt einen raschen Wandel seiner Umweltbedingungen. Zudem mutieren Viren, Bakterien und viele Parasiten beispielsweise sehr rasch — und die meisten Versuche, sie mit Pharmaka zu bekämpfen, haben resistente Stämme hervorgebracht, also Stämme, denen das betreffende Mittel nichts mehr ausmacht.

Für viele Fachleute steht jedenfalls fest: Evolution und Selektion finden beim Menschen so lange statt, wie er genetische Unterschiede aufweist und manche Erwachsene mehr Kinder als andere bekommen. Eine weit verbreitete Vorstellung ist jedoch falsch: Evolution führt nicht zwangsläufig zu immer „fortschrittlicheren" Lebewesen. Die Wissenschaftler weltweit sind sich einig, dass die Evolution keine Richtung und kein Ziel hat.

Die Zukunft des Menschen bleibt also durchaus ungewiss. Aber dass Evolution seit Anbeginn des Lebens stattgefunden hat und noch immer stattfindet, dafür haben Naturwissenschaftler unzählige Belege gesammelt. Natürlich ist unser Wissen lückenhaft — wir werden niemals jeden einzelnen Schritt dieses seit fast vier Milliarden Jahren andauernden Prozesses kennen. Diskutiert wird außerdem unter Fachleuten noch immer, wie Evolution genau funktioniert.

Offene und strittige Fragen sind jedoch charakteristisch für jede lebendige Wissenschaft, von der Astronomie bis zur Zoologie. Allerdings nehmen vor

Fossilienfunde und der Vergleich heutiger Lebewesen bestätigen Darwins Theorie von der Entstehung der Arten

allem in den USA religiös motivierte Gruppen — sogenannte Kreationisten bzw. Anhänger des *Intelligent Design* — solche Kontroversen zum Anlass, um die gesamte Lehre DARWINS in Zweifel zu ziehen. Denn ihrer Auffassung nach widerspricht sie der biblischen Schöpfungsgeschichte. Auch in Deutschland sind nicht alle Bürger von der Evolutionstheorie überzeugt. Dabei lassen sich heute viele der Prinzipien, die CHARLES DARWIN einst unter anderem in seinem Hauptwerk „On the Origin of Species" formulierte, sehr gut wissenschaftlich belegen. Fossilienfunde zeigen sehr genau, wie Arten aus anderen Arten hervorgegangen sind: Aus dem kleinen waldbewohnenden Urpferdchen mit fünf Zehen wurde das größere Steppentier Pferd, bei dem das erste Glied der Mittelzehe zum typischen Huf in der heutigen Form umgebildet ist. Aus Fischen wurden Amphibien, wobei sich gut erkennen lässt, wie sich bei der Anpassung an das Landleben das Skelett schrittweise veränderte. Und auch bei den heute lebenden Organismen können Wissenschaftler durch Vergleiche des Körperbaus sowie der DNA- oder Proteinsequenzen die Verwandtschaftsbeziehungen entschlüsseln und den Verlauf der Artentstehung nachvollziehen.

Mechanismen der Evolution

17

Diese Handvoll Schneckenhäuser wurde auf einem Spaziergang in den Alpen gesammelt. Alle Schnecken gehören zur gleichen Art. Die Schalen zeigen Variation in Musterung und Form. Beschädigungen weisen auf unterschiedliche Todesursachen hin. Viele Schnecken waren klein, als sie starben, und hatten die Geschlechtsreife noch nicht erreicht. Andere dagegen sind alt geworden, einige sogar mehrere Jahre, was man an den abgenutzten Schalen erkennen kann. Manche Tiere haben daher mehr Nachkommen hinterlassen als andere. Diese kleine Geschichte, die die Schneckenhäuser erzählen, beinhaltet die Grundlagen der natürlichen Selektion: individuelle, teils vererbbare Variabilität, gekoppelt an Unterschiede im Fortpflanzungserfolg. Mehr ist nicht notwendig, um den Prozess der natürlichen Anpassung anzutreiben.

Gehäuse der *Arianta arbostorum* (Baumschnecke)

17.1	Genetische Variabilität und wiederholte Auslese führen zu Evolution
17.2	Fortpflanzungserfolg ist das wichtigste Merkmal eines Lebewesens
17.3	Genetische Variabilität steigt durch Mutation und sinkt durch Selektion
17.4	Natürliche Selektion ist nicht zufällig und führt zu Angepasstheit
17.5	Natürliche Selektion ist blind für die Zukunft
17.6	Der Zufall bestimmt mal mehr mal weniger den Erfolg von Merkmalsvarianten
17.7	Die Populationszusammensetzung zeigt, ob Evolution stattfindet
17.8	Die Evolutionstheorie hat sich historisch entwickelt und wird weiter überprüft
17.9	Schöpfungsmythen bieten keine naturwissenschaftliche Erklärung für Evolution

17.1 Genetische Variabilität und wiederholte Auslese führen zu Evolution

Die Perfektion und die Vielfalt der Lebewesen versetzen den Menschen seit Urzeiten in Staunen. Dies erklärt, weshalb sich jede Kultur eine einzigartige Schöpfungsgeschichte zu eigen gemacht hat, die dieser tief verankerten Faszination würdig ist. Heute wissen wir, dass die Eleganz des natürlichen Schöpfungsprozesses in seiner Einfachheit liegt. Es ist die biologische **Evolution**, die zur Entstehung, Wandlung und vielfachen Abwandlung des Lebendigen geführt hat, wie schon der englische Naturforscher CHARLES DARWIN herausfand (→ 17.8).

DARWIN leitete die Evolutionstheorie direkt von den Grundeigenschaften aller Lebewesen ab. Zentral dabei ist, dass Leben Fortpflanzung und Vererbung voraussetzt (→ 17.2).* Eine Gruppe von Individuen, die sich miteinander fortpflanzen, bezeichnet man als **Population**. Durch Rekombination und Mutation sind die Nachkommen zwar ähnlich, aber selten genetisch identisch mit ihren Eltern (→ 17.3). Als Konsequenz unterscheiden sich Individuen, was zur **Variabilität** eines Merkmals in einer Population führt.* Dies ist eine weitere wichtige Voraussetzung für Evolution. Individuen mit vorteilhaften Merkmalsausprägungen werden besser überleben und mehr Nachkommen hinterlassen. Diesen Auswahlprozess nennt man **natürliche Selektion** (→ 17.4, → 17.5). Er führt dazu, dass erbliche Merkmale, die zum Erfolg eines Individuums beitragen, in späteren Generationen gehäuft in der Population auftreten. Die Folge: Die Population evolviert und passt sich den aktuellen Umweltbedingungen an.

Obwohl dies einleuchtend ist, bleibt es schwer vorstellbar, wie dieser einfache Vorgang die enorme Komplexität erklärt, die wir in der Natur vorfinden. Das gilt auch für uns selbst. Drei Milliarden Basenpaare zählt unser Genom. Mit vier alternativen Nucleinbasen ist jeder von uns eine einmalige Kombination aus einer fast unendlichen Zahl von Möglichkeiten. Das macht uns zwar einzigartig, aber zugleich ist eine so seltene Kombination auch äußerst unwahrscheinlich. Kann jeder von uns trotzdem durch einen einfachen Prozess entstanden sein? Das scheinbar Unmögliche real werden zu lassen ist genau das, was Evolution

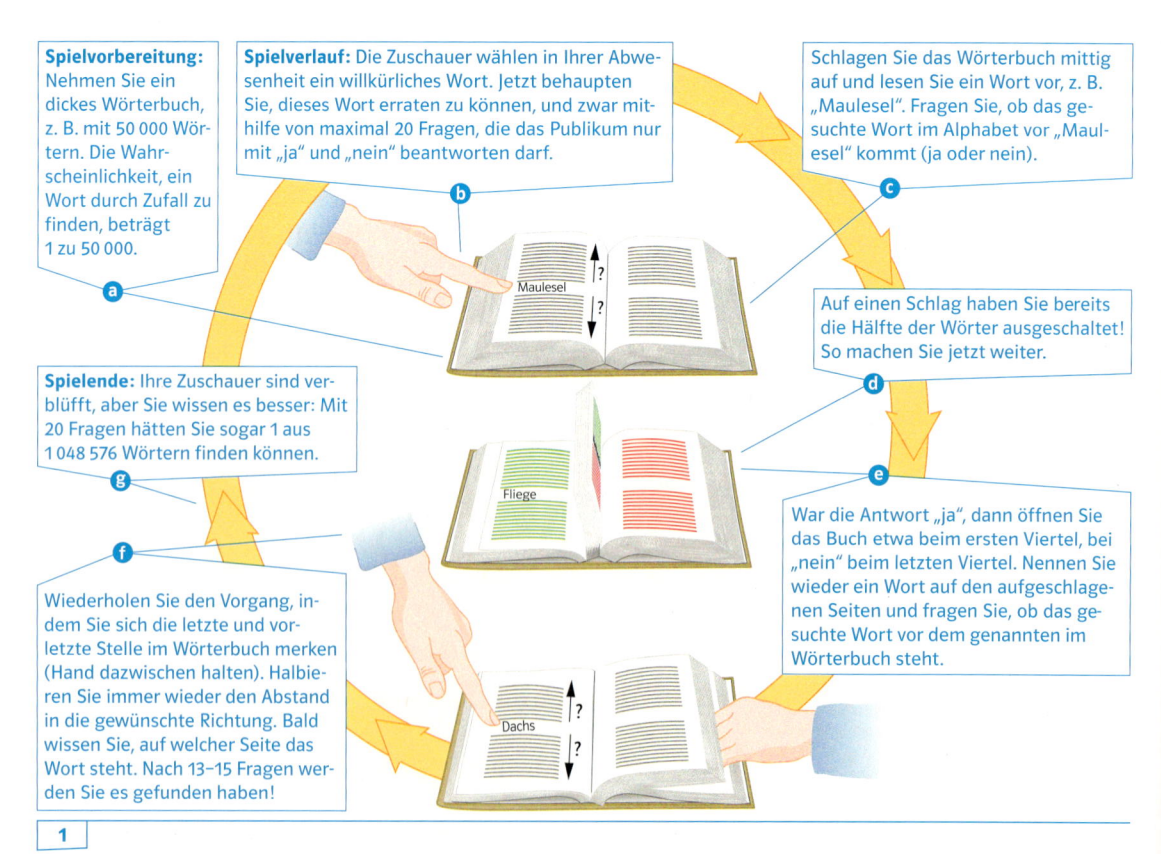

Reproduktion

Variabilität und Angepasstheit

a Spielvorbereitung: Nehmen Sie ein dickes Wörterbuch, z. B. mit 50 000 Wörtern. Die Wahrscheinlichkeit, ein Wort durch Zufall zu finden, beträgt 1 zu 50 000.

b Spielverlauf: Die Zuschauer wählen in Ihrer Abwesenheit ein willkürliches Wort. Jetzt behaupten Sie, dieses Wort erraten zu können, und zwar mithilfe von maximal 20 Fragen, die das Publikum nur mit „ja" und „nein" beantworten darf.

c Schlagen Sie das Wörterbuch mittig auf und lesen Sie ein Wort vor, z. B. „Maulesel". Fragen Sie, ob das gesuchte Wort im Alphabet vor „Maulesel" kommt (ja oder nein).

d Auf einen Schlag haben Sie bereits die Hälfte der Wörter ausgeschaltet! So machen Sie jetzt weiter.

e War die Antwort „ja", dann öffnen Sie das Buch etwa beim ersten Viertel, bei „nein" beim letzten Viertel. Nennen Sie wieder ein Wort auf den aufgeschlagenen Seiten und fragen Sie, ob das gesuchte Wort vor dem genannten im Wörterbuch steht.

f Wiederholen Sie den Vorgang, indem Sie sich die letzte und vorletzte Stelle im Wörterbuch merken (Hand dazwischen halten). Halbieren Sie immer wieder den Abstand in die gewünschte Richtung. Bald wissen Sie, auf welcher Seite das Wort steht. Nach 13–15 Fragen werden Sie es gefunden haben!

g Spielende: Ihre Zuschauer sind verblüfft, aber Sie wissen es besser: Mit 20 Fragen hätten Sie sogar 1 aus 1 048 576 Wörtern finden können.

1 Dieses einfache Spiel zeigt, wie effizient das schrittweise Vorgehen bei einer unwahrscheinlichen Lösung ist.

vermag. Ein wesentlicher Aspekt dabei ist die ständige Wiederholung des Vorgangs: Evolution schreitet Schritt für Schritt, Generation für Generation fort. Jedes Mal entstehen neue Varianten. Sie werden durch natürliche Selektion ausgelesen und neu kombiniert — und das bereits über Milliarden von Generationen. Ein Denkfehler in der Wahrscheinlichkeitsberechnung ist also, wenn sie von einer Entstehung in einem einzigen Schritt ausgeht. Das wäre tatsächlich unmöglich.

Wie ein schrittweises Vorgehen eine Auslese erheblich effizienter macht, wurde in den 1990er Jahren von vier polnischen Mathematikern in einem Fernsehquiz auf den Punkt gebracht. Aufgabe war, mit nur 20 Fragen ein beliebiges Wort zu erraten. Die Mathematiker benutzten ein schrittweises Verfahren und gewannen das Quiz jedes Mal. Die Sendung wurde daher aus dem Programm gestrichen. Versuchen Sie das Ratespiel selbst (→ Abb. 1). Der Prozess der natürlichen Selektion verläuft ähnlich wie im Ratespiel: Auch hier wird in jeder Generation, bei jedem Schritt, durch die Umwelt eine Erfolgsrichtung angegeben. Genau wie der Spieler hat jedoch auch die natürliche Selektion keinen vorherbestimmten Kurs (→ 17.5).

Jetzt kennen Sie die vier Voraussetzungen für Evolution, die noch genauer erläutert werden:
- Weitergabe der Gene,
- genetisch bedingte Variabilität in der Merkmalsausprägung,
- Unterschiede im Fortpflanzungserfolg in Abhängigkeit von der Umwelt (= Selektion),
- eine ständige Wiederholung dieses Prozesses.

Wie das Beispiel der Schneckenhäuser auf S. 249 zeigt, sind dies die Eigenschaften des Lebens selbst. Es steht daher nicht in Frage, dass es Evolution gibt: Evolution ist eine unausweichliche Konsequenz des Lebens.

Aufgabe 17.1
Erörtern Sie, welche Auswirkungen Sie erwarten, wenn jeweils eine der vier Voraussetzungen für Evolution nicht erfüllt ist.

17.2 Fortpflanzungserfolg ist das wichtigste Merkmal eines Lebewesens

In der Evolutionstheorie von CHARLES DARWIN werden natürliche Selektion und Evolution mit dem Ausdruck *survival of the fittest* zusammengefasst. Die Übersetzung „Überleben des Stärkeren" ist jedoch mit Vorsicht zu genießen. Das Überleben ist unter dem Blickwinkel der Evolution nämlich nur wichtig, solange es der Fortpflanzung dient. Sterben ist sogar essenziell, damit Platz für die Nachkommen entsteht. Zudem ist der „Fitteste" keineswegs immer der Stärkste oder der Größte.

Beim nordamerikanischen Silberlachs zum Beispiel existieren zwei Männchentypen: kleine „Jacks" und die viel größeren „Hooknoses". Jacks befruchten Eier, indem sie sich an eierlegende Weibchen heranschleichen, während Hooknoses aggressiv ihre Weibchen verteidigen. Untersuchungen brachten Überraschendes ans Licht: Nur die besten Männchen, solche die am schnellsten wachsen, bleiben im heimischen Fluss und werden bereits im zweiten Jahr zum Jack. Langsamer wachsende Männchen dagegen müssen sich (wie die Weibchen) ein weiteres Jahr im Meer fett fressen, um erst im 3. Jahr als Hooknoses zu ihrem Geburtsort zurückzukehren. Bei der Eiablage zeigen Weibchen dabei sogar eine Präferenz für die nicht aggressiven Jacks und können nur deshalb den Hooknoses nicht ausweichen, weil diese sich so aufdrängen. Der Fortpflanzungserfolg der beiden Strategien zeigt: Länger überleben oder größer sein sagt nur wenig über Erfolg bzw. Misserfolg aus. Anstatt des Stärkeren ist der Fitteste derjenige, der unter den vorherrschenden

dreijähriger, geschlechtsreifer „Hooknose"
Typ: Kämpfer

zweijähriger, geschlechtsreifer „Jack"
Typ: Schleicher

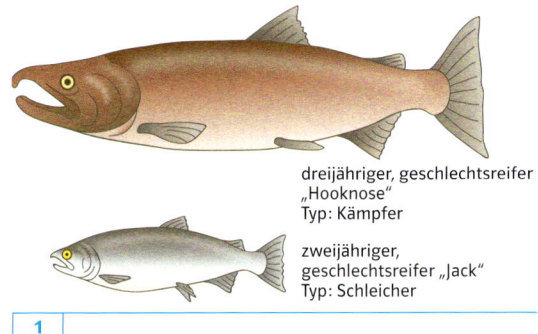

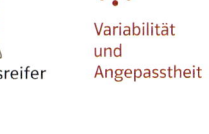

1 Beim Coho, dem Silberlachs (*Oncorhynchus kisutch*), existieren zwei Männchentypen. Bei der Fortpflanzung sind die kleinen, zweijährigen „Jacks" genauso erfolgreich wie die großen, dreijährigen „Hooknoses".

Variabilität und Angepasstheit

Evolution

Bedingungen den besseren Kompromiss aus vielen Merkmalen zeigt, um den größten Fortpflanzungserfolg zu erreichen. Biologische **Fitness** ist deshalb nicht gleich Muskelkraft oder Ausdauer, sondern die relative Anzahl überlebender Nachkommen im Vergleich zu den Artgenossen.

Das haben alle Lebewesen gemeinsam: eine tief verankerte Fähigkeit, sich immer wieder erfolgreich fortzupflanzen. Überlegen Sie mal: Alle jetzt lebenden Organismen sind Nachfahren von Milliarden von Elterngenerationen. Alle diese Vorfahren haben es immer geschafft, sich unter den jeweiligen Bedingungen erfolgreich fortzupflanzen! Überlebt hat von den Vorfahren aber keiner. Die Fortpflanzung ist damit das wichtigste Merkmal des Lebens, und alle anderen Eigenschaften werden an ihrem direkten oder indirekten Beitrag zur Fortpflanzung gemessen.

Reproduktion

Dies heißt aber nicht, dass ein Organismus unbedingt eine große absolute Anzahl Nachkommen haben muss. Es kommt lediglich darauf an, etwas mehr eigene Urururenkel relativ zu den anderen Artgenossen zu haben. So würde man zehn Nachkommen als eine niedrige Fitness bewerten, wenn der Populationsdurchschnitt bei fünfzehn Nachkommen liegt. Wenn aber der Schnitt bei fünf liegt, ist zehn ganz schön beachtlich. Manche Arten, wie z. B. Rothirsche, Buckelwale oder der Regenwurm, sind darauf spezialisiert, viel Energie in wenige, überlebensstarke Nachkommen zu investieren. Hier zählt Qualität. Andere dagegen, wie z. B. Feldmäuse, Karpfen oder Stechmücken, setzen eher auf Quantität und produzieren zahlreiche kleine Nachkommen, dafür aber mit jeweils geringeren Überlebenschancen. Diese unterschiedlichen Strategien sind auch ökologisch von Bedeutung (→ Abb. 2, S. 340).

Es gibt Arten, bei denen manche Individuen komplett auf den eigenen Nachwuchs verzichten und trotzdem erfolgreich sind. Das ist in Sozialsystemen möglich, in denen Individuen ihren Verwandten helfen, Nachwuchs aufzuziehen. Beim Europäischen Bienenfresser (→ Abb. 2) z. B. verzichten ältere Nachkommen häufiger auf eine eigene Brut und helfen stattdessen ihren Eltern bei der Jungenfütterung. Der Vorteil: In einer Umwelt mit starker Konkurrenz um Nistplätze bekommen die wenigen, wertvollen Nachkommen, die die Familie aufziehen kann, eine maximale Versorgung und bessere Chancen zu überleben, als wenn jeder versuchen würde, eine eigene Brut aufzuziehen.

Dies hört sich zunächst widersprüchlich an. Der indirekte Vorteil, seine eigenen Gene über Angehörige weiterzugeben, kann jedoch ausreichen, um den Nachteil auszugleichen, selbst keine zu haben. Man spricht in diesem Zusammenhang von der *Gesamtfitness*. Sie ist die Summe der indirekten Fitnessgewinne über die Verwandten und der direkten Fitness, in der die eigenen Nachkommen zu Buche schlagen. Ein gutes Beispiel für den Unterschied zwischen direkter und indirekter Fitness finden Sie bei sozialen Insekten (→ 35.8). Auch beim Menschen ist das Unterstützen durch Verwandte eine wichtige Fitnesskomponente.

2

Bienenfresser (*Merops apiaster*) verzichten manchmal auf eigenen Nachwuchs und helfen stattdessen den Eltern, die neue Brut aufzuziehen.

Aufgabe 17.2

Stellen Sie sich eine Katzenart vor, bei der zwei genetisch bedingte Weibchenvarianten vorkommen: Die eine Variante lebt nicht sehr lange, zieht aber bis zu einem Alter von 4 Jahren 6 Junge auf, während die andere deutlich länger lebt und bis zu einem Alter von 8 Jahren 8 Junge aufzieht. Sonst unterscheiden die beiden Varianten sich nicht. Begründen Sie, welche Strategie sich langfristig durchsetzt.

Mechanismen der Evolution

17.3 Genetische Variabilität steigt durch Mutation und sinkt durch Selektion

Die **genetische Variabilität** einer Population ist der Brennstoff der natürlichen Selektion.* Ohne Unterschiede zwischen Individuen ist eine Auslese nicht möglich. Um Variabilität messen zu können, benutzen Evolutionsbiologen unterschiedlichste Methoden, abhängig von der Fragestellung und von der Anwendbarkeit einer Methode auf eine bestimmte Art (→ Abb. 1).

Wie Untersuchungen zeigen, sind Populationen mit genetisch identischen Individuen selten. Sogar in *klonalen Populationen* mit ausschließlich ungeschlechtlicher Vermehrung ohne genetische Vermischung, wie bei Bakterien, gibt es genetische Variation. Demnach sind **Mutationen**, also Änderungen der DNA-Sequenz, als Primärerzeuger von Variabilität sehr wichtig (→ 12.4). Selektion dagegen reduziert in der Regel die Variabilität, weil sie unpassende Varianten aus der Population entfernt. So stellt sich in einer Population ein Gleichgewicht zwischen Mutation und Selektion ein. Genetische **Rekombination** (→ 11.3) als Folge der Sexualität durchmischt Varianten zu neuen Kombinationen (→ Abb. 2).

Wenn Gene beliebig durch Mutationen geändert werden, hat dies seine Risiken. Mutationen wirken

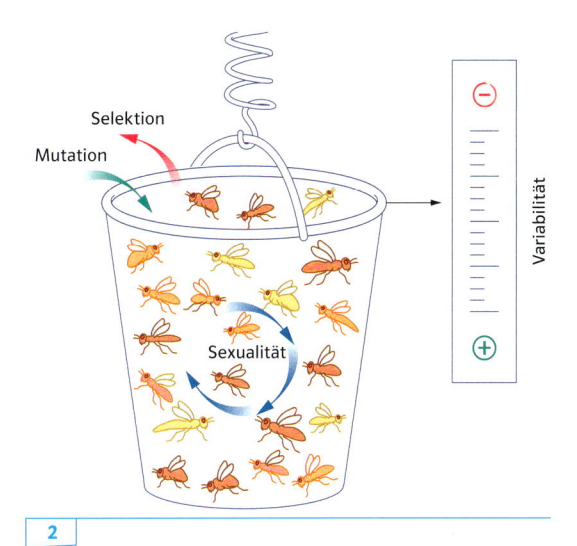

Variabilität und Angepasstheit

2

Variabilität wird durch Mutationen erhöht und durch Selektion verringert. Sexualität durchmischt vorhandene Allele zu neuen Genotypen.

Methode: Erfassung von Variabilität

Phänotyp

Vorteil: relativ leicht zu erfassen, oft auch im Freiland

Nachteil: Beziehung zwischen Phänotyp und Genotyp nicht immer bekannt

Beispiel: Unterschiede im Flukenmuster bei Buckelwalen

Genotyp

Vorteil: genauer, mit direkter Beziehung zur Vererbbarkeit

Nachteil: umständlicher, aber immer häufiger die Methode der Wahl

Beispiel: Unterschiede in der DNA- und Aminosäuresequenz von Hämoglobinvarianten (hier: Anfang der beta-Kette, komplementärer DNA-Strang)

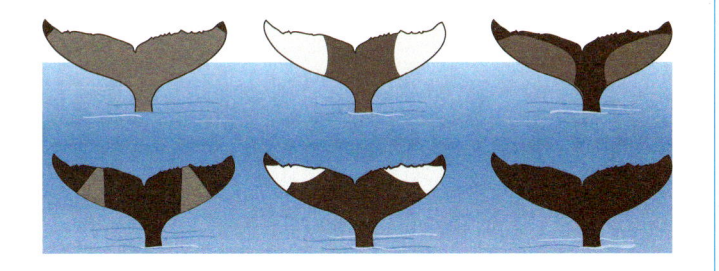

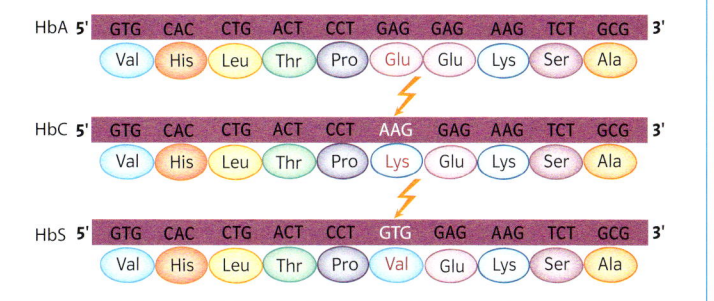

HbA 5' GTG CAC CTG ACT CCT GAG GAG AAG TCT GCG 3'
    Val His Leu Thr Pro Glu Glu Lys Ser Ala

HbC 5' GTG CAC CTG ACT CCT AAG GAG AAG TCT GCG 3'
    Val His Leu Thr Pro Lys Glu Lys Ser Ala

HbS 5' GTG CAC CTG ACT CCT GTG GAG AAG TCT GCG 3'
    Val His Leu Thr Pro Val Glu Lys Ser Ala

1

Variabilität kann auf der phänotypischen wie auf der genetischen Ebene erforscht werden.

253

sich oft negativ aus und verringern die Fitness des Trägers. Viele Mutationen haben jedoch keinen Effekt; entweder weil keine funktionellen Genabschnitte betroffen sind, oder weil sich die Funktion des Genabschnitts bzw. des davon codierten Proteins nicht ändert (→ Abb. 1, S. 197). Solche neutralen Mutationen spielen eine wichtige Rolle in der Populationsgenetik (→ 17.7). Es gibt aber auch positive Mutationen. Solche „Glückstreffer" sind zwar selten, aber sehr wichtig, weil sie neue Lösungen bieten. Bei Taufliegen schätzt man, dass im Schnitt alle 580 Generationen eine positive Mutation auftritt. Negative Mutationen treten aber in jeder Generation auf.

Die alternativen Hämoglobinsequenzen des Menschen (→ Abb. 2, S. 253, siehe auch → Abb. 5, S. 99) kann man als ein Beispiel für solche positiven Mutationen sehen.• Träger der Allele für die Hämoglobinvarianten HbC und HbS sind nämlich gegen *Malaria* geschützt. Diese Tropenkrankheit wird von einzelligen Parasiten der Gattung *Plasmodium* verursacht und verläuft oft tödlich. Die Hämoglobinallele für HbS und HbC sind vor allem dort verbreitet, wo auch Malaria grassiert, wie in Zentral- und Westafrika. Der Vorteil des Malariaschutzes ist allerdings mit Nachteilen verbunden: Die homozygote Ausprägung von HbS führt zur *Sichelzellenanämie*. Das ist eine schwere Blutkrankheit. Heterozygote genießen einen riesigen Vorteil, wo Malaria besonders häufig ist. Das HbS-Allel breitet sich dort rasch aus. Allerdings „zahlen" die Träger der Alelle für HbS immer wieder mit Sichelzellenanämie bei ihren Kindern. HbS wird daher salopp auch als die „schnelle aber teure" Variante bezeichnet. HbC dagegen zeigt im homozygoten Zustand nur schwach negative Effekte, bietet jedoch einen geringeren Schutz gegen Malaria. HbC ist also die „langsame aber billige" Variante: Die Resistenz ist geringer und HbC breitet sich langsamer aus, aber dafür sind die „Kosten" auch niedriger. In Regionen ohne Malaria ist der Malariaschutz von HbS und HbC nicht wichtig. Dort sind beide Varianten selten. Hier werden Träger von Allelen für HbS oder HbC medizinisch als krank betrachtet. In der gesamten menschlichen Population bleiben die Allele dennoch erhalten. Das zeigt, wie die Umwelt (hier Malaria) die Angepasstheit von Merkmalen bestimmt und genetische Vielfalt über natürliche Selektion fördert.

Variabilität und Angepasstheit

Aufgabe 17.3

Erläutern Sie, wer oder was „entscheidet", ob eine Mutation positiv oder negativ ist. Legen Sie dar, ob die gleiche Mutation mal positiv, mal negativ sein kann.

17.4 Natürliche Selektion ist nicht zufällig und führt zur Angepasstheit

Wie Sie jetzt wissen, sind Mutationen als Quelle für Variabilität unabdingbar. Mutationen treten aber zufällig auf und wie schon in → 17.1 erwähnt, können Zufallsprozesse alleine die Komplexität der Lebewesen und deren Angepasstheit nicht erklären.

Die Auslese von Allelen und Allelkombinationen durch **natürliche Selektion** ist die nicht zufällige Schlüsselkomponente der Evolution. Natürliche Selektion folgt nämlich aus der Kopplung zwischen einem Merkmal und der Fitness des Trägers. Weil diese Beziehung direkt von der Umwelt abhängig ist, kommt es automatisch zu einer evolutionären Anpassung an die aktuellen Bedingungen.

Die Beziehung zwischen einer Merkmalsausprägung und deren Erfolg nennt man *Fitnessfunktion* (rote Linie in Abb. 1). Sie zeigt die biologische Fitness (y-Achse) für jeden Wert, die ein Merkmal haben kann (x-Achse). Sie gilt nur für einen festgelegten Satz von durchschnittlichen Umweltbedingungen. In Abb. 1 können Sie leicht ableiten, wie verschiedene Fitnessfunktionen zu charakteristischen Verschiebungen in der Merkmalsverteilung führen. Das Prinzip ist einfach. Ausgehend von der aktuellen Verteilung eines Merkmals, z.B. die Länge der Schwanzfedern in einer Vogelpopulation, können Sie vorhersagen, wie die Verteilung in Zukunft aussehen müsste, wenn die Beziehung so bleibt wie sie ist. Abb. 1 zeigt fünf typische Fälle. In den ersten vier Fällen gibt es eine Beziehung zwischen Merkmal und Fitness. Sie führen alle zur natürlichen Selektion und damit zu einer vorhersagbaren Änderung und Anpassung.

Glauben Sie, Merkmale werden im Verlauf der Evolution immer perfekter oder komplexer? Dann unterstellen Sie, dass die positive, *gerichtete Selektion*

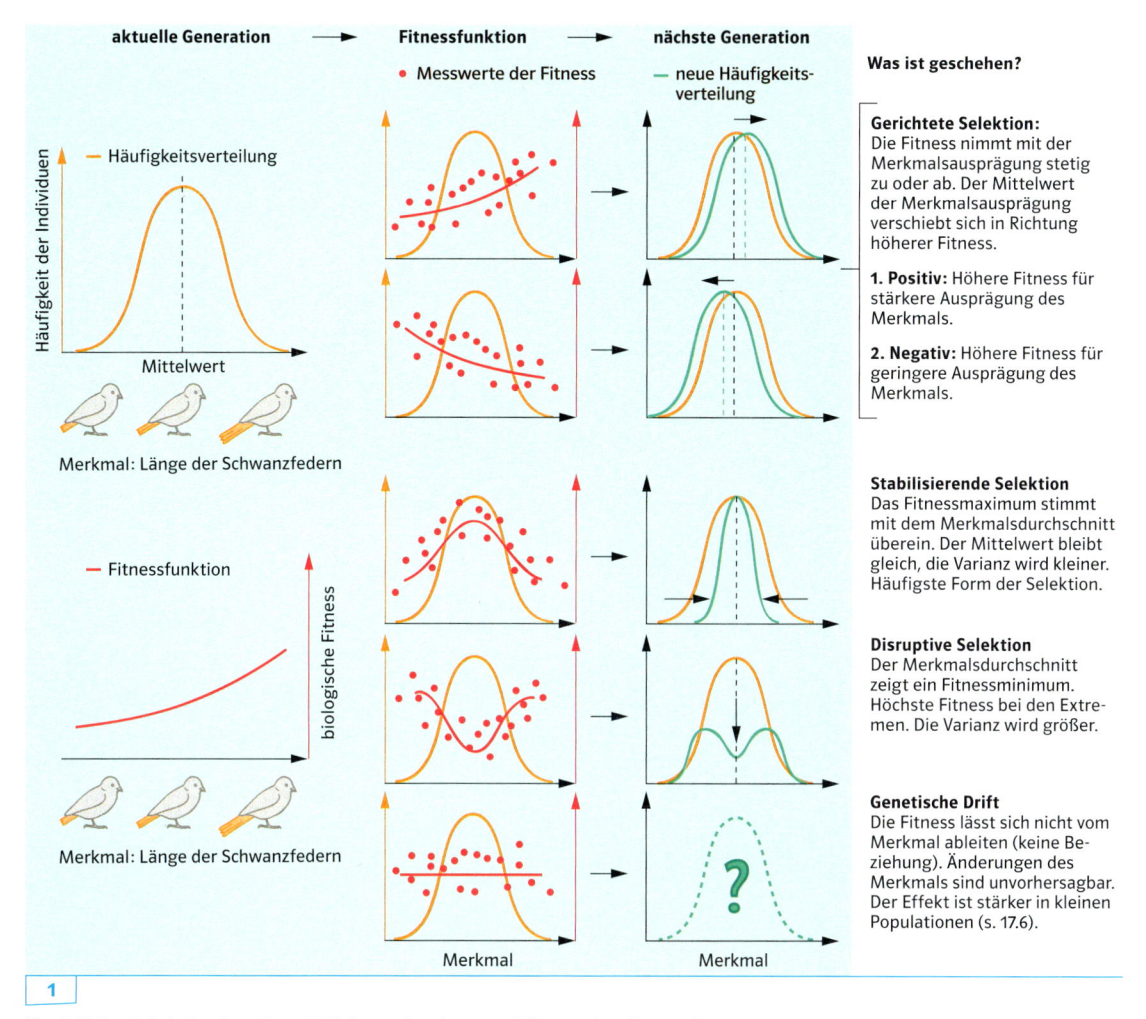

Online-Link
Selektionstypen (interaktiv)
150010-2551

Mechanismen der Evolution

Abb. 1

aktuelle Generation → Fitnessfunktion → nächste Generation

- Häufigkeitsverteilung
- Messwerte der Fitness
- neue Häufigkeitsverteilung

Was ist geschehen?

Gerichtete Selektion:
Die Fitness nimmt mit der Merkmalsausprägung stetig zu oder ab. Der Mittelwert der Merkmalsausprägung verschiebt sich in Richtung höherer Fitness.

1. Positiv: Höhere Fitness für stärkere Ausprägung des Merkmals.

2. Negativ: Höhere Fitness für geringere Ausprägung des Merkmals.

Stabilisierende Selektion
Das Fitnessmaximum stimmt mit dem Merkmalsdurchschnitt überein. Der Mittelwert bleibt gleich, die Varianz wird kleiner. Häufigste Form der Selektion.

Disruptive Selektion
Der Merkmalsdurchschnitt zeigt ein Fitnessminimum. Höchste Fitness bei den Extremen. Die Varianz wird größer.

Genetische Drift
Die Fitness lässt sich nicht vom Merkmal ableiten (keine Beziehung). Änderungen des Merkmals sind unvorhersagbar. Der Effekt ist stärker in kleinen Populationen (s. 17.6).

1 Natürliche Selektion ist oft stabilisierend, selten gerichtet oder disruptiv.

die häufigere Form ist. In der Natur sind jedoch die meisten Merkmale unter den gegebenen Umständen kaum noch zu verbessern. Es ist daher die *stabilisierende Selektion*, die am häufigsten auftritt (→ Abb. 1, Mitte). Eine Ausnahme ist der fünfte Fall (→ Abb. 1, unten): Die Ausprägung der Schwanzfedernlänge erlaubt hier keine Aussage über die Fitness, weil es keine eindeutige Beziehung zwischen den beiden gibt. Es gibt zwar Änderungen, aber keine Anpassung. Man spricht bei genetischen Änderungen ohne Anpassungswert von **genetischer Drift** (→ 17.6).

Die Anzahl der Merkmale, die durch natürliche Selektion angepasst werden, ist schier grenzenlos. In erster Linie denken Sie vielleicht an äußerliche Merkmale wie Körperbau, Färbung oder Verhalten. Die meisten Merkmale sind jedoch nicht auf den ersten Blick zu erkennen. Es handelt sich um molekulare Prozesse: Genom- und DNA-Struktur, Proteinbiosynthese, Enzymfunktion, Zellaufbau und -funktion, Stoffwechsel, Entwicklung, Gewebedifferenzierung und Organbildung, Physiologie und Homöostase, Zellkommunikation inklusive Nervensystem, Sensorik und Gehirn, Immunabwehr, Fortpflanzung, Lebensdauer und vieles mehr. Die meisten Pflanzen und Tiere besitzen 20 000 bis 30 000 Gene. Nicht das einzelne konkrete Merkmal, sondern das vernetzte Zusammenspiel endlos vieler Eigenschaften wird durch natürliche Selektion optimiert. Wie solche annähernd optimalen Kompromisse entstehen, werden Sie in → 18.1 sehen.

Variabilität und Angepasstheit

Aufgabe 17.4

Nehmen Sie eine s-förmige Fitnessfunktion an und machen Sie Vorhersagen für die Konsequenzen.

Evolution

17.5 Natürliche Selektion ist blind für die Zukunft

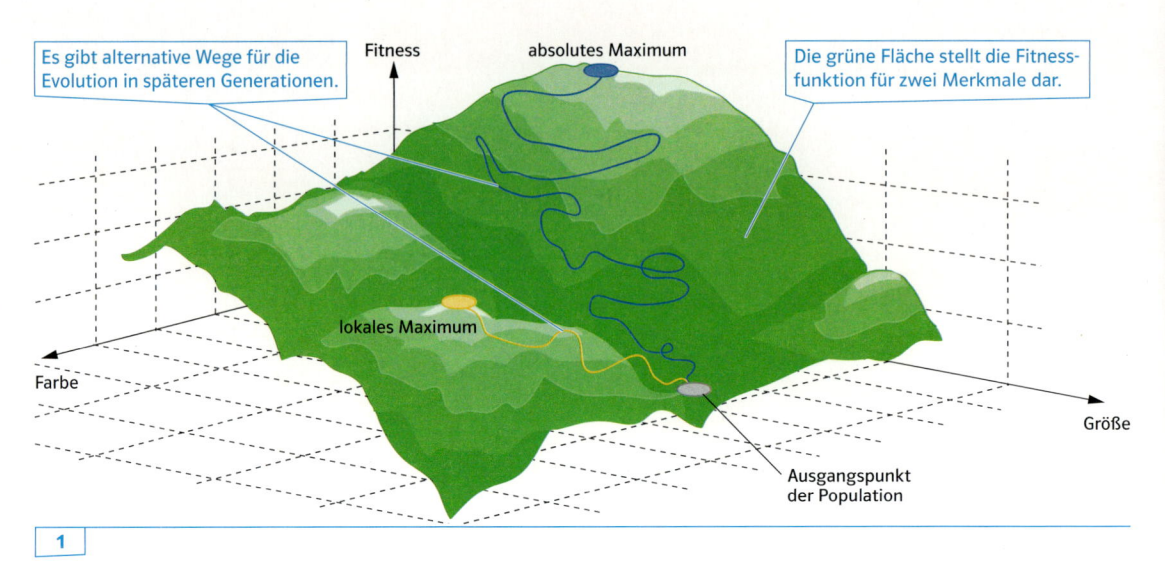

Es gibt alternative Wege für die Evolution in späteren Generationen.

Die grüne Fläche stellt die Fitnessfunktion für zwei Merkmale dar.

Fitness — absolutes Maximum — lokales Maximum — Farbe — Größe — Ausgangspunkt der Population

1 Die Kombination zweier Eigenschaften (z. B. für Farbe und Größe) ergibt eine dreidimensionale Fitnessfunktion.

Die Eigenschaften des Lebens selbst führen dazu, dass nichts bleibt wie es ist. Alles ist Teil eines stetigen, langsamen Wandels. Aber wohin geht die Reise? Forscher versuchen anhand von Fitnessfunktionen (→ 17.4) vorherzusagen, wie zukünftige Generationen aussehen können. Die natürliche Selektion selbst ist aber ein Prozess ohne Ziel. Sie kann eine Population nicht vorbeugend in eine Richtung drängen, die jetzt noch keinen Vorteil bietet, sondern erst später sinnvoll ist. Selektion ist also ausgesprochen kurzsichtig und reagiert nur auf unmittelbare Fitnessvorteile. Hier könnte der Eindruck entstehen, als wäre die Evolution wie ein blindes Umherirren, ohne Perspektive oder die Fähigkeit, überhaupt zu komplexen Anpassungen führen zu können. Es ist aber ganz anders. Wie Sie bereits wissen, trifft die natürliche Selektion eine nicht zufällige Auslese aus der gegenwärtigen Population. Evolution geht einen Schritt nach dem anderen, Generation für Generation. Jeder Schritt wird mit der aktuellen Umwelt abgeglichen. Angenommen, Sie könnten bei einer Bergwanderung nur Ihre eigenen Füße sehen, aber versuchten so mit jedem Schritt etwas mehr nach oben zu kommen. Dann würden Sie irgendwann irgendeinen Gipfel erreichen, wenn auch über einen gewundenen, einzigartigen Weg. Vielleicht steckten Sie schließlich auch in einer Sackgasse, aber immerhin hätten Sie es mit einer ausgesprochen einfachen Regel geschafft.

Mit einfachen Mitteln das Unwahrscheinliche zu erreichen, darin steckt die Kraft der Evolution. Wenn viele Merkmale mit ihren jeweiligen Fitnessfunktionen parallel selektiert werden, kann man sich dies vorstellen, als würde man in einer mehrdimensionalen Landschaft, der *Fitnesslandschaft*, herumlaufen, wie in Abb. 1 grafisch dargestellt. Nach oben bedeutet hier eine höhere Fitness. Jede andere Richtung steht für die verschiedenen Merkmale. Natürliche Selektion sieht die Fitnessgipfel nicht, sondern bewegt sich in jeder Generation etwas mehr nach oben (z. B. blauer Pfad). Weil in einer realen, dynamischen Umwelt die Gipfel sich verändern, ist ein „Sich-Schritt-für-Schritt-Vorantasten" recht effizient, da der Kurs so in jeder Generation neu korrigiert werden kann. Das Einkreisen eines Fitnessmaximums ist dabei unausweichlich. Dies kann aber auch zu suboptimalen Nebengipfeln führen (z. B. gelber Pfad).

Aufgabe 17.5

Beschreiben Sie mit eigenen Worten, wie die natürliche Selektion „blind" sein soll für zukünftige Anforderungen.

Online-Link
Steckbrief: Saiga-Antilope
150010-2571

Mechanismen der Evolution

17.6 Der Zufall bestimmt mal mehr mal weniger den Erfolg von Merkmalsvarianten

Ob ein Individuum sich erfolgreich vermehrt, muss nicht unbedingt vom Genotyp abhängen, wie es bei der natürlichen Selektion der Fall ist (→ 17.4). Ein Organismus kann auch einfach Pech oder Glück haben. Seine Allele werden dann in der nächsten Generation seltener oder häufiger auftreten, ohne dass dies deren Anpassungswert entspricht. Nehmen wir z. B. an, dass das Muster eines Schneckengehäuses genetisch bedingt ist, dies jedoch die Anzahl der Nachkommen nicht beeinflusst. Unter diesen Bedingungen kann es zu rein zufälligen Änderungen in der Variabilität der Schalenmuster kommen. Wie Sie schon in Abb. 1, S. 255, gesehen haben, ist es sehr wohl möglich, dass die Auslese unabhängig vom Genotyp erfolgt. Man spricht dann von **genetischer Drift** oder auch *neutraler Selektion*. Ein Allel kann dadurch auch alle anderen Allele an einem Genort ersetzen, ohne einen Fitnessvorteil zu bieten. Man sagt, dass ein solches Allel *fixiert* wird. Genau wie die natürliche Selektion kann daher auch genetische Drift zu endgültigen Änderungen und Evolution führen. Weil aber die hervorgerufenen Änderungen keine Fitnesskonsequenzen haben, spricht man von **neutraler Evolution**: Die Änderungen sind neutral in Bezug auf die Angepasstheit.

Genetische Drift ist insbesondere in kleinen Populationen von Bedeutung. Wenn nur wenige Individuen vorhanden sind, sind zufällige Verschiebungen in der Häufigkeit von Allelen besonders wahrscheinlich. Das hat mit der geringen Anzahl Nachkommen in solchen Populationen zu tun: Es passiert häufiger, dass ein Allel durch Zufall auch mal nicht weitergegeben wird und damit definitiv aus der Population verschwindet. Dafür werden andere Allele per Zufall als einzige übrig bleiben. Bei Taufliegen schätzt man, dass über 50 % der Aminosäuresequenzänderungen durch genetische Drift und der Rest durch natürliche Selektion fixiert wurden. Genetische Drift spielt eine zentrale Rolle in der Populationsgenetik und für den Artenschutz: Zuchtprogramme seltener Zootiere haben auch die schwere Aufgabe, den zufälligen Verlust an Variabilität zu minimieren.

Genetische Drift kann schlagartig auftreten, wenn z. B. eine Population durch eine Naturkatastrophe dezimiert wird (→ Abb. 1). Auch der Mensch ist oft Verursacher: Die Populationen der Saiga-Antilope *Saiga tatarica* (→ Abb. 2) in den zentralasiatischen Steppen wurden für die fernöstliche traditionelle Medizin von einer Million Tiere im Jahr 1990 auf weniger als 30 000 im Jahr 2004 dezimiert. Solche dramatischen Änderungen führen zu zufälligen Verlusten von Allelen, die keinen negativen Anpassungswert haben. Man nennt diesen Engpass auch **Flaschenhalseffekt**.

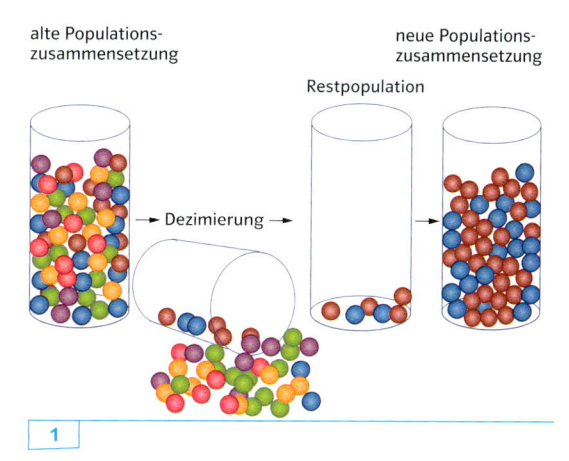

1 Genetische Drift kann schlagartig auftreten.

Wenn die übrig gebliebene Restpopulation wieder heranwächst, ist die genetische Vielfalt stark zurückgegangen. Es sind dabei auch Allele verschwunden, die einen positiven Anpassungswert hatten (→ Abb. 1).

Ähnliches passiert, wenn ein paar Individuen abwandern (emigrieren) und isoliert von der Ursprungspopulation eine neue Population gründen. Wie beim Flaschenhals basiert der **Gründereffekt** auf der zufälligen Auswahl der Neugründer. Solche Effekte werden kleiner mit zunehmender *Migration* (Wanderung) zwischen Teilpopulationen.

In Europa haben die Eiszeiten viele Spuren von Gründereffekten hinterlassen. Nördlich der Alpen wurden zahlreiche Gebiete nach dem Abschmelzen der Eiskappe von wenigen Individuen neu besiedelt. Dadurch

2 Die Populationen der Saiga-Antilope wurden stark dezimiert. Sie ist ein aktuelles Opfer des Flaschenhalseffekts.

Evolution

zeigen Populationen heute dort eine erheblich geringere genetische Variabilität als in Südeuropa, wo die Ursprungspopulationen die Eiszeiten überstanden haben. Einen Gründereffekt kennt man auch beim Menschen, weil einst nur eine kleine Gruppe von Afrika aus die Welt besiedelte (→ 21.4). Diese Beispiele zeigen, wie zufällige Prozesse Spuren hinterlassen, die uns erlauben, die Vergangenheit zu rekonstruieren.

Aufgabe 17.6

Stellen Sie sich vor, sie wollten die europäischen Zoopopulationen von Schneeleoparden vor der genetischen Verarmung durch genetische Drift schützen. Erläutern Sie Ihr Vorgehen.

17.7 Die Populationszusammensetzung zeigt, ob Evolution stattfindet

Reproduktion

Schauen wir uns genau an, was sich bei der Evolution der Organismen ändert. Es sind sicher nicht die Merkmale einzelner, lebender Individuen! Individuen evolvieren nicht; sie verschwinden mit dem Tod des Organismus aus der Population. Es werden aber die Gene von Individuen vermischt, verändert und weitergegeben. So entstehen neue, alternative Genome, in denen Teile der Erbinformationen der Eltern repräsentiert sind. Im Evolutionsgeschehen ist ein Individuum ein einmaliges, nicht wiederholbares Experiment.

Es ist daher die Population, die evolviert. Oder besser noch, es ist deren genetische Zusammensetzung, ihr **Genpool**, der die gesamte Komplexität aller Genome einer Population umfasst. In der Praxis fokussieren sich Forscher dabei auf Teile des Genpools. Sie betrachten z. B. ein bestimmtes, genetisch bedingtes Merkmal (Laufgeschwindigkeit, Flügelfarbe) oder Kombinationen von Merkmalen (Embryonalentwicklung, Immunsystem). Was evolviert sind also die Erbinformationen, die den Merkmalen einer Population zugrunde liegen.

Wie kann man solche Änderungen erforschen? Für diploide, sexuelle Organismen, wie die meisten eukaryotischen Vielzeller, gibt es eine einfache Methode herauszufinden, ob Selektionsprozesse in der jüngeren Vergangenheit in einer Population stattgefunden haben. Der britische Mathematiker GODFREY H. HARDY und der deutsche Arzt WILHELM WEINBERG formulierten 1908 unabhängig voneinander eine Gleichung, mit der man die Genotypenverteilung in einer Population berechnen kann. Die Hardy-Weinberg-Gleichung für 2 Allele an einem diploiden Genort lautet: $p^2 + 2pq + q^2 = 1$.

Die reale Häufigkeit des Allels A im Genpool wird p, die des Allels a wird q genannt. Die Gleichung liefert die Häufigkeit für alle möglichen Kombinationen der vorhandenen Allele, allerdings unter der Annahme einer großen, durchmischten Population ohne Partnerwahl und ohne natürliche Selektion oder genetische Drift. Eine solche fiktive Population heißt *ideale Population*. Mit diesem Ansatz wird in natürlichen Populationen überprüft, ob ein Genort Hinweise auf Selektion zeigt (→ Abb. 1). Das Prinzip der Methode erläutert Ihnen Abb. 2.

a Die reale Genotypenverteilung wird ermittelt.

reale Verteilung:
AA — aA oder Aa — aa

b Daraus ergibt sich die reale Allelverteilung.

d Stimmen reale und erwartete Verteilung nicht überein, ist das ein Hinweis auf Selektion und damit Evolution.

erwartete Verteilung:
AA — aA oder Aa — aa

c Mit der Hardy-Weinberg-Gleichung erhält man aus der Allelverteilung die erwartete Genotypenverteilung bei fehlender Selektion.

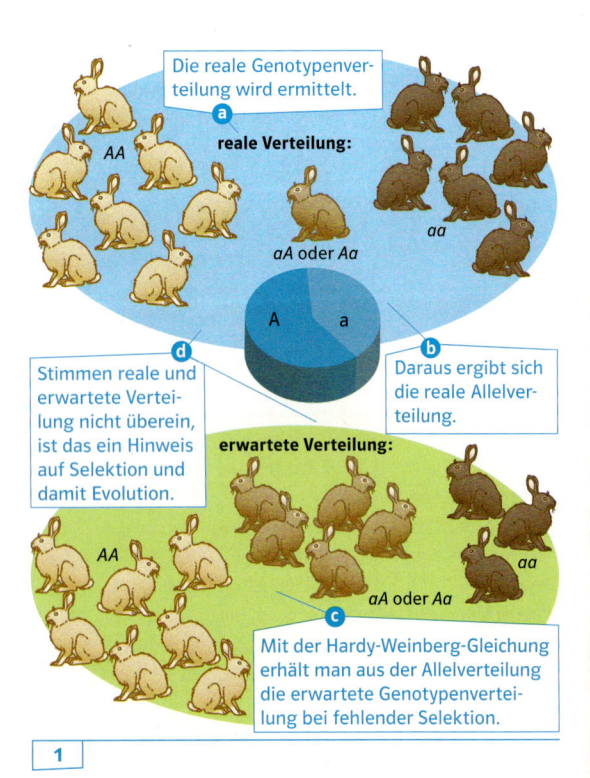

1 Die Abweichung der errechneten Zufallsverteilung von der beobachteten Verteilung kann auf Selektionsprozesse hinweisen.

Methode: Anwendung der Hardy-Weinberg-Gleichung

Anwendung

In einer natürlichen Kaninchenpopulation existieren drei Phänotypen bezüglich der Fellfarbe. Die Fellfarbe wird durch zwei Allele, a und A, bestimmt.

Steht dieser Genort unter Selektion, dann kommen manche Allelkombinationen häufiger oder weniger häufig vor als durch Zufall erwartet. Ein Genort, der nicht unter Selektion steht, zeigt eine zufällige Verteilung von Allelkombinationen.

Methode und Ergebnis

Zunächst werden in einer Population die Häufigkeiten von A und a ermittelt, indem die Häufigkeiten der diploiden Genotypen (AA, Aa oder aA und aa) bestimmt werden. Die Daten könnten aussehen wie folgt (ⓐ – ⓓ):

Genotyp	ⓐ beobachtete Anzahl Kaninchen	ⓑ Anzahl Allele	ⓒ davon A	ⓓ davon a	ⓔ erwartete Anzahl Kaninchen
AA	115	230	230	0	$0{,}57 \cdot 160 = 91$
Aa oder aA	10	20	10	10	$0{,}37 \cdot 160 = 59$
aa	35	70	0	70	$0{,}06 \cdot 160 = 10$
Summe	160	320	240	80	160

Die Häufigkeit von A bzw. a relativ zu allen 320 beobachteten Allelen ist $240/320 = 0{,}75$ bzw. $80/320 = 0{,}25$.

Wenn Selektion nicht zwischen AA, Aa, aA oder aa unterscheidet, würden A und a immer rein zufällig zusammenkommen, wie in einer Lotterie. Die Wahrscheinlichkeit A oder a zu „ziehen", wäre dann:

$p = P(A) = 0{,}75$ bzw. $q = P(a) = 0{,}25$.

Die Wahrscheinlichkeit, dass zwei Allele in einem diploiden AA- oder aa-Genotyp zusammenkommen, ist also:

$p \cdot p = p^2 = 0{,}75^2 = 0{,}57$ bzw. $q \cdot q = q^2 = 0{,}25^2 = 0{,}06$.

Für den heterozygoten Genotyp Aa oder aA müssen wir berücksichtigen, dass man erst ein A und dann ein a oder erst ein a und dann ein A ziehen könnte. Deshalb ist dessen Wahrscheinlichkeit:

$p \cdot q + q \cdot p = 2pq = 2 \cdot 0{,}75 \cdot 0{,}25 = 0{,}37$.

Beachten Sie, dass die Summe $p^2 + 2pq + q^2 = 1$ ist. Dies ist die einfachste Form des Hardy-Weinberg-Gleichgewichts. Sie beschreibt die relative Verteilung von zwei Allelen (A und a) über die drei möglichen Kombinationen (AA, Aa/aA und aa) an einem diploiden Genort in einer Population. Hochgerechnet auf die 160 Kaninchen der Stichprobe, kann man hieraus die erwartete absolute Häufigkeit der Genotypen berechnen ⓔ.

Schlussfolgerung

Die errechnete Zufallsverteilung weicht von der beobachteten Verteilung ab. Insbesondere die heterozygote Aa/aA-Form ist in der Realität seltener als durch Zufall erwartet. Die Ursache dafür kann man aus diesen Daten nicht ableiten. Die Hardy-Weinberg-Gleichung liefert also nur Hinweise auf evolutionsrelevante Prozesse. (Für Allelzahlen größer als 2 gibt es ähnliche Berechnungsmethoden.)

2 Die Anwendung der Hardy-Weinberg-Gleichung auf die Allelverteilung in einer Population liefert Hinweise auf Selektion.

Aufgabe 17.7

Die Allele in Abb. 2 zeigen eine intermediäre Vererbung. Erläutern Sie, ob es die erwarteten Werte des Hardy-Weinberg-Gleichgewichts beeinflussen würde, wenn das a-Allel rezessiv wäre. Begründen Sie, ob das die Schlussfolgerung ändern würde.

Evolution

17.8 Die Evolutionstheorie hat sich historisch entwickelt und wird weiter überprüft

Geschichte und Verwandtschaft

Wie kommen bedeutende Konzepte wie die **Evolutionstheorie** zustande? Sie entstehen in einem stimulierenden, kreativen und anregenden Umfeld mit genügend Ruhe zum Nachdenken.

Als CHARLES DARWIN 1859 seine Evolutionstheorie „On the Origin of Species by Means of Natural Selection" publizierte, lebte er in einer aufregenden Zeit. Der Franzose GEORGES BUFFON vermutete bereits 1766, dass Fossilfunde Vorgänger von aktuell lebenden Tierarten sind.* Er äußerte auch Zweifel an der damals gängigen biblisch inspirierten Annahme, die Erde sei nur etwa 6 000 Jahre alt. Sein Landsmann JEAN-BAPTISTE LAMARCK formulierte Anfang des 19. Jahrhunderts eine erste Evolutionstheorie: Tiere würden sich ändern, je nachdem wie sie ihre Körper benutzen, so seine Vorstellung. Stark benutzte Strukturen würden größer und stärker, wenig genutzte verkümmern. Laut LAMARCK erwerben die Nachkommen diese Änderungen von ihren Eltern. Über die Generationen hinweg findet so nach LAMARCK eine Anpassung an die Umwelt statt. Weil diese Vorstellung aber nicht mit den erst später bekannt gewordenen Mechanismen der Genetik und Vererbung in Einklang zu bringen ist, wurde der **Lamarckismus** wieder verworfen.

Heute kennt die moderne Genetik tatsächlich mehrere Mechanismen, die dazu führen, dass erworbene Merkmale der Eltern über mehrere Generationen bei ihren Nachkommen auftauchen können. Man spricht hierbei von *Epigenetik*. Auch beim Menschen sind solche Effekte bekannt. Personen, die im Laufe ihres Lebens eine extreme Hungersnot erlebt haben, bringen Kinder und Enkel hervor, die physiologisch besser auf Nahrungsmangel eingestellt sind — ohne dass dabei eine genetische Veränderung stattgefunden hat. Über diesen Weg kann die Epigenetik die Wirkung der natürlichen Selektion beeinflussen. Außer der Epigenetik blieb jedoch vom Lamarckismus in der modernen Evolutionsbiologie nichts mehr übrig.

1830 publizierte der Schotte CHARLES LYELL eine Theorie zu geologischen Veränderungen der Erdkruste. DARWIN hatte dieses Buch bei sich, als er 1831 als 22-Jähriger zu einer Weltreise mit dem Entdeckungsschiff „HMS Beagle" von England aus aufbrach. Er begeisterte sich für die sehr langsamen gebirgsbildenden Prozesse in der Erdkruste und für LYELLS Altersberechnungen, die die Erde auf mindestens mehrere Millionen Jahre schätzten. Obwohl noch immer weit von der heutigen Schätzung (4,5 Milliarden Jahre) entfernt, war LYELLS Berechnung für die damalige Zeit ein enormer Gedankenschritt. Mit diesen Ideen im Kopf betrachtete DARWIN mit großer Neugier fossile Gehäuse von Meeresschnecken hoch in den Anden.

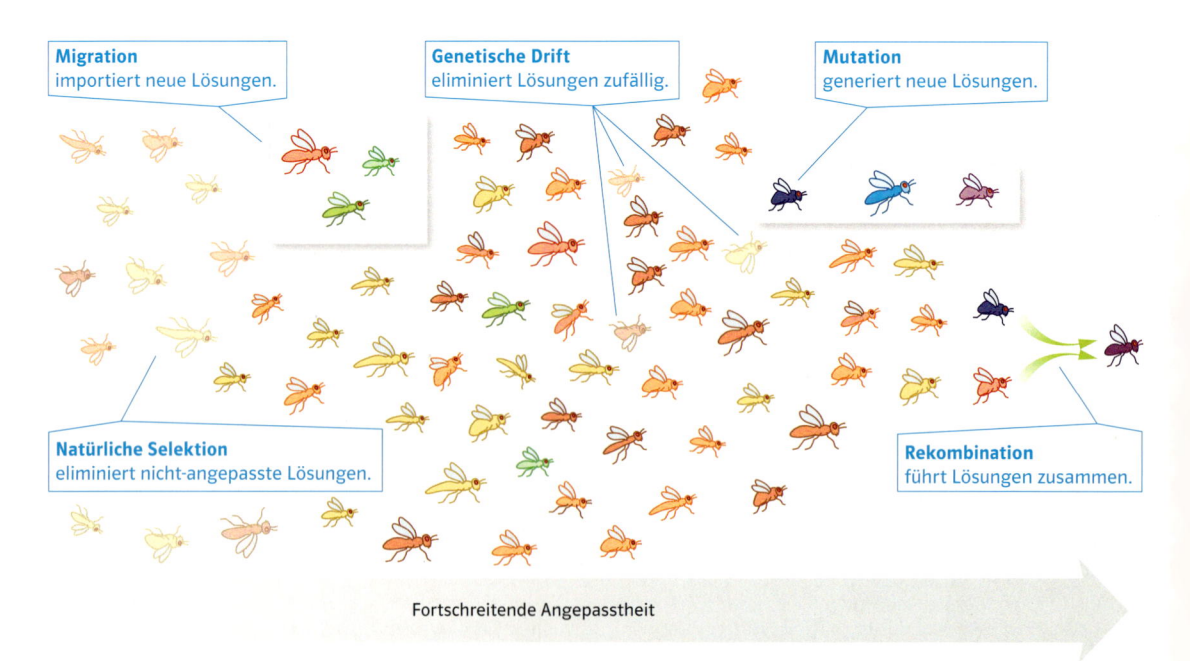

1

Der Genpool einer Population ist vielen Evolutionsfaktoren ausgesetzt.

- **Migration** importiert neue Lösungen.
- **Genetische Drift** eliminiert Lösungen zufällig.
- **Mutation** generiert neue Lösungen.
- **Natürliche Selektion** eliminiert nicht-angepasste Lösungen.
- **Rekombination** führt Lösungen zusammen.

Fortschreitende Angepasstheit

Er studierte die Vielfalt von nah verwandten Drosseln auf den — erdgeschichtlich betrachtet — jungen Galapagos-Inseln und vermutete, dass sie alle von einer kleinen Siedlergruppe vom Festland abstammten. Für die ebenfalls auf Galapagos vorkommenden Darwinfinken wurde dies mittlerweile in genetischen Studien eindeutig nachgewiesen. Außerdem stellte er fest, dass Südamerika von anderen Tieren bevölkert war als Europa und dass diese Artengruppen in unterschiedlichen Habitaten trotzdem ähnliche Anpassungen zeigten wie in Europa.

Solche Beobachtungen ließen bei ihm die Idee des *Gradualismus* entstehen: die graduelle Änderung durch „descent with modification" oder „Abstammung mit Änderung", wie damals Evolution bezeichnet wurde. Zurück in England, formulierte er seine Ideen aus, zögerte aber mit der Veröffentlichung. In der damaligen Gesellschaft, in der der biblische *Schöpfungsmythos* die gängige Erklärung für die biologische Vielfalt war, würde seine Theorie wie eine Bombe einschlagen. Stattdessen sammelte er weitere Daten. Dann aber bekam er ein Manuskript von seinem Kollegen ALFRED WALLACE zugeschickt, der in Indonesien Tiere und Pflanzen erforscht hatte. WALLACE beschrieb darin einen Evolutionsprozess, der dem DARWIN'schen sehr nahe kam. Dies war der Anlass für DARWIN, sein Werk rasch herauszugeben.

Evolution im DARWIN'schen Sinne ist auch als **Darwinismus** bekannt und betont die natürliche Selektion als wichtigsten Ausleseprozess. DARWINS Theorie wurde noch im 19. Jahrhundert erheblich durch die Entdeckung der Vererbung und Genetik (angefangen bei GREGOR MENDEL), die Entwicklung der Abstammungslehre (ERNST HAECKEL) und die Entwicklungsbiologie (AUGUST WEISSMANN) gestärkt. Im 20. Jahrhundert kamen große Fortschritte in der Genetik und der Populationsbiologie hinzu (THEODOSIUS DOBZHANSKY, ERNST MAYR, JOHN HALDANE, JULIAN HUXLEY und viele andere). Diese erhebliche Vertiefung und zugleich Bestätigung von DARWINS Ideen wurde 1942 als **Synthetische Evolutionstheorie** vorgestellt. Sie wurde danach immer weiter entwickelt und ergänzt, z. B. wo es um die Bedeutung der genetischen Drift geht. Um den starken Bezug zu DARWINS Kerngedanken zu betonen, sprechen Evolutionsbiologen weiterhin gerne vom *Neo-Darwinismus*. Weil dies aber den Anschein einer unflexiblen Denkrichtung erwecken könnte, werden die neutraleren Bezeichnungen *Evolutionstheorie* oder einfach *Evolutionsbiologie* vorgezogen. Wie Sie sehen, können auch wissenschaftliche Begriffe sich dem evolutionären Wandel nicht entziehen!

Evolution definiert man heutzutage als eine Veränderung der Genotyp- und Allelhäufigkeit in einer Population. Die Prozesse, die dazu beitragen, nennt man **Evolutionsfaktoren**. Die wichtigsten sind in Abb. 1 dargestellt, und Sie haben sie in diesem Kapitel schon kennengelernt. Dazu gehören Mutation und Rekombination sowie natürliche Selektion und genetische Drift. Hinzu kommen varianzerhaltende Selektionsformen, die in Kapitel 18 noch näher besprochen werden. Außerdem spielen *Isolation* und *Migration* eine wichtige Rolle (→ 17.6).

Aufgabe 17.8
Erläutern Sie den Begriff Evolution in eigenen Worten.

17.9 Schöpfungsmythen bieten keine naturwissenschaftliche Erklärung für Evolution

Obwohl die Evolutionstheorie auf überzeugende Weise durch Biowissenschaftler immer weiter ergänzt und präzisiert wird, existiert auch 150 Jahre nach DARWIN bei manchen Menschen eine religiös inspirierte Ablehnung der Evolutionstheorie. Dies ist darauf zurückzuführen, dass Religionen in der Regel einen **Schöpfungsmythos** überliefern, der auf Fragen zum Woher, Weshalb und Wohin des Lebens und vor allem des Menschen seit Jahrtausenden eine Antwort bietet.• Wer aber auf die wortwörtliche Deutung dieser Überlieferungen Wert legt, hat Probleme, die Evolutionstheorie zu akzeptieren. Sie anzunehmen bedeutet für diese Menschen, den eigenen Glauben in Zweifel zu ziehen, während die meisten Menschen Naturwissenschaft und Glauben klar voneinander trennen.

Religiös inspirierte Evolutionskritiker wie die Anhänger des *Kreationismus* oder des *Intelligent Design* glauben an die Schöpfung, z. B. als Folge des Wirkens einer höheren Intelligenz. Um dafür Argumente zu sammeln, überschreiten sie die Grenze zwischen Glaube und Naturwissenschaft, indem sie die Evolutionstheorie wissenschaftskritisch unter

Geschichte und Verwandtschaft

Evolution

1

Nach der Überlieferung der Aborigines in Australien hat die Regenbogenschlange Ngalyod viele heilige Stätten geschaffen. Ngalyod hat Kräfte, die schaffen und zerstören können. Hier hat ein Künstler die Schlange dargestellt, die sich um ein Mimi rollt. Mimis sind Schutzgeister kleiner Wildtiere und werden als kluge und scheue Ureinwohner des Landes angesehen.

die Lupe nehmen. So weit, so gut: Auch Naturwissenschaftler begutachten ihre eigenen Arbeiten und die ihrer Kollegen sehr kritisch. Während aber Naturwissenschaftler offene Fragen als Anlass für weitere Untersuchungen sehen, konzentrieren Evolutionskritiker sich darauf, Beispiele zu sammeln, die von der Evolutionstheorie angeblich nicht befriedigend erklärt werden. Für Naturwissenschaftler sind solche Beispiele nicht mehr und nicht weniger als spannende Fragen für die Forschung der Zukunft. Evolutionskritiker sehen jedoch keinen Anlass für weitere Forschung. Stattdessen benutzen sie diese angeblichen Schwachstellen, um von der Fülle an unterstützenden Fakten, die für die Evolutionstheorie sprechen, abzulenken und sie als gescheitert darzustellen. Daraus wird dann auf die Richtigkeit des eigenen Schöpfungsmythos geschlossen. In diesem Punkt zeigen sich Evolutionskritiker also recht unkritisch: Sie werten offene Fragen aus der Biologie im Umkehrschluss als Argument für das Wirken eines Schöpfers. Für eine göttliche Schöpfung kann es aber keine naturwissenschaftlichen Beweise geben, egal für welchen Schöpfungsmythos man sich entscheidet. Solche Fragen sind naturwissenschaftlich nicht zu lösen (→ S. 14).

Sie merken, wie wichtig es ist, zwischen einem Glauben, den man nicht in Frage stellen kann und will, und naturwissenschaftlichen Erkenntnissen, die man immer in Frage stellen sollte, zu unterscheiden. Eine religiöse Weltauffassung zu haben, liegt in der Freiheit jedes Individuums. Die Geschichte des Menschen zeigt aber auch bis heute, wie wichtig es ist, dass diese Freiheit in der Gesellschaft ihre Grenzen hat. Religiosität ist zwar eine der ältesten Eigenschaften der Menschheit, sie kann aber auch problematisch werden, vor allem dann, wenn man auf der wortwörtlichen, unkritischen Deutung religiöser Überlieferungen besteht. Das gleiche gilt allerdings auch für eine kritiklose Haltung der Naturwissenschaft gegenüber.

Die Mehrzahl der Anhänger der großen Religionen sieht diese Debatte zwischen Naturwissenschaften und Religion jedoch mit Vernunft. Sie integrieren die wissenschaftlichen Erkenntnisse in ihre persönliche Weltanschauung. Statt sich von der wortwörtlichen Auslegung einer Schrift festnageln zu lassen, bevorzugen sie es, deren tiefere Bedeutung zu verstehen und für sich persönlich zu nutzen. Sie unterscheiden nicht zwingend zwischen dem Wirken eines Schöpfers und dem schöpferischen Wirken der Evolution. Viele der heute forschenden Biowissenschaftlerinnen und Biowissenschaftler gehören einer Konfession an. Die Haltung in dieser Diskussion sollte deshalb von Toleranz, Vernunft und gegenseitigem Respekt geprägt sein.

Aufgabe 17.9

Religiosität zu empfinden, ist ein Merkmal des Menschen, das vermutlich im Zusammenhang mit seiner Intelligenz entstanden ist. Erläutern Sie, welche Bedingungen erfüllt sein müssen, damit dieses Merkmal von der natürlichen Selektion gefördert wird.

Konsequenzen der Evolution

18

Kolibrimännchen in schillernden Farben

Ein flotter Nordamerikaner mit beispielhaft geringem Spritverbrauch: Mit nur zwei Gramm Nektar im Bauch fliegt ein Kolibri (hier: *Archilochus colubris*) 800 km am Stück, wenn es über den Golf von Mexiko in die Winterquartiere geht. Dafür schlägt sein Herzchen bis zu 500-mal pro Minute. Das setzt viel Sauerstoff voraus: 200 Atemzüge pro Minute! Dazu investiert er auch noch in seine Schönheit und erhöht so die Chancen beim anderen Geschlecht. Außerdem verteidigt er seine Rechte: Männchen wie Weibchen zögern nicht, Raubtiere im Kamikazeflug aus dem Revier zu scheuchen. Funktionieren kann das nur, wenn man von Powerdrinks wie Nektar und proteinhaltigen Snacks wie weichen Insekten leben kann. Die Kehrseite: Kolibris müssen während frostiger, kanadischer Nächte ihre Körpertemperatur von 42 °C deutlich absenken, um Energie zu sparen. Das vermindert die Reaktionsfähigkeit, ein Risiko mit dem sie leben müssen. Komplexe Kompromisse für komplexe Umweltanforderungen zu finden, ist eine wesentliche Konsequenz der Evolution.

18.1	Natürliche Selektion fördert Kompromisse
18.2	Lebensdauer ist ein durch Selektion angepasstes Merkmal
18.3	Manche Formen der Selektion fördern genetische Vielfalt
18.4	Sexuelle Fortpflanzung beschleunigt die Evolution
18.5	Die Evolution von Geschlechtsmerkmalen wird durch sexuelle Selektion erklärt
18.6	Koevolution ist eine Quelle fortwährender Selektion
18.7	Evolution findet auf jeder Ebene statt, die Vererbung und Vermehrung zeigt

Evolution

18.1 Natürliche Selektion fördert Kompromisse

Variabilität und Angepasstheit

Wo unterschiedliche Interessen zusammenkommen, wie in einer Demokratie, sind Entscheidungen oft Kompromisse, die niemanden voll zufriedenstellen. So ähnlich ist es mit den Ergebnissen der Evolution. Hier sind es Tausende Merkmale, die in einer komplexen Umwelt ein funktionsfähiges Individuum zum Erfolg bringen sollten. Kann die Evolution je zu einer vollkommen angepassten Ausprägung führen? Für einzelne Merkmale vielleicht, aber nicht für alle; sie kann es nur annähernd. Das Ergebnis von Selektion und Evolution ist immer ein Satz von *Kompromissen*, statt einer vollkommenen Angepasstheit.• Wenn letztere möglich wäre, gäbe es ja keinen weiteren Anlass für Evolution: Alle Lebewesen wären perfekt, identisch, würden nie krank werden und lebten für immer. Es gibt aber nur eine Handvoll Kerneigenschaften, die als nahezu *universale Lösungen* betrachtet werden können, wie der genetische Code, der Zellzyklus, die Meiose, Entwicklungsgene und die Stoffwechselwege der Zelle. Hier existiert relativ wenig Variation, was auf eine annähernd optimale, universale Lösung hindeutet. Was hindert Selektion daran, ein solches Optimum auch für alle anderen Merkmale zu finden? Im Folgenden erfahren Sie die vier wichtigsten Gründe dafür.

Geschichte und Verwandtschaft

Erstens kann eine Population ihre Abstammung nicht abschütteln.• Zurückliegende Merkmalsentscheidungen existieren als feste Gegebenheiten, als „Urmerkmale" weiter. Klar zu sehen ist dies am Bauplan des Körpers (z. B. Skelett, Gliedmaßen oder Fortpflanzungssystem). Ein Beispiel: Wale sind aus Säugetieren mit Luftatmung und Lungen entstanden. Die Kiemen der Fische wurden schon bei den Reptilien unwiderruflich zurückgebildet und teils in das Kiefergelenk umgewandelt. Daher müssen Wale zum Atmen auftauchen. Wieder Kiemen zu entwickeln ist einfach keine Option. Man spricht von *stammesgeschichtlichen Einschränkungen* oder *konstruktiven Zwängen*.

Struktur und Funktion

Zweitens setzt Evolution *Variabilität* in der *Population* voraus (→ 17.1). Ohne Variabilität gibt es keine Selektion, also auch keine Evolution. Und auch wenn eine solche Variabilität vorhanden wäre, Änderung braucht Zeit: Eine positive Mutation wie die Lactosetoleranz (→ Abb. 2, S. 306) brauchte Jahrtausende, um sich in einer großen, weitläufigen Population durchzusetzen. Wenn man berücksichtigt, wie schnell die Umwelt sich in solchen Zeiträumen ändert, wird klar, wie schwerfällig die Gesamtheit der Eigenschaften einer Population optimiert wird. Schnelle Änderungen sind zwar nicht ausgeschlossen, sie bleiben aber selten.

Drittens wird Selektion durch *Genfluss* zwischen Populationen geschwächt: Wenn Individuen aus anderen Arealen zuwandern und sich mit der lokalen Population vermischen, wird die genetische Variabilität aufgestockt. Die Anpassung an die lokalen Bedingungen wird aber verlangsamt.

Viertens sind Merkmale nicht unabhängig voneinander. Die potenzielle Verbesserung eines Merkmals beinhaltet oft die Verschlechterung eines anderen. Solche negativen Kopplungen oder Kompromisse, die man **Tradeoffs** nennt, sind allgegenwärtig (→ Abb. 1). Wenn zum Beispiel eine Pflanze mehr in Blüten investiert, hat sie weniger Ressourcen für Wachstum. Ein Tier, das größere Nachkommen produziert, hat meistens keine Alternative, als die Anzahl zu verringern. Wer stark wie ein Elefant ist, ist zwangsläufig schwer und langsam. Wer schnell fliegt wie ein Mauersegler, kann nur leicht und fragil sein. Kurz gesagt: Keiner kann alles.• Deshalb ermöglichen Tradeoffs, dass viele unterschiedliche, aber gleichwertige Kompromisslösungen nebeneinander existieren. Tradeoffs sind oft eine direkte Konsequenz der Gesetze der Physik und der Chemie: Wer an die Grenzen von Masse, Kraft, Energieaustausch usw. stößt, muss anderweitig Abstriche machen, wie das Beispiel des Kolibris zeigt.

1

Fliegen mit erhöhter Immunität gegen Keime haben eine reduzierte Verpaarungsrate und eine geringere Konkurrenzfähigkeit der Larven.

Taufliegen (*Drosophila melanogaster*) wurden auf erhöhte Immunität selektiert (unten), was auf Kosten anderer Funktionen geht. Solche negativen Kopplungen oder Kompromisse (Tradeoffs) sind allgegenwärtig.

Alle genannten Faktoren verhindern, dass eine endgültige Angepasstheit erreicht wird. Stattdessen produziert die Selektion ein Sammelsurium von gleichwertigen Lösungen. Dies erklärt, weshalb eine gewisse Individualität weit verbreitet ist. Der Schnelle und der Langsame, der Risikofreudige und der Vorsichtige, der Spezialist und der Generalist, alle können ohne weiteres nebeneinander gleich erfolgreich sein, weil jeder seine Stärken und Schwächen hat.

Aufgabe 18.1

Auch in unserem Alltag hindern Tradeoffs uns daran, „alles zu haben". Geben Sie Beispiele aus Ihrem Leben. Konzentrieren Sie sich dabei auf ein Budget in einer bestimmten Währung, z. B. Stunden, Joule oder Euro.

18.2 Lebensdauer ist ein durch Selektion angepasstes Merkmal

Wenn das Überleben kein Ziel an sich, sondern nur Mittel zur Maximierung der Fitness ist, wie lange soll ein Organismus dann leben? Die Lebensdauer variiert von wenigen Tagen bei Rädertierchen bis zu Jahrtausenden bei manchen Bäumen. Ist die Lebensdauer ein durch Selektion und Evolution angepasstes Merkmal? Experimente an Bakterien, Taufliegen, Fadenwürmern und Mäusen zeigen: Wenn nur ältere Tiere sich vermehren, setzt die Alterung später ein und die Lebensdauer verlängert sich.* Die Geschlechtsreife wird aber ebenfalls später erreicht, und die Fruchtbarkeit nimmt ab, was auf einen Kompromiss zwischen Überleben und Vermehren schließen lässt. Im alternativen Experiment, in dem nur junge Tiere Nachkommen haben, passiert genau das Umgekehrte (→ Abb. 2, S. 266).

Der Zusammenhang zwischen Lebensalter und Fortpflanzung lässt sich aufgrund der Experimente so deuten: Wenn ein Individuum bereits im jungen Alter die Mehrzahl seiner Nachkommen aufziehen kann, hat sein späterer Lebensabschnitt wenig Bedeutung für seine Fitness. Es fehlt dadurch die Selektion gegen Alterung. Das erklärt, weshalb manche Merkmale, die im jungen Alter zu einem Fitnessvorteil führen, im hohen Alter die Überlebenschancen verringern. So fördern beim Menschen die Sexualhormone *Testosteron* und *Östrogen* im jungen Alter die Attraktivität für das andere Geschlecht. Dafür erhöht sich jedoch auch das Risiko, später an Prostatakrebs oder Brustkrebs zu erkranken. Weil diese Krankheiten aber erst nach der reproduktiven Phase auftreten, übertreffen die frühen Vorteile die späten Nachteile.

Die optimale Lebensdauer wird auch durch äußere Faktoren wie Raubtiere oder Unfälle beeinflusst. Organismen, die eher solchen Risiken ausgesetzt sind, werden frühzeitig alles auf Fortpflanzung setzen und schon recht jung Alterung zeigen. Seit 4000 Jahren

Reproduktion

1 Unterschiede zwischen einer Inselpopulation und der Festlandpopulation des Nordopossums (hier mit Jungtier) zeigen, dass die Lebenserwartung an die Umwelt angepasst ist.

lebt eine isolierte Population des Opossums *Didelphis virginiana* (→ Abb. 1) auf der Insel Sapelo vor der Ostküste der USA. Hier fehlen die Räuber des Festlands. Die Folge: Auf Sapelo sind Opossums tagaktiv, vermehren sich zwei- statt einmal pro Jahr, werden später geschlechtsreif, altern später und leben um ein Viertel länger als ihre nachtaktiven Artgenossen auf dem Festland. Dafür zeigt die Inselpopulation kleinere Wurfgrößen, ein Tradeoff zwischen Überleben und Fertilität. Die Lebensdauer wird also von der Umwelt optimiert.

Evolution

Experiment: Künstliche Selektion des Merkmals Lebensdauer

Hypothese
Die Lebensdauer ist ein Merkmal, das durch Selektion den Lebensbedingungen angepasst wird.

Methode
Beim Selektionsexperiment mit dem Fadenwurm *Caenorhabditis elegans* unterliegt die Population einer künstlichen Selektion, denn nur die jungen Tiere gelangen über viele Generationen zur Fortpflanzung.

- Wurmeier werden auf einen Nährboden, eine Agarplatte, gegeben.
- Die Würmer wachsen und vermehren sich. Als Futter dienen E. coli-Bakterien.
- Die Lebensdauer beträgt normal bis 15 Tage. Sie wird auf 4 Tage beschränkt.
- Eine Probe mit Jungtieren aus jeder Generation wird bei −80 °C eingefroren.
- Tag 1
- Der Zyklus wird 20- bis 25-mal wiederholt.
- Tag 5
- Die Eier werden gewaschen.
- Die Würmer werden abgetötet.

Nach 25 Generationen werden Lebensdauer und Fortpflanzung der selektierten Linien gemessen. Täglich werden dazu die Würmer von ihren Eiern getrennt und auf frische Platten gesetzt, wo sie die Eiablage fortsetzen. Eier und überlebende Würmer werden jeden Tag ausgezählt. Dies wird wiederholt, bis keine Eier mehr gelegt werden oder alle Würmer tot sind.

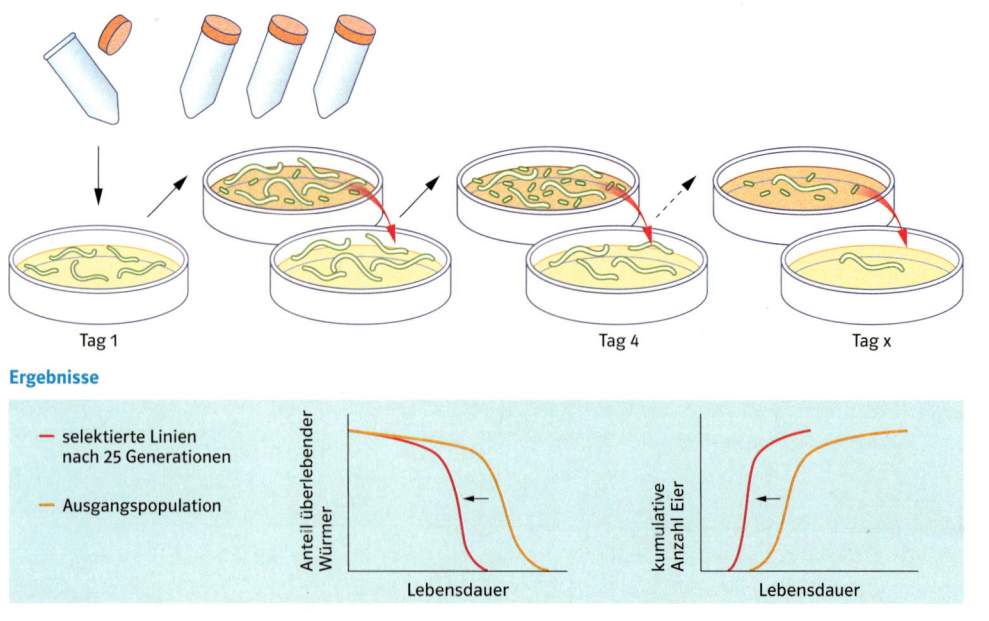

Tag 1 — Tag 4 — Tag x

Ergebnisse

- selektierte Linien nach 25 Generationen
- Ausgangspopulation

(Anteil überlebender Würmer vs. Lebensdauer; kumulative Anzahl Eier vs. Lebensdauer)

Schlussfolgerung
Die Lebensdauer wird durch Selektion verkürzt und die Fortpflanzung im jungen Alter beschleunigt.

2 Auch das Merkmal Lebensdauer kann durch Selektion optimiert werden.

Ein Schlaraffenland kann aber auch umgekehrt wirken: Labormäuse, deren Population seit 100 Jahren im Labor gehalten wird, leben um ein Viertel kürzer als ihre Artgenossen in der Natur. Der Grund: Im Labor existiert eine (nicht geplante) Selektion auf schnelle Fortpflanzung. Die Folge: Labormäuse wachsen schneller, werden früher geschlechtsreif, haben größere Würfe, aber altern dafür schneller.

Aufgabe 18.2

Entwerfen Sie ein Experiment, mit dem Sie zeigen können, dass die durchschnittliche Lebensdauer einer Labormaus für die Haltungsbedingungen optimiert ist.

18.3 Manche Formen der Selektion fördern genetische Vielfalt

Natürliche Selektion braucht genetische Vielfalt, um auslesen zu können. Die Auslese selbst führt zu einer Verringerung der Vielfalt. Eliminiert die natürliche Selektion ihren eigenen Brennstoff? Generell ja, und dieser Prozess kann nur durch neue Mutationen ausgeglichen werden. Manche Formen der natürlichen Selektion erhalten aber die genetische Vielfalt. Zwei davon sind recht weit verbreitet: *Inzuchtvermeidung* und *negative häufigkeitsabhängige Selektion*.

Inzucht, oder die Kreuzung zwischen Nahverwandten, hat oft negative Konsequenzen. Diese werden durch ungünstige rezessive Allele verursacht. Eine Kreuzung zwischen heterozygoten Trägern der gleichen Allele erhöht die Chance, dass sie in homozygoter Form zur Ausprägung kommen. Kreuzungen zwischen Nichtverwandten beinhalten ein geringeres Risiko, dass dies passiert. Negative rezessive Allele sind in allen Populationen weit verbreitet. Inzuchtvermeidung ist daher sehr häufig: Organismen gehen ihren Verwandten aus dem Weg, wenn es um die Partnersuche geht. Auf der Populationsebene führt dies zu mehr Heterozygoten, als man durch Zufall erwarten würde (→ 17.7) und der Population bleibt mehr genetische Vielfalt erhalten.

Der zweite Prozess, die negative häufigkeitsabhängige Selektion, tritt dann auf, wenn seltene Merkmalsausprägungen durch natürliche Selektion bevorzugt werden. Wenn z. B. ein Nachtfalter individuelle Variation in seinem Tarnmuster hat, werden insektenfressende Vögel sich auf die Erkennung des häufigsten Musters spezialisieren, denn dieses lohnt sich. Seltenere Muster haben hier also einen Vorteil. Dies führt aber konsequenterweise dazu, dass letztere häufiger werden und die häufigeren immer seltener. Die Fressfeinde reagieren darauf, indem sie lernen, die neue, häufige Form als die ergiebigere zu erkennen. Es kommt zu einem ständigen Wechsel: Was selten ist, wird häufig, was aber häufig ist, wird wieder selten usw. Man spricht von negativer häufigkeitsabhängiger Selektion, weil die Häufigkeit den Erfolg negativ beeinflusst. Merkmale, die unter dieser Form der Selektion stehen, erhalten ihre genetische Vielfalt in der Population leichter, als dies bei anderen Merkmalen der Fall ist. Es sind oft Merkmale, die bei Interaktionen mit anderen Arten über Leben oder Tod entscheiden und einem ständigen Wandel ausgesetzt sind (z. B. Immunabwehr, Tarnung, Antibiotika, Giftstoffe; → Abb. 1, siehe auch → 18.6).

Variabilität und Angepasstheit

1

Amerikanische Waldsalamander (*Plethodon*) zeigen viel Variation im Rückenmuster. Werden Farbvarianten aus Knetmasse in verschiedenen relativen Häufigkeiten ausgelegt, ist es immer die häufigere Form, die prozentual am meisten von Vögeln attackiert wird. Vögel lernen schnell, sich auf die häufige Form zu konzentrieren. Das ist ein Vorteil für die seltenere Form und erklärt die natürliche Farbenvielfalt.

Evolution

Online-Link
Steckbrief: Löwenzahn
150010-2681

Ein anderes Beispiel für negative häufigkeitsabhängige Selektion ist das Geschlechterverhältnis. Weil alle Nachkommen exakt eine Mutter und einen Vater haben, ist der Beitrag zur nächsten Generation für alle Mütter zusammen und für alle Väter zusammen identisch. Ist aber zum Beispiel nur ein Weibchen pro zwei Männchen vorhanden, dann haben einzelne Männchen im Schnitt nur die Hälfte der Fitness einzelner Weibchen. Söhne sind dann aus dem Blickwinkel der Evolution gesehen weniger wertvoll als Töchter, und Elternindividuen werden unter dem Selektionsdruck stehen, das Geschlechterverhältnis zu weniger Söhnen und mehr Töchtern zu verschieben. Sind dadurch aber irgendwann mehr Weibchen als Männchen vorhanden, verschiebt sich das Verhältnis wieder in die andere Richtung. Was entsteht, ist ein Gleichgewicht von 1 zu 1, genau das Verhältnis, das durch die Geschlechtschromosomen stabilisiert wird.

Es existiert auch eine positive häufigkeitsabhängige Selektion. Die tritt dann auf, wenn die häufigere Ausprägung einen Vorteil gegenüber der selteneren hat. Weil dies zu einem Verdrängen anderer Varianten führt, hat es den umgekehrten Effekt: Die genetische Vielfalt des Merkmals geht rasch verloren.

Aufgabe 18.3
Belegen Sie mit einem Beispiel aus Ihrer unmittelbaren Umgebung, dass eine Merkmalsausprägung einen Vorteil hat, wenn sie selten ist und diesen Vorteil verliert, wenn sie häufiger wird.

18.4 Sexuelle Fortpflanzung beschleunigt die Evolution

Reproduktion

„Sex macht fit", sagen Evolutionsbiologen. Was sie damit meinen, ist aber nicht, Sexualverhalten würde das Individuum körperlich stärken, sondern, dass genetische Durchmischung die biologische Fitness späterer Generationen erhöht.• Weshalb ist sexuell erzeugter Nachwuchs biologisch fitter? Die Frage nach dem Vorteil der Sexualität beschäftigt Evolutionsbiologen seit DARWIN. Es gibt über 30 Hypothesen, die man in zwei große Gruppen zusammenfassen kann.

Zum einen bringt *Rekombination* günstige Eigenschaften zusammen. Nur *Sexualität* erlaubt es, die vorteilhaften Allele eines Elternteils (durch Crossingover) und von zwei Elternteilen (durch Befruchtung) zusammenzubringen (→ 11.3). Dies ist wichtig, weil neue Merkmalskombinationen das langfristige Überleben in einer sich ständig verändernden Welt erleichtern. Es ist auch effizient, weil nur selten neue, positive Eigenschaften durch Mutationen entstehen (→ 17.3). Sexualität beschleunigt deren Verbreitung in der Population. Bei klonalen Organismen (→ 11.1), die sich ohne Sexualität vermehren, können vorteilhafte Mutationen in der Abstammungslinie nur nach und nach auftreten; ein langwieriger Prozess. Nur bei kurzer Generationszeit und großen Populationen kann auch ohne Sexualität eine schnelle Anpassung erfolgen. Das ist vor allem bei Bakterien und Viren der Fall.

Eine zweite Gruppe von Hypothesen bezieht sich auf ungünstige Mutationen (→ 12.4, → 12.5). Sie werden durch Sexualität leichter eliminiert. Weil Meiose

1
Der Löwenzahn ist eine asexuelle Pflanze. Die Nachkommen sind identische Kopien der Mutterpflanze. Der Embryo entsteht in der Samenanlage aus einer diploiden Zelle.

Genome halbiert und jeder Nachkomme nur eine Hälfte bekommt, entstehen z.T. fittere Nachkommen mit weniger schädlichen Mutationen. Im Gegensatz dazu sind klonale Arten nicht in der Lage, Nachkommen zu erzeugen, die weniger negative Eigenschaften haben als sie selbst. Schädliche Mutationen häufen sich an, was in eine evolutionäre Sackgasse führen kann.

Obwohl vieles für die Sexualität spricht, hat auch die *Asexualität* ihre Pluspunkte: Sie vermeidet Kosten, die sexuelle Arten zahlen müssen. So schützt Asexualität z. B. gute Genkombinationen, die von Sexualität auseinandergerissen werden. Sie investiert nicht in Männchen, sondern nur in Weibchen, was zu mehr Nachwuchs führt. Ausschließliche Asexualität tritt bei Vielzellern selten auf (Ausnahmebeispiel: → Abb. 1). Häufiger ist die Kombination aus beidem: Beim Wasserfloh *Daphnia pulex* besteht die Sommerpopulation ausschließlich aus asexuellen Weibchen, die nur Weibchen hervorbringen. Diese erzeugen jedoch im Herbst sexuelle Weibchen und Männchen, die dann befruchtete, überwinternde Dauereier produzieren.

Aufgabe 18.4

Erörtern Sie, unter welchen Bedingungen die Asexualität besonders erfolgversprechend sein könnte.

18.5 Die Evolution von Geschlechtsmerkmalen wird durch sexuelle Selektion erklärt

Als CHARLES DARWIN seine Evolutionstheorie formulierte, war diese zunächst stark auf das Überleben fokussiert. Bald aber erkannte er, dass es viele Merkmale mit eindeutigem Nachteil in Bezug auf Überleben gibt, die aber durch klare Fortpflanzungsvorteile ausgeglichen werden. Das gilt insbesondere für *sekundäre Geschlechtsmerkmale*, die dazu dienen, Partner anzulocken und die Konkurrenz zu beeindrucken. Dazu gehören auffällige Federkleider vieler Vogelarten (Hühner, Pfau, Paradiesvögel), die Rufe von Fröschen oder die Blüte einer Pflanze. Die Signale für die Fortpflanzung sind so auffällig, dass die Anziehung von Fressfeinden eine unausweichliche Konsequenz ist.

Um dieses Problem zu berücksichtigen, definierte DARWIN die **sexuelle Selektion** als die Auslese der Merkmale, die Verpaarungschancen erhöhen. Aber auch die *natürliche Selektion* beruht auf der biologischen Fitness (→ 17.2). So wird sexuelle Selektion als Teil der natürlichen Selektion gesehen.

2 Intersexuelle Selektion bei Birkhühnern (balzendes Männchen, zuschauendes Weibchen) kann die Evolution des Prachtkleids des Männchens erklären.

Reproduktion

Information und Kommunikation

Die *intrasexuelle Selektion* (→ Abb. 1) bezieht sich auf Auslese zwischen Individuen innerhalb eines Geschlechts. Sie fördert Merkmale, die in der direkten Konkurrenz zwischen Männchen (oder Weibchen) um den Zugriff zum anderen Geschlecht den Erfolg erhöhen. Kampf und Territorialität sind hier wichtig. Die Merkmale, die dabei selektiert werden, sind z. B. „Waffen" wie Hörner und Zähne oder einfach mehr Körpermasse, aber auch revierabgrenzende Duftspuren oder Drohrufe.

Bei der *intersexuellen Selektion* (→ Abb. 2) wählt das eine Geschlecht unter den Individuen des anderen

1 Intrasexuelle Selektion bei Rothirschen hat zur Evolution des Geweihs geführt.

3 **Wenn beide Eltern sich an der Brutaufzucht beteiligen, sind die Unterschiede zwischen den Geschlechtern kleiner.** Die Paarbildung beruht auf ähnlichen Präferenzen, wie bei diesen Kanadagänsen (*Branta canadensis*).

Was genau von der sexuellen Selektion gefördert wird, ist in der Regel unterschiedlich für beide Geschlechter. Eine Ursache dafür sind die Unterschiede im Fortpflanzungspotenzial. Ein männliches Individuum kann (theoretisch) mehr Nachkommen zeugen als ein weibliches, weil Spermienzellen klein und zahlreich, Eizellen groß und „kostspielig" sind. Während eine Zuchtstute in ihrem Leben selten mehr als 15 Fohlen haben wird, hinterlassen Zuchthengste manchmal mehr als 1000 Nachkommen. Nun ist die Anzahl männlicher und weiblicher Individuen in einer Population in der Regel gleich. Das bedeutet, die Konkurrenz unter den männlichen Individuen ist größer als unter den Weibchen. Es erklärt, weshalb es bei sehr vielen Tierarten die Männchen sind, die werben, singen und tanzen, während die Weibchen auswählen.

Es gibt jedoch Ausnahmen. Bei manchen Insekten-, Fisch- und Vogelarten leisten die Männchen derart hohe Beiträge zur Jungenaufzucht, dass solche „guten Väter" von den Weibchen umworben werden. Das ist zum Beispiel bei manchen Pinguinen und beim Seepferdchen der Fall, wo das Männchen alleine für das Ausbrüten der Eier zuständig ist. Hier sind die Weibchen auffällig schön und wetteifern um die Gunst der Männchen. Sind dagegen beide Partner gleichgestellt, sehen sie sich meist ähnlich (→ Abb. 3). Beim Menschen sind es je nach Kultur die Frauen oder die Männer, die einen hohen Status haben. In den meisten Kulturen sind aber sowohl Frauen als auch Männer am Versorgen, Hüten und Erziehen der Kinder beteiligt.

den bevorzugten Partner. Hier stehen Merkmale im Mittelpunkt, die den einen potenziellen Partner attraktiver machen als den anderen: Gesang, Federkleid, gesundes Aussehen oder Ressourcenangebote wie ein Nistplatz oder Futtergeschenke. Die Vielfalt ist so groß, dass die sexuelle Selektion als treibende Kraft in der Artbildung angesehen wird (→ Kap. 19). Deutliche Unterschiede im Aussehen der Geschlechter bezeichnet man als *Geschlechtsdimorphismus*.

Aufgabe 18.5

Diskutieren Sie zusammen mit anderen Schülern, welche Merkmale vom einen Geschlecht beim anderen Geschlecht als attraktiv eingestuft werden. Gibt es Unterschiede zwischen den Auswahlkriterien von jungen Frauen und Männern?

18.6 Koevolution ist eine Quelle fortwährender Selektion

Würde die Welt nur die Gesetze der Physik und Chemie kennen, hätten viele Eigenschaften irgendwann ihr Optimum erreicht, weil diese Gesetze sich nicht ändern. Die Besonderheit für Lebewesen ist jedoch, dass sie in einer belebten Natur existieren. Organismen teilen ihren Lebensraum mit anderen Arten, oft sogar mit unzähligen. Dazu gehören solche, von denen man sich ernährt, aber auch solche, für die man selbst eine Nahrungsquelle darstellt: Krankheitserreger, Parasiten, Herbivore oder Räuber. Und wenn nicht, konkurriert man um den Zugriff auf gemeinsame, knappe Ressourcen innerhalb von oder zwischen Arten. Der Mensch hat zehnmal mehr Mikroorganismen im Körper als körpereigene Zellen. Ein Lebewesen lebt also immer dank und trotz der anderen und stets mit den anderen.

Es sind daher nicht so sehr die *abiotischen* Faktoren der unbelebten Natur, sondern insbesondere das Zusammenspiel von *biotischen* Faktoren, von dem der stärkste *Selektionsdruck* ausgeht (→ Abb. 2, S. 312). Im Gegensatz zur Atmosphäre oder den chemischen Eigenschaften des Meerwassers ändern Lebewesen sich nämlich ständig. Parasiten entwickeln Resistenzen, Beutetiere stehen unter Selektion immer schneller zu laufen, Pflanzen entwickeln immer wieder neue Gifte, die sie stets aufs Neue ungenießbar machen, und Räuber entwickeln neue Jagdstrategien.

Selektion und Evolution bei einem Organismus laufen fast immer parallel zu einer kompensierenden oder komplementären Änderung in einem anderen Organismus. Das bezeichnet man als **Koevolution.*** Gepard und Antilope evolvieren gemeinsam, genauso wie Biene und Blüte, Bandwurm und Schwein, Malariaerreger und Mensch, Männlein und Weiblein. Evolution ist so immer auch eine Koevolution der Eigenschaften, Gegenspieler oder Arten, die miteinander in Beziehung stehen (→ Abb. 1). Insbesondere dann, wenn große Vor- und Nachteile im Spiel sind, ist der Selektionsdruck auf antagonistische Spieler, die jeweiligen Gegenspieler, in der Evolution sehr stark (→ Abb. 2). So entwickeln Krankheitserreger, die besonders stark mit Antibiotika oder Pestiziden bekämpft werden, schneller Resistenzen. Umgekehrt sind alte, seit langem koevolvierte Beziehungen von einer gewissen Stabilität gekennzeichnet. Diese kann irgendwann sogar in gegenseitige Abhängigkeit und Kooperation münden. Was zunächst als räuberischer oder parasitischer Akt anfing, kann später zu einer Symbiose führen, wie es für die Mykorrhiza der Pflanzenwurzel (→ Abb. 3, S. 332) oder die Darmflora der Wirbeltiere vermutet wird.

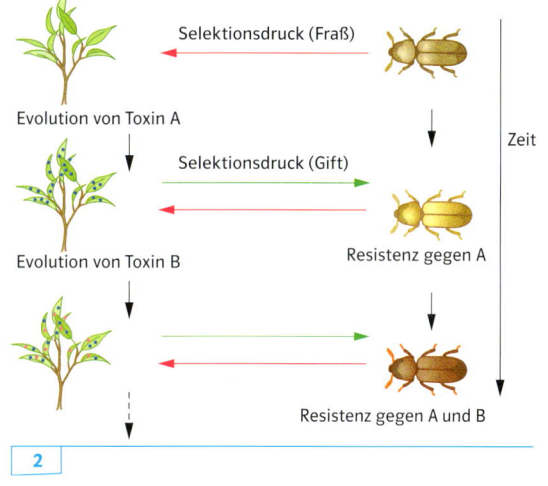

2 Zwei Arten evolvieren infolge von wechselseitigem Selektionsdruck.

1 Drama mit drei koevolvierenden Partnern: Eine gut getarnte Krabbenspinne hat in einer Blüte deren Bestäuber erbeutet, einen Nektar suchenden Schmetterling.

Variabilität und Angepasstheit

Aufgabe 18.6

Beschreiben Sie Merkmale von Blütenpflanzen und Bestäubern, die womöglich durch Koevolution entstanden sind.

18.7 Evolution findet auf jeder Ebene statt, die Vererbung und Vermehrung zeigt

Individuelle Variabilität ist der Brennstoff der natürlichen Selektion. Aber müssen es denn immer Individuen sein, auf die die Auslese einwirkt? 1976 verursachte der englische Evolutionsbiologe RICHARD DAWKINS große Aufregung mit seinem Buch „The Selfish Gene" (Das egoistische Gen). Darin vertrat er die Auffassung, dass Evolution ausschließlich von der Selektion von Genen abgeleitet werden kann. Es sei die „Selbstsucht" der Gene, die zur Bildung gut angepasster, genduplizierender „Vehikel" (= Zellen oder vielzellige Individuen) geführt hat. Individuen werden damit zu Sklaven ihrer Gene reduziert.

Evolution

Variabilität und Angepasstheit

Diese provokante Sicht der Dinge ist einseitig, denn das Leben ist aus mehr als nur einer *Organisationsebene* aufgebaut (→ S. 16). Sie hat aber zu einer wichtigen Einsicht geführt: Alle diese Ebenen zeigen vererbbare Variabilität. Das gilt für Gene, Genome, Zellen, vielzellige Individuen, Gruppen, Populationen, Arten usw. Auf allen Ebenen entsteht und verschwindet Variation.• Sie alle passen sich über die Zeit den Bedingungen der Natur an. Der „Kampf ums Überleben" (eigentlich der „Kampf" um die biologische Fitness) findet deshalb unter Genen genauso wie unter Individuen oder Arten statt. Man spricht daher neben der *Gen-* und *Individualselektion* auch von Sippen-, Gruppen- oder Artenselektion.

- *Sippenselektion* fördert Eigenschaften, die für eine Gruppe von Verwandten (z. B. eine Großfamilie) Vorteile bieten, wie zum Beispiel das Ausbilden und Respektieren einer Rangordnung. Hier spielen indirekte Fitnessvorteile und Gesamtfitness eine wichtige Rolle (→ 17.2, → 35.8).
- *Gruppenselektion* funktioniert ähnlich, bezieht sich aber auf nicht verwandte Gruppen. Damit fehlt der Vorteil der Gesamtfitness, was die Bedeutung herabstuft.
- *Artenselektion* betrifft eine Gruppe, die die gesamte Art umfasst.

Die *Individualselektion* bleibt für die Evolution die wichtigere Form der Auslese. Der Grund ist einfach. Gene sind eng gekoppelt auf Chromosomen fixiert und können daher kaum einzeln ausgelesen werden. Individuen sind dagegen recht unabhängige „Einzellösungen", zwischen denen die Selektion leichter unterscheiden kann. Im Gegensatz zu Gruppen oder Arten entstehen und sterben Individuen schneller und sind zahlreicher. Dagegen können sich Eigenschaften, die gut für die ganze Gruppe oder Art sind, nur langsamer durchsetzen, wenn überhaupt. Die Aussage, dass eine Eigenschaft dem „Überleben der Art" diene, muss daher mit Vorsicht benutzt werden. Oft meint man nämlich Eigenschaften, die nur den individuellen Interessen dienen und lediglich als Nebeneffekt zum Weiterbestehen der Art beitragen. Die meisten Merkmale von Lebewesen kann man tatsächlich als Ergebnis der Individualselektion erklären.

Ein einleuchtendes Beispiel ist das Sozialleben des Löwen. Löwenweibchen leben in einem permanenten Rudel, das von einem Männchen, manchmal auch von zwei Brüdern geleitet wird. Das Leittier muss aber um seine Position kämpfen und wird irgendwann durch ein neues Männchen ersetzt. Als erstes tötet das neue Leittier nun alle säugenden Jungtiere in der Gruppe (*Infantizid*). Was nach einer grausamen Verschwendung auf der Ebene der Art aussieht, ist aus der Perspektive der Individualselektion durchaus sinnvoll: Die Weibchen der Gruppe werden jetzt schneller empfängnisbereit und die biologische Fitness des neuen Männchens wird am Ende größer sein, als wenn es gewartet hätte, bis die vorhandenen Jungtiere entwöhnt sind.

Heißt dies jetzt, dass alle Individuen Egoisten sind, die nur den eigenen Fortpflanzungserfolg im Auge haben? So einfach ist es nicht. Selektion auf einer Ebene wird nämlich durch Selektion auf den anderen Ebenen beschränkt (→ Abb. 1). Wenn ein „selbstsüchtiges" Gen sich unkontrolliert kopiert und im Genom verbreitet (z. B. als Transposon, →12.7) hat dieses Gen zwar eine „hohe Fitness". Diese geht aber derart auf Kosten der darüberliegenden Ebenen (das Gesamtgenom, das Individuum), dass ein solcher Prozess schnell durch den Tod des Individuums gestoppt wird. Ähnliches passiert, wenn eine Zelle zu einer Krebszelle wird und sich unkontrolliert vermehrt. Auch hier entsteht ein Konflikt mit der darüberliegenden Ebene, dem vielzelligen Individuum. Mit dessen Tod endet der Prozess. Und wenn Individualselektion Individuen so selbstsüchtig werden lässt, dass die Population mit anderen konkurrierenden Arten nicht mehr mithalten kann, wird dies durch ein beschleunigtes Aussterben auf der Ebene der Population oder Art gestoppt.

1

Wessen Fitness? Die des Jungtiers, des Elternteils oder der Art? Eigeninteressen auf einer Ebene können Konflikte mit anderen Ebenen auslösen.

Aufgabe 18.7

Die natürliche Selektion fördert in gewissem Maß die Selbstsucht (Maximierung der eigenen biologischen Fitness). Erklären Sie, wie dies durch Selektion auf anderen Organisationsebenen im Gleichgewicht gehalten wird.

19

Die Entstehung von Arten

Buntbarsch aus dem Malawisee

Ein Vorfahre dieses unscheinbaren Fischs namens *Astatotilapia calliptera* war vermutlich die Urart, aus der Hunderte von Buntbarscharten des Malawisees entstanden sind.
Dieser Art ist es gelungen, als eine der ersten einen jungen See zu kolonisieren. In anderen ostafrikanischen Seen waren andere Arten an der Erstbesiedlung beteiligt. Überall jedoch wurde ein Feuerwerk der Artbildung ausgelöst und es entstand ein Artenschwarm. Solche schnellen Entfaltungen der Biodiversität sind auch bei anderen Organismen im Laufe der Evolution häufig aufgetreten und bieten Evolutionsbiologen eine Chance, den Prozess der Artbildung zu erforschen, zu vergleichen und zu verstehen.

19.1	Reproduktionsbarrieren trennen Arten voneinander
19.2	Geografische Isolation kann zu Artbildung führen
19.3	Neue Arten können sich im selben Gebiet wie die Elternart bilden
19.4	Die Geschwindigkeit der Artbildung kann gleichmäßig oder sprunghaft sein
19.5	Eine höhere Komplexität ist keine notwendige Konsequenz der Evolution

Evolution

19.1 Reproduktionsbarrieren trennen Arten voneinander

Die meisten Tiere unterscheiden zwischen Beute und Räuber und zwischen Essbarem und Giftigem. Dass dies überhaupt möglich ist, liegt daran, dass Gruppen von Organismen in ihrer Merkmalsausprägung recht stabil sind, über viele Individuen, viele Generationen und große Lebensräume hinweg: Das Murmeltier kennt den Steinadler und umgekehrt. In der Biologie nennen wir eine solche Gruppe eine Art. Aber was ist eine Art genau? Wo fängt sie an, wo hört sie auf? Diese Diskussion ist so alt wie die Biologie selbst, weil kein **Artbegriff** jeden biologischen Fall zufriedenstellend beschreiben kann.

Der erste Versuch eine Art zu definieren führte zum *morphologischen Artbegriff*:

- Arten sind Gruppen von Organismen, die sich anhand morphologischer Merkmale, also anhand von Formen und Strukturen, voneinander unterscheiden lassen. Zwischenformen fehlen.

Doch ab wann ist ein morphologisches Merkmal denn ausreichend unterschiedlich oder gleich? Wie gehe ich mit Variation innerhalb einer Art um? Bei manchen Organismen unterscheiden sich die Entwicklungsstadien derart (z. B. Raupe und Schmetterling), dass Morphologie als alleiniges Kriterium nicht in Frage kommt. Die morphologische Artabgrenzung wird außer für Fossilien heutzutage nach Möglichkeit vermieden. Denn mit neuen, molekularen Techniken wurde in den letzten Jahren festgestellt, dass morphologische Arten oft eine Mischung aus äußerlich schwer unterscheidbaren Arten darstellen (→ Abb. 1). Diese nennt man auch *kryptische Arten* (kryptos (gr.): versteckt).

Der *biologische Artbegriff* betont den genetischen Austausch:

- Eine Art ist eine Gruppe der Individuen, die sich untereinander fruchtbar fortpflanzen können. Eine solche Gruppe ist genetisch von anderen Gruppen isoliert und evoluiert als eine Einheit.

Mit diesem Begriff wäre aber jede Abstammungslinie asexueller, klonaler Organismen eine eigene Art (Beispiel Löwenzahn, → 18.4). Außerdem berücksichtigt er nicht, dass Individuen keine Fortpflanzungsgemeinschaft mit vorangegangenen oder späteren Generationen bilden können. Trotzdem wird man ja nicht jede Generation als eine eigene Art betrachten.

Der *phylogenetische Artbegriff* betont die gemeinsame Abstammung:

- Eine Art ist die gesamte Gruppe von Individuen und Populationen, die für einen bestimmten Zeitraum auf einen gemeinsamen Vorfahren zurückgeführt werden kann.

Aber wie definiert man diesen Zeitraum? Wie weit zurück darf der letzte gemeinsame Vorfahre gelebt haben? Wie bekommt man diese Informationen aus der Vergangenheit? Was ist mit dem Genaustausch zwischen Nicht-Verwandten, der bei Bakterien oft auftritt? Durch die molekulare Stammbaumanalyse ist es heute leichter, Ähnlichkeiten und Verwandtschaft zu objektivieren. Das hat die Bedeutung dieses Artbegriffs gestärkt.

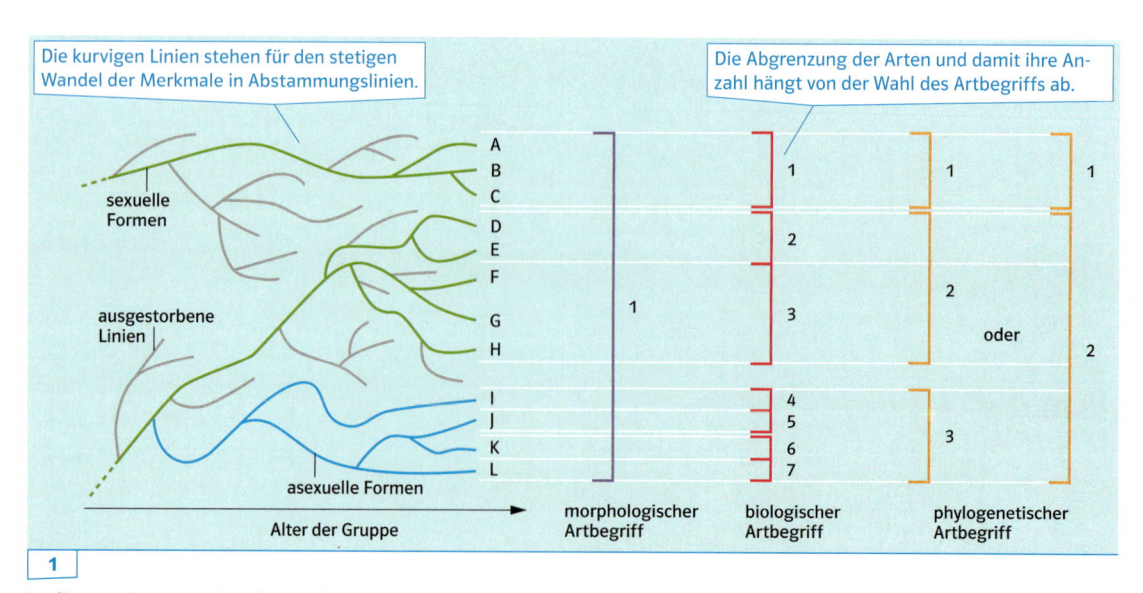

Geschichte und Verwandtschaft

1 In diesem theoretischen Beispiel ist ein Stammbaum von 12 Populationen (A–L) zu sehen, die morphologisch (vom Körperbau her) nicht voneinander zu unterscheiden sind. Rechts sind 4 mögliche Interpretationen dargestellt.

Sie sehen, eine einheitliche Definition einer Art, die für alle Organismen passt, ist kaum zu finden. Wir halten als wesentliches Kennzeichen einer **Art** fest:
- Eine Art umfasst eine Gruppe von ähnlichen Individuen, die in Zeit und/oder Raum über die Fortpflanzung miteinander verbunden sind.•

Die *Reproduktionsbarriere* (→ Abb. 2) ist zwischen den meisten Arten absolut: Es gibt keine Verpaarungen und selbst wenn sie stattfänden, sind Spermien und Eizellen unverträglich (*inkompatibel*): Eine Befruchtung findet nie statt. Bis dieses Stadium der Abgrenzung erreicht ist, müssen viele Zwischenstufen durchlaufen werden. Es könnte z.B. damit anfangen, dass die Individuen der jeweiligen Populationen sich nicht mehr treffen, weil sie zeitlich oder räumlich getrennt sind. Es kann aber auch sein, dass sie sich zwar noch treffen, aber nicht mehr erkennen, wegen der Entstehung neuer Sexualsignale (z.B. neue Gerüche oder Farbsignale). Über lange Zeiträume evolvieren solche Populationen immer weiter auseinander. Dadurch nehmen die Fruchtbarkeitsprobleme bei Verpaarungen zwischen den Populationen (*Hybridverpaarungen*) zu. Schließlich, im Schnitt nach etwa einer Million (!) Jahren, ist die Trennung vollständig. Trotz dieser langen Zeit gibt es sehr viele Arten, weil Artbildung natürlich bei allen Organismen mehr oder weniger zeitgleich abläuft. So kann es trotz niedriger Geschwindigkeit zu einem exponentiellen Anstieg der Artenzahl kommen.

Die meisten der heute lebenden „Arten" stecken irgendwo in diesem Prozess der Artbildung: Von vielen kennt man nah verwandte *Schwesterarten*, mit denen die Reproduktionsbarriere noch unvollständig ist. Bei Pferd und Esel sind die Nachkommen ausdauernd und

Isolationsmechanismen		Ebene der Wirkung
präzygote Barriere	andere Verbreitung	Begegnung der Geschlechtspartner
	neue Signale	Balz
	Veränderung der Geschlechtsorgane	Begattung
postzygote Barriere	Unverträglichkeit der Keimzellen	Befruchtung, Zygote
	genetisch geänderte Steuerung	Entwicklung
	Sterilität	Nachkommen

2 Reproduktionsbarrieren beruhen auf Isolationsmechanismen.

lebensfähig, aber steril (Maulesel, wenn der Vater ein Pferd, Maultier, wenn der Vater ein Esel war). Löwen und Tiger können ebenfalls gemeinsame Nachkommen zeugen. Diese haben aber nur eine geringe Lebensdauer und können genetische Defekte aufweisen. Hybridisierungen sind in der Natur relativ häufig, besonders bei Pflanzen. Obwohl sie in der Regel zu einer geringeren Fitness führen, entstehen so manchmal neue Arten (→ 19.4).

Aufgabe 19.1

Listen Sie Kriterien auf, nach denen sich Individuen in Arten gruppieren lassen.

19.2 Geografische Isolation kann zu Artbildung führen

Evolutionsbiologen sind sich einig, dass die meisten neuen Arten durch eine räumliche Auftrennung der Ursprungspopulation zustande kommen. Wenn eine Art sich über ein großes Areal ausgebreitet hat, finden Kontakte zwischen den fern voneinander gelegenen Teilpopulationen kaum noch statt. Wenn dann durch eine Änderung der Umwelt (z.B. Anstieg des Wasserspiegels, Trennung durch Gletscher, geologische oder klimatische Änderungen) diese Populationen strikt voneinander getrennt sind, wenn also **geografische Isolation** vorliegt, kann der Prozess der Auseinanderentwicklung (*Divergenz*) ungehindert anlaufen. Nach langer, langer Zeit kann dies zu Populationen führen, die durch eine vollständige Reproduktionsbarriere getrennt sind. Man spricht dann von **allopatrischer Artbildung** (→ Abb. 1 und 2, S. 276). Beschleunigt wird sie, wenn sich nur ein kleiner Teil der Ursprungspopulation abgetrennt hat, was zu starken, zufälligen

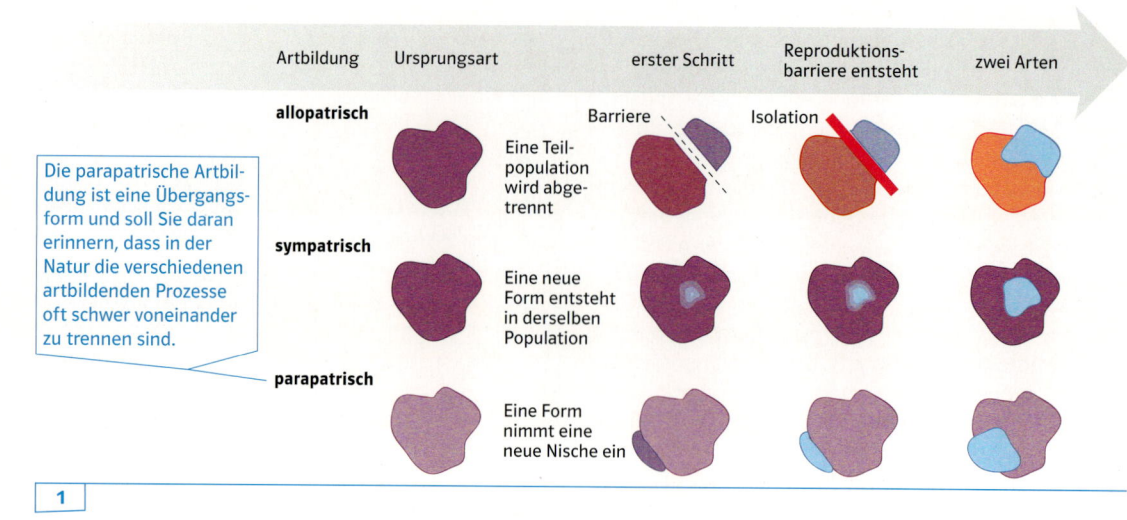

Evolution

1

Artbildung	Ursprungsart	erster Schritt	Reproduktionsbarriere entsteht	zwei Arten
allopatrisch		Eine Teilpopulation wird abgetrennt (Barriere)	Isolation	
sympatrisch		Eine neue Form entsteht in derselben Population		
parapatrisch		Eine Form nimmt eine neue Nische ein		

Die parapatrische Artbildung ist eine Übergangsform und soll Sie daran erinnern, dass in der Natur die verschiedenen artbildenden Prozesse oft schwer voneinander zu trennen sind.

Arten können auf viele verschiedene Weisen entstehen. Allopatrische und sympatrische Artbildung sind die Extreme.

Geschichte und Verwandtschaft

Veränderungen im Genpool führt (*Flaschenhalseffekt*), die einen ersten großen Schritt in Richtung einer Reproduktionsbarriere darstellen können (→ 17.6). Weil bei der allopatrischen Artbildung die Teilpopulationen nicht unter dem Selektionsdruck stehen, sich schnell auseinanderentwickeln zu müssen, dauert die Ausbildung einer Reproduktionsbarriere in der Regel viele Millionen Jahre.

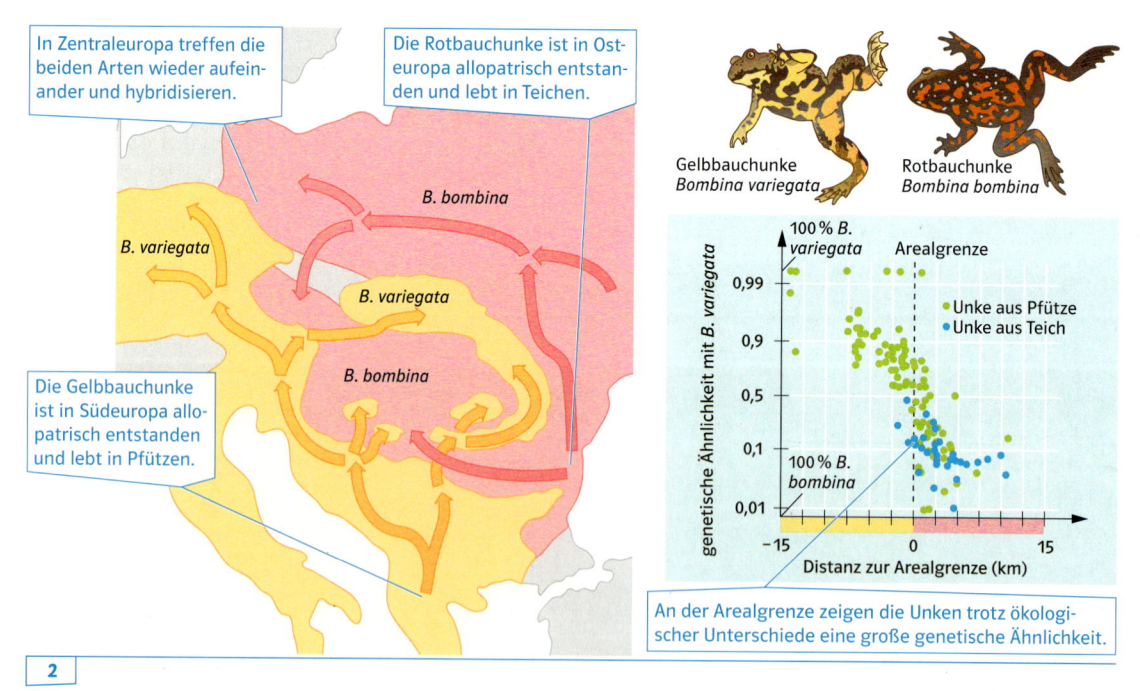

2

In Zentraleuropa treffen die beiden Arten wieder aufeinander und hybridisieren.

Die Rotbauchunke ist in Osteuropa allopatrisch entstanden und lebt in Teichen.

Die Gelbbauchunke ist in Südeuropa allopatrisch entstanden und lebt in Pfützen.

Gelbbauchunke *Bombina variegata*

Rotbauchunke *Bombina bombina*

An der Arealgrenze zeigen die Unken trotz ökologischer Unterschiede eine große genetische Ähnlichkeit.

Bei den allopatrisch aus gemeinsamen Vorfahren entstandenen Rotbauch- und Gelbbauchunken in Europa erfolgte nach einem späteren Neukontakt eine Hybridisierung — trotz ökologischer Spezialisierung und genetischer Unterschiede.

Aufgabe 19.2

Viele Tier- und Pflanzenarten sind in Europa aus dem Süden in Richtung Norden eingewandert. Begründen Sie. (Tipp: → 17.6)

19.3 Neue Arten können sich im selben Gebiet wie die Elternart bilden

Artbildung setzt nicht unbedingt eine räumliche Trennung voraus. Unter bestimmten Bedingungen kann auch innerhalb der gleichen Population eine Aufteilung in Fortpflanzungsgemeinschaften entstehen, die irgendwann eine vollständige Reproduktionsbarriere zur Folge hat. Eine Artbildung, die in einem gemeinsamen Lebensraum verläuft, bezeichnet man als **sympatrische Artbildung** (→ Abb. 1, S. 276).

Die Galapagosfinken stammen alle von nur wenigen Erstsiedlern ab, die vom südamerikanischen Festland kamen. Die fehlende Konkurrenz hat auf den „leeren" Inseln eine adaptive Radiation ermöglicht. Es sind sehr vielfältige Schnabel- und Kopfformen entstanden. Durch eine Bevorzugung von Verpaarungen innerhalb des gleichen Typus haben sich etliche verschiedene Arten herausgebildet, die heute nebeneinander existieren (→ Abb. 1). Durch seltene Migration zwischen den Inseln wurde der Prozess verstärkt: So wurden Spezialisierungen, die in einer Finkenpopulation auf einer Insel entstanden waren, zu anderen Inseln exportiert. Dort wurden sie durch Konkurrenz mit den bereits vorhandenen Formen weiter ausgebaut. Allopatrische Prozesse haben also Hand in Hand mit sympatrischen Prozessen zu der aktuellen Situation geführt. Wenn die Grenzen zwischen Allopatrie und Sympatrie durch Nischenspezialisierung (→ 22.5) unscharf werden (man lebt im gleichen Gebiet, nutzt aber andere Bedingungen und begegnet sich kaum), spricht man von *parapatrischer Artbildung* (→ Abb. 1, S. 276).

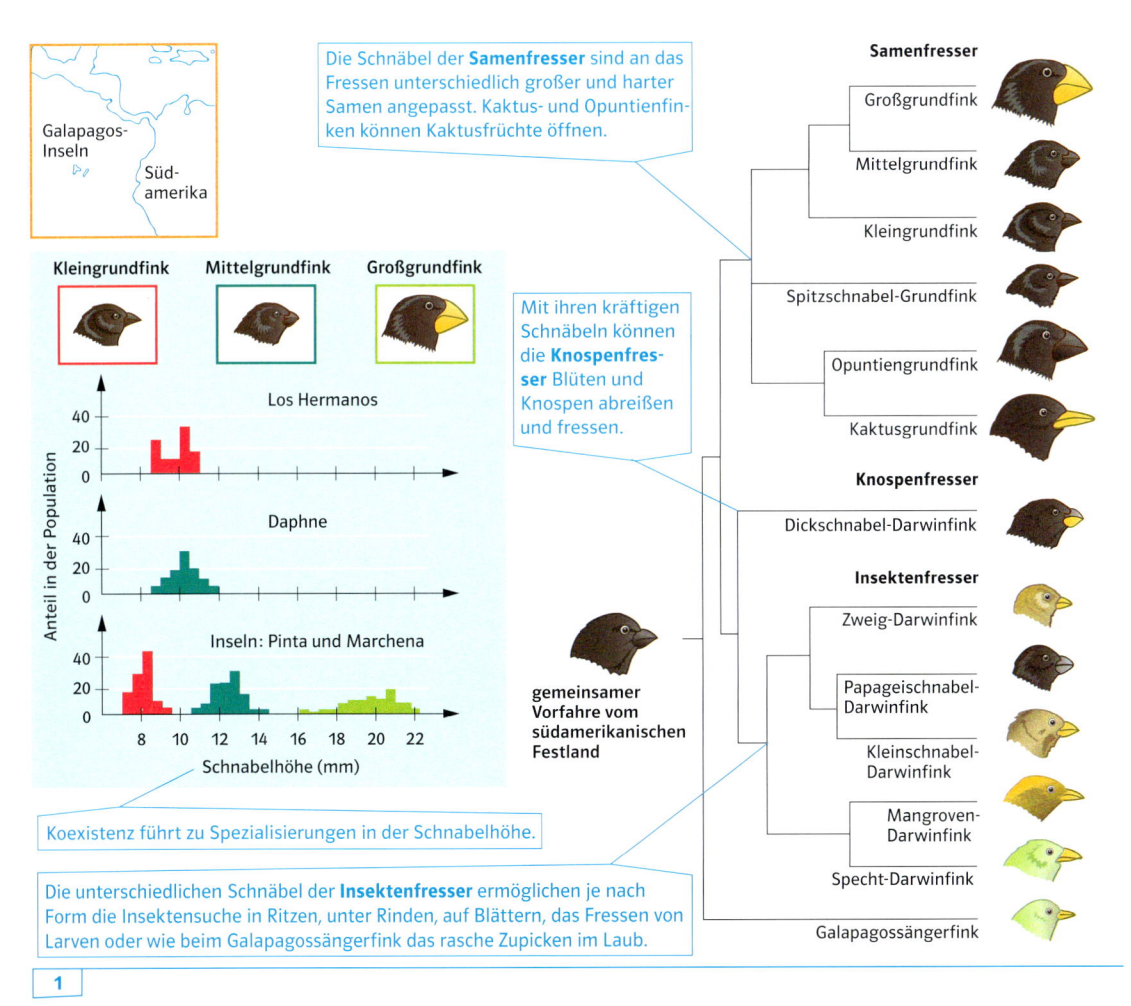

Variabilität und Angepasstheit

1 Aus der Ansiedlung einer Art auf den Vulkaninseln des Galapagos-Archipels sind in 2–3 Millionen Jahren 13 Arten entstanden, die sich auf verschiedene Futterquellen spezialisiert haben.

Evolution

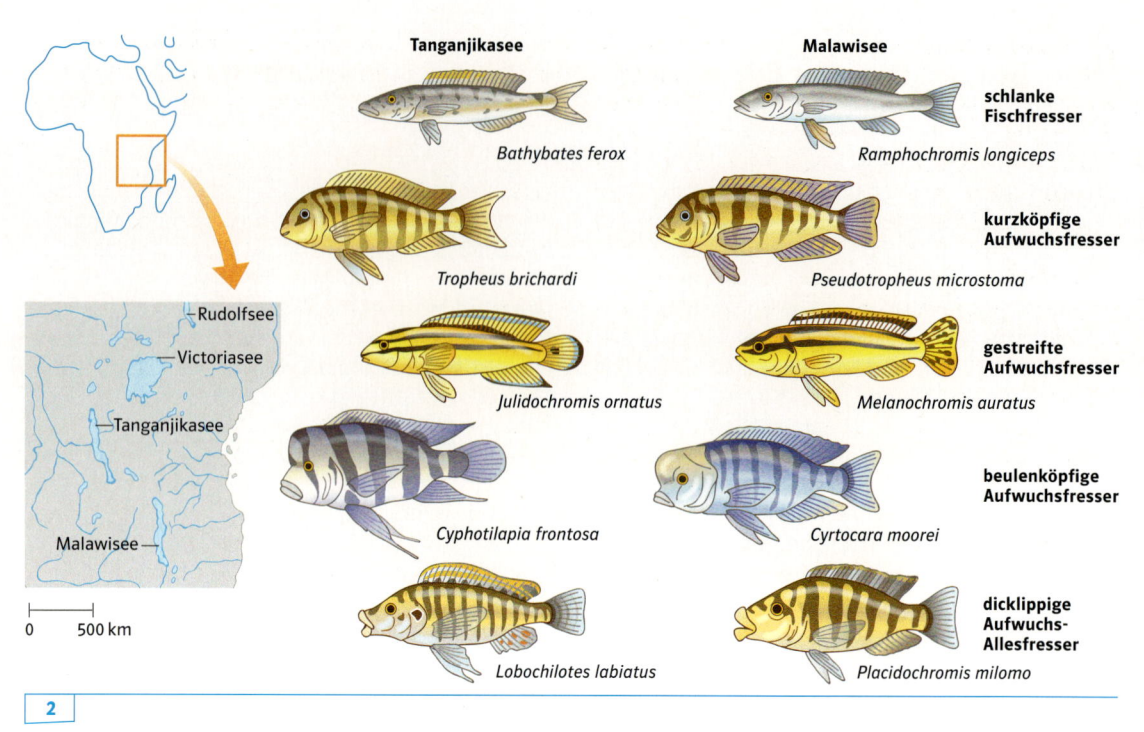

2 Buntbarsche zeigen eine ausgesprochene Vielfalt in Farbe, Form und Lebensweise. In den meisten Seen entstanden unabhängig voneinander analoge Formen.

Tanganjikasee: *Bathybates ferox*, *Tropheus brichardi*, *Julidochromis ornatus*, *Cyphotilapia frontosa*, *Lobochilotes labiatus*

Malawisee: *Ramphochromis longiceps* (schlanke Fischfresser), *Pseudotropheus microstoma* (kurzköpfige Aufwuchsfresser), *Melanochromis auratus* (gestreifte Aufwuchsfresser), *Cyrtocara moorei* (beulenköpfige Aufwuchsfresser), *Placidochromis milomo* (dicklippige Aufwuchs-Allesfresser)

Reproduktion

Es kann auch zur Aufspaltung von Arten kommen, wenn z. B. bestimmte Weibchen eine neue Variante von Männchen bevorzugen, während andere Weibchen weiterhin die bisherige Männchenform wählen: Die neue Weibchenpräferenz kommt immer wieder mit dem neuen Männchensignal zusammen und führt zu Söhnen und Töchtern, die sich ebenfalls in ihrer Partnerwahl untereinander verpaaren. Diese Verpaarung, bei der Partner mit jeweils ähnlichen Merkmalen ausgewählt werden, kann ausreichen, um Zwischenformen einen Fitnessnachteil zu bringen: Sie werden von keiner der beiden Weibchentypen bevorzugt.* Sobald dies der Fall ist, wird die disruptive Selektion die Trennung der beiden Typen beschleunigen (→ Abb. 1, S. 255). Dies kann viel schneller zu einer Reproduktionsbarriere führen als bei der allopatrischen Artbildung. Man schätzt, dass so aus einer Vorläuferart alle 100 000 bis 200 000 Jahre eine neue Art entstehen kann. Dies hat wiederholt zur Bildung von *Artenschwärmen* geführt. Man spricht hier auch von **adaptiver Radiation**: Anpassung und Artbildung erfolgen schnell in einer starken Wechselwirkung miteinander.

Eine Mischung von artbildenden Prozessen hat auch bei den Buntbarschen zu einer „explosiven" Artbildung geführt (→ Abb. 2). Die großen ostafrikanischen Seen sind geologisch gesehen relativ jung (< 25 Millionen Jahre) und hatten nur wenige Male eine Verbindung mit anderen Seen, über die eine Handvoll Arten einwandern konnte. Wie Studien zeigen, sind daraus pro See Hunderte verschiedene Arten entstanden — teils durch sexuelle Selektion für neue Farbmuster bei den Männchen (Sympatrie), teils durch eine räumliche Trennung in verschiedenen Tiefen und Habitaten (Allopatrie/Parapatrie). Im Victoriasee, dem zweitgrößten Süßwassersee der Erde, sind etwa 500 Buntbarscharten aus einem einzigen Siedler entstanden, wie auch im Malawisee (→ S. 273), viele davon laut Schätzungen in weniger als 12 000 Jahren. Leider sind durch die Ansiedlung des Nilhechts *Lates niloticus* für die kommerzielle Fischerei im Jahr 1950 etwa 250 Buntbarscharten von dem neuen Räuber ausgerottet worden.

Sehr spannend ist die Beobachtung, dass in separaten Seen (Malawi, Tanganjika) völlig unabhängig voneinander sehr ähnliche Arten entstanden sind, die sich in Körperform, Färbung und Verhalten täuschend ähneln (→ Abb. 2). Solche Fälle zeigen, wie Arten durch natürliche Selektion unter den gleichen Bedingungen sich immer wieder ähnlich spezialisieren. Das kennt man auch von älteren Radiationen, wie die bei den plazentalen Säugetieren und den Beuteltieren. Die Wege der Evolution mögen zwar vielfältig und unvorhersagbar sein, doch die Lösungen, die dabei herauskommen, sind oft erstaunlich einheitlich (→ 20.7).

Ein solcher Prozess setzt in der Regel voraus, dass die Individuen einer Population genetisch bedingt bereits unterschiedliche Merkmalsausprägungen aufweisen (*Polymorphismus*). Neue Lebensräume, in denen viele Möglichkeiten ungenutzt sind und die durch nur wenige Arten zufällig „entdeckt" werden, fördern die innerartliche Variation. Es sind die geologischen Prozesse der Erde, die ständig solche neuen Lebensräume schaffen: eine weitere Insel in einer vulkanischen Inselgruppe (z. B. Hawaii oder Galapagos) oder ein neuer See durch die Kontinentalplattenbewegung (z. B. Ostafrika: Tanganjikasee, Malawisee, Viktoriasee).

Aufgabe 19.3

Nehmen Sie Stellung dazu, wie „frei" Evolution ist, wenn Arten unabhängig voneinander (an anderen Orten) zu den gleichen ökologischen Lösungen und analogen Körperformen kommen.

19.4 Die Geschwindigkeit der Artbildung kann gleichmäßig oder sprunghaft sein

Die DARWIN'sche Vorstellung der Artbildung ist eine des **Gradualismus**: Anpassungen entstehen graduell, als Anhäufung kleiner Änderungen, bis der Punkt erreicht ist, wo wir von neuen Arten sprechen. Es gibt aber Formen der Änderung, die einen großen Schritt in Richtung Artbildung machen oder sogar mit einem einzigen Ereignis die Reproduktionsbarriere von null auf hundert schalten. Evolution durch solche zeitlich begrenzten Schritte nennt man **Punktualismus**.

DARWIN erkannte diese Prozesse nicht, weil dies Kenntnisse über Genetik voraussetzt, über die er damals nicht verfügen konnte.

Hybridisierung, die Kreuzung zwischen nah verwandten Arten oder entfernten Populationen der gleichen Art, ist solch ein wirkungsvoller und zeitlich begrenzter Schritt (→ Abb. 1). *Hybride* (Bastarde) bekommen eine komplett funktionsfähige Genomhälfte der beiden Elternarten. Das erzeugt eine

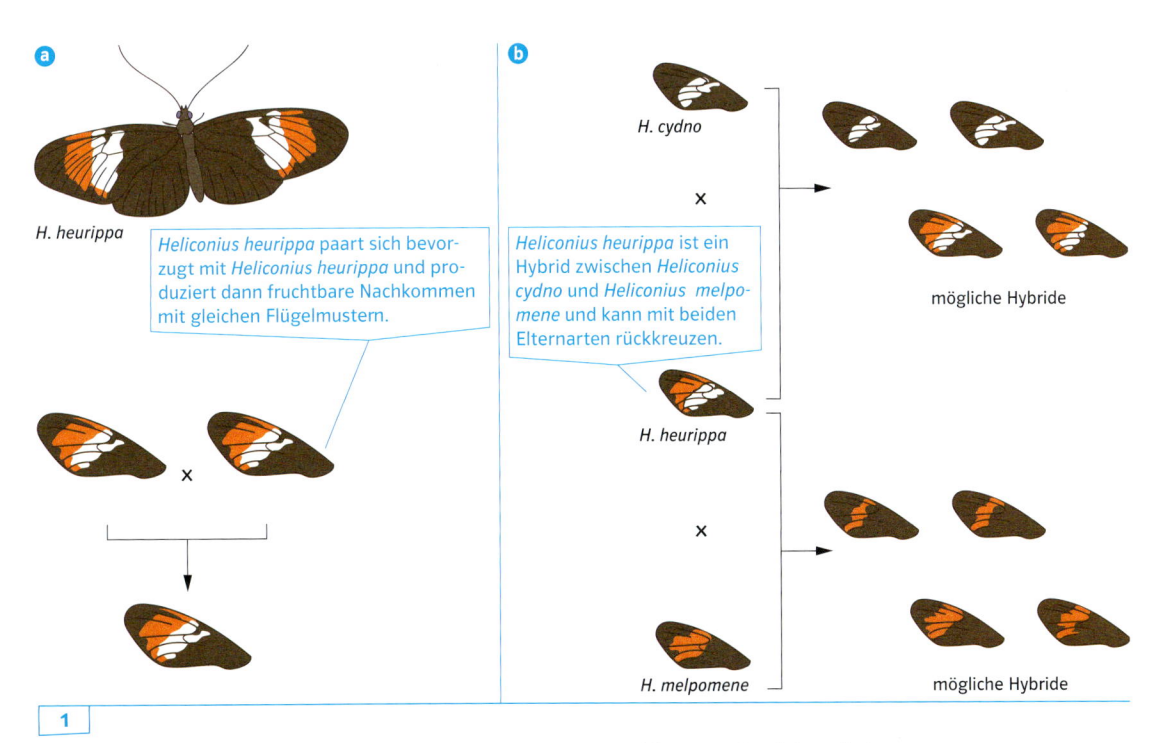

Reproduktion

1

Der Schmetterling *Heliconius heurippa* ist ein Hybrid, dessen Nachkommen fruchtbar sind.

a *H. heurippa* — *Heliconius heurippa* paart sich bevorzugt mit *Heliconius heurippa* und produziert dann fruchtbare Nachkommen mit gleichen Flügelmustern.

b *Heliconius heurippa* ist ein Hybrid zwischen *Heliconius cydno* und *Heliconius melpomene* und kann mit beiden Elternarten rückkreuzen.

H. cydno × *H. heurippa* → mögliche Hybride

H. heurippa × *H. melpomene* → mögliche Hybride

Evolution

Viele Getreidesorten sind sowohl polyploid als auch hybrid. Hybridmais (Mitte) und Inzuchtlinien (rechts und links).

Kombination von Lösungen für ökologische Herausforderungen, sozusagen das Beste aus zwei Evolutionslinien. Das erklärt, weshalb Hybride oft resistent, ausdauernd und kräftig sind (→ Abb. 2). Man nennt diese Verbesserung von Merkmalen bei Hybriden den **Heterosis-Effekt**. In der Landwirtschaft wird Heterosis aktiv genutzt: Viele ausgesäte Getreidesorten sind Hybride zwischen zwei nah verwandten Stämmen, was die Ausbeute bei der Ernte verdoppeln kann (→ 12.6). Der Nachteil ist jedoch, dass dieser Vorteil in der nächsten Generation zusammenbricht: Bei der sexuellen Fortpflanzung werden Chromosomen durch Crossingover neu zusammengefügt. Die Nachkommen bekommen jetzt nicht mehr genau die Hälfte der Chromosomen beider Elternarten, sondern z. B. nur 70 % und 30 %. Das führt zu unbalancierten Kombinationen von Eigenschaften der beiden Arten, und das Individuum ist weniger oder gar nicht lebensfähig. Der Landwirt kann daher zum Aussäen keine Samen aus seiner eigenen Ernte verwenden, sondern muss sie jedes Jahr neu von einem spezialisierten Züchter kaufen.

Hin und wieder passiert es in der Natur dann doch: Ein paar Hybride vermehren sich erfolgreich. Weil sie und ihre Nachkommen sich von beiden Elternarten in ein paar Eigenschaften unterscheiden, grenzen sie sich ab. Bei vielen Organismen kann man genetisch nachweisen, dass sie als Hybrid zwischen Schwesterarten entstanden sind, zum Beispiel bei Korallen, Orchideen oder auch in der artenreichen Gattung der *Heliconius*-Schmetterlinge aus Südamerika (→ Abb. 1, S. 279). Evolution beinhaltet also nicht immer nur Weiterentwicklung und Aufspaltung, sondern auch Wiedervereinigung und Neuanfang. Man spricht von *Netzwerkevolution* (*retikularer Evolution*), wenn die Stammbäume eher wie Netzwerke aussehen (→ Abb. 3).

Ähnliches passiert, wenn erhebliche Veränderungen in der Genomgröße stattfinden. Gene, Chromosomenabschnitte, ganze Chromosomen oder das gesamte Genom werden manchmal durch eine Unregelmäßigkeit in der Zellteilung einfach verdoppelt oder gehen verloren. Insbesondere Genomduplikationen sind wichtig. Diese führen zu **Polyploidie** (drei, vier oder mehr Chromosomensätze statt die ursprünglichen zwei, → Abb. 1, S. 200)). Genau wie bei der Hybridisierung ist die erste Generation der Polyploiden relativ fit. Tetraploide (mit 4 Chromosomensätzen) haben plötzlich bis zu 4 statt 2 Allele pro Genort verfügbar. Das erhöht die Anpassungsfähigkeit und Resistenz eines Individuums an veränderliche, belastende Umweltbedingungen. Fisch- und Getreidezüchter wissen dies: Durch eine gezielte Behandlung können Sie Zuchtformen generieren, die polyploid sind und damit einen höheren Ertrag versprechen. Bei den späteren Nachkommen jedoch tritt wiederum ein Problem auf: Ein tetraploider Elternorganismus produziert diploide statt haploide Geschlechtszellen. Bei Verpaarung mit einem diploiden Partner mit haploiden Gameten entstehen so triploide Nachkommen (drei Chromosomensätze). Diese sind jetzt nicht mehr in der Lage, ihre Chromosomen während der Meiose korrekt über vier Tochterzellen aufzuteilen. Auch dieses System bricht zusammen — außer die neuen Tetraploiden verpaaren sich nur mit Tetraploiden. In der Natur und bei Züchtungen passiert dies immer wieder. In dem Augenblick ist die Reproduktionsbarriere dicht und eine neue Art ist entstanden.

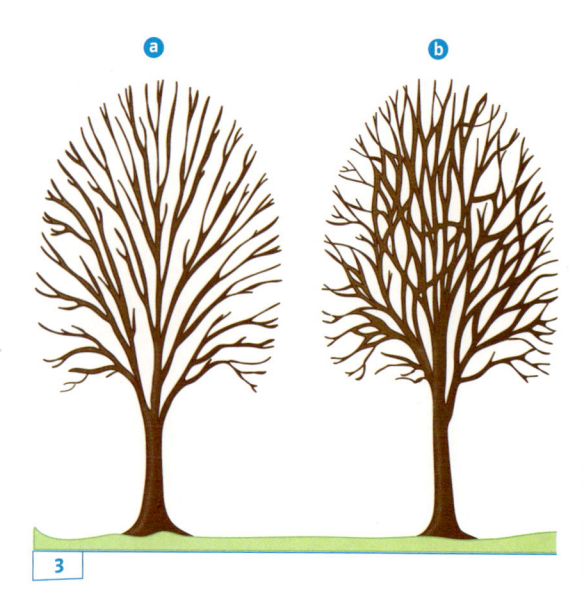

Baum oder Geflecht? Hybridisierung stört die Aufzweigung ⓐ und führt zu Netzwerk-Evolution ⓑ.

Solche seltenen Ereignisse erscheinen Ihnen vielleicht als unwichtig, sollten es aber nicht. Duplikation von Genomen und Genomfragmenten spielt eine entscheidende Rolle in der Evolution. Mehr Kopien ermöglichen es, dass sich Genkopien auseinanderentwickeln (divergieren) und spezialisieren. Nicht benutzte Kopien können später ihre Funktion verlieren und abgeschaltet werden. Von den Wirbeltieren wird angenommen, dass deren Entfaltung von zwei sehr frühen Genomduplikationen beeinflusst wurde. Die Beobachtung, dass die meisten Wirbeltiere bis zu acht Kopien einzelner Gene haben (oft mit teils leicht unterschiedlicher Funktion), spricht dafür. Aber in den mindestens 500 Millionen Jahren, die seitdem vergangen sind, sind auch sehr viele Gene wieder verschwunden. Das heutige Mosaik ist aus diesem Grund keineswegs leicht zu interpretieren, zumal es innerhalb der Fische noch zu einer weiteren Genomduplikation kam. Auch viele einzelne Genduplikationen trugen zum heutigen Muster bei.

Aufgabe 19.4
Erläutern Sie, worauf Netzwerk-Evolution beruht.

19.5 Eine höhere Komplexität ist keine notwendige Konsequenz der Evolution

Der Mensch ist zweifellos einzigartig: Er ist der einzige Organismus auf der Erde, der über sich selbst solche Aussagen formulieren und austauschen kann. Aber andere intelligente Organismen, wie Delphine, Tintenfische oder Rabenvögel, sind ebenfalls zu Erstaunlichem in der Lage. Zeigen solche Beispiele, dass Evolution grundsätzlich zu immer mehr Komplexität — und schließlich Intelligenz — führt?• Das ist eine Fehleinschätzung, weil wir die Antwort auf diese Frage zu sehr aus der menschlichen Perspektive suchen. Hier sind sechs Gründe, die zur Bescheidenheit mahnen:

1. Die meisten Organismen sind nach wie vor sehr einfach gebaut und übersteigen kaum die Organisation eines Cyanobakteriums, der ältesten bekannten Lebensform der Erde. „Höhere" Organismen, wie z. B. die Wirbeltiere, sind ausgesprochen selten in Anzahl wie in Biomasse im Vergleich zu den kleineren Lebensformen. Es kann daher nicht ausgeschlossen werden, dass „komplexe" Formen nur deswegen da sind, weil es genügend Zeit gegeben hat, um sie entstehen zu lassen. Die Vielfalt der Mikroorganismen hat aber während der gleichen Zeit um Größenordnungen stärker zugenommen als die der Vielzeller. Das sehen Sie auch oben rechts in der Grafik auf der Umschlaginnenseite vorne.

2. Die Anzahl der Gene mancher einzelliger Eukaryoten (z. B. *Paramecium*) ist größer als beim Menschen (→ Abb. 2, S. 282). Die Frage ist also, welche Komplexitätsebene wir meinen (→ S. 16), wenn wir von Höherentwicklung reden.

3. Selektion favorisiert nicht Komplexität, sondern Effizienz. Es ist daher nicht verwunderlich, dass viele Strukturen im Laufe der Evolution eine Reduktion statt Progression zeigen. Unsere Weisheitszähne sind ein typisches Beispiel (→ Abb. 1). Bakterien verlieren immer wieder Gene, die sie nicht brauchen. Das erklärt, weshalb bestimmte Arten manchmal Genome haben, die deutlich kleiner sind als die von verwandten Arten (→ Abb. 2, S. 282). Es erklärt

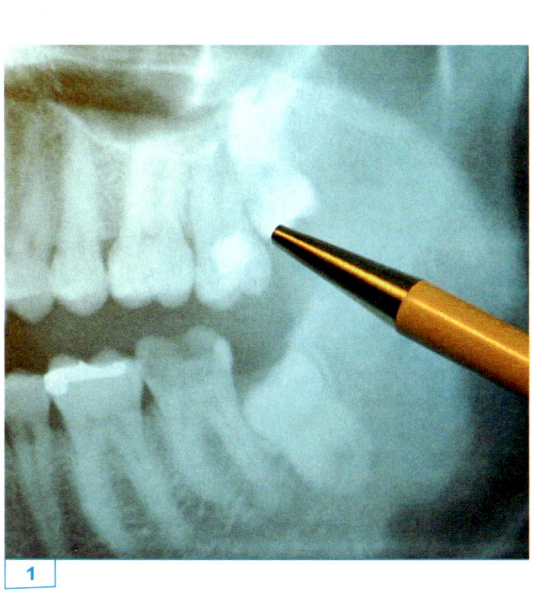

Geschichte und Verwandtschaft

1
Weisheitszähne werden als Rudiment aus einer fernen Vergangenheit mit mehr Rohkost angesehen.

auch, weshalb bei vielen Organismen *Rudimente*, Überbleibsel von reduzierten Strukturen, zu finden sind, wie die reduzierten Hinterbeine im Skelett der Wale. Strukturen, die nur ausnahmsweise bei heutigen Lebewesen auftreten, aber typisch für deren Vorfahren waren, nennt man *Atavismen*. Ein Beispiel dafür ist eine extreme Körperbehaarung beim Menschen. Atavismen stärken die Vermutung, dass nicht mehr genutzte genetische Information nicht immer entfernt, sondern oft auch nur stillgelegt wird.

4. In der Evolution läuft die Zeit nicht in Sekunden oder Jahren, sondern in Generationen. Eine Art mit einer kurzen Generationszeit von wenigen Tagen hat daher das Potenzial, viel schneller zu evolvieren als eine Art mit einer langen Generationszeit von 25 Jahren. Welche der Arten ist also am weitesten evolviert?

5. Sehr viele Organismen übertreffen den Menschen in anderen Eigenschaften als in der Intelligenz: Viele Tiere sehen, hören, riechen, laufen, schwimmen, fliegen, verdauen und überleben besser als wir. Hat Intelligenz denn einen besonders hohen Anpassungswert, oder ist sie nur ein Weg von vielen, sich den Umweltbedingungen zu stellen?

6. Und schließlich: Der Mensch ist stammesgeschichtlich noch sehr jung. Ob seine enorme geistige Freiheit eine gelungene Krönung oder ein misslungenes Experiment ist, wird davon abhängig sein, wie vernünftig und effizient er damit umgeht.

	geschätzte Genomgröße (Basenpaare)	geschätzte Anzahl Gene
Borrelia (Erreger der Borreliose)	$1{,}4 \times 10^6$	1738
Escherichia coli (Darmbakterium)	$4{,}6 \times 10^6$	4377
Plasmodium falciparum (Malaria-Erreger)	$2{,}2 \times 10^7$	5268
Paramecium tetraurelia (Wimpertierchen)	$1{,}1 \times 10^8$	40000
Caenorhabditis elegans (Fadenwurm)	$1{,}0 \times 10^8$	19427
Arabidopsis thaliana (Acker-Schmalwand)	$1{,}1 \times 10^8$	28000
Drosophila melanogaster (Taufliege)	$1{,}2 \times 10^8$	13379
Reispflanze	$3{,}9 \times 10^8$	37544
Hund	$2{,}4 \times 10^9$	19300
Mensch	$3{,}3 \times 10^9$	25000

2

Geschätzte Genomgröße und Anzahl der für Proteine codierenden Gene variieren stark zwischen Organismen, relativ unabhängig von deren Position im Stammbaum.

Aufgabe 19.5

Legen Sie dar, ob beim Menschen heute Artbildung stattfinden kann. Nennen Sie zwei Bedingungen, unter denen dies möglich wäre.

Evolution als historisches Ereignis

20

Stromatolithen, Shark Bay, Westaustralien

Könnten wir die Geschichte des Lebens auf der Erde zu einem Film von einer Stunde zusammenfassen, wären am Anfang Strukturen wie diese zu sehen. Es sind Stromatolithen, versteinerte Anhäufungen von Cyanobakterien und Sediment, die knollenförmige, „wachsende Steine" bilden. Die ältesten Versteinerungen dieser Art sind 3,6 Milliarden Jahre alt. Mit einer Million Jahre pro Sekunde läuft der Film schon über 50 min (mehr als drei Milliarden Jahre), bis es zur Entfaltung der Wirbeltiere kommt. Die großen Dinosaurier erscheinen erst ein paar Minuten vor dem Filmende. Eine Minute vor Schluss (vor 65 Millionen Jahren) sterben sie aus. Der Mensch ist gerade mal für ein bis zwei Sekunden im Abspann zu sehen. Die Stromatolithen aber sind noch immer da. In diesem Kapitel schauen wir zurück in die tiefste Vergangenheit des Lebens.

20.1	Spuren aus der Vergangenheit zeigen den Fußabdruck der Evolution
20.2	Vor fast 4 Milliarden Jahren begann das Leben auf einer noch jungen Erde
20.3	Die Fotosynthese der Prokaryoten veränderte die Erdatmosphäre
20.4	Die eukaryotische Zelle entstand aus einer Gemeinschaft von Prokaryoten
20.5	Vielzelligkeit bietet neue Optionen durch Arbeitsteilung
20.6	Fossilien liefern starke Belege für das Evolutionsgeschehen
20.7	Die Stammesgeschichte lässt sich durch Merkmalsvergleiche rekonstruieren

Evolution

20.1 Spuren aus der Vergangenheit zeigen den Fußabdruck der Evolution

Ein Mensch lebt selten länger als 100 Jahre. Da muss man schon genau hinschauen, wenn man während seines Lebens Evolution bei der Arbeit beobachten möchte. Und auch dann muss man sich mit Wenigem zufriedengeben. Die Änderungen innerhalb einer Population sind im Laufe eines Menschenlebens so gering, dass nur genetische Untersuchungen sie ans Tageslicht bringen können. Ausnahmen sind Mikroorganismen, die sich in wenigen Jahren von friedlichen „Untermietern" zu resistenten Krankheitserregern wandeln können. Da käme uns etwas weniger Evolution gerade recht.•

Um Evolution zu beobachten, ist es daher unumgänglich, in die tiefe Vergangenheit zu schauen, weit über die Dauer eines Menschenlebens hinaus. Eine detaillierte Betrachtung von Sedimenten und Gesteinen unter unseren Füßen zeigt, dass wir auf einer „Mülldeponie" leben: Knochen, Schuppen und Schalen, Kriech-, Fress- und Kotspuren, Samen, Pollen, Blätter und Wurzeln, Erdgas, Kohle und Erdöl, alles Spuren von früherem Leben. Der Begriff **Fossil** wird dabei für jedes Zeugnis vergangenen Lebens benutzt. Ob solche Zeugnisse erhalten bleiben, ist vom Alter und von den genauen geologischen Bedingungen abhängig. Für größere Organismen setzt eine gute Erhaltung eine schnelle Überlagerung durch Feinsediment, Teer oder Harz unter sauerstoffarmen Bedingungen voraus. Das biologische Gewebe wird daraufhin oft durch anorganische Mineralstoffe aus dem Boden ersetzt. Es entsteht ein dreidimensionaler Abdruck, eine Versteinerung, die oft keine Komponenten des ursprünglichen Organismus mehr enthält. Sie ist aber jetzt so widerstandsfähig, dass das Fossil nahezu unzerstörbar im Boden erhalten bleibt.

Geschichte und Verwandtschaft

Relative Datierungen

Vulkanausbrüche und Meteoriteneinschläge schleudern Staub in die Atmosphäre, was über große Flächen zu dunklen Schichten in Sedimenten und Gesteinen führt. Die KT- (Kreide-Tertiär-) Grenze, hier rot markiert, ist die Folge eines Meteoriteneinschlags in Yucatan, Mexiko, vor 65 Millionen Jahren.

Leitfossilien sind häufige, weitverbreitete Fossilien, die zeitlich begrenzt auftreten. Sie erleichtern es, Fossillagerstätten zeitlich einzuordnen. Trilobiten, auch Dreilapper genannt, sind Leitfossilien für die Periode vor 542 bis 360 Millionen Jahren.

Absolute Datierungen

Radiodatierung: Das Kohlenstoff-Isotop ^{14}C zerfällt natürlich zu ^{14}N mit einer stabilen Rate: Nach 5700 Jahren ist die Hälfte umgewandelt (= Halbwertzeit). ^{12}C und ^{13}C sind dagegen stabil. Das Verhältnis ^{14}C zu ^{12}C und ^{13}C zeigt daher, wie alt eine kohlenstoffhaltige Probe ist, die keinen Kohlenstoffaustausch mit der Umwelt hatte (^{14}C-Methode für den Zeitraum 300 bis 50 000 Jahre). Ältere Datierungen benutzen die ^{40}Kalium → ^{40}Argon → ^{40}Calcium-Zerfallsreihe (Halbwertzeit ^{40}K 1,28 Milliarden Jahre).

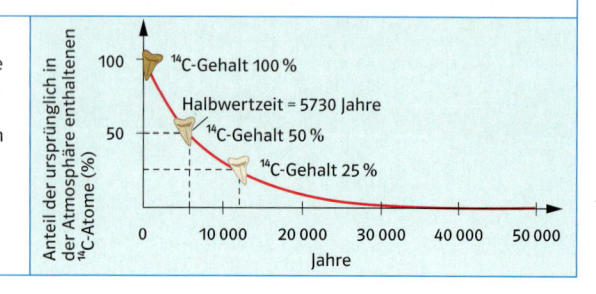

1

Es gibt viele Methoden, um das Alter eines Fossils zu bestimmen. In der Regel werden mehrere unterschiedliche Methoden angewandt, um so unabhängige Schätzungen zu bekommen.

Wie die Kriminalistik setzt auch die *Paläontologie* modernste Techniken ein (→ Abb. 1). Aus der Momentaufnahme der Evolution, die ein Fossil darstellt, versucht man alle verfügbaren Informationen abzuleiten, die helfen, die Umstände zu rekonstruieren, unter denen der Organismus gelebt hat. Ob Paläontologen einen Fall klären können, hängt wesentlich von der Qualität des Beweismaterials ab. Wie in der Kriminalistik ist es dabei leichter, einen nicht so alten Fall zu lösen, weil sich das Beweismaterial mit der Zeit verschlechtert.

Eine Komplikation im Vergleich zur Kriminalistik ist, dass keine Zeugen direkt befragt werden können. Meistens findet ein Paläontologe auch nur ein paar wenige Fragmente oder einen Abdruck im Gestein. Die Stärke der Paläontologie liegt aber weniger in der Lösung des Einzelfalls, sondern in der Kombination der Befunde aus einer unendlichen Menge an Fällen: Ganze Gebirgsketten bestehen aus Fossilien. Der Boden der Ozeane ist teils kilometerdick mit Fossilien bedeckt.

Mit dieser Unmenge an Material gelingt der Paläontologie, was als nahezu unmöglich erscheint: das Experiment „Leben auf der Erde" von der Entstehung bis in die Gegenwart Schritt für Schritt rückblickend zu rekonstruieren. Man kann gelungene und fehlgeschlagene Versuche der Evolution vergleichen. Man kann Linien mit schneller Anpassung mit solchen vergleichen, die über hunderte Millionen von Jahren stabil blieben. Man sieht Kurzzeit- und Langzeitfolgen von Klimaänderungen, geologischen Prozessen und Naturkatastrophen. Und schließlich liefert die Paläontologie Daten für das erste Erscheinen bestimmter Lebensformen. Damit kann in der Stammbaumanalyse die molekulare Uhr geeicht werden (→ Abb. 3, S. 303).

Die Bedeutung der Paläontologie für das Verständnis der Evolution ist deshalb enorm. Aber genau wie in einem Kriminalfall werden Aspekte des eigentlichen Vorgangs für immer unentdeckt bleiben. Unsere Version vom „Film des Lebens" bleibt eine vernünftige, d. h. widerspruchsfreie, aber dennoch hypothetische Rekonstruktion.

Aufgabe 20.1

Vergleichen Sie die Arbeit eines Paläontologen mit der Arbeit eines Historikers. Gibt es Ähnlichkeiten und Unterschiede im Ansatz (davon abgesehen, dass der Historiker sich im Wesentlichen nur für eine Art interessiert, den Menschen)?

20.2 Vor fast 4 Milliarden Jahren begann das Leben auf einer noch jungen Erde

Bis man von Leben reden kann, wurden in der Evolution vier Entwicklungsstufen durchlaufen, von denen uns Experimente und Hypothesen ein Bild vermitteln.

HAROLD UREY und STANLEY MILLER wiesen 1953 nach, dass in einer künstlichen *Uratmosphäre* einfache Biomoleküle entstehen können (→ Abb. 1, S. 286). Heutzutage kennt man mindestens zehn Prozesse, die zur **chemischen Evolution** (*Abiogenese*) beigetragen haben könnten. Dabei stehen katalytische Verbindungen an Oberflächen eher im Mittelpunkt als der atmosphärische Urey-Miller-Prozess. Allen diesen Prozessen gemeinsam ist die Schlüsselrolle von Wasser als Reaktionsmedium.

Die weitere Entwicklung denkt man sich nach folgendem Szenario: Die Entstehung weiterer komplexer Moleküle bis hin zu selbstreplizierenden RNA-Molekülen wurde bereits durch Selektion und Evolution gesteuert. Weil kein Sauerstoff in der Atmosphäre vorhanden war und keine Organismen, die sich von organischen Verbindungen ernähren konnten, bildete sich so eine *Ursuppe* von komplexen organischen Verbindungen. So entstanden auch zyklische, autokatalytische Reaktionsketten, sogenannte **Hyperzyklen**. Die Bildung von Lipiddoppelschichten, mit einem wasserabweisenden (hydrophoben) Inneren und einem wasserliebenden (hydrophilen) Äußeren, führte zur Entstehung von *Protozellen*.*

Heiß diskutiert ist die Hypothese der *Panspermie*, die aussagt, dass Mikroorganismen und organische Moleküle, die durch einen Meteoriteneinschlag ins All geschleudert werden, andere Planeten besiedeln können. Fest steht: Man hat 250 Millionen Jahre alte Bakteriensporen aus fossilen Salzsedimenten wieder zum Leben erwecken können. Das wären ideale Kandidaten für interstellare Reisen. Die NASA-Sonde Stardust brachte nach 7 Jahren (1999 – 2006) eine Menge organischen Staub aus dem All zur Erde. Ein schwacher, aber permanenter Staubregen von kleinen organischen Molekülen aus dem All existiert also ohne Frage. Welche Rolle das bei der Entstehung des

Kompartimentierung

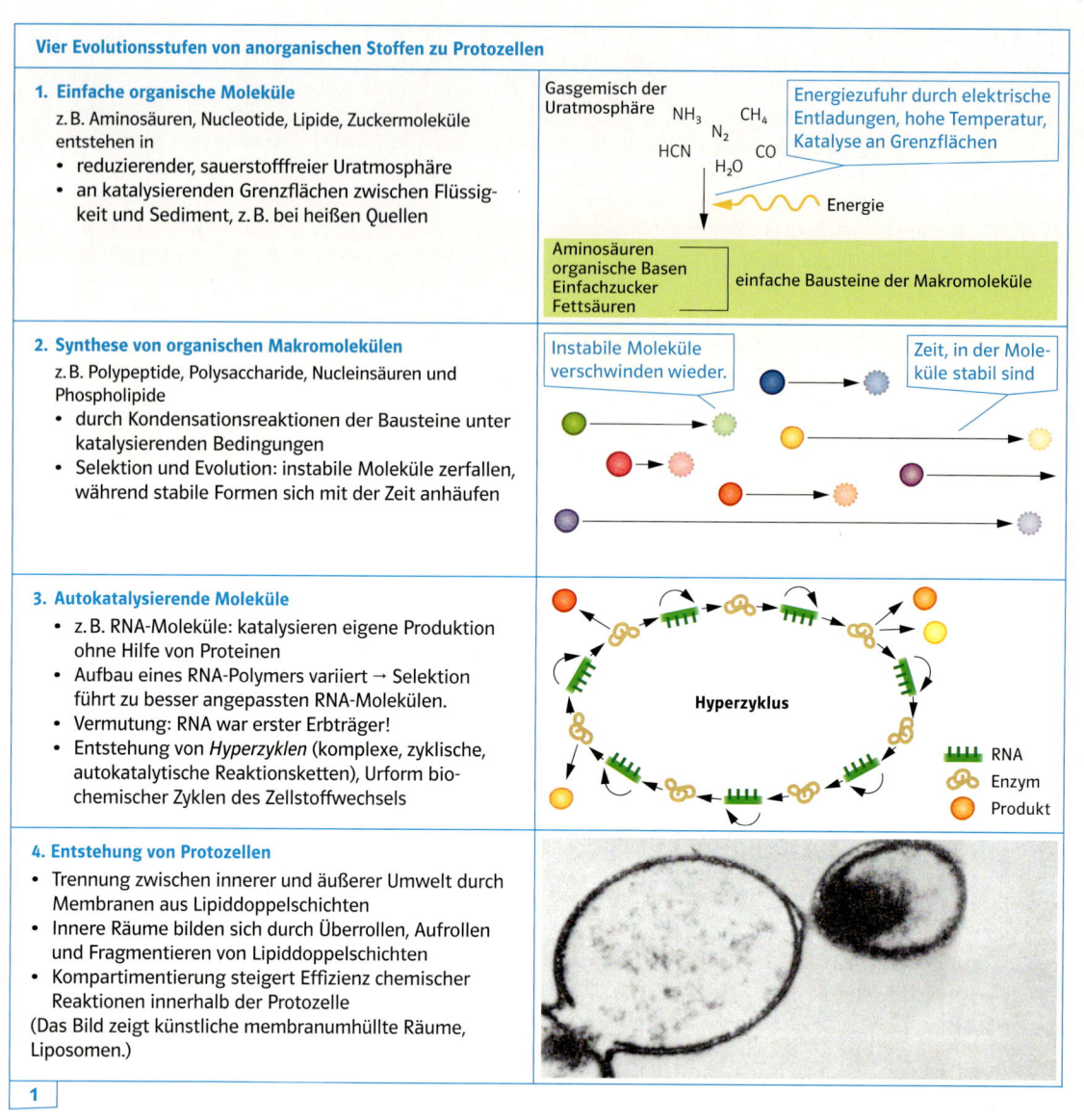

Evolution

Vier Evolutionsstufen von anorganischen Stoffen zu Protozellen

1. Einfache organische Moleküle

z. B. Aminosäuren, Nucleotide, Lipide, Zuckermoleküle entstehen in
- reduzierender, sauerstofffreier Uratmosphäre
- an katalysierenden Grenzflächen zwischen Flüssigkeit und Sediment, z. B. bei heißen Quellen

Gasgemisch der Uratmosphäre: NH_3, N_2, CH_4, HCN, H_2O, CO → Energie

Energiezufuhr durch elektrische Entladungen, hohe Temperatur, Katalyse an Grenzflächen

Aminosäuren, organische Basen, Einfachzucker, Fettsäuren → einfache Bausteine der Makromoleküle

2. Synthese von organischen Makromolekülen

z. B. Polypeptide, Polysaccharide, Nucleinsäuren und Phospholipide
- durch Kondensationsreaktionen der Bausteine unter katalysierenden Bedingungen
- Selektion und Evolution: instabile Moleküle zerfallen, während stabile Formen sich mit der Zeit anhäufen

Instabile Moleküle verschwinden wieder. Zeit, in der Moleküle stabil sind.

3. Autokatalysierende Moleküle

- z. B. RNA-Moleküle: katalysieren eigene Produktion ohne Hilfe von Proteinen
- Aufbau eines RNA-Polymers variiert → Selektion führt zu besser angepassten RNA-Molekülen.
- Vermutung: RNA war erster Erbträger!
- Entstehung von *Hyperzyklen* (komplexe, zyklische, autokatalytische Reaktionsketten), Urform biochemischer Zyklen des Zellstoffwechsels

Hyperzyklus — RNA, Enzym, Produkt

4. Entstehung von Protozellen

- Trennung zwischen innerer und äußerer Umwelt durch Membranen aus Lipiddoppelschichten
- Innere Räume bilden sich durch Überrollen, Aufrollen und Fragmentieren von Lipiddoppelschichten
- Kompartimentierung steigert Effizienz chemischer Reaktionen innerhalb der Protozelle

(Das Bild zeigt künstliche membranumhüllte Räume, Liposomen.)

1 Vier Stufen führen in der chemischen Evolution von einfachen organischen Verbindungen zu Protozellen (Urzellen).

Lebens auf der Erde gespielt hat, bleibt aber noch offen. Extraterrestrische Makromoleküle oder gar Zellen waren jedenfalls noch nicht dabei.

Nach Entstehung der Protozelle (→ Abb. 1) waren weitere Evolutionsschritte erforderlich, um bis zu den ersten Prokaryoten zu gelangen. Die ältesten fossilen Spuren von Prokaryoten sind die bereits genannten Stromatolithen (→ S. 283), die durch die Wirkung von Cyanobakterien entstehen. Weil diese jedoch bereits relativ weit entwickelt waren, vermutet man, dass primitivste Kleinstlebensformen (die keine Fossilien hinterlassen haben) womöglich schon vor 4 Milliarden Jahren existierten. Die Faktenlage ist aber äußerst dürftig, unter anderem, weil die Gesteine aus dieser Zeit durch Bewegungen der Kontinentalplatten fast vollständig in die Erdkruste versunken sind.

Aufgabe 20.2

Überprüfen Sie, unter welchen Bedingungen die Voraussetzungen für Evolution durch natürliche Selektion (→ 17.1) auch bei der chemischen Evolution erfüllt sind.

Evolution als historisches Ereignis

20.3 Die Fotosynthese der Prokaryoten veränderte die Erdatmosphäre

Die Alleinherrschaft der *Prokaryoten* charakterisiert das *Präkambrium*, eine Periode, die mit der Entstehung des Lebens vor etwa 4 bis 3,6 Milliarden Jahren anfing und erst vor einer halben Milliarde Jahren endete (→ Umschlaginnenseite hinten).* Trotz großer Vielfalt waren die grundlegenden Eigenschaften einer Zelle etabliert: Alle lebenden Zellen haben eine Membranumhüllung und alle benutzen den gleichen, auf DNA basierenden, genetischen Code. Obwohl anfangs wahrscheinlich mehrere Alternativen nebeneinander existierten (z.B. Überreste der alten „RNA-Welt"), ist dies ein starker Hinweis auf eine gemeinsame Abstammung aller Lebewesen (→ Abb. 1). Dabei ist zu berücksichtigen, dass Prokaryoten recht leicht auch zwischen nicht verwandten Linien Gene austauschen. Aus diesem Grund ist die gemeinsame Abstammung eher auf ein Kollektiv von Linien (→ Abb. 1 b) als auf einen Punkt (→ Abb. 1 a) zurückzuführen.

Die heutigen Nachfahren werden in drei Domänen des Lebens eingeteilt. Eine solche **Domäne** ist die höchste Kategorie im Stammbaum des Lebens (→ Umschlaginnenseite vorne). Die *Archaea*, einfache aber sehr vielfältige Urbakterien, die *Bacteria*, komplexere, „moderne" Bakterien), und die *Eukarya*, eine Fusion zwischen *Archaea* und *Bacteria* (→ 20.4). Viren passen nicht dazu. Da sie keinen eigenen Stoffwechsel haben, sind sie keine Lebewesen. Es handelt sich um „Erbsubstanz in einer Proteinhülle" (→ 10.6), die von Lebewesen stammt und sich verselbstständigt hat.

Vor 3,6 Milliarden Jahren besaßen alle Organismen einen Stoffwechsel, der ohne Sauerstoff (anaerob) funktionierte, weil es offenbar keinen Sauerstoff in der Uratmosphäre gab. Dabei haben viele sich zunächst *heterotroph* vom Überangebot an freien organischen Substanzen ernährt.* Andere entwickelten Mechanismen, um über die Katalyse anorganischer Reaktionen Energie und Nährstoffe zu gewinnen. Eine solche Vielfalt an *Chemosynthese* findet man heutzutage noch bei Bakterien in vulkanischen Quellen (→ 8.6).

Eine evolutionäre Weiterentwicklung mit dramatischen Folgen war die Entstehung der Fotosynthese bei den *Cyanobakterien* vor 2,7 Milliarden Jahren (→ Abb. 2). Es war ein anaerober Prozess, der mithilfe von Sonnenenergie die Spaltung von Wasser und die Speicherung der Energie erlaubte. Dabei wurde jedoch Sauerstoff frei und dessen Konzentration in der Atmosphäre stieg bis Mitte des Präkambriums von offenbar nahezu null bis auf 2–3% an. Dieser Sauerstoffgehalt verdrängte anaerobe Bakterien in anaerobe Nischen und erlaubte die Entstehung des aeroben Stoffwechsels und der Eukaryoten. Ihr Erfolg basiert also auf einer von Cyanobakterien ausgelösten Umweltkatastrophe.

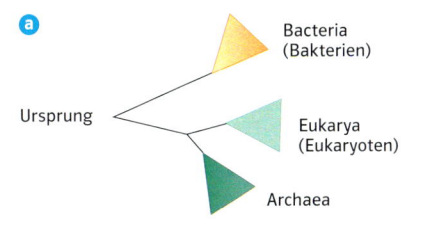

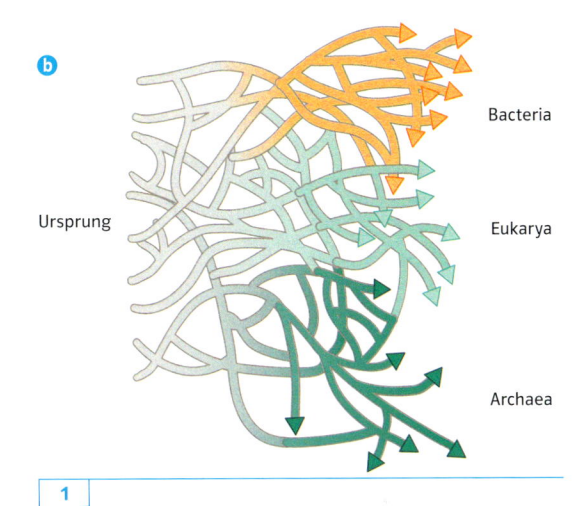

Geschichte und Verwandtschaft

1 Die drei Domänen der lebendigen Welt sind nicht so sauber zu trennen, wie vereinfachte Stammbäume **a** vermuten lassen, sondern durch den häufigen horizontalen Gentransfer unter Prokaryoten verbunden **b**.

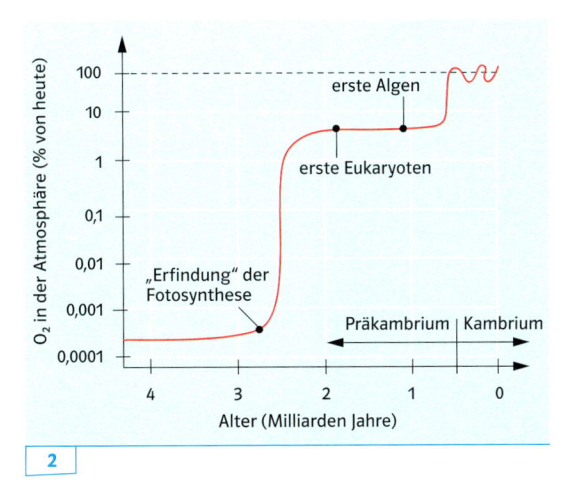

Stoff- und Energieumwandlung

2 Nach der Entstehung der Erde stieg im Präkambrium der Sauerstoffgehalt der Atmosphäre in zwei Stufen an. Die y-Achse ist logarithmisch und stellt den O_2-Gehalt als prozentualen Anteil des heutigen Anteils (21%) dar.

Evolution

Wie die Welt im Präkambrium wohl ausgesehen hat? Unter Wasser war alles mit einer dichten Matte von Mikroorganismen überzogen. Die Temperaturen schwankten gewaltig — insbesondere auch nach unten. Ursache dafür war die fotosynthetische Aktivität und die damit verbundene Abnahme des Treibhausgases CO_2. Die Abkühlung war zeitweise so stark, dass das Eis der beiden Pole sich bis zum Äquator ausdehnte. Diese „Schneeball-Erde"-Hypothese basiert auf der Entdeckung von charakteristischen Sedimenten, wie sie nur unter einer Eisdecke zustande kommen. Diese befanden sich jedoch damals in Äquatornähe. Der Mensch ist also nicht der Erste, der das Erdklima veränderte. Die Cyanobakterien ließen sich aber mehr Zeit: Mindestens 500 Millionen Jahre brauchten sie, um der Erde ihre sauerstoffreiche Atmosphäre zu geben.

Aufgabe 20.3

Fassen Sie zusammen, weshalb die Ereignisse des Präkambriums unsere heutige Erde wesentlich geprägt haben.

20.4 Die eukaryotische Zelle entstand aus einer Gemeinschaft von Prokaryoten

Ein weiteres Schlüsselereignis des Präkambriums ist die Entstehung der eukaryotischen Zelle. Zunächst war diese vermutlich noch recht einfach gebaut (→ Abb. 1). Bei ihr fehlte wohl die charakteristische, steife Zellwand der Prokaryoten ⓐ. Dadurch konnte sich die Zellmembran einstülpen und im Zellinneren membranumhüllte Räume bilden.*

Diese umgaben auch die DNA, was zur Bildung von Kern und Kernhülle führte ⓑ. Aus den membranumhüllten Räumen im Cytoplasma ging das endoplasmatische Reticulum hervor. Mit der zusätzlichen Entwicklung von Cytoskelettfilamenten, Verdauungsvesikeln und Geißeln entstand eine Zelle, die in der Lage war, eine räuberische Lebensweise

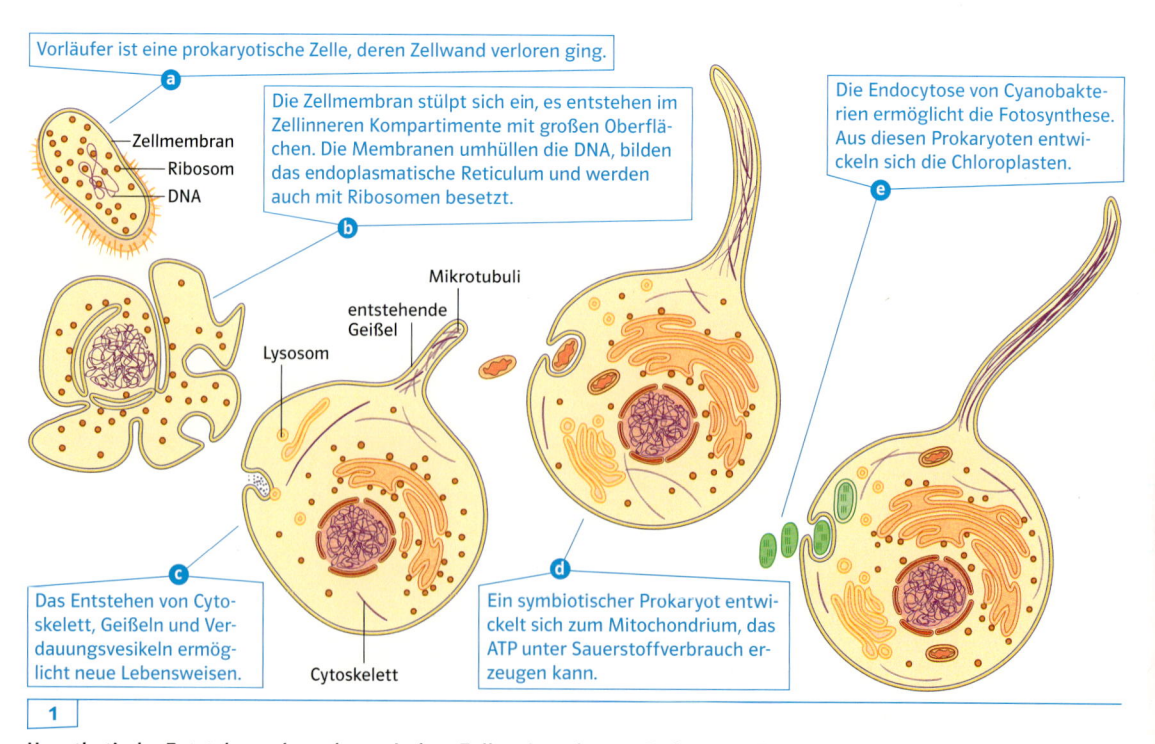

Kompartimentierung

Vorläufer ist eine prokaryotische Zelle, deren Zellwand verloren ging. ⓐ

Zellmembran — Ribosom — DNA

Die Zellmembran stülpt sich ein, es entstehen im Zellinneren Kompartimente mit großen Oberflächen. Die Membranen umhüllen die DNA, bilden das endoplasmatische Reticulum und werden auch mit Ribosomen besetzt. ⓑ

Mikrotubuli
entstehende Geißel
Lysosom

Die Endocytose von Cyanobakterien ermöglicht die Fotosynthese. Aus diesen Prokaryoten entwickeln sich die Chloroplasten. ⓔ

Das Entstehen von Cytoskelett, Geißeln und Verdauungsvesikeln ermöglicht neue Lebensweisen. ⓒ

Cytoskelett

Ein symbiotischer Prokaryot entwickelt sich zum Mitochondrium, das ATP unter Sauerstoffverbrauch erzeugen kann. ⓓ

1 Hypothetische Entstehung der eukaryotischen Zelle mit mehreren Endocytose-Ereignissen.

zu führen ⓒ. Sie konnte andere Mikroorganismen einkapseln und verdauen (Endocytose, → 2.6 und → 3.7). Man geht davon aus, dass manche dieser aufgenommenen Prokaryoten am Leben geblieben sind und sich ihrer neuen Umgebung — dem Zellinneren ihres Räubers — angepasst haben. Was sich hier zunächst wie Parasitismus anhört, hat in seltenen Fällen eine intensive Zusammenarbeit ergeben. Das intrazelluläre Bakterium hat Leistungen geboten, die für die Wirtszelle von Vorteil waren. Umgekehrt hat der Wirt Schutz geboten und Nährstoffe geliefert, die ihm ohnehin reichlich zur Verfügung standen. So bildete sich die Grundlage für eine *Symbiose* (→ 23.5). Je länger eine solche Beziehung andauert, umso höher wird die gegenseitige Abhängigkeit und Spezialisierung in die jeweiligen Rollen. Das herausragende Beispiel — so weiß man heute — sind die Mitochondrien, die wichtige Organellen jeder eukaryotischen Zelle sind ⓓ.

Für diese **Endosymbiontenhypothese** spricht die Tatsache, dass Mitochondrien eine doppelte statt einfache Zellmembran haben, eine Folge der Einkapselung. Außerdem haben Mitochondrien ihr eigenes Genom, vermehren sich wie Bakterien im Cytoplasma und zeigen eine Fülle von molekularen Ähnlichkeiten mit bestimmten Prokaryoten. Auf ähnliche Weise sind fotosynthetisierende eukaryotische Zellen zu ihren Chloroplasten gekommen: Die Einkapselung von Cyanobakterien machte es möglich ⓔ. Spannend an dieser Geschichte ist, dass sie immer wieder stattfindet, auch heute. Viele Organismen haben intrazelluläre Bakterien, die mal eher parasitische, mal eher symbiotische Eigenschaften besitzen. Mal ist die Beziehung unabdingbar, mal ist sie eher optional und nur von kurzer Dauer. Die „Untermieter" müssen aber keine Prokaryoten sein. Riffbildende Steinkorallen, manche Meeresschnecken und Mördermuscheln besitzen intrazelluläre Eukaryoten. Es sind einzellige Algen (Zooxanthellen, → 22.1), die über Fotosynthese organische Substanzen für ihren Wirt produzieren. Damit liefern sie z. B. einem Korallenpolypen bis zu 90 % des Energiebedarfs. Er stellt dafür Schutz und anorganische Mineralstoffe bereit. Anders gesagt: Manche Tiere haben sich mit Solarzellen ausgestattet (→ S. 78).

Obwohl die Endosymbiontenhypothese keineswegs alle Details erklärt, sind die Belege mehr als überzeugend. Weitere molekulargenetische Untersuchungen werden die Entstehung der eukaryotischen Zelle immer genauer enträtseln. Eine der größten Schwierigkeiten wird dabei durch den *horizontalen Gentransfer* verursacht (→ Abb. 1, S. 287): Viele Mikroorganismen und Endosymbionten haben im Laufe der Evolution direkt Gene miteinander und mit dem Wirtszellkern ausgetauscht. Dadurch tauchen in den betroffenen Arten plötzlich Gene auf, die von anderen Arten stammen. Dies macht eine Rekonstruktion der Verwandtschaft, der letzten gemeinsamen Vorfahren und des Alters dieser Formen viel schwerer.

Der Vorfahre der eukaryotischen Zelle war wohl ein Archaee, denn die Kern-DNA der Eukaryoten zeigt eine engere Verwandtschaft mit dieser Gruppe der Prokaryoten als mit den „eigentlichen" Bakterien. Konsequenterweise werden von den drei Domänen des Lebens die Archaea und Eukarya als näher verwandt eingestuft (→ Abb. 1, S. 287).

Das Präkambrium endete mit dem Ediacarium (vor 635 bis 543 Millionen Jahren). Hier, auf dem Höhepunkt der Einzeller, hatte sich aufgrund des erneut gestiegenen O_2-Gehalts (→ Abb. 2, S. 287) eine einzigartige Fauna entwickelt, die durch teils riesige Einzeller und uns fremdartig erscheinende Vielzeller gekennzeichnet war. Da diese weiche Körper besaßen, sind sie fossil aber nur selten erhalten geblieben.

Geschichte und Verwandtschaft

Aufgabe 20.4

Erläutern Sie, wie die Erfolge der Prokaryoten und deren unterschiedliche Lebensweisen eine notwendige Grundlage für die Entstehung der eukaryotischen Zelle bildeten.

20.5 Vielzelligkeit bietet neue Optionen durch Arbeitsteilung

Teilt sich eine Zelle vegetativ, ohne dass die Tochterzellen sich voneinander trennen, dann ist das ein erster Schritt in Richtung Vielzelligkeit. Ein solcher Schritt ist leicht durchführbar, weil er keine grundsätzlich neuen Eigenschaften erfordert.

Die Vorteile liegen aber auf der Hand: Vielzeller sind gegen Umwelteinflüsse und Fressfeinde besser geschützt. Eine kollektive, extrazelluläre Verdauung erschließt neue Nahrungsquellen. Eine Spezialisierung einzelner Zellen ermöglicht eine Effizienzsteigerung.

Evolution

Variabilität und Angepasstheit

Cyanobakterien zeigen bereits diese einfache Form der Vielzelligkeit, inklusive der Arbeitsteilung in zwei Zelltypen: Neben normalen Zellen treten 10 % Zellen auf, die sich auf Stickstofffixierung spezialisieren. Der eigentliche Durchbruch kam aber von den Eukaryoten, bei denen die Vielzelligkeit im Laufe der Evolution mehrfach unabhängig bei Algen, Pflanzen, Tieren und Pilzen entstand. Hier wurde die Zellspezialisierung extrem vorangetrieben. Die etwa 10 Billionen(!) Zellen des menschlichen Körpers kann man in über 200 verschiedene Zelltypen einteilen. Sie bilden Epithelgewebe, Binde- und Stützgewebe, Muskelgewebe und Nervengewebe. Bei Pflanzen ist die Anzahl der Zelltypen aufgrund des einfacheren Baus geringer.•

Eine generelle Konsequenz der Vielzelligkeit ist die Möglichkeit, größere Körper zu bilden. Mammutbäume, hausgroße Korallenstöcke oder Blauwale könnten nie ihre Größe erreichen, wären sie nicht aus unzähligen einzelnen Zellen aufgebaut, die in einem komplexen Verbund jeweils ihre spezielle Funktion erfüllen. Dabei müssen für die gleichen Aufgaben, die eine Zelle auf ihrer mikroskopischen Ebene zu erfüllen hat (Homöostase, Energieaustausch, Stoffaustausch sowie Kommunikation) auf der höheren Ebene des vielzelligen Individuums neue Lösungen gefunden werden.

Bei mobilen Tieren hat die Vielzelligkeit mehrfach zur Bildung eines Kopfs geführt: eine Ansammlung von Sinnesorganen und Mundwerkzeugen, die auch die Bildung eines Gehirns nach sich zieht. Damit einher geht fast automatisch eine Zweiseitigkeit, die typische Links-Rechts-Symmetrie (Bilateralsymmetrie, → 13.1).

Wann die Vielzelligkeit bei Tieren genau entstanden ist, ist unklar. Wie schon bei den Prokaryoten hinterließen die ersten (weichen) Formen meist nur indirekte Spuren von Kriech- oder Grabaktivität. Vom Ediacarium, das vor 635 Millionen Jahren begann, sind einige Formen bekannt. Die eigentliche explosionsartige Steigerung der Vielfalt läutete aber der Anfang des Kambriums ein. Damals machten die Tiere eine entscheidende Erfindung: die *Biomineralisation*, das heißt die Bildung harter mineralischer Strukturen durch Lebewesen. Ab jetzt entstand eine Vielfalt an Skeletten, Zähnen, Schalen und Panzern, Strukturen also, die sich fossil gut erhalten. Von fast allen heutigen Tierstämmen sind aus dem Kambrium erste Vertreter bekannt. Eine charakteristische Gruppe sind die Trilobiten, segmentierte Gliederfüßer mit einem typischen Kopfschild (→ Abb. 1, S. 284). Wie auch viele andere erfolgreiche Gruppen aus dem Kambrium, sind sie seit langem wieder ausgestorben.

1 Das Kambrium markiert die Entstehung der Vielfalt und des Formenreichtums der Tiere.

Aufgabe 20.5
Die Entstehung der Vielzelligkeit ging mit der „Entstehung der Leiche" einher. Kommentieren Sie diese Aussage.

20.6 Fossilien liefern starke Belege für das Evolutionsgeschehen

Seit dem Kambrium sind die Informationen aus der Vergangenheit um Größenordnungen detaillierter. Einerseits sind aus der Zeit mehr Sedimente erhalten geblieben. Andererseits stehen für die Zeiträume seit dem Kambrium bessere Methoden für die Datierung und Analyse der Fossilien zur Verfügung (→ 20.1). Fossilien sind gerade deswegen so wertvoll, weil sie der Wissenschaft etwas bieten, was keine Technik uns je liefern kann: Zugriff auf Prozesse, die über Hunderte Millionen Jahre im „Labor Erde" stattgefunden haben. Es ist die Puzzlekiste der Evolution, die uns eindeutige und vielfältige Fallbeispiele liefert.

Seit DARWIN hat die Paläontologie enorme Fortschritte gemacht und heute ist die Beweiskraft

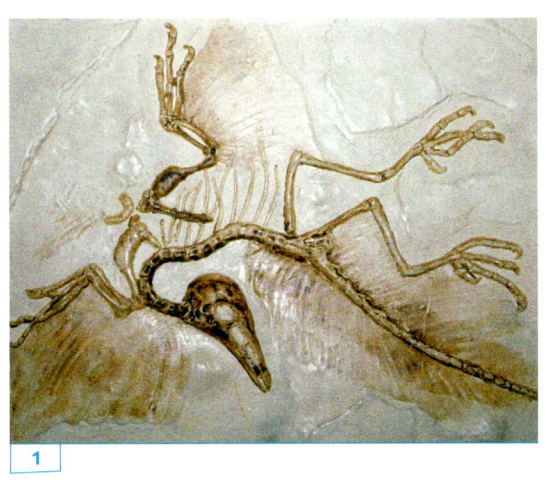

Evolution als historisches Ereignis

von Fossilien für die Evolutionstheorie erdrückend. Noch vor wenigen Jahrzehnten wurde von „missing links" gesprochen — unbekannte Übergangsformen, die eine Lücke in einer Abstammungslinie schließen sollten. Durch gezieltes Suchen in Erdschichten vom richtigen Alter werden heutzutage mit rasantem Tempo immer weitere Übergangsformen gefunden und vermeintliche Lücken geschlossen. Gerade für recht wichtige Schritte in der Evolution sind die Übergänge mittlerweile fast lückenlos dokumentiert. Das gilt für den Landgang der Wirbeltiere (Amphibien), die Entstehung der Säuger, die wiederholte Eroberung des Luftraums (Insekten, Vögel) und die wiederholte Rückkehr ins Wasser (Wale, Seehunde).

Ein Beispiel: Seit dem ersten Fund des „Urvogels" *Archaeopteryx* im Jahr 1861 (und von 9 weiteren Exemplaren aus dem Steinbruch Eichstätt / Solnhofen) wurden in China eine Reihe von Zwischenformen aus

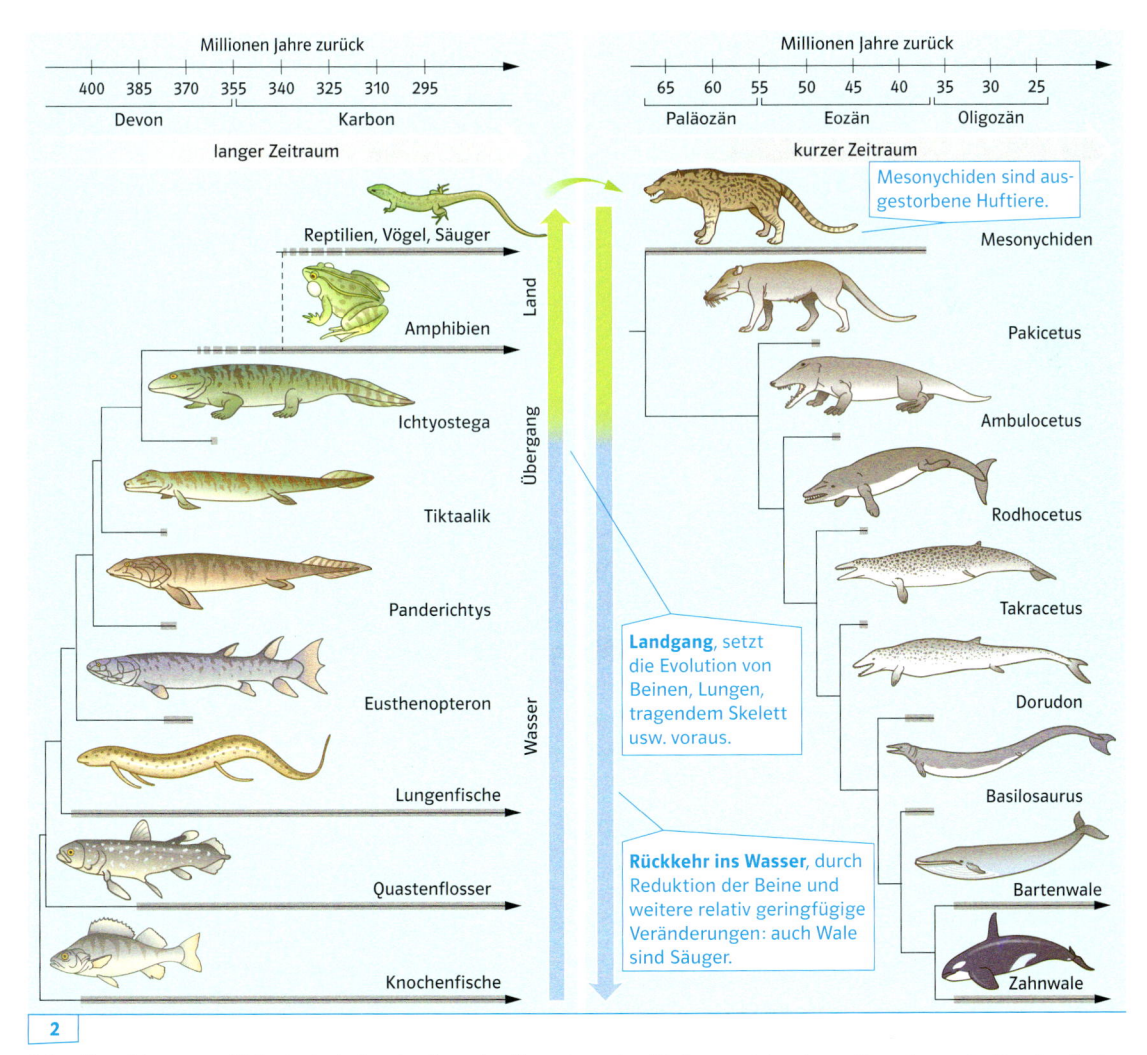

1 Der Urvogel *Archaeopteryx* zeigt Merkmale fossiler Reptilien und heutiger Vögel.

2 **Schnell und langsam.** Wale sind relativ schnell aus landbewohnenden Räubern entstanden, während manche Knochenfische sowie die Lungenfische und Quastenflosser heute noch immer aussehen wie vor etwa 400 Millionen Jahren.

Evolution

dem gleichen Zeitalter gefunden, die sich alle etwas in der Ausprägung der Flugfähigkeit unterscheiden. Mittlerweile ist klar, dass eine bestimmte Gruppe kleiner, zweibeiniger Dinosaurier zunächst Daunenfedern entwickelt hat — vermutlich zur Wärmeisolation. Ein Beispiel ist *Sinosauropteryx*, der vor 135–120 Mio. Jahren in China lebte. Diese Gruppe fleischfressender Dinosaurier — zu deren Abkömmlingen auch der furchterregende *Tyrannosaurus rex* gehörte — hat demnach bis heute überlebt: in Form der modernen Vögel!

Aufgabe 20.6

Legen Sie begründet dar, welche Umwelt- oder Populationseigenschaften eher ein Beibehalten des Körperbaus fördern und welche eher zu morphologischer Änderung führen. Setzt Angepasstheit immer Änderung voraus?

20.7 Die Stammesgeschichte lässt sich durch Merkmalsvergleiche rekonstruieren

Geschichte und Verwandtschaft

Alle lebenden (rezenten) und ausgestorbenen (fossilen) Arten müssen im Laufe der Evolution aus Aufspaltungen von Arten entstanden sein. Die Abfolge von Artaufspaltungen stellen Evolutionsbiologen als Stammbäume dar. Eine Astgabel oder Artaufspaltung in einem Stammbaum stellt das engste mögliche Verwandtschaftsverhältnis dar, die sogenannte *Schwesterartbeziehung*. Wie aber können Evolutionsbiologen den richtigen Stammbaum ermitteln, z. B. die Schwesterartbeziehungen zwischen den vier Großen Menschenaffen? Spontan wird hier oft vermutet, dass Orang-Utan, Gorilla und Schimpanse aufgrund ihrer Ähnlichkeit untereinander enger verwandt sind als einer von ihnen mit dem Menschen. Theoretisch gibt es aber 15 Möglichkeiten für den Stammbaum (probieren Sie es auf einem Blatt Papier aus). Abb. 1 zeigt zwei davon. Abb. 2 erläutert Ihnen an einem vereinfachten Beispiel, wie Sie den wahrscheinlichsten Stammbaum ermitteln können. Dabei stellt sich heraus, dass Schimpanse und Mensch Schwesterarten darstellen. Die spontane Vermutung wäre also falsch gewesen.

Diese Fehleinschätzung mag Sie überraschen, da doch gerade Orang-Utan, Gorilla und Schimpanse große Ähnlichkeiten aufweisen, wie den vierbeinigen Gang und das dichte Haarkleid, die sie deutlich vom Menschen unterscheiden. Diese Merkmale weisen aber auch viele andere Säugetiere auf. Solche *gemeinsamen ursprünglichen Merkmale* können eine Verwandtschaft nicht begründen. Vielmehr muss man Merkmale finden, die nur auf die Schwesterarten, sonst aber auf keine weiteren Arten zutreffen. Diese *gemeinsamen abgeleiteten Merkmale* sind die *evolutionären Neuerungen*, die eine Verwandtschaft begründen. Wenn Sie entlang der Äste eines Stammbaums durch die Evolutionsgeschichte reisen, können Sie diese Neuerungen als Evolutionsereignisse wahrnehmen: Starten Sie in Hypothese 2 (→ Abb. 1) links beim letzten gemeinsamen Vorfahren der Großen Menschenaffen und bewegen Sie sich durch die 12 Millionen Jahre Evolutionsgeschichte bis zum Menschen.

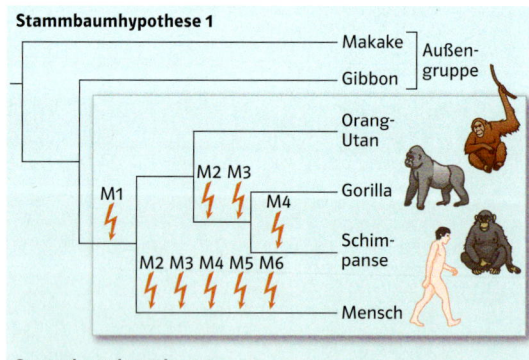

1 Zwei von 15 möglichen Stammbäumen für die Artaufspaltungen innerhalb der Großen Menschenaffen.

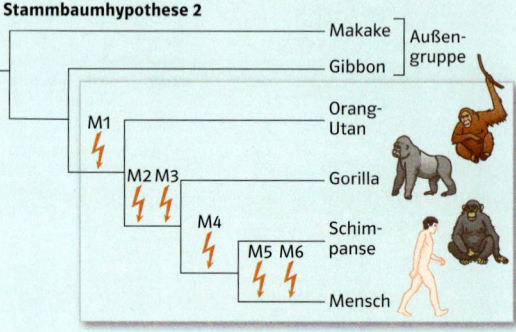

M1–M6: gemeinsame Merkmale dieser Linien (siehe Abb. 2)

Methode: Erstellung eines Stammbaums

Anwendung
Durch einen Vergleich von homologen Merkmalen (→ Definition S. 294) kann aus konkurrierenden Stammbaumhypothesen (Abb. 1) der wahrscheinlichste Stammbaum ermittelt werden.

Methode
Ausgewählte Merkmale der Arten werden in einer Tabelle miteinander verglichen. Hier wird das am Beispiel der Großen Menschenaffen erläutert. Der Vergleich schließt auch zwei Affenarten (Makake und Gibbon) ein, die nachweislich nicht zu den Großen Menschenaffen zählen. Die Berücksichtigung dieser Außengruppe ermöglicht es zu erkennen, welche Merkmalszustände innerhalb der vier Großen Menschenaffen ursprünglich sind. Die Merkmalszustände der Außengruppe werden mit „0" codiert. Abweichungen innerhalb der Großen Menschenaffen werden mit „1" codiert.

Merkmale (M) mit Codierung der Merkmalsausprägungen „0" und „1"	Makake	Gibbon	Orang-Utan	Gorilla	Schimpanse	Mensch
M1: 2n Chromosomenzahl: (0 = 50; 1 = 48 oder 46)	0	0	1	1	1	1
M2: Malariaerreger: (0 = fehlend; 1 = existent)	0	0	0	1	1	1
M3: Anzahl der Handwurzelknochen: (0 = 9 Stück; 1 = 8 Stück)	0	0	0	1	1	1
M4: Sexualdimorphismus: (0 = Männchen > Weibchen; 1 = M, W ähnlich groß)	0	0	0	0	1	1
M5: Körperbehaarung: (0 = dicht; 1 = nahezu fehlend)	0	0	0	0	0	1
M6: Fortbewegung: (0 = vierbeinig; 1 = zweibeinig)	0	0	0	0	0	1

*Die beiden Schwesterarten Schimpanse und Bonobo werden hier nicht unterschieden.

Ergebnis und Auswertung
Jedes der sechs Merkmale hat im Laufe der Evolution eine Veränderung von „0" nach „1" erfahren. Der wahrscheinliche Zeitpunkt der Veränderungen lässt sich anhand des Aufspaltungsmusters festlegen. Beispiel: M1 kommt im Merkmalszustand „1" bei allen vier Arten vor und muss daher vor der ersten Aufspaltung innerhalb der Großen Menschenaffen entstanden sein (Abb. 1; M1). Die Reduktion der Chromosomenzahl von 2n = 50 auf 2n ≤ 48 ist als evolutionäre Neuerung der Großen Menschenaffen zu werten. M1 begründet die vier Großen Menschenaffen als Abstammungsgemeinschaft. Dieses Merkmal fügt sich in beide Stammbaumhypothesen gleichermaßen gut ein. Anders ist dies für M2: Die Anfälligkeit für Malariaerreger lässt sich als Evolutionsereignis widerspruchsfrei in Stammbaumhypothese 2 einfügen (M2). Für Stammbaumhypothese 1 muss man allerdings zwei Evolutionsereignisse annehmen, einmal für den Menschen und einmal für den Vorfahren von Gorilla und Schimpanse. Ähnlich verhält es sich mit M3 und M4. Somit benötigt Stammbaumhypothese 1 insgesamt neun Evolutionsereignisse, Stammbaumhypothese 2 jedoch nur sechs, um die beobachtete Verteilung der Merkmalszustände zu erklären.

Schlussfolgerung
Stammbaumhypothese 2 hat als die Variante mit weniger Evolutionsereignissen gegenüber Stammbaumhypothese 1 eine höhere Wahrscheinlichkeit, die richtige Hypothese zu sein. Mensch und Schimpanse sind demnach Schwesterarten. Dieses statistische Verfahren bezeichnet man als „Maxium Likelihood"-Schätzung.

2 Durch einen systematischen Vergleich von Merkmalen lässt sich die Wahrscheinlichkeit von alternativen Stammbäumen vergleichen.

Evolution

Online-Link
Homologie — Analogie (interaktiv)
150010-2941

Für die Qualität von Stammbaumanalysen ist die Auswahl der Merkmale entscheidend. Sie dürfen nur Merkmale vergleichen, die sich aus einer Vorläuferstruktur des letzten gemeinsamen Vorfahren ableiten lassen. Solche Merkmale mit gemeinsamer genetischer Grundlage bezeichnet man als homologe Merkmale. Beispielsweise sind die Vorderextremitäten aller Landwirbeltiere homolog (→ Abb. 3). Diese **Homologie** ist selbst dann noch zu erkennen, wenn die Vorderextremitäten wie bei den Flossen der Wale oder den Flügeln der Fledermäuse stark abgewandelt sind. Man verwendet drei Kriterien, um Homologien zu erkennen:

1. *Kriterium der Lage*: Merkmale sind homolog, wenn sie die gleiche Lagebeziehung im Körper aufweisen (→ Abb. 3).
2. *Kriterium der spezifischen Qualität*: Merkmale sind homolog, wenn sie in ihrer Feinstruktur übereinstimmen. Beispielsweise bestehen alle Wirbeltierzähne aus einem innen gelegenen Zahnbein, das mit Zahnschmelz überzogen ist.

Manche Merkmale verändern sich jedoch evolutionär so stark, dass eine Homologie über die verbliebene Ähnlichkeit kaum noch zu erkennen ist. Dann hilft ein drittes Kriterium:

3. *Kriterium der Kontinuität*: Merkmale sind homolog, wenn sie sich über Fossilfunde oder Embryonalstadien miteinander verbinden lassen. Die Embryonalentwicklung der Säugetiere zeigt beispielsweise, dass zwei ihrer drei Gehörknöchelchen zunächst als Kiefergelenk angelegt werden. Sie sind daher homolog zu den Kiefergelenkknochen aller anderen Wirbeltiere. Zwei Ihrer Gehörknöchelchen sind also homolog zum Kiefergelenk eines Krokodils! Diese faszinierende Umkonstruktion lässt sich auch lückenlos durch Fossilien belegen.

Es ist wichtig, jede Homologievermutung kritisch zu prüfen. Beispielsweise ist die Körperform von schnell schwimmenden Haien, Thunfischen, fossilen Meeresechsen und Delphinen sehr ähnlich: ein spindelförmiger Körper mit steifen, schmalen Flossen. Diese Ähnlichkeit kann aber nicht auf gemeinsamer Abstammung beruhen, da z. B. Delphine aufgrund vieler anderer Merkmale natürlich mit anderen Säugetieren viel enger verwandt sind als mit den hier erwähnten Schnellschwimmern. Eine solche Ähnlichkeit trotz Nicht-Homologie finden Sie immer dann, wenn nicht verwandte Arten unter dem gleichen Selektionsdruck stehen. In unserem Beispiel entstehen unabhängig voneinander ähnliche Körperformen. Sie gehen nicht auf gemeinsame Gene zurück, sondern es sind die Gesetze der Physik, die diese Stromlinienform in Anpassung an die Lebensweise vorschreiben. Für derartige nicht homologe Ähnlichkeiten verwenden Biologen die Begriffe **Analogie** und **Konvergenz** (→ 22.6).

Die Auswahl homologer Merkmale für eine Stammbaumanalyse ist nicht nur auf anatomische Merkmale beschränkt. Genauso können Verhaltensmerkmale oder auch molekulare Merkmale verwendet werden. Gerade durch letztere hat die Stammbaumforschung in den vergangenen Jahrzehnten ein leistungsfähiges neues Werkzeug erhalten. Moderne Verwandtschaftsanalysen arbeiten mit weit über 100 Merkmalen oder mit DNA-Sequenzen aus mehreren Tausend Nucleotiden. Die Ermittlung der besten Stammbaumhypothese gelingt dann nur noch mit dem Computer, der mithilfe spezieller Software den Stammbaum mit den wenigsten Evolutionsschritten errechnet. Durch laufende Weiterentwicklung der Methoden werden die Stammbäume immer genauer und aussagekräftiger.

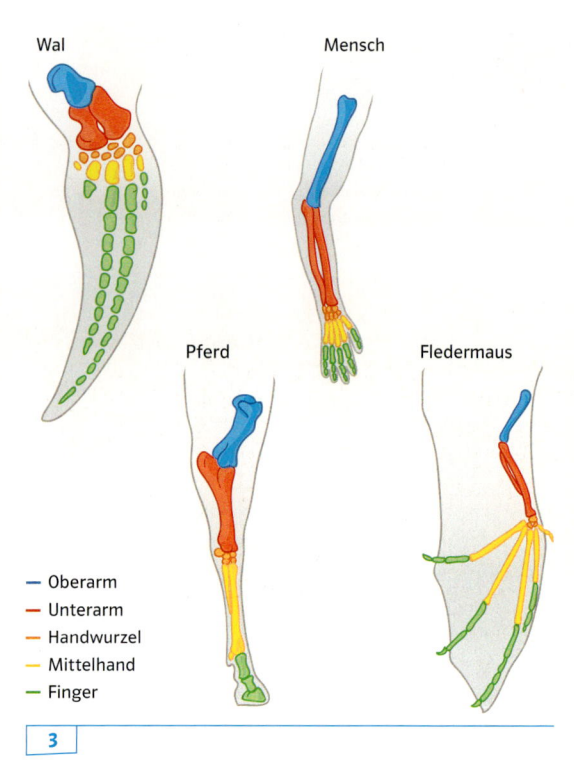

3 Die Vorderextremitäten der Wirbeltiere sind Beispiele für die Anwendung der Homologiekriterien.

— Oberarm
— Unterarm
— Handwurzel
— Mittelhand
— Finger

Aufgabe 20.7

Sowohl Schimpanse als auch Gorilla laufen bei der Fortbewegung auf der Rückseite der mittleren Fingerglieder. Diesen typischen Knöchelgang weist sonst keine andere Menschenaffen- oder Primatenart auf. Prüfen Sie, ob das Ergebnis der Stammbaumanalyse aus Abb. 2, S. 293, mit diesem Merkmal verändert wird.

Evolution des Menschen

21

Ein Kunstobjekt, ein Talisman oder ein Totem zur Beschwörung des Jagderfolgs? Wir wissen nicht viel über die Bedeutung dieses rund 35 000 Jahre alten, aus Elfenbein geschnitzten Mammuts aus der Vogelherdhöhle auf der Schwäbischen Alb. Doch eines steht fest: Es wurde von einem Menschen gemacht. Der Künstler war entweder einer unserer Vorfahren oder stammt von einer mittlerweile verschwundenen Seitenlinie des modernen Menschen ab. Andere Tiere mögen komplizierte Netze weben, filigrane Nester bauen oder auch Stöcke zurechtstutzen, um an versteckte Nahrung zu kommen. Doch nur der Mensch ist in der Lage, aus Lehm, Holz, Knochen, Stein und anderen Materialien durch Schnitzen, Hämmern, Bohren, Kneten die unterschiedlichsten Objekte herzustellen. Wie ist der Mensch zu dem geworden, was er heute ist, und was wissen wir über unsere Vorfahren?

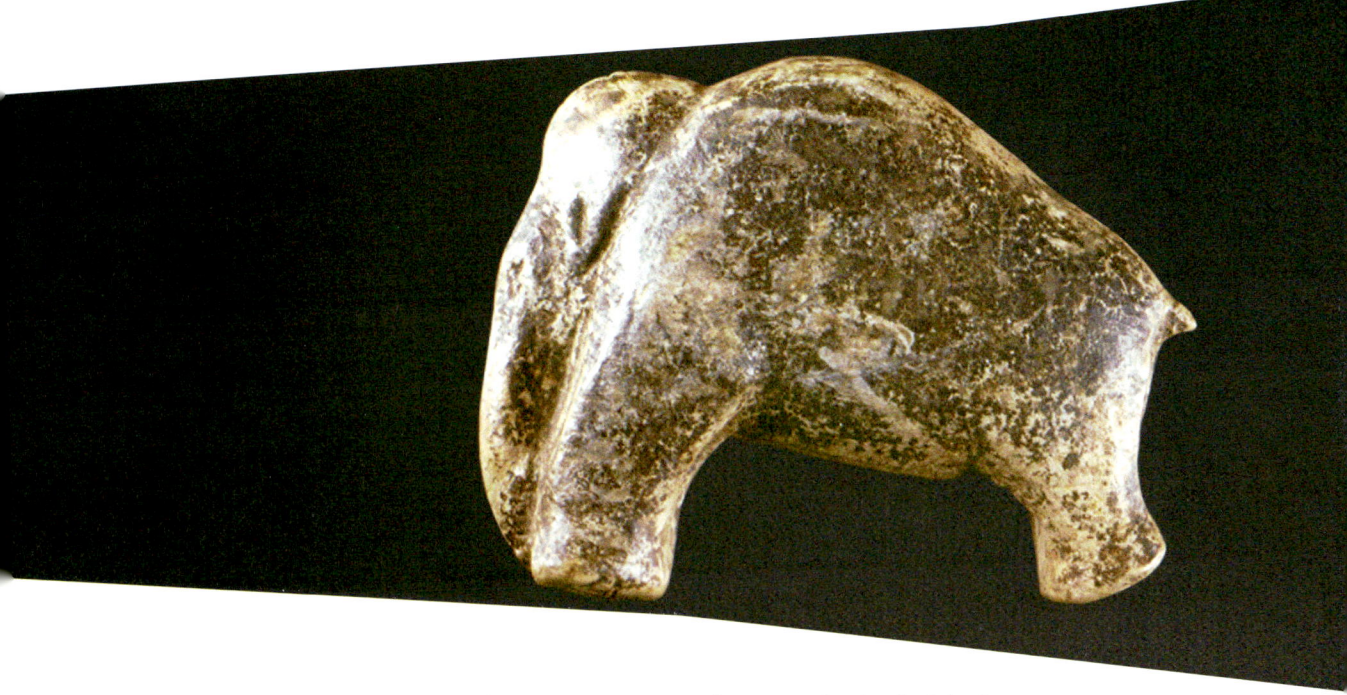

Mammut aus Elfenbein, ca. 35 000 Jahre alt

21.1	Der menschliche Zweig im Primatenstammbaum ist nur wenige Millionen Jahre alt
21.2	Der aufrechte Gang entwickelte sich vor dem größeren Gehirn
21.3	Großes Gehirn und Intelligenz kennzeichnen die Gattung Homo
21.4	Der moderne Mensch breitete sich sehr schnell über die Erde aus
21.5	Muster der Genaktivität unterscheiden Mensch und Affe
21.6	Kulturelle Evolution ermöglicht es, Erfahrungen weiterzureichen und zu optimieren
21.7	Die menschliche Population des 21. Jahrhunderts evolviert nach wie vor

Evolution

21.1 Der menschliche Zweig im Primatenstammbaum ist nur wenige Millionen Jahre alt

Geschichte und Verwandtschaft

Links läuft ein *Triceratops* vorbei, rechts sucht ein *Tyrannosaurus* nach Nahrung. Das kleine, pelzige Wesen, das da an einem schönen Sommertag in der Kreidezeit in seinem Versteck auf einem Mammutbaum döst, um erst mit Einbruch der Dämmerung aktiv zu werden, lassen sie unbeachtet. Dabei handelt es sich hier doch um den Urururahnen der Tiere, die nach dem Aussterben der Dinosaurier eine fantastische Entwicklung durchmachen sollten: um einen Primaten.• Die **Primaten** sind die Gruppe von Säugetieren, zu denen neben Lemuren, Pavianen, Makaken, Schimpansen und Gorillas auch der Mensch gehört (→Abb. 1).

Lange Zeit ging man davon aus, dass die Säugetiere während der Kreidezeit ein heimliches Dasein im Schatten der Dinosaurier führten und erst mit deren Aussterben ökologisch bedeutsam werden konnten. Molekularbiologische Daten deuten aber darauf hin, dass Säugetiere sich bereits vor Ende der Kreidezeit in mehrere erfolgreiche Linien aufgespalten hatten.

Die ersten Primaten waren relativ ursprüngliche, wenig spezialisierte Säuger, maus- bis katzengroß und vielleicht nachtaktiv. Durch nach vorne gerichtete Augen, Greifhände und Greifüße waren diese Tiere gut an das Klettern in Bäumen angepasst.

Vor rund 20 Millionen Jahren lebten in Afrika, Europa und Asien bereits schwanzlose Menschenaffen mit einem relativ großen Gehirn, die zu den Vorfahren heutiger Menschenaffen gerechnet werden. Sie wurden wohl aufgrund von Klimaänderungen vor ca. 10 Millionen Jahren weitgehend von den kleineren, langgeschwänzten Vorfahren der heutigen Makaken, Paviane und Meerkatzen verdrängt. Größere Populationen der Menschenaffen konnten nur in den afrikanischen und südostasiatischen Regenwäldern überleben. Sie

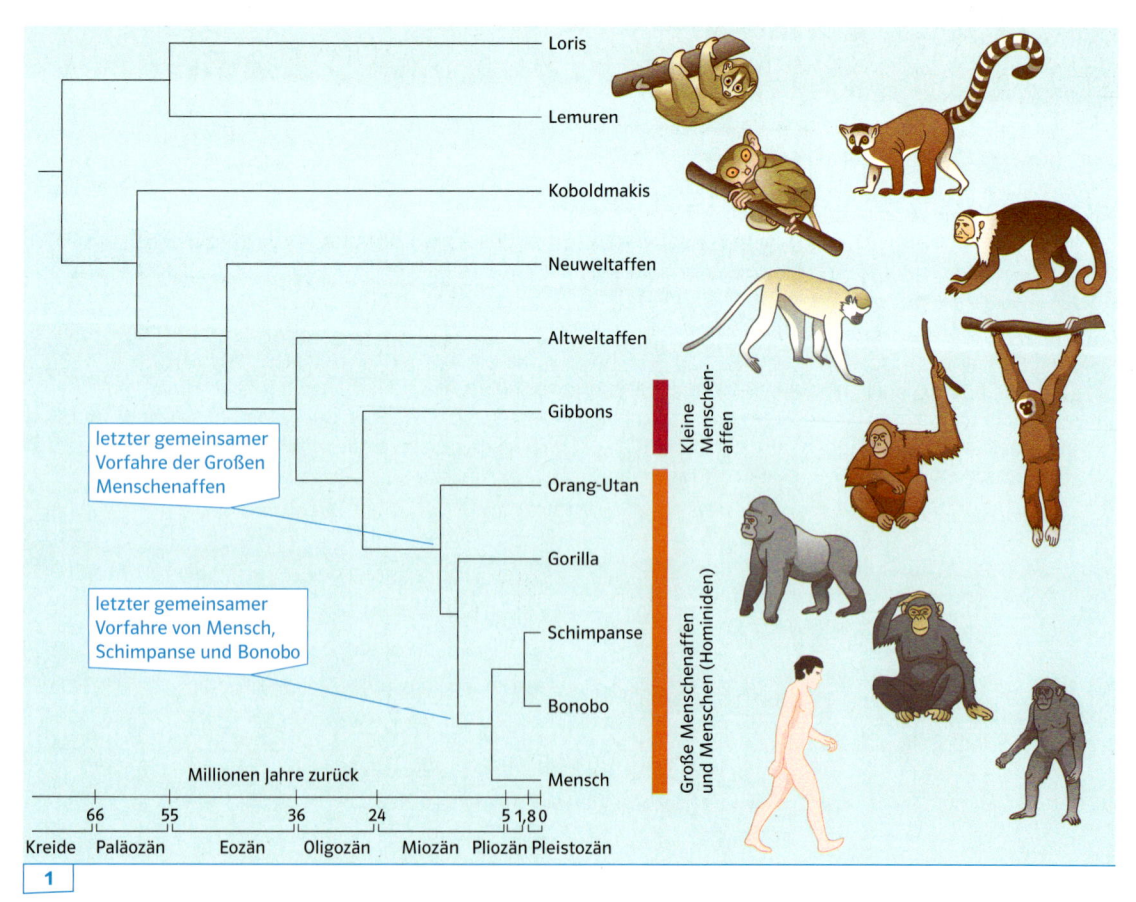

1 In diesem Stammbaum ist die Stellung des Menschen und seiner nächsten lebenden Verwandten auf Basis der Sequenzen mitochondrialer Gene dargestellt. Die Zeit der Aufspaltungen kann nur sehr ungenau bestimmt werden.

Online-Link
Biografie: Primatenforscherinnen
150010-2971

Evolution des Menschen

2

Primaten können ganz unterschiedlich aussehen. Abgebildet sind ein madagassischer Lemur (Katta), ein Orang-Utan aus den Regenwäldern Südostasiens und, als typische Vertreter der Altweltaffen, zwei Berberaffen aus Nordafrika.

sind die Vorfahren der heutigen Schimpansen, Bonobos (Zwergschimpansen), Gorillas, Orang-Utans, Gibbons — und des Menschen (→ Abb. 1).

Ein Vergleich der Gensequenzen zeigt, dass der heutige Mensch Schimpansen und Bonobos ähnlicher ist als dem Gorilla und dass der Orang-Utan noch weiter entfernt steht (→ 20.7). Da Schimpansen, Bonobos und Gorillas ausschließlich in Afrika vorkommen, der entfernt verwandte Orang-Utan aber in Asien, legen diese molekularen Daten nahe, dass auch der Mensch seinen Ursprung in Afrika hatte. In Afrika trennte sich die Linie des Urmenschen vor rund 7 bis 5 Millionen Jahren von der, die zu Schimpansen und Bonobos führte. Offensichtlich spielten auch hierbei Klimaveränderungen eine wichtige Rolle. Das Klima wurde kühler, durch das Anwachsen der Eiskappen an den Polen wurde es trockener und die Regenwaldgebiete schrumpften. Vor allem im Osten Afrikas entwickelten sich große Steppengebiete mit schlechten Lebensbedingungen für herkömmliche, waldbewohnende Menschenaffen. Es etablierten sich Arten, die anstatt auf allen Vieren auf zwei Beinen gingen — die Urahnen des Menschen.

Die frühesten Funde dieser Urahnen stammen aus der Sahel-Zone und dem Osten Afrikas. Aus den vereinzelten Funden von Zähnen und Fragmenten des Skeletts lassen sich die Lebensweise und das Aussehen nur sehr unvollständig rekonstruieren, aber viel spricht dafür, dass sich diese frühen Verwandten der Großen Menschenaffen zumindest zeitweise auf zwei Beinen fortbewegten. Die Funde werden von manchen Wissenschaftlern bereits zu den **Hominiden** gerechnet (→ Abb. 2, S. 298). Der Begriff bezeichnet heute eine Familie, die die Orang-Utans, Gorillas, Schimpansen und den Menschen sowie seine unmittelbaren, frühen Vorfahren umfasst.

Sicher haben Sie schon Affen im Zoo beobachtet. Eine Tendenz zu aufrechter Körperhaltung ist bei vielen Arten zu erkennen, ebenso ein zeitweiliger aufrechter Gang. Ihre Jungen sind Traglinge und werden von den Erwachsenen herumgeschleppt. Aber was ermöglichte es ausgerechnet Affen, die bisher intelligenteste Lebensform der Erde hervorzubringen? Im Vergleich zu fast allen anderen Tierarten ist ihr Gehirn relativ groß in Bezug zur Körpergröße. Affen sind entsprechend erfolgreich in der Anpassung an die Umwelt. Körperlich sind sie eher unspezialisiert, können nicht besonders gut riechen und hören und auch nicht sehr schnell laufen, aber viele kooperieren beim Nahrungserwerb. Sie besitzen fünf Finger und Zehen, und ihre Hände und Finger sind dafür ausgebildet, Gegenstände sicher zu manipulieren. Dazu besitzen sie auch empfindliche Fingerkuppen und flache Nägel. Ihre visuellen Fähigkeiten sind hervorragend, insbesondere was das Farbensehen und die dreidimensionale Wahrnehmung betrifft. Sie können also sehr genau sehen, was sie tun, und ebenso genau können sie ihre Artgenossen beobachten, mit denen sie meist im Sozialverband leben. Damit sind sie in der Lage, ihre Umwelt gezielt zu verändern, zu kooperieren, ihre Erfahrungen weiterzugeben und von anderen zu lernen.

Aufgabe 21.1

Beurteilen Sie die Aussage: Der Mensch ist ein nackter Affe.

Evolution

21.2 Der aufrechte Gang entwickelte sich vor dem größeren Gehirn

„Lucy in the Sky …" 1967 wurde dieser Song auf der Langspielplatte Sgt. Pepper's Lonely Hearts Club Band veröffentlicht und eroberte die Hitparaden und die Herzen der Beatles-Fans. Zu diesen Fans gehörte auch der amerikanische Paläontologe DONALD JOHANSON. Er und seine Kollegen fanden am 30. November 1974 im Wüstensand der äthiopischen Afar-Tiefebene ein vermutlich 3,2 Millionen Jahre altes, gut erhaltenes Skelett eines weiblichen Hominiden (→ Abb. 1). Sie nannten diesen fantastischen Fund euphorisch Lucy.

Lucy wird wissenschaftlich *Australopithecus afarensis* genannt, der Südaffe aus dem Afar-Gebiet. Lucy selbst war recht klein — sie maß nur wenig mehr als 1m — und hatte ein Gehirn, das nicht größer war als das heutiger Menschenaffen. *A. afarensis* und andere Arten der Gattung *Australopithecus* besiedelten vor 4 bis 2 Millionen Jahren die Steppen Ost- und Südafrikas. Sie ernährten sich vermutlich von Früchten, Nüssen und Samen, vielleicht auch von Aas. Gelegentlich findet man ihre Überreste zusammen mit zerschmetterten Knochen von Antilopen oder Wildpferden. Aber ob dies bedeutet, dass sie selbst aktive Jäger waren, oder ob sie sich an der Beute

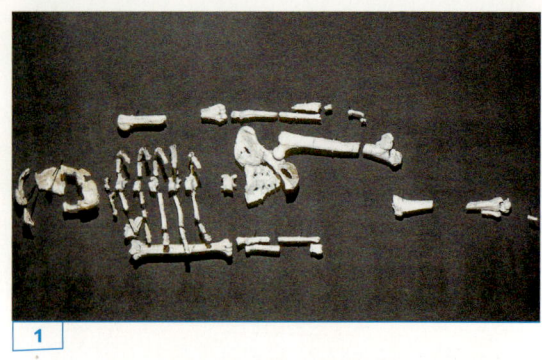

1 Lucy bzw. das, was von ihr übrig geblieben ist, wird in einem einfachen Glaskasten im Nationalmuseum der äthiopischen Hauptstadt Addis Abeba aufbewahrt.

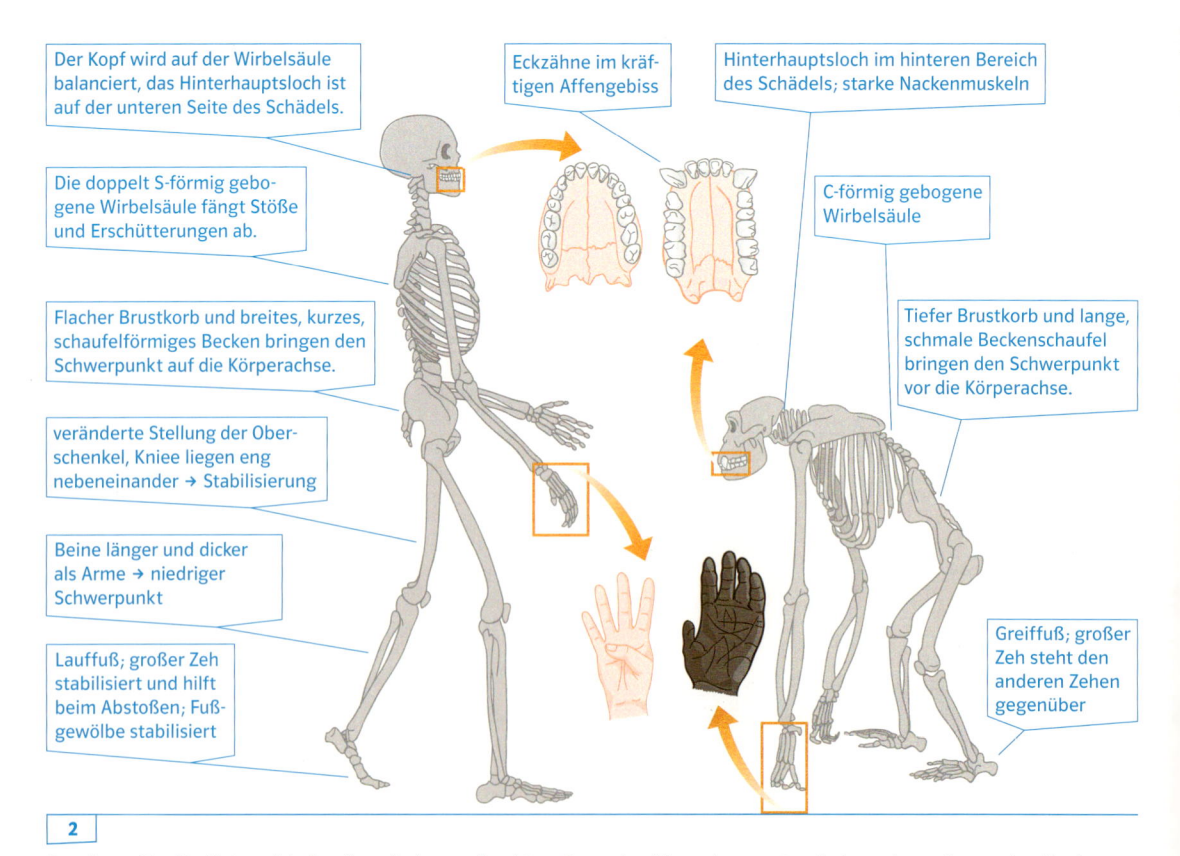

2

Der Kopf wird auf der Wirbelsäule balanciert, das Hinterhauptsloch ist auf der unteren Seite des Schädels.

Die doppelt S-förmig gebogene Wirbelsäule fängt Stöße und Erschütterungen ab.

Flacher Brustkorb und breites, kurzes, schaufelförmiges Becken bringen den Schwerpunkt auf die Körperachse.

veränderte Stellung der Oberschenkel, Kniee liegen eng nebeneinander → Stabilisierung

Beine länger und dicker als Arme → niedriger Schwerpunkt

Lauffuß; großer Zeh stabilisiert und hilft beim Abstoßen; Fußgewölbe stabilisiert

Eckzähne im kräftigen Affengebiss

Hinterhauptsloch im hinteren Bereich des Schädels; starke Nackenmuskeln

C-förmig gebogene Wirbelsäule

Tiefer Brustkorb und lange, schmale Beckenschaufel bringen den Schwerpunkt vor die Körperachse.

Greiffuß; großer Zeh steht den anderen Zehen gegenüber

Beachten Sie die Unterschiede, die mit dem aufrechten Gang des Menschen zu tun haben: Ausprägung des Nackens und des Hinterhaupts, relative Länge der Arme, Form von Becken und Wirbelsäule sowie das Fußskelett.

Evolution des Menschen

anderer Jäger zu schaffen machten und ob sie selbst gejagt wurden, lässt sich daraus kaum erschließen.

Australopithecus weist eindeutig Charakteristika auf, die diese Gattung in die Verwandtschaft des heutigen Menschen stellen. Becken- und Schädelknochen zeigen, dass *Australopithecus* auf zwei Beinen ging, und zwar nicht nur kurzzeitig und wacklig, wie man dies bei Schimpansen und Bonobos beobachten kann, sondern dauerhaft und stabil (→ Abb. 2). Eindrucksvoll wird dies durch einen anderen Fund belegt: Bei Laetoli in Tansania fanden sich versteinerte Fußspuren zweier Hominiden vom Typ *A. afarensis*, die aufrecht und gemächlich über eine frische Schicht vulkanischer Asche geschlendert waren.

Der aufrechte, zweibeinige Gang entstand somit vor der Entwicklung des großen Gehirns. Über die Ursache dieser Veränderung streiten sich die Gelehrten. Half er dem vergleichsweise wehrlosen *Australopithecus*, über das hohe Gras der Savanne hinwegzublicken und sich anschleichende Raubtiere zu entdecken? Ließen sich im aufrechten Gang Werkzeuge und Waffen leichter transportieren? Oder diente der aufrechte Gang dazu, die später von *Homo sapiens* perfektionierte Hetzjagd von Beutetieren zu entwickeln? Einige Wissenschaftler vertreten die Hypothese, *Australopithecus* habe im seichten Wasser nach Nahrung gesucht und der aufrechte Gang habe ihm geholfen, den Kopf über Wasser zu halten.

Struktur und Funktion

Aufgabe 21.2

Beurteilen Sie die Hypothese, dass der Urmensch durch ein Leben an seichten Gewässern zum Laufen auf zwei Beinen gekommen ist. Suchen Sie nach weiteren Merkmalen des modernen Menschen, die auf eine solche Lebensweise hinweisen könnten.

21.3 Großes Gehirn und Intelligenz kennzeichnen die Gattung Homo

Eine Coladose, eine Weinflasche, ein Milchkarton und eine große Flasche Limonade. Den Inhalten des kleinsten (0,33 l) und des größten Gefäßes (1,4 l) entsprechen ungefähr die Gehirngrößen Lucys und des heutigen Menschen. Dazwischen liegen die Gehirngrößen von *Homo habilis* (0,7 l) und *Homo erectus* (1 l) (→ Abb. 1).

Die Gattung **Homo** tauchte vor rund 2,4 Millionen Jahren auf und lebte über einige hunderttausend Jahre gemeinsam mit verschiedenen Typen von *Australopithecus* und den sehr viel robusteren Vertretern der Gattung *Paranthropus* in den Savannen Ostafrikas (→ Abb. 2, S. 300). Von diesen unterscheidet sich *Homo*

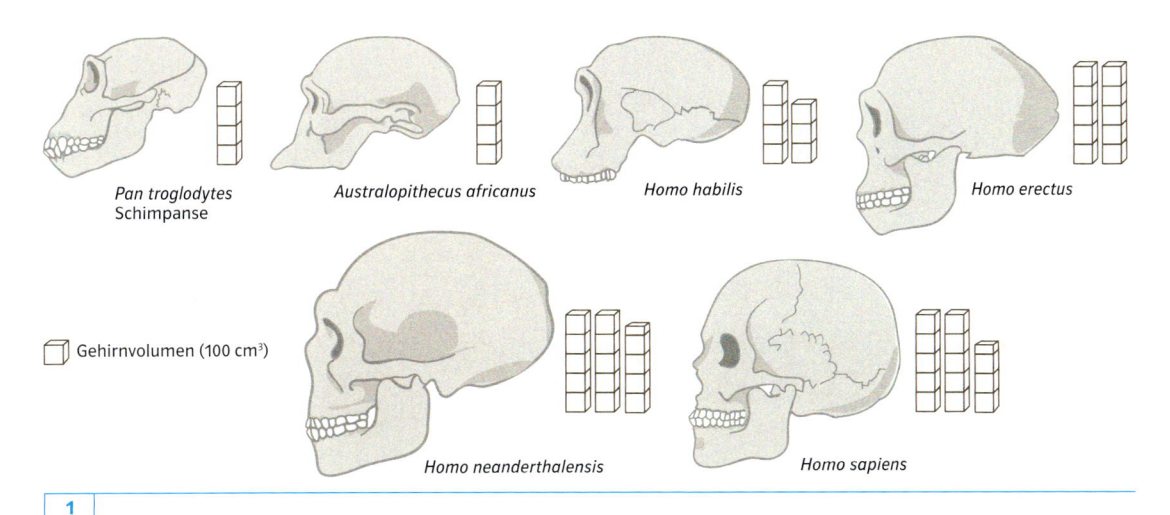

Pan troglodytes Schimpanse

Australopithecus africanus

Homo habilis

Homo erectus

Gehirnvolumen (100 cm³)

Homo neanderthalensis

Homo sapiens

1 Die Würfel neben den rekonstruierten Schädeln von Schimpanse, *Australopithecus* und Arten der Gattung *Homo* verdeutlichen in etwa die Größe der Gehirne, die allerdings innerhalb einer Art stark variiert.

Evolution

2

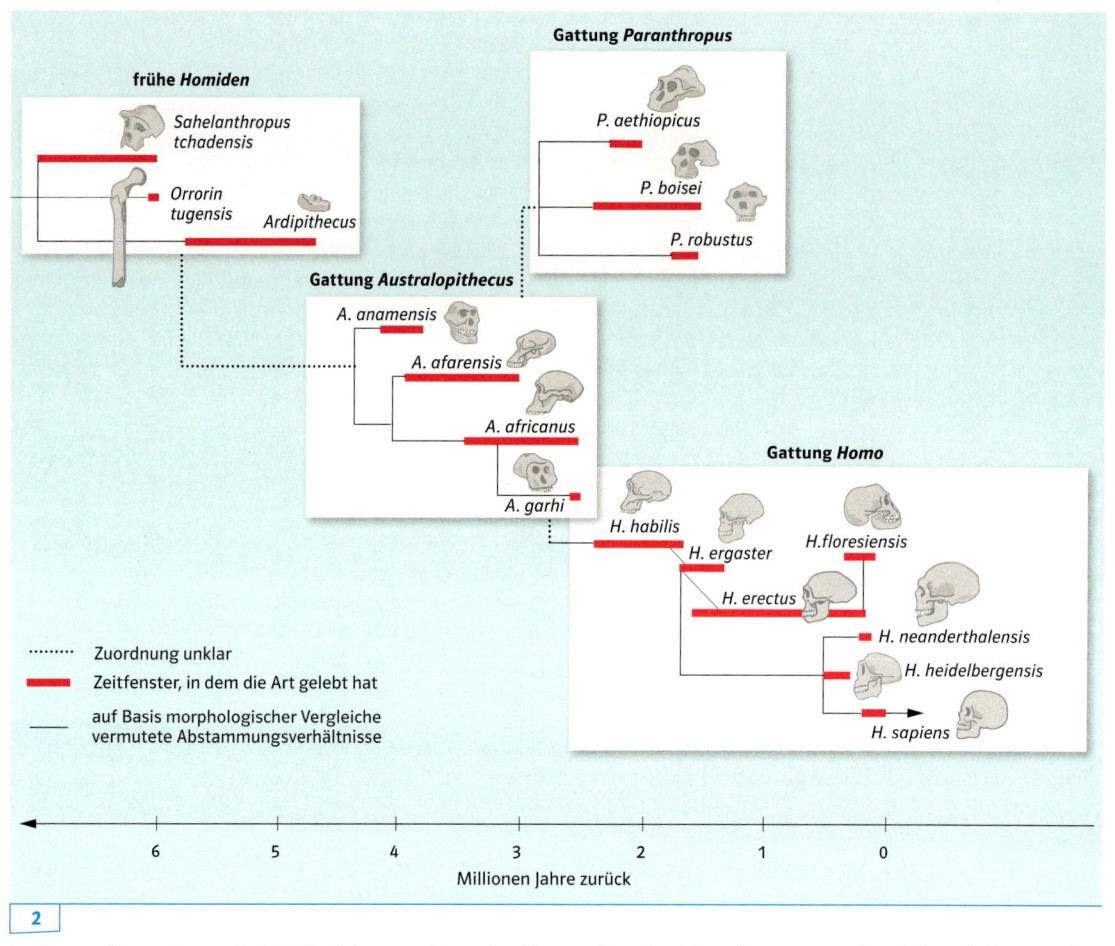

In diesem Stammbaum sind die Vorfahren und engsten Verwandten des Menschen entsprechend ihres Auftretens in der Zeit dargestellt (soweit Fossilfunde vorliegen).

unter anderem durch Werkzeugherstellung und Werkzeuggebrauch. Handlich zurechtgehauene Faustkeile, Quarzmesser und Schaber sind typische Kennzeichen der Gattung *Homo* (→Abb. 3).

Über *Homo habilis*, den ersten Vertreter der Gattung *Homo*, wissen wir nur wenig. Mehr ist dank der Ausgrabungen der britisch-kenianischen Forscherfamilie LEAKEY über die nächste Stufe in der Evolution der Hominiden bekannt. RICHARD LEAKEY grub 1984 am Turkana-See in Kenia das nahezu vollständige Skelett eines 11–15jährigen Jungen aus, der 160 cm groß war, rund 35 kg gewogen haben dürfte und vor 1,6 Millionen Jahren gelebt hat. Auf den ersten Blick ist dieses Skelett kaum von dem des modernen Menschen zu unterscheiden — wäre da nicht der vergleichsweise kleine Schädel mit einem Gehirnvolumen, das mit 880 cm³ nur zweidrittel so groß war wie das des *Homo sapiens*. Der Turkana-Boy gehört der Art *Homo erectus* an, die von manchen Autoren auch in zwei Arten, die älteren *H. ergaster* und die jüngeren *H. erectus* unterteilt wird (→Abb. 2).

3

Diese 800 000 — 400 000 Jahre alten Steinwerkzeuge belegen eindrucksvoll die Fertigkeiten des *Homo erectus*.

Während sich alle seine Vorfahren in der afrikanischen Heimat aufhielten, packte *H. erectus* das „Wanderfieber". Über Vorderasien, wo er sich bereits vor 1,8 Millionen Jahren im Bereich des Kaukasus aufhielt, wanderte *H. erectus* in mehreren Wellen bis nach Europa („Heidelberger Mensch"), Ostasien („Pekingmensch") und in die Inselwelt des heutigen Indonesiens („Javamensch"). In Indonesien überlebte er offensichtlich bis vor ca. 25 000 Jahren — also bis in Zeiten, in denen große Teile der Welt bereits vom modernen *Homo sapiens* besiedelt worden waren (→Abb. 2, S. 302). *Homo erectus* war ein Jäger und Sammler, der sich von Früchten, Wurzeln und Fleisch ernährte. Er stellte hölzerne Wurfspeere und steinerne Schaber, Äxte und Faustkeile her. Auch konnte er, wie verkohlte Knochen und Rußspuren an den verschiedensten Fundstätten zeigen, mit Feuer umgehen. Und nicht nur das: *H. erectus* war wohl der erste Mensch, der sich auch als Seefahrer betätigte. Skelettfunde auf der Insel Flores bei Java, die im Gegensatz zu anderen Inseln Südostasiens damals keine Anbindung an das asiatische Festland hatte, zeigen, dass *H. erectus* in der Lage war, rund 20 km breite Meerengen zu überqueren — aktiv mit Flößen oder als verdriftetes Opfer eines Tsunami.

Spektakuläre Funde in einer Höhle auf genau dieser Insel zeigen eindrucksvoll, dass Evolution nicht immer in die gleiche Richtung fortläuft: *H. erectus* scheint sich in der Isolation von Flores zu einer nur 1 m großen Miniaturausgabe weiterentwickelt zu haben, dem *Homo floresiensis*. Die Funde zeigen, dass er dort noch vor ca. 12 000 Jahren gelebt hat. Er jagte Komodowarane und Zwergelefanten, zerlegte sie mit Werkzeugen und briet seine Beute — und dies trotz eines winzigen Gehirns. Mit einem Volumen von nur 380 ml war es so klein, dass einige Forscher die Funde als Skelette moderner Menschen mit einer drastischen Wachstumsanomalie abtun. Doch es reicht nicht aus, die absolute Gehirngröße zu messen, um herauszufinden, welche geistigen Leistungen damit möglich sind.

Anderenorts setzte sich der evolutionäre Trend zu immer größeren Gehirnen ungebremst fort. Im Osten Afrikas entstand der moderne *Homo sapiens*, dessen Nachfahren dieses Buch in Händen halten, mit einer durchschnittlichen Gehirngröße von 1300–1400 cm^3. Aber das ist noch nicht der Rekord: Der *Homo neanderthalensis*, ein Nachfahre des *H. erectus* aus den unwirtlichen Wäldern und Tundren des eiszeitlichen Europas, kam sogar auf 1500 cm^3. Der Neandertaler — erste Knochenstücke wurden 1856 im Neandertal bei Düsseldorf gefunden — war sehr viel robuster gebaut als der moderne Mensch. Er fertigte die verschiedensten Waffen, kümmerte sich um Kranke und Verletzte und bestattete Tote mit Grabbeigaben.

Welche Ursache hatte die rapide Vergrößerung des Gehirns bei *Homo*? Darüber lässt sich trefflich spekulieren. Einige Wissenschaftler sehen die Ursache in der verbesserten Zufuhr von Proteinen mit der Nahrung — sei es über Fleisch, Fisch oder gekochte Wurzeln. Für andere setzten sich Individuen mit leistungsfähigeren Gehirnen in der Evolution durch, da sie eher in der Lage waren, Ränke und Betrügereien in der Gruppe zu entlarven (→Abb. 2, S. 453) oder weil Grips für das andere Geschlecht einfach „sexy" war.

Aufgabe 21.3

Sammeln Sie Daten zur Gehirngröße von Genies und normalen Menschen. Ziehen Sie Schlussfolgerungen.

21.4 Der moderne Mensch breitete sich sehr schnell über die Erde aus

Wer ist sich ähnlicher: zwei Schimpansen aus dem gleichen Urwaldgebiet Afrikas oder ein Europäer und ein australischer Aborigine? Die Frage hat durchaus ihre Berechtigung, denn lange genug galten die ethnischen Typen des modernen Menschen als so extrem unterschiedlich, dass sich auch „kultivierte" Bürger nichts dabei dachten, Angehörige anderer Völker zu versklaven oder wie Vieh zu halten.

Tatsächlich sind Schimpansen genetisch viel variabler als *Homo sapiens* aus den verschiedensten Ecken der Welt. Molekulargenetische und archäologische Untersuchungen zeigen, dass der moderne Mensch von einer recht kleinen Gruppe von Vorfahren abstammt, die vor rund 200 000–150 000 Jahren in Ostafrika lebte. Von dort aus breitete er sich, ähnlich wie *Homo erectus* eine Million Jahre zuvor, sehr rasch über die Erde aus. Wo er hinkam, hinterließ er seine Spuren: Dazu gehören neben feiner bearbeiteten Stein- und später Bronzewerkzeugen auch Höhlenmalereien, Felsritzungen, Schnitzereien usw. (→ Abb. 1, S. 302).

Evolution

Australien besiedelte *H. sapiens* bereits vor 50 000 Jahren, die Südspitze Amerikas erreichte er vor 13 000 Jahren und einige abgelegene Inseln, wie Hawaii und Madagaskar, waren bis vor rund 1 500 Jahren frei von menschlicher Besiedlung (→ Abb. 2). Obwohl *H. sapiens* bereits vor 100 000 Jahren in Kleinasien lebte, wanderte er erst recht spät, nämlich vor 40 000 Jahren in Europa ein, vielleicht weil dort der Neandertaler bereits verbreitet war. Diesen verdrängte er innerhalb von weniger als 10 000 Jahren — offensichtlich, ohne sich mit ihm genetisch zu vermischen. Untersuchungen fossiler Neandertaler-DNA ergeben keine Überlappungen mit der DNA des modernen *H. sapiens*.

Unsere gemeinsamen Ururur…urgroßeltern lebten also vor rund 5 000 Generationen (→ Abb. 3) und waren Afrikaner — deshalb ähneln wir uns alle genetisch so sehr, trotz Variation in Haut-, Haar- und Augenfarben. Etwa 85 % der genetischen Unterschiede finden sich innerhalb lokaler Bevölkerungen und führen zu diversen Blutgruppen und Varianten von Enzymen. Nur 15 % machen die Unterschiede zwischen verschiedenen Völkern aus. Selbst die Hautfarbe variiert innerhalb von Völkern meist stärker als zwischen ihnen. Die veraltete Vorstellung, dass sich die heutige Menschheit in deutlich unterscheidbare Rassen aufteilen lässt, entbehrt somit jeglicher wissenschaftlichen Grundlage. Der nicht näher definierte Begriff „Rasse" wird heute in der Humanbiologie nicht mehr verwendet.

Aber warum gibt es überhaupt unterschiedliche Hautfarben? Vermutlich waren unsere Vorfahren dunkel pigmentiert, was die Haut vor der schädlichen Wirkung übermäßiger UV-Strahlung in den Tropen schützte.

Variabilität und Angepasstheit

1

Diese Szene zeigt, wie sich ein heutiger Künstler den frühen *Homo sapiens* beim Malen vorstellt.

Eine gewisse Menge UV-Strahlung ist jedoch für die Bildung des Vitamins D aus Cholesterol lebenswichtig. Menschen mit einer geringeren Pigmentierung könnten bei der Besiedlung sonnenärmerer Regionen einen Selektionsvorteil gehabt haben.• Dafür spricht, dass auch der *H. neanderthalensis* hellhäutig war. Wissenschaftler fanden eine Mutation in der fossilen DNA zweier Neandertaler, die vor rund 45 000 Jahren gelebt haben. Sie schleusten diese Mutation in menschliche kultivierte Pigmentzellen ein und zeigten damit, dass solche Zellen keinen schwarzen Farbstoff mehr herstellen können — genau wie die Pigmentzellen rothaariger *Homo sapiens* (→ 12.3).

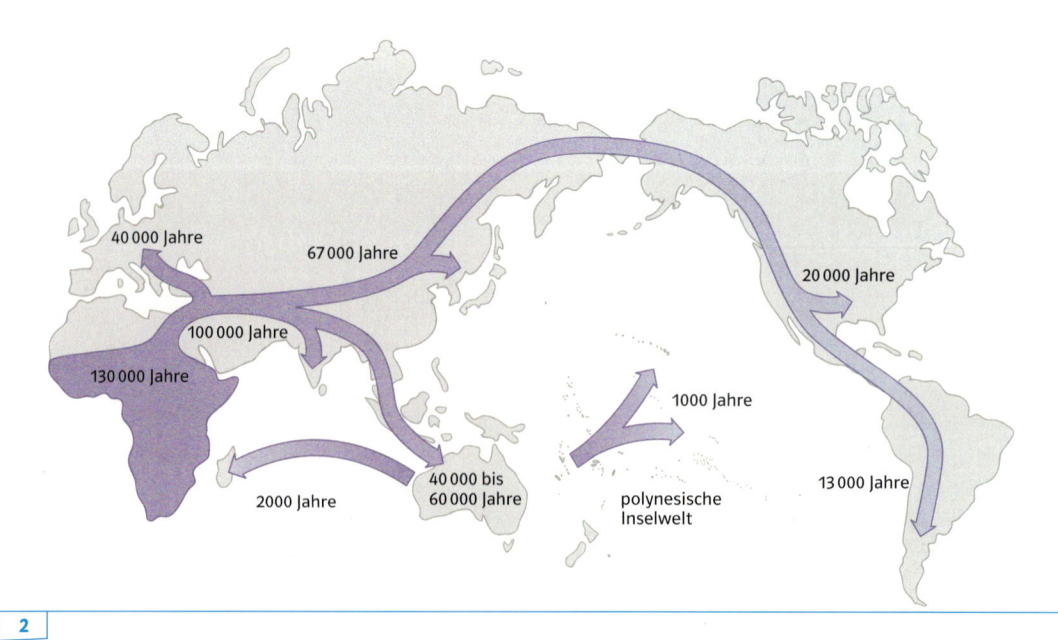

2

Der moderne Mensch besiedelte von Afrika aus in relativ kurzer Zeit die gesamte Erde. Die Zahlen geben an, wie viele Jahre die Erstbesiedelung zurückliegt.

Methode: Stammbaumanalyse mit mitochondrialer DNA

Anwendung
Rekonstruktion der Abstammungsverhältnisse des Menschen zur Ermittlung des letzten gemeinsamen Vorfahren. Durch den Sequenzvergleich mitochondrialer Gene lassen sich mit Computerprogrammen die wahrscheinlichsten Stammbäume erstellen.

Methode
Jedes Mitochondrium enthält ringförmige DNA. Darauf liegen wenige Gene für Stoffwechselenzyme, die im Mitochondrium abgelesen werden. Alle Mitochondrien der Zygote stammen aus der mütterlichen Eizelle. Anders als die Gene des Zellkerns werden bei der sexuellen Fortpflanzung diese Gene ohne Rekombination weitergegeben. Unterschiede in diesen Genen beruhen daher nur auf Mutationen.

Unter der Annahme einer konstanten Mutationsrate, sozusagen einer „molekularen Uhr", lässt sich zurückrechnen, wann die Ausgangssequenz eines DNA-Abschnitts existiert hat. Diese molekulare Uhr eicht man, indem man Sequenzunterschiede der DNA für Organismen ermittelt, deren gemeinsame Vorfahren mit einer anderen Methode datiert wurden.

Ergebnis
Die Varianten der DNA aller Mitochondrien, die in der heutigen Population des Menschen vorkommen, lassen sich auf die DNA einer Frau zurückführen, die vor etwa 200 000 Jahren gelebt hat: der „mitochondrialen Eva". Die mitochondrialen Linien aller anderen Mütter sind heute ausgestorben.

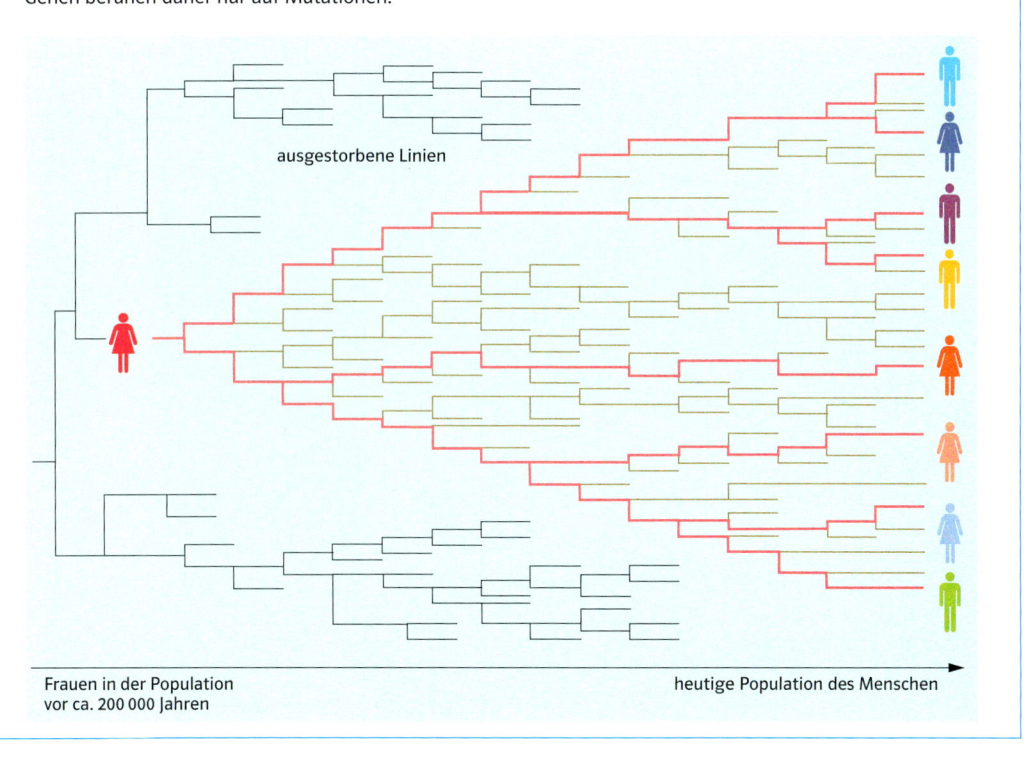

3 Die heute vorhandenen Varianten der mitochondrialen DNA lassen sich auf eine „mitochondriale Eva" zurückführen, die vor rund 200 000 Jahren gelebt hat.

Aufgabe 21.4
Die genetische Vielfalt des modernen Menschen ist innerhalb Afrikas höher als auf anderen Kontinenten. Erläutern Sie, welche populationsgenetischen Vorgänge dies erklären könnten.

Evolution

21.5 Muster der Genaktivität unterscheiden Mensch und Affe

Der arme Schimpanse Hiasl: Als einjähriges Jungtier illegal von einem Schlepper aus Sierra Leone nach Österreich importiert, war er dort nach kurzem Aufenthalt in Sicherheit wieder in Gefahr: Das Tierschutzheim, das sich bislang verlässlich um ihn gekümmert hatte, stand vor dem Konkurs. Und Hiasl, vom Gesetz her als Schimpanse keine Person, sondern eine Sache, fand sich in der bedrohlichen Lage, dass er im Interesse der Gläubiger verkauft werden sollte, vielleicht sogar für Versuchszwecke. Dagegen klagten Tierrechtler zur Unterstützung einer weltweiten Bewegung, die Menschenrechte für Menschenaffen einfordert. Hiasl ist übrigens die österreichische Kurzform für Matthias, und die Klage wurde erhoben für Matthias Pan (*Pan*: Gattungsname für Schimpansen).

Schließlich sind die Genome von Mensch und Schimpanse zu 98,5 % identisch. Und tatsächlich sind wir uns ja auch in Aussehen, Verhalten und vielen anderen Dingen teilweise verblüffend ähnlich. Aber worin unterscheiden wir uns? Was macht den Menschen zum Menschen, den Schimpansen zum Schimpansen? Offensichtlich sind es nicht nur die 1,5 % genetische Unterschiede (→ 15.1). In dem identischen Teil des Genoms unterscheiden sich die Gene erheblich in ihrer Aktivität. Für die Entwicklung eines Organismus und die Aktivitäten seiner Gewebe ist es wichtig, dass die richtigen Proteine zum richtigen Zeitpunkt in den richtigen Zellen synthetisiert werden. Dazu wird die **Genexpression**, die Umsetzung des genetischen Codes, reguliert.* Untersuchungen zur Genexpression von Mensch, Schimpanse und Rhesusaffe zeigten gewebespezifische Unterschiede. Bei Schimpanse und Mensch treten in Leber- und Blutzellen ähnliche Aktivitätsmuster auf, die von denen bei Rhesusaffen abweichen. Bezüglich des Musters angeschalteter Gene im Gehirngewebe sind sich jedoch Schimpanse und Rhesusaffe weitaus näher: Hier haben sich in der Evolution des Menschen deutlich mehr Unterschiede angesammelt als beim Schimpansen.

Sicher sind zahllose Gene daran beteiligt, uns den Umgang mit Feuer oder die Herstellung vielfältiger Werkzeuge zu ermöglichen. Bei der Suche nach dem Ursprung der Sprache konzentrieren sich Wissenschaftler auf ein FOXP2 genanntes Gen, das für einen Transkriptionsfaktor codiert, also für die Aktivierung von Genen sorgt. Zwar kommt ein solches Gen bei zahlreichen Wirbeltieren vor, aber der Mensch — und mit ihm der Neandertaler — hat eine einzigartige Variante. Mutationen im FOXP2-Gen des Menschen führen zu Störungen im Sprachvermögen. Wir kommen darauf in → 35.1 noch einmal zu sprechen.

Und Hiasl? Die Diskussion um Menschenrechte für Menschenaffen ist noch nicht beendet — auch wenn die Unterschiede zumindest im Expressionsmuster doch viel größer sind, als auf Grund der fast 98,5 %igen Identität angenommen.

Steuerung und Regelung

Mensch   Schimpanse   Rhesusaffe

Jede Spalte steht für ein anderes Individuum.

Jede Zeile steht für eine andere mRNA des Gehirngewebes.

■ hohe Genaktivität
■ niedrige Genaktivität
■ durchschnittliche Genaktivität

1 Bei Menschen, Schimpansen und Rhesusaffen wurden die Muster der Genexpression im Gehirngewebe bestimmt. Zahlreiche Gene sind im Gehirn des Menschen stärker aktiv als bei Schimpanse und Rhesusaffe.

Aufgabe 21.5

Ähnliche Muster der Genaktivität sind ein Ausdruck genetischer Verwandtschaft. Begründen Sie diese Aussage.

21.6 Kulturelle Evolution ermöglicht es, Erfahrungen weiterzureichen und zu optimieren

„Huhu" — so nennen die Maori in Australien den 4–5 cm langen, weißen, fetten Engerling eines Bockkäfers, der in morschem verrotteten Holz lebt. Die Maori mögen ihn lebend zerkaut oder auch geröstet. Nahezu auf allen Kontinenten werden Insekten und ihre Larven gegessen — aber die meisten Mitteleuropäer ziehen lebende Austern, Schimmelkäse oder in Schweinedärme gefülltes, gemahlenes Kalbfleisch mit Schweineschwarte (besser bekannt als Weißwurst) der leckersten Made vor. Über Geschmack lässt sich bekanntlich nicht streiten — aber unterschiedliche Vorlieben sind meist nicht genetisch festgelegt, sondern werden erlernt (→ Abb. 1).

Aus Erfahrungen zu lernen ist für das tägliche Überleben vieler Tiere entscheidend. Wie sich eine wehrhafte Beute am besten erlegen lässt, muss nicht jedes Mal wieder aufs Neue schmerzhaft herausgefunden werden. Bei vielen Tierarten geben Eltern ihre erworbenen Kenntnisse und Fertigkeiten an ihre Nachkommen weiter — es entstehen Traditionen oder Kulturen. Beim Menschen ist die Weitergabe von Erfahrungen sicherlich am stärksten ausgeprägt.* Wir werden mit sehr wenig ausgeprägten Fähigkeiten geboren — fast alles, was wir können, haben wir erlernt, von Eltern, Geschwistern, Lehrern und anderen Artgenossen.

Die Weitergabe erworbener Fertigkeiten von Generation zu Generation, das Kopieren des Verhaltens von Vorbildern, Lernen und Lehren sind Bestandteil der **kulturellen Evolution**. Der Mensch wird von ihr in einem ähnlichen Maße beeinflusst wie durch die natürliche Evolution. Unser Sprachvermögen beispielsweise baut auf einem genetisch programmierten Unterbau auf — das FOXP2-Gen haben Sie bereits kennengelernt. Manche Sprachwissenschaftler schließen von der Beobachtung der Entstehung von Mischsprachen, wie dem Kreolischen, und der Leichtigkeit, mit der Kinder ihre Muttersprache erlernen, sogar auf einen Sprachinstinkt mit universellem Grammatiksinn. Auf Basis dieser Anlage erlernen wir die unterschiedlichsten Sprachen mit ihren jeweiligen Vokabeln und Grammatiken.

Kulturelle und natürliche Evolution haben eine Reihe von Ähnlichkeiten. Beispielsweise können Kulturen „mutieren". Attraktive, neue Ideen oder Moden breiten sich mit einer ähnlichen Dynamik in Populationen aus wie neue Allele. Anders als in der natürlichen Evolution werden Bestandteile von Kulturen aber nicht nur von Eltern auf Nachkommen „vererbt", sondern auch horizontal — zwischen Nichtverwandten — weitergegeben. Im Gegensatz zur genetischen Vererbung kann sich der Mensch in der kulturellen Evolution häufig aussuchen, welche von verschiedenen gleichwertigen Verhaltensweisen er in sein Repertoire übernimmt — welche Sorte Cola jemand trinkt, ist nicht unbedingt von den Vorlieben der Eltern abhängig, welcher Religion jemand angehört, schon eher.

Kulturelle und natürliche Evolution gehen oft Hand in Hand. Die Erfindung des Ackerbaus und der Viehzucht veränderte in der Jungsteinzeit die Selektionsdrücke. Wie Analysen fossiler DNA zeigen, konnte zuvor Milchzucker nur von Neugeborenen und Kleinstkindern verdaut werden. Ältere Kinder und Erwachsene vertrugen keine Milch. Ihnen fehlte das Enzym Lactase, das nötig ist, um Milchzucker abzubauen. Als vor rund 8 000 Jahren Ziegen, Schafe und Rinder gezähmt wurden, profitierte davon eine kleine Minderheit der Bevölkerung, die wegen einer zufälligen Mutation Milch auch in späterem Alter verwerten konnte. Die Viehhaltung führte dazu, dass heute 85 % der erwachsenen Europäer Milch vertragen, wie auch die Rinder züchtenden Tutsi Ostafrikas. Der entsprechende Anteil liegt bei Angehörigen von Völkern, die keine oder kaum Milchwirtschaft betreiben, unter 10 % (→ Abb. 2, S. 306).

In noch drastischerer Weise wurde die Evolution des Menschen durch die Erfindung des Ackerbaus beeinflusst. Gruppen von Jägern und Sammlern in Mesopotamien, Südostasien und Mittelamerika wurden sesshaft, mit weitreichenden Konsequenzen für Gesundheit und Lebenserwartung. Mehr als 100 000 Jahre

1 Schmeckt's? Ob dieser jungen Kambodschanerin wohl Gummibärchen oder Handkäs munden würden?

Information und Kommunikation

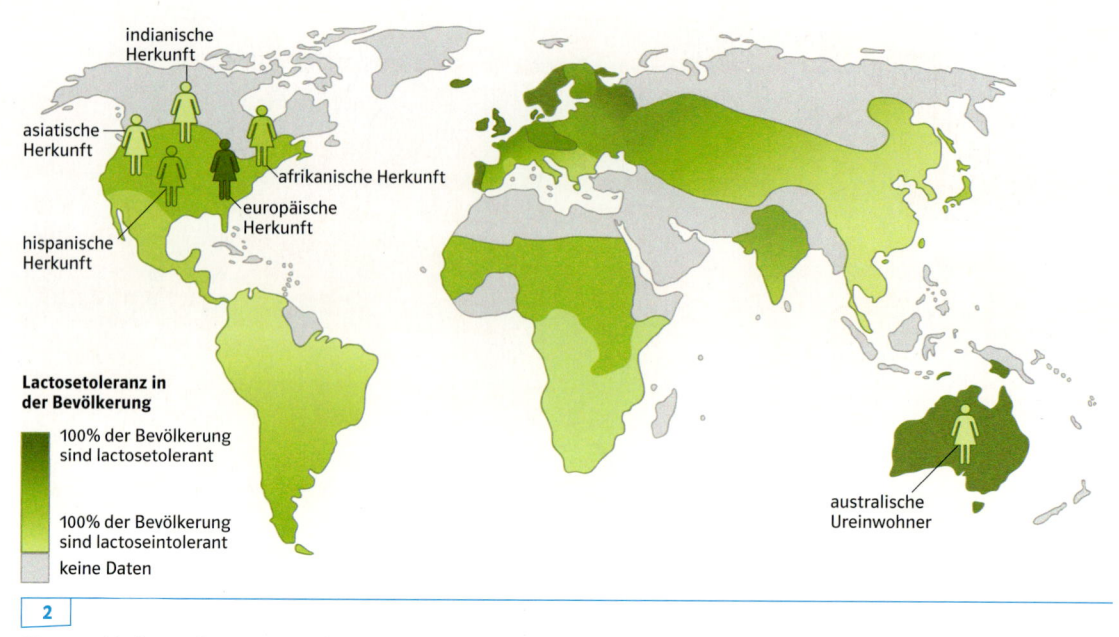

Evolution

Lactosetoleranz in der Bevölkerung
- 100% der Bevölkerung sind lactosetolerant
- 100% der Bevölkerung sind lactoseintolerant
- keine Daten

Herkunftsbezeichnungen auf der Karte: indianische Herkunft, asiatische Herkunft, afrikanische Herkunft, europäische Herkunft, hispanische Herkunft, australische Ureinwohner.

2 Die verschiedenen Grüntöne verdeutlichen die Häufigkeit der Milchzuckertoleranz.

lang hatte sich der Mensch einigermaßen ausgewogen von einer Vielzahl von Pflanzen und Tieren ernährt — und dabei allerdings einige davon ausgerottet. Die Nahrung der Ackerbauern der Jungsteinzeit bestand jedoch hauptsächlich aus wenigen kohlenhydratreichen, aber vitaminarmen Nutzpflanzen, je nach Gegend Mais, Reis oder Hirse. Diese einseitige Ernährung führte zu Karies und Zahnverlust, dazu zu den verschiedensten Mangelerkrankungen. Durch die Arbeit auf dem Feld nutzten sich die Gelenke viel stärker ab als bei Jägern und Sammlern, und weil die sesshaften Ackerbauern so eng zusammenlebten, stieg auch der Anteil derjenigen an, die an Infektionskrankheiten starben — kurzum, die mittlere Lebenserwartung nahm ab, von etwa 33 Jahren auf rund 20 Jahre. Die Lebenserwartung der steinzeitlichen Jäger und Sammler wurde erst im frühen 20. Jahrhundert aufgrund der technischen und medizinischen Errungenschaften wieder erreicht und hat seitdem immer weiter zugenommen.

Viel früher nahm, wahrscheinlich aufgrund der dauerhaften Verfügbarkeit der Nahrung und der Sesshaftigkeit, das Bevölkerungswachstum zu — von einigen Hunderttausend in der Altsteinzeit bis auf 170–400 Millionen vor 2 000 Jahren und über 6 Milliarden heute.

Aufgabe 21.6

Stellen Sie Ähnlichkeiten und Unterschiede zwischen natürlicher Evolution und kultureller Evolution zusammen.

21.7 Die menschliche Population des 21. Jahrhunderts evolviert nach wie vor

„Die Evolution ist am Ende", verkündete um 2005 der britische Genetiker STEVE JONES. Endlich seien wir nicht länger Sklaven unserer Gene. Durch den medizinischen Fortschritt und die bessere Ernährung seien individuelle Unterschiede in Lebenserwartung und Fortpflanzungserfolg so weit ausgeglichen, dass die natürliche Selektion an nichts mehr wirken kann.

Die kulturelle Evolution beschert kinderlosen oder kinderarmen Menschen speziell in den Industrieländern oft bessere Lebensbedingungen als kinderreichen.

Evolution des Menschen

Bevölkerungswachstum in %
- 3 +
- 2
- 1
- 0 - 1
- < 1

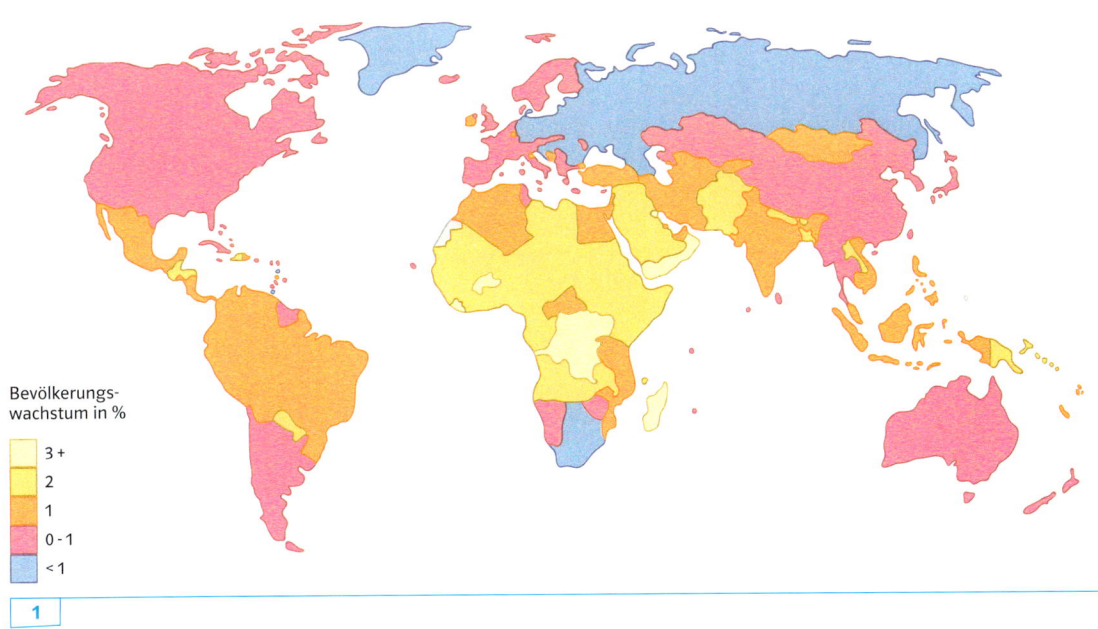

1 Diese Landkarte zeigt das Bevölkerungswachstum (in %) in verschiedenen Ländern. Die Bevölkerung nimmt in Europa ab, vor allem in Afrika aber weiterhin zu.

Erbkrankheiten, die bei unseren Vorfahren zu einem frühen Tod führten, werden erfolgreich durch Medikamente ausgeglichen. Dadurch werden die Unterschiede im Fortpflanzungserfolg zwischen Individuen natürlich herabgesetzt — aber ist damit die Evolution beendet?

Dieser Schluss ist mit Sicherheit nicht zutreffend. Natürlich unterliegen wir nach wie vor den Mechanismen der Evolution: Mutation, Selektion, Gendrift und Genfluss durch Migration. Das beginnt bereits vor der Geburt: Mehr als zwei Drittel aller Zygoten sterben unbemerkt wenige Tage nach der Befruchtung ab.* Besonders in Afrika, Asien und Südamerika ist die Sterblichkeit bei Neugeborenen und Kleinstkindern immer noch erschreckend hoch. Und selbst wer erfolgreich erwachsen geworden ist, hat damit noch nicht automatisch Nachkommen. Die Evolution geht weiter — in Mitteleuropa vielleicht etwas langsamer als in anderen Teilen der Welt.

Die gewaltigen Veränderungen der Lebensweise und der Umwelt, die *Homo sapiens* seit rund 40 000 Jahren erfahren hat, üben einen immensen Selektionsdruck aus. Die explosionsartige Vergrößerung der Weltbevölkerung bedingt auch einen rasanten Anstieg der Anzahl an neuen, adaptiven Mutationen, sodass die Evolutionsgeschwindigkeit beim Menschen offensichtlich im Laufe der letzten Jahrtausende sogar zugenommen hat. Wie genetische Untersuchungen aber zeigen, sind viele dieser neuen, adaptiven Mutationen noch nicht komplett fixiert. Das heißt, sie haben die anderen vorhandenen Varianten des Allels noch nicht ersetzt (→ 17.6).

Und: Natürliche Selektion setzt an der Variation des Fortpflanzungserfolgs an. Da die Geburtenrate in den Industrieländern im Gegensatz zu den weniger technisierten Staaten niedrig ist (→ Abb. 1), behindern unsere technischen und medizinischen Errungenschaften tatsächlich die Ausbreitung von Kopien von mitteleuropäischen Genen. Doch angesichts der engen genetischen Verwandtschaft aller Menschen gibt es keinen Grund, darauf einen Gedanken zu verschwenden.

Reproduktion

Aufgabe 21.7

Erläutern Sie, welche Konsequenz die Behandlung von genetisch bedingten Krankheiten, an denen unsere Vorfahren noch früh gestorben sind, für die Evolution des Menschen haben könnte.

Was nutzt uns ARTENSCHUTZ?

Möglichst viele Tier- und Pflanzenarten erhalten? Hat der Mensch mehr davon als den Gesang der Vögel und den Duft einer Blumenwiese? Artenvielfalt bedeutet für die Menschen Nahrung, einen gebremsten Klimawandel, medizinische Wirkstoffe und anpassungsfähige Ökosysteme.

Die ersten Ziegen waren von Walfängern und Piraten nach Galapagos gebracht worden. Durch diese Tiere hatten die Siedler stets Frischfleisch zur Verfügung. Aber die Ziegen auf den Galapagos-Inseln verwilderten und fraßen den Riesenschildkröten die Nahrung weg, zerstörten die Vegetation und bedrohten das Überleben zahlreicher seltener Vögel und Insekten. Die eigentümliche Tier- und Pflanzenwelt der Inseln hatte einst wesentlichen Anteil daran, dass CHARLES DARWIN seine Evolutionstheorie entwickeln konnte. Er hatte den Archipel, der rund 1 000 Kilometer vor der Küste von Ecuador im Pazifik liegt, 1835 besucht. Rund 40 Prozent der auf Galapagos lebenden Tierarten kommen nirgendwo anders vor, wie die großen Galapagosschildkröten. Nun war der Bestand durch die eingeführten Ziegen bedroht.

Wenige eingewanderte Arten vermehren sich stark und verdrängen empfindliche Arten, die nur an wenigen Orten der Welt vorkommen

Auf Galapagos wurden vor einigen Jahren Treibjagden auf die Ziegen veranstaltet. Sie wurden auch von Hubschraubern aus beschossen. In viereinhalb Jahren wurden rund 80 000 Ziegen getötet. Aufgespürt hatte man die Tiere nicht nur mithilfe von Hunden: Man hatte auch sogenannte Judasziegen eingesetzt, die mit Peilsendern ausgerüstet den Aufenthaltsort ihrer Artgenossen an die Jäger verrieten.

Was grausam scheint, geschah im Dienste des Artenschutzes, denn Neobiota, wie die Fachleute zugewanderte oder eingeschleppte fremde Tiere und Pflanzen nennen, sind eine wesentliche Ursache für den weltweiten Artenrückgang. Auch in Deutschland gibt es viele Neobiota, deren Ausbreitung man kritisch verfolgen muss: Der Staudenknöterich etwa wurde gezielt als Gartenpflanze eingeführt, gelangt häufig über Gartenabfälle in die freie Natur und überwuchert dann in Auenlandschaften oder Bergweiden alle anderen Pflanzen.

Ökosysteme erfüllen mit ihrer Vielfalt Funktionen, die die Menschen direkt betreffen

Die Ziegenjagd zum Wohle der Schildkröten auf Galapagos war bei Tierschützern umstritten. Artenschutz und Tierschutz gehen also durchaus nicht immer Hand in Hand, sondern verfolgen unterschiedliche Ziele.

Ökologie

22	Beziehungen zwischen Organismen und Umwelt
23	Wechselwirkungen innerhalb von Lebensgemeinschaften
24	Dynamik von Populationen
25	Stoff- und Energiefluss in Ökosystemen
26	Einblicke in Ökosysteme
27	Die Biosphäre unter dem Einfluss des Menschen

Warum sind Arten zu schützen, wenn man davon absieht, dass viele Menschen die Natur als schön empfinden? Artenerhalt hat nicht nur eine Bedeutung für diese eine Art alleine, sondern steht für den Erhalt zahlloser wenig erforschter Wechselwirkungen im Ökosystem, deren Bedeutung wir noch kaum verstehen. Anders gesagt: Nur eine Art, die mit keiner anderen Art interagiert, könnte ohne Konsequenz für andere Arten aussterben. Aber eine solche Art wurde noch nicht gefunden. Artenschutz ist also respektvoller Umgang mit der natürlichen Vielfalt, der Biodiversität, die von der Evolution hervorgebracht wurde.

Denn Ökosysteme haben vielfältige Wirkungen, die die Menschen direkt betreffen. Die artenreichen Regenwälder speichern Kohlenstoffdioxid, bremsen so die Erderwärmung, regulieren den weltweiten Wasserkreislauf und bergen viele Naturstoffe, die Menschen für die Bekämpfung von Krankheiten nutzen können. Korallenriffe bieten unter anderem auch zahlreichen Arten von Speisefischen Laichplätze — ohne sie würden viele Millionen Menschen ihre Lebensgrundlage verlieren. Mangrovenwälder schützen Küstenregionen und ihre Bewohner vor Überflutungen. Die Bienen sind — wirtschaftlich betrachtet — mehrere Milliarden Euro pro Jahr allein dadurch wert, dass sie weltweit wichtige Agrarpflanzen bestäuben. Schließlich bedeutet Biodiversität auch genetische Vielfalt. Diese hilft Lebensgemeinschaften, auf sich ändernde Umweltbedingungen zu reagieren — und trägt so letztlich dazu bei, Lebensräume für den Menschen zu sichern.

All das haben rund 190 Staaten (Stand 2010) grundsätzlich erkannt und sind der „Convention on Biological Diversity" beigetreten, die 1992 bei der Umweltkonferenz in Rio de Janeiro verabschiedet wurde. Mit konkreten Maßnahmen tun sich viele Staaten jedoch schwer.

Der Mensch verringert die Artenvielfalt; er könnte sie schützen

Tatsächlich ist der Artenreichtum nicht nur durch zugewanderte Pflanzen und Tiere, sondern durch viele vom Menschen verursachte Faktoren bedroht: Der Mensch holzt Urwälder ab, zwängt Flüsse in Beton und gestaltet allgemein die Landschaft zum eigenen Nutzen. So verändert er das Klima, verschmutzt das Wasser, überfischt die Meere, jagt und fängt Tiere nicht nur wegen ihres Fleisches, sondern etwa auch als Trophäen und für den Heimtierhandel. Täglich sterben, so wird veranschlagt, zwischen 2 und 130 Arten aus. Die große Unsicherheit bei dieser Angabe hängt auch damit zusammen, dass niemand überhaupt weiß, wie viele Arten es auf der Welt gibt — von 3 bis über 100 Millionen lauten hier die Schätzwerte.

Angesichts des Ausmaßes des Artensterbens mag man resignieren und behaupten, der Einzelne könne sowieso nichts ändern. Tatsächlich aber verdanken Arten wie etwa der Gelbohrsittich, der Davidshirsch und der Goldkopflangur — ein Affe —ihr Überleben hauptsächlich dem Engagement einzelner Menschen, die für diese Tierarten kämpfen.

22 Beziehungen zwischen Organismen und Umwelt

Eisbären in der Arktis

Schmelzendes Eis in den Polarregionen — Eisbären leiden offensichtlich schon unter dem Klimawandel. Manche Wissenschaftler sagen voraus, dass in den kommenden 40 Jahren bis zu 50 % der Vogelarten und 20 % der Pflanzenarten in Mitteleuropa dem Klimawandel zum Opfer fallen könnten. Andere meinen, dass wir uns bald an neuen Arten erfreuen können, wie den wärmeliebenden Smaragdeidechsen und Gottesanbeterinnen. Für gute Vorhersagen benötigt man exakte Daten darüber, wie sich Arten gegenüber Umweltfaktoren verhalten. Dieses Kapitel beschäftigt sich mit Beziehungen zwischen Organismen und ihrer Umwelt.

22.1	Das Vorkommen einer Art hängt von Umweltfaktoren ab
22.2	Organismen zeigen gegenüber Umweltfaktoren eine weite oder enge Toleranz
22.3	Landpflanzen sind an Temperatur und Feuchtigkeit ihres Lebensraums angepasst
22.4	Vorkommen und Aktivität von Tieren hängen von der Umgebungstemperatur ab
22.5	Die ökologische Nische ist ein Modell der Wechselbeziehungen einer Art zu ihrer Umwelt
22.6	Nicht verwandte Arten können sehr ähnlich, verwandte Arten sehr unterschiedlich sein
22.7	Der Körperbau von Tieren ist auch an den Lebensraum angepasst

Ökologie

22.1 Das Vorkommen einer Art hängt von Umweltfaktoren ab

Die faszinierende Artenvielfalt in der Natur zeigt sich wohl in keinem anderen Lebensraum so direkt wie in tropischen Korallenriffen (→ Abb. 1). Allein für den indopazifischen Raum sind mehrere zehntausend Arten von Riffbewohnern beschrieben, darunter auch weit über 2000 Fischarten.

Allerdings ist diese Vielfalt durch veränderte Umweltbedingungen bedroht. Korallenriffe werden durch unnatürlich hohe Temperaturen geschädigt; sie verarmen infolge der Nutzung durch Fischerei und Tourismus. Ökologische Forschung hat zum Ziel, die Zusammenhänge zwischen Arten und ihrer Umwelt in Systemen wie dem Korallenriff zu erforschen. Erst die Kenntnisse über diese Zusammenhänge ermöglichen eine wissenschaftlich begründete nachhaltige Nutzung und damit den Schutz des Systems. Das Beispiel Korallenriff zeigt, wie wichtig es ist, die Wechselbeziehungen von Arten und ihrer Umwelt zu verstehen.

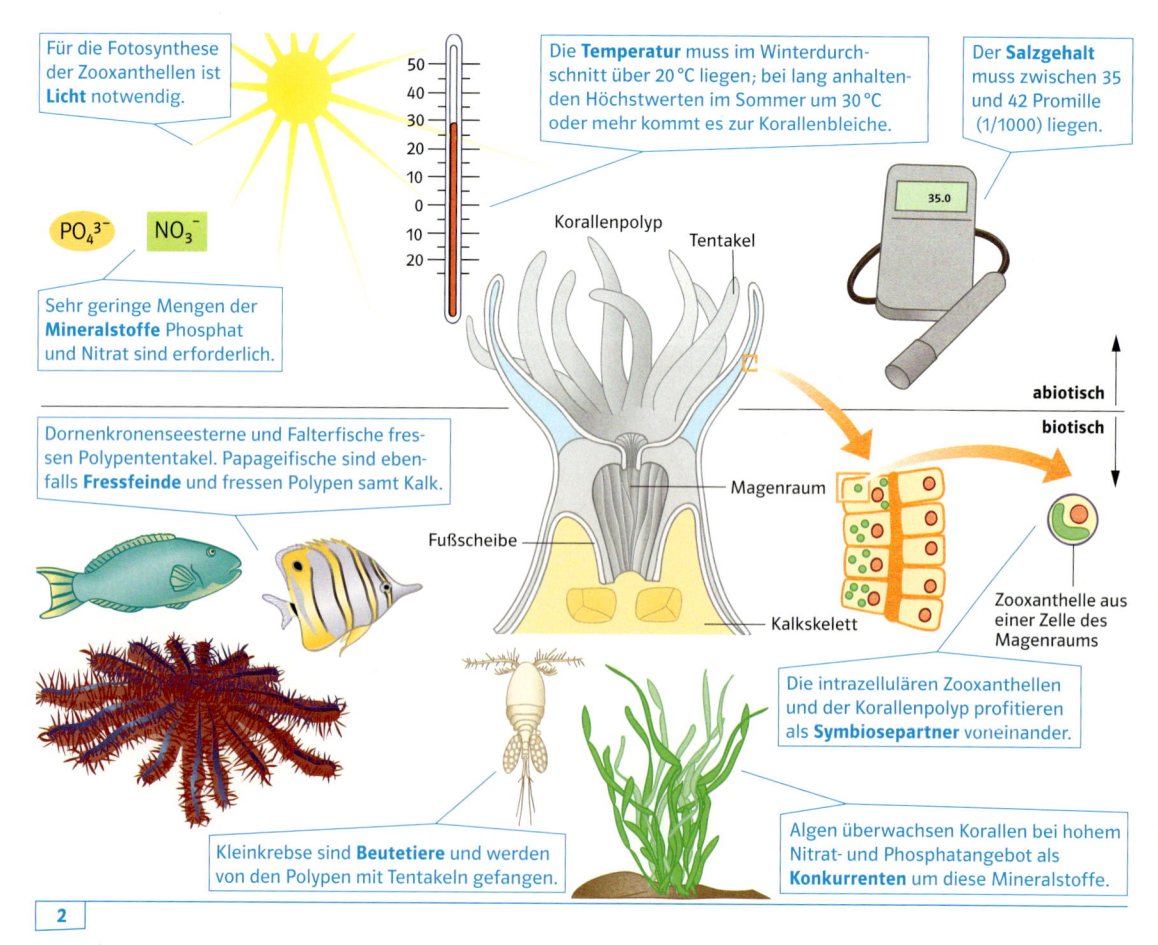

1 Korallenriffe weisen eine faszinierende Vielfalt auf.

Für die Fotosynthese der Zooxanthellen ist **Licht** notwendig.

Die **Temperatur** muss im Winterdurchschnitt über 20 °C liegen; bei lang anhaltenden Höchstwerten im Sommer um 30 °C oder mehr kommt es zur Korallenbleiche.

Der **Salzgehalt** muss zwischen 35 und 42 Promille (1/1000) liegen.

PO_4^{3-} NO_3^-

Sehr geringe Mengen der **Mineralstoffe** Phosphat und Nitrat sind erforderlich.

Korallenpolyp — Tentakel

abiotisch
biotisch

Dornenkronenseesterne und Falterfische fressen Polypentakel. Papageifische sind ebenfalls **Fressfeinde** und fressen Polypen samt Kalk.

Magenraum

Fußscheibe

Kalkskelett

Zooxanthelle aus einer Zelle des Magenraums

Die intrazellulären Zooxanthellen und der Korallenpolyp profitieren als **Symbiosepartner** voneinander.

Kleinkrebse sind **Beutetiere** und werden von den Polypen mit Tentakeln gefangen.

Algen überwachsen Korallen bei hohem Nitrat- und Phosphatangebot als **Konkurrenten** um diese Mineralstoffe.

2 Biotische und abiotische Umweltfaktoren beeinflussen die Verbreitung und das Vorkommen von Steinkorallen.

Korallenriffe sind dichte Bestände von *Steinkorallen*. Jede riffbildende Steinkoralle ist eine Kolonie aus einer Vielzahl von einfachen sackartig gebauten Korallenpolypen, die an ihrem offenen Ende Tentakel tragen (→ Abb. 2). Ein Korallenpolyp sitzt auf einem Kalksockel, der von ihm selbst abgeschieden wird. Unter normalen Umweltbedingungen beherbergen Korallenpolypen in Körperzellen einzellige Algen, die **Zooxanthellen**. Der Korallenpolyp und die intrazellulären Zooxanthellen leben in **Symbiose**, d. h. sie profitieren wechselseitig von ihrem Zusammenleben.

Die Zooxanthellen
- sind gegen Räuber viel besser geschützt als im Freiwasser,
- erhalten vom Polypen die zum Aufbau von zelleigenem Material (z. B. DNA und Proteine) wichtigen anorganischen Stickstoff- und Phosphorverbindungen (Nitrat NO_3^-; Phosphat PO_4^{3-}) sowie Kohlenstoffdioxid (CO_2).

Die Korallenpolypen
- erhalten von den Zooxanthellen einen Teil der in der Fotosynthese anfallenden Zucker und auch Sauerstoff,
- können mehr Kalk abscheiden, da die Fotosynthese der Zooxanthellen der Umgebung Kohlenstoffdioxid entzieht. Dadurch wird im Meerwasser das Gleichgewicht von Calciumhydrogencarbonat und Calciumcarbonat zu letzterem verschoben. Das schwer lösliche Calciumcarbonat scheidet sich ab und bildet den Hauptbestandteil des Korallenkalks.

Die Symbiosepartner sind so stark voneinander abhängig, dass viele Korallenpolypen bei Abwesenheit der Zooxanthellen nicht überleben können.

Schauen Sie sich in Abb. 2 die Umweltfaktoren für Steinkorallen an. Damit werden Sie erklären können, warum ausgedehnte Korallenriffe nur im lichtdurchfluteten Flachwasser warmer Meere mit einem bestimmten Salzgehalt vorkommen. Sie erkennen auch, welche Abweichungen von den genannten Bedingungen eine Bedrohung für Korallenriffe darstellen. Die größte Gefahr ist derzeit die globale Temperaturerhöhung, da sie die stressbedingte Abgabe der Zooxanthellen auslösen kann (Korallenbleiche, „coral bleaching"; → Abb. 3).

Das Beispiel der Riffkorallen macht deutlich, dass ein Organismus nur an Standorten überleben kann, an denen er mit den vorliegenden Umweltfaktoren zurechtkommt. Alle physikalisch-chemisch erfassbaren Umweltfaktoren, wie z. B. Licht- und Temperaturverhältnisse, werden als **abiotische Umweltfaktoren**

3

Diese Koralle ist nahezu ausgeblichen.

zusammengefasst. Verhältnisse, die auf die belebte Umwelt zurückgehen (z. B. Räuber, Beute, Konkurrenz), bezeichnet man als **biotische Umweltfaktoren**. Diese sind im Gegensatz zu den abiotischen Faktoren oft sehr schwer zu messen. Als Alternative zu dieser klassischen Einteilung gibt es in der Ökologie auch eine Einteilung in Umweltbedingungen und Ressourcen. Unter **Ressourcen** versteht man solche Umweltfaktoren, die von einem Organismus verbraucht werden, was zu Wachstum führt. Für Korallen sind beispielsweise Standorte am Licht (für die Fotosynthese der Symbiosepartner), Mineralstoffe und Beuteorganismen Ressourcen. Temperatur und Konkurrenten sind hingegen Beispiele für Umweltbedingungen.

Sie kennen nun am Beispiel der Korallenpolypen die Wechselbeziehungen zwischen einem Organismus und seiner Umwelt. Derartige Betrachtungen bilden ein Teilgebiet der Ökologie, die **Autökologie**. Ob eine Art im Kräftespiel mit diesen Umweltfaktoren an einem Standort überleben kann, hängt von ihrem dortigen Fortpflanzungserfolg ab. Die Individuen eines Standorts bilden eine Fortpflanzungsgemeinschaft, eine **Population**. Wenn diese nicht genügend Individuen für die nachfolgenden Generationen erzeugt, erlischt sie. Veränderungen innerhalb von Populationen, wie z. B. Populationswachstum, analysiert ein zweites Teilgebiet der Ökologie, die **Populationsökologie** (→ Kap. 24). Ein besonders komplexes Teilgebiet, die **Synökologie**, analysiert Ökosysteme (→ Kap. 25, → Kap. 26), untersucht Zusammenhänge zwischen Populationen vieler Arten, berücksichtigt viele abiotische Faktoren und ist eine wichtige Grundlage für Natur-, Umwelt- und Artenschutz (→ Kap. 27).

Aufgabe 22.1

Erläutern Sie, warum ausgedehnte Korallenriffe nur in ganz bestimmten Meeresregionen vorkommen.

Ökologie

22.2 Organismen zeigen gegenüber Umweltfaktoren eine weite oder enge Toleranz

Riffbildende Steinkorallen kommen nur in warmen Meeren vor. Andere Meeresorganismen wie Heringe trifft man hingegen von der kalten Polarregion bis ins warme Mittelmeer und im subtropischen Atlantik. Lässt sich die unterschiedliche Verbreitung von Korallenriffen und Heringen aber tatsächlich mit dem Umweltfaktor Temperatur erklären? So könnten auch andere Faktoren, wie z. B. das Nahrungsangebot, die Verbreitung der Art beeinflussen. Um den Einfluss eines Umweltfaktors auf die Verbreitung und Häufigkeit einer Art sicher feststellen zu können, müssen Ökologen Individuen im Labor kultivieren. Dann werden alle für das Überleben wichtigen Faktoren konstant im günstigen Bereich gehalten, während man den zu untersuchenden Faktor variiert. Für verschiedene Werte des betreffenden Umweltfaktors misst man nun die Vitalität der Organismen. *Vitalitätsparameter*, also Größen, die die Vitalität kennzeichnen, können dabei ganz unterschiedlich sein. Das sind z. B. die Wachstumsrate oder der Fortpflanzungserfolg. Wie die Ergebnisse vieler derartiger Experimente zeigen, weist jede Art eine für sie typische Reaktion auf einen Umweltfaktor auf. Dabei sind manche Arten besonders tolerant gegenüber Variationen eines Umweltfaktors, andere hingegen sehr empfindlich. Abb. 1 zeigt ein Experiment mit zwei Insektenarten, der *Sumpfschrecke* und der *Hochmoorameise*. Als Ergebnis eines derartigen Experiments erhält man eine **Toleranzkurve**. Daraus kann man den *Optimalbereich* (= *Optimum*), den *Toleranzbereich*, den *Vorzugsbereich* (= *Präferenzbereich*) und den *Randbereich* (= *Pessimum*) für eine Art ablesen. Das allgemeine Schema zur Toleranzkurve verdeutlicht diese Begriffe (→ Abb. 2).

Die Temperatur-Toleranzkurven von Hochmoorameise und Sumpfschrecke (→ Abb. 1) unterscheiden sich deutlich in Form und Lage ihrer Präferenzbereiche. Hochmoorameisen benötigen einen vergleichsweise sehr engen Temperaturbereich. Man bezeichnet sie daher als *stenotherm* und grenzt sie gegen die *eurytherme* Sumpfschrecke ab, die einen weiten Temperaturbereich toleriert. Bei der Hochmoorameise wie auch bei riffbildenden Steinkorallen spricht man noch genauer von warm-stenothermen Arten. Die Bachforelle ist ein Beispiel für eine kalt-stenotherme Art.

Die Reaktionsbreite einer Art unter natürlichen Konkurrenzbedingungen bezeichnet man als ihre **ökologische Potenz** (→ 22.5). Arten mit einem engen Toleranzbereich gegenüber einem Umweltfaktor sind *stenopotent*, solche mit einem weiten Toleranzbereich *eurypotent*. Arten, die gegenüber sehr vielen Umweltfaktoren eine enge bzw. weite Toleranz besitzen, nennen wir *stenöke* bzw. *euryöke* Arten.

Experiment: Ermitteln von Präferenzbereichen

Hypothese
Zwei Insektenarten, die Hochmoorameise und die Sumpfschrecke, zeigen ein unterschiedliches Verhalten gegenüber dem Umweltfaktor Temperatur.

Methode
Es wird ein Temperaturgefälle hergestellt **a**. Die Versuchstiere können ihren Aufenthaltsort auf dem Metallstreifen frei wählen. Nach einer festgelegten Zeit wird die Verteilung der Individuen protokolliert.

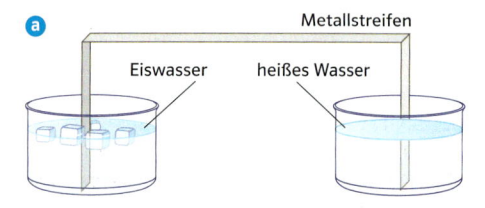

a Metallstreifen
Eiswasser   heißes Wasser

Ergebnis
Die Individuen beider Arten verteilen sich gemäß der beiden Kurven **b**, **c** entlang dem Temperaturgefälle.

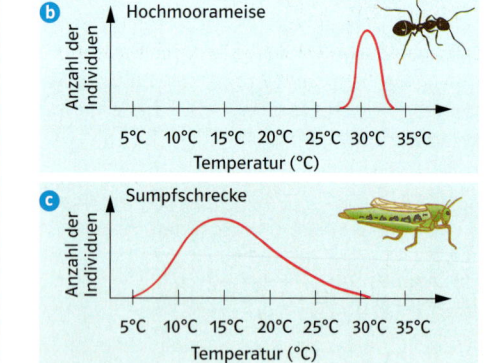

b Hochmoorameise
Anzahl der Individuen
5°C 10°C 15°C 20°C 25°C 30°C 35°C
Temperatur (°C)

c Sumpfschrecke
Anzahl der Individuen
5°C 10°C 15°C 20°C 25°C 30°C 35°C
Temperatur (°C)

Schlussfolgerung
Die Hochmoorameise hat einen relativ engen Präferenzbereich bei warmen Temperaturen (warm-stenotherme Art). Die Sumpfschrecke ist eine eurytherme Art.

1 Mit einem Temperaturgefälle ermittelt man den Präferenzbereich von Arten.

Das Vorkommen einer stenöken Art an einem bestimmten Standort lässt oft Rückschlüsse auf die dort herrschenden Umweltbedingungen zu. Beispielsweise weist das Vorkommen von Brennnesseln auf nitratreiche Böden hin. Torfmoos wächst bei einem Boden-pH-Wert von 3–4, während Huflattich pH-Werte von 7–8 benötigt. Stenöke Fische und Wirbellose dienen als Anzeiger für die regionale Gewässergüte (→ 26.6). Stenöke Arten sind somit **Zeigerarten** (*Bioindikatoren*) und ermöglichen weitergehende Aussagen als physikalisch-chemische Messungen von Umweltfaktoren. Im Gegensatz zu Messwerten, die nur eine Momentaufnahme darstellen, zeigt das Vorkommen von Zeigerarten, dass bestimmte Umweltfaktoren nicht nur zum Zeitpunkt der Messung, sondern dauerhaft in einer für die Art günstigen Intensität vorlagen.

Wie kam es dazu, dass eine Art, wie z. B. die Hochmoorameise oder die Sumpfschrecke, Präferenzen für ganz unterschiedliche Temperaturbereiche entwickelt hat? Ein einzelnes Individuum kann nur im Rahmen seiner genetisch festgelegten Möglichkeiten auf die Umwelt reagieren. Bestimmte Umweltbedingungen begünstigen dann diejenigen Individuen einer Art, die unter diesen Bedingungen eine relativ hohe biologische Fitness besitzen (→ 17.2), sich also besonders erfolgreich fortpflanzen können. Durch eine über viele Generationen verlaufende Selektion werden Populationen an bestimmte Umweltbedingungen angepasst. Beispiele für Anpassungen von Pflanzen- und Tierarten werden Sie in diesem Kapitel kennenlernen.

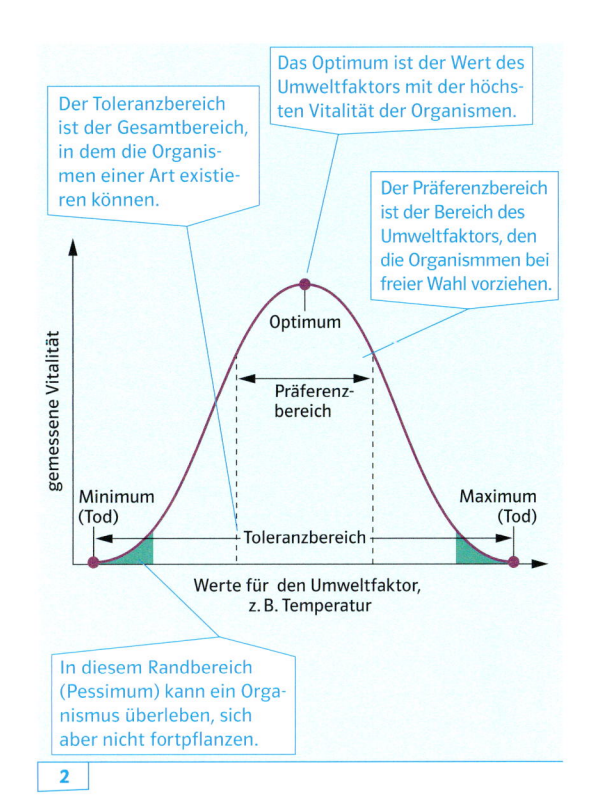

2 Aus der Messung der Vitalität bei Variation eines Umweltfaktors erhält man Toleranzkurven.

Der Toleranzbereich ist der Gesamtbereich, in dem die Organismen einer Art existieren können.

Das Optimum ist der Wert des Umweltfaktors mit der höchsten Vitalität der Organismen.

Der Präferenzbereich ist der Bereich des Umweltfaktors, den die Organismmen bei freier Wahl vorziehen.

In diesem Randbereich (Pessimum) kann ein Organismus überleben, sich aber nicht fortpflanzen.

Variabilität und Angepasstheit

Aufgabe 22.2
Nicht alle Individuen einer Testpopulation bevorzugen den Präferenzbereich. Einige Individuen liegen außerhalb dieses Bereichs. Erklären Sie diesen Befund.

22.3 Landpflanzen sind an Temperatur und Feuchtigkeit ihres Lebensraums angepasst

Pflanzen nutzen die Energie des Sonnenlichts für die Fotosynthese, um energiereiche Zuckerverbindungen aufzubauen (→ 7.4). Neben Licht müssen allerdings auch ausreichend Kohlenstoffdioxid und Wasser zur Verfügung stehen. Das führt zu einem Dilemma: Lichtreiche Standorte erlauben zwar hohe Fotosyntheseraten, sind aber meistens auch sehr warm. Daher weisen die Pflanzen dort hohe Wasserverluste durch Transpiration über die Spaltöffnungen auf. Führt dies zu Wassermangel, müssen die Spaltöffnungen geschlossen werden (→ 7.3). Dann ist die Versorgung mit Kohlenstoffdioxid unterbrochen. Die Fotosyntheserate sinkt. Lichtarme Standorte hingegen sind kühler und häufig feuchter. Die Spaltöffnungen können geöffnet sein, ohne dass Wassermangel auftritt. Eine Nachlieferung von Kohlenstoffdioxid für die Fotosynthese ist somit gewährleistet. Allerdings sinkt die Fotosyntheserate wegen des geringen Lichtangebots.

Aus diesem Wasser-Licht-Dilemma lassen sich direkt die Anforderungen an Pflanzen unterschiedlicher Standorte ableiten. Pflanzen warmer Standorte, wie z. B. im Mittelmeerraum, sollten den Wasserverlust aus den Spaltöffnungen möglichst minimieren, um diese lange geöffnet zu halten. Die Verteilung der Fotosynthesepigmente im Blatt ist für diese Pflanzen hingegen kein entscheidender Faktor, da die hohe

Ökologie

Lichtmenge die Blätter vollständig durchstrahlt. Pflanzen schattig-feuchter Standorte hingegen müssen gerade die Fotosynthesepigmente so verteilen, dass die relativ geringe Lichtmenge möglichst gut genutzt werden kann. Schutzeinrichtungen für den Wasserhaushalt sind wegen der geringen Transpiration und der höheren Feuchtigkeit hingegen überflüssig. Diese Überlegungen führen direkt zur Erklärung verschiedener Anpassungen im Blattaufbau von Pflanzen an unterschiedliche Licht- und Feuchtigkeitsstandorte.

Vergleichen Sie nun den Blattaufbau einer tropischen Schattenpflanze, einer heimischen Rotbuche und eines mediterranen Oleanders (→ Abb. 1). Wie zu erwarten, finden Sie transpirationsmindernde Strukturen bei den Pflanzen trockener Standorte, den *Trockenpflanzen* (**Xerophyten**), während *Feuchtpflanzen* (**Hygrophyten**) sogar transpirationsfördernde Strukturen aufweisen. Feuchtpflanzen besitzen dünne, großflächige, chlorophyllreiche Blätter, um das wenige Licht besser zu nutzen, während Blätter von Trockenpflanzen oft kleinflächig und fleischig dick sind.

Die Anpassungen an den Licht- und Feuchtigkeitsstandort gehen weit über den Blattaufbau hinaus. Beispielsweise besitzen Xerophyten im Vergleich zu Hygrophyten ein ausgedehntes Wurzelsystem und viele Leitbündel pro Fläche. Dadurch nutzen sie das geringe Wasserangebot effizienter. Selbst in ihrem Tagesgang können Pflanzen an die Standortbedingungen angepasst sein: Bei guter Licht-, aber knapper Wasserversorgung macht die Pflanze „Mittagspause"; sie schließt ihre Spaltöffnungen (*Mittagsdepression*, → 7.3). Einen ganz besonderen Ausweg aus dem Wasser-Licht-Dilemma haben einige Wüstenpflanzen entwickelt. Hier erfolgt die Aufnahme von Kohlenstoffdioxid nachts bei geöffneten Spaltöffnungen in einen „biochemischen Speicher". Aus diesem Speicher wird es dann tagsüber zur Fotosynthese abgerufen. Die Spaltöffnungen bleiben dabei geschlossen.

Umweltfaktoren bestimmen die Verbreitung und beeinflussen die Gestalt der abgebildeten Blütenpflanzen. Auch Nadelbäume und Farne sind in der Lage, ihre Wasserbilanz über die Kontrolle der Spaltöffnungen zu regulieren. Ihre Wasserbilanz ist ausgeglichen; sie sind *gleichfeucht* (**homoiohydrisch**). Moose hingegen sind *wechselfeucht* (**poikilohydrisch**). Ihre Wasserbilanz ist abhängig von den äußeren Bedingungen. Sie können daher nur an Standorten mit ausreichender Feuchtigkeit überleben oder müssen zeitweise extreme Austrocknung überstehen können. Die Evolution neuer Strukturen, wie z. B. Spaltöffnungen,

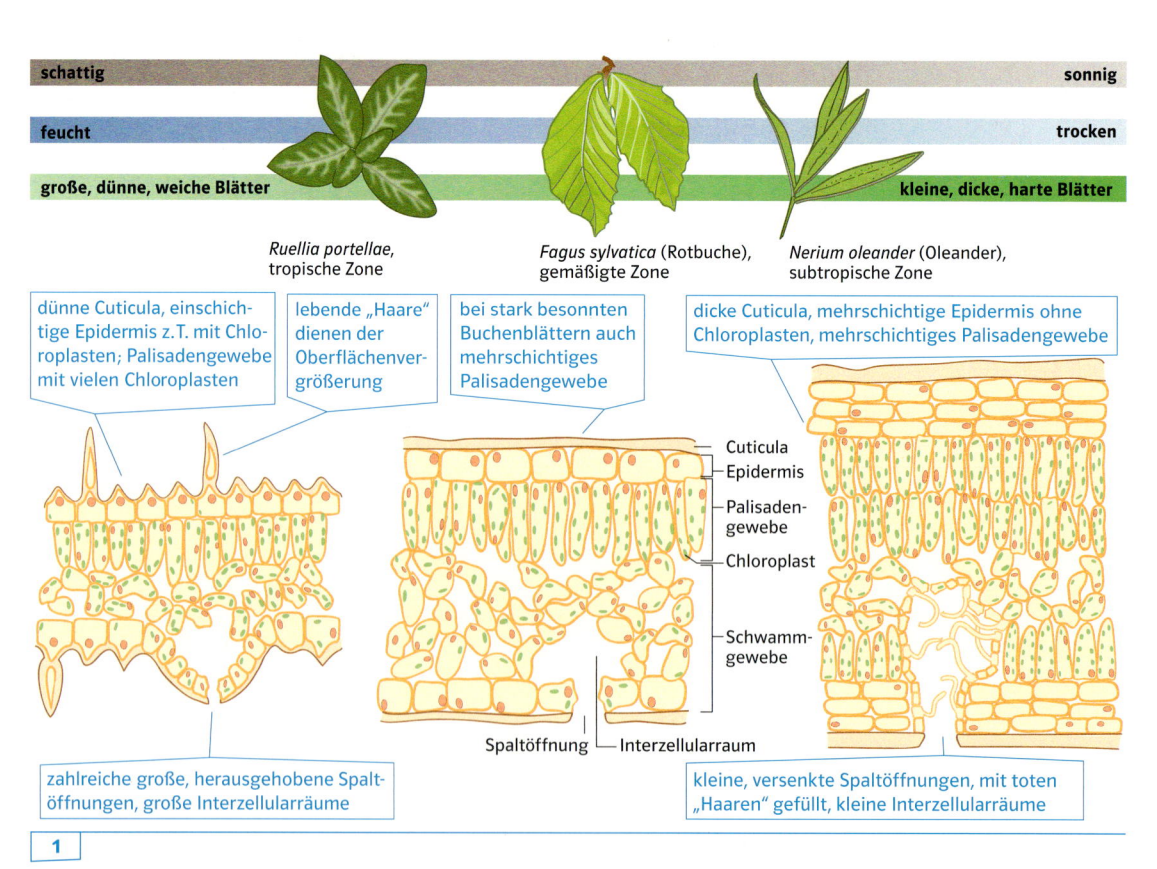

Struktur und Funktion

schattig — sonnig
feucht — trocken
große, dünne, weiche Blätter — kleine, dicke, harte Blätter

Ruellia portellae, tropische Zone | *Fagus sylvatica* (Rotbuche), gemäßigte Zone | *Nerium oleander* (Oleander), subtropische Zone

dünne Cuticula, einschichtige Epidermis z.T. mit Chloroplasten; Palisadengewebe mit vielen Chloroplasten

lebende „Haare" dienen der Oberflächenvergrößerung

bei stark besonnten Buchenblättern auch mehrschichtiges Palisadengewebe

dicke Cuticula, mehrschichtige Epidermis ohne Chloroplasten, mehrschichtiges Palisadengewebe

- Cuticula
- Epidermis
- Palisadengewebe
- Chloroplast
- Schwammgewebe
- Spaltöffnung
- Interzellularraum

zahlreiche große, herausgehobene Spaltöffnungen, große Interzellularräume

kleine, versenkte Spaltöffnungen, mit toten „Haaren" gefüllt, kleine Interzellularräume

1 Die Blätter von Pflanzenarten schattig-feuchter Standorte weisen transpirationsfördernde Strukturen, die sonnig-trockener Standorte transpirationsmindernde Strukturen auf.

und eines Regulationsmechanismus für den Wasserhaushalt war damit ein entscheidender Schritt für die Besiedlung neuer Lebensräume auf dem Festland. Neue Merkmale ermöglichten es Pflanzenarten, wasserarme Lebensräume zu erschließen. Entsprechendes gilt für den Umweltfaktor Temperatur (→22.4) oft ein wesentlicher Faktor bei der Eroberung neuer Lebensräume durch Tierarten.

Aufgabe 22.3

Die Blätter der Rotbuche sind in der Kronenregion kleinflächig und dick, in den unteren Regionen dagegen großflächig und dünn. Erklären Sie diesen Befund.

22.4 Vorkommen und Aktivität von Tieren hängen von der Umgebungstemperatur ab

So wie die Fähigkeit zur Kontrolle der Wasserbilanz den Gefäßpflanzen (Pflanzen mit Leitungsbahnen) wasserarme Gebiete erschloss, war die Fähigkeit zur Temperaturregulation für Vögel und Säugetiere der Schlüssel zur Besiedlung dauerhaft kalter Regionen. Diese Tiere regeln ihre Körpertemperatur unabhängig von der Umgebungstemperatur auf ein gleichbleibend hohes Niveau. Man bezeichnet sie als gleichwarm (**homoiotherm**; →5.3). Bei den hohen Körpertemperaturen können alle physiologischen Vorgänge, wie Wachstum, Verdauung, Atmung, relativ schnell ablaufen. Ohne Temperaturregulation wären alle diese Vorgänge nach der *Reaktionsgeschwindigkeits-Temperatur-Regel* (→4.5) bereits um den Faktor 2–3 verlangsamt, wenn die Temperatur nur um 10 °C niedriger läge. Bei wechselwarmen (**poikilothermen**) Tieren, wie z. B. Reptilien oder Insekten, gleicht sich die Körpertemperatur der Umgebungstemperatur an. Die Besiedlung nur zeitweise sehr kalter Standorte ist für diese Tiere schwierig. Landtiere der Polarregionen sind daher fast ausnahmslos homoiotherm, wie z. B. Eisbären und Pinguine (→22.7). Permanent kalte Lebensräume wie Polarmeere oder die Tiefsee werden dagegen von zahlreichen poikilothermen Tieren besiedelt.

In unseren gemäßigten Breiten lässt sich ein beträchtlicher Unterschied in der Aktivität zwischen homoiothermen und poikilothermen Tieren feststellen. Abb. 1 zeigt dies beispielhaft für den Rotfuchs und

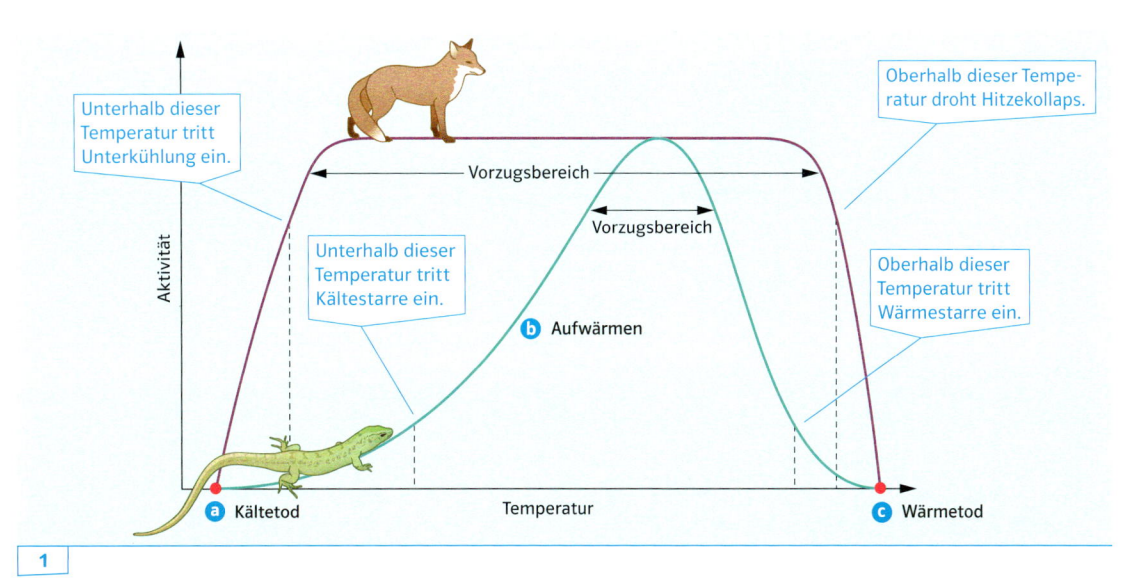

1 Temperatur-Toleranzkurven von Rotfuchs und Zauneidechse, die zu Vergleichszwecken auf denselben Temperatur- und Aktivitätsbereich skaliert sind.

Ökologie

Stoff- und Energieumwandlung

die Zauneidechse. Beim Vergleich beider Toleranzkurven muss die Zauneidechse als stenotherm eingestuft werden (→ 22.2). Der eurytherme Rotfuchs ist von der Temperatur relativ unabhängig, hat dafür aber einen hohen Energieaufwand. Bei niedriger Umgebungstemperatur muss er seinen Körper mithilfe biochemischer Reaktionen aufheizen. Unter Umständen benötigt er dafür bis zu 90 % seines Gesamtenergieumsatzes. Die Betriebsstoffe stammen aus der Nahrung. Als Faustregel gilt, dass gleichwarme Tiere fünf- bis zehnmal mehr Nahrungsenergie benötigen als wechselwarme Tiere gleicher Körpermasse.

Bei sehr hoher Umgebungstemperatur kann der Fuchs einen Körper durch Hecheln oder verstärkte Hautdurchblutung kühlen, wofür er aber ebenfalls Stoffwechselenergie benötigt, oder durch geeignete Verhaltensweisen, z. B. durch Aufsuchen schattiger Plätze. Die Zauneidechse reguliert ihre Temperatur innerhalb enger Grenzen nur durch besondere Verhaltensweisen, fast ohne Energieeinsatz. Sie wärmt sich in der Vormittags- und Mittagssonne an geeigneten Plätzen auf, bis ihre Körperaktivität für die Beutejagd ausreicht. Wird es zu warm, gibt sie durch Aufsuchen von Schattenplätzen Wärmeenergie ab.

Bei winterlichen Umgebungstemperaturen wird der Energieaufwand für die Temperaturregulation bei gleichwarmen Tieren immer größer. Außerdem ist das Nahrungsaufkommen im Winter drastisch eingeschränkt. Vor allem bei Säugetieren der gemäßigten Zone, aber auch bei einigen Vogelarten findet man Energiesparkonzepte wie **Winterruhe** und **Winterschlaf**, mit denen sie diese ungünstigen Perioden überstehen (→ Abb. 2). Während dieser Phasen ist die Körpertemperatur herabgesetzt, aber gleichbleibend. Damit lässt sich der Energiebedarf auf bis zu 2 % des Normalbedarfs einschränken. Die vor dem Winter angelegten Fettdepots reichen aus, um über den Winter zu kommen. Poikilotherme Tiere müssen auch im Winter mit ihrer Körpertemperatur der Umgebungstemperatur folgen und verfallen dann in einen Zustand der **Winterstarre** (→ Abb. 2). Da die Körpertemperatur bei poikilothermen Tieren nicht von innen her reguliert werden kann, besteht die Gefahr des Erfrierens bei Erreichen der Letaltemperatur (letal bedeutet tödlich). Zur Absenkung des Gefrierpunkts erhöhen die Tiere die Konzentration gelöster Stoffe, wie z. B. Glucose, in den Körperflüssigkeiten. Einige Tierarten, z. B. Zuckmückenlarven, überleben wiederholtes Gefrieren.

Bezeichnung	Stoffwechselaktivität	Körpertemperatur	Beispiele mit Erläuterung
Winterruhe (verlängerter Ruheschlaf)	Atmung und Herzschlag verlangsamt	gleichbleibend reguliert, aber leicht abgesenkt	gleichwarme Tiere, wie z. B. Eichhörnchen. Unterbrechung der Winterruhe bei gutem Wetter
Winterschlaf (tiefer Dauerschlaf)	Atmung und Herzschlag stark verlangsamt	gleichbleibend reguliert und stark abgesenkt	gleichwarme Tiere, wie z. B. Igel und Hamster. Bei Erreichen der Letaltemperatur (z. B. Igel 2 °C, Hamster 4 °C) erfolgt Weckreiz mit anschließender erhöhter Stoffwechselaktivität, die aber nur kurzfristig aufrechterhalten werden kann.
Winterstarre (todähnliche Starre)	Atmung und Herzschlag kaum nachweisbar	wie Umgebungstemperatur	wechselwarme Tiere, wie z. B. Fische, Amphibien, Reptilien. Die Letaltemperatur vieler Süßwasserfischarten beträgt −1,5 °C, die der Zauneidechse −1,3 °C, die vieler Insekteneier −40 °C.

2 Gleich- und wechselwarme Tiere haben unterschiedliche Überdauerungsweisen für Zeiten niedriger Temperaturen entwickelt. Dem Überleben sind Grenzen gesetzt: Bei Unterschreiten der Letaltemperaturen sterben die Individuen.

Aufgabe 22.4

Erklären Sie folgenden Befund: Eine Zauneidechse verzehrt pro Jahr etwa das 2 – 4-Fache ihrer eigenen Körpermasse, also 20 – 40 g, während der Rotfuchs bei 6 – 10 kg Körpermasse mindestens 50 Hasen (ca. 100 kg) frisst.

22.5 Die ökologische Nische ist ein Modell der Wechselbeziehungen einer Art zu ihrer Umwelt

Wenn Sie die ökologischen Ansprüche einer Art genau kennenlernen wollen, müssen Sie konsequent die Abhängigkeit dieser Art von möglichst vielen Umweltfaktoren untersuchen. Das führt manchmal zu Überraschungen. Aus dem Waldbau ist beispielsweise gut bekannt, dass die Waldkiefer (*Pinus sylvestris*) in Reinkultur bezüglich der Bodenfeuchtigkeit sehr tolerant ist, also von sehr nassen bis sehr trockenen Standorten gedeihen kann. Es ist daher zu erwarten, dass man diese Art in naturnahen Mischwäldern an Standorten unterschiedlicher Feuchtigkeit antrifft. Jedoch findet man Waldkiefern nur an sehr trockenen oder sehr nassen Standorten. Sie kommen damit nicht an ihrem Optimum bei mittlerer Feuchtigkeit, sondern nur am Rande ihres Toleranzbereichs vor. Wie ist dieser Widerspruch zwischen Erwartung und Beobachtung zu erklären? Eine Antwort erhalten Sie, wenn Sie nicht wie bisher nur einen, sondern möglichst viele Umweltfaktoren betrachten. Dazu müssten Sie zahlreiche weitere messbare abiotische Umweltfaktoren untersuchen, wie Licht, Temperatur, pH-Wert oder Mineralstoffangebot im Boden, die die Verbreitung und Häufigkeit der Waldkiefer mitbestimmen könnten.

Für das Vorkommen und die Häufigkeit einer Art kann es schon entscheidend sein, wenn irgendeiner dieser Faktoren ins Pessimum gerät. Diesen Zusammenhang haben bereits CARL PHILIPP SPRENGEL (1828) und JUSTUS VON LIEBIG (1855) bei Düngungsversuchen erkannt. Das *Gesetz des Minimums* geht auf diese Forschungen zurück und besagt: Für das Überleben und die Häufigkeit einer Art ist derjenige Umweltfaktor maßgeblich, der am weitesten vom Optimum entfernt ist (→ 7.6). Diesem Wirkungsgesetz entsprechend kann ein Organismus sich nur so entwickeln, wie es der *Minimumfaktor* zulässt. In der Landwirtschaft macht man sich diese Kenntnis zunutze, indem man den Minimumfaktor „Stickstoff" in Form von Mineraldüngern (anorganische Stickstoffverbindungen) oder Dung (organische Stickstoffverbindungen) zufügt.

Das Vorkommen der Waldkiefer ist durch einen Minimumfaktor jedoch nicht erklärbar. Auch bei mittleren Feuchtigkeitswerten lägen alle abiotischen Faktoren innerhalb ihres Toleranzbereichs. Nehmen Sie den pH-Wert als Beispiel für einen zweiten abiotischen Faktor. Wie Sie an der zweifaktoriellen Toleranzkurve in Abb. 1 **a** sehen, ist die Waldkiefer tolerant gegenüber sauren und alkalischen Böden. Der Schlüssel zur Erklärung für das eingeschränkte Vorkommen der Waldkiefer liegt in den biotischen Umweltfaktoren (→ Abb. 1 **b** – **d**). Wie bereits bei den Steinkorallen (→ 22.1) besprochen, haben Partner, Fressfeinde, Beuteorganismen und Konkurrenten einen Einfluss auf das Überleben einer Art. In mitteleuropäischen Wäldern schränken Konkurrenz durch Rotbuche, Schwarzerle und Stieleiche die Verbreitung der Waldkiefer ein und verdrängt sie gewissermaßen an den Rand ihrer Feuchtigkeits- und pH-Toleranz (→ Abb. 1 **e**).

Jetzt wird eines klar: die Gesamtheit der abiotischen und biotischen Umweltfaktoren bestimmt das Vorkommen und die Häufigkeit einer Art. Diese Gesamtheit der Wechselbeziehungen einer Art mit ihren biotischen und abiotischen Umweltfaktoren hat in der Ökologie eine besondere Bedeutung und wird als **ökologische Nische** bezeichnet. Der Begriff „Nische" wird manchmal als „Rolle" oder „Beruf" einer Art im Ökosystem umschrieben. Die Nische ist also etwas ganz anderes als der „Lebensraum". Der

1 Die Toleranzen für die abiotischen Umweltfaktoren Feuchtigkeit und pH-Wert bei vier Baumarten im Zweifaktorendiagramm unterscheiden sich in Reinkultur **a** – **d** und unter Konkurrenzbedingungen **e**.

Der dunkelste Farbraum kennzeichnet jeweils das Optimum.

Ökologie

Lebensraum wird in der Ökologie als **Habitat** einer Art bezeichnet, ist sozusagen ihre „Adresse". Wissenschaftlich gesprochen handelt es sich bei der ökologischen Nische um ein vieldimensionales Modell, bei dem jede Dimension einen Umweltfaktor darstellt, der das Überleben der betreffenden Art mitbestimmt. Grafisch ist dies schwer darstellbar. Maximal zwei Faktoren der ökologischen Nische lassen sich in einer Darstellung noch übersichtlich zusammenfassen (→ Abb. 1, S. 319). Manchmal greift man die Faktoren für spezielle Funktionen heraus und teilt damit die Nische künstlich auf. Zum Beispiel spricht man von der *Nahrungsnische* oder der *Brutnische* einer Art.

Das Beispiel der Waldkiefer verdeutlicht auch, warum Ökologen oft zwischen zwei verschiedenen Arten von Nischen unterscheiden. Lässt man die Wechselwirkungen mit anderen Arten, also die biotischen Umweltfaktoren, unberücksichtigt, erhält man eine sehr weite ökologische Nische. Diese Nische nennt man die **Fundamentalnische**. Wie Sie bei der Waldkiefer gesehen haben, stimmt das mit den Verhältnissen in der Natur nicht überein. Die Art kommt an bestimmten Standorten nicht vor, obwohl alle Kriterien ihrer Fundamentalnische optimal erfüllt sind. Hingegen trifft man die Art in einem Gebiet an, das zumindest hinsichtlich der Bodenfeuchtigkeit nur am Rand des Toleranzbereichs liegt, ihrer **Realnische**. Diese Realnische stimmt mit der Fundamentalnische nicht komplett überein, muss aber eine Teilnische der Fundamentalnische bleiben, da die Art nicht außerhalb der ökologischen Potenz existieren kann.

Aufgabe 22.5

Bei konkurrenzstarken Arten entspricht die Fundamentalnische weitgehend der Realnische. Analysieren Sie Abb. 1, S. 319, und teilen Sie die Baumarten in konkurrenzstark, mäßig konkurrenzstark und konkurrenzschwach ein.

22.6 Nicht verwandte Arten können sehr ähnlich, verwandte Arten sehr unterschiedlich sein

Kolibris sind eine Familie von farbenprächtigen Vogelarten, die aufgrund ihres Flügelbaus und ihres hochfrequenten Flügelschlags auf der Stelle schwebend fliegen können (→ S. 263). Sie kommen nur in Amerika vor. In Afrika gibt es Nektarvögel, eine nicht näher mit den Kolibris verwandte Familie, die weitgehende Ähnlichkeiten in Körperbau und Flugvermögen aufweist (→ Abb. 1). Auch Nektarvögel können beim Fliegen auf der Stelle stehen. Beide saugen mit ihren langen Schnäbeln Nektar aus Blüten und haben somit sehr ähnliche Nahrungsnischen.• Wie konnte es zu dieser verblüffenden Übereinstimmung kommen?

Sowohl der Lebensraum der Kolibris in Amerika als auch der Lebensraum der Nektarvögel in Afrika weist Gefäßpflanzen mit großen Blüten auf, an deren Nektar Tiere nur kommen können, wenn sie frei schwebend in der Luft mit einem verlängerten Schnabel oder Saugrüssel tief in die Blüte hineingelangen. Diese Angepasstheit haben Nektarvögel und Kolibris unabhängig voneinander auf verschiedenen Kontinenten entwickelt. Weitere Beispiele für derart verblüffende Übereinstimmungen bei nicht näher miteinander verwandten Organismen aus unterschiedlichen Regionen finden Sie in Abb. 1.

Zur näheren Beschreibung des hier dargestellten Phänomens verwendet man das Modell der **ökologischen Planstelle**. Im Sinne der Nischendefinition (→ 22.5) handelt es sich dabei um eine „freie Nische" oder um einen „Beruf", den man im betreffenden Lebensraum ergreifen kann. Wenn unterschiedliche Lebensräume ähnliche Planstellen bieten, wie im Fall der großblütigen Gefäßpflanzen, spricht man von *Stellenäquivalenz*. Die evolutionäre Anpassung der diese Planstellen besetzenden Arten führt zu einer weitgehenden Übereinstimmung in der Körpergestalt, wie bei Kolibri und Nektarvogel oder Maulwurf und Goldmull. Dies wird als **ökologische Konvergenz** bezeichnet.

Nicht minder faszinierend als das Phänomen der ökologischen Konvergenz ist das der **Divergenz** oder **adaptiven Radiation** (→ 19.3). Hier hat eine Stammart eine ganze Reihe freier Planstellen vorgefunden und sich in der Folge in zahlreiche spezialisierte Arten aufgespalten.• Berühmte Beispiele sind die Galapagosfinken, die Kleidervögel auf Hawaii und die Buntbarsche der afrikanischen Seen (→ Abb. 2, S. 278). Wenn Sie die Vorstellung von der ökologischen Nische als „Beruf einer Art" erneut zur Hilfe nehmen, können Sie eine Analogie zur menschlichen Gesellschaft finden: Viele

Variabilität und Angepasstheit

Geschichte und Verwandtschaft

Beziehungen zwischen Organismen und Umwelt

Typ	Amerika	Eurasien	Afrika	Australien
Nektar saugende Vögel	Kolibri	Blütenpicker	Nektarvogel	Honigfresser
Saftpflanzen mit wasserspeicherndem Stamm (Stammsukkulenten)	Kaktus	fehlen	Kandelaber-Wolfsmilch	fehlen weitestgehend
bodenwühlende Säugetiere	Taschenratte (Nagetier)	Maulwurf (Insektenfresser)	Goldmull (Insektenfresser)	Beutelmull (Beuteltier)

1
Stellenäquivalenz auf verschiedenen Kontinenten führte zu ähnlichen Anpassungen.

der heutigen Spezialberufe sind aus einem weniger spezialisierten Beruf entstanden.

Adaptive Radiation und Konvergenz zeigen, wie eng Evolution und Ökologie zusammenhängen. Die Ökologie wird letztendlich nur im Kontext der Evolution verständlich, also der seit Milliarden von Jahren anhaltenden Entwicklung des Lebens. Erst die Einführung dieses Denkens durch CHARLES DARWIN hat die Biologie zu einer erfolgreichen Naturwissenschaft gemacht.

Aufgabe 22.6

Erklären Sie, warum die Kakteen Amerikas und die Wolfsmilchgewächse Afrikas so ähnlich gebaut sind. Verwenden Sie auch die Ausführungen in → 22.3 als Hilfe.

22.7 Der Körperbau von Tieren ist auch an den Lebensraum angepasst

Als 1860 vor Sardinien ein defektes Kabel aus 1 800 Metern Tiefe heraufgeholt wurde, das mit Tieren überkrustet war, fiel eine alte Vorstellung in der Biologie zusammen: Die als lebensfeindlich eingestufte Tiefsee war doch nicht unbesiedelt (→ 26.5)! Ähnliches erlebten Biologen bei der Erforschung anderer extremer Lebensräume, wie Meerwasser nahe dem Gefrierpunkt, polare Dauerfrostregionen, Salzseen, staubtrockene Wüstenregionen oder sogar fast 100 °C heiße Quellen. In all diesen Lebensräumen existieren Arten, obwohl einzelne Umweltfaktoren ständig oder zumindest phasenweise lebensfeindliche Werte annehmen. Die Anpassungen im Körperbau (morphologische Anpassung) oder in Körperfunktionen (physiologische Anpassung), die diese extremen Spezialisten evoluiert haben, ermöglichen es ihnen, eine exklusive ökologische Nische auszufüllen. Sie kann ihnen von anderen Arten nicht streitig gemacht werden. Als Analogiebeispiel mag Ihnen der Erfolg mancher Unternehmen dienen, die sich auf eine ausgefallene Marktnische spezialisiert haben.

Die einfachsten Anpassungen an Temperaturextreme erkennt man durch den Vergleich des Körperbaus von Arten der kalten Klimazonen mit dem verwandter Arten der wärmeren Zonen. Pinguinarten der polaren Zone sind meist voluminöser, d. h. größer und schwerer als verwandte Pinguinarten der wärmeren Klimaregionen. Da die Wärmeabgabe des Körpers proportional zur Körperoberfläche ist, die Wärmebildung jedoch vom Körpervolumen abhängt, hat ein Körper mit einem großen Volumen im Verhältnis zur Oberfläche die beste Wärmehaltefähigkeit (→ 5.2).

Struktur und Funktion

Ökologie

Online-Link
Steckbrief: Eisbär
150010-3223

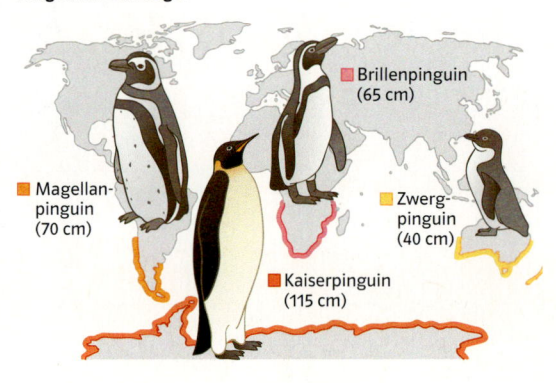

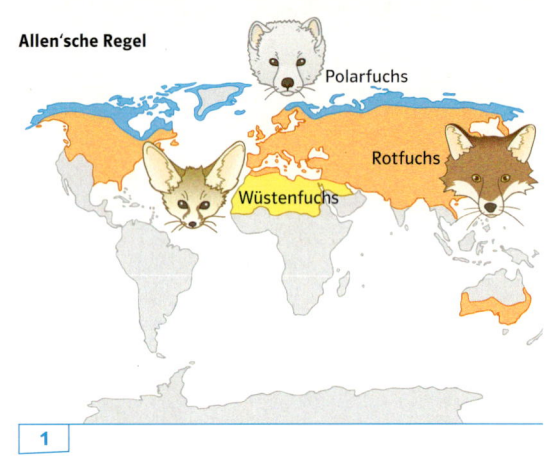

Bergmann'sche Regel

- Brillenpinguin (65 cm)
- Magellanpinguin (70 cm)
- Zwergpinguin (40 cm)
- Kaiserpinguin (115 cm)

Allen'sche Regel

- Polarfuchs
- Rotfuchs
- Wüstenfuchs

1

Pinguine und Füchse bieten Beispiele für die Bergmann'sche und die Allen'sche Regel.

ren Extrembedingungen kann eine Art durch eine Ausweichreaktion (**Avoidanz**) begegnen, wie z. B. beim Winterzug der Vögel, oder durch Ruhephasen, wie beim Winterschlaf (**Dormanz**). Bei vielen Arten reicht auch ein Regulationsmechanismus, wie z. B. die Homoiothermie von Vögeln und Säugern (→ 22.4).

Die von Organismen evolvierten Lösungen für das Überleben unter Extrembedingungen sind ein faszinierendes Feld der Grundlagenforschung, das auch Anwendungsnutzen haben kann. Der Eisbär hat eine patentreife Wärmedämmung evolviert (→ Abb. 2). Das hohle Pelzhaar leitet Sonnenstrahlen nach dem Prinzip eines Lichtleiters zur schwarzen Haut, wo die Strahlung absorbiert und in Wärmeenergie umgewandelt wird. Die Abstrahlung von Wärme ist durch das dichte und hohle Pelzhaar minimiert. Aus diesem Eisbärprinzip der Wärmedämmung hat man die Konstruktion neuartiger Dämmstoffe in der Bautechnik abgeleitet. Das Bakterium *Thermus aquaticus* wurde in heißen Quellen des Yellowstone Parks entdeckt. Es hat einen Stoffwechselapparat evolviert, der auch noch bei über 70 °C funktioniert. Das Enzym, das die DNA repliziert, die sogenannte „Taq"-Polymerase, wird heute im industriellen Maßstab für die Polymerasekettenreaktion (PCR) genutzt (→ 14.2).

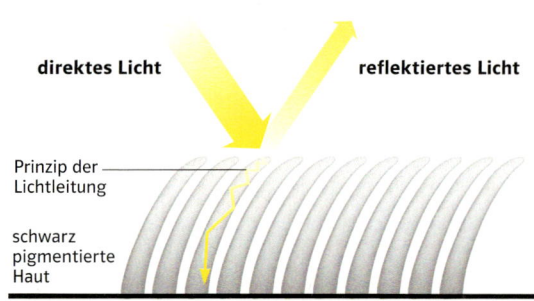

Dieser in Abb. 1 dargestellte Zusammenhang von Körperbau und Vorkommen bei nah verwandten homoiothermen Arten hat regelhaften Charakter und wird als **Bergmann'sche Klimaregel** bezeichnet. Der Vergleich von Brillenpinguinen und Zwergpinguinen zeigt, dass diese Regel nicht immer zutrifft.

Für die Körperanhänge wie Extremitäten und Ohren ist aus den Überlegungen zum Oberflächen-Volumenverhältnis zu folgern, dass Körperanhänge in relativ kalten Klimaten eher gedrungen ausgebildet sein sollten. Das ist der Inhalt einer zweiten Regel, der **Allen'schen Klimaregel**. Dies finden Sie an den Beispielen in Abb. 1 weitgehend bestätigt.

Beachten Sie, dass es einen Unterschied macht, ob die Extrembedingungen dauerhaft oder nur zeitweise (temporär) bestehen. Denn temporä-

direktes Licht — reflektiertes Licht

Prinzip der Lichtleitung

schwarz pigmentierte Haut

Absorption an der schwarzen Haut

2

Die Haut von Eisbären ist schwarz. Durch das weiße Fell gelangt ein Teil des Sonnenlichts bis zur dunklen Haut, wird dort absorbiert und erwärmt diese. Das Fell ist ein transparentes Isoliermaterial.

Aufgabe 22.7

Erklären Sie folgende Phänomene: (1) Sibirische Tiger wiegen 400 kg, Bengaltiger 300 kg und Sumatratiger 200 kg.
(2) Große Säugetierarten, wie z. B. der Elefant oder das Pferd, haben einen wesentlich geringeren Energieumsatz pro kg als kleine Säugerarten, wie z. B. Spitzmäuse (→ Abb. 2, S. 85).

Wechselwirkungen innerhalb von Lebensgemeinschaften

23

Obstangebot

Der Anblick eines üppigen Marktangebots übt einen besonderen Reiz aus. Für die Erzeugung dieses Angebots sind die Obst- und Gemüsebauern extrem abhängig von unbezahlten Arbeitskräften — nämlich von den Bestäubern ihrer Nutzpflanzen. Wissenschaftler haben berechnet, dass allein Insekten durch die Bestäubung von Agrarpflanzen für etwa 9,5 % des Gesamtwerts der Weltnahrungsmittelproduktion verantwortlich sind. Der ökonomische Nutzen durch diese Bestäuber beträgt damit über 150 Milliarden Euro pro Jahr. Diese Zahlen verdeutlichen, wie sehr Nutzpflanze, Mensch und Bestäuber voneinander abhängen.

23.1	Arten einer Lebensgemeinschaft hängen über fördernde oder hemmende Wechselbeziehungen voneinander ab
23.2	Das Nahrungsnetz einer Lebensgemeinschaft ist aus Produzenten, Konsumenten und Destruenten aufgebaut
23.3	Tarnen und Täuschen, Verletzen und Vergiften sind Spezialisierungen in Räuber-Beute-Beziehungen
23.4	Parasiten schädigen ihren Wirt, töten ihn aber meist nicht
23.5	Symbiotische Arten profitieren voneinander
23.6	Konkurrierende Arten können einander verdrängen
23.7	Ressourcenaufteilung verringert die innerartliche Konkurrenz

Ökologie

23.1 Arten einer Lebensgemeinschaft hängen über fördernde oder hemmende Wechselbeziehungen voneinander ab

Die Wechselbeziehung zwischen Blütenpflanzen und ihren Bestäubern ist nur ein Beispiel für die gegenseitige Abhängigkeit von Arten in einer Lebensgemeinschaft. Rotklee und Hummeln sind voneinander abhängig, weil die Nektar suchenden Hummeln als Bestäuber die Vermehrung des Rotklees sichern. Die Anzahl der Hummeln hängt wiederum von der Anzahl ihrer Fressfeinde ab. Auch diese Fressfeinde, z. B. Marder (die nachts auch mal ein Hummelnest ausrauben), sind von anderen Arten abhängig. Derartige Überlegungen führen zu einem der bedeutendsten Konzepte der Ökologie, das der **Biozönose** (Lebensgemeinschaft). Es besagt, dass eine Lebensgemeinschaft nicht aus zufällig zusammengewürfelten Tier- und Pflanzenarten besteht, sondern eine charakteristische Gemeinschaft von Arten darstellt, die miteinander in Wechselbeziehungen stehen.

Die Biozönose unserer Laubwälder besteht beispielsweise aus einer charakteristischen Kombination von rund 4000 Pflanzen- und 7000 Tierarten. Diese Zahlen machen deutlich, wie komplex eine Biozönose ist. Für einen Überblick reduzieren wir hier die Komplexität auf die Beschreibung der wichtigsten Typen von Wechselbeziehungen.

Grundsätzlich kann eine Art auf eine andere Art förderlich (+), neutral (0) oder hinderlich (−) wirken. Wechselbeziehungen zwischen zwei Arten kennzeichnet man durch zwei Zeichen; beispielsweise steht (+/+) für eine gegenseitige Förderung. Besonders wichtige und gut untersuchte Wechselbeziehungen sind Räuber-Beute-Beziehungen (+/−), Parasit-Wirt-Beziehungen (+/−), Symbiosen (+/+) und Konkurrenz (−/−). In Abb. 1 sind Wechselbeziehungen am Beispiel einer Blattlausart aufgeführt. Blattläuse stechen mit

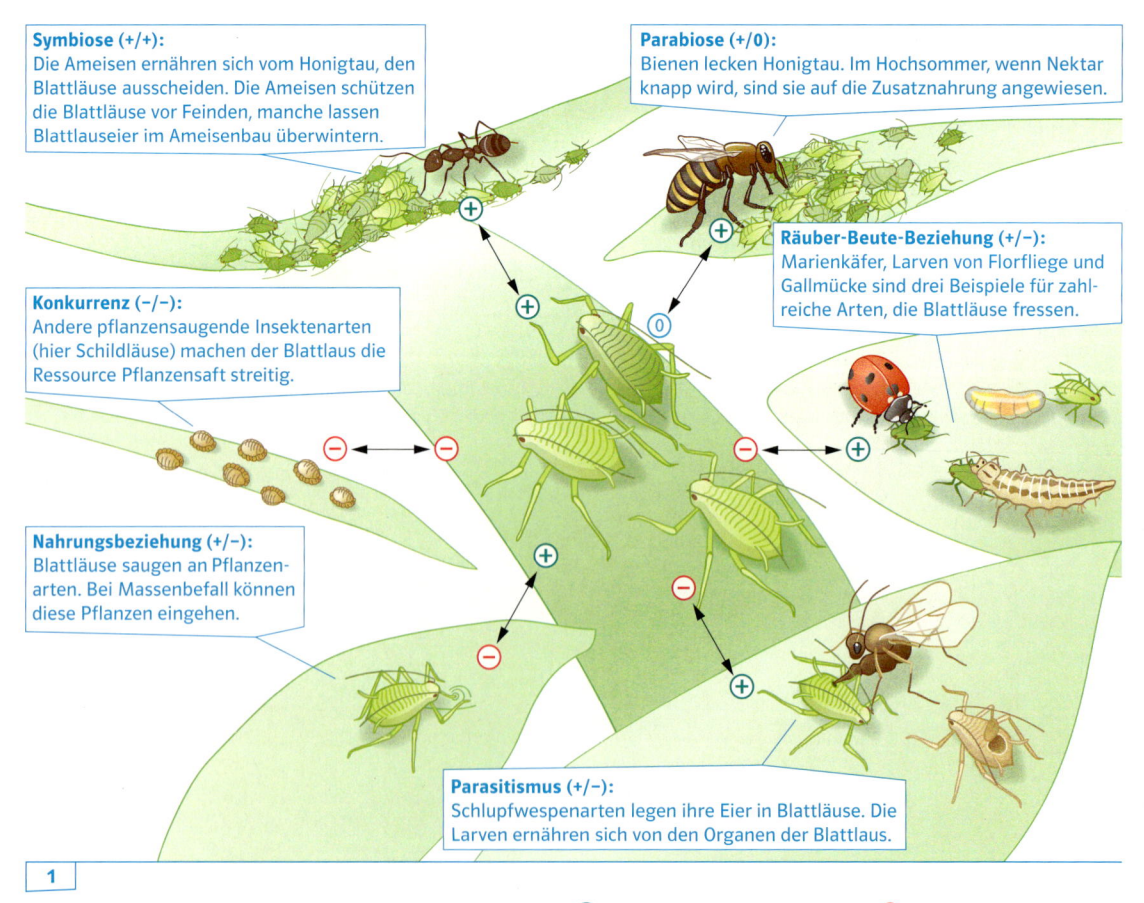

Symbiose (+/+):
Die Ameisen ernähren sich vom Honigtau, den Blattläuse ausscheiden. Die Ameisen schützen die Blattläuse vor Feinden, manche lassen Blattlauseier im Ameisenbau überwintern.

Parabiose (+/0):
Bienen lecken Honigtau. Im Hochsommer, wenn Nektar knapp wird, sind sie auf die Zusatznahrung angewiesen.

Räuber-Beute-Beziehung (+/−):
Marienkäfer, Larven von Florfliege und Gallmücke sind drei Beispiele für zahlreiche Arten, die Blattläuse fressen.

Konkurrenz (−/−):
Andere pflanzensaugende Insektenarten (hier Schildläuse) machen der Blattlaus die Ressource Pflanzensaft streitig.

Nahrungsbeziehung (+/−):
Blattläuse saugen an Pflanzenarten. Bei Massenbefall können diese Pflanzen eingehen.

Parasitismus (+/−):
Schlupfwespenarten legen ihre Eier in Blattläuse. Die Larven ernähren sich von den Organen der Blattlaus.

1 Wechselbeziehungen einer Blattlausart mit anderen Arten. ⊕ = fördernde Wechselbeziehung; ⊖ = hemmend; ⓪ = neutral.

ihren Saugrüsseln die Leitungsbahnen der Pflanzen an und entziehen ihnen zuckerhaltigen Saft. Überschüssigen Zucker scheiden sie als „Honigtau" wieder aus. Aus den Beispielen in Abb. 1 können Sie ein vielfältiges Miteinander oder Gegeneinander zwischen der Blattlaus und anderen Arten der Biozönose erkennen. Die aufgeführten Wechselbeziehungen machen deutlich, dass Blattläuse das Schicksal anderer Arten entscheidend mitbestimmen. Anders gesagt: Die Gemeinschaft der Arten bestimmt weitgehend das Schicksal der Einzelarten. Im Falle der Blattläuse ist die Kenntnis von Wechselbeziehungen von sehr direktem Nutzen: Sie können aus Abb. 1 gleich zwei Ansätze zur biologischen Bekämpfung von Blattlausbefall ableiten.

Erinnern Sie sich an das Steinkorallenbeispiel aus → 22.1. Hier hatten wir zwischen biotischen und abiotischen Umweltfaktoren unterschieden. Die Analyse von Biozönosen ist nichts anderes als die Analyse der biotischen Umweltfaktoren ausgewählter Arten. Der Biozönose, also der biotischen Umwelt, wird oft die unbelebte, abiotische Umwelt, der **Biotop**, gegenübergestellt. Diese historisch gewachsene Begriffstrennung ist Bestandteil der Ökologie, aber es muss klar sein, dass sie künstlich ist: Es gibt keine einzige Biozönose ohne Biotop und umgekehrt. Beide zusammen bilden ein **Ökosystem**, das die grundlegende Funktionseinheit in der Ökologie darstellt. Zu den wichtigsten biotischen Wechselwirkungen in einem Ökosystem gehört ein fast unüberschaubar dichtes Netz von Nahrungsbeziehungen. Diesem Netz liegt jedoch immer eine einfache Gliederung zugrunde, die Sie im Folgenden kennenlernen werden.

Aufgabe 23.1

Schneehühner suchen die Nähe von Rentierherden, da die Rentiere bei ihrer Nahrungssuche schneefreie Stellen schaffen. Diese nutzen die Schneehühner für die Nahrungssuche. Ordnen Sie diese Wechselbeziehung einem der in Abb. 1 aufgeführten Typen zu und begründen Sie Ihre Entscheidung.

23.2 Das Nahrungsnetz einer Lebensgemeinschaft ist aus Produzenten, Konsumenten und Destruenten aufgebaut

Waldkäuze gehören zu den häufigen Räubern lichter Laub- und Mischwaldbestände. Im nahezu lautlosen Suchflug von Ansitzwarten aus erbeuten sie verschiedene kleine Wirbeltiere, selten auch Insekten. Unter den Ansitzwarten der Tiere findet man die typischen Gewölle mit den unverdaulichen Feder-, Haar- und Knochenresten der Beute. Ein Glücksfall, denn damit kann man den Speisezettel der Waldkäuze bestimmen.

Dies ist aber nur ein kleiner Schritt, um ein Bild von den Nahrungsbeziehungen im Wald zu bekommen. Klassische Methoden zur Analyse von Nahrungsbeziehungen sind Freilandbeobachtungen oder Mageninhalts- und Kotuntersuchungen. Beim Tracer-Verfahren wird der Weg radioaktiv markierter Stoffe in einer Lebensgemeinschaft verfolgt. Die Analyse von Nahrungsbeziehungen ist ein aufwendiges Forschungsunterfangen. Für den Waldkauz ergaben Nahrungsanalysen an einem Brutplatz neben zahlreichen Kleinsäugerarten und Amphibien auch 66 Vogelarten als Beute.

Folgerichtig führt die Analyse von Nahrungsbeziehungen in Lebensgemeinschaften nicht zu einfachen **Nahrungsketten**, sondern zu einem komplexen **Nahrungsnetz**. Allerdings folgen die Nahrungsbeziehungen in allen Lebensgemeinschaften Prinzipien, die es zulassen, das komplexe Nahrungsnetz in ein vereinfachtes Schema zu überführen. Dabei beschränkt man sich auf den einzelnen Ernährungsebenen (**Trophiestufen, trophische Ebenen**) auf ausgewählte Arten: Pflanzen bilden als **Primärproduzenten** die erste trophische Ebene. Sie wandeln die Energie des Sonnenlichts in chemische Energie um. Für ihre Fotosynthese benötigen sie Kohlenstoffdioxid und Wasser sowie für den Aufbau zelleigener Biomoleküle (z. B. Proteine und DNA) auch die Mineralstoffe Nitrat und Phosphat (→ 7.6). Von der so aufgebauten pflanzlichen Biomasse zehren die *Primärkonsumenten* und von diesen wieder die *Sekundär-* und *Tertiärkonsumenten*.* Primärkonsumenten ernähren sich von Pflanzen, sie sind *herbivor*. Sekundärkonsumenten haben eine tierische Nahrungsgrundlage, sie sind *carnivor*. Die Zuordnung einer Art zu einer trophischen Ebene richtet sich danach, wie viele Ebenen bis zur Produzentenebene dazwischenliegen. Die trophischen Ebenen haben daher auch etwas mit dem Energiefluss in Ökosystemen zu tun (→ 25.1, → 25.2, → 25.3).

Stoff- und Energieumwandlung

Ökologie

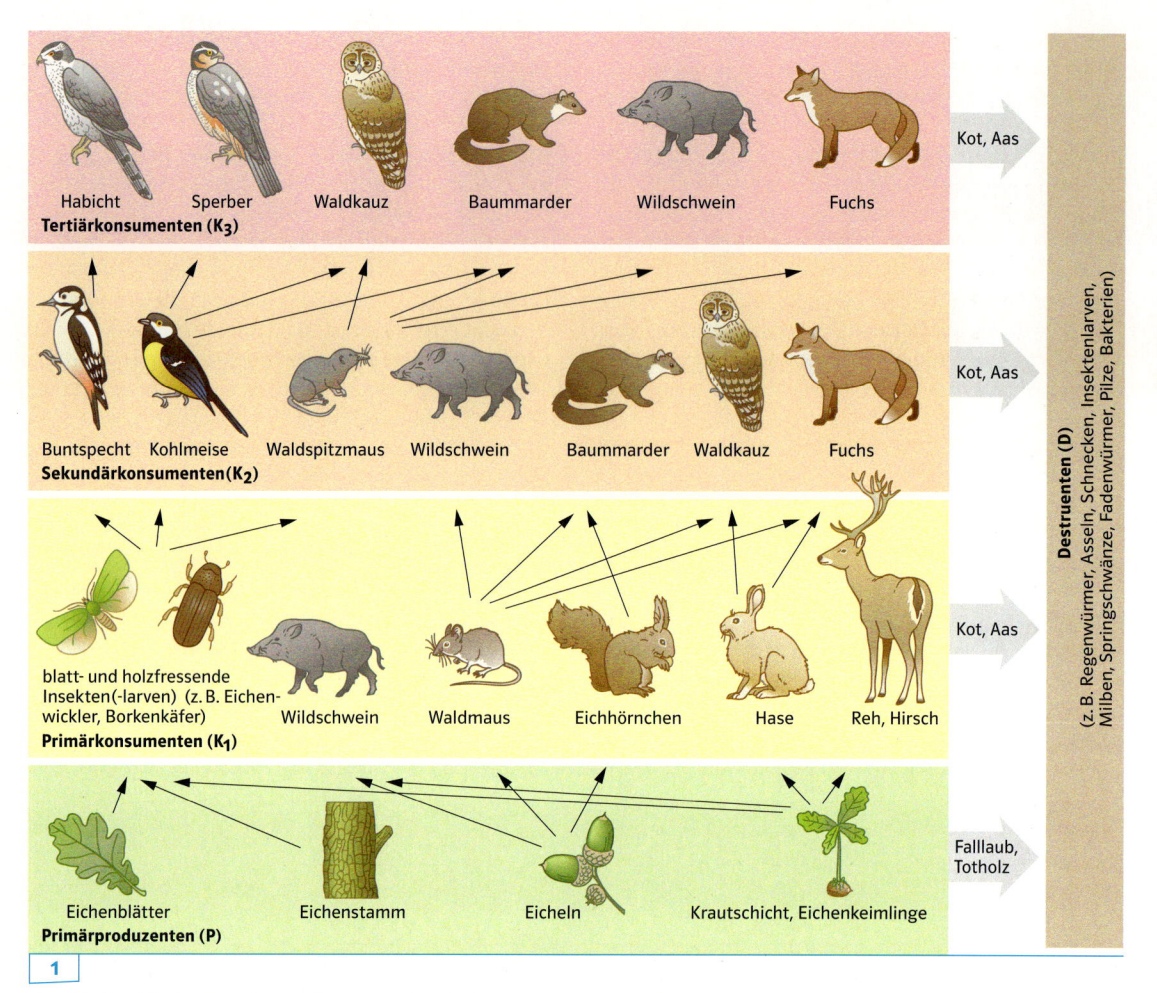

Online-Link
Info: Pilze als Destruenten
150010-3261

1 Trophische Gliederung einer Lebensgemeinschaft in Primärproduzenten, Konsumenten und Destruenten am Beispiel eines Eichenwalds. Das Nahrungsnetz ist auf wenige Arten reduziert dargestellt.

Das Schema in Abb. 1 veranschaulicht diese Zuordnungen. Die aufgezeigten Zusammenhänge stellen zunächst eine Einbahnstraße für alle in der Lebensgemeinschaft vorhandenen Stoffe dar. Es fehlen noch Recycling- oder Remineralisierungsprozesse, um die Ausgangsstoffe zurückzugewinnen und sie dann erneut den Primärproduzenten zuzuführen. Solche Remineralisierungsprozesse beginnen überall dort, wo Abfall anfällt. Als Startpunkt können Aas, Falllaub oder Kot dienen.

Alle Organismen, die an der Zersetzung und Remineralisierung dieser Abfallprodukte beteiligt sind, fasst man als **Destruenten** zusammen. Bakterien und Pilze übernehmen den letzten Abbauschritt zu anorganischen Stoffen. Sie werden auch als **Mineralisierer** bezeichnet. Natürlich sind Destruenten ihrerseits potenzielle Beute für Konsumenten — ein Aspekt, der in Abb. 1 nicht berücksichtigt ist. Die Destruenten werden Ihnen später noch einmal ausführlicher vorgestellt (→ 25.4, → 25.5).

Die in Abb. 1 dargestellte trophische Gliederung gilt nahezu universell für Lebensgemeinschaften. Manchmal kommt es vor, dass eine Lebensgemeinschaft ohne Primärproduzenten auskommt. Sie ist dann auf Import von energiereichen Substanzen angewiesen, wie z. B. Tiefseegemeinschaften, die sich von sogenanntem *Detritus* ernähren, dem absinkenden organischen Material aus den oberen Wasserschichten (→ 26.5). In Fließgewässern ist vor allem der Falllaubeintrag eine Lebensgrundlage.

Zur Vervollständigung kann man auch **Parasiten** als „Räuber besonderer Art" (→ 23.4) noch in die Trophiestufen aufnehmen. Auf allen Trophiestufen kommen Arten als Wirte für Parasiten in Frage. Die vielfältige Gruppe der Parasiten lässt sich daher keiner trophischen Ebene zuordnen. Es kommt auch sonst vor, dass sich manche Arten einer Lebensgemeinschaft keiner trophischen Ebene klar zuordnen lassen. Die verschiedenen Meisenarten ernähren sich im Winterhalbjahr als Primärkonsumenten von

Sämereien und im Sommer als Sekundär- und Tertiärkonsumenten von herbivoren oder carnivoren Insekten. Arten wie das Wildschwein, die sich das ganze Jahr über von Arten unterschiedlicher Trophiestufen (z. B. Eicheln, Kräuter, Pilze, Insekten, Mäuse, Aas) ernähren, nennt man *omnivor*.

In dem dargestellten System von „Fressen und Gefressenwerden" können Arten nur dauerhaft überleben, wenn die Nachkommenzahl die ständigen Verluste ausgleicht.• Dies erreicht eine Art, wenn sie einerseits ihren Beuteerwerb maximiert und andererseits Räuber effizient abwehrt.

Reproduktion

Aufgabe 23.2

Bis etwa 1900 war der Wolf ein Glied im Nahrungsnetz des Waldes. Er ernährt sich vorwiegend von Rehen, Rothirschen und Kaninchen. Ordnen Sie ihn mithilfe von Abb. 1 einer trophischen Ebene zu und vergleichen Sie ihn mit dem Fuchs.

23.3 Tarnen und Täuschen, Verletzen und Vergiften sind Spezialisierungen in Räuber-Beute-Beziehungen

Die Begegnung mit schwarz-gelben Fluginsekten löst bei Ihnen möglicherweise Nervosität aus, weil Sie damit Angst vor einem Insektenstich verbinden. Auch im Tierreich funktioniert „schwarz-gelb" wie auch „schwarz-rot" als Warnung. Viele Arten mit diesen Färbungen weisen chemische Schutzmechanismen oder Giftapparate auf, die die erfolgreiche Erbeutung durch einen Räuber erschweren oder unmöglich machen. Es gibt Hinweise darauf, dass Räuber bei derart gefärbten Beutetieren vorsichtig agieren oder diese meiden.• Somit kann gleich eine ganze Reihe von Arten von „schwarz-gelb" profitieren, wie z. B. Bienen, Wespen oder Feuersalamander in unserer einheimischen Fauna. Diesen Schutzmechanismus bezeichnet man als **Warntracht**. Dabei werden mehr oder weniger einheitliche, auffällige Warntrachten wie „schwarz-gelb" von verschiedenen ungenießbaren Arten benutzt. Vermutlich haben alle Arten von dieser einheitlichen Warntracht einen zusätzlichen Vorteil, da Räuber bei einer Vielzahl von Beutearten ähnlichen Aussehens besonders schnell lernen, welche Farbmuster ungenießbar sind. Der Schutzmechanismus kann jedoch nur funktionieren, wenn Räuber ihren ersten Fressversuch auch überleben.

Auf der Wirkungsweise der Warntracht beruht ein eleganter Schutzmechanismus, die **Mimikry** (*Scheinwarntracht*). Nicht nur viele Räuber, sondern sicher auch Sie haben sich davon schon täuschen lassen. Beide Insekten in Abb. 1 sehen aus wie eine Hornisse. Bei dem Tier links handelt es sich aber um einen harmlosen Schmetterling. Der Schutz besteht, solange die Falter den echten „Schwarz-gelben" zahlenmäßig deutlich unterlegen bleiben. Geraten sie in die Überzahl, ist die Gefahr groß, dass die Täuschung auffliegt.

1 **Scheinwarntracht (Mimikry).** Völlig ungewöhnlich für Schmetterlinge besitzt der harmlose Hornissenschwärmer (links) durchsichtige, unbeschuppte Flügel und eine schwarz-gelbe Färbung, sodass er der wehrhaften Hornisse (rechts) ähnelt.

Information und Kommunikation

Neben solchen außergewöhnlichen Schutzmechanismen ergreifen Beutetiere auch eine Reihe näherliegender Schutzmaßnahmen gegen Räuber. Dazu gehört ein energiezehrendes Fluchtvermögen wie beim hakenschlagenden Feldhasen, aber auch das Verstecken in einem Unterschlupf. Aktive Selbstverteidigung gibt es relativ selten; manche weidenden Großsäuger verteidigen ihre Jungtiere mit ihren Hufen oder Gehörnen gegen Raubtiere. Krähen rufen durch Alarmsignale Gruppen von Artgenossen zusammen, um Räuber von ihren Nestern zu vertreiben.

Ökologie

Bezeichnung (Träger)	Erklärung und Beispiel
Schrecktracht (Beute)	Überraschend plötzlicher Stellungs- oder Farbwechsel bei Organismen. Beispiele: Augenflecken bei Larven und erwachsenen Schmetterlingen (→ a: Großer Gabelschwanz)
Nachahmung oder Mimese (Beute, Räuber)	Täuschende Ähnlichkeit von Organismen mit unbeachteten Dingen ihrer Umwelt. Beispiele: Eine Spannerraupe sieht aus wie ein Zweig. Lebende Steine (→ b; Familie der Mittagsblumengewächse) gleichen Steinen. Gespenstschreckenarten, wie das Wandelnde Blatt, ähneln Pflanzenteilen.
Umgebungstracht oder Krypsis (Beute, Räuber)	Farb- und Formähnlichkeit mit der Umgebung. Beispiele: Streifenmuster von Zebras, Farbwechsel bei Plattfischen oder Tintenfischen, Weißfärbung von Polartieren (→ c: Polarfuchs).
Locktracht (Räuber)	Farb- oder Formübereinstimmung eines Organismus mit Nahrung oder Sexualpartner einer Beuteart. Beispiele: Sekrettröpfchen des fleischfressenden Sonnentaus, der räuberische Säbelzahnschleimfisch imitiert den harmlosen Putzerlippfisch, Wurmimitat auf Rückenflossenstrahl des Anglerfischs lockt Fische an (→ d).
induzierte Abwehr (Beute)	Die Anwesenheit eines Räubers löst in einer Beutepopulation die Bildung von Abwehrmechanismen aus. Beispiele: Pflanzen bilden vermehrt Giftstoffe, wenn sie von Herbivoren befallen werden. Wasserflöhe bilden in Anwesenheit von Räubern sperrige „Helme", die ihnen als mechanischer Schutz dienen (→ e; linkes Individuum)

2 Anpassungen von Beutetieren verbessern die Verteidigung gegen Räuber, Anpassungen von Räubern erhöhen den Fangerfolg.

Variabilität und Angepasstheit

Weniger offensichtlich, aber nicht minder effektiv sind die in Abb. 2 aufgeführten Schutzmechanismen *Schrecktracht*, *Nachahmung* (**Mimese**), *Umgebungstracht* (*Krypsis*), *Locktracht* und die *induzierte Abwehr*. Die induzierte Abwehr stellt eine besonders ökonomische Form der Verteidigung dar: Die Abwehrmechanismen werden nur dann gebildet, wenn sie auch benötigt werden, also bei Anwesenheit eines Fressfeindes (→ Abb. 2 e).

Auch Pflanzen haben effektive Mechanismen gegen Pflanzenfresser evolviert. Dabei kann es sich um einen mechanischen Fraßschutz, wie Bestachelung oder Bedornung, oder einen chemischen Fraßschutz handeln. Besonders bekannte Fraßgifte sind das Strychnin (Gattung *Strychnos*), das Morphin des Schlafmohns oder das Nikotin der Tabakpflanze. Auch manche der Inhaltsstoffe, die wir kulinarisch schätzen, wie Zimt-, Nelken- oder Pfefferminzaromen, wirken auf manche Insekten fraßhemmend.

Den Schutzmechanismen der Beute steht eine ganze Reihe von Anpassungen bei den Räubern gegenüber, die darauf ausgelegt sind, den Beuteerwerb zu optimieren. Auch hier sind einige Angepasstheiten leicht verständlich, wie z. B. eine überlegene Körpergröße, scharfe Krallen, besondere Bezahnung, hohe Laufgeschwindigkeit, Stacheln oder Gift. Manche Räuber zeigen Sinnesleistungen, die jenseits unserer Erfahrungswelt liegen. So können beispielsweise Grubenottern ihre Beute nachts mit einem Wärmesinn orten. Manche Räuber locken ihre Beute mit optischen Tricks an (→ Abb. 2 d). Das Räuber-Beute-System Fledermaus–Nachtfalter zeigt das Wettrüsten zwischen Räuber und Beute besonders plastisch. Fledermäuse senden Ultraschalllaute aus, mit denen sie fliegende Beuteinsekten orten. Einige Nachtfalter können — völlig ungewöhnlich für Insekten — ebenfalls Ultraschall wahrnehmen. Bei dessen Empfang lassen sie sich einfach fallen und können so entkommen.

Aufgabe 23.3

In der Biologie gibt es nicht nur „Wölfe im Schafspelz", sondern auch „Schafe im Wolfspelz". Finden Sie zu beidem die biologischen Fachbegriffe.

Online-Link
Steckbrief: Kleiner Leberegel
150010-3291

Wechselwirkungen innerhalb von Lebensgemeinschaften

23.4 Parasiten schädigen ihren Wirt, töten ihn aber meist nicht

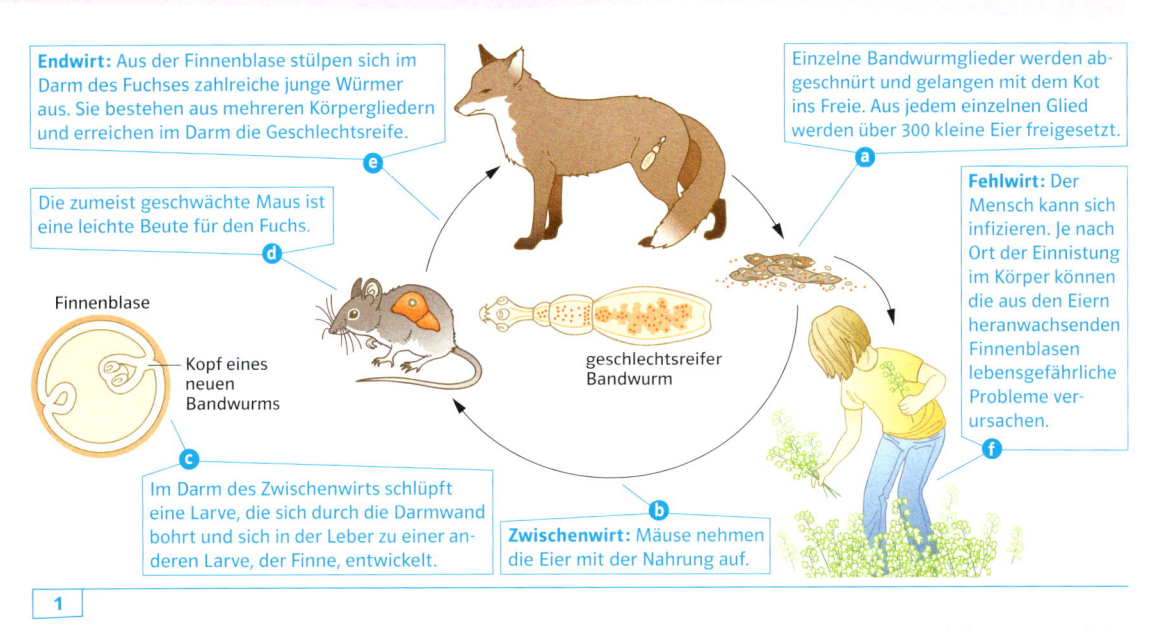

Endwirt: Aus der Finnenblase stülpen sich im Darm des Fuchses zahlreiche junge Würmer aus. Sie bestehen aus mehreren Körpergliedern und erreichen im Darm die Geschlechtsreife.

Einzelne Bandwurmglieder werden abgeschnürt und gelangen mit dem Kot ins Freie. Aus jedem einzelnen Glied werden über 300 kleine Eier freigesetzt.

Die zumeist geschwächte Maus ist eine leichte Beute für den Fuchs.

Fehlwirt: Der Mensch kann sich infizieren. Je nach Ort der Einnistung im Körper können die aus den Eiern heranwachsenden Finnenblasen lebensgefährliche Probleme verursachen.

Im Darm des Zwischenwirts schlüpft eine Larve, die sich durch die Darmwand bohrt und sich in der Leber zu einer anderen Larve, der Finne, entwickelt.

Zwischenwirt: Mäuse nehmen die Eier mit der Nahrung auf.

1 **Die regulären Wirte des Fuchsbandwurms sind Fuchs und Kleinsäuger, hier eine Maus.** Endwirt ist definitionsgemäß die Art, in der der Parasit die Geschlechtsreife erlangt, in diesem Fall also der Fuchs.

In Süddeutschland geht bei Heidelbeersammlern die Angst vor einem Parasiten um, dem Kleinen Fuchsbandwurm (*Echinococcus multilocularis*). Unbehandelter Fuchsbandwurmbefall führt beim Menschen in ca. 90 % aller Fälle zum Tode; auch bei Behandlung liegt die Sterberate noch zwischen 5 und 10 %. Dieses drastische Beispiel ist geeignet, um den Status einer ganzen Gruppe von Organismen, den Parasiten, misszuverstehen. Parasiten schädigen ihren Wirt merklich, aber nur so, dass er weiter als „Habitat" tauglich bleibt. Der Verlust des Wirts durch Tod wäre für den Parasiten selbst das Todesurteil. Ist der Fuchsbandwurm also kein Parasit im Sinne der Definition? Doch, denn wie Sie in Abb. 1 sehen, gehört der Mensch eigentlich gar nicht in den regulären Zyklus des Fuchsbandwurms.

Am besten lässt sich das eigentliche Wesen von Parasiten wohl im Vergleich zu Räubern kennzeichnen. Dem englischen Ökologen CHARLES ELTON zufolge lebt „der Räuber vom Kapital der Beute, während der Parasit von den Zinsen des Wirts lebt". Das trifft für die sogenannten echten Parasiten zu. Sie leben an oder in ihrem meist viel größeren Wirt. Pflanzliche Parasiten (→ Abb. 2), oft als Schmarotzer bezeichnet, passen gut in ELTONS Definition. Auch Parasiten des Menschen, wie Bandwürmer, Läuse und Zecken, sind gute Beispiele für echte Parasiten. Abb. 3, S. 330, gibt Ihnen Erklärungen zu vier der insgesamt etwa 70 Parasiten des Menschen. Weniger gut fallen sogenannte Raubparasiten oder **Parasitoide** darunter. Diese Formen stellen einen Übergang zwischen Räuber und Parasit dar. Bekannte Beispiele sind Grabwespen, Schlupfwespen und Schlupffliegen (→ Abb. 1, S. 324). Sie legen ihre Eier in andere Insekten; die heranwachsende Larve ernährt sich zunächst von weniger wichtigen inneren

2 **Der Halbschmarotzer Mistel ⓐ (*Viscum album*) entzieht dem Wirtsbaum nur Wasser und Mineralstoffe.** Vollparasiten wie die Blutrote Sommerwurz ⓑ (*Orobanche gracilis*) können keine Fotosynthese betreiben und entziehen Wirtspflanzen (z. B. dem Klee) energiereiche Kohlenhydrate.

Ökologie

Name des Parasiten	Kennzeichen des Parasiten	Angaben zur Parasitose
Pärchenegel (*Schistosoma*), eine Saugwurmart ⓐ	extrazellulärer, periodischer Endoparasit im Menschen (Endwirt) und in Süßwasserschnecken (Zwischenwirt)	Schistosomiasis (Bilharziose). Die frei lebenden Larven gelangen in Gewässern über die Haut in das Venensystem des Menschen und reifen dort zu den erwachsenen Pärchenegeln heran. Tropen und Subtropen, 200 Millionen Betroffene weltweit
Rinderbandwurm (*Taenia saginata*) ⓑ	extrazellulärer, periodischer Endoparasit	Über rohes Rindfleisch werden Larven aufgenommen, die sich im Dünndarm mit einem Hakenkranz verankern und zu einem bis zu 10 m langen Bandwurm auswachsen. Weltweit ca. 60 Mio. Infektionen
Holzbock (*Ixodes ricinus*), eine Zeckenart ⓒ	temporärer Ektoparasit	Wenn Wärme und Geruch von Buttersäure dem Parasiten einen Warmblüter melden, lässt er sich fallen und bohrt sich in die Haut zur Blutmahlzeit ein. Nach erfolgter Mahlzeit fällt das Tier wieder ab
Kopflaus (*Pediculus capitis*) ⓓ	permanenter Ektoparasit	Eier, Larven und und erwachsene Tiere am Haupthaar des Menschen. Nahrung: Blut; Vorkommen v. a. bei Kindergarten- und Schulkindern

3 Parasiten des Menschen. Endoparasiten leben im Wirt, Ektoparasiten auf dem Wirt. Temporäre Parasiten sind zeitweise, periodische Parasiten während einer Lebensphase und permanente Parasiten zeitlebens am oder im Wirt.

Variabilität und Angepasstheit

Organen des Wirts, bis sie diesen schließlich von innen völlig ausfrisst und damit tötet. Die Larve des Parasitoiden macht dann die Häutung zur freilebenden erwachsenen Form durch. Eine Sonderform des Parasitismus stellt auch der Brutparasitismus dar, der vom Kuckuck bekannt ist (→ Abb. 1, S. 340), aber auch bei Insekten (z. B. Schmarotzerbienen) vorkommt.

Krankheitserreger (*Pathogene*) haben eine ähnliche Wirkung auf den Wirt wie Parasiten. Man zählt krankmachende Viren, Bakterien, sonstige Einzeller, aber auch Pilze und Prionen (infektiöse Proteinmoleküle, → Abb. 1, S. 175) dazu. Pathogene sind mikroskopisch klein. Im Gegensatz zu echten Parasiten können sie auch tödliche Auswirkungen auf den Wirt haben.

Echte Parasiten haben ganz spezielle ökologische Nischen an oder in ihrem Wirt erschlossen, wobei zahlreiche Anpassungen evolvierten.* So haben beispielsweise Läuse Klammerbeine (→ Abb. 3 ⓓ), Bandwürmer verankern sich mit Hakenkränzen im Darmgewebe (→ Abb. 3 ⓑ). Flöhe, Läuse und Federlinge (Insekten, die im Gefieder parasitieren) haben sekundär die Flügel verloren, die ihre Vorfahren noch hatten. Bandwürmern fehlt die Körperbedeckung sowie Mund und Darm. Sie leben vom Darminhalt des Wirts und nehmen ihre Nahrung über die Haut auf. Viele Parasiten haben komplizierte Entwicklungs- und Vermehrungszyklen. Häufig sind hohe Eiproduktion oder ein Wirtswechsel (→ Abb. 1, S. 329).

Aufgabe 23.4

Diskutieren Sie, inwieweit der Malariaerreger ein echter Parasit ist: Der Hauptwirt ist die *Anopheles*-Mücke, die selbst durch die Erreger kaum beeinträchtigt wird. Der Mensch ist Zwischenwirt für eine Serie ungeschlechtlicher Vermehrungszyklen. Die Produkte dieser Massenvermehrung nehmen die Mücken wieder bei ihrer Blutmahlzeit auf. Die Vermehrungszyklen lösen beim Menschen die Fieberschübe aus. Diese können auch zum Tod führen.

23.5 Symbiotische Arten profitieren voneinander

Als **Symbiose** bezeichnet man das Zusammenleben zweier Arten zum wechselseitigen Nutzen (→ 23.1). Der Gegensatz zum Parasitismus, bei dem die eine Art profitiert und die andere geschädigt wird, ist deutlich. Aber was sagen Sie zu folgendem Fall: Die kalifornische Fischasselart *Cymothoa exigua* lebt als *Ektoparasit* auf dem Mundboden, gewissermaßen der „Zunge" eines Fischs, des *Roten Schnappers* (*Lutjanus guttatus*). Die Assel frisst die Zunge des Fischs langsam heraus; nach einiger Zeit fällt der Zungenrest ab. Die Fischassel verbleibt im Mund des Schnappers. Dort setzt sie sich am verbliebenen Muskelstummel der Zunge fest und bildet ihren funktionellen Ersatz. Der Fisch kann normal fressen. Die Rückenschilder der Assel bilden das Oberflächenrelief der verlorenen Zunge nach. Dies ist der einzige bekannte Fall im Tierreich, bei dem eine Art einen Körperteil einer anderen Art funktionell ersetzt, also eine natürliche Prothese bildet. Sollte jetzt noch der Nachweis gelingen, dass ein Schnapper mit Assel erfolgreicher frisst als einer ohne, dann bietet dieses Beispiel die gesamte Bandbreite von Parasitismus bis Symbiose.

Das passt überhaupt nicht in das einfache Unterscheidungsraster von Parasitismus und Symbiose. Es deutet an, dass symbiotische Beziehungen sich im Laufe der Evolution möglicherweise aus Parasit-Wirt- oder Räuber-Beute-Beziehungen entwickelt haben.* Biologische Phänomene halten sich nicht an Lehrbuchschemata. Am besten kommen Sie mit der Vielfalt von Symbiosen zurecht, wenn Sie an jedes Beispiel drei Fragen richten:
- Welchen Vorteil — Schutz, Ernährung oder Transport — haben die beiden Arten?
- Können die Arten auch ohne die Partnerart existieren oder ist die Partnerschaft lebensnotwendig?
- Lebt die kleinere Partnerart im Innern der größeren (*Endosymbiose*) oder außerhalb (*Ektosymbiose*)?

Probieren Sie es einmal bei Ihnen bereits bekannten Symbiosen aus, z. B. Meeresschnecke–Alge (→ S. 79) oder Steinkoralle–Zooxanthelle (→ S. 312).

Kenntnisse über symbiotische Beziehungen sind das Ergebnis experimenteller Studien, in denen die Vorteile für die Symbiosepartner nachgewiesen wurden. In Abb. 1 finden Sie ein solches Experiment.

Geschichte und Verwandtschaft

Experiment: Symbiose bei Ameisenpflanzen

Hintergrund
Ameisenpflanzen (Gattung *Myrmecodia*) leben mit Ameisen in einer Symbiose, aus der beide Ernährungsvorteile ziehen. Die Ameisenpflanzen wachsen als Aufsitzer auf anderen Pflanzen. In ihrem verdickten Stängel entstehen Hohlräume, die von Ameisen besiedelt werden. Die Ameisen profitieren vom Nektar der Pflanzen, die wurzellose Pflanze von den Mineralstoffen im Kot der Ameisen. Diese scheinen die Pflanze gegen Fressfeinde zu verteidigen.

Hypothese
Der Blattverlust durch Insektenfraß wird durch die Anwesenheit der Ameisen reduziert.

Methode
Der Blattverlust der Ameisenpflanzen wird über den Versuchszeitraum gemessen. Dabei werden Ameisenpflanzen, bei denen die Ameisen entfernt wurden, mit einer Kontrollgruppe verglichen.

Ergebnis
Der Blattverlust in der Kontrollgruppe liegt signifikant unter dem in der Versuchsgruppe.

Schlussfolgerung
Die Anwesenheit des Symbiosepartners Ameise reduziert den Blattverlust der Ameisenpflanze durch Insektenfraß.

1 Ameisenpflanzen leben in Symbiose mit Ameisen.

Ökologie

2 Der Clownfisch genießt Schutz zwischen den Tentakeln und verteidigt seine Seeanemone gegen räuberische Feinde.

Flechtensymbiose haben Sie bereits eine weitere bedeutsame Symbiose kennengelernt: Die Symbiose Steinkoralle – Zooxanthelle (→ Abb. 1, S. 319) ist essenziell für die Lebensgemeinschaft Korallenriff. Eine weitere Symbiose, nämlich die zwischen Schmetterlingsblütlern (Leguminosen) und Knöllchenbakterien (→ Abb. 2, S. 352), spielt eine wichtige Rolle im Stickstoffkreislauf.

Auch Ihre eigene Existenz haben Sie übrigens einer Symbiose zu verdanken: Ihre Mitochondrien entstanden in der frühen Evolution der Eukaryoten aus intrazellulären heterotrophen Bakterien (→ 20.4). Hier geht die Partnerschaft sogar bis zum Austausch von Genen zwischen den Symbiosepartnern. Ähnliches gilt für die Chloroplasten der Pflanzen.

Das farbenprächtige Bild (→ Abb. 2) zeigt eine Symbiose von Clownfisch und Seeanemone. Symbiosen können auch weit weniger auffällig und doch extrem bedeutsam für ganze Lebensgemeinschaften sein. Eine Waldgemeinschaft wäre ohne die *Mykorrhiza*-Symbiose von Pilz und Baumart im Wurzelbereich des Baums nicht existenzfähig. Bei dieser Symbiose wachsen Pilzfäden in enger Beziehung zur Wurzel. Viele bekannte Speisepilze, wie z. B. der Fichtensteinpilz, sind Mykorrhizapilze (→ Abb. 3).

Symbiosen zwischen Pilz und Alge kennen Sie von Meeresküsten, Felsen und Baumrinden: die Flechten. Bei der *Flechtensymbiose* werden bestimmte Flechtensäuren und Farbstoffe produziert, die die Einzelarten gar nicht herstellen können. Die aus der Symbiose resultierenden neuen Qualitäten sind so drastisch, dass man Flechten seit jeher als eigene Arten beschreibt. Immerhin kennt man heute etwa 25 000 Flechtenarten. Viele sind Spezialisten in der Besiedlung extremer Lebensräume.

Bei der Mykorrhiza und bei Flechten liefern die pflanzlichen Partner energiereiche Kohlenhydrate aus der Fotosynthese. Der Pilzpartner ernährt sich heterotroph von diesen Assimilaten und liefert der autotrophen Pflanzenart Wasser und Mineralsalze.° Im Fall der Flechtensymbiose profitiert die Pilzart auch von dem in der Fotosynthese der Pflanze anfallenden Sauerstoff. Bei Mykorrhiza-Symbiosen ist eine Förderung des Baumwachstums sowie erhöhte Abwehrkraft des Baums gegen Schwermetallbelastungen und Bodenkeime nachgewiesen. Außer Mykorrhiza- und

Stoff- und Energieumwandlung

Bei der ektotrophen Mykorrhiza bilden Pilzfäden (Hyphen) einen geschlossenen Mantel und wachsen nur zwischen die äußeren Rindenzellen.

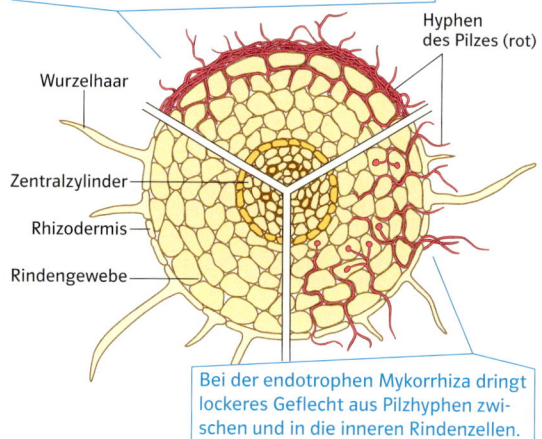

Hyphen des Pilzes (rot)
Wurzelhaar
Zentralzylinder
Rhizodermis
Rindengewebe

Bei der endotrophen Mykorrhiza dringt lockeres Geflecht aus Pilzhyphen zwischen und in die inneren Rindenzellen.

Der pflanzliche Partner liefert Kohlenhydrate, der Pilz Wasser und Mineralstoffe.

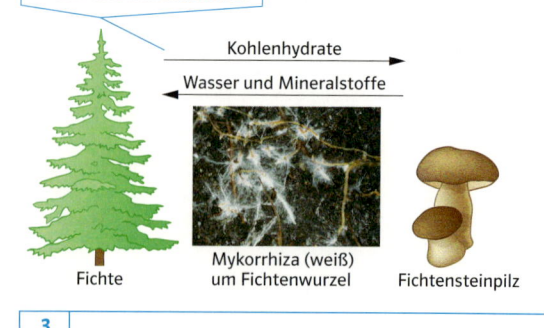

Kohlenhydrate →
← Wasser und Mineralstoffe

Fichte — Mykorrhiza (weiß) um Fichtenwurzel — Fichtensteinpilz

3 Die Mykorrhiza ist eine Pilz-Wurzel-Symbiose. Die Zeichnung oben zeigt mögliche Wurzelquerschnitte.

Aufgabe 23.5

Argumentieren Sie, ob es sich beim System Mensch — Haushund um eine Symbiose handelt.

23.6 Konkurrierende Arten können einander verdrängen

Seepocken sind ungewöhnliche Krebstiere, da sie in einem aus Kalkplatten gebildeten Gehäuse an der Felsküste „festzementiert" sind (→ Abb. 1). Der Schutz ihres Gehäuses ermöglicht es ihnen, auch Trockenphasen oberhalb des mittleren Wasserstands zu überleben. Sie können diese Meerestiere daher bei Spaziergängen leicht finden. Beobachtungen dieser Tiere führten den britischen Ökologen J. H. CONNELL um 1960 zu wichtigen Erkenntnissen.

CONNELL bemerkte zunächst eine auffällig regelmäßige Verteilung bei den Seepockenarten *Chthamalus stellatus* und *Semibalanus balanoides*. Er fand *Chthamalus* nur im Bereich oberhalb des Hochwassers bei Nipptide, während unterhalb dieses Bereichs *Semibalanus* dominierte (→ Abb. 1). Wodurch bleiben die Siedlungszonen der beiden Arten so getrennt? CONNELL vermutete, dass diese *Zonierung* in der Konkurrenz der Arten um den Standort begründet ist. Eine Konkurrenz zwischen Individuen verschiedener Arten nennt man **interspezifische** (zwischenartliche) **Konkurrenz**. CONNELL bestätigte seine Vermutung durch Freilandexperimente. Damit konnte er zeigen, was man aufgrund von Laborexperimenten schon seit den 1930er Jahren vermutet hatte: Nach dem **Konkurrenzausschlussprinzip** können zwei eng verwandte Arten, die um dieselben Ressourcen oder Standorte konkurrieren, nicht koexistieren.• Die konkurrenzfähigere Art wird die konkurrenzschwächere Art verdrängen.

Die Ergebnisse von CONNELLS Untersuchungen sind in Abb. 1 zusammengefasst. Es zeigte sich, dass die Anwesenheit von *Semibalanus* die erwachsenen Tiere von *Chthamalus* auf den Bereich oberhalb des Hochwassers bei Nipptide zurückdrängt, obwohl *Chthamalus* von seinen Ansprüchen her auch unterhalb dieses Bereichs vorkommen könnte. Die Realnische der Art *Chthamalus* liegt damit am Rand ihrer Fundamentalnische (→ 22.5). Bei *Semibalanus* stimmen Realnische und Fundamentalnische weitgehend überein. Die Verbreitung von *Semibalanus* ist wesentlich durch den Faktor Austrocknung kontrolliert, also durch einen abiotischen Faktor, während die von

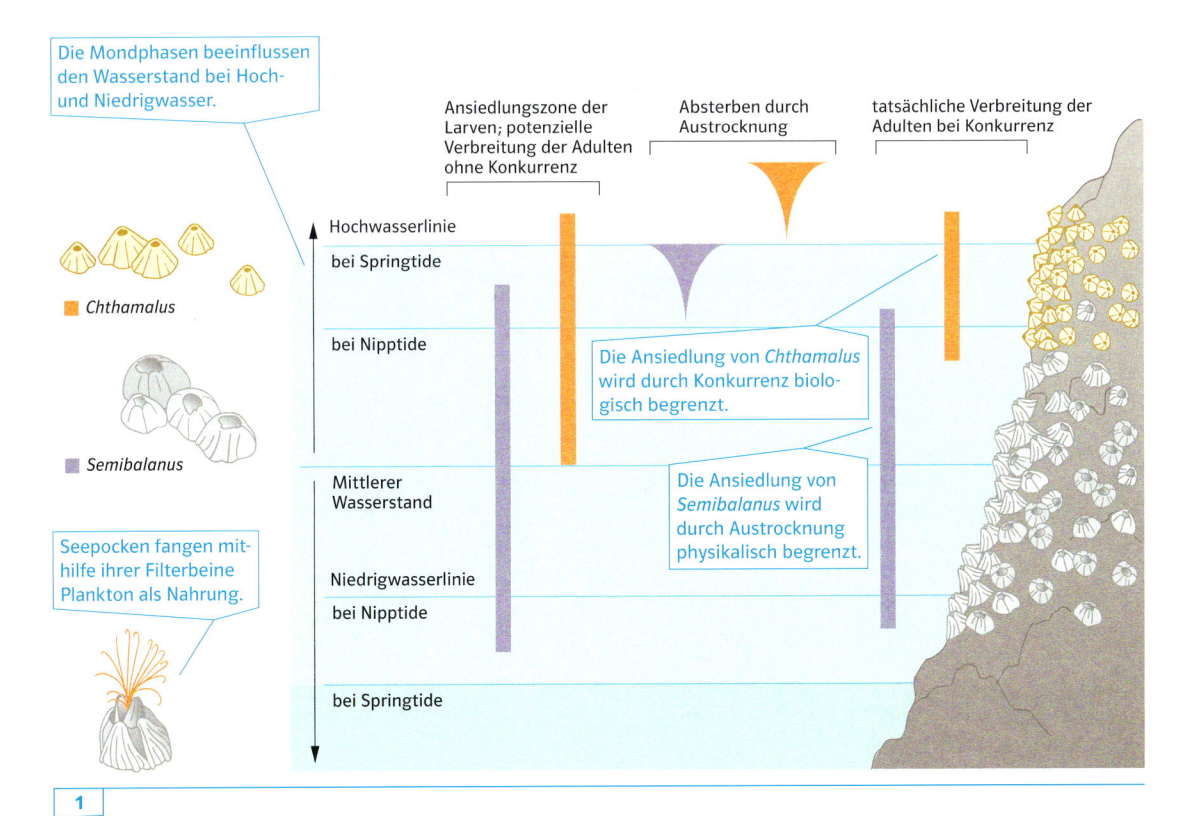

Kompartimentierung

1

Bei der Besiedlung felsiger Meeresküsten konkurrieren zwei Seepockenarten. Nach dem Konkurrenzausschlussprinzip überlappen sich die Areale der adulten (erwachsenen) Seepocken kaum. Das ergibt eine Zonierung.

Ökologie

Experiment: Interspezifische Konkurrenz

Hypothese
In einer Konkurrenzsituation zweier Kieselalgenarten wird diejenige Art verdrängt, die die Ressource Silikat weniger effizient nutzen kann.

Methode
Die Arten *Asterionella formosa* und *Synedra ulna* werden über 55 Tage in einer Konkurrenzsituation und in Reinkulturen (Kontrollen) gehalten. Die Populationsdichte und der Restsilikatgehalt werden regelmäßig bestimmt.

Ergebnis
In Reinkultur bauen beide Arten eine stabile Population auf. *Synedra* hält dabei die Restsilikatkonzentration auf einem niedrigeren Niveau als *Asterionella*. In der Konkurrenzsituation stirbt die Population von *Asterionella* aus.

Schlussfolgerung
Die effektivere Ausnutzung der Ressource Silikat durch die Art *Synedra ulna* verdrängt in Konkurrenzsituationen die Art *Asterionella formosa*.

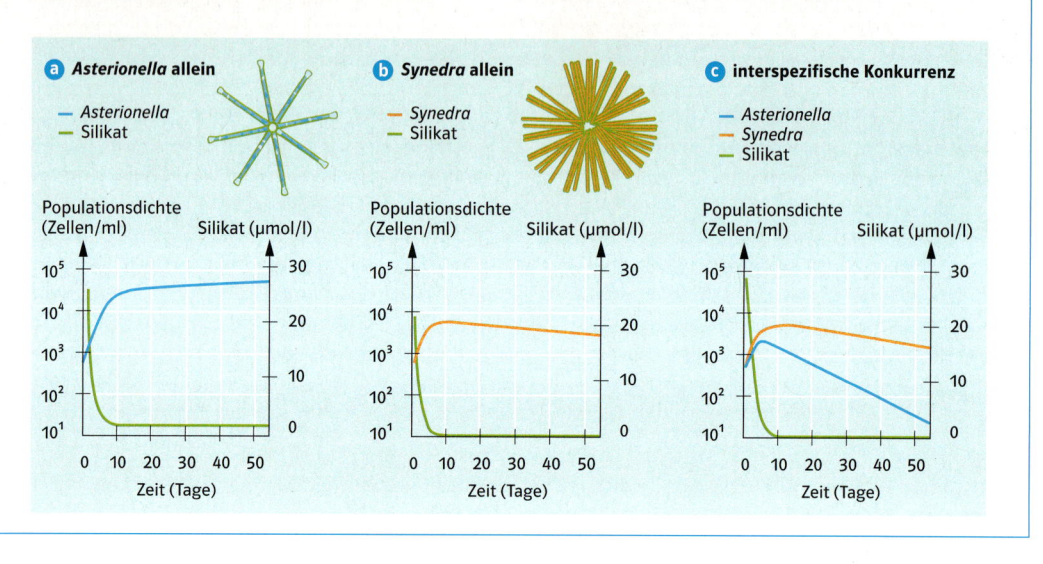

2 Das Konkurrenzausschlussprinzip zeigt sich in der Verdrängung einer Art durch eine mit besserer Ressourcennutzung.

Variabilität und Angepasstheit

Chthamalus durch die Konkurrenz bestimmt wird, also durch einen biotischen Faktor.

Die Seepocken sind ein typisches Beispiel für eine Konkurrenz um den Standort, also eine *Raumkonkurrenz*. Bei einer *Ausbeutungskonkurrenz* konkurrieren zwei Arten nicht um einen Standort, sondern um eine gemeinsam genutzte Ressource. Auch hier gilt das Konkurrenzausschlussprinzip, wie das Experiment in Abb. 2 zeigt. Die in der Ressourcennutzung weniger effiziente Art wird verdrängt, wenn diese Ressource begrenzt ist. Ist die Ressource für beide Arten in praktisch unbegrenztem Maß vorhanden, wirkt sich die effizientere Ressourcennutzung einer Art nicht aus.

Aus dem Konkurrenzausschlussprinzip folgt zwangsläufig, dass es zwischen zwei Arten in demselben Gebiet mit derselben ökologischen Nische einen Verdrängungswettbewerb geben muss. Im Umkehrschluss folgt, dass Koexistenz konkurrierender Arten erst möglich wird, wenn ihre Nischen im Laufe der Evolution unterschiedlich geworden sind. Diese *Nischendifferenzierung* hat sich immer wieder bestätigt, wenn man die Ansprüche ähnlicher, nah verwandter und gemeinsam vorkommender Arten genauer studierte. Ein Beispiel aus dem Atlantik und dem Mittelmeer sind die dort mit zahlreichen ähnlichen Arten in Felsküstenhabitaten vorkommenden Meerbrassen (Familie *Sparidae*). Trotz äußerer Ähnlichkeit und Vorkommen in demselben Habitat zeigen sie eine ausgesprochene *Divergenz* (Auseinanderentwicklung) hinsichtlich ihrer Nahrung. Dies sehen Sie am Kiefer (→ Abb. 3): Die Arten besitzen für Fische völlig untypische und unterschiedliche Bezahnungen. Die herbivore Goldstriemenbrasse hat ein Schneidezahngebiss, die auf Krebse und Muscheln spezialisierte Goldbrasse ein mahlzahnartiges Nussknackergebiss und die planktonfressende Geißbrasse kleine Kegelzähnchen.

Die hier erkennbare Konkurrenzvermeidung bei gemeinsamem Vorkommen ist das Gegenstück zur *Stellenäquivalenz*, die Sie in → 22.6 kennengelernt haben. Stellenäquivalenz ermöglicht, dass nicht verwandte Arten in unterschiedlichen Lebensgemeinschaften ähnliche ökologische Nischen einnehmen.

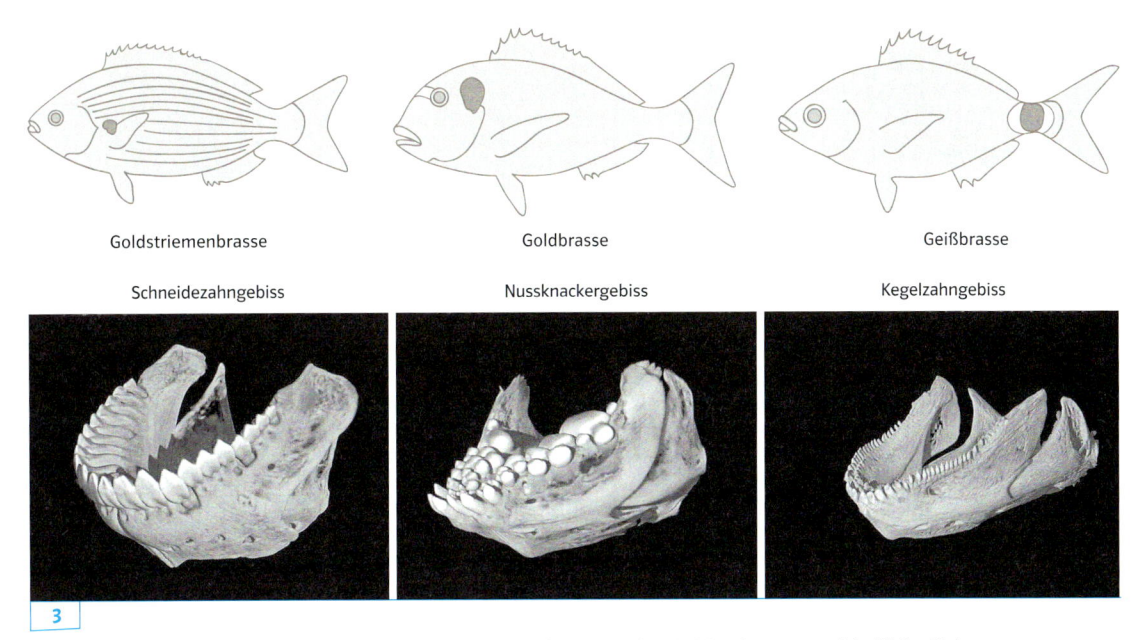

Goldstriemenbrasse	Goldbrasse	Geißbrasse
Schneidezahngebiss	Nussknackergebiss	Kegelzahngebiss

3 Nah verwandte Arten von Meerbrassen haben ein jeweils passendes Gebiss für unterschiedliche Nahrung.

Aufgabe 23.6

Betrachten Sie das System Steinkoralle — Alge unter dem Aspekt der Raumkonkurrenz. Benennen Sie mithilfe der Informationen aus Abb. 1, S. 312, ob das Vorkommen der Steinkorallen abiotisch oder biotisch kontrolliert ist.

23.7 Ressourcenaufteilung verringert die innerartliche Konkurrenz

In Waldgemeinschaften findet man zur Brutzeit etwa drei Amselpaare pro Hektar. Außerhalb der Brutzeit kann die Amseldichte in Wäldern auf über 40 Einzeltiere pro Hektar ansteigen, also um mehr als das 5-Fache. Dieser drastische Dichteunterschied hängt mit der Bildung von Revieren zur Brutzeit zusammen. Sowohl Männchen als auch Weibchen vertreiben während der Brutzeit die ins Revier eindringenden Artgenossen. Ernsthafte Kämpfe sind dabei nicht ausgeschlossen. Tiere, die kein geeignetes Brutrevier besetzen konnten, verbleiben als Einzelindividuen fortpflanzungslos in Randbezirken. Außerhalb der Brutzeit trifft man die einstigen Konkurrenten aber durchaus gemeinsam in einer Gruppe an. Die Ausbildung von Brutrevieren ist offensichtlich eine Anpassung an die Ressourcenknappheit in der sensiblen Phase der Jungenaufzucht. **Intraspezifische** (innerartliche) **Konkurrenz** wird dadurch verringert. Das ist angesichts einer durchschnittlichen Sterblichkeit bei Jungamseln von fast 70 % im ersten Jahr durchaus sinnvoll. In zahlreichen Studien an Vögeln ist der Nachweis erbracht worden, dass die Sterblichkeit der Jungvögel in nahrungsreichen Brutrevieren deutlich unter der in minderwertigen Revieren liegt. Ohne eine solche Revierbildung wären benachbarte Brutpaare vermutlich schärfste Konkurrenten, denn sie haben identische ökologische Ansprüche. Das ist eigentlich noch eine Verschärfung gegenüber der Konkurrenzsituation zwischen unterschiedlichen Arten, die ja zumindest teilweise unterschiedliche ökologische Nischen besetzen.

Der Nachweis, dass Konkurrenz zwischen Artgenossen tatsächlich einen Einfluss auf die Population hat, muss selbstverständlich experimentell erbracht werden. Dazu sind Vergleichsexperimente bei bestehender Konkurrenz und unter Ausschluss von Konkurrenz notwendig. Als Messgröße kann zum Beispiel das Wachstum der Individuen, die Größe von Gelegen oder die Anzahl der Nachkommen verwendet werden.

Reproduktion

Ökologie

Experiment: Intraspezifische Konkurrenz

Hypothese
In einer Konkurrenzsituation gedeihen Pflanzen der Prunkwinde schlechter als im Einzelansatz.

Methode
Ein Ansatz mit Sprosskonkurrenz (orange; vier Pflanzen konkurrieren an einer Stange), ein Ansatz mit Wurzelkonkurrenz (grün; vier Pflanzen in einem Topf) und ein Ansatz mit Spross- und Wurzelkonkurrenz (blau) werden unter sonst gleichen Bedingungen mit einem Einzelansatz (rot) verglichen. Nach einer bestimmten Zeit wird das Durchschnittsgewicht gemessen.

Ergebnis
Die Pflanze im Einzelansatz zeigt das höchste Gewicht. Die Pflanzen in allen Konkurrenzansätzen haben ein geringeres Gewicht.

Schlussfolgerung
Ein Konkurrenzeffekt zeigt sich für Spross- und Wurzelkonkurrenz. Die Wurzelkonkurrenz wirkt sich stärker aus.

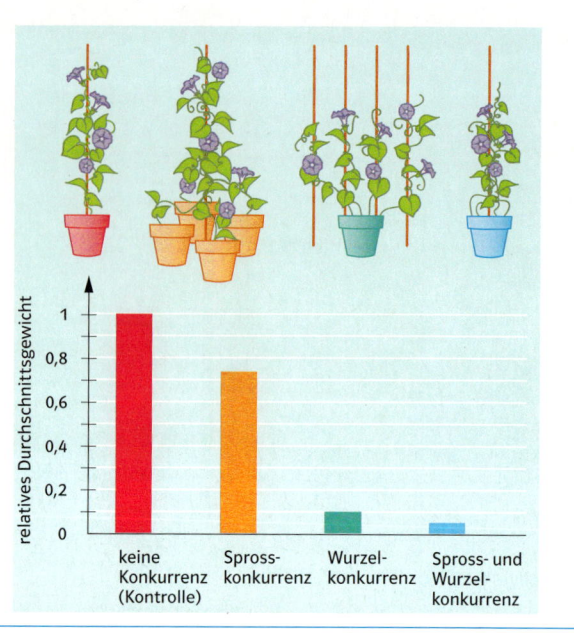

1 Folgen der Konkurrenz zwischen Artgenossen sind experimentell nachweisbar.

Abb. 1 zeigt ein klassisches Beispiel, hier wird ein Experiment zur Spross- und Wurzelkonkurrenz bei der Prunkwinde (*Ipomoea*) dargestellt.

Revierbildung ist einer der Mechanismen, um intraspezifische Konkurrenz zu verringern. Weitere Mechanismen sind starke Unterschiede zwischen Jugend- und Altersformen und *Sexualdimorphismus* (unterschiedliches Erscheinungsbild der Geschlechter).

Im ersten Fall wird Nahrungskonkurrenz zwischen Alt- und Jungtieren effizient verringert. Ein Beispiel ist die verringerte Nahrungskonkurrenz zwischen carnivoren Froschlurchen und ihren herbivoren Larven (→ Abb. 2). Beim Sexualdimorphismus ist die Konkurrenz zwischen Männchen und Weibchen verringert. Beispielsweise hat das große Sperbermännchen ein anderes Nahrungsspektrum als das kleinere Sperberweibchen.

2 Ein Insekten, Würmer und Schnecken fressender Grasfrosch **a** gerät nie in Nahrungskonkurrenz zu seinen Algen fressenden Larven **b**.

Aufgabe 23.7

Viele Arten zeigen Revierbildung. Erläutern Sie Vorteile eines solchen Verhaltens.

Dynamik von Populationen

24

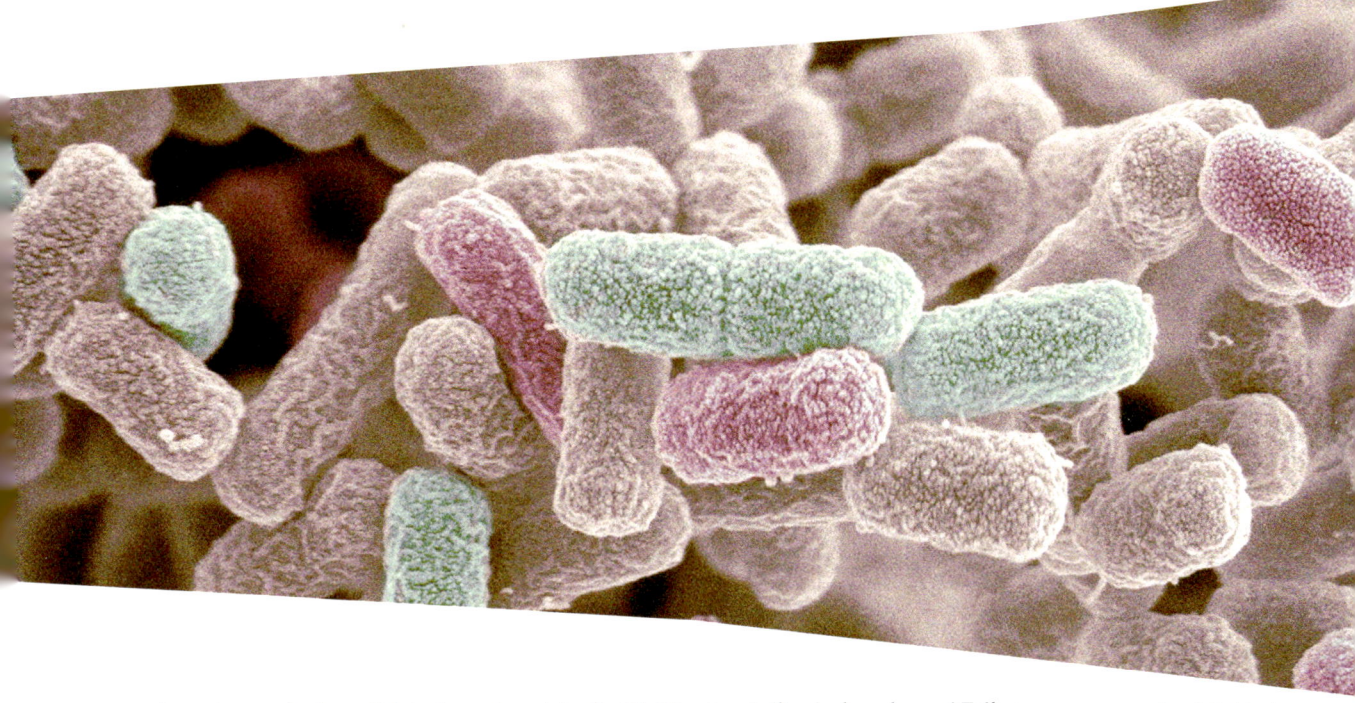

E. coli-Bakterien Falschfarben-REM-Aufnahme

Aus einem einzigen Bakterium, das sich alle 20 Minuten teilt, sind nach zwei Teilungen $2^2 = 4$, nach 3 Teilungen $2^3 = 8$ Bakterien geworden. Mit ein bisschen Mathematik und der Annahme, dass das Volumen eines Bakteriums etwa 0,001 mm³ beträgt, können Sie ausrechnen, dass die Bakterienkolonie nach 24 Stunden die Größe eines Mehrfamilienhauses hätte und nach weniger als zwei Tagen auf die Größe der Erde herangewachsen wäre. Dieses unrealistische Beispiel zeigt die Grundproblematik von Modellrechnungen in der Populationsökologie: Mathematische Modelle bilden die Realität nur vereinfacht ab. Sie müssen durch Populationsuntersuchungen im Freiland immer wieder verfeinert und überprüft werden. Populationsmodelle sind jedoch von praktischer Bedeutung beim Management von gefährdeten Populationen, von Schädlingspopulationen oder sich ausbreitenden Krankheiten. Sie geben auch Antworten auf die brisante Frage der Entwicklung der Weltbevölkerung.

24.1	Die Umweltkapazität begrenzt das Wachstum einer Population
24.2	Besonderheiten im Lebenszyklus verursachen Populationsschwankungen
24.3	Zyklische Populationsschwankungen können durch das Nahrungsangebot und die Anwesenheit von Räubern bedingt sein
24.4	Schädlingspopulationen lassen sich durch Nützlinge regulieren
24.5	Struktur und Wachstum der menschlichen Bevölkerung ermöglichen Zukunftsprognosen

Ökologie

24.1 Die Umweltkapazität begrenzt das Wachstum einer Population

Reproduktion

Nehmen Sie an, eine Ihrer Zimmerpflanzen sei mit 10 Blattläusen bevölkert, die sich ungebremst vermehren können.• Nehmen Sie weiter an, dass 10 Blattläuse in 2 Wochen im Durchschnitt 7 Nachkommen produzieren, während 2 alte Individuen sterben. Erwarten Sie dann nach 2 Wochen 15, nach 4 Wochen 20, nach 6 Wochen 25, nach 8 Wochen 30 und nach 10 Wochen schließlich 35 Blattläuse? Sie werden nach 10 Wochen über 120 statt der erwarteten 35 Tiere finden (→ Abb. 1 a). Denn 15 Blattläuse produzieren in den 2 weiteren Wochen natürlich mehr als 5 weitere Blattläuse, weil der Zuwachs aus den Vorwochen schon an der Fortpflanzung teilnimmt. Wenn Sie diesen Zuwachs jeweils mit berücksichtigen, gelangen Sie zu einem mathematischen Formalismus, der dem einer Zinseszinsrechnung sehr ähnlich ist. Bei diesem exponentiellen Wachstumsmodell wird das **Populationswachstum** der Blattläuse durch eine Exponentialfunktion angenähert. Eine Formel für das **exponentielle Wachstumsmodell** lautet:

$N_t = N_0 \cdot e^{rt}$

N_t = Gesamtindividuenzahl (zur Zeit t)
N_0 = Ausgangszahl (hier 10)
t = Zeiteinheit (hier Woche)
r = durchschnittliche Zuwachsrate pro Zeiteinheit und Individuum (hier 0,25 Individuen pro Woche).

Die **Zuwachsrate** muss für jede Art experimentell ermittelt werden. Sie setzt sich aus den durchschnittlichen Nachkommen pro Individuum und Zeiteinheit, der *Geburtenrate*, verringert um die durchschnittlichen Sterbefälle pro Individuum und Zeiteinheit, der *Sterberate*, zusammen. Abb. 2 zeigt Ihnen Beispiele für Maximalwerte von r. Sie wurden bei optimalem Raum- und Nahrungsangebot ermittelt.

Berechnen Sie nun nach der Formel für das Exponentialwachstum der Blattläuse die zu erwartende Anzahl N_t nach t = 10 und t = 52 Wochen. Sie hätten demnach nach 10 Wochen 120 und nach 52 Wochen fast 4,5 Millionen Tiere auf Ihrer Zimmerpflanze zu erwarten. Diese absurde Anzahl zeigt direkt die Schwächen des exponentiellen Wachstumsmodells. Es nimmt zu jeder Zeit eine Umwelt mit Überfluss an Nahrung und Raum an. Ab einer gewissen Populationsgröße verschlechtern sich aber die Bedingungen für die Blattläuse, da einem Einzelindividuum ein immer kleinerer Anteil an der Nahrung, hier die zuckerhaltigen Säfte aus dem Leitgewebe Ihrer Zimmerpflanze, zur Verfügung steht. In der Folge verschlechtert sich der Ernährungszustand der Einzelindividuen und damit auch deren Nachkommenzahl und somit die Zuwachsrate der Gesamtpopulation. Letztendlich ist die Anzahl der Blattläuse, die eine einzelne Zimmerpflanze bewohnen können, die *Populationsdichte* der Blattläuse, durch einen Maximalwert begrenzt. Ökologen bezeichnen diesen Wert als ökologisches Fassungsvermögen oder **Umweltkapazität** (K). In Abb. 1 a wird bei der roten Kurve für die Blattlauspopulation eine Umweltkapazität von etwa 500 Tieren angenommen.

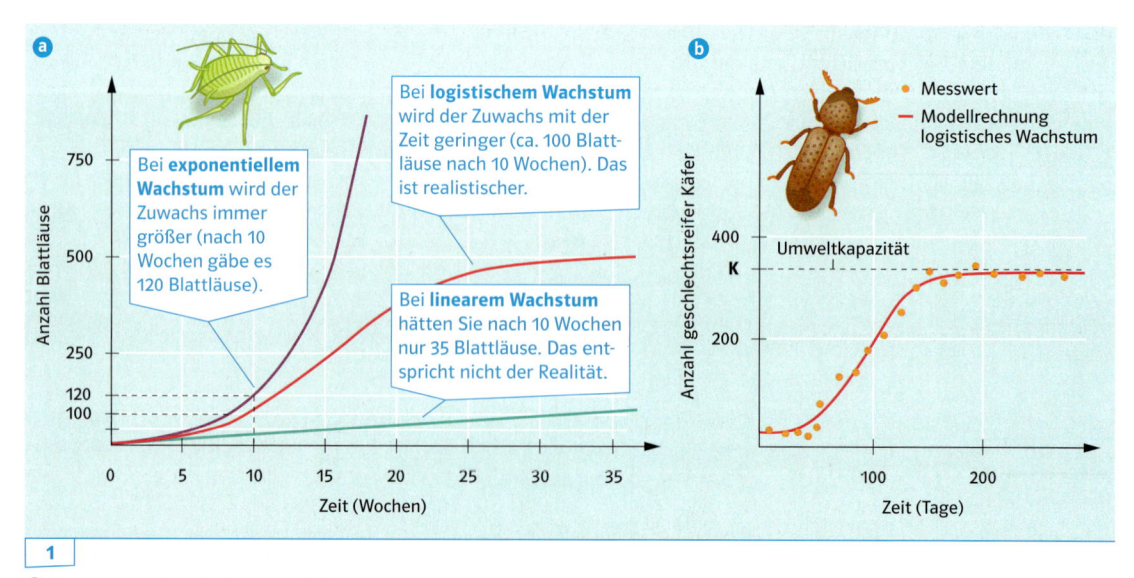

1

a **Erwartetes Populationswachstum im exponentiellen und im logistischen Wachstumsmodell sowie bei linearem Wachstum.** b **Das Populationswachstum des Getreidekapuzinerkäfers entspricht dem logistischen Wachstumsmodell.**

Dynamik von Populationen

Art oder Organismen-gruppe	Kieselalgen im Meer oder Süßwasser	Wasserflöhe (Krebstiere)	Feldmäuse *Microtus arvalis*
r (pro Tag)	1,4	0,2–0,6	0,02
Kürzeste Ver-dopplungszeit	ca. 12 Stunden	1,2–3,5 Tage	35 Tage

2 Zuwachsraten r_{max} pro Tag und Verdopplungszeiten von Arten sind nützliche Daten zur Berechnung des möglichen Populationswachstums.

Tatsächlich beobachtet man in der Natur und in Laborexperimenten eine allmähliche Annäherung der Populationsdichte an eine solche Umweltkapazität K (→ Abb. 1 **b**). Dieses Wachstumsverhalten von Populationen bezeichnet man als sigmoides oder **logistisches Wachstum**. Es lässt sich mathematisch mit wenigen Verfeinerungen aus dem exponentiellen Wachstumsmodell herleiten. Wie oben erwähnt, reguliert in vielen Fällen die Nahrungsverknappung die Populationsdichte auf den Wert K ein.* Weitere **dichteabhängige Regulationsfaktoren** sind eine Zunahme von Fressfeinden, von infektiösen Krankheiten, von sozialem Stress oder auch die Ausbildung von Territorien. Wie Sie im folgenden Abschnitt sehen werden, sind sowohl das exponentielle als auch das logistische Modell trotz aller Vereinfachungen nutzbringend für das Verständnis von Veränderungen der Populationsdichte. Einfache Modelle werden auch in der Naturschutzbiologie und in der Schädlingsbekämpfung genutzt. Sie erlauben eine zuverlässige Schätzung über die Entwicklung einer Population nach einer Dezimierung (→ 24.4).

Steuerung und Regelung

Aufgabe 24.1

Der weise Brahmane Sissa — so sagt die Weizenkornlegende — hatte bei seinem tyrannischen Herrscher Shihram einen Wunsch frei. Da der Tyrann sein Volk hungern ließ, wünschte sich Sissa Weizenkörner: Auf das erste Feld eines Schachbretts wollte er ein Korn, auf das zweite Feld zwei, auf das dritte vier und so weiter. Der König lachte über Sissas Bescheidenheit. Prüfen Sie nach, ob das berechtigt war. Nehmen Sie an, dass ein Weizenkorn 0,05 g wiegt.

24.2 Besonderheiten im Lebenszyklus verursachen Populationsschwankungen

Das logistische Wachstumsmodell erklärt das Wachstum vieler Populationen im Labor und im Freiland zuverlässig. Aber selbst in einer konstanten Laborumgebung ohne Fressfeinde zeigen nicht alle Populationen ein logistisches Wachstum. Wasserflöhe beispielsweise vermehren sich exponentiell und schießen über ihre Umweltkapazität hinaus, bevor sich ihre Populationsdichte stabilisiert (→ Abb. 1 **a**, S. 340). Dieses Phänomen hat zwei Ursachen. Die erste Ursache zeigt eine Schwäche des logistischen Modells. Das einfache logistische Modell berücksichtigt keine Zeitverzögerungen. Wird zum Beispiel die Nahrung für eine Population knapp, wirkt dies erst mit einer Verzögerung auf die Geburtenrate, nämlich erst in der nächsten Generation. Die Population wird zunächst über das Ziel hinausschießen und in der Folgegeneration aufgrund

Ökologie

drastischer Nahrungsverknappung einen Einbruch unter die Umweltkapazität erleben. Eine konstante Dichte stellt sich, wie in Abb. 1 ⓐ zu erkennen, erst nach einer gewissen Zeit ein. Wenn die Generationszeit wie bei vielen Arten mehrere Jahre beträgt, kann es zu periodischen Schwankungen um die Umweltkapazität kommen (→ Abb. 1 ⓑ). Das logistische Wachstumsmodell wird mathematisch komplexer, wenn man diese Aspekte mitberücksichtigt (→ 24.3).

Die zweite Ursache für die beobachteten Abweichungen vom logistischen Modell liegt in unterschiedlichen Lebenszyklen von Arten. Bei Wasserfloharten wie in Abb. 1 ⓐ schlüpfen im zeitigen Frühjahr Weibchen aus speziellen Dauereiern. Sie ernähren sich von den im Frühjahr im See massenhaft vorhandenen Planktonalgen. In der Phase des Nahrungsüberflusses vermehren sich die Tiere exponentiell. Sie investieren in eine möglichst hohe Nachkommenzahl pro Zeiteinheit. Dabei werden sogar die Männchen „eingespart". Die Weibchen erzeugen ihre Nachkommen *parthenogenetisch*, d.h. aus unbefruchteten Eiern. Die Nachkommen sind wieder Weibchen, die sich ihrerseits parthenogenetisch vermehren. Innerhalb von 2 bis 4 Tagen kann sich so die Biomasse der Wasserflöhe in einem See verdoppeln. Ein solches exponentielles Wachstum führt zu einem Populationsüberschuss jenseits der Umweltkapazität K. Im Anschluss bricht die Population infolge Nahrungsverknappung wieder deutlich ein (→ Abb. 1 ⓐ).

Ein Lebenszyklus mit derartigen exponentiellen Vermehrungsphasen hat unter bestimmten Umweltbedingungen Vorteile gegenüber einem Lebenszyklus mit gemäßigter Vermehrung. Arten wie Wasserflöhe sind speziell daran angepasst, eine kurzfristig sehr günstige Umwelt sehr schnell zu bevölkern.

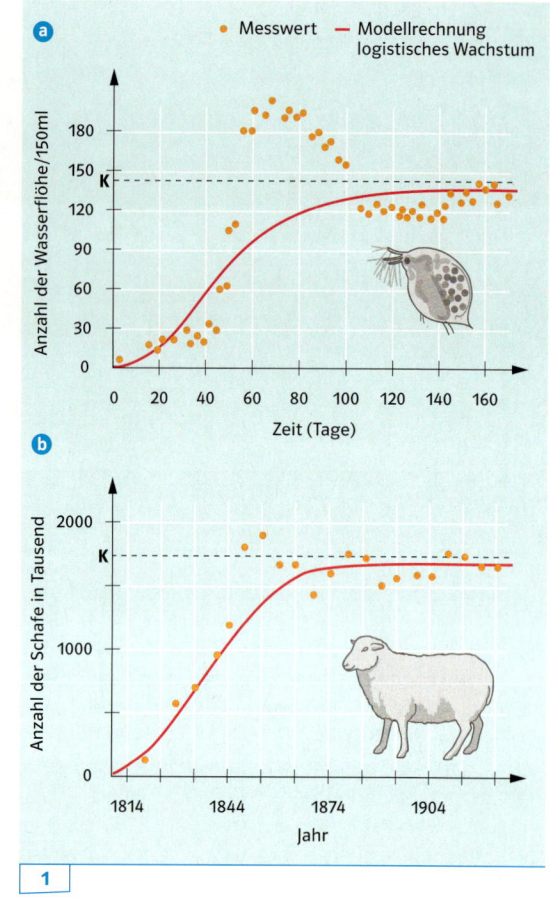

1 Manche Populationsentwicklungen zeigen Abweichungen vom logistischen Wachstumsmodell. ⓐ Laborversuch mit Wasserflöhen, ⓑ Schafe auf Tasmanien

Merkmal	r-Strategen (optimieren die Zuwachsrate r)	K-Strategen (optimieren die Umweltkapazität K)
Umweltpräferenz	wechselhafte Umwelt	konstante, vorhersagbare Umwelt
Körpergröße	meist klein	oft recht groß
Lebensdauer	kurz	lang
Nachkommenzahl	sehr hoch	gering
Vorsorge für die Nachkommen	fehlend bis gering	hoch (Brutpflege bei Tieren, Reservestoffe bei Pflanzen)
Konkurrenzkraft	gering	hoch
Ortstreue	gering	hoch
Populationsgröße	stark schwankend	relativ konstant
Beispiele	Bakterien, viele Planktonorganismen	Waldbäume, Großsäuger

2 Das Populationswachstum von r- und von K-selektierten Arten ist an ihre Umwelt angepasst.

Man bezeichnet solche Arten mit hohen Zuwachsraten als **r-Strategen**. Viele Großsäuger oder auch Waldbäume sind Beispiele für **K-Strategen**. Solche Arten haben Vorteile in Habitaten, in denen es kaum zu zufälligen Schwankungen der Umweltbedingungen kommt. Sie können eine konstant dichte Population nahe der Umweltkapazität K aufbauen, in der es dann zu starker Konkurrenz kommt.

r- und K-Strategien sind idealisierte Grenzfälle, zwischen denen es fließende Übergänge gibt. Merkmale von r- und K-Strategen sind in Abb. 2 gegenübergestellt. r-Strategen investieren im Gegensatz zu K-Strategen viel Energie in die Erzeugung hoher Nachkommenzahlen. Sie bleiben daher meist klein und sind kurzlebig. K-Strategen investieren mehr in die Sicherung der individuellen Existenz, indem sie die Nachkommen oft aufwendig versorgen. Die Einordnung einer Art als r- oder K-Stratege ist relativ. Zwar ist die Hausmaus im Vergleich zu Wasserflöhen ein K-Stratege, aber im Vergleich zu Elefant und Nashorn ist sie ein r-Stratege.

r- und K-Strategen werden auch als *r-* und *K-selektierte* Arten bezeichnet. Man spricht dann von *r-* und *K-Selektion*.

Reproduktion

Aufgabe 24.2
Sie sind vielleicht schon einmal Zeuge der Besiedlung überreifer Früchte durch die Taufliege *Drosophila melanogaster* geworden. Charakterisieren Sie diese Art nach Abb. 2.

24.3 Zyklische Populationsschwankungen können durch das Nahrungsangebot und die Anwesenheit von Räubern bedingt sein

Die Hudson Bay Company im Norden Kanadas hatte über viele Jahrzehnte durch den Verkauf von Fellen von Schneeschuhhasen und Luchsen gute Gewinne erzielt. Über diese Geschäfte lag eine sehr genaue Buchführung vor, aus der sich schließlich ein Zusammenhang ergab: Die Anzahl der von den Jägern angelieferten Felle unterlag periodischen Schwankungen, die gut die Populationsgrößen der beiden Arten widerspiegelten. Diese Schwankungen zeigten eine erstaunliche etwa elfjährige Periodizität (→ Abb. 1 a). Da Luchse

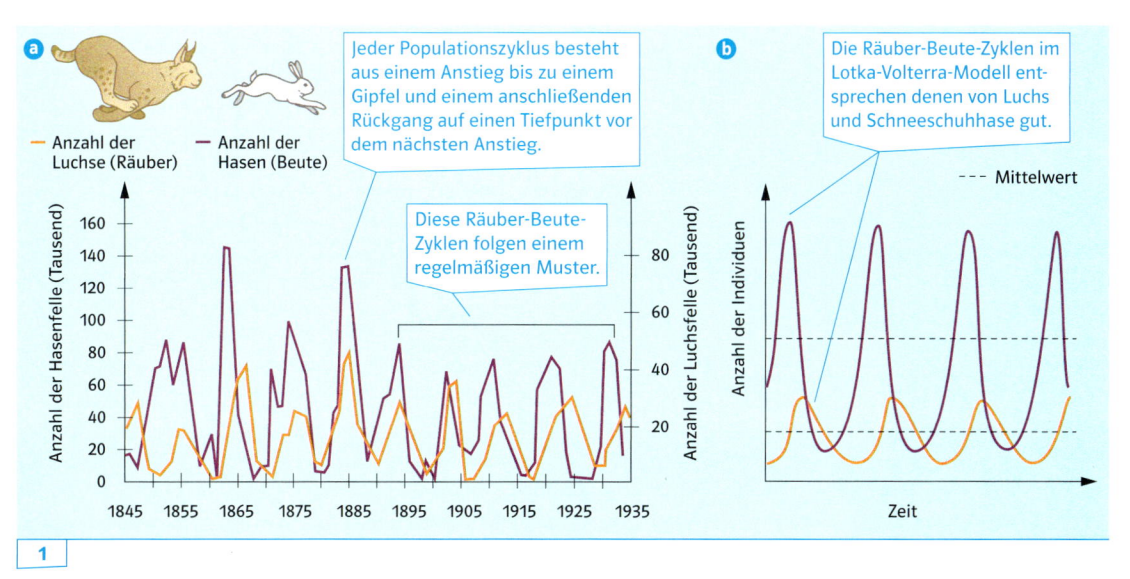

1 Zyklische Populationsschwankungen von Luchs und Schneeschuhhase können mit dem Lotka-Volterra-Modell beschrieben werden. Eine ursächliche Erklärung liefert das Modell nicht.

Ökologie

sich von Schneeschuhhasen ernähren, schienen diese Zyklen durch einen einfachen Regelkreis mit **negativer Rückkopplung** erklärbar zu sein (→ Abb. 2): Große Beutehasenpopulationen wirken über einige Jahre fördernd auf die Luchspopulationen. Deren Anwachsen allerdings wirkt hemmend auf die Beutehasenpopulation zurück. Der folgende Populationsrückgang der Beutehasen führt seinerseits zur Abnahme der Luchspopulation. Nun kann die Beutehasenpopulation sich erholen und der Zyklus beginnt von neuem.

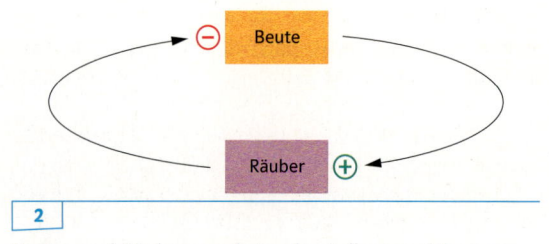

2 Beute- und Räuberpopulation beeinflussen sich gegenseitig.

Experiment: Untersuchungen zur Ursache der Populationszyklen bei Schneeschuhhasen

Hypothese
Die Populationszyklen der Hasen (Zyklusdauer ca. 11 Jahre) werden sowohl durch das Nahrungsangebot als auch durch den Luchs als Räuber beeinflusst.

Methode
Ein ungestörter Nadelwald wird in Blöcke von je einem Quadratkilometer unterteilt. In jedem Block wird die Populationsdichte der Schneeschuhhasen viermal in 11 Jahren ermittelt und mit der Kontrollfläche verglichen.

- Ein Block dient der Kontrolle.
- In einem Block wird zusätzlich Futter für die Hasen angeboten. Luchse haben freien Zugang.
- Ein Block wird zusätzlich gedüngt, um die Nahrungsqualität für die Hasen zu verbessern. Luchse haben freien Zugang.
- Ein Block wird durch einen Elektrozaun von Luchsen freigehalten. Hasen können passieren.
- In einem Block mit Elektrozaun wird zugefüttert.

Ergebnis

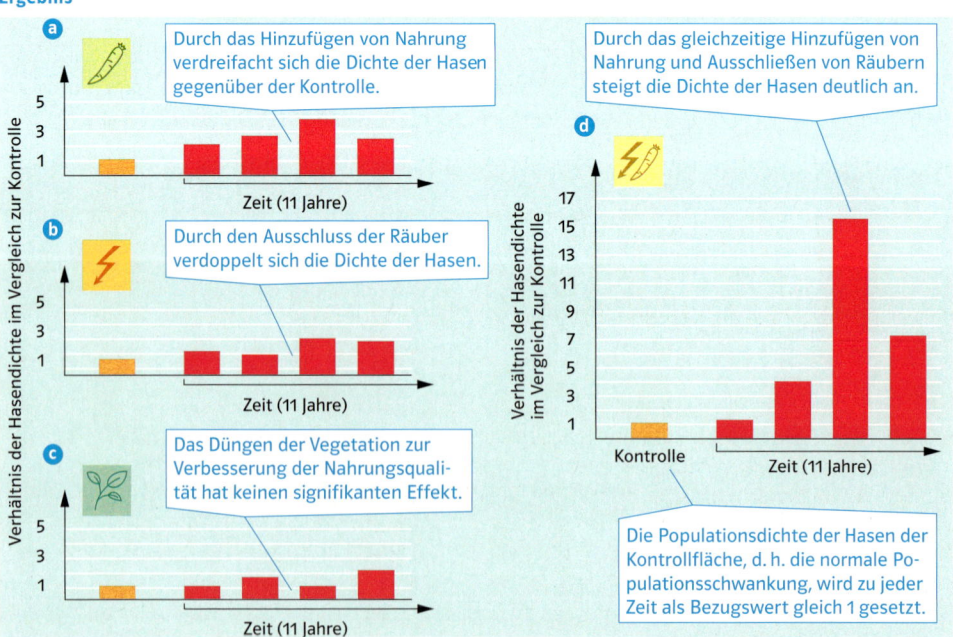

a Durch das Hinzufügen von Nahrung verdreifacht sich die Dichte der Hasen gegenüber der Kontrolle.

b Durch den Ausschluss der Räuber verdoppelt sich die Dichte der Hasen.

c Das Düngen der Vegetation zur Verbesserung der Nahrungsqualität hat keinen signifikanten Effekt.

d Durch das gleichzeitige Hinzufügen von Nahrung und Ausschließen von Räubern steigt die Dichte der Hasen deutlich an.

Die Populationsdichte der Hasen der Kontrollfläche, d. h. die normale Populationsschwankung, wird zu jeder Zeit als Bezugswert gleich 1 gesetzt.

Schlussfolgerung
Die Populationsdichte der Schneeschuhhasen wird sowohl durch das Nahrungsangebot beeinflusst als auch durch die Wechselbeziehung mit ihrem Fressfeind, dem Luchs.

3 Die Ursachen von Populationsschwankungen können durch gut durchdachte Experimente ermittelt werden.

Tatsächlich konnten die Mathematiker ALFRED JAMES LOTKA (1925) und VITO VOLTERRA (1926) diese Zyklen durch ein mathematisches Modell beschreiben, das *Lotka-Volterra-Modell* (→ Abb. 1 **b**, S. 341). Die wichtigsten Zusammenhänge sind in den **Lotka-Volterra-Regeln** zusammengefasst:

1. Regel: Die Populationsgrößen von Räuber und Beute schwanken periodisch um einen Mittelwert. Eine hohe Beutedichte geht dabei phasenverschoben einer hohen Räuberdichte voraus.
2. Regel: Langfristig bleiben die mittleren Populationsdichten konstant.
3. Regel: Nach starker Dezimierung beider Populationen erholt sich zunächst die Beutepopulation, zeitversetzt auch die der Räuber.

Es war ein Glücksfall für die Wissenschaft, dass ausgerechnet für ein arktisches System, das weitgehend von nur einer Räuberart und einer Beuteart dominiert wird, umfangreiche Daten vorlagen. Die wesentlich komplexeren Nahrungsnetze in gemäßigten oder tropischen Zonen sind für mathematische Modellbildungen vergleichsweise wenig geeignet. Allerdings gab es auch im Fall des Luchs-Schneeschuhhasen-Systems eine Überraschung, als man feststellte, dass die Hasenpopulation auch dann zyklisch schwankt, wenn keine Luchse vorhanden sind. Diese Beobachtung zeigt, wie sehr man sich davor hüten muss, Dichteschwankungen zwischen einem Räuber und einer Beute als einfache Lotka-Volterra-Beziehung zu interpretieren. Diese Beziehung ist ein Modell, das aus einer Reihe von Beobachtungen mathematisch einen Ablauf simuliert. Die gute Übereinstimmung der Simulation (→ Abb. 1 **b**, S. 341) mit der beobachteten Situation (→ Abb. 1 **a**, S. 341) kann aber im Umkehrschluss nicht als Beweis für einen ursächlichen Zusammenhang von Räuber- und Beutedichte angesehen werden. Ursache-Wirkungs-Beziehungen müssen durch geeignete Experimente nachgewiesen werden. Im Fall des Luchs-Schneeschuhhasen-Systems haben Experimente über zwei Elfjahreszyklen weitere Erkenntnisse gebracht. Es konnte nachgewiesen werden, dass die Populationszyklen der Schneeschuhhasen sowohl durch das Nahrungsangebot als auch durch die Räuberpopulation beeinflusst werden. Das Experiment ist in Abb. 3 zusammengefasst.

Das Schneeschuhhasen-Luchs-System ist nur ein Beispiel für zyklische Populationsschwankungen. Auch bei manchen Insekten-, Vogel- und Säugerarten schwankt die Populationsdichte mit einer erstaunlichen Regelmäßigkeit. Am bekanntesten sind die drei- bis vierjährigen Zyklen bei Lemmingen oder Wühlmäusen und die neun- bis zehnjährigen Zyklen bei Rauhfußhühnern. Die Ursachen unterscheiden sich wahrscheinlich von Art zu Art, sind aber noch wenig erforscht. Möglicherweise spielt eine Verschiebung des hormonellen Gleichgewichts bei Dichtestress auch eine Rolle.

Aufgabe 24.3

In mitteleuropäischen Laubwaldbiozönosen lassen sich zyklische Populationsschwankungen vergleichbar denen polarer Biozönosen nicht beobachten. Erklären Sie.

24.4 Schädlingspopulationen lassen sich durch Nützlinge regulieren

Wenn eine Zimmerpflanze an einer Blattlausplage leidet, wird sie schlimmstenfalls eingehen. Ein Getreidebauer, der nichts gegen eine Vermehrung von Schädlingen unternimmt, wird einen schweren wirtschaftlichen Schaden erleiden. Gerade großflächige *Monokulturen*, große Bestände aus nur einer Art, bieten Pflanzenschädlingen ideale Vermehrungsbedingungen, da natürliche Feinde fehlen. Das Mittel der Wahl sind dann vielerorts *Insektizide*, d.h. Chemikalien zur Abtötung der Schadinsekten. Aber der Einsatz von Insektiziden hat auch negative Folgen. So sind viele Insektizide wenig spezifisch und töten auch gleich die Nutzinsekten mit ab. Überleben Schadinsekten, die zufällig resistent gegen das Insektizid sind, können sie sich ungehindert vermehren. Ein Blick zurück zum Lotka-Volterra-Modell (→ 24.3) zeigt einen weiteren Schwachpunkt beim Einsatz von Breitbandinsektiziden: Nach dem Insektizideinsatz erholt sich die Beutepopulation aufgrund ihrer hohen Zuwachsraten schneller als die Räuberpopulation. Der Landwirt wird also versucht sein, erneut zum Insektizid zu greifen.

Alternativ zur chemischen Bekämpfung haben sich Verfahren zur *biologischen Schädlingskontrolle* eingebürgert. Dabei werden solche Arten ausgebracht, die ganz gezielt die Schädlinge fressen oder parasitieren. Besonders entwickelt ist der Einsatz von Schlupf-

Ökologie

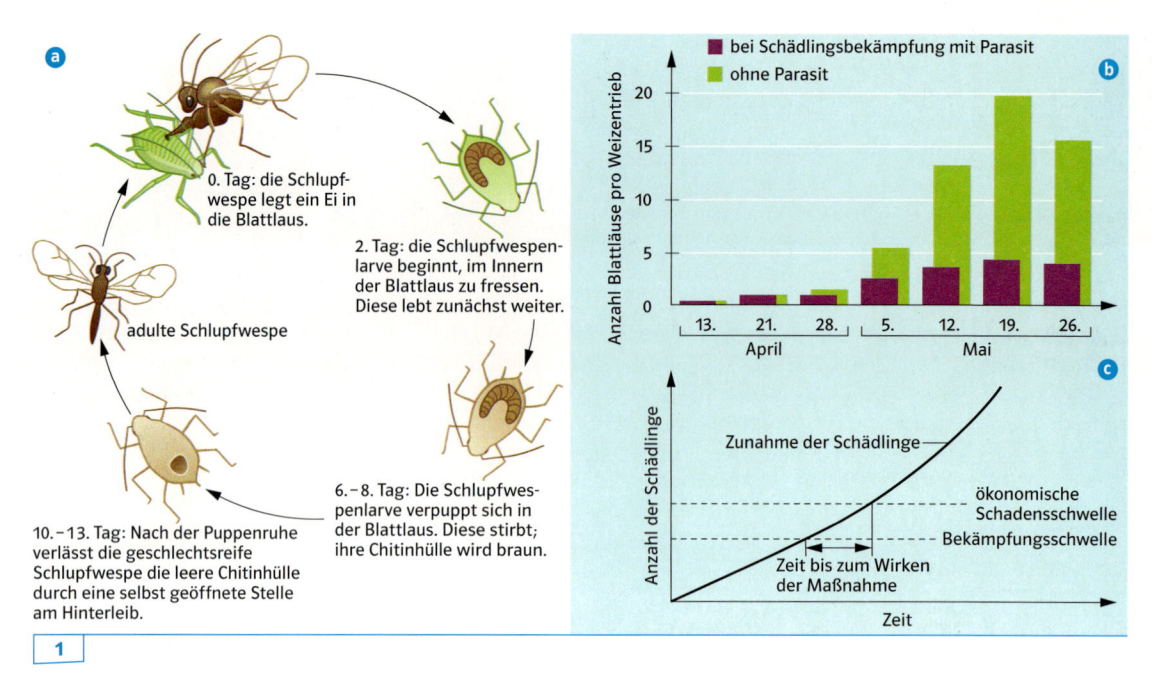

Online-Link
Info: Nützlinge
150010-3441

1 Raubparasiten, wie die Schlupfwespe *Lysiphlebus testaceipes*, werden in der biologischen Schädlingsbekämpfung erfolgreich eingesetzt.

wespenarten, ein Verfahren, das Sie übrigens auch im Haushalt bei Blattlaus- oder Mottenbefall einsetzen können.

Abb. 1 zeigt ein Beispiel für den Einsatz in einer Weizenkultur. Besonders wichtig ist die ständige Kontrolle der Schädlingspopulation, um den richtigen Zeitpunkt des Einsatzes vor einer exponentiellen Zunahme der Schädlinge nicht zu verpassen. Ein solches *Schädlingsmonitoring* in Verbindung mit biologischen Schädlingskontrollen und reduzierter chemischer Schädlingsbekämpfung kennzeichnet den **integrierten Pflanzenschutz.** Beim integrierten Pflanzenschutz werden Maßnahmen landwirtschaftlicher, biologischer und toxikologischer Art aufeinander abgestimmt.

Neben der Eindämmung von Schädlingspopulationen liefert die Populationsökologie auch Leitlinien für die Erhaltung und Nutzung von Populationen. Wie Sie

Steuerung und Regelung

Abb. 1, S. 338, entnehmen können, ist die Steigung der Wachstumskurve gerade dann besonders groß, wenn die Populationsdichte etwa die Hälfte der Umweltkapazität beträgt, also 0,5 K. Eine kontrollierte Entnahme von Organismen bei diesem Wert sollte daher eine weiterhin hohe Zuwachsrate sicherstellen. Ein solches Vorgehen liefert somit einerseits den höchsten Ertrag und andererseits die geringste Beeinträchtigung der Population. Dieses Vorgehen sollte daher in der Jagd- und Fischereibiologie oberstes Prinzip sein.

Neben der Berücksichtigung der Umweltkapazität ist es von essenzieller Bedeutung, eine Altersstruktur aufrechtzuerhalten, die ausreichend junge zur Geschlechtsreife heranwachsende Individuen enthält. Wie wichtig die Altersstruktur einer Population für ihre Beurteilung ist, werden Sie in → 24.5 beim Thema Populationsentwicklung des Menschen sehen.

Aufgabe 24.4

Begründen Sie mithilfe der Abb. 1 a, wie viele Tage vor Erreichen der ökonomischen Schadensschwelle ein Einsatz von Schlupfwespen gegen Blattläuse spätestens erforderlich wird.

24.5 Struktur und Wachstum der menschlichen Bevölkerung ermöglichen Zukunftsprognosen

Die Verdopplung der menschlichen Bevölkerung von 500 Millionen auf 1 Milliarde Menschen benötigte 200 Jahre (1650–1850), die Verdopplung auf 2 Milliarden Menschen benötigte nur noch 80 Jahre (1850–1930) und wiederum 45 Jahre später gab es schon 4 Milliarden Menschen. Derzeit wächst unsere Weltbevölkerung jede Woche um die Einwohnerzahl von Hamburg und jedes Jahr um die Einwohnerzahl Deutschlands. Wenn dieses Wachstum anhält, existiert im Jahr 2025 eine Weltbevölkerung von fast 8 Milliarden Menschen.

Ist eine derart große Population für die Erde noch tragbar? Wissenschaftler versuchen das herauszufinden. Die Populationsökologie liefert unverzichtbare Grundlagen dafür. Zentrale Aspekte sind dabei die Analyse des Wachstumsverhaltens und der Altersstruktur einer Bevölkerung und die Ermittlung der Umweltkapazität der Erde für die Art *Homo sapiens*. Angesichts der immer noch rasant wachsenden Weltbevölkerung muss dringend auf eine Stabilisierung der Bevölkerungszahlen hingearbeitet werden.

Die Differenz aus Geburtenrate und Sterberate bestimmt die Zuwachsrate (→ 24.1). Sind die Beträge identisch, resultiert *Nullwachstum*. Dies lässt sich bei hoher Geburtenrate und gleichzeitig hoher Sterberate oder bei niedriger Geburtenrate und gleichzeitig niedriger Sterberate erreichen.

Die Sterberate hat sich aufgrund des medizinischen Fortschritts in den Industrienationen, aber auch in den Entwicklungsländern stark verringert. Die Geburtenrate sinkt jedoch in weitaus geringerem Maß. In Schweden hat die Angleichung der Geburtenrate an die gefallene Sterberate etwa 150 Jahre gedauert. Diesen Zeitraum nennt man **demografischen Übergang** (→ Abb. 1 ⓐ). Er ist durch ein geändertes Fortpflanzungsverhalten gekennzeichnet.* In vielen Industrienationen ist dieser Übergang bereits vollzogen; es herrscht nahezu Nullwachstum. In vielen Entwicklungsländern sollte der Übergang möglichst schnell erfolgen. Ein Schlüssel dazu ist der Einsatz von Verhütungsmitteln und Familienplanung.

Eine Folge des demografischen Übergangs lässt sich an der Altersstruktur der Bevölkerung Deutschlands leicht ablesen (→ Abb. 1 ⓑ). Der Anteil junger Menschen ist verhältnismäßig gering, der der Altersgruppe der 30- bis 60-Jährigen groß. Eine derart urnenförmige Altersstruktur ist nicht nur für Populationsökologen interessant. Sie weist uns auf zukünftige Probleme im Bereich der Sozial- und Krankenversicherungen hin. Bis Sie als junger Mensch ins Arbeitsleben eingetreten sein werden, wird die Zahl der Menschen im Ruhestand weiter steigen. Das Verständnis von Altersstrukturen ist daher eine wichtige Hilfe für eine vernünftige politische Planung der Zukunft.

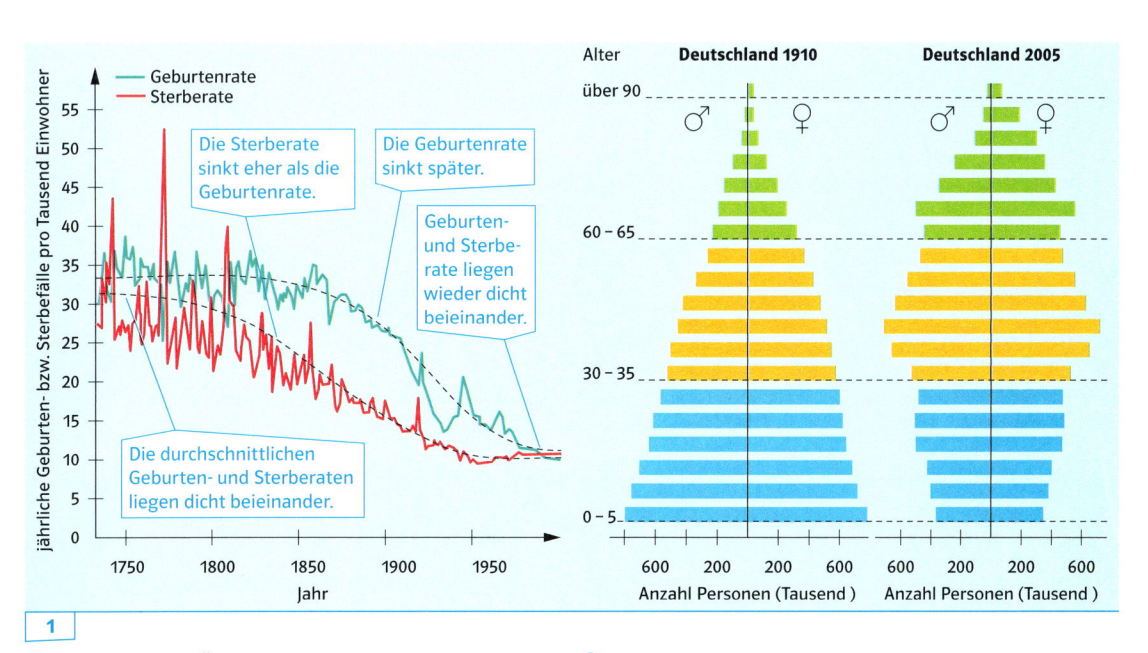

Reproduktion

1 ⓐ Demografischer Übergang in Schweden von 1750 bis 2000. ⓑ Altersstruktur der deutschen Bevölkerung 1910 und 2005.

Ökologie

Es bleibt die Frage nach der Umweltkapazität der Erde. Ihre Kalkulation ist extrem umstritten und hat zu extrem unterschiedlichen Vorhersagen geführt. Einer der vielversprechenden neueren Ansätze ist der des **ökologischen Fußabdrucks**. Diesem Ansatz liegt ein sorgfältig errechneter Bezugswert zugrunde, nach dem ein Mensch bei Beibehaltung heutiger Produktionsbedingungen ca. 1,7 ha an Fläche benötigt. Dieser Bezugswert berücksichtigt alle Flächenareale, die für die Aufrechterhaltung von Lebensstil und Lebensstandard notwendig sind, im wesentlichen Flächen zur Produktion von Kleidung und Nahrung, Flächen zur Bereitstellung von Energie, aber auch Flächen zum Abbau des von ihm erzeugten Mülls oder zum Binden des durch seine Aktivitäten freigesetzten Kohlenstoffdioxids und schließlich Restflächen für Naturräume. Den Wert von 1,7 ha pro Person braucht man nur noch mit der Weltbevölkerungszahl zu multiplizieren, um die für die Weltbevölkerung benötigte Erdoberfläche zu erhalten. Das Ergebnis ist ernüchternd: Die Erde ist zu klein! Anders formuliert: Die Summe des Verbrauchs an Ressourcen durch den Menschen übersteigt schon jetzt die Gesamtkapazität an Produktionsflächen auf der Erde, zumal nicht alle Bereiche des Festlands, wie Eiswüsten, Gebirge usw., nutzbar sind.

Dieses ökologische Gesamtdefizit wird vor allem durch Industriestaaten verursacht. Aber sind sie alle gleichermaßen dafür verantwortlich? Um dies genauer zu hinterfragen, kalkuliert man den ökologischen Fußabdruck für einzelne Staaten. In die Umweltkapazität eines einzelnen Staates gehen seine verschiedenen Produktionsflächen inklusive Handelsbeziehungen ein.

2

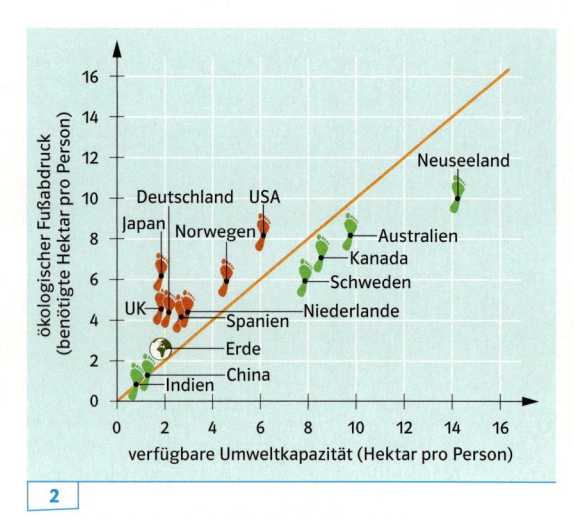

Der ökologische Fußabdruck im Vergleich zur Umweltkapazität macht Defizite erkennbar.

Die Daten zeigen, dass der ökologische Fußabdruck etlicher Staaten größer ist als ihre verfügbare Umweltkapazität. Deutschland befindet sich mit einem ökologischen Fußabdruck von 4,5 ha/Person und einer Umweltkapazität von 1,7 ha/Person deutlich im ökologischen Defizit. Neuseeland hingegen weist trotz seines hohen ökologischen Fußabdrucks dank seiner hohen Umweltkapazität kein Defizit auf.

Aufgabe 24.5

Die menschliche Bevölkerung kann ihr Verhalten bewusst nach einer r- oder einer K-Strategie ausrichten. Skizzieren Sie die möglichen Folgen der jeweiligen Strategie für die Menschheit.

Stoff- und Energiefluss in Ökosystemen

25

Tropischer Regenwald in Peru

„Die Eleganz der Gräser, die Neuheit der parasitischen Pflanzen, die Schönheit der Blumen, das glänzende Grün des Laubes, aber vor allem die allgemeine Üppigkeit der ganzen Vegetation erfüllte mich mit Bewunderung." Der berühmte Naturforscher CHARLES DARWIN, sonst eher sachlich-nüchtern, war nach seiner ersten Regenwald-Exkursion in Südamerika am 29. Februar 1832 schlicht überwältigt. Er hatte für wenige Stunden eine fremde Welt durchstreift, das bei weitem komplexeste Landökosystem der Erde. Allein die Zahl der tropischen Baumarten wird auf 50 000 geschätzt — bei uns wachsen nur wenige Dutzend Baumarten. Aber erst seit die Kronenregion dieser Bäume mithilfe teils abenteuerlicher Klettertechniken untersucht wird, offenbart sich die wahre Artenvielfalt des Regenwalds. Die tropische Fülle schlägt auch heute noch jeden in Bann — und wirft eine Vielzahl von Fragen auf, z. B.: Warum ist dieser Wald soviel üppiger als unserer? Wieso weist er viel mehr ökologische Nischen auf, eine Grundlage seiner enormen Artenvielfalt?

25.1	Sonnenenergie treibt die Prozesse in Ökosystemen an
25.2	Der Kreislauf des Kohlenstoffs ist eng mit dem Energiefluss verknüpft
25.3	Bakterien sind die Motoren des Stickstoffkreislaufs
25.4	Böden sind die wichtigsten Orte des Recyclings
25.5	In tropischen Regenwäldern sind die Stoffkreisläufe kurzgeschlossen

Ökologie

25.1 Sonnenenergie treibt die Prozesse in Ökosystemen an

Kennen Sie Flaschengärten? Das sind Ökosysteme für die Fensterbank. Füllen Sie ein mehrere Liter fassendes Glasgefäß zu einem Drittel mit Gartenerde, geben ein wenig Wasser dazu, setzen Sie einige Pflanzen ein und schließen Sie das Ganze mit einer durchsichtigen Folie luftdicht ab. Dann können Sie ohne jeden Pflegeaufwand monatelang Freude haben — wenn Sie den Flaschengarten nicht versehentlich ins Dunkle stellen. Tun Sie das aber, wird Ihr Klein-Ökosystem in wenigen Tagen zusammenbrechen. Warum?

Alle Ökosysteme sind auf Energiezufuhr von außen angewiesen. Während Mineralstoffe in mehr oder weniger geschlossenen Kreisläufen zirkulieren (→ 23.2), ist der **Energiefluss** eine Einbahnstraße. Zentrale Energiequelle ist die Sonne, zentrale Stelle der Einspeisung von Sonnenenergie in die Ökosysteme sind die Algen und Landpflanzen, die Fotosynthese betreiben (→ 7.1). Sie verwenden die Energie, um Kohlenhydrate herzustellen, von denen letztlich das ganze Ökosystem lebt. Fotosynthetisch tätige Organismen werden deshalb als **Primärproduzenten** oder vereinfacht als *Produzenten* bezeichnet (→ Abb. 1, S. 326).

Nur ein kleiner Teil der eingestrahlten Sonnenenergie wird durch Fotosynthese als chemische Energie gebunden (→ Abb. 2). Aber nicht einmal dieser steht den Pflanzenfressern komplett zur Verfügung. Denn von dieser *Bruttoprimärproduktion* an chemi-

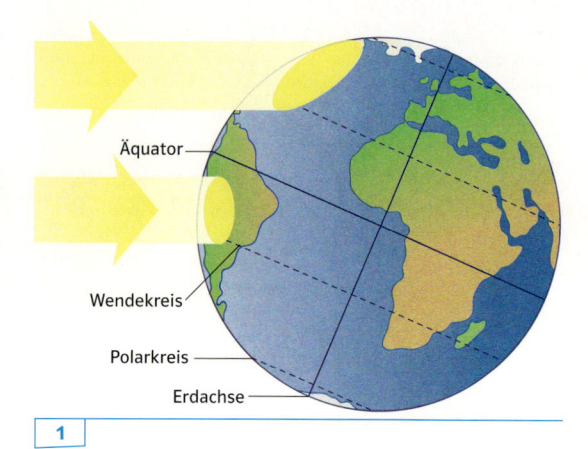

Stoff- und Energieumwandlung

1

In Äquatornähe treffen Sonnenstrahlen senkrecht auf die Erde. Weiter nördlich und südlich verteilt sich die gleiche Strahlungsenergie auf eine größere Fläche.

scher Energie muss abgezogen werden, was die Pflanzen selbst für ihre Stoffwechselvorgänge verbrauchen und anschließend in Form von Wärmeenergie dem Ökosystem verloren geht. Das macht immerhin ungefähr die Hälfte der eingespeisten Energie aus. Von der verbleibenden *Nettoprimärproduktion* geht das meiste unmittelbar ins Recycling. Abgestorbene Pflanzen-

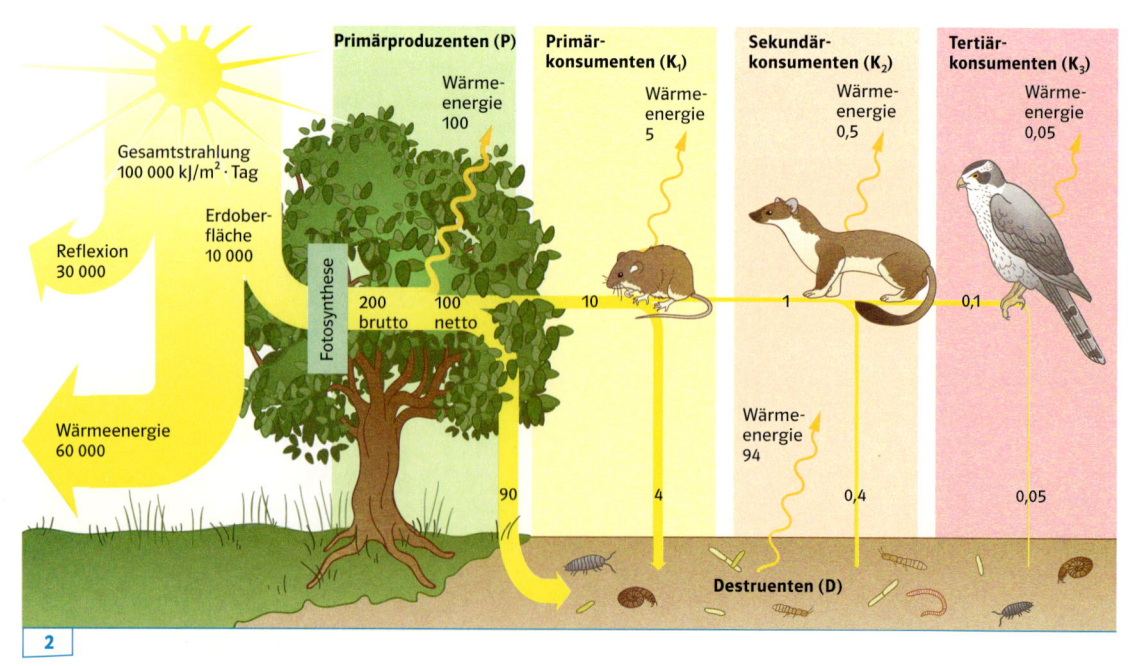

2

Nur ein kleiner Teil der Sonnenenergie fließt über die grünen Pflanzen in das Nahrungsnetz des Ökosystems Wald.

teile werden direkt von *Destruenten* abgebaut, den Bodentieren, Pilzen und Bakterien. Bleibt also nur ein geringer Teil für die eigentlichen Pflanzenfresser, die *Primärkonsumenten*. *Sekundärkonsumenten* sind Fleischfresser und leben von den Primärkonsumenten. Da auch diese einen großen Teil der aufgenommenen Energie für Bewegung, Wachstum und Fortpflanzung nutzen, kommt bei den Sekundärkonsumenten nur noch wenig Energie an. Nach einer Faustregel stehen der nächsthöheren *Trophiestufe* jeweils nur etwa zehn Prozent der Energie der vorigen Stufe zur Verfügung.

Dieser Energiefluss spiegelt sich auch in sogenannten **Biomassepyramiden** (→ Abb. 3 a) wider. Die Biomasse ist das Trockengewicht der lebenden Organismen einer bestimmten Gruppe in einem bestimmten Lebensraum. Biomassepyramiden in Ökosystemen haben in der Regel eine breite Basis — 90 % der Biomasse auf der Erde sind pflanzlich — und verjüngen sich schnell. Das Nahrungsangebot beeinflusst die Dichte von Tierarten direkt. Als Sekundärkonsumenten sind Hermeline sehr viel seltener als Mäuse. Ihr Jagdgebiet muss sehr viele Reviere von Mäusen und anderen Beutetieren umfassen, damit sie sich nachhaltig davon ernähren können. Eine Flächenbedarfspyramide stünde deshalb auf dem Kopf.

Wie viele Trophiestufen in einem Ökosystem ausgebildet sind, hängt von der Einstrahlung ab. Je mehr Energie eingespeist wird, desto länger können Nahrungsketten sein. Dann kommt auch noch auf höheren Trophiestufen genügend Energie an, um lebensfähige Populationen zu versorgen. Die *Strahlungsbilanz* der Erde ist sehr unterschiedlich (→ Abb. 1). Am Äquator treffen 1,4 kJ/m² · s auf die Erdoberfläche, am Polarkreis nur noch 0,5 kJ/m² · s. Tropische Regenwälder haben deshalb eine sehr viel höhere Primärproduktion (1,8 – 3,0 kg/m² · Jahr) und entsprechend mehr Trophiestufen als die arktische Tundra (150 g/m² · Jahr).

Prinzipiell gelten diese Erkenntnisse nicht nur für Landökosysteme, sondern auch im Meer. Wie lässt sich dann aber die auf dem Kopf stehende Biomassepyramide im offenen Ozean erklären, also im freien Wasser fern der Küsten (→ Abb. 3 b)? Wie können so viele Konsumenten von einer so geringen Masse Produzenten ernährt werden? Der scheinbare Widerspruch lässt sich leicht aufklären: Die Produzenten, überwiegend einzellige planktonische Algen, vermehren sich unglaublich schnell. Vergleichbar einem Laden mit kleinem Lager, aber starkem Umsatz, ist der aktuelle Bestand an Biomasse zwar jeweils gering, die in die Nahrungsnetze eingespeiste Produktion aber enorm hoch. Eine Pyramide, die nicht die Biomasse, sondern den Energiefluss zeigt, hat deshalb für alle Ökosysteme die gewohnte, auf breiter Basis stehende Form (→ Abb. 3, c, d).

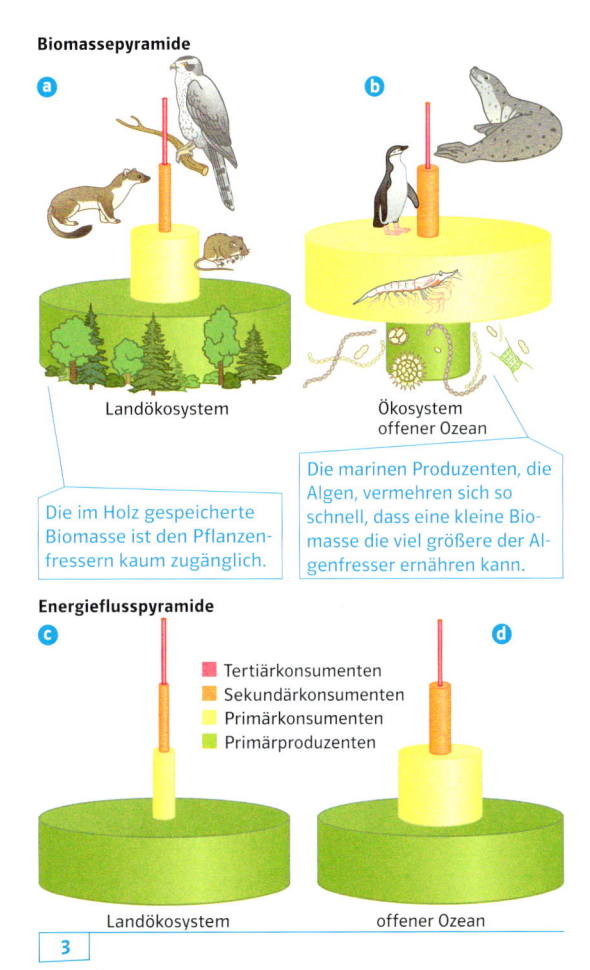

Biomassepyramide

a Landökosystem

Die im Holz gespeicherte Biomasse ist den Pflanzenfressern kaum zugänglich.

b Ökosystem offener Ozean

Die marinen Produzenten, die Algen, vermehren sich so schnell, dass eine kleine Biomasse die viel größere der Algenfresser ernähren kann.

Energieflusspyramide

- Tertiärkonsumenten
- Sekundärkonsumenten
- Primärkonsumenten
- Primärproduzenten

c Landökosystem

d offener Ozean

3 Jedes Ökosystem weist spezifische Biomasse- und Energieflusspyramiden auf.

Aufgabe 25.1

Erklären Sie, warum der weltweit stark steigende Konsum von Fleisch die Ernährungskrise einer wachsenden Weltbevölkerung verschärft.

Ökologie

25.2 Der Kreislauf des Kohlenstoffs ist eng mit dem Energiefluss verknüpft

Stoff- und Energieumwandlung

Die grünen Pflanzen haben doppelte Bedeutung für die Ökosysteme. Durch Fotosynthese speisen sie nicht nur Energie, sondern auch Kohlenstoff ein, das wesentliche Bauelement aller organischen Verbindungen und damit auch sämtlicher Organismen (→ 1.4).

Anders als die Energie, die bei ihrem Weg durch die Nahrungsketten nicht weiter nutzbar als Wärmeenergie abgegeben wird, durchläuft der Kohlenstoff einen Kreislaufprozess. Im **Kohlenstoffkreislauf** (→ Abb. 1) wird Kohlenstoffdioxid (CO_2) aus der Luft oder dem Wasser bei der Fotosynthese chemisch fixiert und im Zuckerstoffwechsel weiter verarbeitet (→ 8.5). Über die Konsumenten gelangt der Kohlenstoff in die Nahrungsnetze. Durch Zellatmung (→ 6.3) setzen alle Organismen permanent wieder CO_2 frei. Den Rest erledigen die Destruenten, die Kot und abgestorbene Lebewesen recyceln und dabei in der Regel sämtliche Kohlenstoffverbindungen in ihre Bestandteile zerlegen.

Dabei kommt es oft zu längeren Lagerzeiten im Boden, wo sich Kohlenstoff im Humus anreichert. Unter besonderen Umständen kann Kohlenstoff auch ganz aus den kurzfristigen biologischen Kreisläufen verschwinden: Moore und Sumpfwälder werden zu Torf und schließlich zu Kohle, abgesunkene Kalkskelette einzelliger Meeresalgen bilden Sedimente und schließlich Gesteine am Meeresboden. Solche Kohlenstoffsenken spielen bei der Diskussion des globalen CO_2-Problems eine wichtige Rolle (→ 27.2).

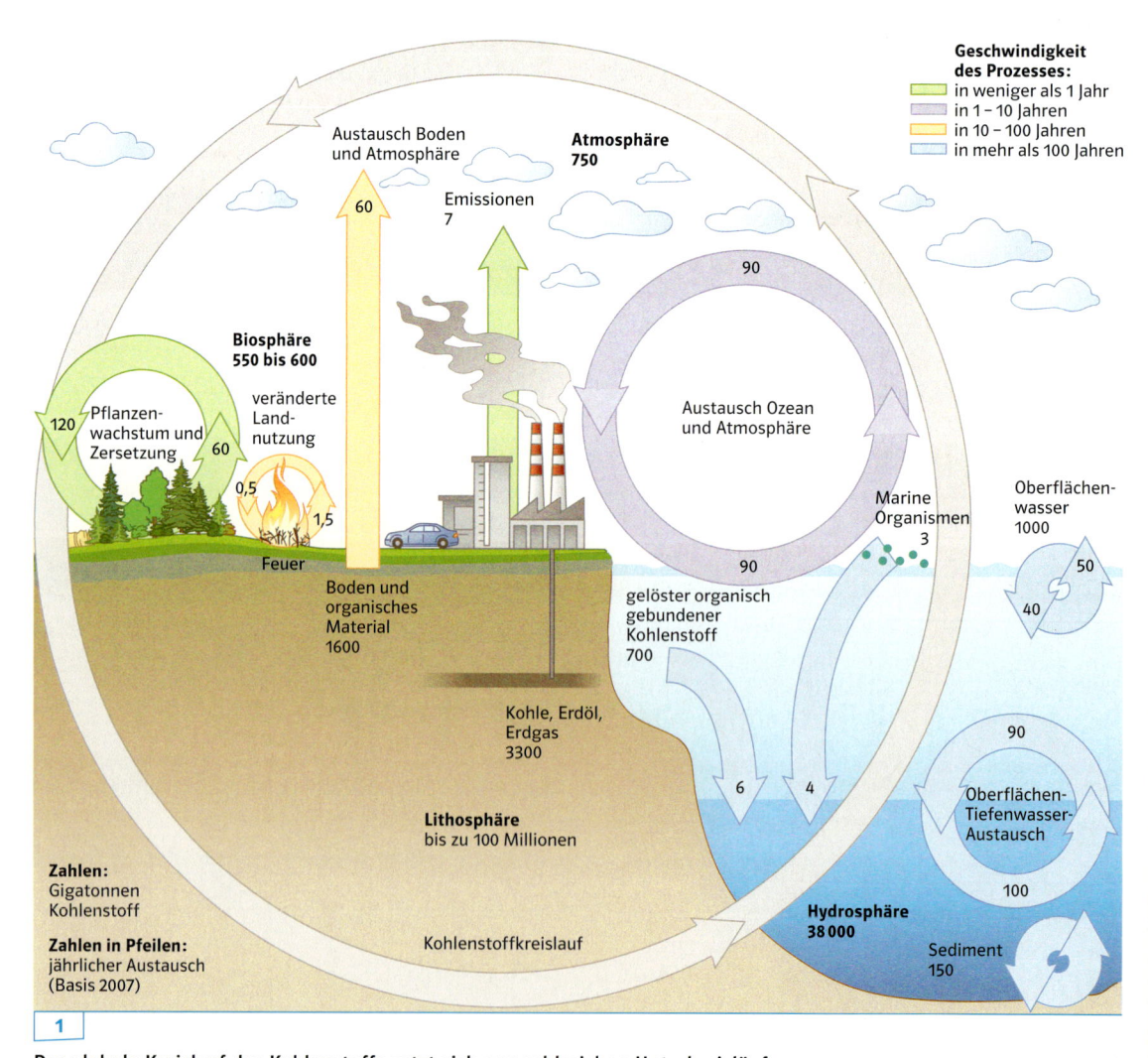

1 Der globale Kreislauf des Kohlenstoffs setzt sich aus zahlreichen Unterkreisläufen zusammen.

Online-Link
Stickstoffkreislauf (interaktiv)
150010-3511

Stoff- und Energiefluss in Ökosystemen

Insgesamt zirkuliert nur ein verschwindend geringer Teil des Kohlenstoffs in der Biosphäre. 99,8 % sind langfristig festgelegt, meist in Kalk- oder Dolomitgesteinen, zu einem sehr kleinen Teil auch in fossilen Brennstoffen. Trotzdem durchlaufen gewaltige Stoffmengen den biologischen Kohlenstoffkreislauf.

Aufgabe 25.2
Begründen Sie die Aussage der Überschrift 25.2.

25.3 Bakterien sind die Motoren des Stickstoffkreislaufs

Im Herbst werden die Blätter der Laubbäume bunt. Die Ursache: Bevor die Blätter fallen, werden wertvolle Nähr- und Mineralstoffe abgezogen. Die heimische Schwarzerle macht sich diese Mühe nicht und wirft ihre Blätter grün ab. Warum kann sie sich eine so offensichtliche Verschwendung leisten?

Stickstoff gehört zu den wichtigsten Bauelementen biologischer Moleküle — denken Sie nur an die Aminosäuren (und damit auch an die Proteine) oder die DNA, den Träger der Erbinformation.

Da Luft zu 78 % aus Stickstoff besteht, dürfte daran eigentlich kein Mangel bestehen. Trotzdem gehört Stickstoff oft zu den *Minimumfaktoren*, die das Pflanzenwachstum begrenzen (→ 7.6). Den chemisch äußerst stabilen Stickstoff (N_2) aus der Luft können nämlich nur wenige Bakterienarten verarbeiten. Sie sind wichtige Glieder im **Stickstoffkreislauf**. Als Ergebnis der bakteriellen *Stickstofffixierung* entsteht zunächst Ammonium (NH_4^+), das von Pflanzen bereits genutzt werden kann. Viel wichtiger aber ist ein anderer Weg,

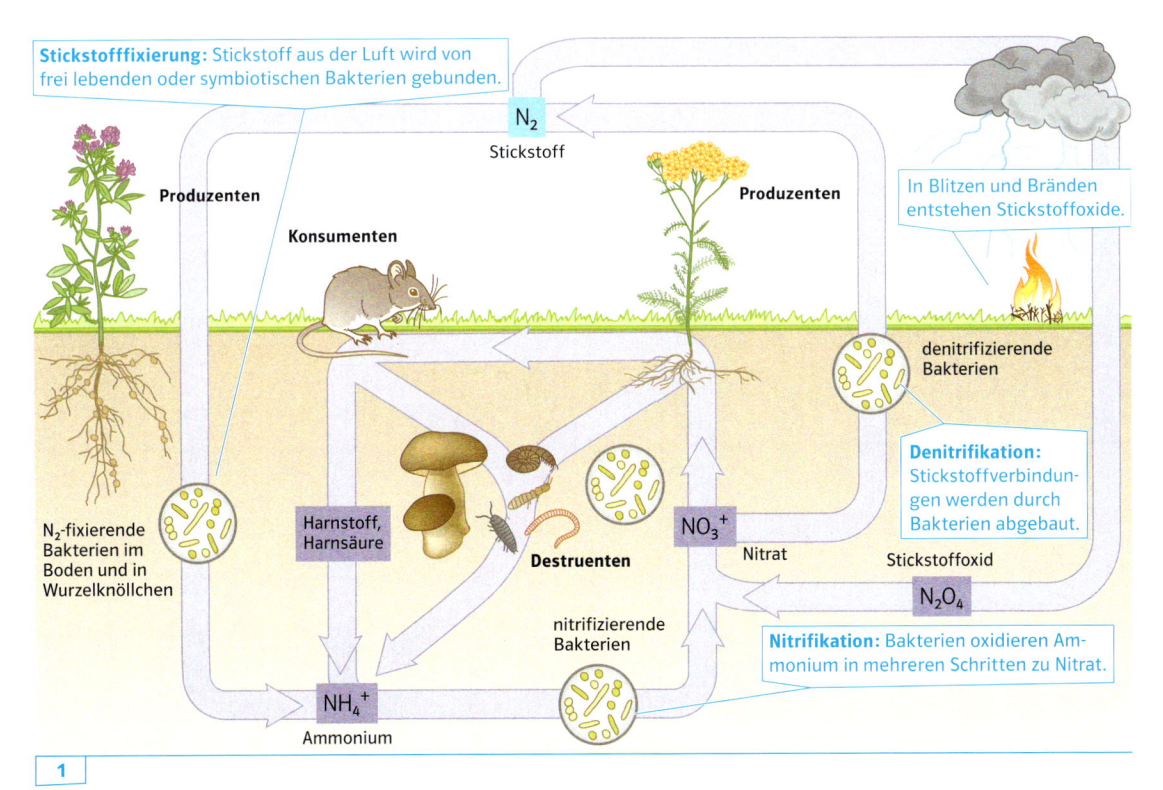

Stickstofffixierung: Stickstoff aus der Luft wird von frei lebenden oder symbiotischen Bakterien gebunden.

N_2 Stickstoff — Produzenten — Konsumenten — Produzenten

In Blitzen und Bränden entstehen Stickstoffoxide.

denitrifizierende Bakterien

Denitrifikation: Stickstoffverbindungen werden durch Bakterien abgebaut.

N_2-fixierende Bakterien im Boden und in Wurzelknöllchen

Harnstoff, Harnsäure — Destruenten — NO_3^+ Nitrat — Stickstoffoxid N_2O_4

nitrifizierende Bakterien

Nitrifikation: Bakterien oxidieren Ammonium in mehreren Schritten zu Nitrat.

NH_4^+ Ammonium

1 Bodenbakterien steuern die wichtigsten Prozesse im Stickstoffkreislauf.

Ökologie

Rhizobium-Bakterien leben in Wurzelknöllchen in Symbiose mit Schmetterlingsblütlern wie dieser Ackerbohne.

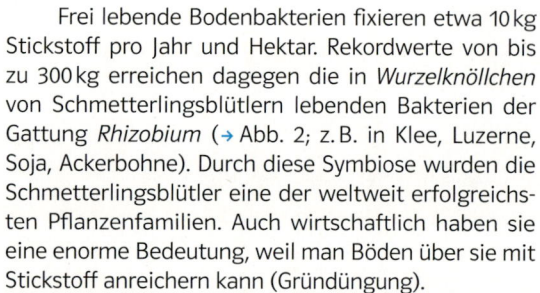

Frei lebende Bodenbakterien fixieren etwa 10 kg Stickstoff pro Jahr und Hektar. Rekordwerte von bis zu 300 kg erreichen dagegen die in *Wurzelknöllchen* von Schmetterlingsblütlern lebenden Bakterien der Gattung *Rhizobium* (→ Abb. 2; z. B. in Klee, Luzerne, Soja, Ackerbohne). Durch diese Symbiose wurden die Schmetterlingsblütler eine der weltweit erfolgreichsten Pflanzenfamilien. Auch wirtschaftlich haben sie eine enorme Bedeutung, weil man Böden über sie mit Stickstoff anreichern kann (Gründüngung).

Menschen düngen schon seit dem Altertum mit Schlamm und Mist, können aber erst seit 1910 technisch N_2 aus der Luft fixieren (Haber-Bosch-Verfahren) und so Kunstdünger herstellen (→ Abb. 3). Die Menge des Stickstoffs, der durch Düngung und Abgase in die biologischen Kreisläufe geschleust wird, entspricht inzwischen ungefähr der natürlichen Stickstofffixierung. Die dadurch erzielte Steigerung der Nahrungsmittelproduktion ist beeindruckend. Allerdings gefährdet eine permanente Überdüngung (*Eutrophierung*) die Stabilität natürlicher Ökosysteme und die Existenz vieler Arten, die sich über Jahrmillionen auf Stickstoffmangel eingestellt haben. Magerrasen sind artenreicher als gedüngte Wiesen, auf denen sich wenige „Stickstofffresser" durchsetzen. Ähnliche Kreisläufe wie für den Stickstoff lassen sich auch für andere essenzielle Elemente wie Phosphor oder Schwefel darstellen.

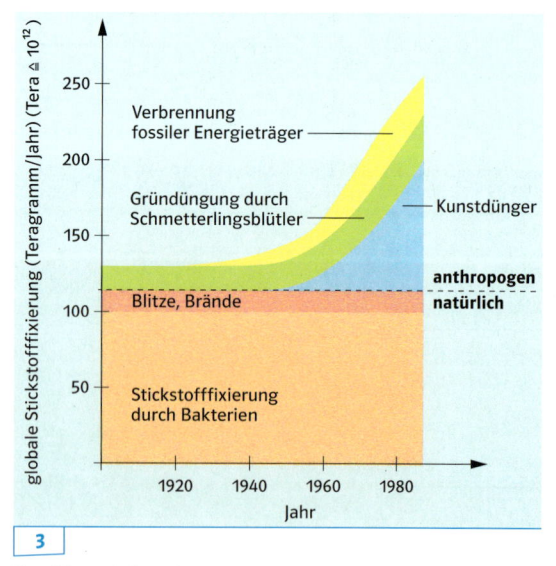

an dem wieder Bakterien und Archaeen beteiligt sind: Im mehrstufigen Prozess der **Nitrifikation** wird Ammonium zu Nitrat (NO_3^-) oxidiert, das die Pflanzen dann über die Wurzeln aus dem Boden aufnehmen (→ Abb. 1, S. 351). Die N_2-Fixierer unter den Bakterien schleusen in großem Stil Stickstoff in die biologischen Kreisläufe und sind für die Biosphäre damit ebenso wichtig wie die Fotosynthese treibenden Pflanzen, die eine ähnliche Rolle für den Kohlenstoff spielen.

Bakterienarten sind aber nicht nur für die Nitrifikation verantwortlich, sondern auch für die **Denitrifikation**. Manche im Boden lebenden Arten setzen Nitrate um, gewinnen dabei Sauerstoff und erzeugen N_2. Der Stickstoffgehalt des Bodens befindet sich deshalb in einem *Fließgleichgewicht;* eine dauerhafte Anreicherung mit Nitraten findet nicht statt.

Was der Kreislauf des Stickstoffs mit der Schwarzerle zu tun hat? An den Erlenwurzeln finden sich bis zu tennisballgroße büschelige Anschwellungen, die stickstofffixierende Bakterien enthalten. Baum und Bakterien leben in einer engen *Symbiose* (→ 23.5): Der Baum liefert durch Fotosynthese gewonnene Kohlenhydrate, die Bakterien Stickstoffverbindungen. Bis zu 200 kg Stickstoff werden so pro Jahr und Hektar gespeichert, was einer landwirtschaftlichen Volldüngung entspricht. So gut versorgt kann die Schwarzerle es sich leisten, ihre Blätter grün abzuwerfen. Diese sind wegen ihres hohen Stickstoffgehalts ein gefundenes Fressen für Destruenten und werden sehr viel schneller abgebaut als die Blätter anderer Laubbäume.

Der Mensch hat die N_2-Versorgung der Pflanzenwelt verdoppelt.

Stoff- und Energieumwandlung

Aufgabe 25.3

Die Herstellung von Kunstdünger ist äußerst energieaufwendig. Erörtern Sie, ob die gentechnische Einschleusung des Mechanismus zur Stickstofffixierung in Nutzpflanzen eine Lösung (oder neue Probleme) bringen könnte.

25.4 Böden sind die wichtigsten Orte des Recyclings

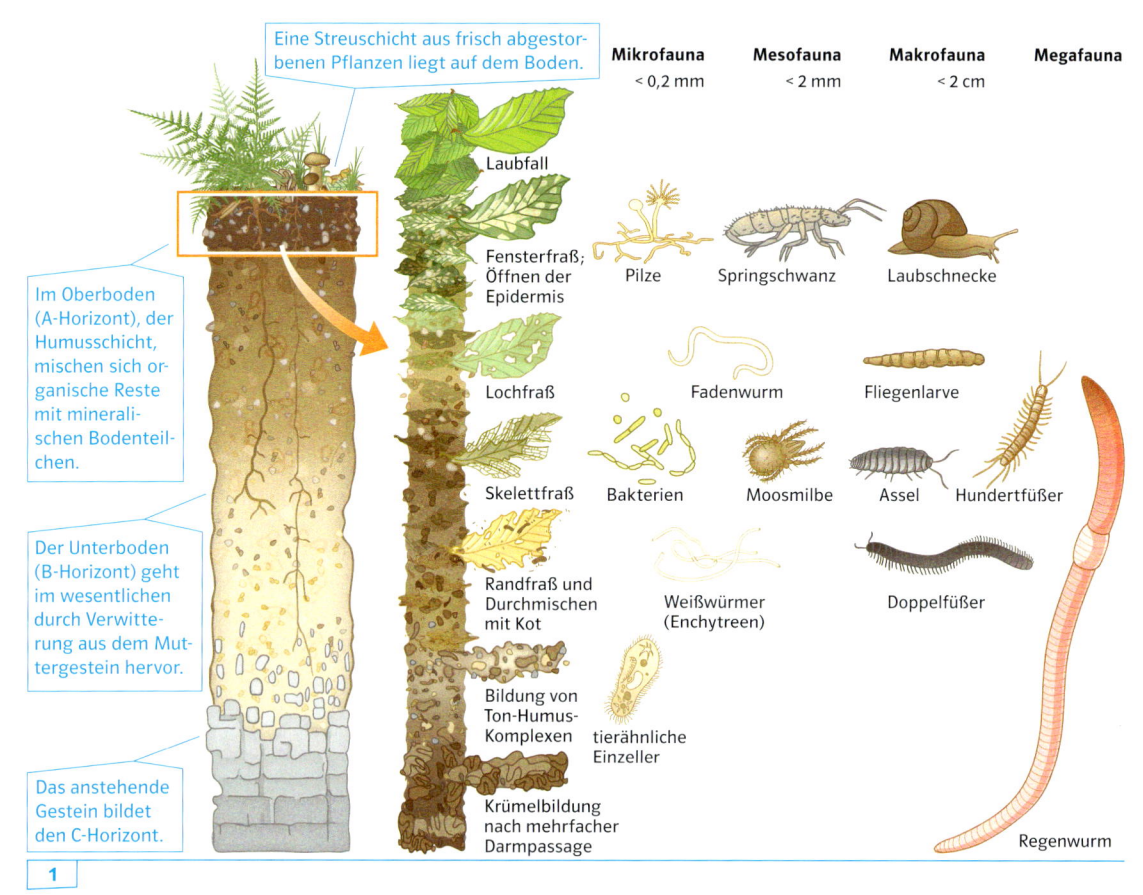

Eine Streuschicht aus frisch abgestorbenen Pflanzen liegt auf dem Boden.

Im Oberboden (A-Horizont), der Humusschicht, mischen sich organische Reste mit mineralischen Bodenteilchen.

Der Unterboden (B-Horizont) geht im wesentlichen durch Verwitterung aus dem Muttergestein hervor.

Das anstehende Gestein bildet den C-Horizont.

| Mikrofauna | Mesofauna | Makrofauna | Megafauna |
| < 0,2 mm | < 2 mm | < 2 cm | |

- Laubfall
- Fensterfraß; Öffnen der Epidermis — Pilze, Springschwanz, Laubschnecke
- Lochfraß — Fadenwurm, Fliegenlarve
- Skelettfraß — Bakterien, Moosmilbe, Assel, Hundertfüßer
- Randfraß und Durchmischen mit Kot — Weißwürmer (Enchytreen), Doppelfüßer
- Bildung von Ton-Humus-Komplexen — tierähnliche Einzeller
- Krümelbildung nach mehrfacher Darmpassage — Regenwurm

1 Mikroorganismen, Pilze und viele zum Teil hoch spezialisierte Kleintiere tragen im Boden zur Remineralisierung bei.

Seit Jahren zeigt sich in Neapel, was passiert, wenn die Entsorgung nicht mehr reibungslos funktioniert. Die Stadt versinkt im Müll. Träten die biologischen Abfallentsorger im Boden in Streik, wäre das Ergebnis nicht weniger spektakulär. Stellen Sie sich vor, das jeden Herbst anfallende Laub bliebe einfach im Wald liegen und sammelte sich jahrelang an! Dieser offensichtlichen Entsorgungskrise würde binnen kurzem die Versorgungskrise folgen: Die Bäume würden kümmern und absterben. Viel mehr als der Mensch setzt die Natur nämlich auf Wertstoffkreisläufe und weitgehend komplettes Recycling durch die ganz überwiegend im Boden angesiedelten Destruenten (→ Abb. 2, S. 348).

Böden sind sehr komplexe Teilökosysteme, die ebenso vielfältig sind wie die oberirdisch sichtbaren. Ihr konkreter Aufbau wird zunächst vom Ausgangsgestein geprägt, dann aber mit zunehmendem Alter und Reifung mehr und mehr von Klimafaktoren wie Temperatur und Feuchtigkeit beeinflusst. Die meisten Böden in Mitteleuropa sind aus drei Horizonten aufgebaut (→ Abb. 1). Der gesamte Boden wird durchwurzelt und von Bodentieren besiedelt. Deren Aktivität konzentriert sich besonders stark auf den Oberboden, weil dort die Nahrungsversorgung am besten ist. Es gibt aber auch Grenzgänger wie die Regenwürmer, deren Röhren über 3 m in die Tiefe reichen und damit sowohl zur Bodendurchlüftung beitragen als auch Wege für Pflanzenwurzeln bahnen. Ihr Beitrag zur Bodenfruchtbarkeit ist so groß, dass CHARLES DARWIN, dem wir die Evolutionstheorie verdanken, ihnen sein letztes Werk widmete: „The formation of vegetable mould, through the action of worms …"

Die Regenwürmer gehören schon zu den Großtieren im Boden, zur *Makro-* und *Megafauna* (→ Abb. 1). Die meisten Bodenorganismen sind kleiner und bewegen sich mühelos durch das unterirdische Lückensystem.• Sie werden der *Meso-* und *Mikrofauna* zugerechnet. Deren Vielfalt und Arbeitsweise wird

Kompartimentierung

Ökologie

Häufig im Boden zu finden: Springschwänze (flügellose Insekten) und Asseln (Krebstiere).

ist das Recycling deshalb unvollständig. Organisches Material sammelt sich an. Im ersten Fall entstehen ausgedehnte Moore, im zweiten die mächtigen Humushorizonte der Schwarzerde.

Abgeschlossen ist das Recycling, wenn die komplette Biomasse remineralisiert ist. Häufig sorgen *Symbiosen* wie die *Mykorrhiza* (→ Abb. 3, S. 332) dafür, dass die dabei wieder gewonnenen Mineralstoffe möglichst effektiv zum Nutzer — dem Primärproduzenten — gebracht werden. Ein Teil der Abbauprodukte aus Blättern und Holz, Tierleichen, Kot und Harn, Haaren und Federn gelangt aber frei in den Boden. Kationen wie K^+, Na^+, Mg^{2+} werden dort an Tonminerale und Humus so fest gebunden, dass sie von den Pflanzen nur im Tausch gegen Protonen (H^+) aufgenommen werden können (→ Abb. 4). Der große Vorteil: Diese Mineralstoffe sind vor Ausschwemmung geschützt. Für Anionen wie NO_3^-, PO_4^- oder SO_4^{2-} gilt das nicht. Sie sind nicht an Tonminerale gebunden, sondern im Bodenwasser gelöst und werden deshalb leicht ausgewaschen.

Ihnen erst deutlich, wenn Sie eine Bodenprobe aus der Streuschicht unter starker Vergrößerung betrachten. Sie finden Blätter in unterschiedlichen Phasen des Abbaus. Gewöhnlich beginnen Mikroorganismen, die sich extrem schnell vermehren können, mit dem Abbau. Anschließend setzen Tiere das Werk fort, deren mechanische Zerkleinerung die weitere Aufbereitung durch Mikroorganismen enorm fördert. Viele Milben und Insektenlarven fressen sich durchs Blattinnere und lassen die Oberflächen unversehrt. Asseln hinterlassen dagegen meist filigran skelettierte Blätter und darüber hinaus Kot, aus dem andere immer noch Energie gewinnen können. Nach mehreren solcher Abbauschritte durch zum Teil sehr stark auf bestimmte Stoffe spezialisierte Destruenten sind schließlich keine Gewebestrukturen mehr erkennbar: *Humus* ist entstanden. Das kann schnell gehen: Krautige Pflanzen sind bereits nach wenigen Monaten zersetzt, stickstoffreiche Erlenblätter im nächsten Sommer, Buchenblätter erst nach mehreren Jahren.

Obwohl der Abbau von Cellulose zu den wichtigsten Prozessen im Boden gehört — Cellulose stellt immerhin 30–40 % des „Abfalls" — kommt hier kaum eines der Bodentiere ohne fremde Hilfe durch Bakterien und Pilze aus. (Die Weinbergschnecke ist eine Ausnahme. Sie verfügt über Cellulase, ein Cellulose abbauendes Enzym.) Die Mikroorganismen, die diese Abbauarbeit für andere Bodentiere erledigen, werden oft mitsamt dem teilweise schon umgesetzten Substrat gefressen. Viele leben aber auch symbiotisch direkt im Verdauungstrakt ihrer Wirte.

Die Abbauleistung der Bodenorganismen ist stark witterungsabhängig. Bei Kälte ruht die Arbeit ebenso wie bei zu großer Trockenheit. In der subarktischen Tundra und den kontinentalen Steppengebieten

Variabilität und Angepasstheit

Methode: Berlese-Apparatur zum Erfassen von Bodentieren der Mesofauna

Anwendung

Bodentiere meiden das Licht und lieben Feuchtigkeit. Das macht man sich mit der Berlese-Apparatur zunutze. Geben Sie eine frische, feinkrümelige Erdprobe (300 cm³) aus dem Oberboden in ein grobes Sieb (Maschenweite 3 mm) und setzen dieses in einen abgedunkelten Trichter, der in ein Becherglas mündet. Das Glas kann eine Konservierungsflüssigkeit oder (für Lebendbeobachtungen) ein angefeuchtetes Küchenpapier enthalten. Eine Glühlampe spendet Licht und Wärme und trocknet den Boden langsam von oben her aus. Die Tiere wandern nach unten. Versuchsdauer: 2–3 Tage.

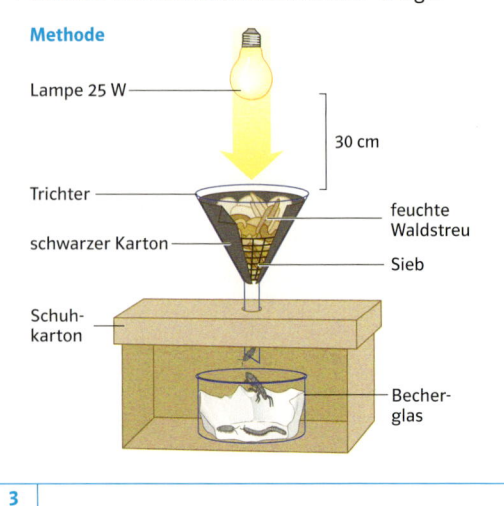

Methode

Lampe 25 W — 30 cm
Trichter — feuchte Waldstreu
schwarzer Karton — Sieb
Schuhkarton — Becherglas

Eine einfache Falle zum Sammeln von Bodentieren.

Stoff- und Energiefluss in Ökosystemen

4

CO₂ wird von der Wurzel abgegeben, H₂O ist im Boden.

Kationen sind an negativ geladene Bodenteilchen gebunden.

$CO_2 + H_2O \rightarrow H_2CO_3 \rightarrow HCO_3^- + H^+$

Bodenteilchen (Tonminerale, Humus)

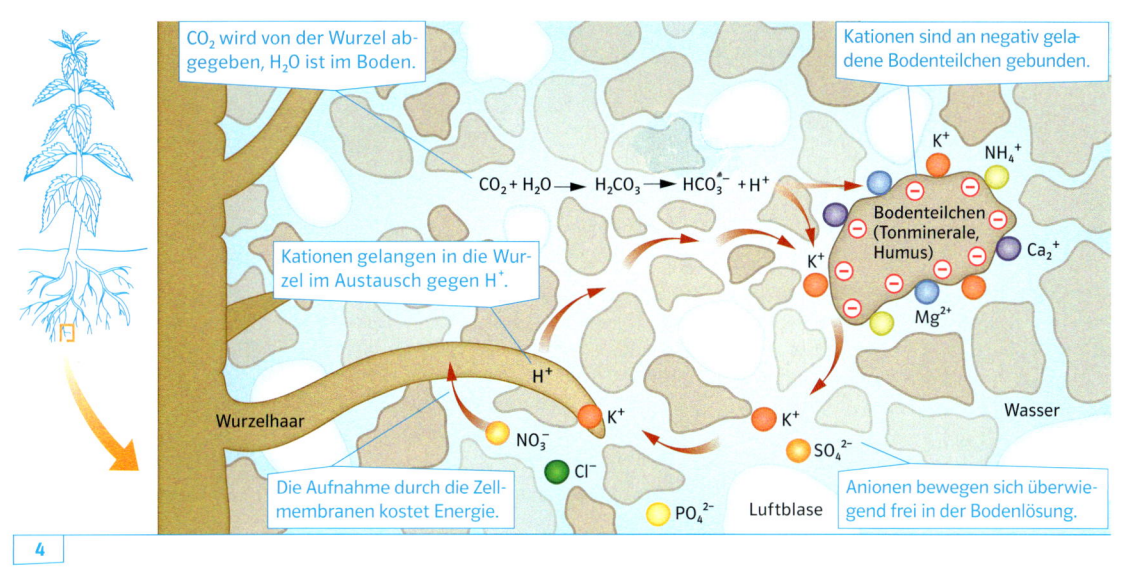

Kationen gelangen in die Wurzel im Austausch gegen H^+.

Wurzelhaar

Die Aufnahme durch die Zellmembranen kostet Energie.

Luftblase

Anionen bewegen sich überwiegend frei in der Bodenlösung.

In den fruchtbaren Böden Mitteleuropas sind Kationen an Bodenteilchen gebunden, Anionen im Wasser gelöst.

Die grundsätzliche Bedeutung von Stickstofffixierung und Düngung kennen Sie schon (→ 25.3). Aufgrund der Ausschwemmung kann eine künstliche Mineraldüngung mit Stickstoff (Nitraten) oder Phosphor (Phosphaten) die Pflanzenversorgung jedoch meist nur kurzfristig und nicht nachhaltig verbessern.

Aufgabe 25.4

Erklären Sie kurz und präzise, was Recycling in Bezug auf den Boden bedeutet.

25.5 In tropischen Regenwäldern sind die Stoffkreisläufe kurzgeschlossen

Zu Beginn des 20. Jahrhunderts herrschte noch großer Optimismus. Ausgehend von den üppigen Ernten, die auf der südostasiatischen Tropeninsel Java mehrmals jährlich eingefahren werden, schlossen Wissenschaftler daraus, dass die damals noch weitgehend von Regenwald bedeckten immerfeuchten Tropenregionen der Erde problemlos 10–11 Milliarden Menschen ernähren könnten. Die Praxis sah dann völlig anders aus: Wurde Regenwald gerodet, sanken die Ernteerträge trotz für das Pflanzenwachstum optimaler Temperatur und Feuchte nach einem Anfangserfolg stark und dauerhaft: Das Schlagwort vom „ökologischen Handicap der Tropen" wurde geprägt.

Worin besteht dieses Handicap? Einen Hinweis gibt die Verteilung wichtiger Mineralstoffe im intakten tropischen Ökosystem: Ganz anders als bei den heimischen Wäldern befindet sich der Hauptteil der Mineralstoffe in der Vegetation, nur wenig im Boden. In Abb. 4 oben haben Sie die Tonminerale als wichtige Speicher für Mineralstoffe kennengelernt. Unter feucht-tropischen Verwitterungsbedingungen entsteht eine andere Art von Tonmineralen, die kaum Mineralstoffe binden kann. Wegen der klimatisch bedingt äußerst intensiven Zersetzung organischen Materials ist auch die Humusschicht, der andere Träger der Bodenfruchtbarkeit (→ Abb. 1, S. 353), nur schwach entwickelt. Das heißt, die vielen Niederschläge schwemmen freie Mineralstoffe schnell aus. Sie gehen dem lokalen Ökosystem verloren.

Die Lösung für dieses scheinbare Rätsel — üppigste Wälder auf kargem Boden: ein Kurzschluss im Stoffkreislauf.° Im Boden lebende Pilze zersetzen das ziemlich gleichmäßig von oben herabfallende organische Material sofort (Jahreszeiten und der damit

Stoff- und Energieumwandlung

Ökologie

verbundene saisonale Laubfall fehlen). Mineralstoffe werden nicht erst am Ende langer Nahrungsketten freigesetzt und an Tonminerale oder Humus gebunden, sondern über eine effiziente Kooperation zwischen Bodenpilzen und Bäumen (*Mykorrhiza*, → Abb. 3, S. 332) zum großen Teil wieder direkt an die Primärproduzenten geliefert. Diese *Symbiose* ist eine höchst wirksame Mineralstofffalle und sorgt dafür, dass über Jahrhunderte in der Vegetation ein „Kapital" an Mineralstoffen angesammelt werden kann. Es geht bei Abholzung auf einen Schlag und bei Brandrodung binnen weniger Jahre verloren. Die Tropenwälder werden heute schneller zerstört als jeder andere Großlebensraum.

Im unversehrten Regenwald werden die geringen Mineralstoffverluste durch Verwitterung von Gestein und vor allem über eine Zufuhr durch die Luft ausgeglichen. Das kann sogar transkontinental geschehen: Das südamerikanische Amazonasbecken erhält einen Teil seiner natürlichen Düngung durch Flugstaub aus der Sahara!

Bleibt die Frage, was in Java anders ist. Die Antwort liegt dort, wo Sie sie wahrscheinlich schon vermutet haben: im Boden. Er entsteht in Java aus jungen vulkanischen Gesteinen und ist deshalb (noch) reich an Mineralstoffen.

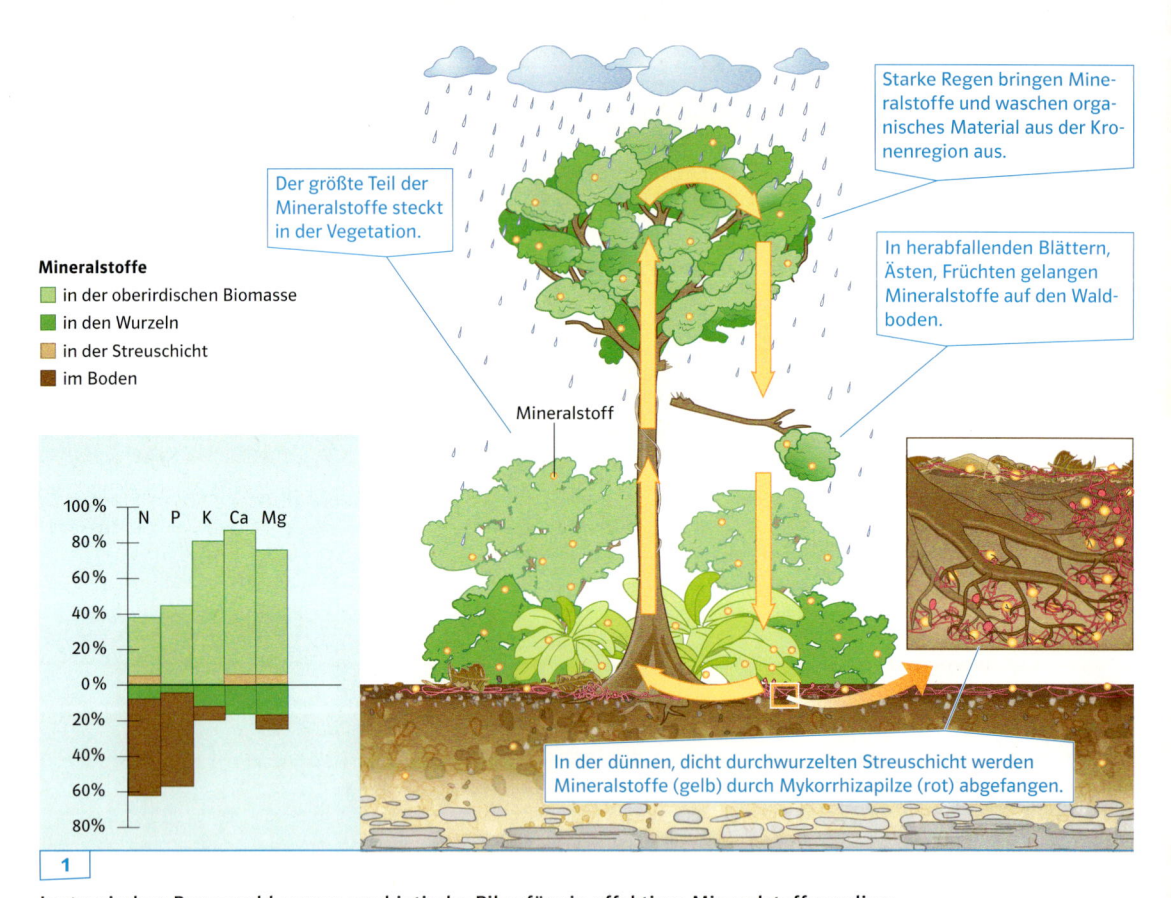

Online-Link
Debatte: Wem gehören die Schätze der Natur?
150010-3561

Mineralstoffe
- in der oberirdischen Biomasse
- in den Wurzeln
- in der Streuschicht
- im Boden

Starke Regen bringen Mineralstoffe und waschen organisches Material aus der Kronenregion aus.

Der größte Teil der Mineralstoffe steckt in der Vegetation.

In herabfallenden Blättern, Ästen, Früchten gelangen Mineralstoffe auf den Waldboden.

In der dünnen, dicht durchwurzelten Streuschicht werden Mineralstoffe (gelb) durch Mykorrhizapilze (rot) abgefangen.

1 Im tropischen Regenwald sorgen symbiotische Pilze für ein effektives Mineralstoffrecycling.

Aufgabe 25.5

In Mitteleuropa ist großflächige Aufforstung kein Problem, in tropischen Regionen ist das schwierig. Erklären Sie das.

26 Einblicke in Ökosysteme

Waldbrand

Ein Käfer mit fantastischen Fähigkeiten: Die Larven des Schwarzen Kiefernprachtkäfers entwickeln sich ausschließlich in frisch verbranntem Holz. Das aber ist schwierig zu finden. Mit hoch empfindlichen Infrarotsensoren kann das Insekt Waldbrände aus Entfernungen bis über zehn Kilometer orten. Ob es tatsächlich Kiefern sind, die brennen, riechen die Käfer mithilfe ihrer Fühler. Dabei genügt eine Rauchgaskonzentration von 10^{-9} Gramm pro Liter Luft. Dass die Strategie des Käfers aufgeht, zeigt: Ökosysteme wie der heimische Wald sind zwar stabil, aber nicht statisch. Sie sind durch eine Vielzahl dynamischer Prozesse charakterisiert. Kiefernprachtkäfer und viele andere Arten hängen von Katastrophen ab, die zwar unberechenbar, aber zuverlässig auftreten und typische Abfolgen von Pflanzen- und Tiergesellschaften einleiten.

Online-Link
Steckbrief:
Kiefernprachtkäfer
150010-3571

26.1	Strahlung und Wasserhaushalt bestimmen die Lage der Großökosysteme
26.2	Ökosysteme sind nicht statisch, sondern verändern sich
26.3	Der Nährstoffgehalt beeinflusst die Lebensgemeinschaft im See
26.4	Fließgewässer sind zur Selbstreinigung fähig
26.5	Im offenen Meer sind Produktion und Verbrauch räumlich weit getrennt
26.6	In der Tiefsee existieren von der Sonnenenergie völlig unabhängige Ökosysteme

Ökologie

26.1 Strahlung und Wasserhaushalt bestimmen die Lage der Großökosysteme

Die Biosphäre wird von wenigen Großlebensräumen (**Biomen**) geprägt. Die Vegetation dieser Biome ist so unterschiedlich und typisch, dass Sie sich ein beliebiges Bild einer ungestörten Naturlandschaft anschauen können und es mit großer Sicherheit sofort einem Biom und mit einiger Wahrscheinlichkeit sogar einer bestimmten Region auf der Erde zuordnen können. Wie kommt das?

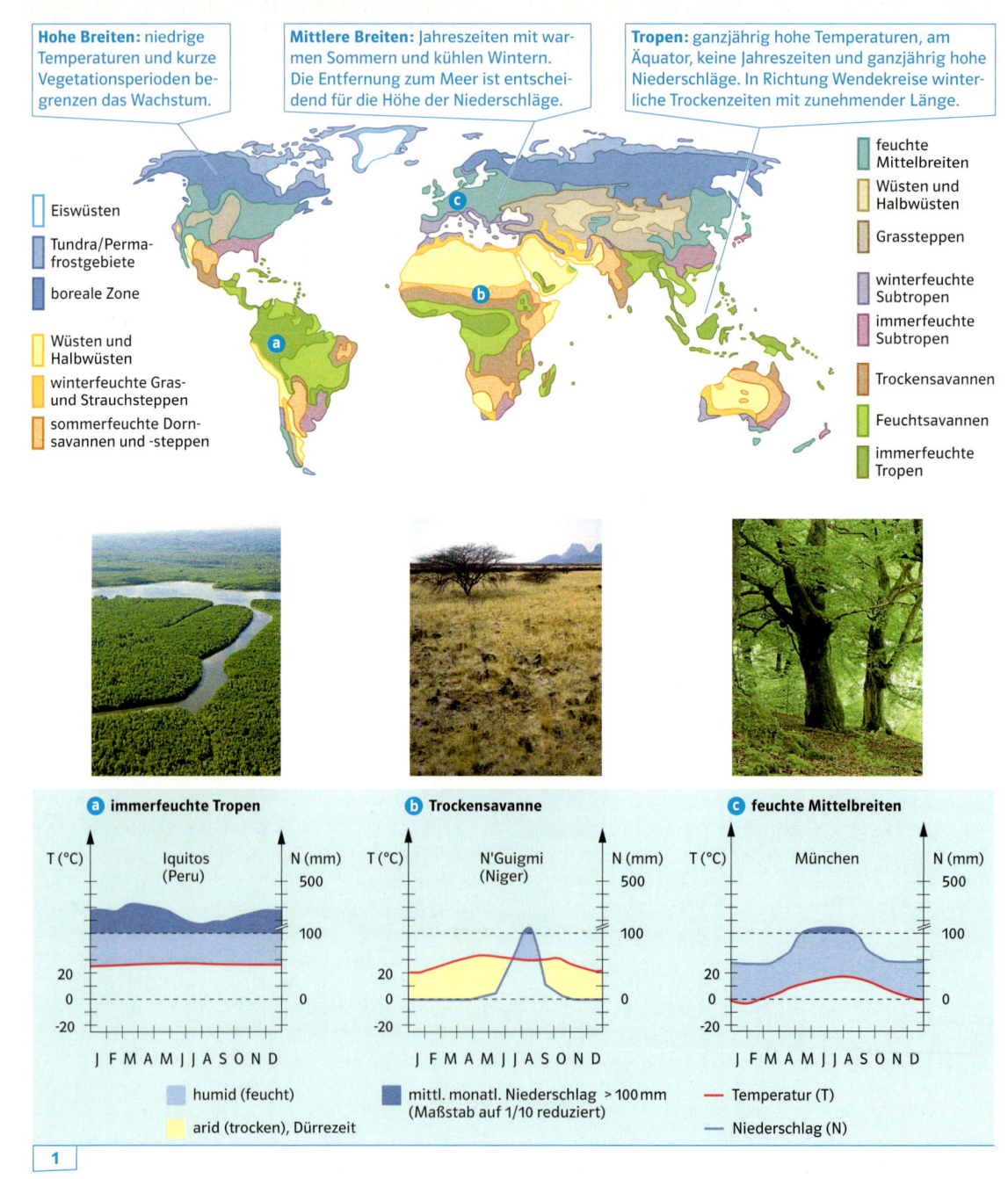

Hohe Breiten: niedrige Temperaturen und kurze Vegetationsperioden begrenzen das Wachstum.

Mittlere Breiten: Jahreszeiten mit warmen Sommern und kühlen Wintern. Die Entfernung zum Meer ist entscheidend für die Höhe der Niederschläge.

Tropen: ganzjährig hohe Temperaturen, am Äquator, keine Jahreszeiten und ganzjährig hohe Niederschläge. In Richtung Wendekreise winterliche Trockenzeiten mit zunehmender Länge.

- Eiswüsten
- Tundra/Permafrostgebiete
- boreale Zone
- Wüsten und Halbwüsten
- winterfeuchte Gras- und Strauchsteppen
- sommerfeuchte Dornsavannen und -steppen
- feuchte Mittelbreiten
- Wüsten und Halbwüsten
- Grassteppen
- winterfeuchte Subtropen
- immerfeuchte Subtropen
- Trockensavannen
- Feuchtsavannen
- immerfeuchte Tropen

ⓐ immerfeuchte Tropen — Iquitos (Peru)

ⓑ Trockensavanne — N'Guigmi (Niger)

ⓒ feuchte Mittelbreiten — München

- humid (feucht)
- arid (trocken), Dürrezeit
- mittl. monatl. Niederschlag > 100 mm (Maßstab auf 1/10 reduziert)
- Temperatur (T)
- Niederschlag (N)

1 Jedes Biom ist durch ein typisches jahreszeitliches Muster von Temperatur und Niederschlag charakterisiert.

Für die Ausprägung und Anordnung der Biome auf der Erdoberfläche sind in erster Linie zwei *Klimafaktoren* verantwortlich: die Sonneneinstrahlung — und davon abhängig der Temperaturgang — und die Verfügbarkeit von Wasser. Die Sonneneinstrahlung ändert sich absolut regelhaft und nimmt vom Äquator Richtung Pole ab (→ Abb. 1, S. 348). Modifiziert wird sie allerdings durch die schräg stehende Erdachse. Dadurch wandert die Zone der stärksten Einstrahlung im Sommer bis zum nördlichen Wendekreis (23,5 °N), im Winter entsprechend nach Süden. Das ist die Ursache der Jahreszeiten, die viele Biome entweder mit Sommer/Winter oder mit Regenzeit/Trockenzeit prägen.

Wäre die Einstrahlung allein ausschlaggebend, müsste man eine strenge Anordnung der Biome nach Breitenkreisen erwarten. Dass die Wirklichkeit anders aussieht, geht vor allem auf den Faktor Wasser zurück, der das Wachstum der Pflanzen in vielen Regionen begrenzt. Vor allem in den randlichen Tropen (Wendekreiswüsten) und im Inneren großer Kontinente bestimmt Wassermangel das Landschaftsbild.

Gestört wird die zonale Anordnung der Biome zusätzlich durch Gebirge, die als Klimainseln emporragen — die mitten in den Tropen liegenden höchsten Andengipfel tragen nicht die aufgrund der geografischen Breite zu erwartenden Regenwälder, sondern sind permanent vergletschert.

Innerhalb eines Bioms sind die Lebensbedingungen natürlich nicht völlig einheitlich. Neben Temperatur und Wasserversorgung beeinflussen zahlreiche weitere abiotische Faktoren (→ 22.1) das Vorkommen von Arten. Dadurch entstehen kleinräumigere Einheiten. Das heißt, ein Biom kann in seiner Gesamtheit als **Ökosystem** betrachtet werden, besteht aber selbst wieder aus zahlreichen Ökosystemen, die jeweils ebenfalls wieder die Summe kleinerer Einheiten darstellen. Ein Ökosystem umfasst **Biotope** und **Biozönosen** und ihre vielfältigen Wechselbeziehungen in einem abgegrenzten Gebiet (→ 23.1).

Ökosysteme sind also ineinander geschachtelt. Ein einziges Moospolster, ein Tümpel oder der Waldboden können jeweils für sich als Ökosystem untersucht werden, sind aber immer auch Teil eines größeren Ökosystems. Jedes Ökosystem ist auf Energiezufuhr von außen angewiesen (→ 25.1). Stoffkreisläufe existieren nicht nur innerhalb der Grenzen eines Ökosystems. Auch viele Lebewesen überschreiten diese Grenzen. Zugvögel leben zum Beispiel „systemübergreifend" und sind dadurch Teil vieler verschiedener Biozönosen. Ökosysteme sind also keine geschlossenen, sondern offene **Systeme** (→ 4.1). Grenzen sind in natürlichen Ökosystemen nur selten so deutlich wie an Ufern und Küsten. Mehr oder weniger ausgedehnte Übergangsbereiche sind die Regel.

Kompartimentierung

Aufgabe 26.1

Vergleichen Sie an zwei konkreten Beispielen die Grenzen von Kulturlandschaften mit denen natürlicher Ökosysteme.

| 26.2 | **Ökosysteme sind nicht statisch, sondern verändern sich** |

Klimaänderungen haben gravierende ökologische Auswirkungen. Besonders turbulent gestalteten sich die letzten zwei Millionen Jahre, in denen die Erde zahlreiche von wärmeren Abschnitten unterbrochene *Kaltzeiten* erlebt hat. In Mitteleuropa sank die mittlere Jahrestemperatur zeitweise um 8–12 °C — zu kalt für Wald. Die nacheiszeitliche Wiederbewaldung lässt sich mithilfe von *Pollendiagrammen* genau beschreiben. Pollen haben eine äußerst widerstandsfähige Zellwand, die Jahrtausende überstehen kann. Mit dem Ende der letzten Eiszeit vor etwa 12 000 Jahren begann das Wachstum der Moore. Pollen aus den mittlerweile bis zu zehn Meter mächtigen Torflagen geben für den gesamten Zeitraum Auskunft über die Vegetation der näheren Umgebung (→ Abb. 1, S. 360).

Demnach stand in Mitteleuropa eine Weiden-Tundra am Beginn und ein Rotbuchenwald am Schluss der Entwicklung. Eine solche (regelhafte) Veränderung einer Biozönose an einem Standort wird **Sukzession** genannt. Großräumige Sukzessionen finden statt, wenn Klima und Vegetation nicht in Einklang stehen. Sie kommen natürlich zum Stillstand, wenn sich das Klima über längere Zeit nicht mehr ändert. Dann entsteht ein stabiler Gleichgewichtszustand, der als **Klimax** bezeichnet wird. Welche Klimaxvegetation gehört nun zu Mitteleuropa? Das ist am heutigen Landschaftsbild kaum mehr nachvollziehbar. Tausende von Jahren menschliches Wirtschaften haben eine *Kulturlandschaft* entstehen lassen, die den ursprünglichen Zustand nicht mehr widerspiegelt.

Ökologie

1

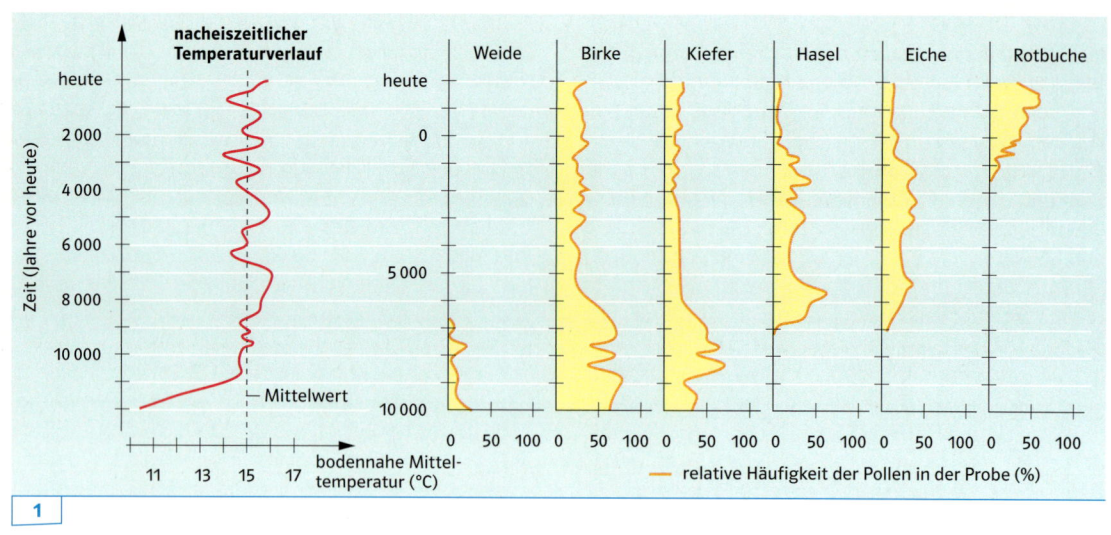

In Torfprofilen erhaltene Pollen enthüllen die nacheiszeitliche Vegetationsgeschichte der näheren Moorumgebung.

Die Kulturlandschaft kann keine Klimaxgesellschaft sein, denn sie lässt sich nur mit hohem Arbeits- und Energieaufwand erhalten. Das erkennen Sie überall dort, wo die ordnende Hand des Menschen fehlt: Ob vernachlässigte Gärten, nicht bestellte Felder oder ungemähte Wiesen — überall setzen Sukzessionen ein und die Biozönosen ändern sich drastisch. Binnen kurzem kommen Gebüsche auf, die langfristig in Wald übergehen. Damit wird klar: Mitteleuropa ist, von wenigen Sonderstandorten wie Gezeitenküsten, Flussauen, Mooren oder Felsen abgesehen, ein Waldland.

Damit ist unsere Frage allerdings noch nicht vollständig gelöst. Schließlich sind auch die meisten unserer Wälder Forste, die seit Jahrhunderten intensiv genutzt und aktiv gestaltet werden. Wälder im Urzustand gibt es fast nirgendwo mehr. Hinweise geben wieder Pollendiagramme. Typisch für Mitteleuropa sind demnach laubabwerfende sommergrüne Wälder, Buchenmischwald gilt als Klimaxvegetation. Nadelbäume fehlen weitgehend. Die konkurrenzschwache Kiefer ist auf Extremstandorte abgedrängt (→ Abb. 1, S. 319), Nadelbäume wie Tanne und besonders Fichte sind auf Höhenlagen beschränkt.

Aber auch eine im Einklang mit den Klimabedingungen und dem Standort ausgebildete Klimaxgesellschaft dürfen Sie sich nicht statisch vorstellen. Immer wieder kommt es zu Störungen. Stürme schlagen Schneisen, Brände räumen ganze Flächen ab. Wenig später bilden ausbreitungsfreudige und lichthungrige Arten mit reicher Nachkommenschaft, die man im geschlossenen Wald vergeblich sucht, einen grünen Teppich. Einjährige Gräser und Kräuter, also typische

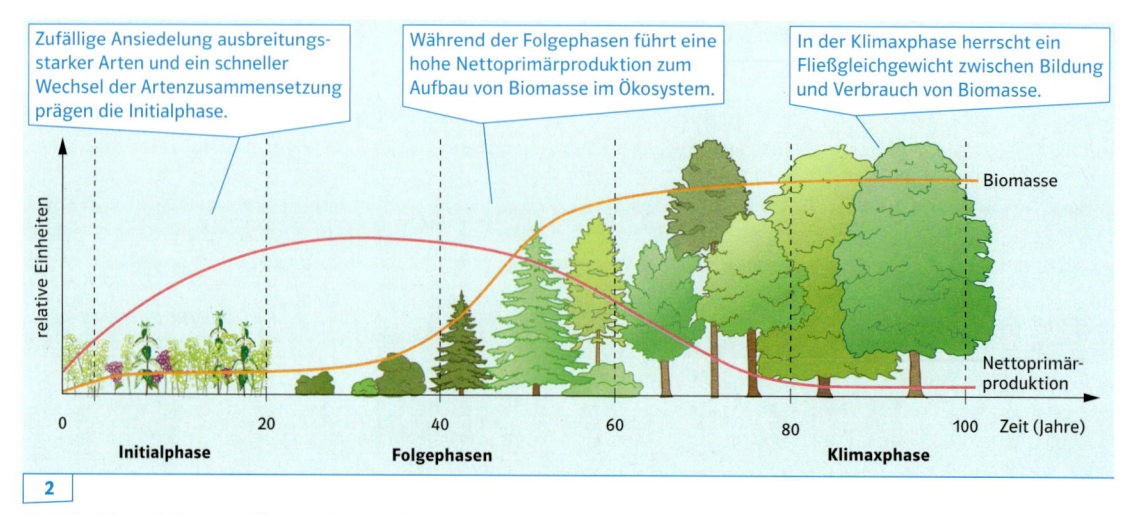

2

Nach heftigen Störungen (Sturm, Feuer oder Kahlschlag) entwickelt sich über typische Sukzessionsstadien wieder Wald.

r-Strategen (→ Abb. 2, S. 340), nutzen diesen nur kurzfristig bestehenden Lebensraum. Wenige Jahre später herrscht Buschwerk vor. Besonders häufig sind Arten, deren Samen von Vögeln transportiert werden oder mit dem Wind weit fortgetragen werden. In ihrem Schutz wachsen Bäume heran, die schließlich wieder einen geschlossenen Wald bilden (→ Abb. 2).

Jede Störung der Klimaxgesellschaft leitet also eine Sukzession ein. Typisch ist eine von wenigen Arten mit Massenvorkommen geprägte *Initialphase*. Auf eine oft sehr artenreiche Übergangsphase, die Jahrzehnte dauern kann, folgt wieder der Klimax: Langfristig haben sich konkurrenzstarke langlebige *K-Strategen* wieder durchgesetzt.

Aufgabe 26.2

Wacholderheiden und Trockenrasen sind Naturschutzgebiete. Begründen Sie, warum sie trotzdem intensiver Pflege bedürfen.

26.3 Der Nährstoffgehalt beeinflusst die Lebensgemeinschaft im See

Nichts ist erfrischender als ein sommerliches Bad in einem warmen See. Tauchen Sie allerdings etwas tiefer, wird es oft verblüffend kalt. Der Übergang ist abrupt: Das warme Oberflächenwaser ist durch eine deutliche **Sprungschicht** (*Thermokline*) vom kalten Tiefenwasser getrennt. Der Wasserkörper eines Sees ist also alles andere als einheitlich.

Betrachten Sie nur den Faktor Licht, einen der wichtigsten in jedem Ökosystem, weil er die Primärproduktion steuert: Je nach Wasserqualität dringt Licht nur wenige Zentimeter oder auch viele Meter ins Wasser ein. Das scheidet einen oberen Bereich, in dem Fotosynthese möglich ist, die **Nährschicht** oder **trophogene Zone**, von einem unteren, der **Zehrschicht** oder **tropholytischen Zone**. Zwischen beiden liegt die **Kompensationsebene**; hier wird genauso viel Sauerstoff produziert wie verbraucht.

Zu den Primärproduzenten der Nährschicht zählen die am Grund wurzelnden Wasserpflanzen. Sie besiedeln in einer typischen, vom Lichtangebot und der Wassertiefe gesteuerten Abfolge den Uferbereich (*Litoral*). Der nicht durchlichtete bodennahe Bereich des Sees wird als *Profundal* bezeichnet. Litoral und Profundal bilden zusammen die Bodenzone, das *Benthal* (→ Abb. 1). Eine wesentlich wichtigere Rolle für die Primärproduktion spielt aber das *Phytoplankton*, ein- oder wenigzellige Algen und Cyanobakterien, die im durchlichteten Bereich der Freiwasserzone (*Pelagial*) schweben. Die nächste Stufe der Nahrungskette (Primärkonsumenten) wird vom *Zooplankton* gebildet.

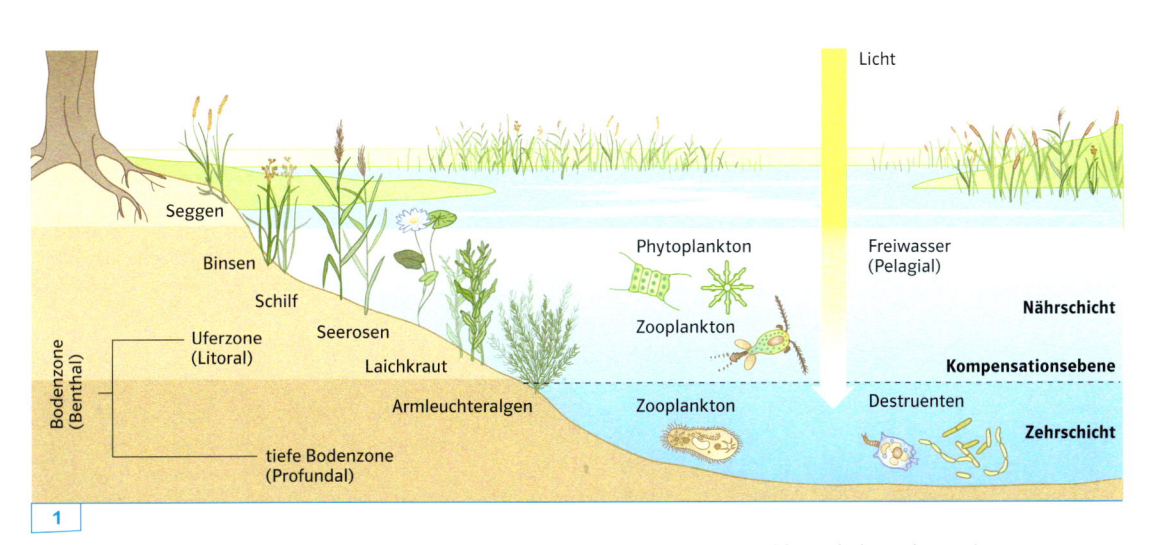

1 Licht ist einer der wichtigsten ökologischen Faktoren im See und sorgt für eine klare ökologische Zonierung.

Ökologie

Online-Link
Zusammenhänge im
Stadtparkteich (interaktiv)
150010-3621

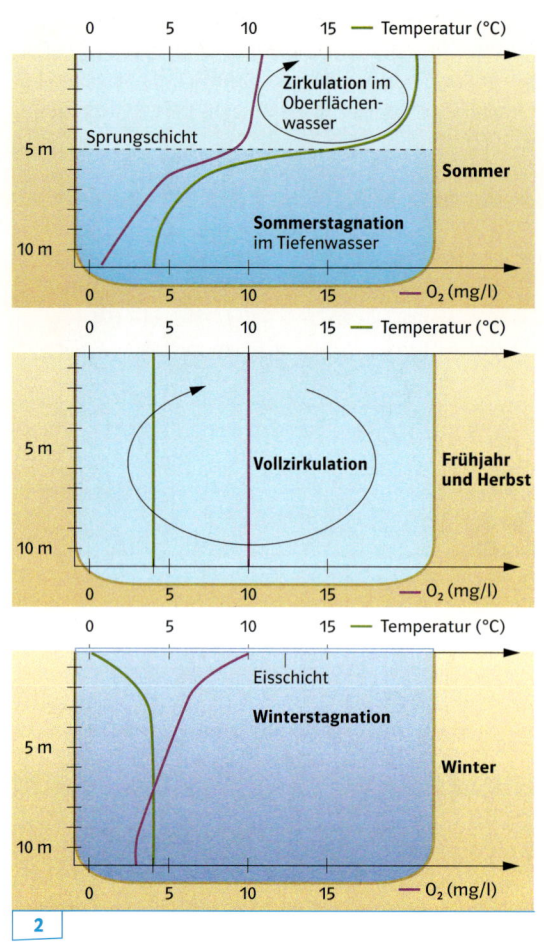

Abb. 2 Im Sommer und Winter verhindern Temperaturunterschiede im Wasserkörper eine Durchmischung. Vollzirkulation findet nur im Frühjahr und Herbst statt.

unter 4 °C. Dazwischen durchläuft der See aber sowohl im Frühjahr als auch im Herbst eine Phase ohne große Temperaturunterschiede. Die Sprungschicht löst sich auf, das Wasser durchmischt sich. Dabei gelangen Mineralstoffe nach oben und Sauerstoff in die Tiefe (→Abb. 2).

In den meisten tieferen Seen sind Nähr- und Mineralstoffe von Natur aus Mangelfaktoren. Solche nährstoffarmen Seen werden *oligotroph* genannt (nährstoffreiche Gewässer heißen *eutroph*). Zwei unfreiwillige Langzeitexperimente haben gezeigt, was passiert, wenn Mineralstoffe in großem Stil zugeführt werden und Gewässer dadurch eutrophiert werden. Experiment 1: Jahrzehntelang wurden Waschmitteln Phosphate zur Wasserenthärtung hinzugefügt, die dadurch in gewaltigen Mengen in die Gewässer kamen. Experiment 2: Die in der Landwirtschaft notwendige Düngung bringt Stickstoff- und Phosphorverbindungen großflächig aus. Die Folge beider „Versuche": Die Zufuhr an Mineralstoffen kurbelt das Algenwachstum in den Gewässern enorm an. Aus klarem Wasser wird grünes. Erste Konsequenz: Licht kann nicht mehr so tief eindringen, die Nährschicht wird dünner. Zweite Konsequenz: Wo viel lebt, stirbt auch viel. Abgestorbenes Plankton sinkt in die Zehrschicht ab. Bei seiner Aufarbeitung durch Mikroorganismen

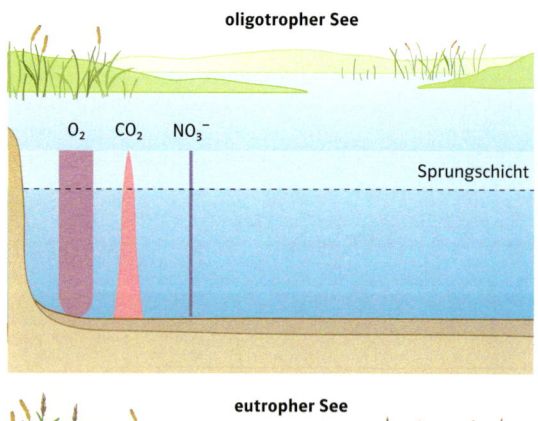

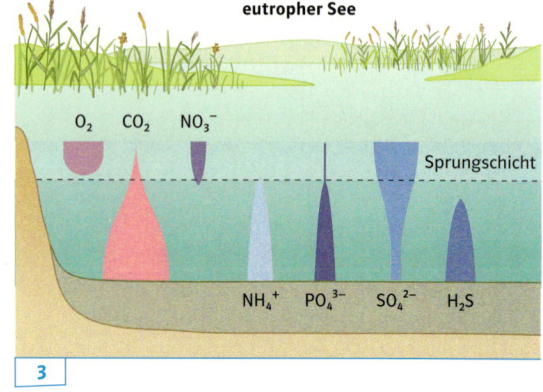

In der Zehrschicht leben ausschließlich Konsumenten und Destruenten, d.h. unterhalb der Kompensationsebene ist das Leben auf Subventionen von oben (oder durch Zuflüsse) angewiesen. Die Folge des permanenten Stofftransports von oben nach unten durch Absinken von Plankton, Pflanzenresten und Kot ist eine ungleiche Verteilung wichtiger Ressourcen: Oben dünnen auf Dauer Mineralstoffe wie Stickstoff und Phosphor aus, unten verbrauchen Konsumenten und Destruenten viel Sauerstoff. Das kann zum Problem werden, weil eine physikalische Besonderheit des Wassers für die eingangs schon erwähnte zweite Grenzfläche im freien Wasser sorgt, die Sprungschicht. Denn Süßwasser erreicht seine größte Dichte bei einer Temperatur von 4 °C. Im Sommer schwimmt das leichte, warme Wasser der Oberfläche auf dem „wie Blei" unter der Sprungschicht in der Tiefe liegenden kalten Wasser. Auch im Winter ist der Stoffaustausch zwischen unten und oben blockiert, jetzt durch das leichte, eiskalte Oberflächenwasser mit einer Temperatur

Abb. 3 Gas-, Mineralstoff- und Temperaturprofile unterscheiden sich im oligotrophen und eutrophen See.

wird sehr viel Sauerstoff verbraucht. Dieser kann aber wegen der Sprungschicht den ganzen Sommer über nicht von oben nachgeliefert werden. Anaerob arbeitende Mikroorganismen übernehmen nun den weiteren Abbau. Dabei entstehen giftige Produkte wie Ammonium (NH_4^+) und Schwefelwasserstoff (H_2S). Reichern diese sich an, kann das zum Tod der meisten Lebewesen der Zehrschicht führen. Der See „kippt um".

Aufgabe 26.3

Begründen Sie, warum das „Umkippen" eines Sees vor allem im Sommer und gegen Ende der Nacht erfolgt.

26.4 Fließgewässer sind zur Selbstreinigung fähig

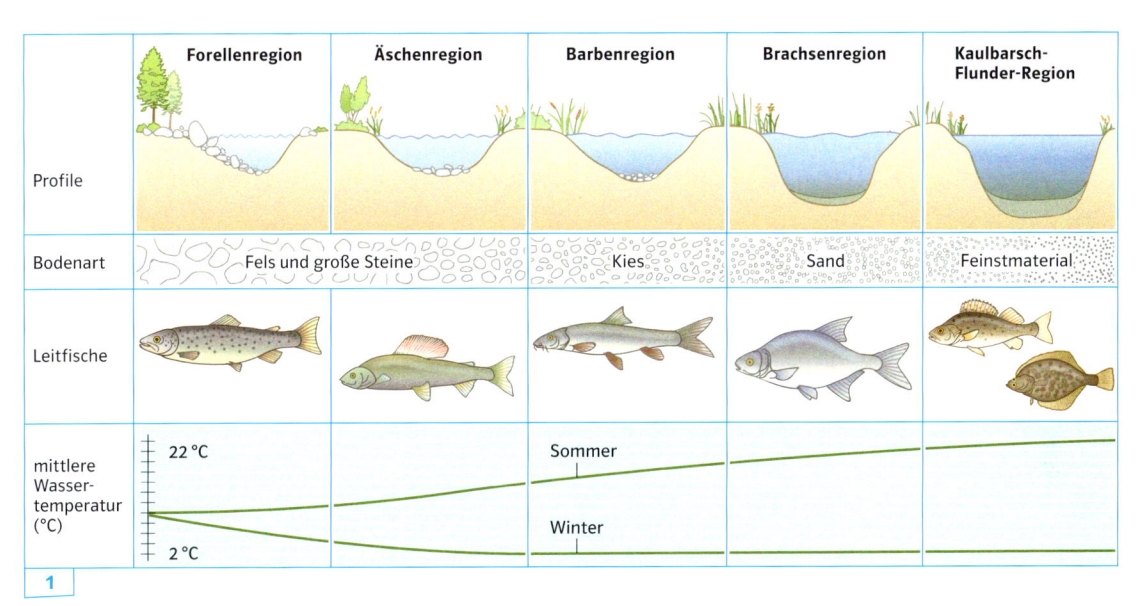

1 Zwischen Quelle und Mündung ändern sich die ökologischen Parameter und damit auch die Artengemeinschaften.

An Sauerstoff mangelt es in Fließgewässern von Natur aus nur selten: Die Strömung sorgt für ausreichende Belüftung und stetige Zufuhr frischen Wassers. Je turbulenter das Wasser fließt und je kälter es ist, desto mehr Sauerstoff ist gelöst. Die meisten Fließgewässer beginnen steil und enden flach. Zwischen Quelle und Mündung ändert sich das Strömungsverhalten deshalb regelhaft und damit auch der Sauerstoffgehalt und die Wassertemperatur. Dadurch entstehen typische Bio-Regionen, die nach den jeweiligen *Leitfischen* benannt sind (→ Abb. 1).

Soweit das Ideal — aber kennen Sie einen einzigen mitteleuropäischen Fluss, der dem entspricht? Vor allem in den Mittel- und Unterläufen haben massive wasserbauliche Eingriffe wie Begradigungen und Stau-stufen das Abflussverhalten und damit die Lebensgemeinschaften unserer Flüsse gravierend verändert.

Gewässer leben zum großen Teil vom Nährstoffeintrag von außen: eingeschwemmte Erde, eingewehtes Laub, von Forellen im Sprung erbeutete Fluginsekten. Werden allerdings organische oder biologisch abbaubare mineralische Stoffe in größerem Stil eingetragen (Abwasser, Gülle, Kunstdünger), kommt es wie im See zur Eutrophierung. Mikroorganismen vermehren sich enorm. Organisches Material wird unter Verbrauch von Sauerstoff abgebaut. Freigesetzte Mineralstoffe führen zu verstärktem Algenwachstum. Im Extremfall wird aus dem Fluss ein stinkender, durch Schwebstoffe, Cyanobakterien und Algen undurchsichtiger Wasserkörper, an dessen Grund anaerobe Verhältnisse

Ökologie

Methode: Biologische Beurteilung der Gewässerqualität

Anwendung
Die meisten Fließgewässer-Arten sind an gute Sauerstoffversorgung angepasst und reagieren äußerst empfindlich auf einen verminderten Sauerstoffgehalt; dadurch eignen sie sich sehr gut als Bioindikatoren.

Methode
Mit einem standardisierten Verfahren, in dem Vorkommen und Häufigkeit von 612 verschiedenen Arten der Fließgewässer in einem Saprobienindex verrechnet werden, kann die organische Belastung zuverlässig abgeschätzt und das Gewässer einer Güteklasse zugeordnet werden.

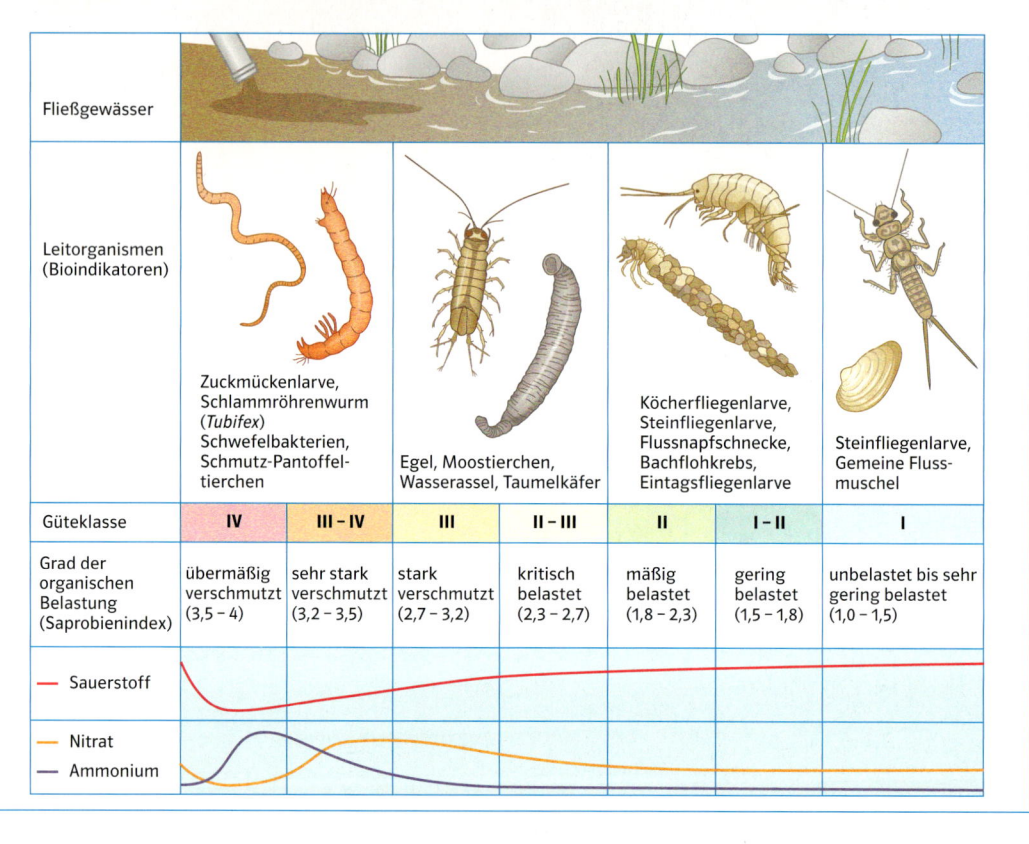

Fließgewässer							
Leitorganismen (Bioindikatoren)	Zuckmückenlarve, Schlammröhrenwurm (*Tubifex*) Schwefelbakterien, Schmutz-Pantoffeltierchen		Egel, Moostierchen, Wasserassel, Taumelkäfer		Köcherfliegenlarve, Steinfliegenlarve, Flussnapfschnecke, Bachflohkrebs, Eintagsfliegenlarve		Steinfliegenlarve, Gemeine Flussmuschel
Güteklasse	IV	III – IV	III	II – III	II	I – II	I
Grad der organischen Belastung (Saprobienindex)	übermäßig verschmutzt (3,5 – 4)	sehr stark verschmutzt (3,2 – 3,5)	stark verschmutzt (2,7 – 3,2)	kritisch belastet (2,3 – 2,7)	mäßig belastet (1,8 – 2,3)	gering belastet (1,5 – 1,8)	unbelastet bis sehr gering belastet (1,0 – 1,5)

— Sauerstoff
— Nitrat
— Ammonium

Die Artenzusammensetzung im Fließgewässer gibt zuverlässig Auskunft über die Wasserqualität.

herrschen und Faulschlamm abgelagert wird. Einige Kilometer flussabwärts sieht es aber schon wieder anders aus: Der Abbau organischer Substanzen ist fortgeschritten, Mineralstoffe wurden von Wasserpflanzen aufgenommen, die Bakterienpopulationen und damit die Sauerstoffzehrung nehmen wieder ab. Die *Selbstreinigungskraft* eines Fließgewässers kann mit einer nicht allzu massiven Verschmutzung durchaus fertig werden (→ Abb. 2). Dabei helfen die *Saprobien* (sapros (gr.): faul; bios (gr.): leben) also Pilze, Bakterien, tierähnliche Einzeller, Krebse, Insekten usw., die als *Bioindikatoren* dienen. In den biologischen Stufen von Kläranlagen wird die Fähigkeit zur Selbstreinigung genutzt und durch technische Verfahren wie gezielte Durchlüftung optimiert.

Aufgabe 26.4
Begründen Sie, warum die Selbstreinigung in einem Fließgewässer viel besser funktioniert als in einem See.

26.5 Im offenen Meer sind Produktion und Verbrauch räumlich weit getrennt

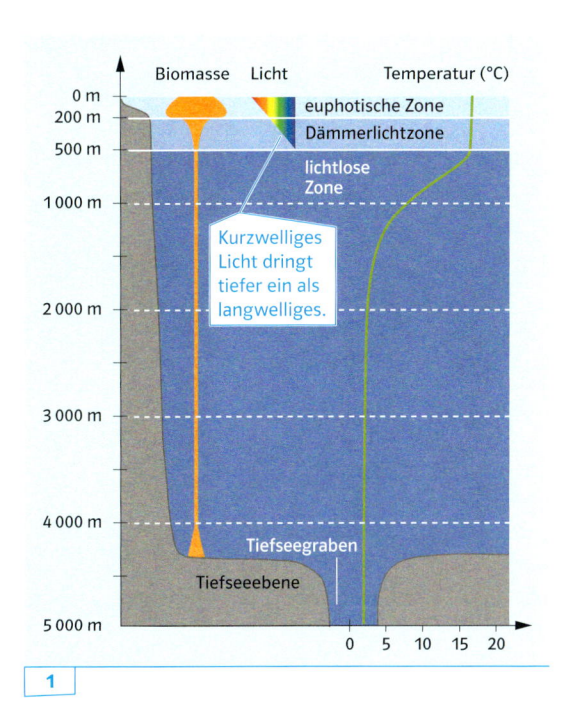

1 Die Lebensgemeinschaften im ewigen Dunkel der Tiefseeebenen hängen von der Produktion an der Meeresoberfläche ab.

Das bei weitem größte Ökosystem der Erde ist schwierig zu erforschen: Die im Mittel 4 000–5 000 m tiefen Tiefseebecken nehmen über die Hälfte der Erdoberfläche und damit mehr als alle Kontinente zusammen ein. Lange galten sie als trostlose „Unterwasserwüsten": eiskalt und völlig dunkel. Wo kein Licht, da auch keine pflanzliche Primärproduktion und damit auch keine Einspeisung in Nahrungsketten. Deshalb sind neue Forschungsergebnisse so verblüffend, nach denen die Artenvielfalt der Tiefsee auf 0,5 bis 10 Millionen Arten geschätzt wird. Wovon leben diese Tiere?

Primärproduktion durch Fotosynthese findet in den Meeren ausschließlich an der Oberfläche bis in etwa 150 Metern Tiefe statt (*euphotische Zone*). Die Klarheit des Wassers bestimmt dabei die Eindringtiefe des Lichts (→ Abb. 1). Bis zu 100 000 einzellige Planktonorganismen leben in einem Liter oberflächennahem Meerwasser. Viele Arten verhindern oder verlangsamen das Absinken in tiefere Zonen mithilfe von Geißeln, durch Schwebefortsätze oder Auftriebskörper.

Trotzdem gehen der euphotischen Zone etwa 1–5 % der dort produzierten Biomasse verloren — Organismen, Kadaver und Ausscheidungen. Auf dem, was mehrere Kilometer weiter unten teilweise schon bakteriell zersetzt und deshalb nicht mehr besonders hochwertig in geringer Dichte als „Meeresschnee" herabrieselt, basiert das Leben am Boden der Tiefsee. Das führt zu einigen Besonderheiten. Zum Beispiel überwiegen sehr kleine Organismen deutlich (Mikrofauna < 0,03 mm). Große Arten wie die über 40 cm lange Tiefseeassel sind zwar auffällig, aber sehr selten. Viele Tiere sind Allesfresser. Die in nahrungsreichen Flachmeeren so häufigen Planktonfiltrierer fehlen fast völlig. Manche Schwämme und Muscheln sind räuberisch geworden und erbeuten kleine Krebse. Auch die Tiefseefische sind überwiegend Räuber. Gewaltige Mäuler, die es ermöglichen, Beute zu machen, die kaum kleiner ist als der Jäger selbst, sind Anpassungen an die extrem geringe Dichte potenzieller Beutetiere. Lange Fastenzeiten sind wegen der tiefen Temperaturen und der dadurch verlangsamten Stoffwechselvorgänge kein Problem. Tiefseefische halten auch eine einjährige Fresspause durch. (Die Tiefsee hat etwa 2 °C, wo Salzwasser seine größte Dichte erreicht.)

Wie Sie schon wissen, ist Licht nicht der einzige Faktor, der die Primärproduktion steuert. Oftmals sind es (fehlende) Mineralstoffe, die die Produktion begrenzen. Stickstoff-, Phosphor- und Eisenverbindungen sind auch im Meer limitierende Faktoren. Deshalb finden sich die produktivsten Zonen in Küstennähe. In den flachen Schelfmeeren reichen von Wind- und Wellenbewegungen ausgelöste Turbulenzen bis zum Grund, sodass Mineralstoffe nicht in Sedimenten

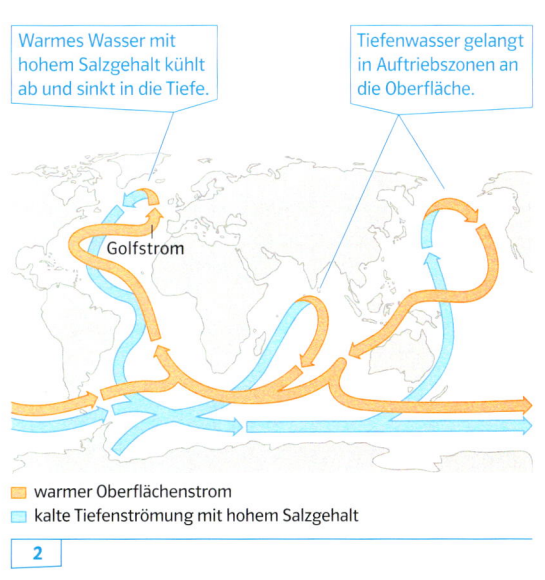

Variabilität und Angepasstheit

2 Ein globales marines Förderband sorgt für den großräumigen Transport von Mineralstoffen und Energie.

Ökologie

verschwinden, sondern im System bleiben. Überdies sorgen Flüsse und Auftriebszonen für eine ständige Zufuhr. Eine typische Auftriebszone befindet sich an der Westküste Südamerikas. Dort schieben ablandige Winde das Oberflächenwasser weg, sodass mit Mineralstoffen angereichertes Tiefenwasser aufsteigen kann. Dadurch gelangen zuvor an ganz anderer Stelle in die Tiefsee abgesunkene Mineralstoffe wieder in Umlauf. Darauf basiert eine extrem hohe Primärproduktion. Das gibt auch riesigen Seevogelkolonien wie auf den Guanoinseln eine Nahrungsgrundlage.

Mineralstoffe werden also nicht nur über den „Meeresschnee" vertikal verlagert, sondern in großem Maßstab über die weltumspannenden Meeresströmungssysteme horizontal transportiert (→ Abb. 2, S. 365). Eine der produktivsten antarktischen Auftriebszonen, die Algen und damit Krillkrebse, Pinguine, Robben und Wale ernährt, bezieht einen Teil ihrer Mineralstoffe aus dem Nordatlantik, und zwar mit einem Tiefenstrom des globalen marinen Förderbands Angetrieben wird es von geringen Unterschieden in Temperatur und Salzgehalt.

Aufgabe 26.5

Ein Teil der in der euphotischen Zone produzierten organischen Substanz wird nicht konsumiert und fällt auf den Meeresboden. Leiten Sie daraus Konsequenzen für den Kohlenstoffkreislauf ab. Stellen Sie die besonderen abiotischen und biotischen Faktoren der Tiefsee zusammen.

26.6 In der Tiefsee existieren von der Sonnenenergie völlig unabhängige Ökosysteme

Variabilität und Angepasstheit

Eine der sensationellen Entdeckungen in der Geschichte der Biologie gelang im Jahr 1977, als in der Tiefsee im Bereich mittelozeanischer Rücken heiße Quellen mit vorher völlig unbekannten Lebensgemeinschaften entdeckt wurden (→ 8.6). Die Quellen entstehen dadurch, dass 2 °C kaltes Seewasser in die junge, noch heiße ozeanische Kruste eindringt und dort auf bis zu 405 °C aufgeheizt wird. Das ist nur unter dem dort herrschenden enormen Druck möglich. Das überheiße Wasser löst Metalle aus dem Gestein. Die so entstehenden „Fluide" steigen auf und kühlen an der Oberfläche jäh ab. Die zuvor gelösten Substanzen fallen aus. Je nach Zusammensetzung der Fluide entsteht dabei schwarzer oder weißer „Rauch", der aus mehrere Meter hohen röhren- oder kegelförmigen Kaminen ausgestoßen wird (Schwarze bzw. Weiße Raucher).

Auch Schwefelwasserstoff (H_2S) und Methan (CH_4) werden in großen Mengen ausgestoßen. Bakterien gewinnen Energie aus der Oxidation dieser Stoffe und stehen am Anfang der dortigen Nahrungsketten. Damit war das Rätsel des wimmelnden Lebens an diesen Tiefseequellen gelöst: Nicht die Sonne, sondern das heiße Innere der Erde liefert Energie. Die Primärproduktion basiert nicht wie üblich auf Fotosynthese, sondern ganz auf Chemosynthese (→ Abb. 3, S. 143).

Chemoautotrophe Bakterien kommen auch an anderen extremen Orten vor, wie in Geysiren oder in Gesteinen. Die Tiefsee-Ökosysteme der heißen Qeullen sind aber weltweit die einzigen Lebensgemeinschaften, die vollständig auf Chemosynthese basieren.*

1 Aus Schwarzen Rauchern schießt heißes mineralstoffreiches Wasser aus dem Meeresboden.

Aufgabe 26.6

Erläutern Sie, warum die Lebensgemeinschaften rund um die heißen Quellen der Tiefsee in mancher Hinsicht als Modell für Ökosysteme in der Frühzeit des Leben auf der Erde gelten.

Die Biosphäre unter dem Einfluss des Menschen

27

Blauwal

Der Blauwal ist das größte Tier der Erde. Durch massive Verfolgung ist er selten geworden. Die Auswirkungen auf den Krill des Südpolarmeers — jeder Blauwal vertilgt täglich etwa vier Tonnen dieser Krebse — waren verblüffend: Anders als erwartet ging nämlich auch der Krillbestand massiv zurück, obwohl der Feinddruck geringer wurde. Die Lösung dieses Widerspruchs: Krillkrebse leben von Plankton-Algen und diesen fehlte die intensive tägliche Düngung durch den Walkot. Die Krebse selbst entziehen dem System permanent Nährstoffe durch tageszeitliche vertikale Wanderungen und Kotabgabe in tieferen Wasserschichten. Krill ernährt nicht nur Wale, sondern spielt in vielen Nahrungsketten des Südpolarmeers die zentrale Rolle. Viele Fische, Tintenfische, Robben und Pinguine leben ausschließlich von Krill. Das Verschwinden der großen Bartenwale hat deshalb enorme, kaum vorhersehbare Auswirkungen auf das gesamte Ökosystem.

27.1	Der natürliche Treibhauseffekt ermöglicht Leben auf der Erde
27.2	Der durch den Menschen verstärkte Treibhauseffekt verändert das Klima
27.3	Menschliche Aktivitäten bedrohen die Biodiversität
27.4	Effektiver Artenschutz gelingt nur in großflächigen Schutzgebieten
27.5	Nachhaltiges Wirtschaften entscheidet über die Zukunft der Biosphäre und der Menschheit

Ökologie

27.1 Der natürliche Treibhauseffekt ermöglicht Leben auf der Erde

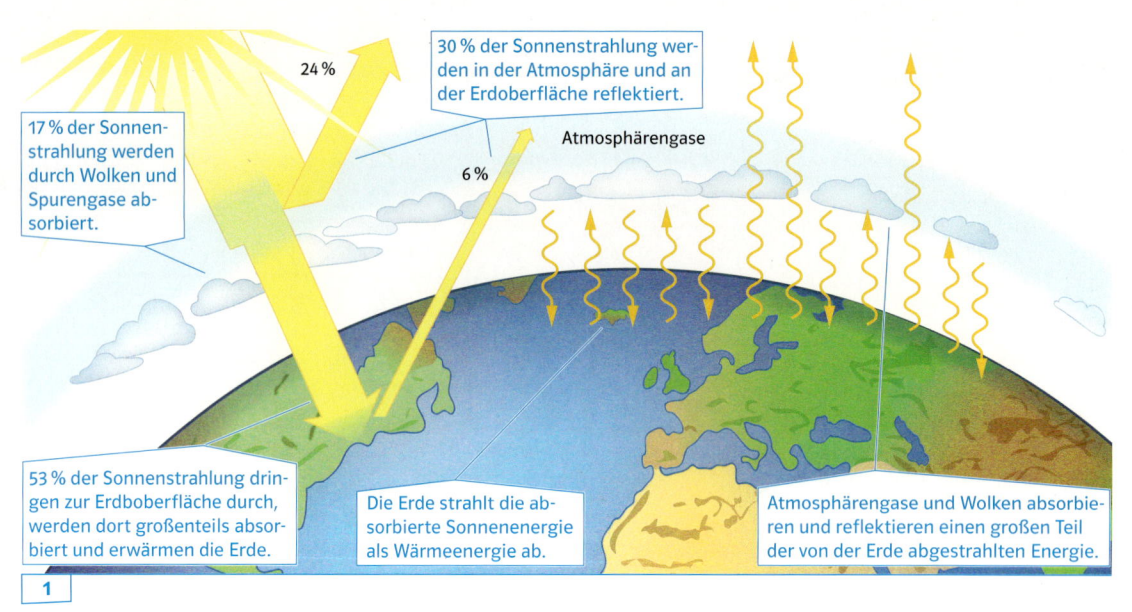

Abb. 1 — Bildbeschriftungen:
- 24 %
- 30 % der Sonnenstrahlung werden in der Atmosphäre und an der Erdoberfläche reflektiert.
- 17 % der Sonnenstrahlung werden durch Wolken und Spurengase absorbiert.
- Atmosphärengase
- 6 %
- 53 % der Sonnenstrahlung dringen zur Erdboberfläche durch, werden dort großenteils absorbiert und erwärmen die Erde.
- Die Erde strahlt die absorbierte Sonnenenergie als Wärmeenergie ab.
- Atmosphärengase und Wolken absorbieren und reflektieren einen großen Teil der von der Erde abgestrahlten Energie.

1 Der natürliche Treibhauseffekt bedingt lebensfreundliche Temperaturen auf der Erde.

Wärme ohne zu heizen: Die Treibhäuser der Gärtnereien nutzen ebenso wie an Wohnhäuser angebaute Wintergärten den Glashauseffekt. Sonnenlicht durchdringt das Glas nahezu ungehindert. Im Innenraum wird die kurzwellige Lichtstrahlung zum großen Teil absorbiert und als langwellige *Wärmestrahlung* wieder abgegeben. Deren Abstrahlung wird vom Glasdach wirkungsvoll vermindert. Die Folge: Der Innenraum heizt sich durch diesen **Treibhauseffekt** auf.

In der Atmosphäre spielen Spurengase und Wolken die Rolle des Glasdachs (→ Abb. 1). Sie absorbieren die von der Erde abgestrahlte Wärmeenergie und sorgen dadurch für angenehme Temperaturen auf dem Planeten. Wenn die auf die Erdoberfläche auftreffende Strahlung ungebremst wieder ins All reflektiert würde, betrüge die Durchschnittstemperatur auf der Erde lebensfeindliche −18 °C statt angenehmer +15 °C. Da das Leben auf der Erde weitgehend vom Vorhandensein

Stoff- und Energieumwandlung

Treibhausgas	Konzentration (ppm ≙ $1/10^6$, parts per million)	Beitrag zum natürlichen Treibhauseffekt	bewirkte Temperaturerhöhung	Anteil am zusätzlichen Treibhauseffekt	hauptsächliche anthropogene Herkunft
Kohlenstoffdioxid (CO_2)	385 ppm	22 %	7,2 °C	64 %	Verbrennung fossiler Energieträger
Ozon, bodennah (O_3)	0,03 ppm	7 %	2,4 °C	?	z. B. Straßenverkehr
Distickstoffoxid (N_2O)	0,31 ppm	4 %	1,4 °C	5 %	Düsentriebwerke, Brandrodung, Intensivdüngung
Methan (CH_4)	1,75 ppm	2,5 %	0,8 °C	20 %	Rinderhaltung, Reisanbau, Brandrodung
andere	< 0,6 ppm	2,5 %	0,6 °C	10 %	z. B. FCKW: Kühlmittel, Treibgas
Wasserdampf (H_2O)	1–4 %	62 %	20,6 °C	?	verstärkte Verdunstung

2 Die Spurengase der Atmosphäre tragen zum natürlichen und zum zusätzlichen Treibhauseffekt bei. (Stand: 2010)

flüssigen Wassers abhängt, ist fraglich, ob die Erde ohne den natürlichen Treibhauseffekt der Atmosphäre überhaupt belebt wäre.

Menschliche Aktivitäten von der Brandrodung bis zum Verbrauch fossiler Brennstoffe haben die Konzentration mancher der etwa 30 verschiedenen Treibhausgase stark ansteigen lassen (→ Abb. 2). Das verstärkt den natürlichen Treibhauseffekt und führt zum „global warming", dem schnellen Anstieg der Durchschnittstemperaturen auf der Erde.

Aufgabe 27.1

In Südamerika werden für Rinderfarmen große Waldflächen gerodet. Erläutern Sie die Konsequenzen für das Klima.

27.2 Der durch den Menschen verstärkte Treibhauseffekt verändert das Klima

Auf Hawaii, mitten im Pazifik, befindet sich auf 3 400 m Höhe das Mauna Loa Observatorium — ein idealer Ort, um die Atmosphäre zu erforschen, was dort seit über 50 Jahren getan wird. Von dort stammt der klare Befund, dass die Konzentration von Kohlenstoffdioxid, dem unter den Treibhausgasen eine entscheidende Rolle zukommt, von Jahr zu Jahr steigt (→ Abb. 1). Das ist überwiegend eine Folge des wachsenden Verbrauchs fossiler Brennstoffe. Dabei wird Kohlenstoff, der dem globalen Kreislauf (→ 25.2) vor langer Zeit dauerhaft entzogen worden war, als CO_2 frei. Vor der industriellen Revolution vor etwa 150 Jahren betrug die CO_2-Konzentration noch 265 ppm (ppm = parts per million), vor 50 Jahren 315 ppm, inzwischen etwa 385 ppm.

Dass zwischen Lufttemperatur und CO_2-Gehalt ein enger Zusammenhang besteht, sehen Sie in Abb. 2, S. 370. In der antarktischen Forschungsstation Vostok wurde ein 3 623 m tief und 400 000 Jahre in die Vergangenheit reichender Eiskern gewonnen. Die Luftbläschen im Eis liefern Atmosphärendaten, das Verhältnis von ^{18}O zu ^{16}O Informationen zur damaligen Temperatur. Es gilt als gesichert, dass die aktuelle Steigerung der Durchschnittstemperaturen auf der Erde direkt auf den gestiegenen Gehalt an Spurengasen zurückgeht. Wie hoch die Temperaturerhöhung ausfallen wird, hängt unter anderem davon ab, wie schnell und wie stark gegengesteuert wird (→ Abb. 3, S. 370).

Dazu ist natürlich eine Verringerung der Produktion von Treibhausgasen entscheidend, wozu jeder Einzelne beitragen kann. Darüber hinaus ist die Wissenschaft auf der Suche nach *Kohlenstoffsenken*. Damit sind Gebiete gemeint, in denen bereits in die Atmosphäre gelangtes CO_2 wieder entsorgt und „endgelagert" werden kann, ähnlich wie das bei der Bildung von Kohle und Erdöl in der erdgeschichtlichen Vergangenheit geschehen ist.

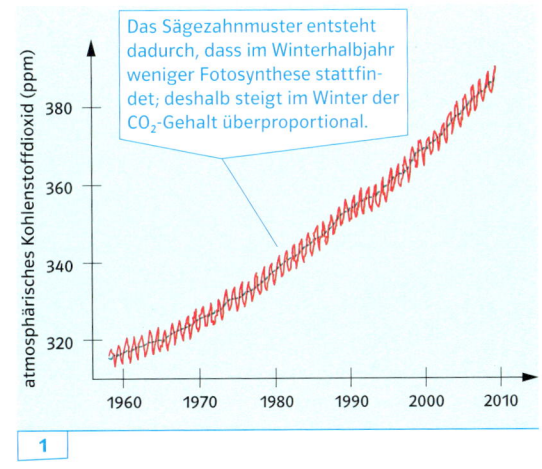

Das Sägezahnmuster entsteht dadurch, dass im Winterhalbjahr weniger Fotosynthese stattfindet; deshalb steigt im Winter der CO_2-Gehalt überproportional.

1 Der CO_2-Gehalt der Atmosphäre steigt stetig an.

In Deutschland kommen als Kohlenstoffsenken vor allem Moore infrage. Intakte Moore legen organisches Material in Torf fest und entziehen der Atmosphäre auf diese Weise dauerhaft CO_2. Von einer konsequenten Wiedervernässung der in den letzten 200 Jahren weitgehend zerstörten Moore können sowohl das Klima als auch der klassische Naturschutz profitieren. Als weltweit wirkungsvollste Kohlenstoffsenke gilt allerdings die Tiefsee. Den globalen Kohlenstoffkreislauf haben Sie bereits kennengelernt. Wie die Abbildung auf Seite 350 zeigt, enthalten die Ozeane große Mengen Kohlenstoff. Die Weltmeere speichern rund 50-mal soviel CO_2 wie die Atmosphäre. Ein Teil des im Meerwasser gelösten CO_2 gelangt über das Phytoplankton in die Nahrungsketten. Ein Zehntel der organischen Materie wird in tiefere Wasserschichten exportiert. Dort kann der Kohlenstoff dann Jahrhunderte bleiben oder sogar „für immer", wenn er in Meeres-

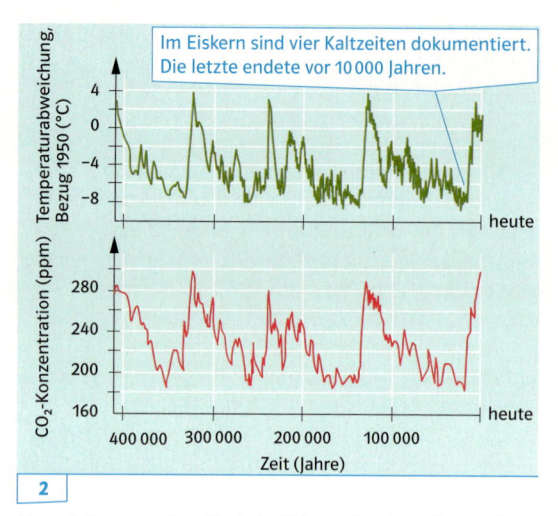

Ökologie

Im Eiskern sind vier Kaltzeiten dokumentiert. Die letzte endete vor 10 000 Jahren.

2 Messdaten aus dem Vostok-Eiskern der Antarktis zeigen fast parallele Schwankungen der Temperaturen und des CO_2-Gehalts in den vergangenen 400 000 Jahren.

Auch die *Permafrostböden*, die weite Teile Sibiriens und Nordamerikas einnehmen, sind bedeutende Kohlenstoffsenken. In den wenigen Sommermonaten wird langfristig durch Fotosynthese mehr CO_2 gebunden als freigesetzt. Dadurch sind teils mehrere hundert Meter mächtige Torfablagerungen entstanden, in denen etwa 25 % des weltweiten Bodenkohlenstoffs eingefroren sind. Taut der Permafrostboden als Folge des Klimawandels, werden CO_2 und das auch als „Sumpfgas" bezeichnete *Methan* in großer Menge freigesetzt. Dadurch wird wiederum der Treibhauseffekt verstärkt und das weitere Auftauen der Böden beschleunigt.

Die größte Gefahr der gegenwärtigen Klimaerwärmung liegt in solchen sich selbst verstärkenden Prozessen und abrupten, irreversiblen Veränderungen. Zum Beispiel wird das System der weltumspannenden Meeresströmungen (globales marines Förderband, →Abb. 2, S. 365) unter anderem von globalen Temperaturunterschieden angetrieben. Der Golfstrom, der warme Wassermassen von Mittelamerika quer über den Atlantik transportiert, ist Teil dieses Systems. Wenn die „Warmwasserheizung" Europas als Folge geänderter Temperaturen ausfällt, kommt es zum Klimawandel. Zahlreiche durch massives Artensterben gekennzeichnete globale ökologische Katastrophen der Erdgeschichte wurden durch Klimawandel verursacht (→Umschlaginnenseite hinten).

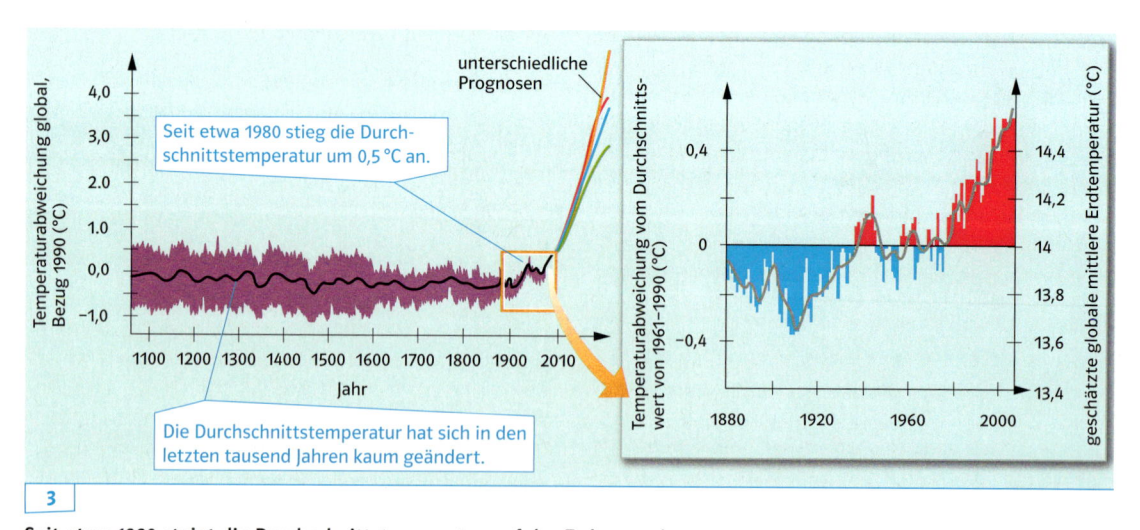

sedimente eingebaut wird. Allerdings führt der höhere CO_2-Gehalt bereits zu einer messbaren Versauerung der Ozeane. Das stört den Aufbau von Kalkskeletten des Planktons, was wiederum den Kohlenstofftransfer in die Tiefe beeinflusst. Rückkopplungen wie diese machen Prognosen extrem kompliziert.

Seit etwa 1980 stieg die Durchschnittstemperatur um 0,5 °C an.

Die Durchschnittstemperatur hat sich in den letzten tausend Jahren kaum geändert.

unterschiedliche Prognosen

3 Seit etwa 1980 steigt die Durchschnittstemperatur auf der Erde messbar an.

Aufgabe 27.2

Um die Tiefsee als Kohlenstoffsenke zu nutzen, laufen Versuche, um den Transport von CO_2 in die Tiefsee zu verstärken. Dazu werden zum Beispiel Mineralstoffe wie Eisenverbindungen großflächig auf der Meeresoberfläche ausgebracht. Erläutern Sie, auf welchen Überlegungen dieses Experiment basiert.

27.3 Menschliche Aktivitäten bedrohen die Biodiversität

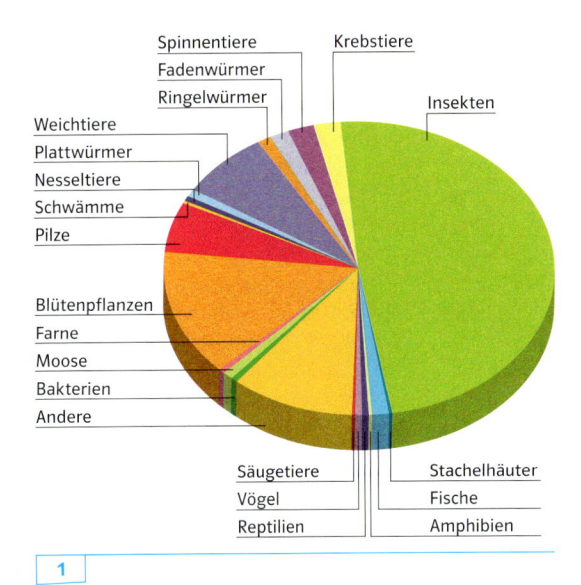

1 Global zeigen Insekten die größte Artenvielfalt.

Artensterben ist normal: Fossilien belegen, dass im Lauf der Erdgeschichte nicht nur einzelne Arten, sondern selbst ganze Stammeslinien verschwunden sind. Was nicht normal ist, ist die rasante Geschwindigkeit des gegenwärtigen Aussterbens. Es übertrifft das natürliche bereits um das Tausendfache und wird allen Prognosen zufolge weiter stark ansteigen. Natürlich steht derweil die Evolution nicht still. Sie wissen aber, dass die Entstehung neuer Arten im Allgemeinen sehr viel Zeit braucht (→ 19.4). Insgesamt erleben wir also einen dramatischen Verlust an **Biodiversität**.

Was steckt hinter dem Begriff Biodiversität, der wörtlich übersetzt „Vielfalt des Lebens" bedeutet? Im Wesentlichen dreierlei:

1. Biodiversität ist *Artenvielfalt*: Die Art ist die am leichtesten zu fassende „Einheit" der Biodiversität. Allerdings ist die Inventarisierung der Erde noch lange nicht abgeschlossen. Etwa 1,8 Millionen Arten sind bekannt. Bis in die 1970er Jahre galt eine Artenzahl von etwa zwei Millionen als wahrscheinlich. Dann wurde die atemberaubende Artenvielfalt der tropischen Baumkronenregion entdeckt. Eine ähnliche Revolution bahnt sich nun in der Tiefsee an (→ 26.6). Inzwischen liegen die Hochrechnungen bei 5 bis 80 Millionen Arten weltweit.

2. Biodiversität ist *genetische Vielfalt* (*Variabilität*): Werden Arten selten, verschwinden Allele aus dem Genpool. Die genetische Vielfalt wird eingeschränkt. Sie kennen das als Flaschenhalseffekt (→ 17.6) und wissen, dass eine durch erfolgreichen Naturschutz wieder wachsende Population fortan von dieser genetischen Verarmung betroffen ist. Ein Beispiel: Wildpferde waren über Jahrzehnte in freier Natur ausgestorben. Seit 1990 wird versucht, sie in den Halbwüsten Innerasiens wieder heimisch zu machen. Alle heute lebenden Wildpferde stammen allerdings von nur 13 Tieren ab, die in den 1920er Jahren eingefangen und in Zoos gehalten wurden. Selbst wenn die Auswilderung Erfolg hat und das Wildpferd als gerettet gelten kann, ist seine genetische Vielfalt extrem eingeschränkt: ein Verlust an Biodiversität, der große Bedeutung für das Überleben der Art haben kann.

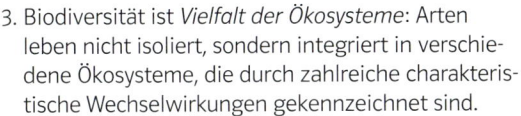

3. Biodiversität ist *Vielfalt der Ökosysteme*: Arten leben nicht isoliert, sondern integriert in verschiedene Ökosysteme, die durch zahlreiche charakteristische Wechselwirkungen gekennzeichnet sind.

Die globale Artenvielfalt ist dabei sehr ungleichmäßig verteilt. Orte höchster Artenvielfalt, **Hotspots**, liegen in den Tropen und dort in den biologisch günstigen gleichmäßig warmen und feuchten Bereichen. Mitteleuropa gehört dagegen zu den artenarmen Regionen. Aus Deutschland sind nur 24 000 Pflanzen- und Pilzarten und 48 000 Tierarten bekannt, von denen allein 33 000 Insekten sind. Nicht nur hier, sondern auch global ist die Erde ein Planet der Insekten (→ Abb. 1).

	Etwa 80 % der 3 384 Blütenpflanzenarten in Deutschland (2775) sind hier seit langer Zeit heimisch.
	Weniger als 7 % sind **Archaeophyten** (226). Das sind Arten, die bereits früh unter menschlichem Einfluss heimisch wurden, oft im Zusammenhang mit der Landschaftsveränderung durch Ackerbau.
	Etwas mehr als 10 % der Arten (383) zählen zu den **Neophyten**. Neophyten umfassen die Arten, die sich nach 1492, dem Jahr der Entdeckung Amerikas durch CHRISTOPH KOLUMBUS, in Gebieten ausgebreitet haben, wo sie natürlicherweise nicht vorkommen.
	Etwa 10 % der Neophyten (30) breiten sich sehr stark aus und werden deshalb als problematische, **invasive Arten** eingestuft.

2 Mehr als 10 % der Pflanzen in Deutschland sind neu eingebürgerte Arten (Neophyten).

Ökologie

Biodiversitätsverlust ist letztlich eine Folge des enormen Wachstums der Weltbevölkerung (→ 24.5) und der daraus folgenden Beeinflussung sämtlicher Ökosysteme der Erde. Ob schon die erste „Landnahme" des vor etwa 100 000 Jahren aus Afrika kommenden *Homo sapiens* (→ 21.3) mit dem gleichzeitigen Aussterben von Großsäugern in Asien, Australien und später auch in Nordamerika ursächlich zusammenhängt, ist zwar umstritten. Unzweifelhaft ist aber das Verschwinden vieler Arten im Zusammenhang mit der Kolonisierung der Erde in historischer Zeit. Am offensichtlichsten und besser dokumentiert ist der Artenverlust auf Inseln (z. B. Madagaskar, Neuseeland, Hawaii). Lebensraumverlust ist für viele Arten inzwischen allerdings ein viel schwerwiegenderes Problem als direkte Verfolgung. Oft bleiben von einem ehemals geschlossenen Verbreitungsgebiet nur noch kleine Fragmente, zwischen denen kein genetischer Austausch mehr stattfindet.

Biodiversität wird durch natürliche Verbreitungsschranken aufrechterhalten, die allerdings im Gefolge des Menschen von zahlreichen Tier- und Pflanzenarten überwunden werden. Als **Neobiota** (Tiere: *Neozoen*; Pflanzen: *Neophyten*) können sie die heimischen Arten verdrängen (→ Abb. 2, S. 371, und → Abb. 3).

Als besonders problematische Neozoen haben sich Fleischfresser erwiesen. Besonders anfällig sind über lange Zeiträume isoliert evolvierte Ökosysteme ozeanischer Inseln. Neuseeland verlor nach der Einwanderung der Maoris vor 1200 Jahren 34 seiner endemischen (nur dort vorkommenden) Vogelarten; im Zusammenhang mit der Kolonisierung durch Europäer weitere 15. Ein besonders drastisches Beispiel: Die komplette Weltpopulation des auf eine kleine neuseeländische Insel beschränkten Stephen-Schlüpfers, des einzigen flugunfähigen Sperlingsvogels der Welt, wurde von der Katze des Leuchtturmwärters ausgerottet.

Art	Herkunft	Ausbreitungswege	in Deutschland	Status
Drüsiges Springkraut (*Impatiens glandulifera*) **a**	Westlicher Himalaya	1839 als Gartenpflanze nach England eingeführt	seit Beginn des 20. Jh. aus Gärten verwildert, auch von Imkern ausgesät	in feuchten Lebensräumen (Bachauen) häufig, noch in der Ausbreitung begriffen
Herkulesstaude, Riesenbärenklau (*Heracleum mantegazzianum*) **b**	Kaukasus	als Zierpflanze und Bienenweide gepflanzt, Ausbreitung über Früchte (Wind)	Gartenpflanze; ab 1849 verwildert	seit den 1980er Jahren starke Ausbreitung; verursacht allergische Hautreaktionen
Kartoffelkäfer (*Leptinotarsa decemlineata*) **c**	Westliches Nordamerika	Nahrungsspezialist an Kartoffeln und mit diesen trotz Handelsrestriktionen verschleppt	seit 1877 gelegentlich, seit 1936 trotz massiver Bekämpfung heimisch	überall verbreiteter und häufiger landwirtschaftlicher Schädling
Bisam (*Ondatra zibethicus*) **d**	Nordamerika	erste Aussetzung bei Prag 1905; später auch entflohene Zuchttiere	erstmals 1915, dann schnelle Ausbreitung	an Gewässern überall häufig, beeinflusst Ufervegetation und Muschelbestände

3 Neophyten und Neozoen verändern Ökosysteme.

Aufgabe 27.3

Bedrohung durch Aliens? Eingeschleppte Tier- und Pflanzenarten (Neobiota) werden von manchen als Bereicherung der heimischen Biodiversität betrachtet, von anderen als Gefährdung. Sehen Sie Handlungsbedarf? Begründen Sie.

Online-Link
Info: Das grüne Band
150010-3731

Die Biosphäre unter dem Einfluss des Menschen

27.4 Effektiver Artenschutz gelingt nur in großflächigen Schutzgebieten

Sicher kennen Sie die dreieckigen Schilder mit dem Seeadler und dem grünem Rand. Die damit gekennzeichneten *Naturschutzgebiete* sollen in ihrer Gesamtheit die für Deutschland typischen Ökosysteme mit all ihren Arten und Funktionen dauerhaft erhalten. Kann das gelingen? Wie groß müssen Schutzgebiete sein, die das leisten sollen?

Das lässt sich am besten in vom Menschen wenig beeinflussten, großflächig intakten Ökosystemen mit komplettem Artenbestand herausfinden, wie sie in Mitteleuropa kaum mehr existieren. Das bestuntersuchte Beispiel finden Sie in Mittelamerika. Dort entstand beim Bau des Panamakanals ein großer Stausee, der im Jahr 1914 aus einem von tropischem Regenwald bedeckten Hügel die Insel *Barro Colorado* machte (→ Abb. 1). Seit 1923 ist die Insel ein unter strengem Schutz stehendes Freilandlabor der Tropenökologen, die sich zunächst an die Bestandsaufnahme machten: So wurden zum Beispiel 1369 Gefäßpflanzenarten — darunter allein 365 Baumarten — und 208 Brutvogelarten erfasst (zum Vergleich: In ganz Deutschland brüten 244 Vogelarten).

Trotz einer Größe von immerhin fast 16 km² erwies sich die Insel bald als zu klein für die großen, an der Spitze der Nahrungsketten stehenden Fleischfresser Jaguar, Puma und Harpyie (ein riesiger Greifvogel). Sie konnten keine tragfähigen Populationen erhalten und verschwanden innerhalb weniger Jahre. Bis 1970 hatte die Insel 45 der 208 Brutvogelarten eingebüßt, noch einmal 20 fehlten bei der nächsten Bestandsaufnahme Ende der 1990er Jahre.

Anders als bei den großen Raubtieren war für diesen Verlust nicht mangelnder Raum ausschlaggebend, sondern — zunächst verblüffend — das Fehlen von Jaguar, Puma und Harpyie! Alle drei haben nämlich sehr deutliche Auswirkungen auf die *Populationsdichte* kleinerer Säugetierarten. Das zeigte sich auf Barro Colorado darin, dass die Zahl der fleischfressenden Nasenbären ebenso enorm anstieg wie die der vegetarisch lebenden Nagetiere Aguti und Paca. Die Nasenbären sorgten dafür, dass der Bruterfolg zahlreicher am Boden brütender Vogelarten gegen null ging und deren Bestände drastisch sanken oder erloschen. Die Samen und Keimlinge fressenden Nagetiere beeinträchtigen die Naturverjüngung des Waldes entscheidend (→ Abb. 1).

Das Beispiel Barro Colorado zeigt:
- Manche Arten — in diesem Fall die an der Spitze der Nahrungsketten stehenden Raubtiere — haben eine Schlüsselstellung im Ökosystem. Verschwinden diese **Schlüsselarten**, löst das eine ganze Kaskade teils dramatischer Veränderungen aus.

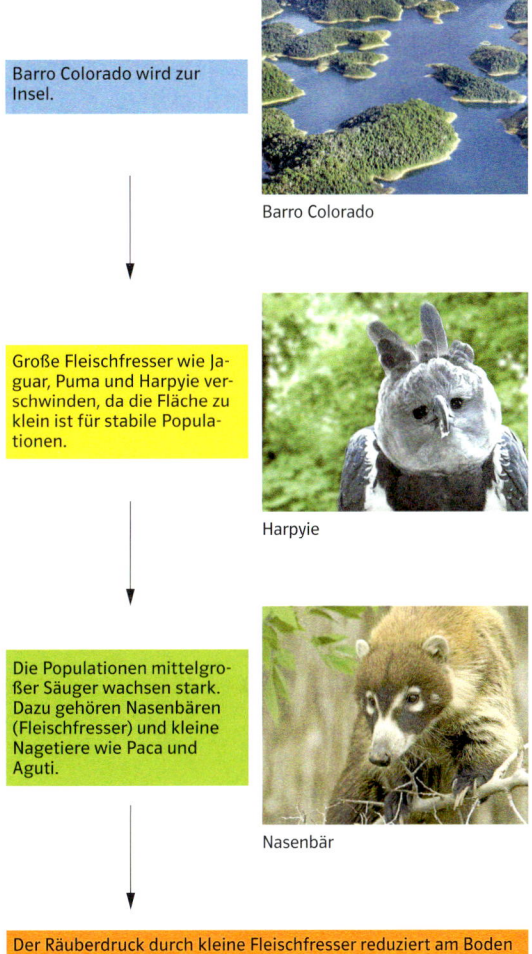

Barro Colorado wird zur Insel.

Barro Colorado

Große Fleischfresser wie Jaguar, Puma und Harpyie verschwinden, da die Fläche zu klein ist für stabile Populationen.

Harpyie

Die Populationen mittelgroßer Säuger wachsen stark. Dazu gehören Nasenbären (Fleischfresser) und kleine Nagetiere wie Paca und Aguti.

Nasenbär

Der Räuberdruck durch kleine Fleischfresser reduziert am Boden brütende Vogelarten. Der selektive Pflanzenfraß der Nager beeinflusst die Naturverjüngung des Waldes.

1 Daten des Freilandlabors Barro Colorado liefern Hinweise auf notwendige Arealgrößen und die Bedeutung von Schlüsselarten für Ökosysteme.

- Ob alle Arten eines Ökosystems in einem geschützten Gebiet erhalten bleiben, hängt nicht zuletzt von dessen Größe ab. 16 km² waren deutlich zu klein für die an der Spitze der Nahrungsketten stehenden großen Raubkatzen und Greifvögel.

Mit ihrer „Theory of Island Biogeography" beschrieben EDWARD WILSON und ROBERT MACARTHUR im Jahr 1967, dass Flächengrößen von Inseln und Artenzahl in einer mathematischen Beziehung stehen. Die Theorie lässt sich nicht nur auf von Wasser umgebene Inseln

Ökologie

anwenden, sondern auch auf verinselte Ökosysteme, wie z. B. von der Rodung verschonte Waldinseln. Hier gelten die gleichen Regeln wie bei „echten" Inseln: Schrumpft ein Gebiet auf ein Zehntel seiner Fläche, sinkt die Artenzahl um 50 %. Gebiete, die kleiner sind als ein Quadratkilometer, erleiden überproportionale Verluste.

Was bedeutet das für den Naturschutz bei uns? In Deutschland stehen 12 400 km² (3,5 % der Gesamtfläche) unter Naturschutz. Die durchschnittliche Größe eines Naturschutzgebiets liegt dabei bei 1,5 km², also etwa einem Zehntel der Fläche von Barro Colorado. 60 % der Gebiete sind sogar kleiner als 0,5 km². Vergleichen Sie diese Zahlen mit den Erkenntnissen der Insel-Biogeografie, sehen Sie sofort, dass diese Flächen für einen effektiven Schutz der Biodiversität eigentlich viel zu klein sind. Einen gewissen Ausgleich schaffen Biotopvernetzungen, Korridore und Grünbrücken, die der Verinselung entgegenwirken. Diese Politik verfolgen die Mitgliedsländer der Europäischen Gemeinschaft mit der FFH-Richtlinie (Flora-Fauna-Habitat) und dem Schutzgebietssystem „Natura 2000". In Deutschland sind dadurch sowohl die letzten verbliebenen großen Naturräume (Wattenmeer, Alpen) als auch typische Wälder und klassische artenreiche Kulturlandschaften wie Streuobstwiesen besonders geschützt.

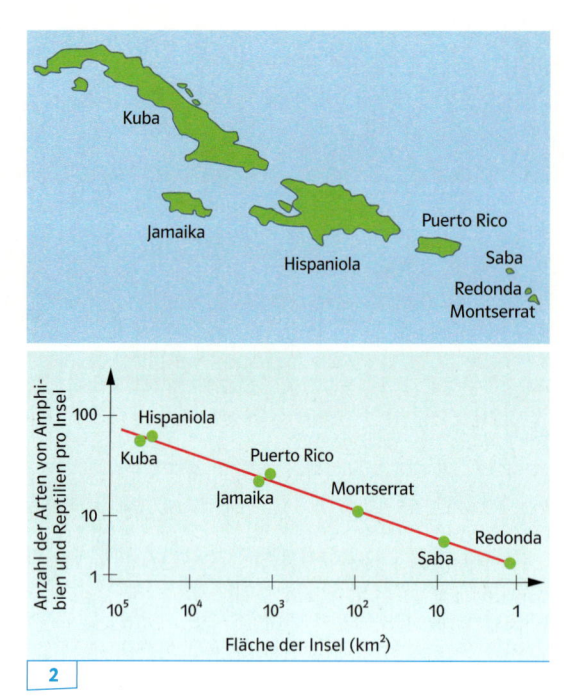

2 Auf kleinen Inselflächen können nur wenige Arten existieren.

Aufgabe 27.4

Luchse leben hauptsächlich von Rehen in etwa 100 km² großen Revieren und erbeuten im Durchschnitt ein Tier pro Woche. Schätzen Sie den Einfluss des Luchses — möglicherweise als Schlüsselart — in mitteleuropäischen Waldökosystemen ab.

27.5 Nachhaltiges Wirtschaften entscheidet über die Zukunft der Biosphäre und der Menschheit

Auf der weit abseits aller Kontinente im Pazifik liegenden Osterinsel wächst kaum ein Baum. Dafür stehen hier hunderte riesiger Steinköpfe und künden von einer Hochkultur, die schon lange Geschichte war, als der erste Europäer im Jahr 1722 dort landete (→ Abb. 1). Was war geschehen? Die spätestens um das Jahr 1200 eingewanderten polynesischen Siedler haben die vorher dicht mit Palmen bewachsene Insel fast komplett entwaldet und sich damit selbst einer wichtigen Ressource beraubt. Darüber hinaus verhinderten von ihnen eingeschleppte samenfressende Ratten die natürliche Verjüngung der Bäume. Der Entwaldung folgte der Verlust der Bodenkrume durch verstärkte Erosion. Die Folge: Ende der Hochkultur und vermutlich ein starker Rückgang der Bevölkerung.

Nicht viel anders war es in Mitteleuropa vor 500 Jahren. Holz war Baustoff und nahezu einziger Energieträger. Hungersnöte waren nicht selten. Um für die wachsende Bevölkerung ausreichend Nahrungsmittel zu produzieren, kam auch die Streu der Wälder in den Stall und anschließend als Dünger auf die Felder. Der Stoffkreislauf im nun „besenreinen" Wald war gestört. Er verarmte an Mineralstoffen, die Böden wurden schlechter. Gegen Ende des Mittelalters war kein geschlossener Hochwald mehr vorhanden. Die Erschließung eines neueren Energieträgers, der Kohle, nahm den Druck von diesem Restwald. Die nun entstehende Forstwirtschaft setze nicht mehr auf kurzfristige Ausbeutung, sondern führte mit der **Nachhaltigkeit** ein völlig neues Nutzungsprinzip ein. Der

Online-Link
Info: Heizen mit Holzpellets
150010-3751

Die Biosphäre unter dem Einfluss des Menschen

Vom Menschen beeinflusste Ökosysteme können also ganz unterschiedlich reagieren: Wie das Beispiel „Osterinsel" Ihnen zeigt, können sich Ökosysteme irreversibel verändern, wenn wichtige Ressourcen (hier: Boden) verloren gehen. Dagegen konnte sich der mitteleuropäische Wald trotz jahrhundertelanger schwerer Eingriffe weitgehend erholen.•

So einleuchtend das Prinzip der Nachhaltigkeit ist, so schwierig ist es oft, es in der Praxis umzusetzen. Häufig verhindern kurzfristige wirtschaftliche Interessen eine nachhaltige Nutzung — denken Sie zum Beispiel an die Ausbeutung der tropischen Regenwälder oder an die Überfischung der Weltmeere.

Nachhaltigkeit kann man mit der Methode des *ökologischen Fußabdrucks* ermitteln (→ 24.5). Der Fußabdruck eines Landes ist die Summe des Ackerlands, Weidelands, der Wälder und Fischereigründe, die für die von dem Land betriebene Produktion an Nahrungsmitteln, Nutzholz, für die Aufnahme von Abfall aus der Energienutzung und für seine Infrastruktur benötigt werden. Der ökologische Fußabdruck lässt sich nicht nur für einzelne Staaten oder für die Erde insgesamt (→ Abb. 2), sondern auch für jeden einzelnen Menschen aus seinen persönlichen Lebens- und Konsumgewohnheiten berechnen.

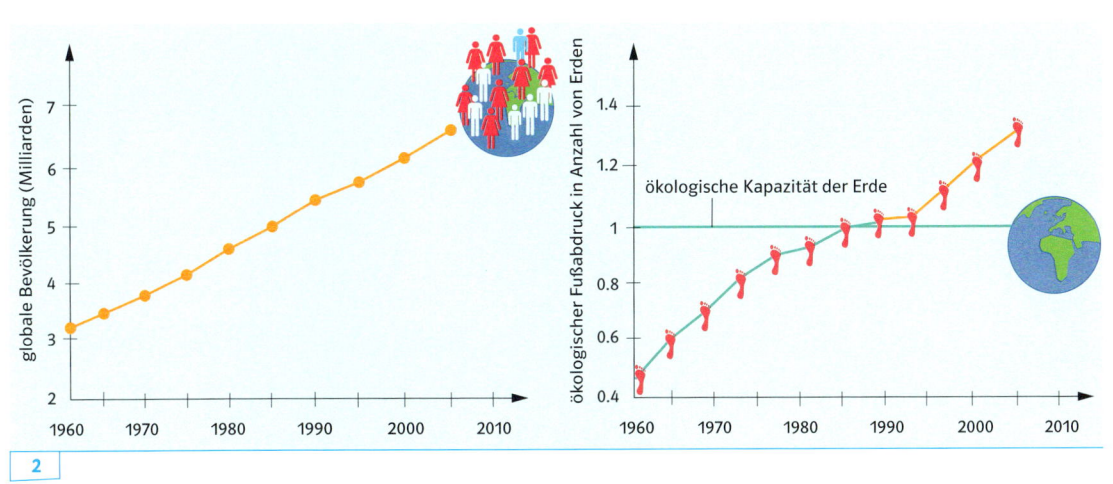

Steuerung und Regelung

1 Die Steinfiguren der Osterinsel sind Zeugnisse einer untergegangenen Kultur.

einfache Grundgedanke: Es durfte höchstens so viel Holz geschlagen werden, wie nachwuchs. Das wurde zum Erfolgsrezept bei der Regeneration der mitteleuropäischen Wälder, allerdings mit einem veränderten, auf bessere Nutzung ausgerichteten Baumbestand.

2 Der ökologische Fußabdruck der Menschheit überschreitet die Kapazität der Erde.

Aufgabe 27.5

Bietet Biodiesel — Treibstoff aus nachwachsenden Rohstoffen — eine Möglichkeit, gleichzeitig Mobilität zu garantieren und den ökologischen Fußabdruck zu verringern? Informieren Sie sich und diskutieren Sie Für und Wider.

LOGIN ins GEHIRN

Keine Science-Fiction, sondern Wirklichkeit: Neuroimplantate lassen gehörlose Menschen hören und Gelähmte mit Gedankenkraft Computerprogramme oder Prothesen steuern. Was werden Hirnmaschinen in Zukunft können?

Der 24-jährige Amerikaner im Rollstuhl malt Kreise auf den Bildschirm seines Computers. Weil er vom Hals abwärts gelähmt ist, liegen dabei seine Hände reglos im Schoß. Dass er trotzdem zeichnen kann, macht ein kleiner Chip mit 100 Elektroden möglich, der in seine Hirnrinde eingepflanzt wurde. Der Mann bewegt den Mauszeiger, indem er sich vorstellt, mit dem Zeigefinger über den Monitor zu fahren.

2004: Der erste Mensch mit einem „Gedankenübertragungschip" im Hirn

MATTHEW NAGLE war 2004 der erste Mensch mit einem solchen Chip und sorgte weltweit für Aufsehen. Neun Monate lang trug er das Implantat und lernte dabei, nur mit Gedankenkraft Mails zu öffnen, sich durch Fernsehprogramme zu zappen und sogar eine Roboterhand zu steuern. Dann sendete der Chip keine Signale mehr.

Da Hirnoperationen heikel und unter anderem mit Infektionsgefahren verbunden sind, wäre es wünschenswert, die Gedanken, etwa von schwerstbehinderten Menschen, mithilfe von Elektroden abgreifen zu können, die außen auf dem Kopf angebracht sind. Problem: Die Signale dringen nur schwach und verschwommen durch die Schädeldecke. Doch grundsätzlich ist bereits bewiesen, dass auch solche Gehirn-Maschine-Schnittstellen — so heißen die entsprechenden Apparate bei den Wissenschaftlern — tatsächlich funktionieren. So haben Tübinger Forscher schon vor Jahren eine solche Schnittstelle für Menschen entwickelt, die unter fortschreitendem Muskelschwund — Amyotropher Lateralsklerose (ALS) — leiden. Patienten, von Wissenschaftlern oft wochenlang geschult, gelang es, mit ihren Gedanken einen Computercursor zu steuern, um auf einem Bildschirm Buchstaben auszuwählen. Einige konnten sich auf diese Weise auch dann noch anderen Menschen mitteilen, als überhaupt kein Muskel mehr funktionierte und nicht einmal ein Augenblinzeln oder Lippenzucken mehr möglich war.

Mehr als 100 000 gehörlose Menschen tragen einen Hör-Chip

Bei solchen Schnittstellen werden Signale von Hirnregionen ausgewertet, die maßgeblich an der Bewegungsplanung und Bewegungssteuerung beteiligt sind. Schon bedeutend länger gibt es Prothesen, die Sinnesorgane ersetzen können. Chochlea-Implantate »

Neurobiologie

28	Reizaufnahme und Erregungsleitung
29	Neuronale Verschaltungen
30	Sinne und Wahrnehmung
31	Nervensysteme
32	Hormonelle Regelung und Steuerung

werden heute von mehr als 100 000 Gehörlosen getragen. Bei ihnen stimulieren Metallelektroden die Nervenzellen des Hörnervs in der Hörschnecke (Cochlea) des Innenohrs und übermitteln so Informationen, die ein Prozessor aus dem mittels Mikrofon aufgenommenen Schallsignal aufbereitet hat. Anfangs vernehmen die Patienten nur Rauschen und Knacken, doch nach einigen Monaten können sie Worte verstehen und sogar telefonieren. Seit längerem sind auch „Sehchips" in der Entwicklung, die als künstliche Netzhaut bei Blinden funktionieren sollen.

Wenn so etwas möglich ist, könnte dann nicht bald auch ein lexikalischer Gedächtnis-Chip den Wortschatz fremder Sprachen bereitstellen, ohne dass man Vokabeln pauken muss? Dafür müssten Neurowissenschaftler erst den Code knacken, mit dem die Nervenzelle Sprachinformationen und Erinnerungen verschlüsselt. Bekannt ist, dass das Gehirn Informationen anders verarbeitet als konventionelle Computer. Diese operieren digital: mit Nullen und Einsen beziehungsweise auf der physikalischen Ebene mit Transistoren, deren Schalter Strom entweder durchlassen oder sperren. Sie arbeiten viele Vorgänge nacheinander ab, wenn auch mit hoher Geschwindigkeit, und benötigen eine zentrale „Uhr", um die Prozesse zu synchronisieren. Anders das Gehirn: Nervenzellen sind zwar auch eine Art elektrischer Schalter, aber sie verarbeiten Informationen analog. Kontinuierliche starke und schwache Ströme mit beiderlei Vorzeichen werden miteinander verrechnet und für die Übertragung in digitale Signale umgewandelt. Zudem laufen im Gehirn viele Vorgänge gleichzeitig nebeneinander — parallel — und selbstständig ab. Diese Unterschiede sind ein wesentlicher Grund dafür, dass Computer einerseits im Schach selbst gegen Weltmeister gewinnen, andererseits aber schlecht darin sind, einen bestimmten Gegenstand oder Personen unter vielen zu erkennen oder unvollständige Informationen zu ergänzen.

Das Gehirn ist nicht einfach ein Hochleistungscomputer

Vieles ist jedoch noch unklar. Wir wissen, dass Nervenzellen Informationen durch die Zahl der elektrischen Spannungsspitzen verschlüsseln, die sie in einer bestimmten Zeit abfeuern. Aber auch der zeitliche Abstand zwischen zwei Spannungsspitzen könnte wichtige Informationen tragen. Inzwischen erforschen Wissenschaftler auch zeitlich und räumlich wechselnde Aktivitätsmuster, die beim Feuern ganzer Nervenzellnetze entstehen. Solange solche elementaren Fragen nicht geklärt sind, wird der Wunsch Science-Fiction bleiben, z. B. einen Prüfungsstoff über eine USB-Schnittstelle direkt in unser Gehirn laden zu können. ■

Reizaufnahme und Erregungsleitung

28

Freeclimbing erscheint Außenstehenden oft als leichtsinniges Spiel mit der Gefahr. Freeclimber sprechen von kalkuliertem Risiko. Jeder noch so kleine Vorsprung wird genutzt, um sich an den nackten Fels zu klammern. Finger und Zehen ertasten den Fels — Nervenzellen leiten die Information an das Gehirn. Optische Informationen fließen in Entscheidungen über den nächsten Schritt ein — Nervenzellen leiten und verarbeiten sie. Muskeln werden zur richtigen Zeit in angemessener Intensität angespannt — motorische Neuronen steuern sie. Jeder Fehler kann dramatische Folgen haben.

Extremkletterin in einer stark überhängenden Route an der Nordwand der großen Zinne (Dolomiten)

28.1	Nervenzellen sind spezialisiert auf die Leitung und Verarbeitung von Informationen
28.2	Gliazellen unterstützen Neuronen bei der Informationsverarbeitung
28.3	Ionenpumpen und Ionenkanäle machen die Membran durchlässig für bestimmte Ionen
28.4	In Ruhe zeigen Neuronen ein Gleichgewichtspotenzial
28.5	An aktiven Neuronen treten kurzzeitige Potenzialveränderungen auf
28.6	Signale pflanzen sich selbst entlang dem Axon fort
28.7	Springende Aktionspotenziale beschleunigen die Erregungsleitung erheblich
28.8	Die Abfolge der Aktionspotenziale codiert Reizdauer und Reizstärke

Neurobiologie

28.1 Nervenzellen sind spezialisiert auf die Leitung und Verarbeitung von Informationen

Information und Kommunikation

Beim Menschen ebenso wie beim Regenwurm: Die Funktion jedes Nervensystems beruht auf der Zusammenarbeit von **Neuronen** (Nervenzellen). Das einfachste neuronale Netzwerk besteht aus zwei Zellen: Ein *sensorisches Neuron* empfängt Signale und gibt sie an ein *motorisches Neuron* (Motoneuron) weiter, das in Kontakt mit Muskelzellen steht. Diese einfache Verschaltung ermöglicht eine immer gleiche, meist sehr schnelle Reaktion auf einen Reiz, den **Reflex**. Damit lässt sich ein schneller Schmerz-Rückzugsreflex organisieren. Meist ist noch ein *Interneuron* dazwischengeschaltet, das zwei Neuronen verbindet (→ Abb. 1). Über ein Interneuron lässt sich eine Verschaltung modifizieren.

Die meisten Neuronen bilden komplexere Verknüpfungen. Jedes der rund 100 Milliarden Neuronen in einem menschlichen Gehirn ist durchschnittlich mit über 1000 anderen Neuronen verbunden. Im Gehirn befinden sich viele separate, parallel arbeitende Netzwerke mit speziellen Aufgaben. Die Netzwerke stehen dann wiederum in vielfachem Kontakt zueinander.

Struktur und Funktion

Trotz ihrer enormen Vielfalt sind alle Neuronen prinzipiell gleich aufgebaut, nämlich aus Zellkörper, Dendriten, Axon und Axonendigungen mit Endknöpfchen (→ Abb. 2). Dabei ist es egal, ob wir ein motorisches Neuron zur Muskelansteuerung, ein Interneuron oder ein sensorisches Neuron betrachten.

Der Zellkörper (das *Soma*) enthält wie bei anderen Körperzellen den Zellkern, das endoplasmatische

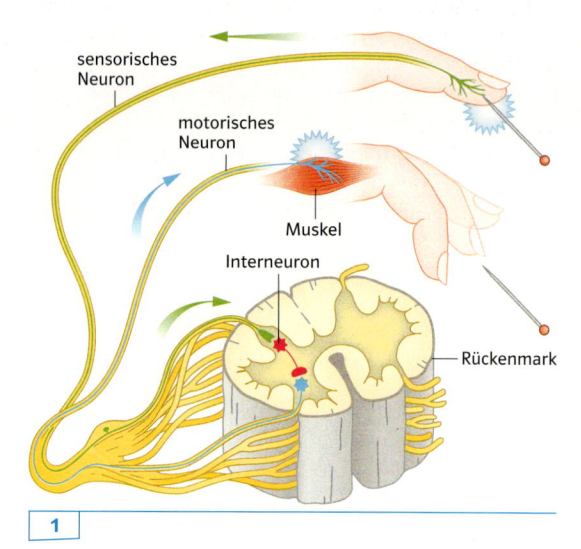

1 Der Schmerzreflexbogen besteht aus drei Neuronen.

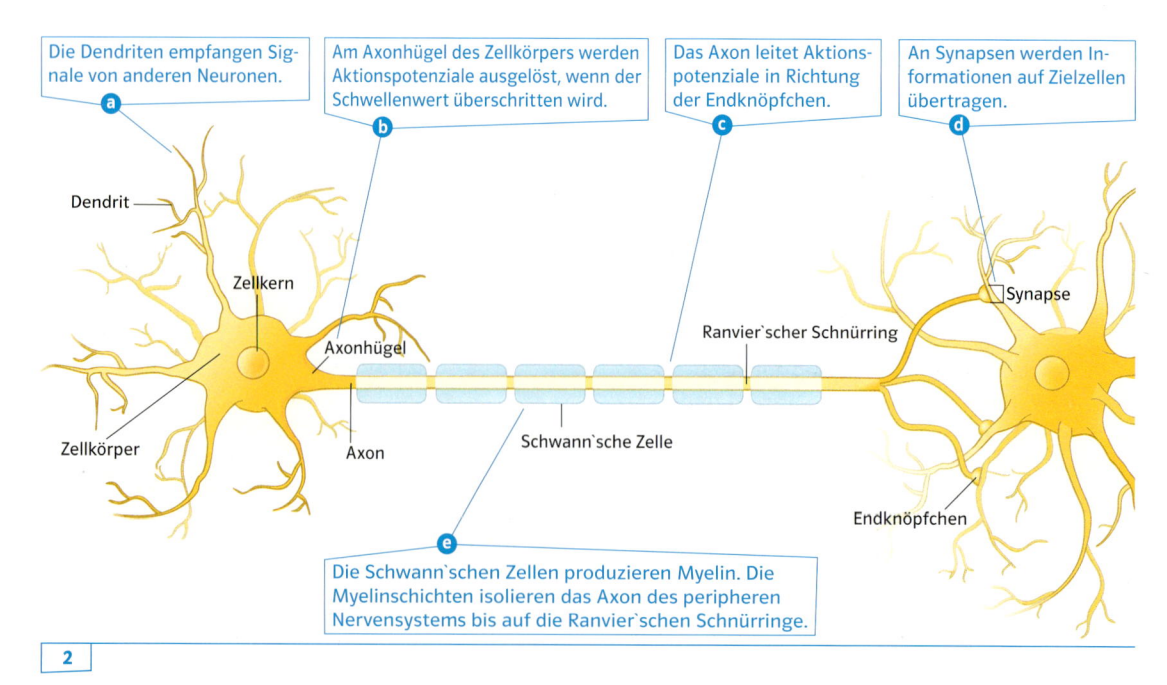

a) Die Dendriten empfangen Signale von anderen Neuronen.
b) Am Axonhügel des Zellkörpers werden Aktionspotenziale ausgelöst, wenn der Schwellenwert überschritten wird.
c) Das Axon leitet Aktionspotenziale in Richtung der Endknöpfchen.
d) An Synapsen werden Informationen auf Zielzellen übertragen.
e) Die Schwann'schen Zellen produzieren Myelin. Die Myelinschichten isolieren das Axon des peripheren Nervensystems bis auf die Ranvier'schen Schnürringe.

2 Schematische Darstellung eines Neurons des peripheren Nervensystems. Neuronen erhalten Informationen aus vielen Quellen und integrieren sie zu einer Information, die sie weitergeben.

Reticulum und einen Großteil der Organellen, die den Stoffwechsel und die Proteinsynthese bewerkstelligen. Mehrere *Dendriten* (dendron (gr.): Baum) sammeln ankommende erregende und hemmende Signale (→ Abb. 2 **a**) und leiten sie als elektrische Signale Richtung **Axon** weiter. Das Axon (auch *Neurit* genannt) hat eine Länge zwischen 0,1 mm (bei eng benachbarten Neuronen) und 3 m (in der motorischen Steuerung beim Wal) und leitet Informationen in der Regel vom Zellkörper fort **c**.

Die Zellmembran am Anfang des Axons, am *Axonhügel* **b**, erzeugt immer gleiche elektrische Signale, wenn die dendritischen Signale einen Schwellenwert überschreiten. Diese elektrischen Signale, messbar an der Axonmembran, werden **Aktionspotenziale** genannt (→ 28.5). Das Axon entspricht damit einer Computerleitung zur Zielzelle, die auch einheitliche Signale (aus Nullen und Einsen) weiterleitet. Nahe den Zielzellen — z. B. Nerven-, Drüsen- oder Muskelzellen — verzweigt sich das Axon in feine Axonendigungen. Dort sitzen kleine Anschwellungen, die *Endknöpfchen*. Sie bilden mit der Folgezelle Kontaktstellen (**Synapsen**) **d**. An diesen Synapsen (→ Kap. 29) erfolgt die Weitergabe der Information einer Nervenzelle an ihre Zielzellen.

Neuronen sind also spezialisierte Körperzellen, die Signale empfangen, sie verarbeiten, codieren und weitergeben können. Diese Signale können aus Quellen außerhalb des Körpers stammen, wie beim Sehvorgang, oder von innerhalb, wo z. B. der Dehnungszustand eines Muskels registriert wird (→ 29.1). Sie werden von spezialisierten Sinneszellen (**Rezeptorzellen**) empfangen und in elektrische Signale umgewandelt. Mithilfe von Neuronen übermittelt das Nervensystem die Signale schließlich an **Effektoren** wie Muskel- oder Drüsenzellen.

Aufgabe 28.1

Nennen Sie die vier Abschnitte eines Neurons und deren Funktionen.

28.2 Gliazellen unterstützen Neuronen bei der Informationsverarbeitung

Zu der unvorstellbar großen Anzahl von Neuronen gesellen sich in einem Säugergehirn 10- bis 50-mal so viele *Gliazellen*. Glia bedeutet „Kitt", das beschreibt aber bei weitem nicht die heute bekannte Vielfalt der Funktionen von Gliazellen. Manche Gliazellen stützen tatsächlich die Nervenzellen mechanisch, andere helfen ihnen, während der Entwicklung die richtigen Kontakte zu knüpfen. Gliazellen isolieren Nervenzellen elektrisch so wie Kunststoffummantelungen Elektrokabel. Im *Zentralnervensystem* (ZNS: Gehirn und Rückenmark) übernehmen dies *Oligodendrocyten*. Das sind Gliazellen, die gleich mehrere Axone abschnittsweise umhüllen und so auch zusammenhalten. Axone *peripherer Neuronen* werden dagegen bei Wirbeltieren von *Schwann'schen Zellen* isoliert. Diese Gliazellen wickeln sich als Myelinscheiden in mehreren Schichten um jeweils einen Abschnitt eines Axons (→ Abb. 1). *Myelin*, ein lipidreiches Material, gibt den Fasern im Nervensystem ihr glänzend weißes Aussehen. Sie werden später sehen, dass diese Isolation die Erregungsleitung enorm beschleunigt (→ 28.7). Bestimmte Krankheiten wie die *Multiple Sklerose* greifen die Myelinscheiden an und führen zu Leitungsblockaden und neurologischen Ausfällen. *Mikrogliazellen* sind an der

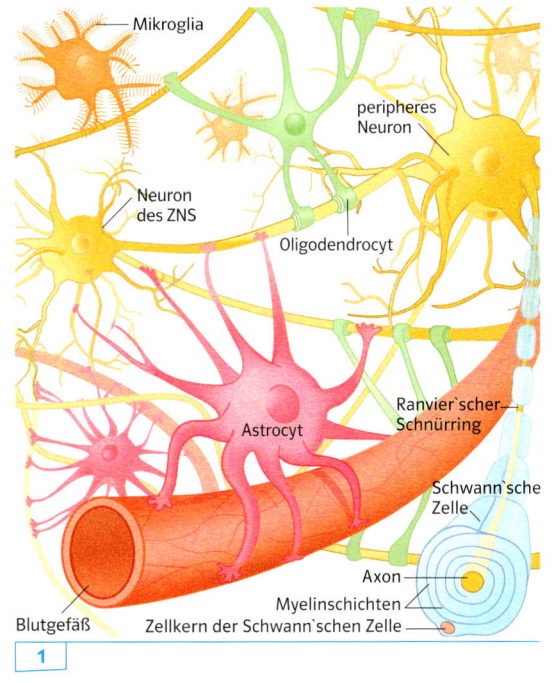

1

Gliazellen unterstützen und ernähren Neuronen.

Neurobiologie

Beseitigung von Zelltrümmern beteiligt und bilden die Gesundheitspolizei des Gehirns. Bestimmte Gliazellen, die wegen ihrer Sternform *Astrocyten* heißen, helfen dabei, ein geeignetes Ionenmilieu aufrechtzuerhalten und Botenstoffe wieder zu regenerieren, die nach ihrer Mitwirkung bei der Informationsübertragung gespalten wurden (→ 29.2). Astrocyten versorgen außerdem Neuronen mit Nährstoffen aus der Blutbahn.

Sie sind auch beteiligt an der sogenannten *Blut-Hirn-Schranke*. Durch diese Barriere zwischen Gehirn und übrigem Körper werden Krankheitserreger und die meisten Schadstoffe vom Gehirn ferngehalten und ein besonderes Milieu garantiert (Homöostase, → S. 82). Fettlösliche Substanzen wie Alkohol oder Narkosegase können die Blut-Hirn-Schranke aber mit den bekannten drastischen Auswirkungen überwinden.

Aufgabe 28.2
Listen Sie die Aufgaben auf, die Gliazellen erfüllen.

28.3 Ionenpumpen und Ionenkanäle machen die Membran durchlässig für bestimmte Ionen

Ihr Handy funktioniert, weil ein Ladungsungleichgewicht im Akku Elektronen antreibt. Wir sagen, der Akku ist geladen. Auch Neuronen sind elektrisch geladen. Hier wollen wir zunächst die Zutaten besprechen, die zum „Laden" von Neuronen gebraucht werden. Ladungsungleichgewichte sind auch hier die Triebfeder, nur sind Ladungen im wässrigen Milieu der Neuronen an Atome und Moleküle gebunden und es gibt Ionenströme statt Elektronenströme.

Um ein Ungleichgewicht aufbauen zu können, brauchen wir zunächst eine Barriere, die zwei Bereiche trennt: das Cytoplasma im Neuron und das äußere Milieu. Die Hülle des Neurons besteht wie alle Zellmembranen aus einer *Lipiddoppelschicht* (→ 3.1). Sie gewährleistet die Trennung, denn sie ist undurchlässig für Ionen und elektrisch neutral (→ Abb. 1). Kommt es zu einer ungleichen Verteilung positiver und negativer Ladungsträger zwischen Innen- und

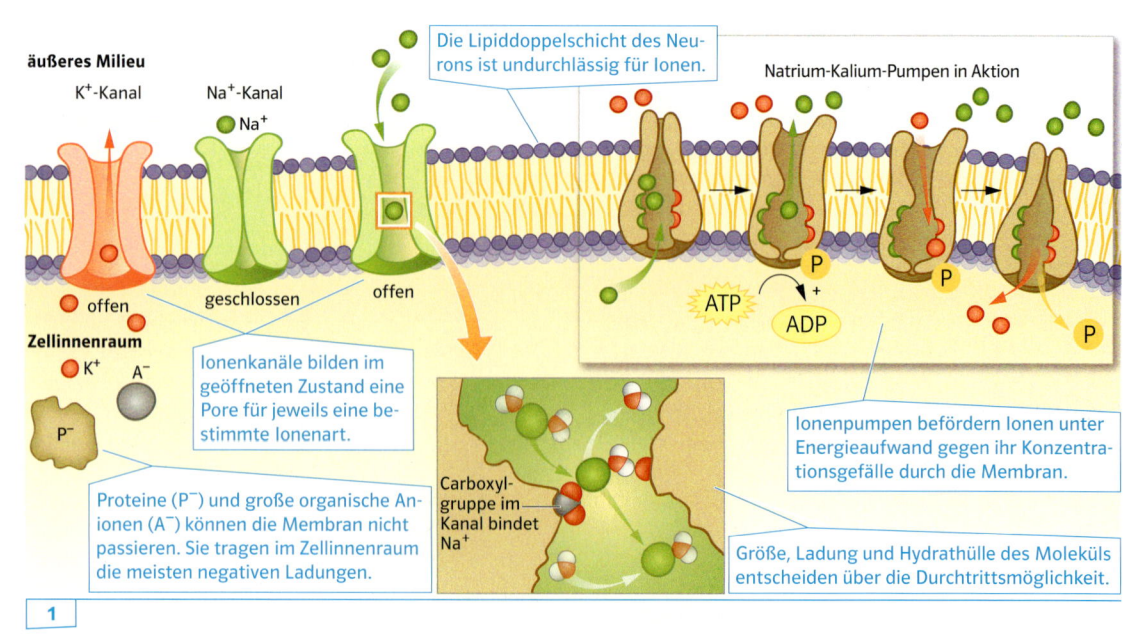

1 Ionenkanäle und Ionenpumpen liegen in der ansonsten für Ionen undurchlässigen Lipiddoppelschicht.

Außenseite, so ziehen sich *Anionen* und *Kationen* durch die Membran hindurch gegenseitig an und halten sich fest; man sagt, die Membran wird polarisiert.

In die Membran sind spezielle Proteinmoleküle eingebaut. Diese **Kanal-** und **Transportproteine** (→ 3.5) erlauben unter bestimmten Umständen den Durchtritt von kleinen Ionen und erzeugen so eine *elektrische Leitfähigkeit* der Membran. Die Kanalproteine bilden in ihrem offenen Zustand wassergefüllte Poren in der Membran, also **Ionenkanäle**. Wie beim Steckspiel für Kleinkinder passen bestimmte Ionenarten nur durch bestimmte Kanäle. Sie sind also selektiv und man spricht von einem Kalium-, Natrium- oder Chlorid-Kanal (→ Abb. 1). Die Größe der Ionen, ihre Ladung sowie die ihnen anhaftenden Wassermoleküle (ihre *Hydrathülle*, → 1.2) entscheiden über die Durchtrittsmöglichkeit. Das jeweilige Konzentrationsgefälle für eine Ionensorte sowie die Verteilung der elektrischen Ladungen zwischen Zellinnenraum und äußerem Milieu bestimmen den tatsächlichen Ionenstrom.

Die meisten Kanäle sind im Ruhezustand der Nervenzelle übrigens geschlossen. Nur sogenannte *Kalium-Hintergrundkanäle* erlauben einen Kalium-Ionen-Ausstrom (K⁺-Ausstrom). Dabei bleiben nicht ausgeglichene negative Ladungen (Anionen) im Zellinneren zurück, in Form von großen, negativ geladenen organischen Molekülen, für die die Membran vollkommen undurchlässig ist. Der zunehmend negative Ladungsüberschuss zieht die positiv geladenen Kalium-Ionen schließlich so stark an, dass der Kaliumausstrom zum Stillstand kommt (→ 28.4).

Es gibt viele verschiedene Arten von Ionenkanälen und die meisten von ihnen öffnen sich erst, wenn bestimmte Bedingungen eintreten.
- *Spannungsgesteuerte* Natrium- und Kalium-Kanäle öffnen sich z. B. erst bei einem bestimmten Membranpotenzial. Sie sind für das Zustandekommen der Aktionspotenziale verantwortlich (→ 28.5).
- *Ligandengesteuerte Ionenkanäle* lassen die entsprechenden Ionen dagegen erst nach dem Andocken von Botenstoffen passieren (→ 29.2).
- *Mechanosensitive Ionenkanäle* öffnen sich durch mechanische Verformung der Membran. Sie kommen in manchen Sinnesorganen vor (→ 30.2).

Für alle Kanalproteine gilt: Ionen strömen durch offene Kanäle nur dann in eine Richtung, wenn sie ungleich verteilt sind und das durch Diffusion ausgeglichen wird (→ 3.5). Anders die Transportproteine: Als Ionenpumpen benötigen sie Energie in Form von ATP und bewegen dabei Ionen entgegen deren Konzentrationsgefälle durch die Membran (→ 3.6). Ionenpumpen sind spezielle transmembrane Proteinmoleküle, deren Ionen-Bindungsstellen durch Konformationsänderungen abwechselnd zum Zellinnenraum oder zum äußeren Milieu Kontakt haben. Die entscheidend wichtige *Natrium-Kalium-Pumpe* schafft pro ATP-Spaltung drei Na⁺-Ionen aus dem Zellinneren und tauscht sie gegen zwei K⁺-Ionen aus dem Außenmilieu aus (→ Abb. 1).

Steuerung und Regelung

Aufgabe 28.3

Erklären Sie, wodurch ungleiche Ionenverteilungen zur Polarisierung der Membran führen.

28.4 In Ruhe zeigen Neuronen ein Gleichgewichtspotenzial

Mit Mikroelektroden kann man Informationen aus dem Inneren einer lebenden Nervenzelle gewinnen. Um sie herzustellen wird eine Glaskapillare in der Mitte erhitzt und blitzschnell auseinandergezogen. Der heiße Mittelteil wird lang und dünn und reißt schließlich ab. Es entstehen zwei Mikroelektroden mit einem Durchmesser von einem halben tausendstel Millimeter an der Spitze. Sie werden mit einer ionenhaltigen Flüssigkeit gefüllt und können nun in ein Neuron eingestochen werden (→ Abb. 1, S. 384).

In einem ruhenden Säugerneuron misst man damit eine elektrische Spannung über der Membran, d. h. eine Potenzialdifferenz zwischen ihrer Innen- und Außenseite. Die negativen Ladungen befinden sich auf der Innenseite im Überschuss und die positiven Ladungen auf der Außenseite. Sie ziehen sich durch die Membran an und laden sie. Setzt man das Potenzial außen als Bezugspunkt auf 0 V, so liegt die Membranspannung bei −70 mV. Wie kommt das Ladungsungleichgewicht zustande, das diese Membranpotenzialdifferenz verursacht?

Wie Sie in → 28.3 erfahren haben, können im Ruhezustand eines Neurons vor allem K⁺-Ionen durch offene K⁺-Hintergrundkanäle in das Außenmilieu diffundieren. Man sagt, die Membran ist *selektiv permeabel* für Kalium. Durch die Wirkung der Natrium-Kalium-

Neurobiologie

Pumpen befinden sich K$^+$-Ionen im Inneren des Neurons im Überschuss, sie treten also ihrem chemischen Gradienten folgend aus. Doch warum kommt dieser Prozess beim sogenannten Ruhepotenzial zum Stillstand? Beachten Sie, dass jedes austretende Kalium-Ion auch eine positive Ladung mitnimmt. Das Innere der Membran wird also durch die zurückbleibenden organischen Anionen zunehmend negativ.

Zwei Triebkräfte für die Ionen befinden sich schließlich im Gleichgewicht:
- Der chemische Gradient, also die Ungleichverteilung der Kalium-Ionen, wird sich in dem wässrigen Medium durch die zufällige Bewegung der Teilchen (Brown'sche Molekularbewegung) langsam durch die offenen K$^+$-Kanäle ausgleichen.
- Ein zunehmender elektrischer Gradient entsteht, weil die negativ geladenen großen Anionen (A$^-$, P$^-$) innen zurückbleiben. Die Ungleichverteilung der Ladungen bremst schließlich den K$^+$-Ausstrom.

Chemische Eigenschaft und elektrische Ladung sind für ein Ion aber untrennbar verbunden und die beiden Triebkräfte weisen hier in unterschiedliche Richtungen. Deshalb stellt sich ein Gleichgewichtszustand, das **Gleichgewichtspotenzial**, ein. Da die Biomembran des Neurons ionendicht ist und in Ruhe fast nur K$^+$-Kanäle geöffnet sind, wird das Gleichgewicht der Zelle insgesamt sehr stark vom Gleichgewicht für Kalium bestimmt. Als *K$^+$-Gleichgewichtspotenzial* bezeichnet man das Membranpotenzial, bei dem der auswärtsgerichtete und der einwärtsgerichtete K$^+$-Ionenstrom sich die Waage halten.

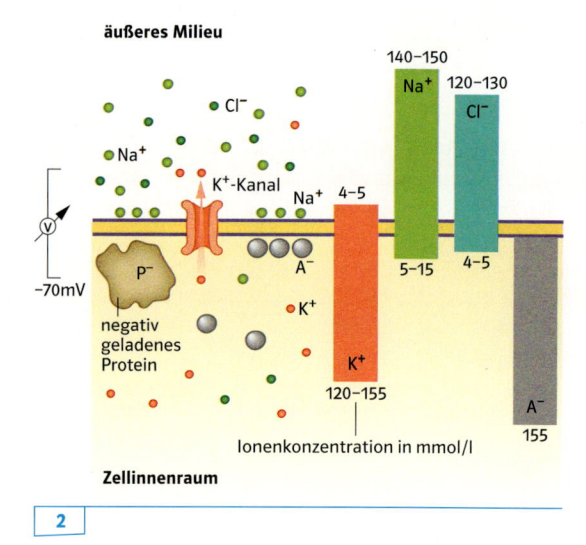

2
Die Ionenverteilung bestimmt das Ruhepotenzial.

Methode: Messung des Membranpotenzials

Anwendung
Mit Mikroelektroden können Spannungen zwischen Zellinnenraum und äußerem Milieu gemessen werden.

Methode
Eine feine Glaskapillare enthält eine ionenhaltige Lösung, die nach dem Einstechen in eine Zelle mit dem Cytoplasma — in diesem Falle des Axons — leitend in Kontakt steht. Über einen dünnen Draht wird das Potenzial abgeleitet. Eine Vergleichselektrode außerhalb der Zelle misst das dort vorliegende Potenzial. Die Potenzialdifferenz (= Spannung) kann nach Verstärkung angezeigt werden.

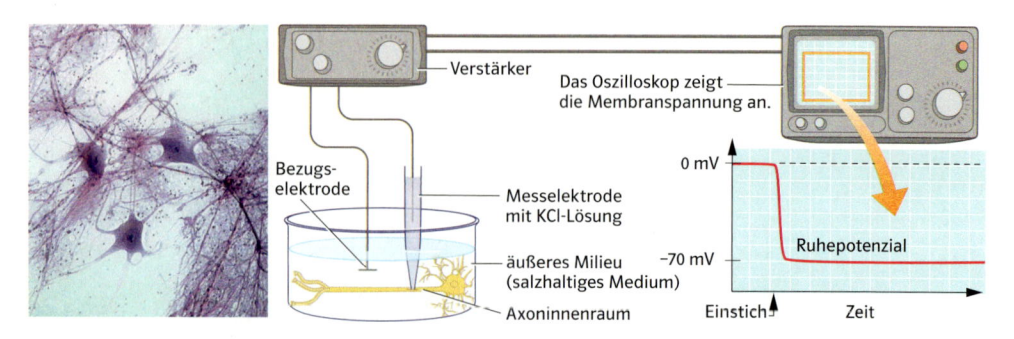

Setzt man das Potenzial der Bezugselektrode gleich 0 V, so entspricht die gemessene Spannung dem Potenzial im Zellinneren. Auf diese Weise können auch Potenzialänderungen während der Weiterleitung eines Signals gemessen und dargestellt werden.

1
Mit Messelektroden können auch sehr geringe Spannungen an Membranen von Neuronen ermittelt werden.

Jedoch sind auch die Chlorid- und Natriumkanäle in der Membran nicht durchgehend geschlossen, und so ist die ruhende Membran in geringem Maße auch für Cl⁻-Ionen und in noch geringerem Maße für Na⁺-Ionen durchlässig (→ Abb. 2,). Das Gleichgewichtspotenzial für das Innere eines typischen Säugerneurons (**Ruhepotenzial**) liegt deshalb bei $-70\,\text{mV}$ und damit nicht ganz bei dem des Kaliums von $-84\,\text{mV}$.

Aufgabe 28.4
Begründen Sie, warum hauptsächlich Kalium das Ruhepotenzial bestimmt.

28.5 An aktiven Neuronen treten kurzzeitige Potenzialveränderungen auf

Eine mit dem Nobelpreis belohnte Technik (→ Abb. 1) zeigt den Strom von Ionen durch einen einzelnen, winzigen Ionenkanal. Je nach Membranspannung sind bestimmte Ionenkanäle häufiger oder seltener geöffnet.

Durch die geöffneten Kanäle verändert sich vorübergehend die Ionenverteilung an der Membran und damit wieder die Membranspannung. Sehen Sie sich den Zusammenhang in der Abb. 2, S. 386, an. Beim Ruhe-

---

Experiment: Messung der Eigenschaften einzelner Ionenkanäle

Hypothese
Ionen treten nur durch einen spezifischen Ionenkanal, wenn dieser geöffnet ist.

Durchführung
Mit einer Patch-Clamp-Elektrode kann man eine winzige Fläche einer Membran (den „patch", engl. für Flicken) durch Ansaugen isolieren und die Ionenbewegung durch einen einzigen Ionenkanal studieren. ERWIN NEHER und BERT SAKMANN haben die Methode entwickelt und 1991 dafür den Nobelpreis für Medizin erhalten. Die Messelektrode wird aus einer Glaskapillare hergestellt. Die Öffnung an der Spitze hat ca. 1 µm Durchmesser und muss glatte Ränder aufweisen. Die Elektrode wird mit einer leitfähigen Lösung gefüllt, in die ein Silberdraht taucht. Nun kann man die Spannungsverhältnisse an der intakten Membran ändern oder z. B. Stoffe verabreichen, um die Eigenschaften eines ligandengesteuerten Ionenkanals zu studieren. Man kann den „Flicken" auch ausreißen, wenn man das vormals Zellinnere experimentell beeinflussen will.

Beobachtung
Es gibt zwei Zustände: Es wird entweder kein Stromfluss oder ein Stromfluss im Bereich von Pikoampere (pA = 10^{-12} A) gemessen. Abhängig von den experimentellen Bedingungen verlängern oder verkürzen sich die Zeiten mit Stromfluss.

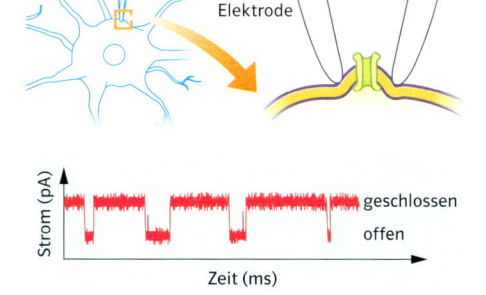

Erklärung
Ein einziger Kanal im Bereich der Öffnung der Mikropipette kann nur offen oder geschlossen sein. Ein makroskopisch kontinuierlicher Stromfluss durch die Membran wird dadurch messbar, dass viele Kanäle sich nicht gleichzeitig öffnen, sondern eine gewisse Wahrscheinlichkeit haben, offen zu sein.

1 Die Patch-Clamp-Technik zeigt: Ionenkanäle haben eine jeweils charakteristische Offenwahrscheinlichkeit.

Neurobiologie

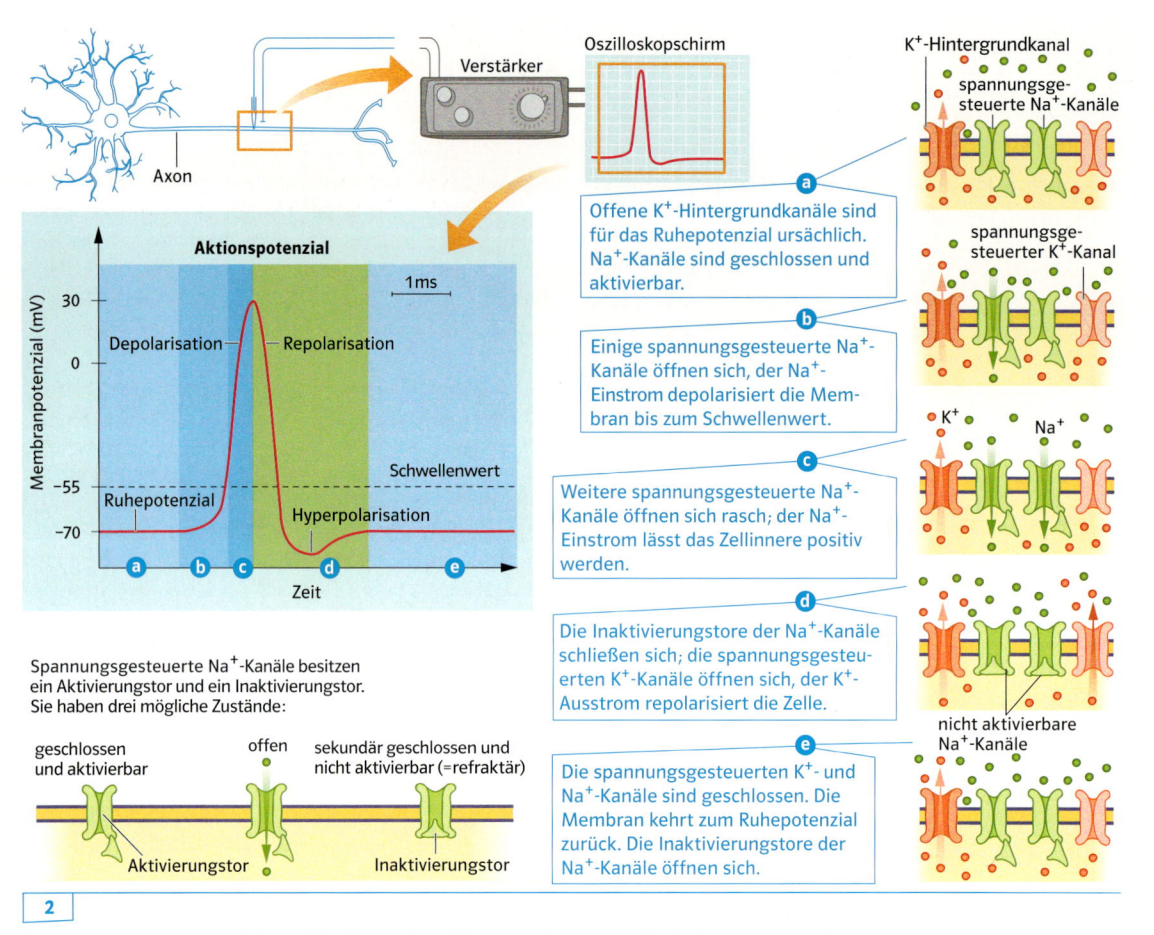

Online-Link
Aktionspotenzial: Messung und Modell (interaktiv)
150010-3861

2

Spannungsgesteuerte Na⁺- und K⁺-Kanäle bewirken und beenden das Aktionspotenzial.

Beschriftungen zur Abbildung:
- Axon, Verstärker, Oszilloskopschirm
- Aktionspotenzial: Depolarisation, Repolarisation, Ruhepotenzial, Hyperpolarisation, Schwellenwert, 1 ms, 30, 0, −55, −70, Membranpotenzial (mV), Zeit, Punkte a, b, c, d, e

- K^+-Hintergrundkanal, spannungsgesteuerte Na^+-Kanäle, spannungsgesteuerter K^+-Kanal, nicht aktivierbare Na^+-Kanäle

a Offene K^+-Hintergrundkanäle sind für das Ruhepotenzial ursächlich. Na^+-Kanäle sind geschlossen und aktivierbar.

b Einige spannungsgesteuerte Na^+-Kanäle öffnen sich, der Na^+-Einstrom depolarisiert die Membran bis zum Schwellenwert.

c Weitere spannungsgesteuerte Na^+-Kanäle öffnen sich rasch; der Na^+-Einstrom lässt das Zellinnere positiv werden.

d Die Inaktivierungstore der Na^+-Kanäle schließen sich; die spannungsgesteuerten K^+-Kanäle öffnen sich, der K^+-Ausstrom repolarisiert die Zelle.

e Die spannungsgesteuerten K^+- und Na^+-Kanäle sind geschlossen. Die Membran kehrt zum Ruhepotenzial zurück. Die Inaktivierungstore der Na^+-Kanäle öffnen sich.

Spannungsgesteuerte Na^+-Kanäle besitzen ein Aktivierungstor und ein Inaktivierungstor. Sie haben drei mögliche Zustände: geschlossen und aktivierbar / offen / sekundär geschlossen und nicht aktivierbar (=refraktär).

---

potenzial **a** sind die spannungsgesteuerten Na^+- und K^+-Kanäle geschlossen und nur K^+-Hintergrundkanäle offen. Sobald das Membranpotenzial durch eine elektrische Erregung vorübergehend um nur 5 bis 10 mV positiver wird als das Ruhepotenzial, werden die *Aktivierungstore* der spannungsgesteuerten Na^+-Kanäle in der Membran geöffnet **b**. Das *Schwellenpotenzial* für ein **Aktionspotenzial** wird erreicht. Na^+-Ionen haben gleich zwei Antriebe, in das Innere des Neurons zu gelangen: Sie befinden sich außen im Überschuss und sie können zugleich dem elektrischen Gradienten folgen, denn das Axoninnere weist einen Überschuss an negativer Ladung auf. Ihr Einstrom erfolgt lawinenartig **c**, die Membran wird innen um rund 100 mV positiver (**Depolarisation**) und erreicht in der Spitze +30 mV. Bereits nach ca. 1 ms schließen sich die Inaktivierungstore der spannungsgesteuerten Na^+-Kanäle wieder und der Na^+-Einstrom endet. Diese Tore lassen sich danach für einige Millisekunden nicht mehr öffnen (**Refraktärzeit**). Später als die Na^+-Kanäle öffnen sich nun spannungsgesteuerte K^+-Kanäle und erlauben einen schnellen Ausstrom von K^+-Ionen aus dem Axon, verursacht vom K^+-Überschuss und vom momentanen Überschuss an positiven Ladungsträgern innen. Das Zellinnere wird wieder negativ (**Repolarisation**). Der K^+-Ausstrom kann sogar die Anzahl der eingeflossenen positiven Na^+-Ladungsträger übersteigen **d** (*hyperpolarisierendes Nachpotenzial*). Die Na^+-K^+-Pumpen (→ S. 382) stellen die Ionenverteilung des Ruhepotenzials wieder her **e**. (Ohne sie könnte das Neuron aber noch tausend Mal feuern, bevor die Ionenkonzentrationen ausgeglichen wären.) Die Na^+-Kanäle sind nach Ende der Refraktärzeit wieder aktivierbar und geschlossen. Ein Aktionspotenzial läuft immer gleich ab, sobald das Schwellenpotenzial überschritten ist. Man spricht vom **Alles-oder-Nichts-Gesetz**.

Aufgabe 28.5

Beschreiben Sie, was passiert, wenn die Membran eines ruhenden Neurons durch Na^+-Einstrom um 10 mV depolarisiert wird.

Online-Link
Kontinuierliche Erregungsleitung
(interaktiv)
150010-3871

Reizaufnahme und Erregungsleitung

28.6 Signale pflanzen sich selbst entlang dem Axon fort

Stellt man Dominosteine im richtigen Abstand hintereinander auf, so fallen nach dem Umstoßen des ersten Steins alle nacheinander um, egal wie lang die Reihe ist. In ähnlicher Weise werden Aktionspotenziale über das Axon ohne Abschwächung kontinuierlich weitergeleitet. Die Amplitude des Aktionspotenzials bleibt konstant, denn das Aktionspotenzial wird an benachbarten Stellen der Membran mit genau den gleichen Mechanismen wieder neu erzeugt (→ 28.5). Die Ausläufer der Depolarisation der Axonmembran an der Ursprungsstelle stimulieren durch lokalen Stromfluss benachbarte spannungsgesteuerte Na^+-Kanäle, sich zu öffnen. Durch den sofort einsetzenden Na^+-Einstrom wird auch dieser Membranabschnitt bis zum Schwellenpotenzial depolarisiert. Man sagt, das Aktionspotenzial ist *selbsterregend* (→ Abb. 1). Es gilt auch für die neue Stelle der Membran wieder das Alles-oder-Nichts-Gesetz. Wegen der noch herrschenden *Refraktärzeit* der Na^+-Kanäle im zurückliegenden Membranabschnitt kann sich das Aktionspotenzial vom Axonhügel aus nur in eine Richtung ausbreiten.

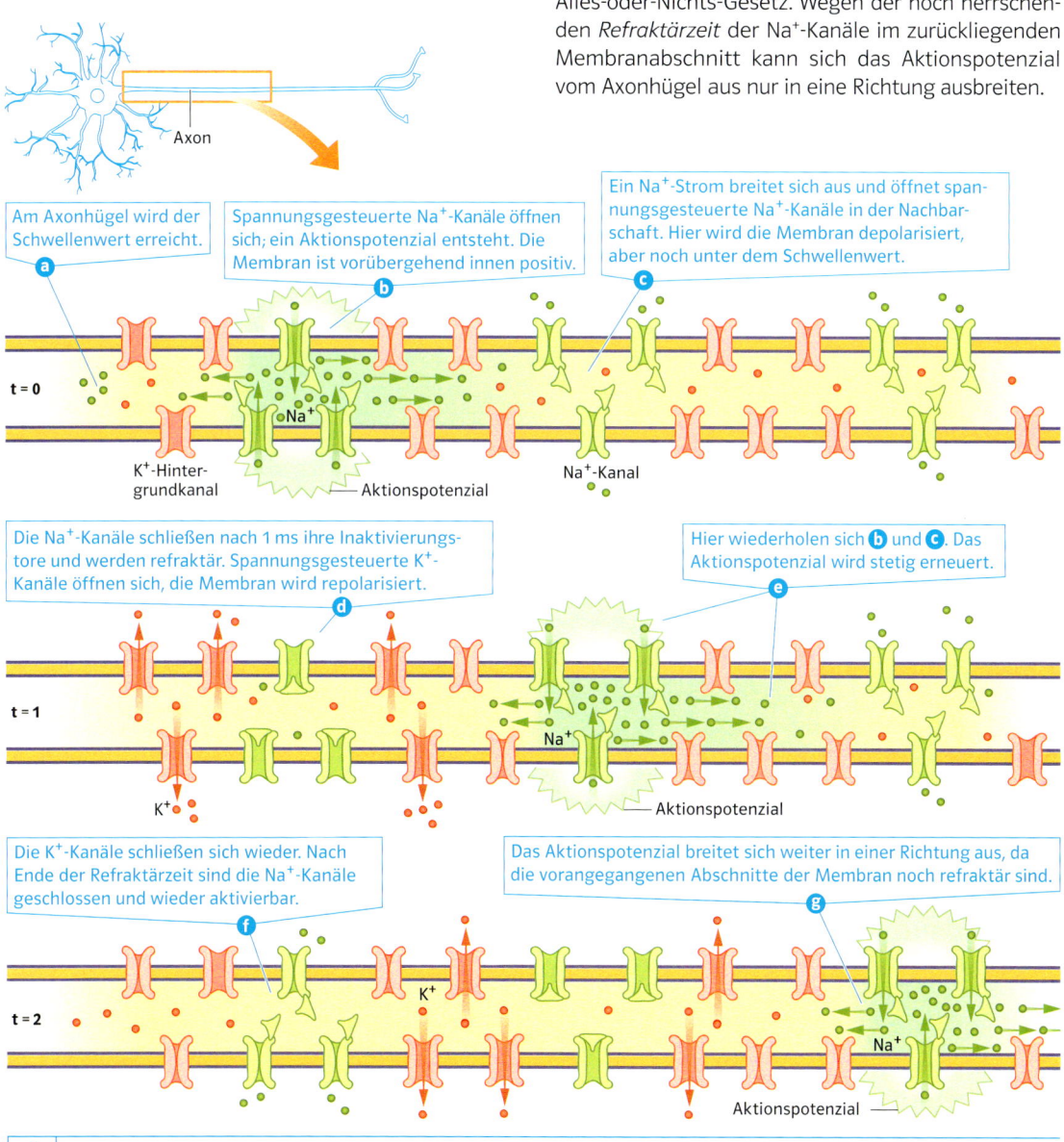

1

Die Erregung wird entlang dem Axon durch fortlaufende Neuentstehung des Aktionspotenzials weitergeleitet.

Neurobiologie

Struktur und Funktion

Da das Aktionspotenzial natürlicherweise am Axonhügel erzeugt wird, breitet es sich unter normalen Bedingungen in Richtung der Synapse aus. (Würde man das Axon künstlich am synaptischen Ende stimulieren, würde sich das Aktionspotenzial durchaus auch in Richtung Axonhügel ausbreiten.)

Die Fortleitungsgeschwindigkeit in Axonen hängt u.a. vom Durchmesser des Axons ab. Da der elektrische Widerstand in Längsrichtung mit zunehmendem Durchmesser abnimmt, erreichen die lokalen Ströme das Schwellenpotenzial bei dicken Axonen eher (→ Abb. 2). Wirbellose Tiere besitzen übrigens keine Myelinscheiden. Viele Arten haben deshalb in ihren Fluchtreflexsystemen besonders dicke Axone. Schnelles Reagieren hat in diesen Fällen die Überlebenschancen erhöht und sich deshalb im Verlauf der Evolution durchgesetzt. Sie werden sehen, dass auch die Isolation eines Neurons durch Myelin die Leitungsgeschwindigkeit erhöht (→ 28.7).

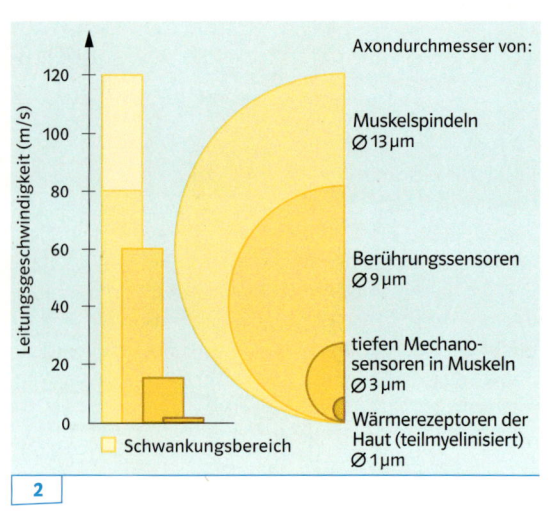

2 Durchmesser und Leitungsgeschwindigkeiten verschiedener Axone (hier myelinisiert) hängen zusammen.

Aufgabe 28.6

Erklären Sie, wodurch Information in Axonen mit aktiver Membran über beliebige Strecken verlustfrei geleitet werden kann.

28.7 Springende Aktionspotenziale beschleunigen die Erregungsleitung erheblich

1 Eine schnelle Bildverarbeitung im Gehirn kann Leben retten.

Schneller ist besser! Das gilt nicht nur für elementare Fluchtreflexe. Mit einer schnelleren Bildverarbeitung im Gehirn konnten schon unsere Vorfahren den versteckten Säbelzahntiger früher erkennen.

Bei Wirbeltieren hat sich die Fortleitungsgeschwindigkeit entlang ihrer Axone im Verlauf der Evolution durch eine Isolation mit der lipidreichen Substanz *Myelin* erhöht. Im ZNS wickeln die *Oligodendrocyten* das Myelin um Axone und im PNS, dem peripheren Nervensystem, sind es die *Schwann'schen Zellen*; beide gehören zu den *Gliazellen* (→ S. 381). Die Isolation vermindert Leckströme durch die Membran — man sagt, der Membranwiderstand wird erhöht. Gleichzeitig vermindert die Isolierschicht die elektrische Kapazität der Membran. Elektrische Kapazität beschreibt ihre Fähigkeit, gegenpolige Ladungen getrennt voneinander zu speichern. Anionen und Kationen ziehen sich durch die Membran hindurch an und halten sich gegenseitig fest, da die Membran für sie undurchlässig ist. Ladungen, die sonst für den Stromfluss entlang der Axonmembran zur Verfügung stehen könnten, fließen langsamer ab. Die elektrische Kapazität der Membran wird bei markhaltigen Axonen umso geringer, je dicker die Myelinscheide um das Axon gewickelt ist. Die gegenpoligen Ladungen werden weiter voneinander getrennt, erfahren dadurch weniger gegenseitige Anziehung und sie können in Längs-

Online-Link
Saltatorische Erregungsleitung
(interaktiv)
150010-3891

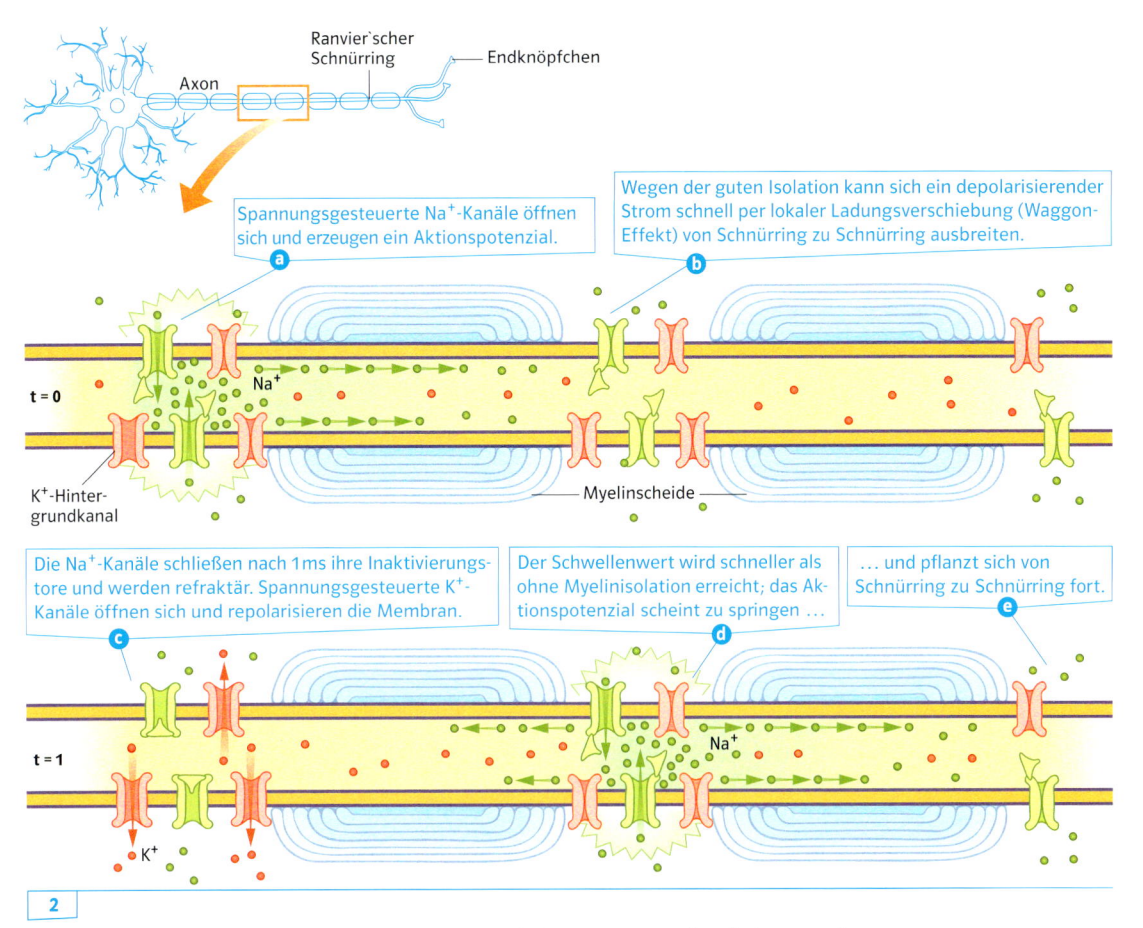

Reizaufnahme und Erregungsleitung

Bildbeschriftungen (Abb. 2):

- Axon
- Ranvier'scher Schnürring
- Endknöpfchen

ⓐ Spannungsgesteuerte Na⁺-Kanäle öffnen sich und erzeugen ein Aktionspotenzial.

ⓑ Wegen der guten Isolation kann sich ein depolarisierender Strom schnell per lokaler Ladungsverschiebung (Waggon-Effekt) von Schnürring zu Schnürring ausbreiten.

t = 0

K⁺-Hintergrundkanal — Myelinscheide — Na⁺

ⓒ Die Na⁺-Kanäle schließen nach 1 ms ihre Inaktivierungstore und werden refraktär. Spannungsgesteuerte K⁺-Kanäle öffnen sich und repolarisieren die Membran.

ⓓ Der Schwellenwert wird schneller als ohne Myelinisolation erreicht; das Aktionspotenzial scheint zu springen ...

ⓔ ... und pflanzt sich von Schnürring zu Schnürring fort.

t = 1

K⁺, Na⁺

2 Abschnittsweise Isolation beschleunigt die Erregungsleitung enorm — sie scheint zu springen.

---

richtung schneller abfließen. Für die Evolution der Erregungsleitung in Neuronen sind eine geringe Membrankapazität und ein hoher Membranwiderstand von Vorteil. Schwann'sche Zellen lassen alle 0,2 bis 2 mm eine Lücke von etwa einem Mikrometer in der Isolation. An diesen Stellen liegt die Axonmembran frei zur Extrazellulärflüssigkeit (*Ranvier'sche Schnürringe*). Hier ist die Membran besonders dicht mit den spannungsgesteuerten Ionenkanälen besetzt. Nur an diesen freiliegenden Stellen können die Aktionspotenziale neu entstehen. Über den isolierten Abschnitt des Axons kann sich das Signal dagegen besonders verlustarm und sehr viel schneller als Ionenstrom (*elektrotonisch*) ausbreiten und den nächsten freiliegenden Abschnitt des Axons früher bis zum Schwellenwert depolarisieren (→ Abb. 2). Da das Aktionspotenzial von Schnürring zu Schnürring zu springen scheint, spricht man von **saltatorischer Erregungsleitung** (saltare (lat.): springen). Die saltatorische Erregungsleitung benötigt auch weniger Stoffwechselenergie. Das ist ein großer Vorteil, wenn man bedenkt, dass unser Gehirn auch mit Myelinisolierung noch rund 20 % des Grundumsatzes an Energie benötigt.

Bei der Geburt fehlen die Myelinhüllen beim Menschen noch weitgehend. Deswegen haben Babys und Kleinkinder noch eine „lange Leitung". Ein einjähriges Kind kann seine Hand von einem heißen Gegenstand bereits viermal so schnell wegziehen wie ein wenige Wochen altes Baby. Erst im Alter von sechs Jahren hat ein Kind die gleiche Erregungsleitungsgeschwindigkeit entwickelt wie ein Erwachsener. Die Myelinisierung des Nervensystems ist ein langer Prozess. Sind Bereiche des ZNS von der Krankheit *Multiple Sklerose* betroffen, wird die Leitungsgeschwindigkeit der Neuronen herabgesetzt, weil die Myelinisierung der Axone durch einen entzündlichen Prozess verloren geht.

Aufgabe 28.7

Erläutern Sie die Bedeutung der Ranvier'schen Schnürringe.

Neurobiologie

Online-Link
Codierung von Informationen (interaktiv)
150010-3903

28.8 Die Abfolge der Aktionspotenziale codiert Reizdauer und Reizstärke

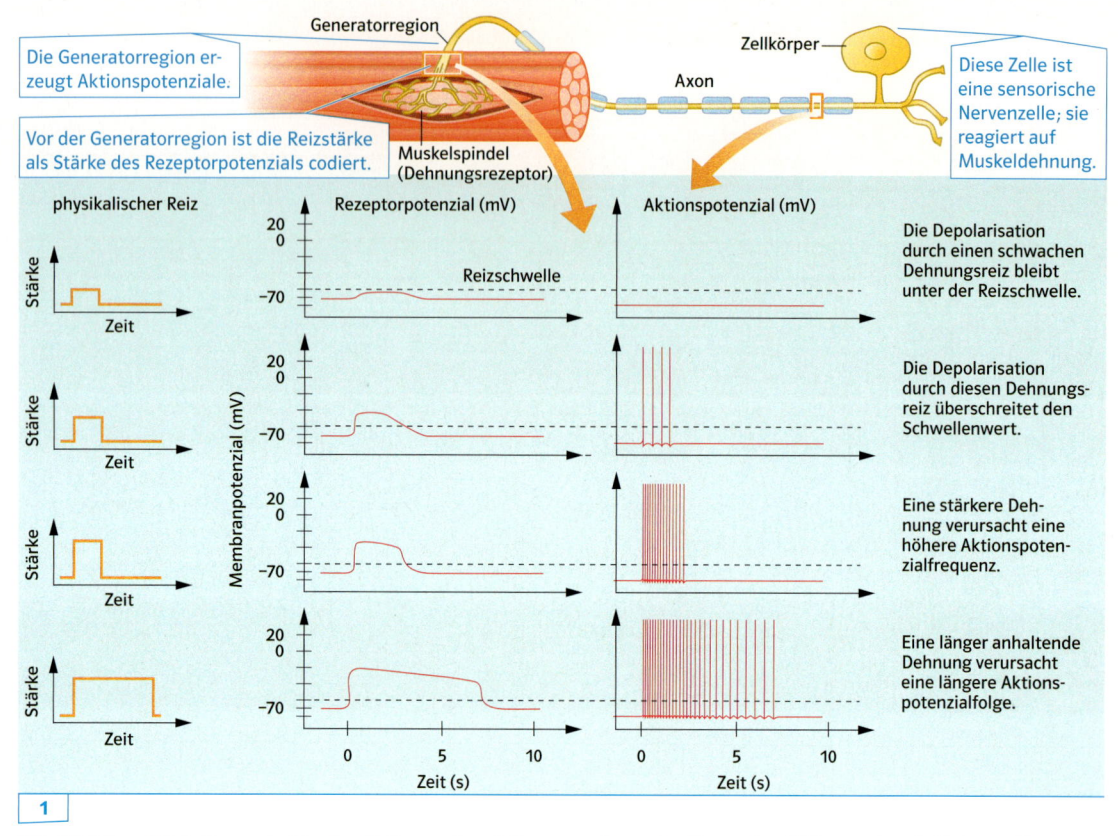

Abb. 1 Reizstärke und Reizdauer sind in der Aktionspotenzialfrequenz bzw. der Dauer der Aktionspotenzialfolge codiert.

Ein Muskel wird gedehnt. In *Dehnungsrezeptoren* entsteht ein der Intensität und Dauer proportionales **Rezeptorpotenzial**. Doch wie können Informationen über Dauer und Intensität der Dehnung über eine einzige Leitung verschickt werden, obwohl Axone immer nur gleiche Aktionspotenziale weiterleiten?

Aufschluss können Messungen an Axonen geben, bei denen die Aktionspotenziale und die Reizstärke im zeitlichen Verlauf aufgezeichnet werden. Die Ergebnisse zeigt Abb. 1. Für die gesamte Dauer der Reizung werden Aktionspotenziale registriert, vorher und nachher jedoch nicht. Also wird die Dauer des Reizes durch die Dauer der Aktionspotenzialfolge wiedergegeben. Mit steigender Reizstärke nimmt die *Aktionspotenzialfrequenz* zu, also die Häufigkeit, mit der Aktionspotenziale pro Sekunde erzeugt werden.

Man sagt, die Reizstärke wird *frequenzcodiert*. Die Aktionspotenzialfrequenz ist allerdings begrenzt durch die maximale Feuerrate eines Neurons, die durch die Eigenschaften der spannungsgesteuerten Na^+-Kanäle festgelegt ist. Bei der Dauer eines Aktionspotenzials von 1 ms plus der Refraktärzeit von 1 bis 2 ms können maximal 300 bis 500 Aktionspotenziale pro Sekunde ein Axon passieren. Andererseits werden sehr kleine Dehnungen nicht weitergeleitet; sie heißen „unterschwellig".

Das durch Aktionspotenziale codierte Signal kann verlustfrei über beliebige Strecken übertragen werden, denn die Höhe der Aktionspotenziale ist einheitlich, sie trägt keine Information. Trotz Alles-oder-Nichts-Gesetz kann ein breiter Bereich von Reizstärken zuverlässig codiert werden.

Aufgabe 28.8

Vergleichen Sie Rezeptorpotenzial und Aktionspotenzial im Hinblick auf Informationsgehalt und Verlauf.

29 Neuronale Verschaltungen

Würden Sie sich freiwillig eines der stärksten bekannten Nervengifte in die Gesichtsmuskulatur spritzen lassen? Nun ja, wenn es schön macht? Junge, glatte Haut gilt als schön. Muskeln, die für die Gesichtsmimik sorgen und durch ihren ständigen Gebrauch Falten in die nicht mehr so elastische alternde Haut zaubern, lassen sich stilllegen. Man vergiftet einfach die Übertragung von Nervenimpulsen vom Gehirn an diese Muskeln mit dem Gift des Bakteriums *Clostridium botulinum*, kurz Botulinumtoxin genannt. Das Ergebnis ist ein schön entspanntes Gesicht, das leider auch seine Ausdrucksfähigkeit für etwa drei Monate eingebüßt hat. Dann ist das Wachstum neuer Nervenenden so weit gediehen, dass die Muskeln wieder angesteuert werden können. Zeit für die nächste Injektion mit zunehmend unumkehrbaren Schäden an Neuronen und Gesichtsmuskulatur.

Die Gesichtsmuskulatur erzeugt charakteristische Falten

29.1	Einfache Nervenverschaltungen erlauben schnelle Reaktionen
29.2	Neuronen kommunizieren miteinander über Synapsen
29.3	Die Wirkung eines Neurotransmitters hängt vom Rezeptor ab
29.4	Chemische Synapsen ermöglichen eine Verrechnung von Informationen
29.5	Codewechsel erlauben Informationsverarbeitung und verlustfreie Übertragung
29.6	Medikamente, Gifte und Drogen beeinflussen die synaptische Übertragung
29.7	Lernen beeinflusst die synaptische Übertragung
29.8	Elektrische Synapsen erlauben eine besonders schnelle Informationsübertragung

Neurobiologie

29.1 Einfache Nervenverschaltungen erlauben schnelle Reaktionen

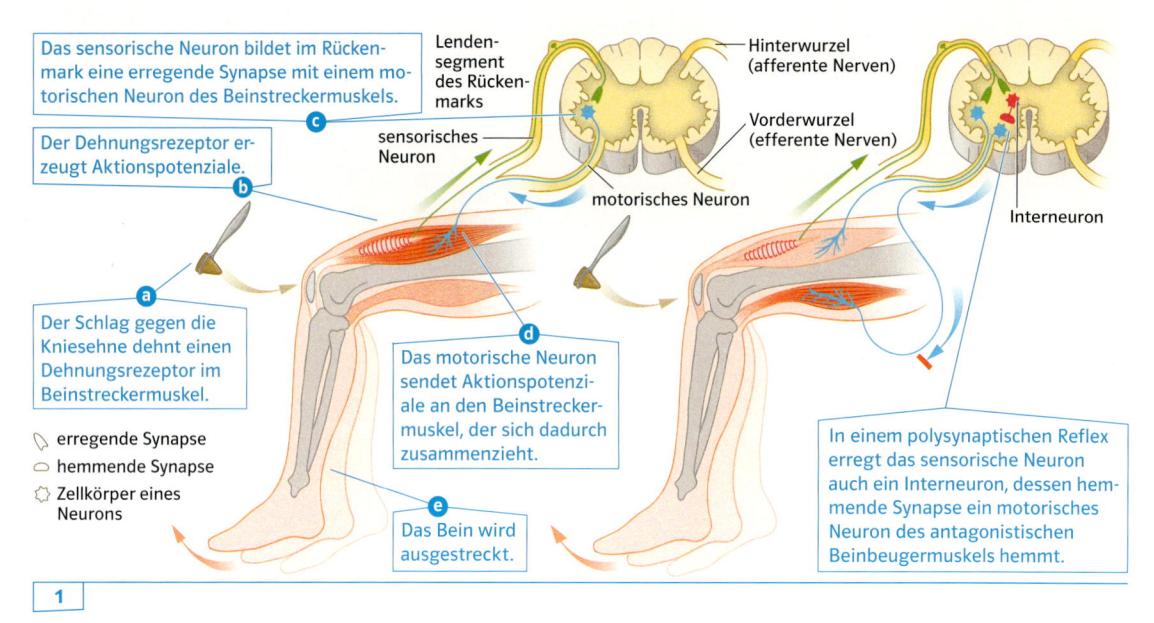

a Der Schlag gegen die Kniesehne dehnt einen Dehnungsrezeptor im Beinstreckermuskel.

b Der Dehnungsrezeptor erzeugt Aktionspotenziale.

c Das sensorische Neuron bildet im Rückenmark eine erregende Synapse mit einem motorischen Neuron des Beinstreckermuskels.

d Das motorische Neuron sendet Aktionspotenziale an den Beinstreckermuskel, der sich dadurch zusammenzieht.

e Das Bein wird ausgestreckt.

In einem polysynaptischen Reflex erregt das sensorische Neuron auch ein Interneuron, dessen hemmende Synapse ein motorisches Neuron des antagonistischen Beinbeugermuskels hemmt.

- erregende Synapse
- hemmende Synapse
- Zellkörper eines Neurons

Lendensegment des Rückenmarks — sensorisches Neuron — Hinterwurzel (afferente Nerven) — Vorderwurzel (efferente Nerven) — motorisches Neuron — Interneuron

1 **Der Kniesehnenreflex erlaubt eine Reaktion in wenigen Millisekunden.** Links monosynaptischer Reflex, rechts polysynaptischer Reflex

Ein Hämmerchen saust auf die Sehne knapp unterhalb der Kniescheibe, und schon schnellt bei dem vorher entspannten Bein der Unterschenkel hoch. *Rezeptoren* im Oberschenkelstreckermuskel, die Muskelspindeln, haben eine Dehnung ihres Muskels registriert, die über die Kniesehne mechanisch übertragen wurde. Unter natürlichen Bedingungen geschieht dies z. B., wenn der Fuß beim Gehen durch ein Hindernis nicht nach vorne schwingen kann. Blitzartig wird der Streckermuskel angespannt. Mit etwas Glück bringt uns das Stolpern nicht zu Fall.

Hier liegt die einfachste mögliche Nervenverschaltung vor (→ Abb. 1). Ein *sensorisches Neuron* überträgt sein Signal auf ein *motorisches Neuron* (Motoneuron), also ein Bewegung auslösendes Neuron. Die Übertragung erfolgt im zuständigen Lendensegment des Rückenmarks. Alle sensorischen Neuronen sind *afferent* (von lat. zuführen), sie leiten Aktionspotenziale zum Zentralnervensystem. Neuronen, die Aktionspotenziale als Kommandos zu den ausführenden Organen leiten, heißen *efferent* (von lat. hinaustragen). Die Verbindungsstelle zwischen den beiden Neuronen ist die **Synapse**. Eine derart einfache Nervenverschaltung, die zur immer gleichen Reaktion führt, heißt **Reflex**. Den Schmerzreflex haben Sie in → 28.1 kennengelernt. Weil das den Reflex auslösende Signal aus dem Muskel selbst kommt, nennt man diesen Schaltkreis hier einen *Eigenreflex*. Der Kniesehnenreflex sorgt auch mit für die Körperhaltung, er verhindert das Einknicken im Stand. Allgemein passen *monosynaptische Reflexe*, also solche mit nur einer Synapse, die Muskelspannung an eine Veränderung der Last an, sodass sich die Position der Gliedmaßen nicht ungewollt verändert. Ärzte untersuchen den Kniesehnenreflex, weil ein Ausbleiben auf eine Schädigung des Rückenmarks hinweisen kann.

Polysynaptische Reflexe ergänzen die monosynaptischen. Damit das reflexive Zusammenziehen des Streckers (Quadrizeps) beim Kniesehnenreflex nicht eine Antwort des entgegenwirkenden Muskels, also des Beinbeugers (Beinbizeps) auslöst, ist der Schaltkreis um einen Hemmmechanismus über ein Interneuron erweitert.• Höhere Zentren werden mittels aufsteigender Nervenbahnen über die Aktion informiert.

Steuerung und Regelung

Aufgabe 29.1

Der monosynaptische Reflexbogen hält die Muskellänge konstant. Erklären Sie, wie er das erreicht.

Online-Link
Synapsenfunktion (interaktiv)
150010-3931

Neuronale Verschaltungen

29.2 Neuronen kommunizieren miteinander über Synapsen

Kommunikation ist die herausragende Leistung der Zellen des Nervensystems. Die **Synapse** ist die Kommunikationsstelle zwischen zwei Neuronen oder einem Neuron und einer anderen Zielzelle, z. B. einer Drüsenzelle.• Ein weit verbreiteter Synapsentyp ist die chemische Synapse. Sie besteht aus der *präsynaptischen Membran* am sendenden Neuron, der *postsynaptischen Membran* am empfangenden Neuron und dem dazwischenliegenden *synaptischen Spalt*, einem extrazellulären Raum von 20 nm Breite (→ Abb. 1).

Erreicht ein Aktionspotenzial die Endknöpfchen am Axonende, so wird präsynaptisch ein Botenstoff (**Neurotransmitter**) ausgeschüttet, der über den synaptischen Spalt diffundiert und zur postsynaptischen Membran des nächsten Neurons gelangt. Hier eingelagert befinden sich spezifische **Rezeptoren**, an die die Transmittermoleküle binden. Aktivierte Rezeptoren führen zu einer veränderten Ionendurchlässigkeit der Membran und lösen so *postsynaptische Potenziale* (PSP) aus, die zu Aktionspotenzialen am Axonhügel des postsynaptischen Neurons führen können.

Sehen Sie sich nun den Weg der Information an (→ Abb. 1): An der Präsynapse depolarisiert ein Aktionspotenzial die präsynaptische Membran, die dort spannungsgesteuerte Calcium-Ionenkanäle (Ca^{2+}-Kanäle) enthält. Sie öffnen sich und Ca^{2+}-Ionen strömen aufgrund der höheren Außenkonzentration in die Zelle ein ⓐ. Mit Neurotransmittermolekülen gefüllte, membranumhüllte Bläschen (Vesikel) können durch den Anstieg der Ca^{2+}-Konzentration mit der Membran der Präsynapse verschmelzen und ihren Inhalt (6000–8000 Transmittermoleküle) in den synaptischen Spalt entleeren ⓑ. Leere Vesikel werden am Rand der Präsynapse zurückgewonnen (Pfeile).

Eine häufig vorkommende erregende chemische Synapse schüttet als Neurotransmitter *Acetylcholin* (ACh) aus ⓒ. Einige der im Spalt diffundierenden Acetylcholin-Moleküle treffen auf spezifische Rezeptoren in der postsynaptischen Membran und binden an diese ⓓ. In diesem Beispiel ist der Acetylcholin-Rezeptor selbst ein Natrium-Ionenkanal und besitzt in

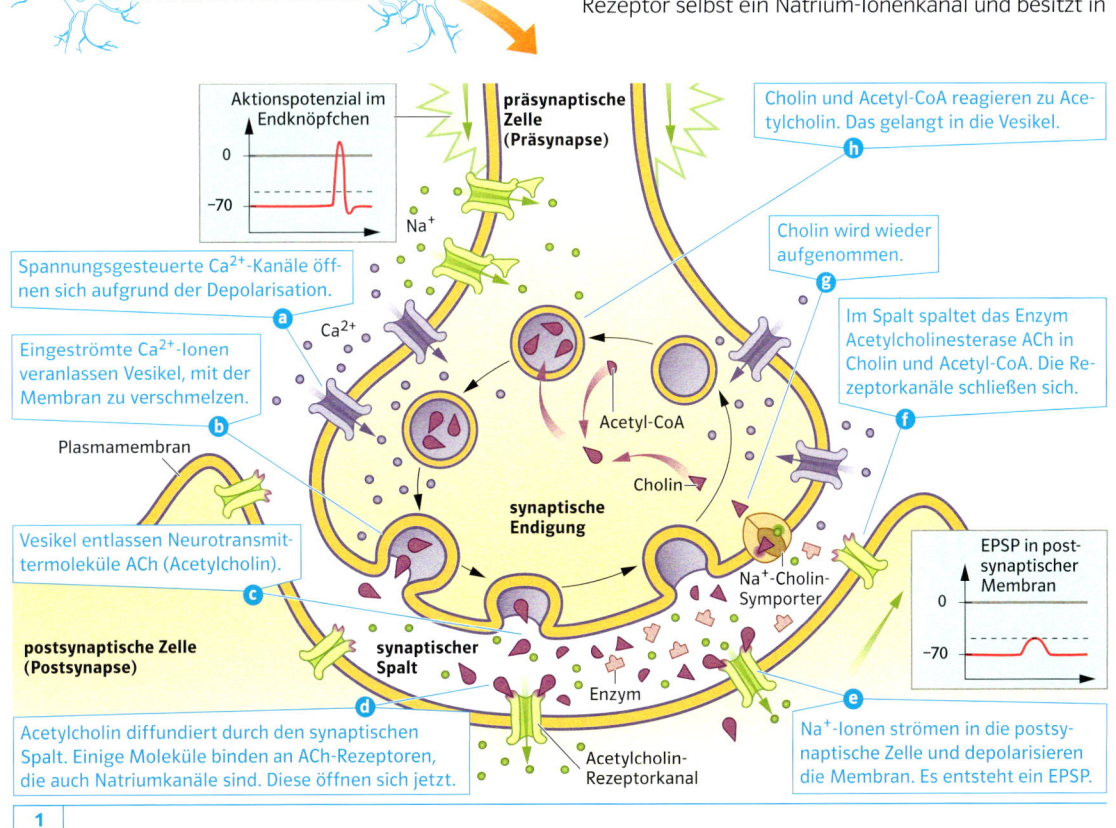

Information und Kommunikation

1 Die synaptische Übertragung erfolgt bei dieser erregenden Synapse mit dem Transmitter Acetylcholin.

Neurobiologie

Richtung des synaptischen Spalts zwei Acetylcholin-Bindungsstellen. Dieser sogenannte *ligandengesteuerte Na⁺-Kanal* ändert durch die Bindung der Liganden (Acetylcholin) seine Konformation von „geschlossen" zu „offen". Na⁺-Ionen strömen in die postsynaptische Zelle ⓔ und depolarisieren die Membran; man sagt, sie erzeugen ein *erregendes postsynaptisches Potenzial*. Mehrere EPSPs können am Axonhügel des Neurons ein Aktionspotenzial auslösen. Seit dem Eintreffen des Aktionspotenzials an der Präsynapse sind nur 0,1–0,5 ms vergangen. Das Acetylcholin wird im Spalt von einem Enzym, der *Acetylcholinesterase*, in Acetyl-CoA und Cholin gespalten ⓕ. Die Na⁺-Kanäle schließen sich wieder. So endet die Signalübertragung. Das *Cholin* wird von der Präsynapse mittels Symporter aufgenommen und wiederverwertet ⓗ.

Aufgabe 29.2
Die chemische Synapse ist eine Einbahnstraße. Erläutern Sie diese Aussage.

29.3 Die Wirkung eines Neurotransmitters hängt vom Rezeptor ab

Insbesondere ältere Menschen klagen manchmal darüber, dass sie nachts nicht einschlafen können. Ein Schlafmittel kann vorübergehend helfen. Es enthält einen *Tranquilizer* (entspannendes, angstlösendes Medikament). Diese künstliche Stoffklasse greift in die synaptische Übertragung von Informationen ein. Man kennt mehr als zwei Dutzend Substanzen, die natürlicherweise als **Neurotransmitter** fungieren. Neben dem bereits besprochenen *Acetylcholin* erfüllen diese Aufgabe auch einfache *Aminosäuren* (z. B.

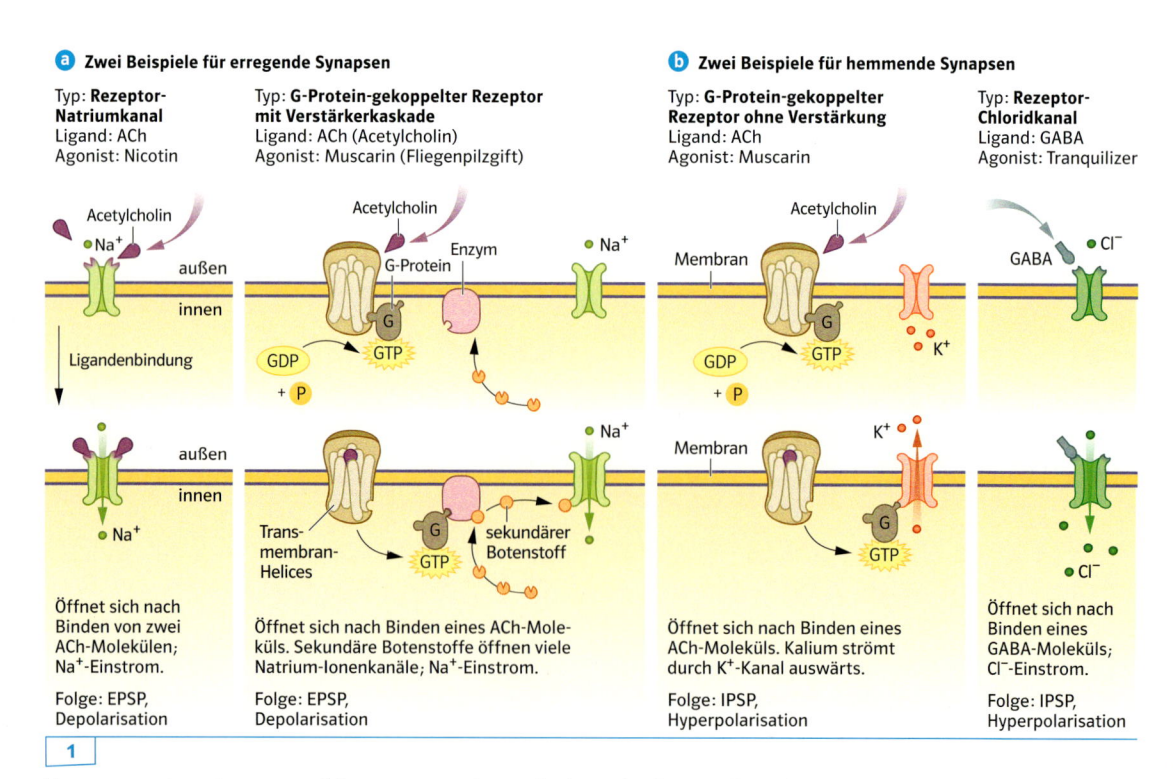

ⓐ Zwei Beispiele für erregende Synapsen

Typ: **Rezeptor-Natriumkanal** Ligand: ACh Agonist: Nicotin	Typ: **G-Protein-gekoppelter Rezeptor mit Verstärkerkaskade** Ligand: ACh (Acetylcholin) Agonist: Muscarin (Fliegenpilzgift)
Öffnet sich nach Binden von zwei ACh-Molekülen; Na⁺-Einstrom.	Öffnet sich nach Binden eines ACh-Moleküls. Sekundäre Botenstoffe öffnen viele Natrium-Ionenkanäle; Na⁺-Einstrom.
Folge: EPSP, Depolarisation	Folge: EPSP, Depolarisation

ⓑ Zwei Beispiele für hemmende Synapsen

Typ: **G-Protein-gekoppelter Rezeptor ohne Verstärkung** Ligand: ACh Agonist: Muscarin	Typ: **Rezeptor-Chloridkanal** Ligand: GABA Agonist: Tranquilizer
Öffnet sich nach Binden eines ACh-Moleküls. Kalium strömt durch K⁺-Kanal auswärts.	Öffnet sich nach Binden eines GABA-Moleküls; Cl⁻-Einstrom.
Folge: IPSP, Hyperpolarisation	Folge: IPSP, Hyperpolarisation

1

Neurotransmitter-Rezeptoren können erregende ⓐ oder hemmende ⓑ Wirkung haben. Es existieren zwei Grundtypen: die Rezeptorkanäle und die G-Protein-gekoppelten Rezeptoren, letztere gibt es mit und ohne Verstärkerkaskade.

Glutamat, Glycin), von Aminosäuren abgeleitete biogene Amine (z. B. *Dopamin* und *Serotonin*) und Peptide (z. B. *Endorphin*). Aber auch die Gase NO und CO, die membrangängig sind und keine Transmembranrezeptoren benötigen, fungieren als Botenstoffe. Die Vielfalt der Signalübertragung wird dadurch gesteigert, dass für jeden Botenstoff verschiedene Rezeptortypen existieren. Auch hier gilt das *Schlüssel-Schloss-Prinzip*: Nur wenn ein Transmittermolekül an den passenden Rezeptor bindet, tritt eine Reaktion ein (→ Abb. 1).

Neben Rezeptor-Ionenkanälen gibt es einen zweiten Grundtyp, die G-Protein-gekoppelten Rezeptoren (das G steht für GTP-bindend, ein Molekül ähnlich dem ATP). Manche wirken direkt, andere zur Wirkungsverstärkung über *sekundäre Botenstoffe*. Dieser Rezeptortyp gehört zu einer Proteinfamilie mit sieben Transmembran-Helices (*7-TM-Rezeptoren*).

Zur Informationsverarbeitung gehört auch, dass ein Signal nicht weitergegeben werden soll. Bei *erregenden Synapsen* wird die postsynaptische Membran durch eine *Depolarisation* vorübergehend dem *Schwellenwert* näher gebracht (→ Abb. 1©, S. 396). So wird die Entstehung eines Aktionspotenzials begünstigt. *Hemmende Synapsen* hyperpolarisieren dagegen die postsynaptische Membran. Der Transmitter γ-Aminobuttersäure (Abkürzung: *GABA*) bindet an der postsynaptischen Membran (→ Abb. 1©, S. 396) an einen Chlorid-Rezeptorkanal, der sich dann öffnet (→ Abb. 1ⓑ). Dadurch strömen Chlorid-Ionen in die Zelle ein und hyperpolarisieren die Membran.

30 % der Transmittermenge im Zentralnervensystem entfallen auf GABA. GABA ist auch für die Einleitung und Aufrechterhaltung des Schlafs wichtig. *Barbiturate* (Narkosemittel) und Tranquilizer können als **Agonisten** (gr. „Handelnde") an weitere Bindungsstellen des Kanals binden. Barbiturate öffnen ihn unabhängig von GABA. Tranquilizer verlängern bei Bindung von GABA die Kanalöffnung. Andere hemmende Synapsen ermöglichen den Ausstrom positiver Ladungsträger durch das Öffnen von K^+-Kanälen in der postsynaptischen Membran. In beiden Fällen wird die Membran gegenüber dem Außenraum vorübergehend stärker negativ und ist folglich weiter vom Schwellenwert entfernt als in Ruhe.

An den Synapsen von Motoneuronen auf Muskelzellen (*motorische Endplatten*) wirkt Acetylcholin auf nicotinische ACh-Rezeptoren (→ Abb. 1ⓐ). Der Na^+-Einstrom bewirkt Muskelaktionspotenziale. Spannungsgesteuerte Calciumkanäle öffnen sich, der Einstrom von Ca^{2+}-Ionen bewirkt die Muskelkontraktion (→ 5.9).

Struktur und Funktion

Aufgabe 29.3

Nennen Sie die Ionenströme, die eine Zelle dem Schwellenpotenzial näherbringen, und solche, die sie davon entfernen können.

29.4 Chemische Synapsen ermöglichen eine Verrechnung von Informationen

An oder aus, ja oder nein: Das sind die möglichen Stellungen eines einfachen Lichtschalters. Im Nervensystem sind so einfache Fälle eher die Ausnahme.

Ob ein Aktionspotenzial im postsynaptischen Neuron entsteht, hängt allein davon ab, ob das Membranpotenzial am Axonhügel den Schwellenwert überschreitet. Jeder Einstrom positiv geladener Ionen erzeugt eine Potenzialänderung, die die Entstehung von Aktionspotenzialen fördert. Man nennt sie *erregende postsynaptische Potenziale* (*EPSP*, → Abb. 1©, S. 396). Umgekehrt senkt jeder Einstrom von negativen Ionen oder Ausstrom von positiven Ionen die Wahrscheinlichkeit für Aktionspotenziale durch *hemmende postsynaptische Potenziale* (*IPSP*, → Abb. 1©, S. 396).

Damit eröffnen sich vielfältige Möglichkeiten für die Verrechnung von Informationen. Die Entfernung zum Axonhügel bestimmt entscheidend mit über den Einfluss eines Eingangssignals, denn es wird auf seinem Weg von der Postsynapse zum Axonhügel geschwächt. Bei manchen Neuronentypen haben wichtige Eingangskanäle ihre Synapsen direkt auf dem Zellkörper der Zielzelle. Weniger einflussreiche Eingänge finden sich dagegen in entfernten Bereichen des Dendritenbaums. Von *räumlicher Summation* spricht man, wenn mehrere dieser Signale gleichzeitig eintreffen und sich ihre EPSPs an der Zellmembran überlagern. Die lokale Erregung der Membran kann dann stark genug werden, um am Axonhügel über dem Schwellenwert zu liegen (→ Abb. 1ⓐ, S. 396). Von *zeitlicher Summation* ist die Rede, wenn ein weniger einflussreiches Signal mehrere Male kurz hintereinander auftritt ⓑ. Dann können sich seine EPSPs zeitlich überlagern und sich positive Ladungsträger derart an der Zellmembran konzentrieren, dass ein Aktionspotenzial entsteht.

Neurobiologie

Online-Link
Neuronale Verschaltung und
Verrechnung (interaktiv)
150010-3961

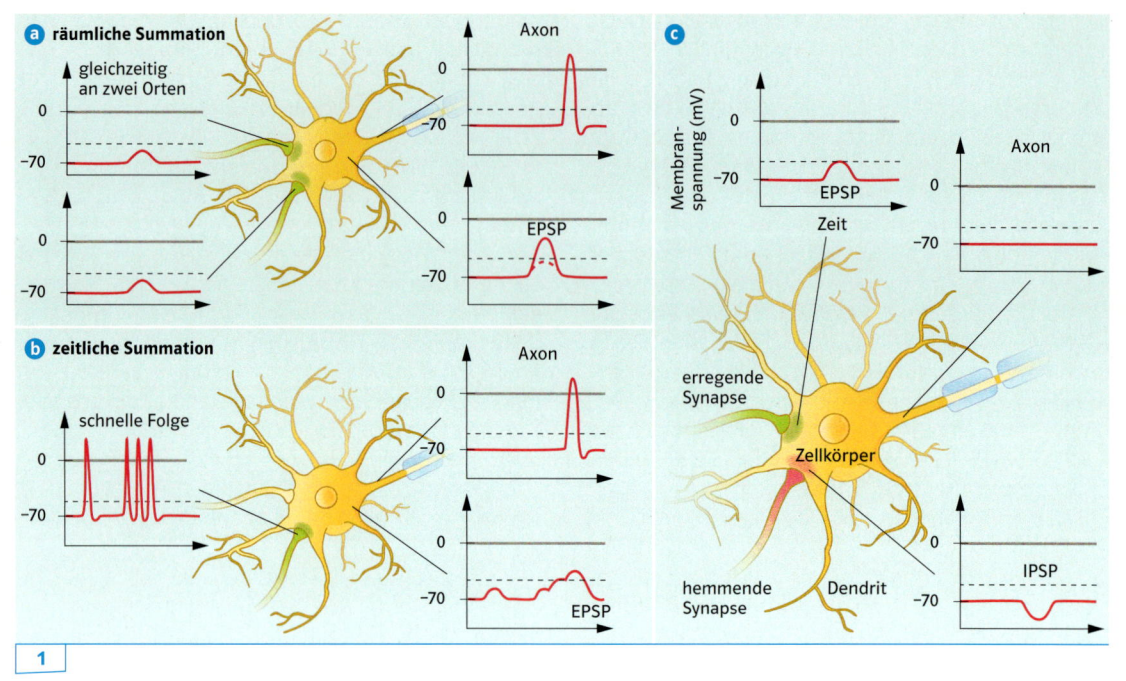

a räumliche Summation
gleichzeitig an zwei Orten
Axon
EPSP

b zeitliche Summation
schnelle Folge
Axon
EPSP

c
Membranspannung (mV)
EPSP
Zeit
Axon
erregende Synapse
Zellkörper
hemmende Synapse
Dendrit
IPSP

1 Chemische Synapsen und passive Signalausbreitung bis zum Axonhügel ermöglichen eine Informationsverarbeitung.

Räumliche und zeitliche Summation tritt auch bei hemmenden Signalen auf.

Erregende, depolarisierende Eingänge (EPSPs) können sich mit hemmenden, hyperpolarisierenden Eingängen (IPSPs) überlagern. *Hyperpolarisation* und *Depolarisation* werden miteinander verrechnet (→ Abb. 1 **c**). Alle diese Mechanismen zusammengenommen erlauben eine gewaltige Komplexität der Verrechnung. Das wird besonders deutlich, wenn man bedenkt, dass eine einzige Nervenzelle durchschnittlich von 1000 anderen Nervenzellen über Synapsen Signale empfangen kann.

Aufgabe 29.4

Erläutern Sie die Mechanismen, die die Wahrscheinlichkeit von Aktionspotenzialen an Nervenzellen verstärken oder abschwächen.

29.5 Codewechsel erlauben Informationsverarbeitung und verlustfreie Übertragung

Information und Kommunikation

Codewechsel können nützlich sein, wenn die verwendeten Codes unterschiedliche Vorzüge haben, wie z. B. Verständlichkeit der Information, Sicherheit oder Geschwindigkeit der Informationsübertragung oder kompakte Speicherung. Eine Musik-CD enthält Information über analoge Schallwellen codiert in digitaler Form. Die Information kann in das kompaktere MP3-Format umcodiert werden und dann von Abspielgerät und Kopfhörer wieder in analoge Schwingungen zurückcodiert werden.

An einem Neuron finden mehrere *Codewechsel* statt.* Sehen Sie sich noch einmal den Dehnungsrezeptor bei Muskeln an (→ Abb. 1, S. 390). Bei Dehnung werden im sensorischen Bereich der Muskelspindel Ionenkanäle geöffnet. Während der Reizdauer strömen der Reizstärke entsprechend mehr oder weniger Na^+-Ionen in die Zelle. Der physikalische Reiz der Dehnung wird in ein elektrisches Signal, ein *Rezeptorpotenzial*, umcodiert. Beide können in einem bestimmten Bereich beliebige Werte annehmen. Die Rezeptorpotenziale folgen also nicht dem Alles-oder-Nichts-Gesetz. Diese Depolarisation der Dendritenmembran gelangt, falls sie stark genug ist, zum Axonhügel und löst dort beim Überschreiten des Schwellenwerts ein Aktionspotenzial aus. Am Axonhügel erfolgt ein Codewechsel. Je nach Höhe der Amplitude des EPSP werden unterschiedlich schnell hintereinander Aktionspotenziale ausgelöst. Diese haben alle die gleiche Amplitude.

Die Information über die Erregungsstärke ist nun in der Frequenz identischer Aktionspotenziale codiert. Im Gegensatz zu den Potenzialen am Zellkörper findet bei der Fortleitung von Aktionspotenzialen keine Abschwächung statt. Das Signal kann so unverändert beliebig weit geleitet werden. Endet das Neuron mit einem synaptischen Endknöpfchen auf einer weiteren Nervenzelle, so wird die Frequenz über die Transmitterausschüttung wieder zu einem erregendem oder hemmendem Potenzial mit bestimmter Amplitude, abhängig von der Aktionspotenzialfrequenz (→ Abb. 1, S. 397). Denn an der chemischen Synapse wird jedes eingehende Aktionspotenzial in eine Ausschüttung von Vesikeln umcodiert. Je höher die Frequenz ist, desto mehr Vesikel werden in den synaptischen Spalt entleert. Der chemische Code ermöglicht weitere Schritte der Informationsverarbeitung. Durch Summation der erregenden und hemmenden Signale ergibt sich am Axonhügel der Folgezelle eine Erregungsstärke, die wiederum als Aktionspotenzialfrequenz weitergegeben wird und z. B. über eine motorische Endplatte zu einer dosierten Muskelkontraktion führt.

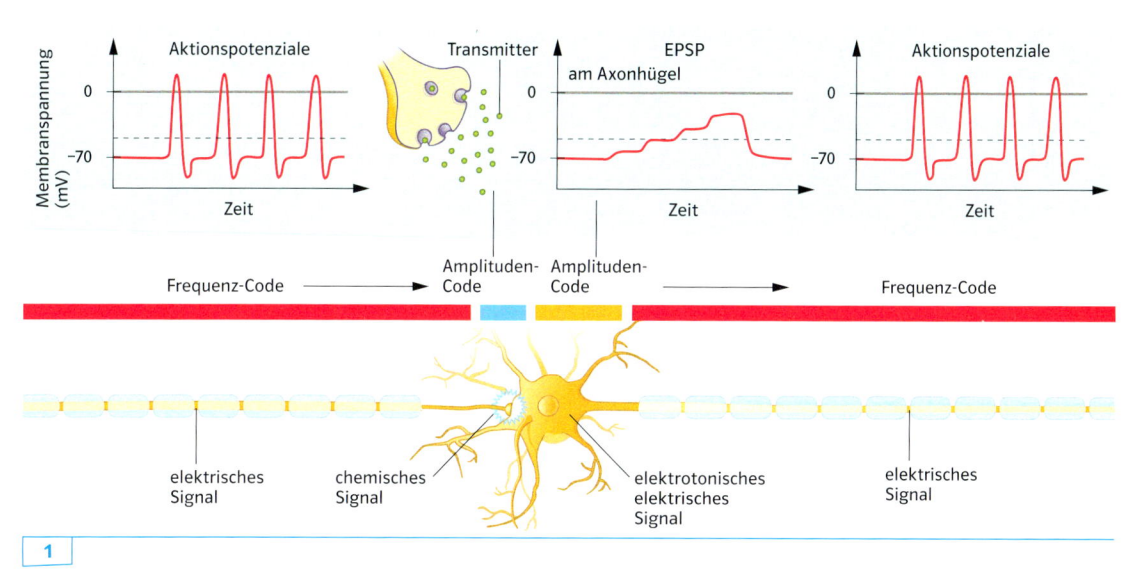

1 Bei der Weiterleitung von Nervensignalen finden mehrere Codewechsel statt.

Aufgabe 29.5

Erläutern Sie die Vorteile von Codewechseln.

29.6 Medikamente, Gifte und Drogen beeinflussen die synaptische Übertragung

Raucher greifen mit jeder Zigarette in ihre synaptische Übertragung ein. Die Wirkung wird vom *Nicotin* ausgeübt, einem pflanzlichen Giftstoff in den Blättern der Tabakpflanze. Bei Erwachsenen wirkt 1 mg Nicotin pro Kilogramm Körpergewicht tödlich. Kleinkinder könnten an der Tabakmenge einer vollständig verzehrten Zigarette sterben. Beim Inhalieren wird das Nicotin in der Lunge vom Blut aufgenommen und im Körper verteilt. Es setzt sich an die Bindungsstellen bestimmter *Acetylcholin-Rezeptoren* und öffnet die

Neurobiologie

1

Schnecke jagt Fisch: Dabei injiziert die Kegelschnecke einen schnell wirkenden Cocktail von Neurotoxinen.

Kanäle. Es öffnet den nicotinischen ACh-Rezeptorkanal (→ Abb. 1 **a**, S. 394) wie Acetylcholin, d. h. es wirkt als **Agonist**. Nicotin bewirkt wie Acetylcholin eine *Adrenalinausschüttung* (→ Abb. 1, S. 417). Der Herzschlag wird beschleunigt und der Blutdruck steigt, weil sich die Blutgefäße zusammenziehen. Die schlechtere Durchblutung ist eine der Ursachen für die negativen Folgen des Rauchens. Da Nicotin die *Blut-Hirn-Schranke* überwindet, kann es auch direkt auf das Belohnungszentrum im Gehirn einwirken. Normalerweise reagiert das Belohnungszentrum positiv auf überlebensfördernde Vorgänge, wie Nahrungsaufnahme oder Fortpflanzung. Glück signalisierende Stoffe wie *Serotonin* und *Endorphine* werden ausgeschüttet. Schon nach kurzer Zeit stellt sich das Belohnungssystem aber so ein, dass der Zustand mit Nicotin als Normalzustand gilt. Fehlendes Nicotin wird zum „Unterglück" und der Raucher ist süchtig geworden.

Verschiedenste Lebewesen setzen Gifte ein, um sich vor Fressfeinden zu schützen oder ihre Beute zu schädigen. Dazu gehören Pilze, Spinnen, Amphibien, Schlangen oder Meeresschnecken. Etwa 70 der über 500 bekannten Kegelschneckenarten jagen mithilfe von Neurotoxinen auch Fische (→ Abb. 1). Viele dieser *Neurotoxine* greifen an der synaptischen Übertragung ein. Das Pfeilgift *Curare* ist ein solches Toxin, das aus Rinden- und Blätterextrakten südamerikanischer Li-

anenarten isoliert werden kann. Curare besetzt die Bindungsstellen der Acetylcholin-Rezeptoren, ohne aber die Kanäle zu öffnen. Es wirkt als **Antagonist**, d. h. es blockiert die Wirkung des Rezeptors. Das vom präsynaptischen Neuron ausgeschüttete *Acetylcholin* findet an der Postsynapse keine freien Bindungsstellen und die synaptische Übertragung — vor allem zwischen Motoneuronen und Muskeln — wird unterbunden. Die Folgen sind Muskellähmung und Atemstillstand.

Botulinumtoxin wird von verschiedenen Stämmen des Bodenbakteriums *Clostridium* ausgeschieden und kann Lebensmittelkonserven vergiften. Nach Verzehr wird das Bakteriengift in die Präsynapsen von neuromuskulären Endplatten aufgenommen und verhindert dort die Verschmelzung der Vesikel mit der präsynaptischen Membran. Aktionspotenziale führen nicht mehr zu Muskelkontraktionen, da die Motoneuronen keine Neurotransmitter mehr ausschütten. Der früher gefürchtete Lähmungseffekt wird heute zur Behandlung neurologischer Bewegungsstörungen sowie zur Faltenglättung eingesetzt (→ S. 391).

Das als tödliche chemische Waffe entwickelte Nervengas *Sarin* greift ebenfalls in die synaptische Übertragung ein. Sarin verhindert die Spaltung des Neurotransmitters durch die Blockade des Enzyms Acetylcholinesterase. Acetylcholin bleibt an den Rezeptorbindungsstellen haften, die Postsynapsen werden dauerhaft erregt, und die Opfer sterben an Lähmung von Atem- und Herzmuskulatur.

Bei der medikamentösen Behandlung krankhafter Zustände des Nervensystems kann oft der gezielte Eingriff in die synaptische Übertragung Linderung bringen. Bestimmte, zur Stimmungsaufhellung bei *Depressionen* eingesetzte Medikamente verlangsamen die Wiederaufnahme des Neurotransmitters *Serotonin*, sodass er länger an der Postsynapse wirken kann. Auch die Symptome der *Parkinson'schen Krankheit*, wie die Schüttellähmung, lassen sich auf ähnliche Weise lindern. Die Symptome entstehen durch den allmählichen Niedergang von Neuronen, die den Neurotransmitter *Dopamin* herstellen und ausschütten. Blockiert man medikamentös das abbauende Enzym im synaptischen Spalt, so können die noch vorhandenen Dopamin-Moleküle länger wirken. Zusätzlich kann eine Vorstufe des Dopamins (L-DOPA) verabreicht werden, das im Gegensatz zu Dopamin die Blut-Hirn-Schranke passieren kann.

Variabilität und Angepasstheit

Aufgabe 29.6

Als Gegenmittel bei einer Curare-Vergiftung kann eine Substanz gegeben werden, die das Acetylcholin spaltende Enzym Acetylcholinesterase blockiert. Begründen Sie.

29.7 Lernen beeinflusst die synaptische Übertragung

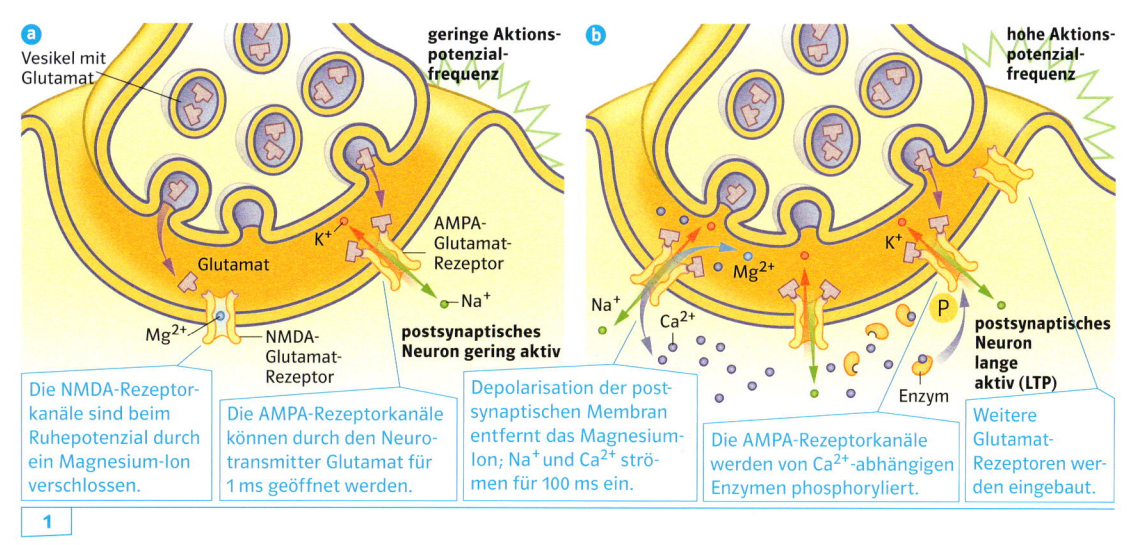

Abb. 1 Langzeitpotenzierung an Synapsen ermöglicht Lernen.

a) geringe Aktionspotenzialfrequenz – postsynaptisches Neuron gering aktiv
- Vesikel mit Glutamat
- AMPA-Glutamat-Rezeptor
- NMDA-Glutamat-Rezeptor
- Die NMDA-Rezeptorkanäle sind beim Ruhepotenzial durch ein Magnesium-Ion verschlossen.
- Die AMPA-Rezeptorkanäle können durch den Neurotransmitter Glutamat für 1 ms geöffnet werden.
- Depolarisation der postsynaptischen Membran entfernt das Magnesium-Ion; Na^+ und Ca^{2+} strömen für 100 ms ein.

b) hohe Aktionspotenzialfrequenz – postsynaptisches Neuron lange aktiv (LTP)
- Die AMPA-Rezeptorkanäle werden von Ca^{2+}-abhängigen Enzymen phosphoryliert.
- Weitere Glutamat-Rezeptoren werden eingebaut.

Synapsen können sich durch *Lernen* so verändern, dass sie Information speichern. Dies wurde 1949 von dem Psychologen DONALD HEBB postuliert. Gemäß der *Hebb'schen Lernregel* wird die Effizienz einer präsynaptischen Zelle beim Erzeugen von Aktionspotenzialen in einer Zielzelle umso größer, je häufiger diese Zellen bereits gemeinsam aktiv waren. Diese *synaptische Plastizität* kann verschiedene Ursachen haben. Präsynaptisch kann sich die pro Aktionspotenzial freigesetzte Menge an Neurotransmitter ändern oder z. B. die Geschwindigkeit, mit der die Transmittermoleküle wieder in die präsynaptische Zelle aufgenommen werden. Postsynaptisch kann sich die Antwortstärke auf eine bestimmte Menge Neurotransmitter ändern, z. B. durch Änderung der Anzahl postsynaptischer Rezeptoren.

Die Änderung der Übertragungsstärke kann einige Millisekunden, einige Minuten, aber auch Stunden oder lebenslang andauern. Die Verstärkung der synaptischen Übertragung bezeichnet man als *Potenzierung*, die Abschwächung als *Depression*. Je nach Dauer spricht man von Langzeit- oder Kurzzeitpotenzierung, Langzeit- oder Kurzzeitdepression.

Das Phänomen der *Langzeitpotenzierung* (LTP) wurde an bestimmten Neuronen nachgewiesen. Bekommen sie rasch aufeinanderfolgende Eingangssignale, so steigert sich ihre Antwort enorm. Dieser Effekt hält viele Minuten oder länger an. Für Lernvorgänge kommen Synapsen in Frage, die Glutamat als Neurotransmitter ausschütten und postsynaptisch zwei verschiedene Rezeptoren für Glutamat besitzen: *AMPA-* und *NMDA-Rezeptoren*, benannt nach ihren jeweiligen Antagonisten. Beide wirken erregend über Na^+-Einstrom. Die NMDA-Rezeptoren sind jedoch beim Ruhepotenzial durch je ein Mg^{2+}-Ion verschlossen. Im offenen Zustand leiten sie auch Ca^{2+}-Ionen gut (→ Abb. 1).

Und so funktioniert die Potenzierung: Die präsynaptische Ausschüttung des Transmitters Glutamat führt zum Öffnen der AMPA-Rezeptorkanäle. Die postsynaptische Membran wird depolarisiert, weil Na^+ einströmt **a**. Eine Langzeitpotenzierung kommt nur zustande, wenn hochfrequent wiederholt depolarisiert wird (25–200 Hz), oder gleichzeitig mehrere Synapsen depolarisieren **b**. In diesen beiden Fällen werden die Mg^{2+}-Ionen aus den NMDA-Rezeptoren entfernt und sie öffnen sich langfristiger als die AMPA-Rezeptoren. Neben Na^+-Ionen strömen Ca^{2+}-Ionen in die Postsynapse. Diese aktivieren Enzyme, die AMPA-Rezeptoren phosphorylieren und so deren Leitfähigkeit erhöhen. Neue AMPA-Rezeptoren werden in die postsynaptische Membran eingebaut. Schließlich kann es zum Wachstum der Synapse kommen, was als Grundlage des Langzeitgedächtnisses gilt.

Aufgabe 29.7

Durch Lernen können synaptische Verbindungen zwischen Neuronen verstärkt werden. Erläutern Sie mögliche Prozesse.

29.8 Elektrische Synapsen erlauben eine besonders schnelle Informationsübertragung

Wenn Sie eine Stubenfliege nicht fangen konnten, dann verdankt diese ihr Leben den elektrischen Synapsen in einem Fluchtreflexbogen, der das visuelle System der Fliege mit den Sprungmuskeln der Mittelbeine und der Flugmuskulatur verbindet. Auslöser der Flucht ist jeder großflächige Schatten, der sich schnell im Sehfeld der Fliege ausbreitet.

Neuronen können nicht nur über chemische, sondern auch über *elektrische Synapsen* miteinander verbunden sein. Das sind Kontaktstellen mit vergleichsweise großen Poren, die unselektiv den Durchtritt von Kationen, Anionen und kleinen organischen Molekülen zulassen. An elektrischen Synapsen kommen sich die beiden beteiligten Neuronen auf 2–4 nm besonders nahe. Zum Vergleich: Der synaptische Spalt der chemischen Synapsen ist 20 nm breit. Beide Membranen besitzen Poren, die sich gegenüberstehen und jeweils durch sechs Proteinuntereinheiten gebildet werden, die sogenannten *Connexine* (→ Abb. 2). Elektrische Synapsen erlauben Signalübertragung ohne Totzeit. Unter Totzeit versteht man die Zeitdifferenz zwischen dem Eintreffen eines Signals und der Weitergabe an die Folgezelle. Deshalb findet man elektrische Synapsen in Fluchtreflexen, bei denen es auf kurze Reaktionszeiten ankommt. Fische können einen speziellen Schwanzschlag ausführen, der sie blitzschnell aus einer Gefahrenzone katapultiert. Sensorische Neuronen sind dazu über elektrische Synapsen auf besonders schnell leitende Zellen verschaltet, die die Erregung an die Muskulatur weiterleiten. In unserem Gehirn haben elektrische Synapsen vielfältige Aufgaben: Ein Typ *Gliazellen* ist über elektrische Synapsen zu sogenannten *Astrocytennetzwerken* verbunden (→ 28.2). Über diese Netzwerke breiten sich Ca^{2+}-Wellen aus, mit denen die Aktivierung von Enzymen oder die Synthese von Proteinen angestoßen werden können.

Inzwischen kennt man auch steuerbare elektrische Synapsen. Verschiedene Synapsentypen sind abhängig vom pH-Wert, von der Ca^{2+}-Konzentration oder von der Polarität des elektrischen Signals.

Die Bedeutung elektrischer Synapsen zeigt sich besonders deutlich, wenn es zu Ausfällen kommt. Bisher sind weit über 50 menschliche Krankheiten auf Mutationen in Connexingenen zurückgeführt worden. Dazu gehören Formen ererbter Schwerhörigkeit und Taubheit und auch vererbte Formen des „grauen Stars", einer fortschreitenden Trübung der Augenlinse.

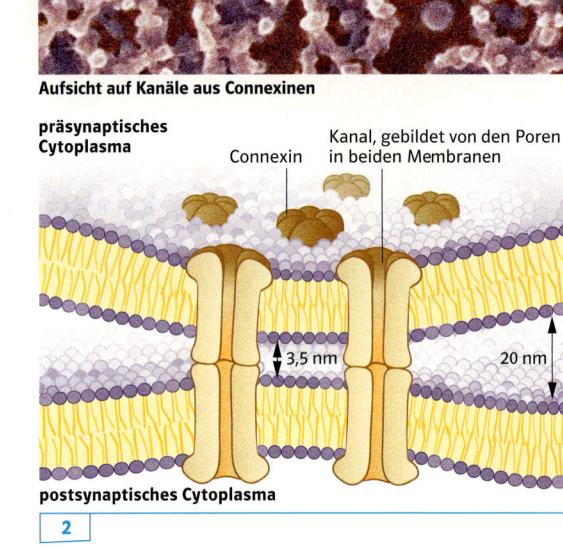

Aufsicht auf Kanäle aus Connexinen

2 Elektrische Synapsen funktionieren über Porenproteine. Sie bilden einen Kommunikationskontakt (gap junction).

elektrische Synapsen	keine Totzeit
chemische Synapsen mit Rezeptorkanälen	0,1–0,5 ms Totzeit
chemische Synapsen mit Neurotransmitter-Rezeptoren, die nicht selbst Ionenkanäle bilden	über 10 ms Totzeit

1 Die verschiedenen Typen von Synapsen haben stark unterschiedliche Übertragungszeiten.

Aufgabe 29.8
Vergleichen Sie ungesteuerte elektrische und chemische Synapsen im Hinblick auf Informationsfluss und Informationsverarbeitung zwischen den beteiligten Zellen.

Sinne und Wahrnehmung

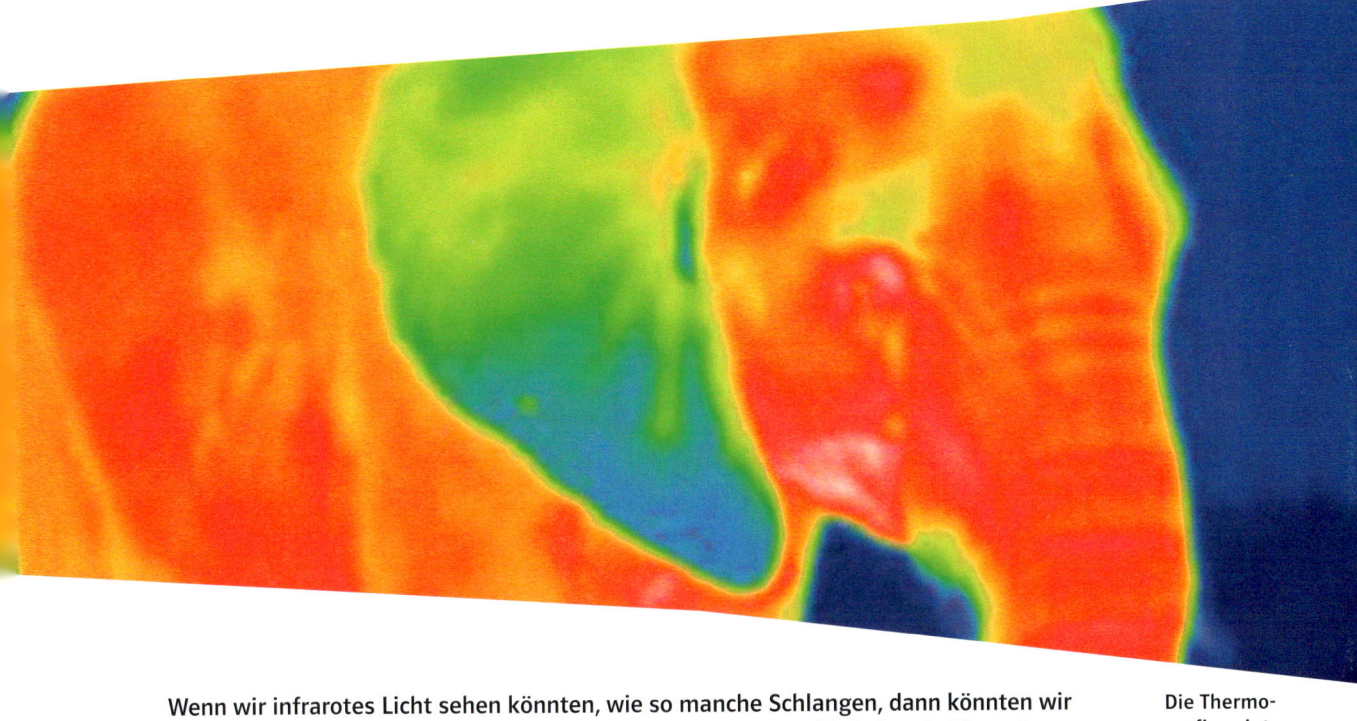

30

Die Thermografie zeigt Wärmestrahlung an

Wenn wir infrarotes Licht sehen könnten, wie so manche Schlangen, dann könnten wir Elefanten auch in dunkler Nacht sehen (wenn auch nicht in solch hoher Auflösung).
Sinnesorgane wandeln eine Vielzahl unterschiedlicher chemischer oder physikalischer Reize aus der Umwelt und aus dem eigenen Körper in einen elektrischen Code um. Das Gehirn empfängt die elektrischen Signale und interpretiert sie dort. Im Gehirn entsteht das individuelle Konstrukt einer Welt, die Wahrnehmung, die auf einem stets unvollständigen Satz von Sinneseindrücken beruht. Große Bereiche chemischer oder physikalischer Reize bleiben unserer direkten Wahrnehmung komplett verschlossen.

30.1	Sinneszellerregung löst je nach Leitungsbahn eine Wahrnehmung im Gehirn aus
30.2	Rezeptoren setzen Reize in Potenziale um
30.3	Kameraaugen von Wirbeltieren werfen detaillierte Bilder auf die Netzhaut
30.4	In der Netzhaut werden Signale lichtempfindlicher Zellen empfangen und weiterverarbeitet
30.5	Neuronale Verschaltungen in der Netzhaut führen zu verbesserter Bildauswertung
30.6	Nachbarschaftsbeziehungen von Sinneszellen finden sich bei der Informationsverarbeitung im Gehirn wieder
30.7	Die Sinne erfassen nur einen Ausschnitt der verfügbaren Information

Neurobiologie

30.1 Sinneszellerregung löst je nach Leitungsbahn eine Wahrnehmung im Gehirn aus

Warum bekommen wir eigentlich einen Schweißausbruch, wenn die soeben verspeiste Pizza ordentlich mit diesen kleinen Peperoni belegt war? Genau betrachtet verursachen Peperoni keine Geschmacksempfindung, sondern eine Hitzeempfindung (→ Abb. 1).

Sinneszellen (Rezeptorzellen) setzen die **Reize** der Außenwelt und der Innenwelt des Körpers in die Sprache des Nervensystems um — in elektrische Signale. **Sinnesorgane** wie Auge oder Nase fassen viele Sinneszellen zusammen und verbessern deren Reizaufnahme durch Filterung und Verstärkung. Die sensorischen Eingänge klassifiziert man nach der aufgenommenen Energieform; es gibt *Chemo-*, *Mechano-*, *Photo-*, *Thermo-* und *Elektrorezeptoren*. Wer nur seine klassischen fünf Sinne beieinander hat (Sehen, Hören, Riechen, Schmecken, Tasten), dem fehlen die Sinne in den inneren Organen, Gelenken usw. sowie der *Temperatur-*, der *Schmerz-* und der *Gleichgewichtssinn*.

Die Art der **Wahrnehmung** (*Perzeption*), die im Gehirn entsteht und die von einer neuronalen Erregung ausgelöst wird, hängt von der Leitung ab, auf der das elektrische Signal einkommt. Dieser *Leitungscode* sorgt dafür, dass eine mechanische Reizung des Auges (z. B. durch einen Faustschlag) die Empfindung eines Lichtblitzes auslöst. Die Signale werden in einer einheitlichen Währung — den *Aktionspotenzialen* — angeliefert und der auslösende Reiz ist ihnen nicht anzumerken. Das Gehirn erhält die Information auf dem Sehnerv und interpretiert sie folglich als Lichtreiz.

So wird auch die Hitzeempfindung beim eingangs betrachteten Essen der Peperoni ausgelöst. Ein Inhaltsstoff der Peperoni, das *Capsaicin*, kann unsere Hitzerezeptoren aktivieren (→ Abb. 2, S. 403). Die Meldung zur Peperoni-Pizza kommt auf den Leitungen für „schmerzhaft heiß" in unser Gehirn, folglich wird ein „Brennen" wahrgenommen und es werden physiologische Reaktionen ausgelöst, die der wahrgenommenen Überhitzung entgegenwirken sollen; wir schwitzen und wir wollen trinken.

Wir sind innerlich und äußerlich vollgepackt mit Sinneszellen, die unserem Nervensystem Informationen liefern, doch längst nicht alle führen zu einem Wahrnehmungsereignis. *Enterorezeptoren* sprechen z. B. auf die im Körperinneren entstehenden Reize an und dienen der überwiegend unbewussten Regelung zahlreicher Körperfunktionen, wie z. B. der Anpassung des Blutdrucks. *Chemorezeptoren* messen u. a. den Sauerstoff- und Kohlenstoffdioxidpartialdruck im Blut. *Dehnungsrezeptoren* geben Rückmeldungen über den Füllstand des Magens oder die Gliederstellung.

An die Wahrnehmung kann sich die gedankliche Weiterverarbeitung des Wahrgenommenen (*Kognition*) anschließen: Auffassen, Beurteilen, Assoziieren.

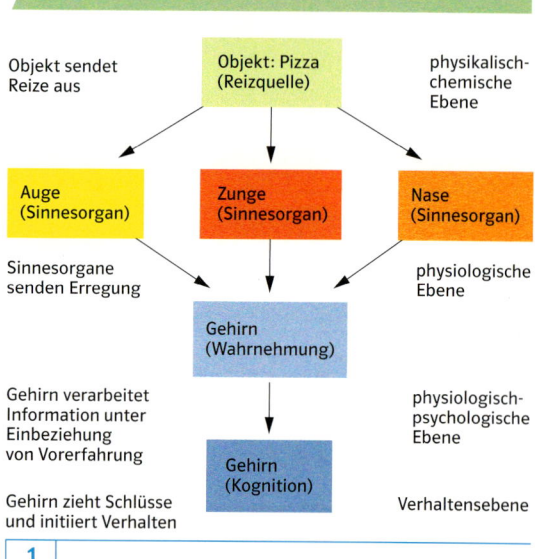

1 Mehrere Schritte führen von der Pizza in der Hand zu ihrer Wahrnehmung im Gehirn.

Aufgabe 30.1

Identifizieren Sie Reiz, Sinnesorgan, Sinneszelle, neuronale Erregungsleitung, Wahrnehmung und gedankliche Weiterverarbeitung am Beispiel des Hörens eines Satzes.

30.2 Rezeptoren setzen Reize in Potenziale um

Eine Sinneszelle ist auf den Empfang einer bestimmten Reizqualität ausgelegt — und zwar so gut wie möglich nur auf diese.* Die Sinneszelle bildet dabei quasi die Pförtnerloge für einen unserer Sinne. Nicht die eingetretenen Personen (Reize) werden im Gebäude weitergeleitet, sondern nur die telefonische Nachricht von ihrem Eintreffen und ihrer Anzahl (Erregungsleitung). Die Sinneszelle wandelt den physikalischen oder chemischen Reiz proportional zu seiner Stärke in ein **Rezeptorpotenzial** um (→ 28.8). Alle dabei ablaufenden Vorgänge werden unter dem Begriff **Signaltransduktion** (Signalübertragung) zusammengefasst. Bei Überschreiten einer gewissen *Reizschwelle* wird das Signal dann als Folge von Aktionspotenzialen über Neuronen an das ZNS geleitet.

Sinneszellen sind meist abgewandelte Nervenzellen (→ Abb. 1). *Primäre Sinneszellen* leisten die Transduktion und Erregungsleitung zum ZNS über ein eigenes Axon (z. B. Riechzellen). Bei *Sinnesnervenzellen* liegt der Zellkern weit weg und sendet Dendriten zum Ort der Reizaufnahme. Die Dendriten können dort freie Nervenendigungen bilden (z. B. bei Schmerzrezeptoren) oder von Hüllzellen umgeben sein.

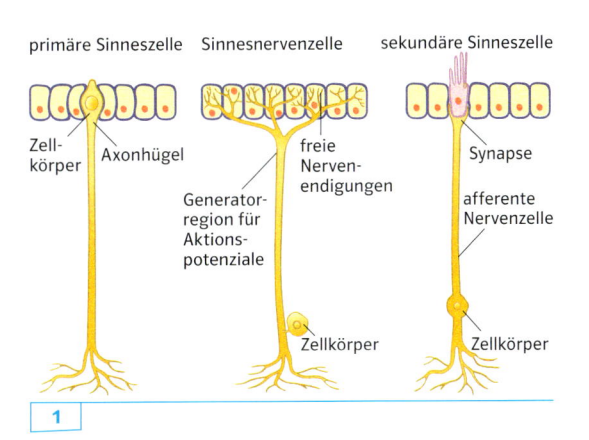

Sinneszellen lassen sich drei unterschiedlichen Typen zuordnen. Sekundäre Sinneszellen besitzen selbst kein Axon.

Sekundäre Sinneszellen sind Rezeptorzellen, die ihre elektrische Erregung über Synapsen auf nachgeschaltete Nervenzellen übertragen, (z. B. Haarsinneszellen im Innenohr).

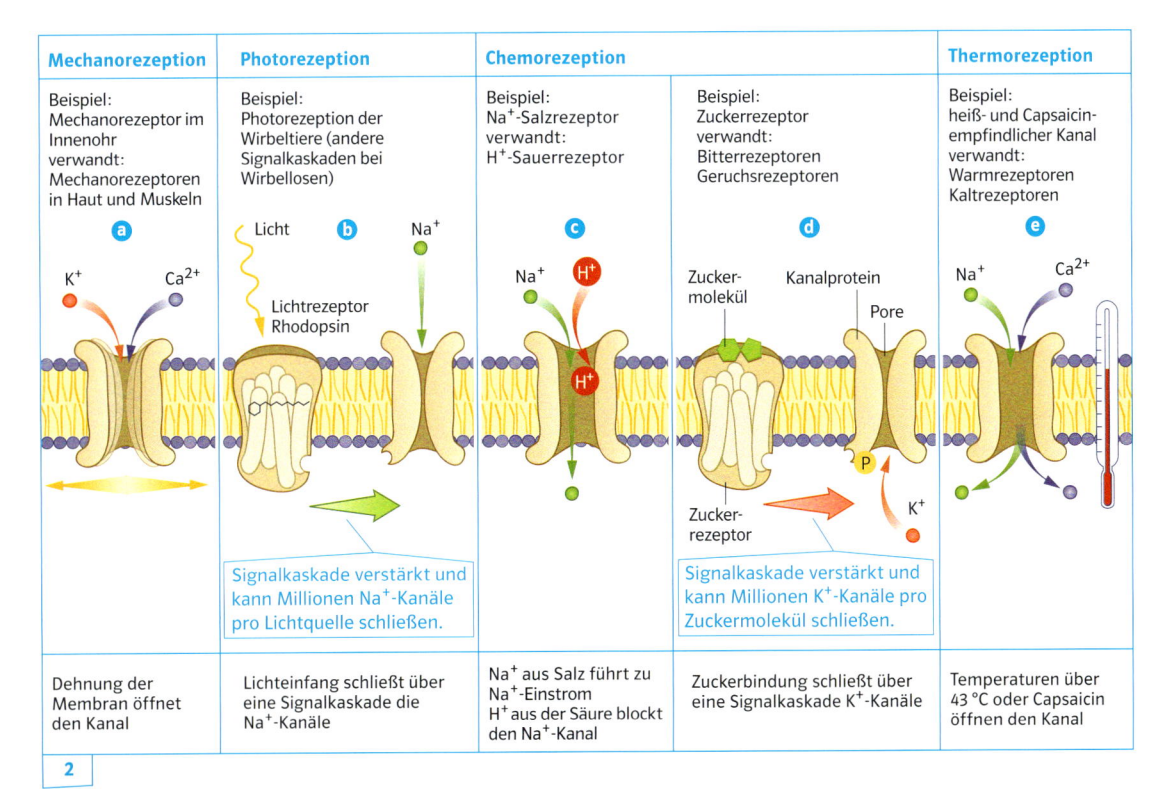

Mechanorezeption	Photorezeption	Chemorezeption		Thermorezeption
Beispiel: Mechanorezeptor im Innenohr verwandt: Mechanorezeptoren in Haut und Muskeln	Beispiel: Photorezeption der Wirbeltiere (andere Signalkaskaden bei Wirbellosen)	Beispiel: Na^+-Salzrezeptor verwandt: H^+-Sauerrezeptor	Beispiel: Zuckerrezeptor verwandt: Bitterrezeptoren Geruchsrezeptoren	Beispiel: heiß- und Capsaicin-empfindlicher Kanal verwandt: Warmrezeptoren Kaltrezeptoren
a	b	c	d	e
Dehnung der Membran öffnet den Kanal	Lichteinfang schließt über eine Signalkaskade die Na^+-Kanäle	Na^+ aus Salz führt zu Na^+-Einstrom H^+ aus der Säure blockt den Na^+-Kanal	Zuckerbindung schließt über eine Signalkaskade K^+-Kanäle	Temperaturen über 43 °C oder Capsaicin öffnen den Kanal

Rezeptorproteine in den Membranen von Sinneszellen reagieren auf Reize durch Signaltransduktion.

Neurobiologie

Auf mechanische Reizung reagierende Ionenkanäle bilden die Grundlage der vielen verschiedenen mechanosensitiven Sinnesorgane (→ Abb. 2, S. 403) **ⓐ**. Dazu gehören das Gehör, die Lagesinnesorgane und Drehbeschleunigungsorgane im Innenohr, die unterschiedlich auslösbaren *Mechanorezeptoren* der Haut, die Gelenkstellungsrezeptoren, das Seitenlinienorgan der Fische und mechanosensitive Borsten der Insekten.

Die mechanosensitiven Ionenkanäle sind in die Biomembran eingebaut und reagieren auf Verformung mit einer Veränderung der Offenwahrscheinlichkeit. Man kennt dehnungsaktivierte K^+-Kanäle, Ca^{2+}-Kanäle sowie unselektive Kationenkanäle. Die Haarsinneszellen im Innenohr besitzen Reihen von Sinneshaaren, jedes zehnmal dünner als unser Haar. Wird die Reihe in einer Richtung ausgelenkt, werden Verbindungen zwischen den Sinneshaaren angespannt und dadurch Ionenkanäle mechanisch geöffnet. Elektrische Erregung entsteht. Auslenkung in die andere Richtung entspannt die Verbindungen, was die Kanäle schließt.

Photorezeptoren ermöglichen die Lichtwahrnehmung **ⓑ**. Die Sehfähigkeit aller Tiere beruht auf einer einzigen lichtempfindlichen Molekülfamilie, den *Rhodopsinen* (→ 30.4). Die Photorezeptoren der Wirbeltiere arbeiten mit einer negativen Logik: Sie produzieren einen Dunkelstrom, der umso schwächer wird, je stärker der Lichtreiz wird. Die Wirbellosen besitzen eine andere Signalkaskade, die bei Lichteinfang wie in gewöhnlichen Nervenzellen Ionenkanäle öffnet.

Schmecken und Riechen sind chemische Sinne. *Geschmacksrezeptoren* sind in Geschmacksknospen gruppiert, die auf der Zunge und im Rachenraum vorkommen. Wir können fünf primäre Geschmacksqualitäten unterscheiden. Der Durchtritt von Na^+-Ionen durch spezifische Natriumkanäle ermöglicht uns die Empfindung „salzig", wenn er Aktionspotenziale entstehen lässt **ⓒ**. „Sauer" wird erkannt, wenn Protonen genau diese Na^+-Kanäle blockieren. Die Rezeptoren für Bitterstoffe, Zuckermoleküle und für Glutaminsäure (japanisch umami für „fleischig") lösen wie Rhodopsin über Signalkaskaden verstärkte Signale aus **ⓓ**. Die Gestalt der Bindungsstellen entscheidet über die Moleküle, die zu einer Aktivierung der Rezeptoren führen können. Wir besitzen 25 bis 30 verschiedene Bitterrezeptortypen, aber nur je einen Typ Süß- und Umami-Rezeptor. Beim *Riechen* ermöglichen uns 400 Rezeptortypen, eine Vielzahl von Gerüchen zu unterscheiden (Hunde haben sogar 1000).• Auch hier müssen Duftstoffe nach dem *Schlüssel-Schloss-Prinzip* an die Bindungsstelle des Rezeptorproteins passen. *Chemorezeptoren* messen Zustände im Inneren des Körpers, z. B. den pH-Wert, den Kohlenstoffdioxidanteil oder den Glucosespiegel im Blut.

Wir besitzen getrennte Wärme- und Kältesinne (→ Abb. 3). Beide basieren auf *Thermorezeptoren*. Temperatursensitive Ionenkanäle jeweils eines Typs liegen in der Membran als freie Nervenendigungen in der Haut. Die Sinnesnervenzellen senden ihre Informationen als Aktionspotenzialfrequenz zum Gehirn. Kälteempfindliche Ionenkanäle öffnen sich zunehmend, wenn die Hauttemperatur von 34 °C immer weiter abgesenkt wird. Dann können Na^+- und Ca^{2+}-Ionen die Kanäle passieren und die Kälte-Sinnesnervenzelle wird depolarisiert (Abb. 2 **ⓔ**, S. 403); sie reagiert mit einem Anstieg der Aktionspotenzialfrequenz. (Menthol

Variabilität und Angepasstheit

Experiment: Warm oder kalt?

Hypothese
Die Kälte- und Wärmerezeptoren in unserer Haut messen nicht die absolute Temperatur.

Durchführung
Drei Gefäße werden mit Wasser von ca. 15 °C, 25 °C bzw. 40 °C gefüllt. In das mittlere Gefäß wird eine Münze gelegt. Eine Versuchsperson hält nun eine Hand in das kalte und die andere in das warme Wasser. Nach ca. 2 Minuten werden beide Hände ohne Kontakt in das lauwarme Wasser gehalten und die Temperaturempfindung beschrieben. Danach wird die Münze mit beiden Händen gegriffen und erneut beobachtet.

Beobachtung
Die Hand aus dem heißen Wasser signalisiert für das lauwarme Wasser kalt, die andere warm. Bis zu einer einheitlichen Temperaturwahrnehmung können mehrere Minuten vergehen. Wird aber die Münze mit beiden Händen ergriffen, so wird die Temperaturempfindung einheitlich.

Erklärung
Der Grund ist Adaptation. In einem Temperaturbereich zwischen 17 °C und 43 °C reagieren unsere Temperatursensoren vor allem auf Temperaturänderungen. Bleibt die neue Temperatur länger konstant, so adaptieren sie daran. Die Rezeptoren in der kaltadaptierten Hand melden einen starken Temperaturanstieg, die in der anderen einen starken Temperaturabfall. Es dauert viele Minuten, bis beide eine übereinstimmende Meldung abgeben. Der Tastsinn meldet bei Berührung der Münze einen einheitlichen Gegenstand. Weil „nicht sein darf, was nicht sein kann" vereinheitlichen höhere Zentren die Temperaturempfindung.

3 Der Temperatursinn liefert keine absoluten Werte.

kann die Kanäle übrigens künstlich öffnen und damit eine Kälteempfindung auslösen.) Wärmeempfindliche Ionenkanäle in Wärme-Sinnesnervenzellen öffnen sich dagegen, wenn die Hauttemperatur ansteigt.

Kältesensoren kommen in der Haut etwa zehnmal häufiger vor als Wärmesensoren. Die Warm- bzw. Kaltempfindung für bestimmte Temperaturen nimmt im Temperaturbereich zwischen 17 °C und 43 °C durch **Adaptation** (→ Abb. 3) allmählich ab, selbst wenn sie tatsächlich konstant bleibt. Gefährliche Temperaturen unter 20 °C und über 43 °C werden unabhängig von Adaptation korrekt wahrgenommen.

Aufgabe 30.2

Erläutern Sie zwei unterschiedliche Prinzipien der Signaltransduktion von Sinneszellen.

30.3 Kameraaugen von Wirbeltieren werfen detaillierte Bilder auf die Netzhaut

Welche essenziellen Bestandteile hat eine Fotokamera? Das sind ein lichtdichtes Gehäuse, darin eine lichtempfindliche Schicht (traditionell ein Film, heute ein elektronischer Chip) und eine Sammellinse, über die einfallendes Licht auf die lichtempfindliche Schicht fokussiert werden kann. Für wechselnde Lichtverhältnisse möchten wir eine Blende öffnen oder schließen und für wechselnde Abstände der Objekte die Brennweite der Linse verstellen können.

All diese Komponenten findet man auch im Linsenauge der Wirbeltiere (→ Abb. 1). Das kugelige Gehäuse wird von der *Lederhaut* gebildet, die im vorderen Augenbereich in die lichtdurchlässige *Hornhaut* übergeht. Da das Auge mit Flüssigkeit gefüllt ist, hat der Übergang von Luft auf das wässrige Innenmilieu durch die konvex gekrümmte Hornhaut bereits eine feste Sammellinsenwirkung für einfallendes Licht. Die Blende wird von der pigmentierten *Regenbogenhaut*

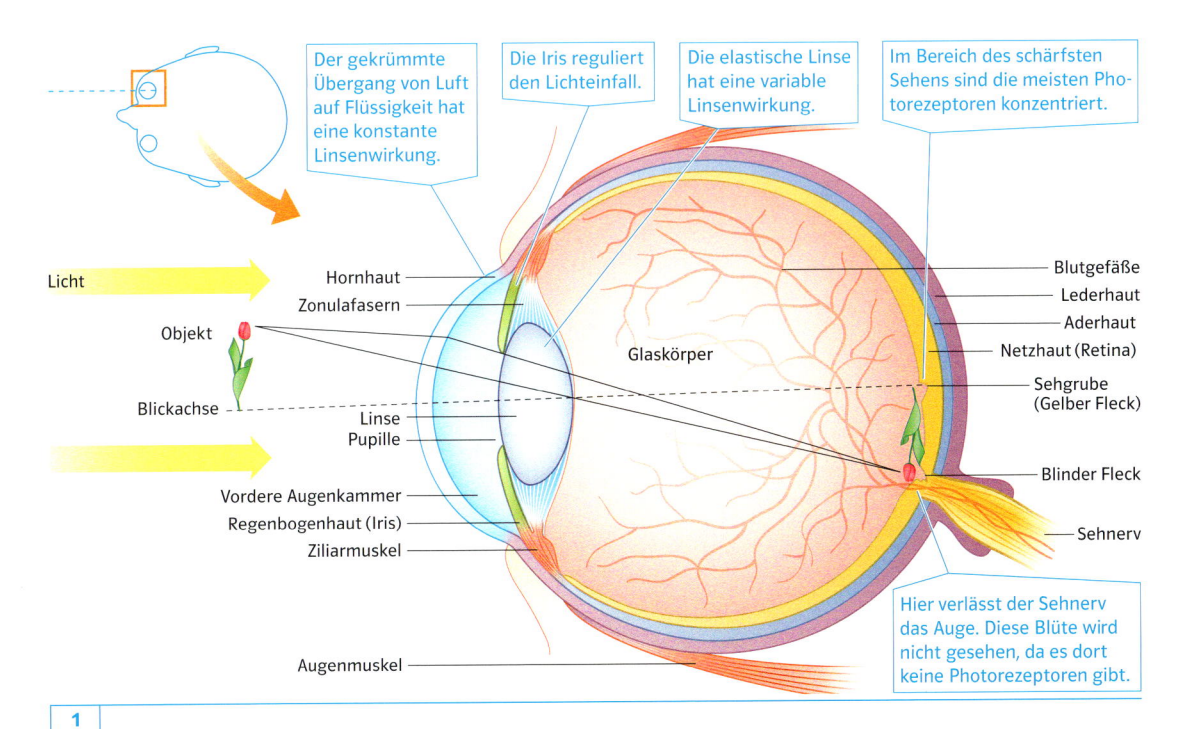

1 Ein waagerechter Schnitt durch ein menschliches rechtes Auge zeigt seine Ähnlichkeit mit einer Fotokamera.

Neurobiologie

(Iris) dahinter gebildet. Die Iris besitzt eine zentrale Öffnung, die *Pupille*. Bei schwacher Beleuchtung wird sie — vom vegetativen Nervensystem gesteuert — über antagonistische Muskeln erweitert oder bei starkem Lichteinfall verkleinert. Hinter der Iris befindet sich eine veränderliche Linse aus kristallinen Proteinen. Das Abbild eines Gegenstands fällt nun auf die *Netzhaut* (*Retina*), unsere lichtempfindliche Schicht mit den Photorezeptoren an der Augenhinterwand. Davor durchquert es den gallertigen, klaren *Glaskörper*, der die Form des Augapfels bestimmt. Der Bereich des schärfsten Sehens mit besonders dicht gepackten Photorezeptoren (nur des Farbsehsystems) liegt in der Blickachse und wird *Sehgrube* (*Gelber Fleck*) genannt. An der Stelle, an der der Sehnerv das Auge verlässt, gibt es keine *Photorezeptoren* (*Blinder Fleck*).

Das Sehfeld eines einzelnen menschlichen Auges hat eine ovale Form (→ Abb. 2). In der Peripherie sehen wir unbunt, dann setzt die Blau-, gefolgt von der Grünempfindung ein. Nur im inneren Bereich, der auch Rotempfindung ermöglicht, sehen wir farbgetreu. Der Bereich des schärfsten Sehens beträgt weniger als ein Grad im Zentrum. Er ist kleiner als der in Abb. 2 weiß markierte Blinde Fleck. Die Sehfelder beider Augen überlappen stark und ermöglichen uns das binokulare räumliche Sehen. Das Gesichtsfeld von Tieren unterscheidet sich vom menschlichen. Frösche oder Fliegen sehen — mit Ausnahme eines kleinen hinteren Bereichs — fast rundum.

Warum sind Lesebrillen ab einem mittleren Lebensalter so verbreitet? Das menschliche Auge ist in Ruhe auf die Ferne eingestellt, es muss nahakkommodieren, um nahe Gegenstände scharf zu sehen. Unter **Akkomodation** versteht man die Einstellung des Auges auf die Entfernung des gesehenen Gegenstands. Beim Kind liegt der kleinstmögliche Abstand nur 8 cm vom Auge weg, bei 70-Jährigen jedoch 100 cm. Einfallendes Licht wird beim Durchtritt durch die *Hornhaut* (*Cornea*) und die Augenlinse gebrochen. Die Cornea liefert den größten, nicht variablen Beitrag zur Brechkraft, die Linse einen kleineren, durch Form-

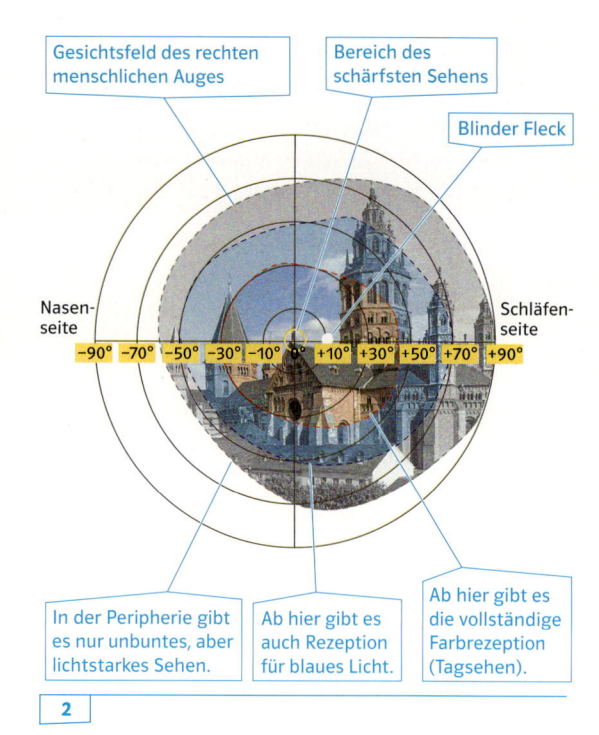

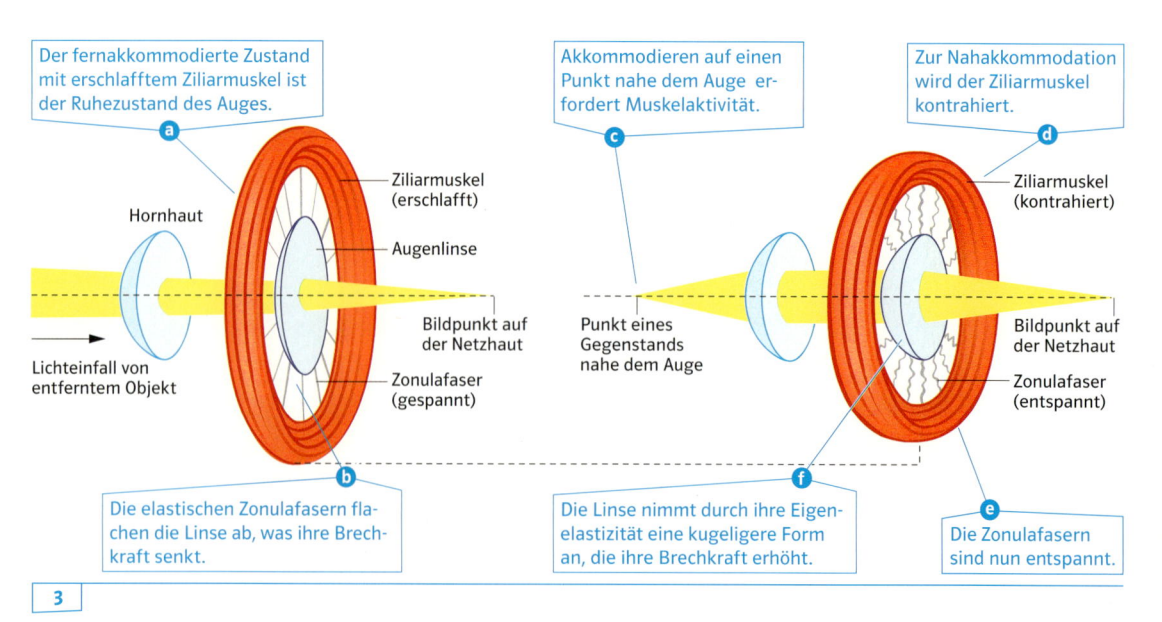

2 Das Sehfeld des Menschen ist asymmetrisch.

3 Ein Muskel zum Fokussieren verändert bei der Akkomodation die Brechkraft der Linse durch Formveränderung.

veränderung variablen Beitrag. Die Linse ist an den *Linsenfäden* (*Zonulafasern*) aufgehängt, die mit dem *Ringmuskel* (*Ziliarmuskel*) verbunden sind. Im fernakkommodierten Zustand ist der Muskel entspannt und nimmt seinen größten Durchmesser ein. Die elastischen Zonulafasern sind dadurch gespannt und ziehen die Vorderseite der Linse in eine flache Form, ihre Brechkraft nimmt ab. Zur Nahakkommodation wird der Ziliarmuskel angespannt, verkleinert dadurch seinen Durchmesser und entspannt die Zonulafasern.

Die Linse nimmt durch ihre Eigenelastizität eine kugeligere Form an, ihre Brechkraft wird erhöht. Mit steigendem Lebensalter nimmt ihre Elastizität ab und das Sehen im Nahbereich wird zunehmend unscharf. Altersweitsichtige Menschen benötigen daher zum Lesen eine Brille mit Sammellinsen.

Säugetiere und Vögel akkommodieren ebenfalls durch die Veränderung der Brechkraft, Amphibien, Fische und bestimmte Wirbellose dagegen durch Veränderung des Abstands ihrer Linse zur Netzhaut.

Aufgabe 30.3
Erläutern Sie, was eine Sammellinse in der Brille altersweitsichtiger Menschen bewirkt.

30.4 In der Netzhaut werden Signale lichtempfindlicher Zellen empfangen und weiterverarbeitet

Die Wirbeltiernetzhaut ist seltsam aufgebaut: Die Sinneszellen, Stäbchen und Zapfen, liegen auf der dem Licht abgewandten Seite (evolutionsbedingte inverse Retina). Betrachten wir zunächst einen Schnitt durch die menschliche Netzhaut (→ Abb. 1). Die Sinneszellen haben synaptische Kontakte mit *Bipolarzellen* und diese mit den Ganglienzellen, deren Nervenfasern zum Sehnerv vereinigt werden.

Die Wirbeltiernetzhaut besitzt zwei verschiedene Rezeptortypen: Beim Menschen treten zu den ca.

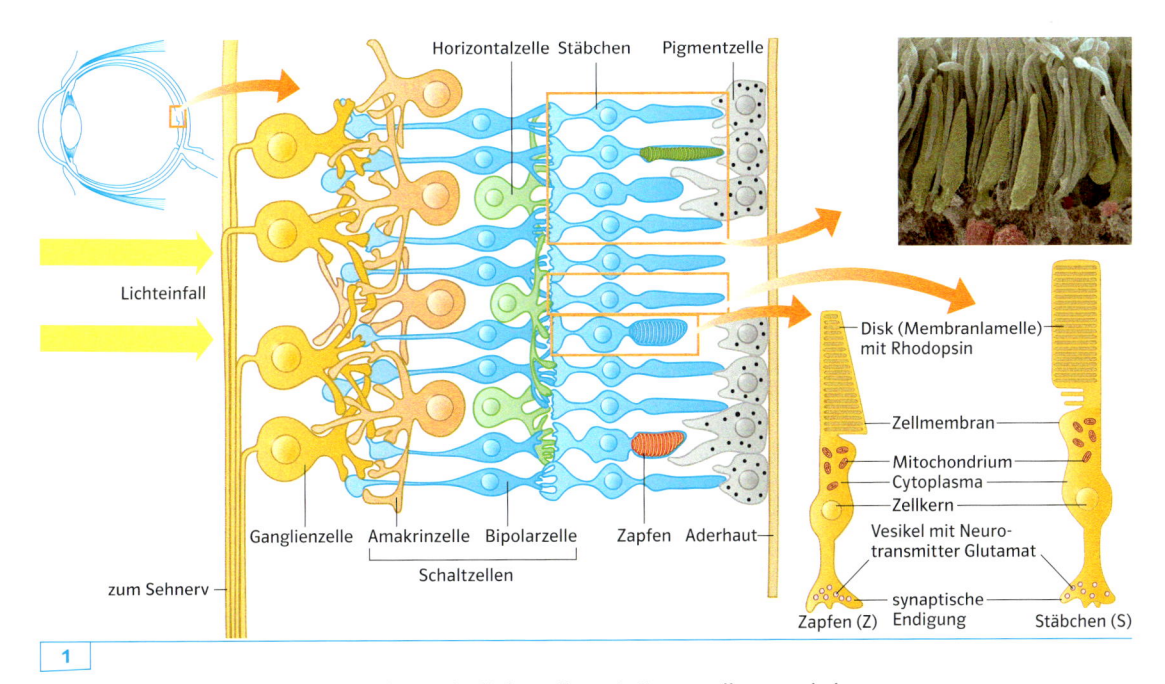

1 In der menschlichen Netzhaut sind lichtempfindliche Zellen mit Nervenzellen verschaltet.

Neurobiologie

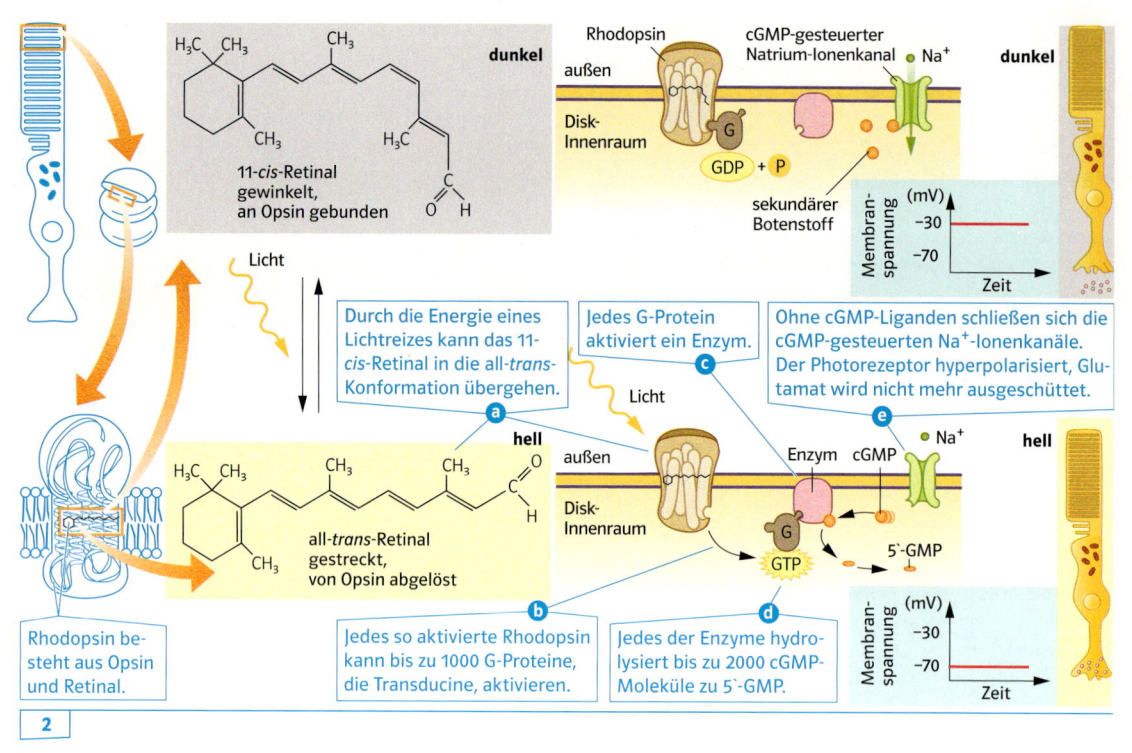

Abb. 2 In der Lichtsinneszelle wird aus dem Lichtreiz ein elektrisches Signal.

Bildbeschriftungen:
- 11-cis-Retinal gewinkelt, an Opsin gebunden
- all-trans-Retinal gestreckt, von Opsin abgelöst
- Rhodopsin besteht aus Opsin und Retinal.
- **a** Durch die Energie eines Lichtreizes kann das 11-cis-Retinal in die all-trans-Konformation übergehen.
- **b** Jedes so aktivierte Rhodopsin kann bis zu 1000 G-Proteine, die Transducine, aktivieren.
- **c** Jedes G-Protein aktiviert ein Enzym.
- **d** Jedes der Enzyme hydrolysiert bis zu 2000 cGMP-Moleküle zu 5'-GMP.
- **e** Ohne cGMP-Liganden schließen sich die cGMP-gesteuerten Na⁺-Ionenkanäle. Der Photorezeptor hyperpolarisiert, Glutamat wird nicht mehr ausgeschüttet.

125 Mio. *Stäbchen* noch 6 Mio. *Zapfen*. Die Zapfen sind zwar 100-fach weniger lichtempfindlich, dafür aber entweder für Licht von kurzer (Blau-Zapfen), mittlerer (Grün-Zapfen) oder langer Wellenlänge (Rot-Zapfen) besonders empfänglich (→ Abb. 3, S. 410).

Warum hat die Evolution zwei Sehsysteme hervorgebracht? Bei guter Beleuchtung kann man mit dem Farbsehsystem komplexe Szenen schneller auswerten — z. B. den Reifegrad von Früchten im dichten Laub beurteilen. Das hochempfindliche Dämmerungssehsystem ermöglicht die visuelle Orientierung selbst bei Neumond nur mit dem Licht der Sterne. Bei Tag geht es in Sättigung wie ein überbelichteter Film. Viele Tiergruppen besitzen sogar noch einen vierten Zapfentyp, der dann für ultraviolettes Licht empfindlich ist (z. B. alle Karpfenfische). Für uns ist UV-Licht unsichtbar. Andere Gruppen besitzen dagegen nur noch zwei Zapfentypen, weil sie die langwelligen Rot-Zapfen verloren haben (fast alle Säugetiere).

Photorezeptoren enthalten große Mengen an Rhodopsinmolekülen, die in Membranstapeln, den Disks, eingebaut sind (→ Abb. 2). Dort findet die **Phototransduktion** statt. Jedes *Rhodopsin* besteht aus einem *Opsin*, einem Protein, das selbst nicht lichtempfindlich ist, und dem lichtabsorbierenden *Retinal*. Das Retinal kann einzelne Photonen absorbieren und mit deren Energie eine Konformationsänderung durchlaufen. Das Opsin ist ein Protein, das das Retinal wie ein Käfig umschließt. Aminosäuren an bestimmten Stellen des Opsins entscheiden über die Wellenlängen-Empfindlichkeit des Rhodopsins.

Das Retinal geht bei Lichteinfang von einer gewinkelten in eine gestreckte Konformation über (→ Abb. 2). In dieser Konformation kann es Hunderte von G-Proteinen (Transducin-Molekülen) aktivieren, die je ein Molekül eines Enzyms dazu anregen, bis zu 2000 cGMP-Moleküle pro Sekunde in 5'-GMP umzuwandeln (Signalverstärkung). cGMP dient als sekundärer Botenstoff, 5'-GMP nicht. Das Gleichgewicht verschiebt sich und cGMP löst sich von cGMP-gesteuerten Na⁺-Kanälen. Ohne ihren Liganden schließen sich die Kanäle und die Sinneszelle wird hyperpolarisiert; der Neurotransmitter *Glutamat* wird nicht mehr ausgeschüttet. Mithilfe der Signalkaskade kann ein einzelnes Photon das Schließen von einer Million Ionenkanälen bewirken! Da die Wirbeltier-Photorezeptoren im Dunkeln Glutamat ausschütten und mit zunehmender Belichtung immer weniger, spricht man von einem Dunkelstrom.

Aufgabe 30.4

Erläutern Sie, wie aus einem einzigen, durch Licht aktivierten Rhodopsin-Molekül eine neuronale Erregung entstehen kann.

30.5 Neuronale Verschaltungen in der Netzhaut führen zu verbesserter Bildauswertung

Sehen Sie sich das Gittermuster in Abb. 1 einmal genau an. Die hellen Straßen zeigen eigentümliche dunklere Streifen entlang ihrer Mittellinien. An den Kreuzungspunkten treten dunklere Mittelpunkte auf. Die Illusion ist eine Folge der **Kontrastverstärkung**, die Ihre Netzhaut ständig durchführt, bevor sie die optimierte Bildinformation an das Gehirn weiterleitet. Beim Betrachten einer natürlichen Szene bemerken wir die Kontrastverstärkung nicht, doch ermöglicht sie uns, die Konturen von Gegenständen schneller zu erfassen. Wie kommt sie zustande?

Sie haben bereits den direkten Weg der Information von den Photorezeptoren über die Bipolarzellen zu den Ganglienzellen kennengelernt. Quer zu diesem Weg verschalten die Horizontalzellen und Amakrinzellen, sodass die Erregung einer einzelnen Sinneszelle die Signale mehrerer Ganglienzellen in der Umgebung mitbestimmt (→ Abb. 1, S. 407). Die Kontrastverstärkung geschieht durch gegenseitige Hemmung (auch *laterale Inhibition* genannt). Die Modellrechnung für eine Kette nebeneinander angeordneter Photorezeptoren verdeutlicht das Prinzip (→ Abb. 1): An einer Kontrastkante werden dunkle Bildanteile noch dunkler und helle Anteile noch heller weitergemeldet, als sie tatsächlich sind.

In der Netzhaut findet diese Verrechnung in einer kreisförmigen Umgebung um jeden Photorezeptor statt (→ Abb. 2). In einem kleinen kreisförmigen Bereich (violett) wird die Erregung benachbarter Photorezeptoren addiert und mit derjenigen von Photorezeptoren einer ebenfalls kreisförmigen größeren Umgebung (orange) mit umgekehrtem Vorzeichen verrechnet. Die Bipolarzelle in Abb. 2 wird maximal erregt, wenn die zentralen Photorezeptoren beleuchtet werden und die Hemmung durch die Horizontalzelle durch Abschatten der Umgebung ausbleibt. Sie ist eine Zentrum-An-Umgebung-Aus-Zelle. Es gibt übrigens auch die entgegengesetzten Bipolar- und Ganglienzellen, die auf ein dunkles Zentrum mit einem hellen Ring am stärksten antworten (Zentrum-Aus-Umgebung-An-Zellen).

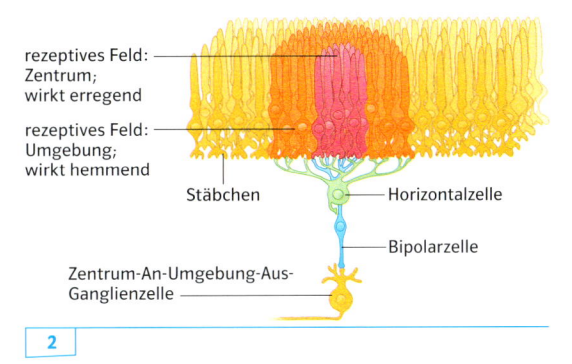

Haben Sie bemerkt, dass viele Photorezeptoren in Abb. 2 auf eine Bipolarzelle verschalten? Zwar rastern 130 Mio. Photorezeptoren eines Auges das Netzhautbild ab, aber sie verschalten nur auf 1 Mio. Bipolar-

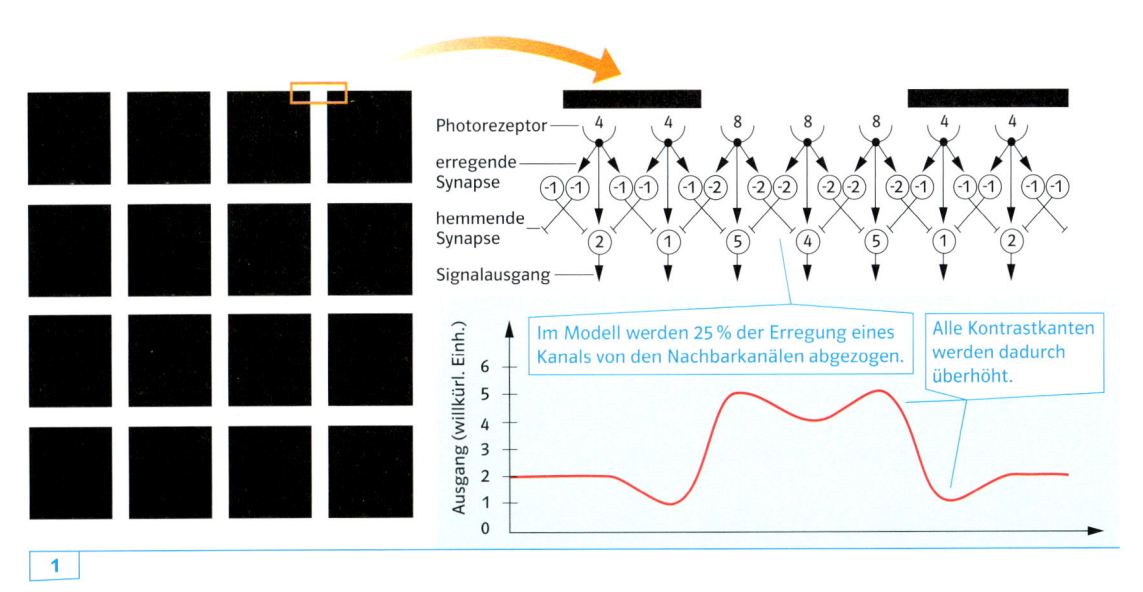

2 Netzhautinformation wird in rezeptiven Feldern zusammengefasst.

1 Kontrastverstärkung verschärft Kontrastkanten und erleichtert die Objekterkennung.

und Ganglienzellen, die die Information über den Sehnerv zum Gehirn weiterleiten (→ Abb. 1, S. 407). Benachbarte Bildpunkte der Netzhaut bleiben auch bei der Weiterverarbeitung im Gehirn Nachbarn (Prinzip der Retinotopie, → 30.6). Vor allem in der Peripherie des Auges dient diese Zusammenfassung der Information auch der Erhöhung der Lichtempfindlichkeit. Dort wird die Erregung vieler benachbarter Stäbchen addiert, sodass auch bei äußerst schwachen Beleuchtungsverhältnissen noch Sehen möglich ist. Im Zentrum des schärfsten Sehens (Sehgrube) kommt dagegen auf jeden Photorezeptor durchschnittlich eine ableitende Ganglienzelle.

Stäbchen und Zapfen sind unterschiedlich dicht über die Netzhaut verteilt (→ 30.3). In der Peripherie gibt es nur Stäbchen und damit unbuntes Sehen. In Richtung Zentrum folgen dann Blau-Zapfen und weiter zentral Rot- und Grün-Zapfen. Doch auch in der Sehgrube wird die Information nicht einfach weitergegeben, denn das Farbensehen erfordert ebenfalls Verrechnung auf der Ebene der Netzhaut.

Die Notwendigkeit einer Verrechnung kann man einfach verstehen. Wie Sie wissen, hat jeder Photorezeptor nur einen einzigen Ausgangskanal: Er kann mehr oder weniger Glutamat ausschütten. Er soll uns aber Auskunft über zwei Eigenschaften des einfallenden Lichts geben — die Lichtstärke und die Lichtwellenlänge. Sehen Sie sich nun die Absorptionskurven in Abb. 3 an ⓐ. Eine spektrale Absorptionskurve sagt uns, wie effektiv ein Photorezeptortyp Licht einer bestimmten Wellenlänge in Erregung umsetzen kann. Der Grün-Zapfen hat einen weiten Bereich von Wellenlängen, die ihn erregen können. Allerdings braucht er nur halb so viel Licht der Wellenlänge 530 nm (grün) wie Licht der Wellenlänge 480 nm (blau), um gleich stark zu antworten. Man sagt auch, er ist für 530 nm doppelt so empfindlich wie für 480 nm. Seinem Ausgangssignal kann man nicht mehr ansehen, welche Wellenlänge es verursacht hat ⓑ. Dies gelingt aber durch den Vergleich der Erregung zweier verschiedener Zapfentypen, z. B. eines Rot-Zapfens mit einem Grün-Zapfen ⓒ. Die Kombination an Erregung ist charakteristisch für die Wellenlänge des Lichts und unser Gehirn kann daraus die Farbe konstruieren.

Farbinformation wird über Gegenfarben-Ganglienzellen an das Gehirn geleitet. Die Verrechnung entspricht der in Abb. 2 für Stäbchen gezeigten. Die Rot-Zapfen in einem zentralen Bereich werden zum Beispiel mit den Grün-Zapfen in ihrer Umgebung verrechnet. Über Horizontalzellen der Netzhaut wird die Hemmung der Bipolarzellen erreicht. Man hat alle vier denkbaren Varianten von Rot-Grün-Kanälen in der Netzhaut gefunden (→ Abb. 3 ⓓ). Dagegen wurde nur eine Variante eines Blau-Gelb-Kanals nachgewiesen. Rot- und Grün-Zapfen werden zunächst zur Information „Gelb" addiert und dann mit der Erregung der Blau-Zapfen aus demselben rezeptiven Feld hemmend verrechnet ⓔ.

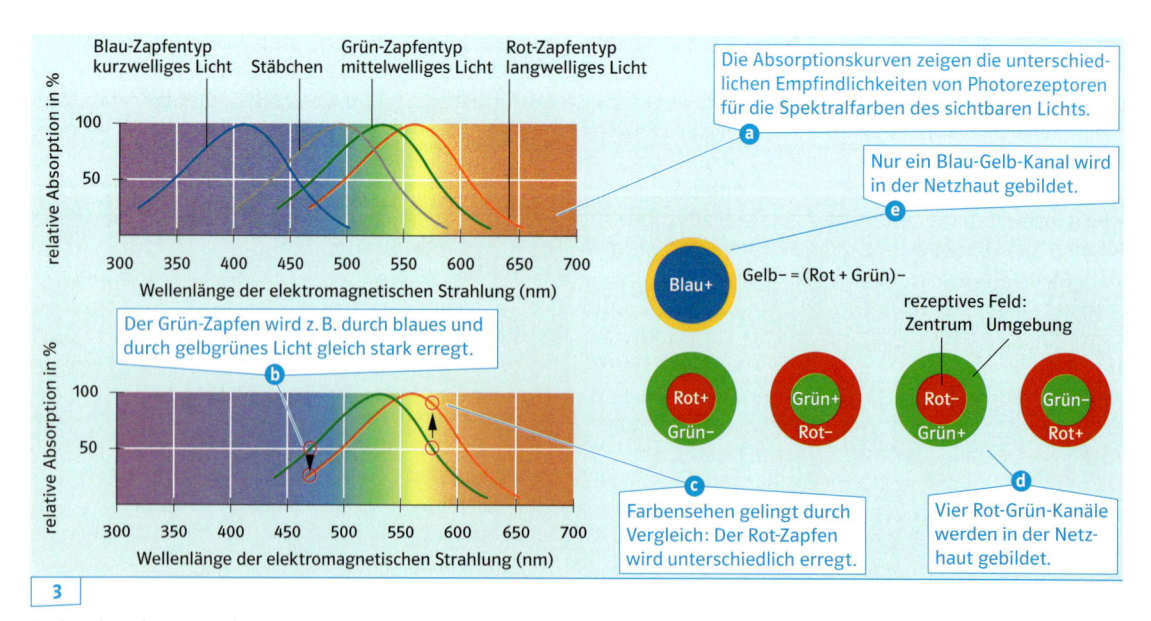

3 Farbwahrnehmung erfordert eine Verrechnung der Zapfeninformationen.

Aufgabe 30.5

Nennen Sie drei Beispiele für Verrechnung auf der Ebene der Netzhaut und die dadurch erreichten Vorteile in der Evolution.

30.6 Nachbarschaftsbeziehungen von Sinneszellen finden sich bei der Informationsverarbeitung im Gehirn wieder

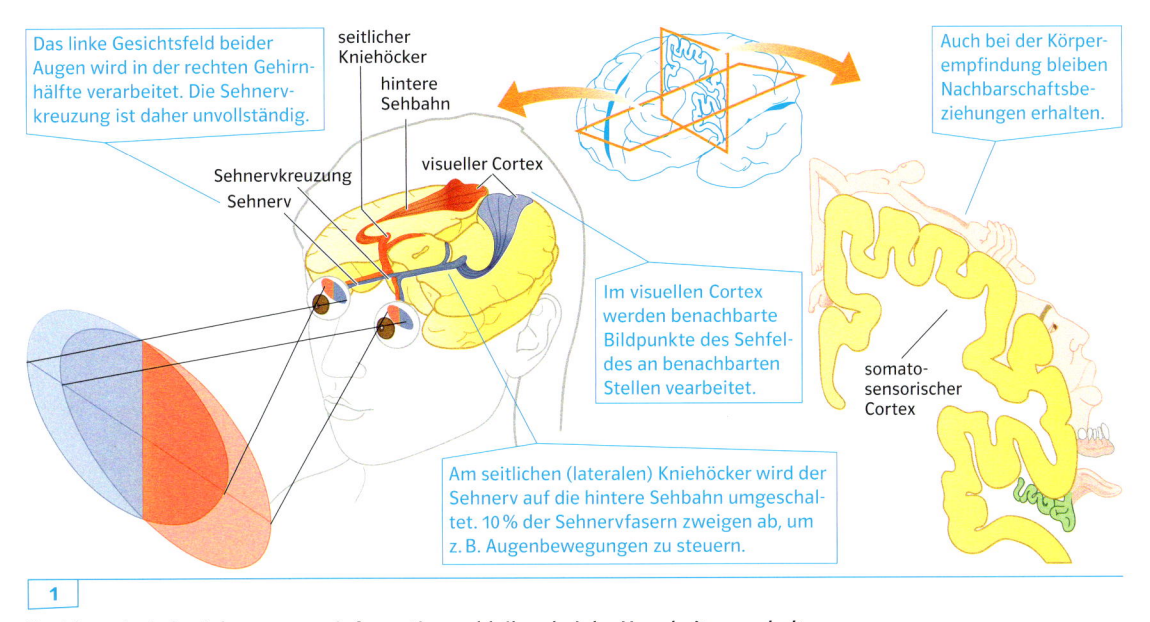

Das linke Gesichtsfeld beider Augen wird in der rechten Gehirnhälfte verarbeitet. Die Sehnervkreuzung ist daher unvollständig.

seitlicher Kniehöcker
hintere Sehbahn
Sehnervkreuzung
Sehnerv
visueller Cortex

Auch bei der Körperempfindung bleiben Nachbarschaftsbeziehungen erhalten.

Im visuellen Cortex werden benachbarte Bildpunkte des Sehfeldes an benachbarten Stellen vearbeitet.

somatosensorischer Cortex

Am seitlichen (lateralen) Kniehöcker wird der Sehnerv auf die hintere Sehbahn umgeschaltet. 10% der Sehnervfasern zweigen ab, um z. B. Augenbewegungen zu steuern.

1 Nachbarschaftsbeziehungen von Informationen bleiben bei der Verarbeitung erhalten.

Das eigene Gehirn lässt sich von außen durch das Schädeldach reizen. Der medizinische Apparat dazu besteht aus einer gut isolierten Spule, durch die ein kräftiger Strom geschickt wird. Das erzeugte Magnetfeld kann Ladungsverschiebungen in Neuronen an der Oberfläche des Großhirns verursachen und dadurch Aktionspotenziale auslösen. Es erstaunt, was dann passiert: Hält man die Spule etwas vor dem Scheitelpunkt des Kopfes und wandert damit Richtung Ohr, können Zuckungen in Muskelgruppen ausgelöst werden. Man reizt einen bestimmten Bereich der Großhirnrinde, den *motorischen Cortex* (→ Abb. 2, S. 420, Bewegungskontrolle). Hält man die Spule dagegen an das Hinterhaupt über die *Sehrinde* (*visueller Cortex*; → Abb. 1), können Sehphänomene ausgelöst werden. An manchen Stellen kann man auch das, was man gerade gesehen hat, aus der Wahrnehmung löschen.

Sinnesorgane senden ihre Signale jeweils zu bestimmten Gehirnbereichen, wo sie dann weiterverarbeitet werden. Eindrucksvoll neuroanatomisch verfolgen lässt sich das im Fall der Sehnerven mit ihren jeweils 1 Mio. parallelen Nervenfasern. An einer Überkreuzungsstelle werden die Fasern neu aufgeteilt. Aus beiden Augen ziehen alle Fasern, die sich mit dem linken Gesichtsfeld befassen, in die rechte Gehirnhälfte und umgekehrt. An den seitlichen Kniehöckern enden die Sehnerven und werden auf Neuronen des hinteren Teils der Sehbahn umgeschaltet (→ Abb. 1), die die Information zum visuellen Cortex bringen. Ein Zehntel der Nervenfasern zweigt in Zentren ab, die u. a. die Augen- und Kopfbewegungen steuern.

Bei den Verarbeitungsschritten in der Sehrinde bleibt die Nachbarschaftsbeziehung der Information so erhalten, wie sie bei den sendenden Rezeptoren im Auge vorlagen. Man nennt dies *retinotope Verarbeitung* (rete (lat.): Netz, topos (gr.): Ort). Farbinformation wird getrennt von der übrigen Sehinformation gehalten, und auch die Signale der beiden Augen zu korrespondierenden Punkten in der Welt werden zwar benachbart, aber zunächst getrennt verarbeitet. Spätere Verarbeitungsschritte finden nebeneinander in mehreren spezialisierten Bereichen der Sehrinde statt, z. B. die Bewegungsauswertung. Auf verschiedenen Verarbeitungsebenen sind insgesamt 30% unserer Großhirnrinde mit der Auswertung von visueller Information beschäftigt.

Nachbarschaftsbeziehungen werden auch in den Bereichen der Großhirnrinde beibehalten, in denen die Meldungen der Sinneszellen der Haut und des Körperinneren verarbeitet werden (*somatotope Verarbeitung*, soma (gr.): Körper; topos (gr.): Ort). Es gibt Körperteile, die wesentlich dichter mit Sensoren besetzt sind als andere. Die Hand und insbesondere die Fingerbeeren haben einen viel dichteren Besatz an Sensoren als etwa der Rücken. Auch Gesicht, Zunge und Lippen sind sehr dicht mit verschiedenen Rezeptoren besetzt.

Folgerichtig nehmen diese Körperareale auch einen größeren Bereich im *somatosensorischen Cortex* ein, wo diese Informationen verarbeitet werden und zu einer Körperwahrnehmung beitragen (→ Abb. 1, S. 411). Diese Körperdarstellung nach der Rezeptordichte wird auch als „somatosensorischer Homunkulus" bezeichnet.

Aufgabe 30.6

Formulieren Sie in eigenen Worten, wie Sinneswahrnehmungen im Gehirn mit Gehirnarealen verknüpft sind.

30.7 Die Sinne erfassen nur einen Ausschnitt der verfügbaren Information

Es gibt exotische Sinne, die nur bei bestimmten Tierarten vorkommen. Sie zeigen uns: Menschen können immer nur einen kleinen Ausschnitt der verfügbaren Information aus der Umwelt mit ihren Sinnen wahrnehmen. Die nachfolgend beschriebenen Reizqualitäten sind menschlichen Sinnen völlig unzugänglich. Aber auch die Sinne, die wir besitzen, haben ihre Grenzen. Wir können weder wie ein Hund mit der Nase einer Spur folgen noch wie ein Falke vom Kirchturm aus eine Maus sehen.

Verschiedene Schlangenarten erfassen *Infrarotstrahlung*, um z. B. warmblütige Säugetiere als Beute aufzuspüren. Das dafür empfängliche *Grubenorgan* der Schlangen besteht aus einer dünnen Membran mit Thermorezeptoren, die eine luftgefüllte Kammer abschließt. Bereits Temperaturänderungen ab 0,003 °C können erkannt werden. Die grubenförmige Anordnung der Rezeptoren beidseitig zwischen Auge und Mund ermöglicht es speziell den Grubenottern, ein räumliches Infrarotbild wahrzunehmen.

Durch Streuung des Sonnenlichts in der Atmosphäre entsteht am blauen Himmel ein für den Menschen nicht sichtbares charakteristisches Muster linear *polarisierten Lichts*, das vom Stand der Sonne abhängig ist. Dieses Polarisationsmuster empfangen Honigbienen in ihren *Facettenaugen*. Den Insekten reicht ein kleines Stückchen blauen Himmels, um das sich mit dem Gang der Sonne verändernde Muster zu erkennen. Die Bienen gelangen so in ihren Stock zurück und können die Lage einer Futterquelle mit ihrem Schwänzeltanz mitteilen (→ S. 457). Wüstenameisen finden so nach ausgedehnter Futtersuche den Eingang zu ihrem Nest wieder, und auch Wanderheuschrecken navigieren mithilfe des polarisierten Lichts.

Nicht nur Zugvögel nehmen das Magnetfeld der Erde wahr. Australische Kompasstermiten richten ihre oft zwei Meter hohen Bauten streng in der Nord-Südrichtung aus (→ Abb. 1). Dadurch bescheint und erwärmt die Sonne sowohl am frühen Morgen als auch am späten Nachmittag die Breitseite der Bauten. Zur heißen Mittagszeit wird dagegen nur der schmale Gipfelgrat von der Sonne beschienen und die Temperatur im Inneren bleibt erträglich.

Elefanten und Blauwale kommunizieren über Infraschall, Fledermäuse und Delphine orientieren sich mit Ultraschall; beides ist für uns unhörbar.

1 Kompasstermiten können mithilfe des Magnetsinns ihre Bauten in Nord-Südrichtung ausrichten.

Aufgabe 30.7

Beschreiben Sie ein nicht-visuelles sensorisches System, das bestimmten Tierarten einen räumlichen Fernsinn eröffnet, ähnlich unserem Sehen.

Nervensysteme

31

Ein Angriff über den linken Flügel — Schuss — Tor. Roboter, ausgestattet mit Armen und Beinen, Sensoren und Elektromotoren lassen sich durch Computerprogramme so steuern, dass ein spannendes Spiel zustande kommt, ja sogar Meisterschaften ausgetragen werden. Für diese Roboter werden künstliche Gliedmaßen und deren Steuerung optimiert. Die dabei gewonnenen Erkenntnisse sind auch für Menschen nützlich.

Derzeit bedeuten Rückenmarkverletzungen noch häufig lebenslängliche Lähmungen. Allerdings können bereits heute Nervensignale vor der Unterbrechungsstelle mit Elektroden abgeleitet werden, um damit Kunstglieder zu steuern. Eine Armprothese kann fast wie der eigene Arm intuitiv vom Gehirn gesteuert werden. Elektrische Signale von technischen Berührungs- und Drucksensoren auf einer Kunsthand können sogar in sensorische Neuronen eingefüttert werden. Der Träger kann lernen, die Signale zu interpretieren und die Kraftentfaltung der Kunsthand zu dosieren.

Roboter beim Fußballspielen

31.1	Das Nervensystem des Menschen ist hoch spezialisiert und zentralisiert
31.2	Das autonome Nervensystem reguliert das innere Milieu über zwei Gegenspieler
31.3	Das limbische System ist an Gefühlen, Gedächtnis und Lernen beteiligt
31.4	Die Großhirnrinde ist ein Mosaik spezialisierter, interaktiver Regionen
31.5	Störungen des Hirnstoffwechsels können neuronale Erkrankungen verursachen

Neurobiologie

31.1 Das Nervensystem des Menschen ist hoch spezialisiert und zentralisiert

Struktur und Funktion

Die Evolution hat Nervensysteme mit unterschiedlicher Komplexität hervorgebracht. Je gezielter das Verhalten und je ausgefeilter die sensorische Verarbeitung wird, desto zentralisierter sind die zugrundeliegenden Nervensysteme (→ Abb. 1).

Bei Wirbeltieren finden wir die weitaus meisten Neuronen im *Gehirn* und im *Rückenmark* (→ Abb. 1 **e**). Dieses sogenannte **Zentralnervensystem** (**ZNS**) kommuniziert mit den Sinnesorganen und Effektoren wie Muskeln und Drüsen über das **periphere Nervensystem** (**PNS**). Auch hoch entwickelte Wirbellose, wie z. B. Tintenfische **c** und Insekten **d**, besitzen ein zentralisiertes Gehirn.

In Abb. 2 sehen Sie Strukturen des menschlichen Gehirns und Rückenmarks. Erst ihr Zusammenspiel ermöglicht die komplexen Leistungen des ZNS. Jeder Informationsaustausch zwischen Gehirn und Körper, der durch das Rückenmark verläuft, passiert auch das *verlängerte Rückenmark* (*Medulla oblongata*) und das *Brückenhirn* (*Pons*). Mit großen Teilen des Mittelhirns bilden sie den *Hirnstamm*. Der Hirnstamm kontrolliert lebensnotwendige Prozesse wie Atmung und Kreislauf sowie Reflexe wie Schlucken und Erbrechen. Vom Hirnstamm gibt es Abzweigungen zum *Kleinhirn* (*Cerebellum*), das mit ihm einen stammesgeschichtlich alten Entwicklungsursprung teilt. Von allen Informationen, die durch den Hirnstamm laufen, erhält das Kleinhirn Kopien. Das sind die Befehle von höheren Zentren an die Muskeln sowie Rückmeldungen über Gliedmaßenstellungen und den Gleichgewichtszustand des Körpers. Das Kleinhirn vergleicht geplante mit momentanen Zuständen und sendet Korrekturbefehle.

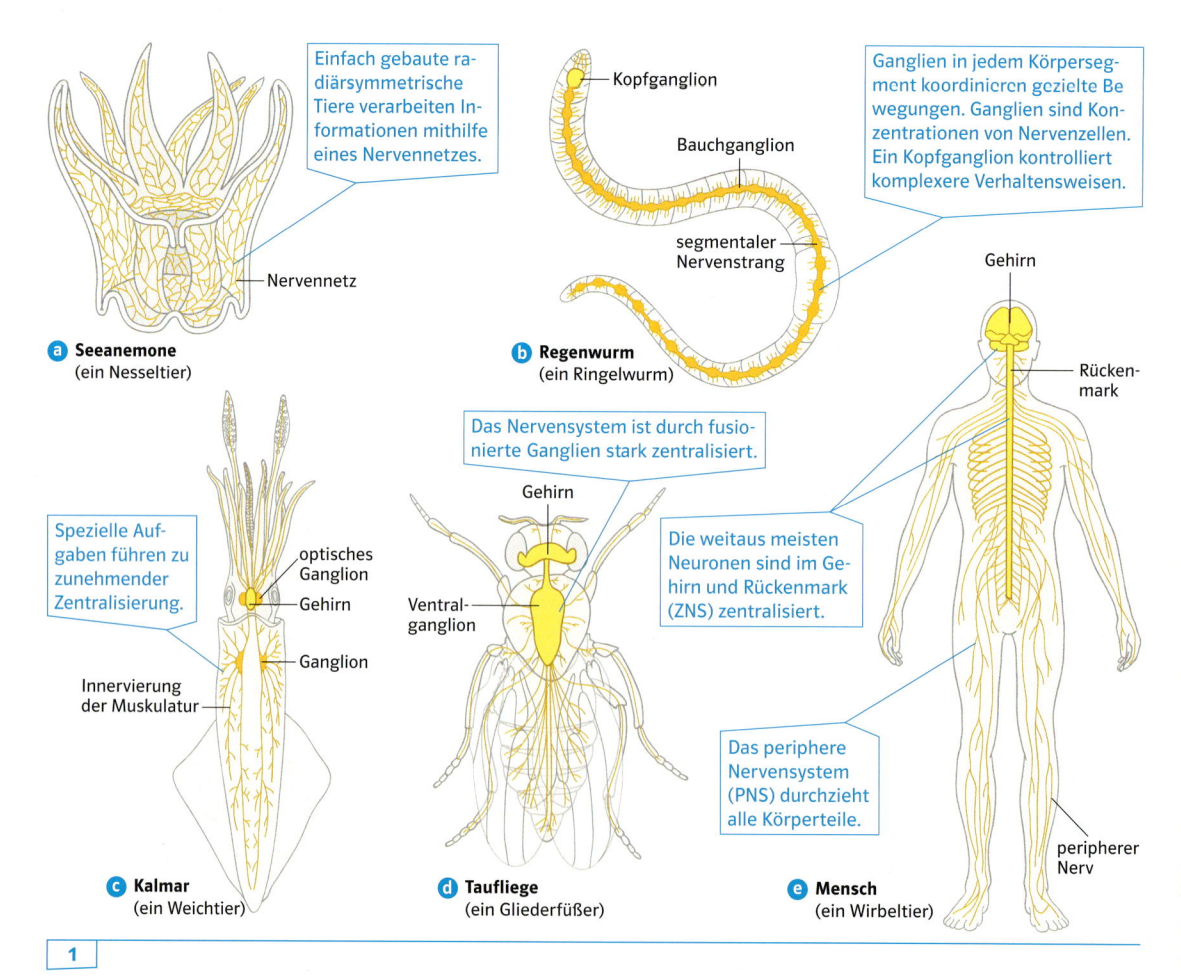

a Seeanemone (ein Nesseltier) — *Nervennetz*
Einfach gebaute radiärsymmetrische Tiere verarbeiten Informationen mithilfe eines Nervennetzes.

b Regenwurm (ein Ringelwurm) — *Kopfganglion, Bauchganglion, segmentaler Nervenstrang*
Ganglien in jedem Körpersegment koordinieren gezielte Bewegungen. Ganglien sind Konzentrationen von Nervenzellen. Ein Kopfganglion kontrolliert komplexere Verhaltensweisen.

c Kalmar (ein Weichtier) — *optisches Ganglion, Gehirn, Ganglion, Innervierung der Muskulatur*
Spezielle Aufgaben führen zu zunehmender Zentralisierung.

d Taufliege (ein Gliederfüßer) — *Gehirn, Ventralganglion*
Das Nervensystem ist durch fusionierte Ganglien stark zentralisiert.

e Mensch (ein Wirbeltier) — *Gehirn, Rückenmark, peripherer Nerv*
Die weitaus meisten Neuronen sind im Gehirn und Rückenmark (ZNS) zentralisiert. Das periphere Nervensystem (PNS) durchzieht alle Körperteile.

1 Im Verlauf der Evolution haben sich mit zunehmender Komplexität der Sinnesleistungen und des Verhaltens hoch spezialisierte Nervensysteme entwickelt.

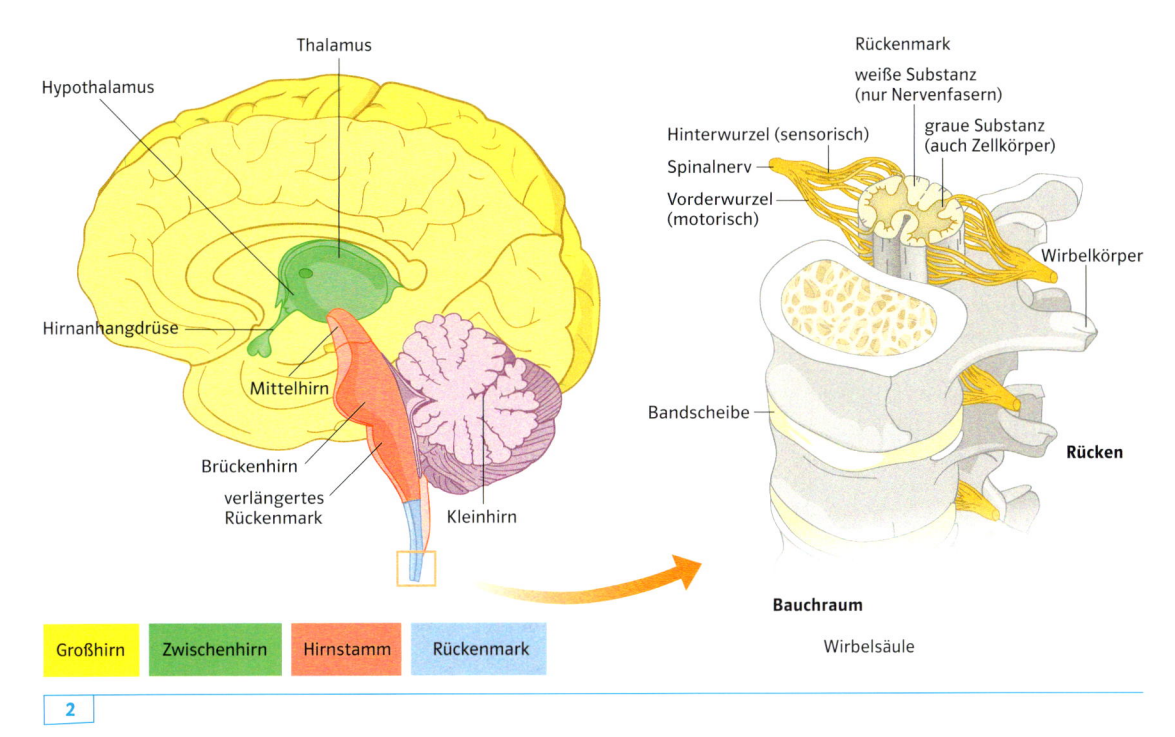

Gehirn und Rückenmark bilden das Zentralnervensystem.

Das *Zwischenhirn* besteht aus dem *Hypothalamus* — er regelt physiologische Funktionen und beeinflusst Gefühle und Sexualverhalten — und dem darüber gelegenen *Thalamus*. Den Thalamus kann man als den „Pförtner zum Bewusstsein" bezeichnen, denn für sensorische Informationen ist er die letzte Verschaltstation vor dem Erreichen des Großhirns. Das *Großhirn* (*Cerebrum*) spielt die entscheidende Rolle für die sensorische Wahrnehmung, für Lernen und Gedächtnis und das bewusste Verhalten. Vergleicht man Wirbeltiere ihrem Stammbaum nach von den Fischen zu den Säugern, so hat das Großhirn (bzw. Endhirn) an Größe, Komplexität und Funktionsumfang enorm zugenommen. Man spricht oft vom *Cortex* (cortex (lat.:) Rinde), wenn man das Großhirn meint. Cortex bezeichnet die äußerste Schicht des Großhirns von 2 bis 5 mm Dicke, in der sich die überwiegende Anzahl der Zellkörper der Nervenzellen befindet (graue Substanz). Der fettig-weiße Glanz des Myelins des Nervengeflechts darunter hat dieser Schicht die Bezeichnung weiße Substanz eingebracht.

Das *Rückenmark* leitet Information zwischen Gehirn und Organen bzw. Muskeln in beiden Richtungen fort. Informationen, die zum Gehirn laufen, nennt man **Afferenzen**, ausgehende Befehle **Efferenzen** (→ Abb. 3, S. 416). Der überwiegende Teil dieses neuronalen Informationsaustauschs und der gesamte Austausch über Hormone (→ Kap. 32) werden uns gar nicht bewusst. Das Rückenmark verarbeitet aber auch Information direkt und sendet Befehle aus. Sie kennen ja bereits Reflexbögen (→ 29.1), die ohne Umweg über das Gehirn direkt vom Rückenmark aus die Muskulatur beeinflussen können. Die Zellkörper der Sinnesnervenzellen und der motorischen Neuronen befinden sich im Rückenmark, dazu noch viele Interneuronen z. B. für die polysynaptischen Reflexe (→ 29.1). Im Rückenmark werden motorische Neuronen antagonistischer Muskelgruppen (*Gegenspielerprinzip*) auf kurzem Wege wechselseitig gehemmt. Afferenzen von Sehnenorganen und Muskeldehnungsrezeptoren beeinflussen dort die Muskelaktivität zum Schutz vor Überdehnung und Abriss.

Der Querschnitt durch das Rückenmark in Abb. 2 zeigt einen zentralen Bereich aus grauer Substanz, der von einer Zone mit weißer Substanz umgeben ist. Im grauen Bereich befinden sich auch hier die Zellkörper von Neuronen und Interneuronen, im weißen Bereich die Axone, die im Rückenmark hinauf oder herunter ziehen. Zwischen den Wirbeln der Wirbelsäule treten aus dem Rückenmark auf beiden Seiten *Spinalnerven* aus. Jeder Spinalnerv hat zwei Paar Wurzeln. Durch die Hinterwurzeln treten sensorische Neuronen in die graue Substanz ein und durch die Vorderwurzeln motorische Neuronen aus.

Das Rückenmark kann rhythmisch wiederkehrende Bewegungsabläufe ohne Einfluss des Gehirns koordinieren, zum Beispiel die Schwimmbewegungen der Fische. Es enthält auch die Mustergeneratoren für Laufbewegungen von Zwei- und Vierbeinern, die vom Gehirn nur angestoßen werden müssen.

Neurobiologie

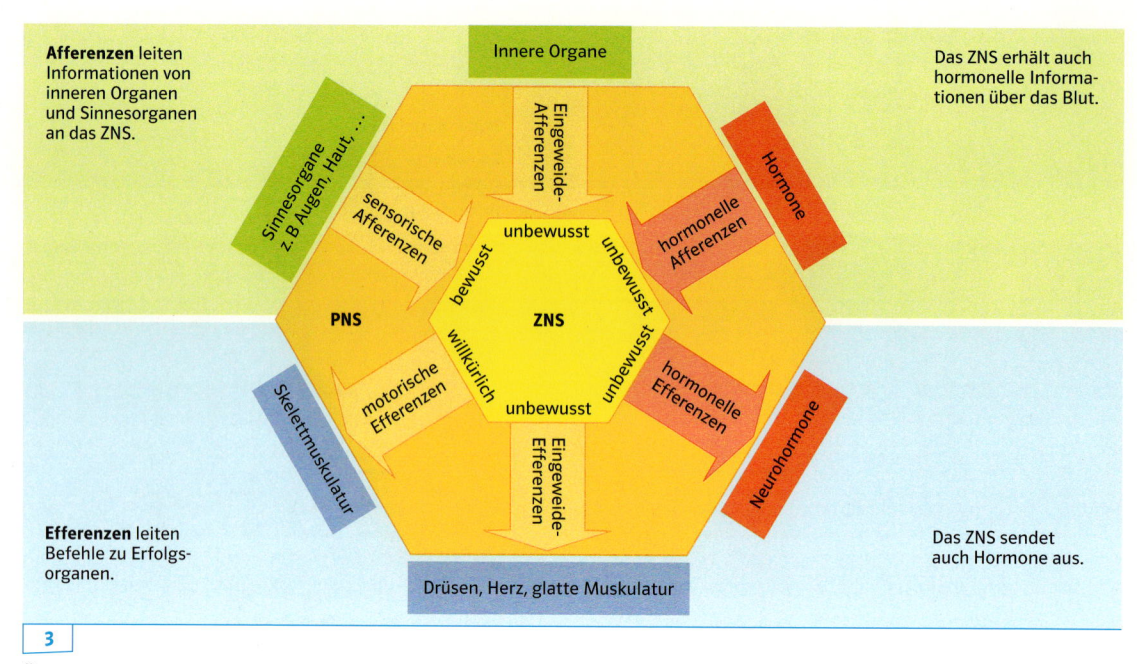

Abb. 3 Über das Nervensystem wirken die Sinne und Erfolgsorgane zusammen.

(Schema: Afferenzen leiten Informationen von inneren Organen und Sinnesorganen an das ZNS. — Innere Organe — Eingeweide-Afferenzen — sensorische Afferenzen — Sinnesorgane z. B. Augen, Haut, … — hormonelle Afferenzen — Hormone — Das ZNS erhält auch hormonelle Informationen über das Blut. — PNS — ZNS (bewusst, unbewusst, willkürlich, unbewusst) — motorische Efferenzen — Skelettmuskulatur — Eingeweide-Efferenzen — hormonelle Efferenzen — Neurohormone — Das ZNS sendet auch Hormone aus. — Efferenzen leiten Befehle zu Erfolgsorganen. — Drüsen, Herz, glatte Muskulatur)

Aufgabe 31.1

Dezentrale oder zentrale Verarbeitung von Information — unser Nervensystem nutzt beides. Erläutern Sie die Unterschiede.

31.2 Das autonome Nervensystem reguliert das innere Milieu über zwei Gegenspieler

Haben Sie auch vor Referaten „Lampenfieber"? Das Herz beginnt zu rasen, der Blutdruck steigt, der Mund trocknet aus, und die Pupillen weiten sich, … Das **sympathische Nervensystem** hat den Körper auf eine Flucht-oder-Kampf-Situation eingestellt, in diesem Fall auf einen ungewohnten Auftritt. Das sympathische Nervensystem (Sympathicus) bildet zusammen mit seinem Gegenspieler, dem **parasympathischen Nervensystem**, das *vegetative Nervensystem*, auch *autonomes Nervensystem* genannt (→ Abb. 1). Es stellt die Verbindung zwischen dem ZNS und vielen physiologischen Körperfunktionen dar. Der Gegenspieler (Parasympathicus) hat die Funktion, den Körper auf Ruhe und Erholung einzustellen: Nach dem Referat sinken Puls und Blutdruck, die Pupillen verkleinern sich und die Verdauung beginnt zu arbeiten. Der langfristige Erhalt der Körperfunktionen steht nun im Vordergrund vor den kurzfristig wichtigeren Aktionen wie Kampf oder Flucht (oder Referat).*

Das autonome Nervensystem gehört zum peripheren Nervensystem. Beide Untersysteme gehen vom Hirnstamm und vom Rückenmark zuerst mit *cholinergen* Bahnen aus. Cholinerg bedeutet, dass die ersten Neuronen alle *Acetylcholin* als Neurotransmitter ausschütten. Sie verschalten in einer Kette von Ganglien auf sogenannte postganglionäre Neuronen, die dann die Zielorgane innervieren. Als Ganglien bezeichnet man Ansammlungen von Nervenzellkörpern außerhalb des ZNS. Die Ganglien des sympathischen Nervensystems finden sich beidseitig zum Rückenmark in je einer Kette, die Grenzstrang genannt wird. Diejenigen des parasympathischen Systems liegen dagegen in der Nähe der Zielorgane oder direkt auf den Organen aufsitzend (→ Abb. 1).

Das sympathische Nervensystem benutzt *Noradrenalin* als Neurotransmitter auf die Zielorgane und das parasympathische Nervensystem wiederum Acetylcholin. Der Einsatz unterschiedlicher Transmitter

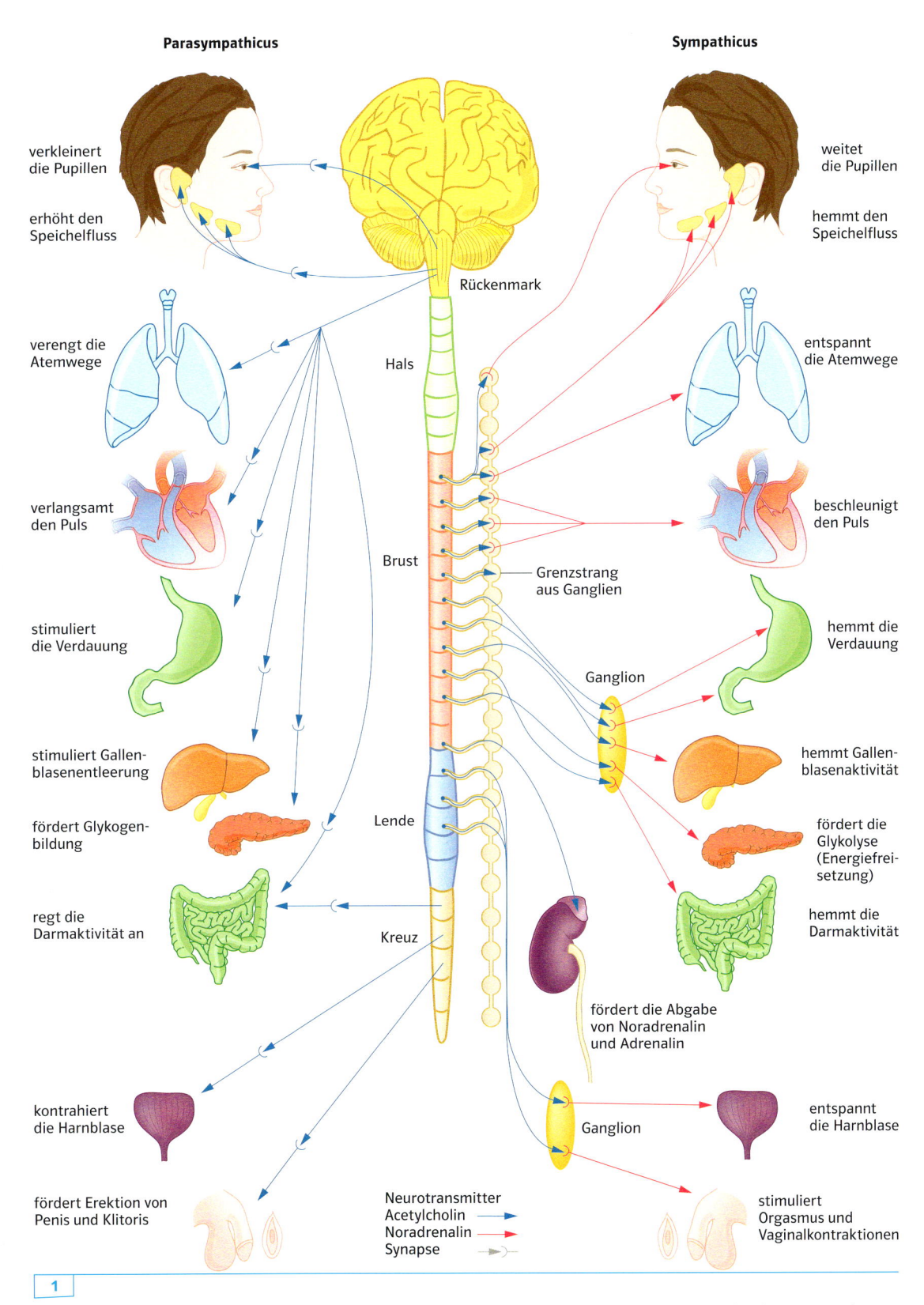

Nervensysteme

Parasympathicus — **Sympathicus**

Parasympathicus		Sympathicus
verkleinert die Pupillen	Augen	weitet die Pupillen
erhöht den Speichelfluss	Speicheldrüsen	hemmt den Speichelfluss
verengt die Atemwege	Lunge	entspannt die Atemwege
verlangsamt den Puls	Herz	beschleunigt den Puls
stimuliert die Verdauung	Magen	hemmt die Verdauung
stimuliert Gallenblasenentleerung	Leber/Gallenblase	hemmt Gallenblasenaktivität
fördert Glykogenbildung	Pankreas	fördert die Glykolyse (Energiefreisetzung)
regt die Darmaktivität an	Darm	hemmt die Darmaktivität
	Nebenniere	fördert die Abgabe von Noradrenalin und Adrenalin
kontrahiert die Harnblase	Harnblase	entspannt die Harnblase
fördert Erektion von Penis und Klitoris	Genitalien	stimuliert Orgasmus und Vaginalkontraktionen

Beschriftungen am Rückenmark: Rückenmark, Hals, Brust, Lende, Kreuz, Grenzstrang aus Ganglien, Ganglion

Neurotransmitter:
- Acetylcholin →
- Noradrenalin →
- Synapse →

1 Das autonome Nervensystem besteht aus zwei antagonistischen Systemen. Aktivität des sympathischen Systems bereitet die Zielorgane auf Flucht oder Kampf vor, Aktivität des parasympathischen Systems auf Ruhe und Erholung.

Neurobiologie

ist funktionell bedeutsam: Organe wie das Herz reagieren gegensätzlich auf Noradrenalin (Herzschlagfrequenz erhöht sich) und auf Acetylcholin (Herzschlagfrequenz sinkt ab).

Man kann sein autonomes Nervensystem nicht direkt bewusst kontrollieren; wie sein Name schon sagt, agiert es autonom. Die regulierten Körperfunktionen wie Pulsrate oder Muskeltonus kann man jedoch indirekt beeinflussen. Steigerung oder Verringerung der körperlichen Aktivität führen zu vermehrter oder nachlassender Aktivität auch der autonom kontrollierten Funktionen. Selbst die bloße Vorstellung von körperlicher Aktivität oder Inaktivität und ihrer gefühlsmäßigen Aspekte ermöglicht eine Beeinflussung, bewusst z. B. durch Yoga oder autogenes Training und unbewusst z. B. durch Albträume.

Aufgabe 31.2

Beschreiben Sie an zwei Beispielen die antagonistische Wirkungsweise des autonomen Nervensystems.

31.3 Das limbische System ist an Gefühlen, Gedächtnis und Lernen beteiligt

Der Patient beschwerte sich über den ständigen Personalwechsel in seiner Klinik. Für das Klinikpersonal war dies allerdings nicht neu, denn Patient H. M. beschwerte sich täglich darüber — er hatte die Möglichkeit verloren, Informationen in sein Langzeitgedächtnis zu überführen. Ärzte und Pflegepersonal waren für ihn täglich wieder unbekannte Menschen, denen er zum ersten Mal begegnete.

H. M. war in den 1950er Jahren beidseitig der Hippocampus (hippos (gr.): Pferd; kampos (gr.): Seeungeheuer, Wurm) operativ entfernt worden, um seine Epilepsie zu heilen. Der paarige Hippocampus ist Bestandteil des **limbischen Systems** (→ Abb. 1). Auch wegen dieser tragischen Operation wissen wir heute, dass der Hippocampus eine essenzielle Durchgangsstation vom Kurzzeitgedächtnis zum deklarativen Langzeitgedächtnis ist. Zum *deklarativen Gedächtnis* (Wissensgedächtnis) gehören Erinnerungen an Personen, Ereignisse, Orte oder Gegenstände, die man bewusst abrufen kann. Die entsprechenden Gedächtnisinhalte, die H. M. vor der Operation erworben hatte, konnte er unverändert abrufen — deklarative Inhalte des Langzeitgedächtnisses verbleiben also nicht im Hippocampus. Zweitens konnte H. M. auch nach der Operation neue Spiele erlernen und motorische Fertigkeiten erlangen. Auch wenn er davon nichts wusste, wurde er wie jeder gesunde Mensch besser, je länger er trainierte. Das *prozedurale Gedächtnis* (Verhaltensgedächtnis) braucht also den Durchgang durch den Hippocampus nicht.

Das limbische System ist ein stammesgeschichtlich alter Teil unseres Gehirns, der den Hirnstamm wie ein Saum (lat. limbus) umgibt. Außer der Gedächtnisfestigung dient es dem Verarbeiten von Emotionen

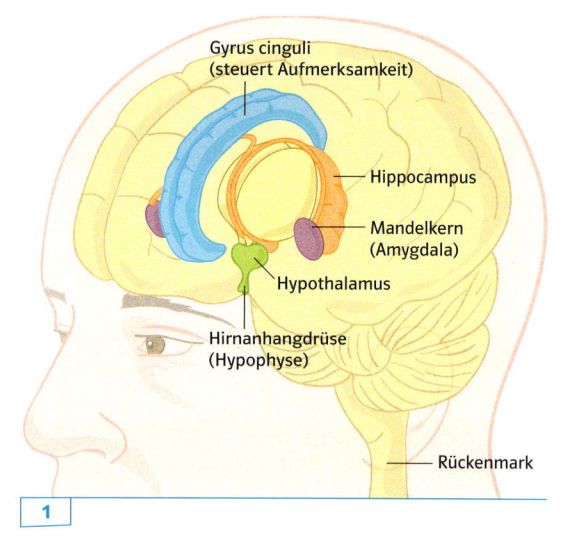

1

Das limbische System (hier farbig hervorgehoben) kontrolliert Gefühle, Antriebe und Motivationen.

und dem Entstehen von physiologischen Erhaltungstrieben und Instinktverhalten. Das Großhirn und andere Strukturen des Gehirns üben jedoch einen Einfluss auf das limbische System aus. Das Entstehen von Emotionen und Motivationen muss also immer als Zusammenspiel vieler Gehirnanteile begriffen werden.

Das limbische System ist auch verantwortlich für das Ausschütten von *Endorphinen*, den körpereigenen Belohnungsmolekülen. Es gibt Regionen, die bei schwacher elektrischer Reizung Wut-, Schmerz- oder Lustempfinden auslösen können. Ratten, denen man eine Elektrode in ihr Lustzentrum eingesetzt hatte, betätigten bis zur völligen Erschöpfung den Hebel, um sich die elektrische Reizung zu verschaffen.

Der paarige *Mandelkern* des limbischen Systems (→ Abb. 1), auch *Amygdala* genannt, ist dagegen der Sitz eines Angstgedächtnisses. Richtig dosiert schützt Angst vor möglicherweise lebensgefährlichen Handlungen und Situationen. Wird die Amygdala experimentell ausgeschaltet, so können die Versuchstiere Situationen nicht fürchten lernen, die im intakten Tier eine starke Angstreaktion hervorrufen würden.

Warum wurden Angst, Lust und Lernen in diesem alten Teil des Gehirns so eng verknüpft? Es ist ein lebenswichtiger Vorteil, wenn gefährliche Erfahrungen jeweils nur einmal gemacht werden müssen und wenn Situationen, die dem Überleben dienlich sind, möglichst oft herbeigeführt werden.

Aufgabe 31.3

Nennen Sie die wichtigsten Funktionen des limbischen Systems.

31.4 Die Großhirnrinde ist ein Mosaik spezialisierter, interaktiver Regionen

Als „Supercomputer" werden Rechner bezeichnet, die zum Zeitpunkt der Einführung die oberste Grenze der Leistungsfähigkeit definieren. Das trifft für das menschliche Gehirn zu. Die überproportionale Größenzunahme der Großhirnrinde (cerebraler Cortex) fand vor allem während der letzten sieben Millionen Jahre der menschlichen Entwicklung statt, und unsere intellektuellen Fähigkeiten sind eng mit dieser Vergrößerung verknüpft (→ Abb. 1). Zwar haben Elefanten, Wale und Tümmler (große Delphine) mehr Gehirnmasse, wenn man die Gehirngröße aber auf die Körpergröße bezieht, stehen Menschen vor Delphinen an der Spitze.

Moderne Supercomputer sind aus vielen Prozessoren oder auch aus vielen kleineren Computern zusammengesetzt, die sich die Rechenarbeit teilen und gemeinsam stark sind. Dieses Bauprinzip trifft auch für unser Gehirn zu. Es verarbeitet die verschiedenen Sinnesmodalitäten gleichzeitig und parallel. Darüber

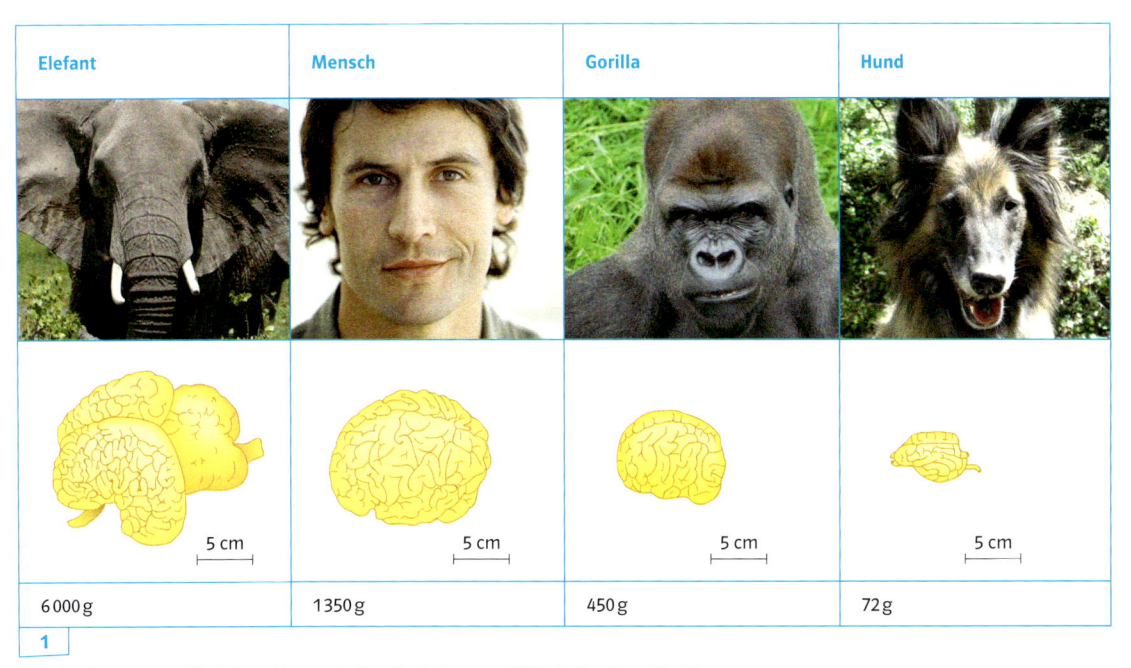

Elefant	Mensch	Gorilla	Hund
6 000 g	1 350 g	450 g	72 g

1 Die Gehirnmasse allein bestimmt nicht die Leistungsfähigkeit eines Gehirns.

Neurobiologie

hinaus zerlegt es die Analyse der pro Sinn eingehenden Informationen in viele Teilaspekte, die dann ebenfalls parallel verarbeitet werden. Im visuellen Cortex werden z. B. Orientierungskanten, Farbe, Bewegung und dynamische Formveränderungen getrennt verarbeitet. Diese Parallelverarbeitung geschieht ständig und unbewusst für alle Sinne wie Duft, Form und Farbe einer Rose, selbst wenn wir uns gerade bewusst auf einen Aspekt konzentrieren, wie ihre schöne rote Farbe.

Im Gehirn des Menschen wird in der Großhirnrinde Bewusstsein erzeugt und Verhalten kontrolliert. Die Großhirnrinde ist etwa 4 mm dick und stark gefaltet; ausgebreitet würde sie etwa einen Quadratmeter einnehmen. Sie besteht aus grauer Substanz (→ 31.2). Die darunterliegende weiße Substanz aus myelinisierten Axonen verbindet Cortexregionen miteinander und mit anderen Hirnarealen. Das Großhirn besteht aus zwei Hälften, den *Hemisphären*, die durch einen tiefen Einschnitt entlang der Scheitellinie getrennt sind. Ein dicker Nervenstrang, der sogenannte *Balken*, verbindet sie. Die linke Körperhälfte wird bei allen Wirbeltieren sensorisch wie motorisch von der rechten Hirnhälfte kontrolliert und umgekehrt. Doch die Hirnhälften haben sich auch zunehmend spezialisiert. So sitzen z. B. die Sprachproduktion bei den meisten Menschen links und die räumliche Wahrnehmung sowie die Gesichtserkennung in der rechten Hemisphäre.

Grobanatomisch wird jede Hemisphäre in vier Hirnlappen unterteilt (→ Abb. 2 **a**). Funktionell lassen sich bestimmte Regionen vergleichsweise leicht definieren, wenn sie z. B. sensorische Information empfangen oder verarbeiten (→ Abb. 2 **b**). Dazu gehören die Sehrinde im Hinterhauptlappen und der sensomotorische Cortex im Scheitellappen unmittelbar hinter der Zentralfurche (→ 30.6). Eine viel feinere Karte benötigt man für die vielen assoziativen Areale, das sind Bereiche, die vorverarbeitete Informationen mehrerer Sinne beziehen und weiterverarbeiten.

Wie kann man eigentlich herausfinden, welche Funktionen bestimmte Bereiche der Großhirnrinde ausüben? Die Ergebnisse vieler Studien müssen zusammengetragen werden, z. B. über Patienten mit eng begrenzten Gehirndefekten, wie sie durch Tumoroperationen, Schlaganfälle (das ist das Absterben von Gehirnbereichen nach einem Blutgefäßverschluss) oder akute Verletzungen entstehen können.

Der Unfall des PHINEAS P. GAGE ist ein spektakuläres Beispiel für eine solche Einzelfallstudie. 1848 schoss ihm bei einer Sprengung eine mehr als daumendicke Eisenstange durch den Schädel und verletzte die Großhirnrinde. Er überlebte, und zunächst schien nur sein linkes Auge durch den Unfall zerstört zu sein. Seine Wahrnehmung, Intelligenz, Sprachfähigkeit, Motorik sowie sein Gedächtnis blieben intakt. Aber es zeigte sich bald eine massive Persönlichkeitsveränderung: Aus dem besonnenen und ausgeglichenen GAGE wurde ein impulsiver und unzuverlässiger Mensch. Anhand der Löcher im Schädel konnte nach seinem Tod festgestellt werden, welche Hirnareale durch die Stange lädiert wurden. Es war der präfrontale Cortex, der heute als oberstes Kontrollzentrum für eine situationsgemäße, sozialverträgliche Handlungssteuerung angesehen wird. Er integriert vorverarbeitete sensorische Information mit Gedächtnisinhalten und mit emotionalen Bewertungen aus dem limbischen System. Er nimmt das vordere Drittel des in Abb. 2 **a** blau dargestellten Stirnlappens ein.

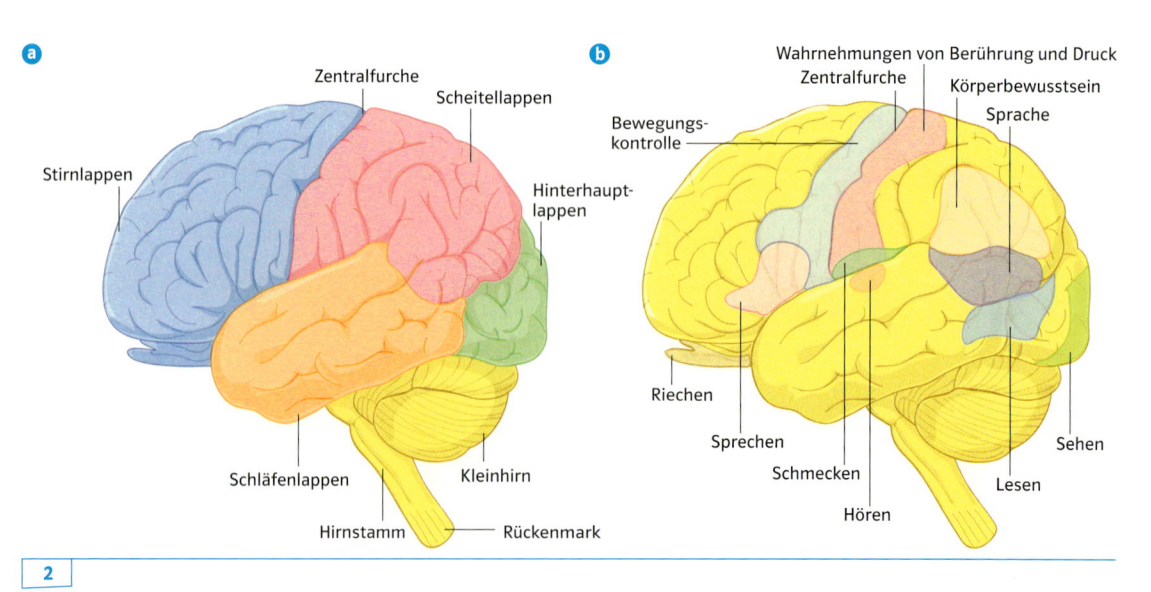

2

Das menschliche Großhirn ist in vier Hirnlappen pro Seite unterteilt a; seine Funktionen sind mosaikartig über die Großhirnrinde verteilt b.

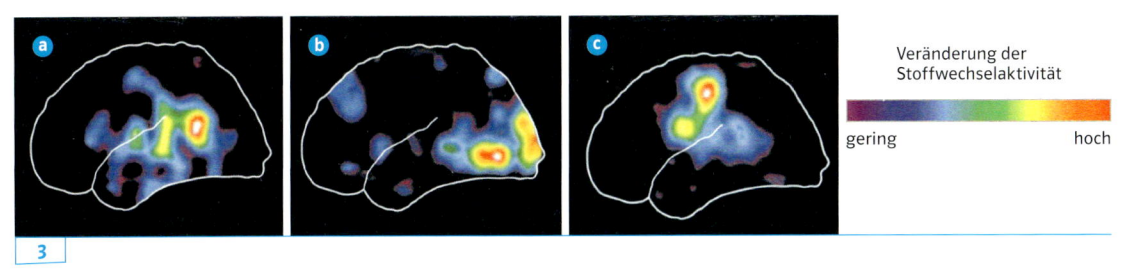

3 Fehlfarben-Darstellung der lokalen Stoffwechselaktivität der Großhirnrinde durch bildgebende Verfahren. Unterschiedliche Bereiche der Großhirnrinde treten in Aktion, wenn man Worte hört **a**, ansieht **b** oder ausspricht **c**.

Weitere Erkenntnisse kommen von notwendigen Operationen am Gehirn: Dabei muss bisweilen durch lokale Elektrostimulation und Befragen des wachen, schmerzfreien Patienten ein exakt definierter Bereich im Gehirn gefunden werden. Die Patienten berichten von unterschiedlichen Sinneseindrücken und Erinnerungen, die ortsabhängig durch die Stimulation hochkommen.

Auch an gesunden Probanden können bildgebende Verfahren angewendet werden, die entweder den lokalen Glucose- oder Sauerstoffverbrauch des Gehirns darstellen. Da das Gehirn immer aktiv ist, muss man die aufgabenspezifische, relative Erhöhung oder Verminderung der Stoffwechselaktivität in bestimmten Gehirnbereichen finden. Man misst die Aktivität des gesamten Gehirns vor der Ausführung der Aufgabe und zieht diese Ausgangsaktivität von den Bildern der Stoffwechselaktivität während der Durchführung der Aufgabe ab. Gezeigt wird dann die Differenz in Fehlfarbendarstellung, wobei warme Farben für starke und kalte Farben für geringe Veränderungen stehen. Sehen Sie sich Abb. 3 an: Wenn man ein Wort hört **a**, werden der Hörcortex im Schläfenlappen und Bereiche der Spracherkennung aktiv; wenn man dasselbe Wort ansieht **b**, werden der visuelle Cortex im Hinterhauptlappen und ein weiterer Bereich für das Lesen aktiviert. Spricht man dieses Wort dagegen aus **c**, so treten motorische Bereiche vor der Zentralfurche in Aktion.

Aufgabe 31.4

Nach einem Schlaganfall kann Patientin X nicht mehr sprechen. Auf welcher Seite und in welcher Region vermuten Ärzte die betroffene Stelle im Gehirn?

31.5 Störungen des Hirnstoffwechsels können neuronale Erkrankungen verursachen

Jeder fünfte Mensch erlebt mindestens einmal im Leben eine schwere, beeinträchtigende depressive Episode. Normalerweise besteht dabei ein enger Zusammenhang mit belastenden Erlebnissen. Sind diese verarbeitet, geht auch die depressive Phase zu Ende. Hält diese Phase aber an, so wird daraus eine krankhafte **Depression**.

Depression ist eine der häufigsten Ursachen für Suizid, der jährlich ca. 10 000 Leben in Deutschland fordert. Die spezielle Form der *manisch-depressiven Erkrankung* (bipolare affektive Störung) betrifft ca. 3 – 4 % der Bevölkerung zu irgendeinem Zeitpunkt ihres Lebens. Kennzeichnend ist hier der episodische Verlauf mit manischen und depressiven Phasen, also Schwankungen zwischen „himmelhochjauchzend" und „zu Tode betrübt" (→ Abb. 1, S. 422). Depressionen zeichnen sich durch überdurchschnittlich gedrückte Stimmung und verminderten Antrieb aus. Bei starken Depressionen kommt es zu Suizidgedanken. Eine manische Episode ist durch gesteigerten Antrieb und Rastlosigkeit gekennzeichnet, oft mit unpassend euphorischer oder gereizter Stimmung. Dabei kann die Wahrnehmung der Realität stark eingeschränkt sein. Die Betroffenen können sich in große Schwierigkeiten bringen (z. B. durch Kauforgien oder sexuelle Freizügigkeit). Die affektive Störung ist eine Erkrankung des

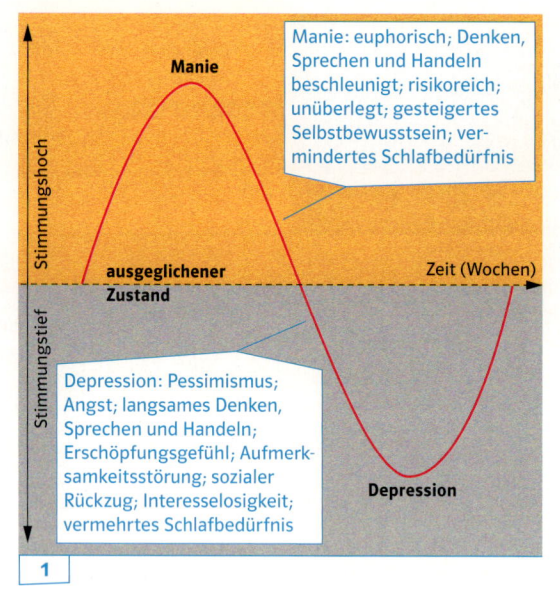

Neurobiologie

Abb. 1 — Diagramm: Stimmungsverlauf bei bipolarer affektiver Störung

- **Manie:** euphorisch; Denken, Sprechen und Handeln beschleunigt; risikoreich; unüberlegt; gesteigertes Selbstbewusstsein; vermindertes Schlafbedürfnis
- **Depression:** Pessimismus; Angst; langsames Denken, Sprechen und Handeln; Erschöpfungsgefühl; Aufmerksamkeitsstörung; sozialer Rückzug; Interesselosigkeit; vermehrtes Schlafbedürfnis

Die Symptome der bipolaren affektiven Störung wechseln. Die Phasen dauern eine Woche oder länger, sie werden mit zunehmendem Lebensalter immer häufiger.

---

wie Gedächtnisverlust) gibt es eine Reihe hochwirksamer Medikamente (sog. Antidepressiva), die in den Hirnstoffwechsel eingreifen. Dies sind etwa Medikamente, die die Neurotransmitter Serotonin und/oder Noradrenalin länger im synaptischen Spalt wirken lassen. Dazu kann ihre Wiederaufnahme in die Endknöpfchen durch Blockieren der Membrantransporter verzögert werden oder ihr Abbau durch Hemmen des Enzyms Monoaminooxidase (MAO) (→ Abb. 2).

Eine Vielzahl weiterer Erkrankungen konnte bereits auf Veränderungen der Hirnphysiologie zurückgeführt werden, darunter die Parkinson'sche Krankheit, bei der Neuronen mit Dopamin als Transmitter zugrunde gehen (→ 29.6). Andere Erkrankungen beruhen auf fehlerhaft gebildeten Proteinen. Anders als die gesunden Kopien können sie sich in Nervenzellen anhäufen, aneinanderlagern, langfristig die Neuronen schädigen und ihr Absterben verursachen. Bei der Alzheimer-Krankheit verklumpen fehlerhaft gefaltete β-Amyloidproteine und bei der Erbkrankheit Chorea Huntington (Veitstanz) Proteine mit einem mutationsbedingt überlangen Poly-Glutamin-Abschnitt. Die molekularen Ursachen werden also zunehmend enthüllt.

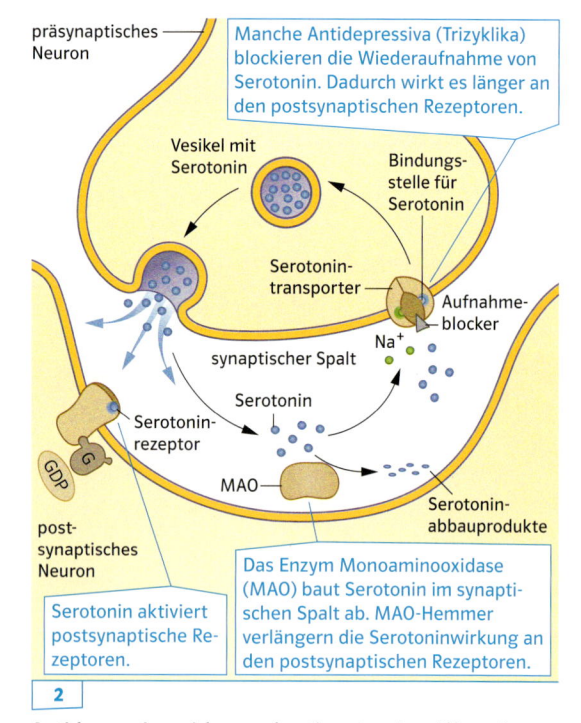

Gehirns, die u. a. wegen des Suizidrisikos und der sozialen Folgen gefährlich werden kann. Die psychischen Symptome korrespondieren mit einer Störung des Hirnstoffwechsels, denn eine Depression wird durch einen Mangel der Neurotransmitter Noradrenalin und Serotonin begünstigt. Als mögliche Ursache depressiver Phasen gilt eine Störung des gesamten Gleichgewichts verschiedener Botenstoffe wie *Serotonin*, *Dopamin* und *Noradrenalin*. Außerdem ist bei Depressiven die Empfindlichkeit und Dichte der Rezeptoren verändert, auf die diese Neurotransmitter einwirken. Eine Manie wird von einer erhöhten Konzentration der Neurotransmitter Dopamin und Noradrenalin begünstigt. Aber auch Stresshormone scheinen im Blut Erkrankter vermehrt vorzukommen.

All diese Beobachtungen dürfen aber nicht als direkte Zusammenhänge zwischen Transmitterpegel und Stimmung gedeutet werden. Es ist eine der noch unbeantworteten klinischen Fragen, warum entgegensteuernde Medikamente praktisch unmittelbar an den Synapsen wirksam werden, ihre antidepressiven Wirkungen aber erst nach Wochen einsetzen.

Wie lässt sich eine Depression behandeln? Neben Psychotherapie (bei milden bis mäßig schweren Depressionen) und Elektrokrampftherapie (akute Hilfe z. B. bei Suizidgefahr mit häufigen Nebenwirkungen

Abb. 2 — Schema: Serotonin-Synapse mit Angriffspunkten von Antidepressiva

- Manche Antidepressiva (Trizyklika) blockieren die Wiederaufnahme von Serotonin. Dadurch wirkt es länger an den postsynaptischen Rezeptoren.
- Serotonin aktiviert postsynaptische Rezeptoren.
- Das Enzym Monoaminooxidase (MAO) baut Serotonin im synaptischen Spalt ab. MAO-Hemmer verlängern die Serotoninwirkung an den postsynaptischen Rezeptoren.

Beschriftungen: präsynaptisches Neuron, Vesikel mit Serotonin, Bindungsstelle für Serotonin, Serotonintransporter, Aufnahmeblocker, Na⁺, synaptischer Spalt, Serotonin, Serotoninrezeptor, GDP, G, MAO, Serotoninabbauprodukte, postsynaptisches Neuron

Antidepressiva wirken an bestimmten Angriffsstellen im ZNS.

Aufgabe 31.5

Auf welche verschiedenen Weisen kann man die verminderte Ausschüttung eines Neurotransmitters prinzipiell kompensieren?

Hormonelle Regelung und Steuerung

32

Hormone beeinflussen Körper, Gehirn und Gefühle

Hormone machen Schlagzeilen: „Oxytocin, das Treue- und Kuschelhormon" — „Hormone lassen Rinder schneller wachsen" — „Hormondoping im Sport" — „Glückshormone stärken die Abwehrkräfte" — „Hormonsausen in der Pubertät" — „Die hormonelle Verhütung hat unsere Gesellschaftsstruktur umgekrempelt". Hormone lassen sich industriell herstellen, und nicht nur als Medikamente sind sie unverzichtbar. Aber sie zeigen uns auch die Manipulierbarkeit der menschlichen (und tierischen) Natur. Ein naturwissenschaftliches Verständnis der Mechanismen ist der Schlüssel zu einem verantwortungsbewussten Umgang mit Hormonen.

32.1	Hormone bewirken über Rezeptoren eine Zellantwort
32.2	Der Hypothalamus verbindet Nerven- und Hormonsystem
32.3	Die Schilddrüse reguliert durch Gegenspieler Entwicklung und Stoffwechsel
32.4	Durch negative Rückkopplung wird die Hormonsekretion kontrolliert
32.5	Hormone der Bauchspeicheldrüse regulieren den Blutzuckerspiegel
32.6	Hormone verändern Verhalten

32.1 Hormone bewirken über Rezeptoren eine Zellantwort

Die elektrische Übertragung von Informationen durch Neuronen erfolgt schnell und betrifft einzelne Zielzellen. Signale, die längerfristig und auf viele Zielzellen wirken sollen, werden meist auf chemische Weise übertragen. Transportmittel ist oft das Blut. Solche chemischen Botenstoffe heißen **Hormone** (hormao (gr.): antreiben, anregen).

Tiere stellen viele unterschiedliche Hormone in winzigen Mengen in bestimmten Drüsen und Organen her und lassen sie unspezifisch zum Wirkort transportieren. Dort wirken sie nur auf die Zielzellen ein, die dafür spezielle Rezeptoren haben (→Abb. 1). Zellen ohne passende Hormonrezeptoren bleiben von der Nachricht gänzlich unbeeindruckt. Ein Vergleich: Sie haben ständig Radiowellen vieler verschiedener Sender um sich herum, aber nur einen davon können Sie hören, wenn Ihr „Rezeptor", das Radio, darauf eingestellt ist.

Die Sekretion, Diffusion und Zirkulation von Hormonen im Körper braucht Zeit. Längerfristige und großflächige physiologische Prozesse, wie z. B. Wachstumsprozesse oder auch die Verdauung, werden daher hormonell gesteuert. Dies gilt auch für die auffälligen Häutungen der Insektenlarven, ihre Verpuppung und Metamorphose zum erwachsenen Tier.

1 Hormone wirken nur auf Zielzellen mit den passenden Rezeptoren.

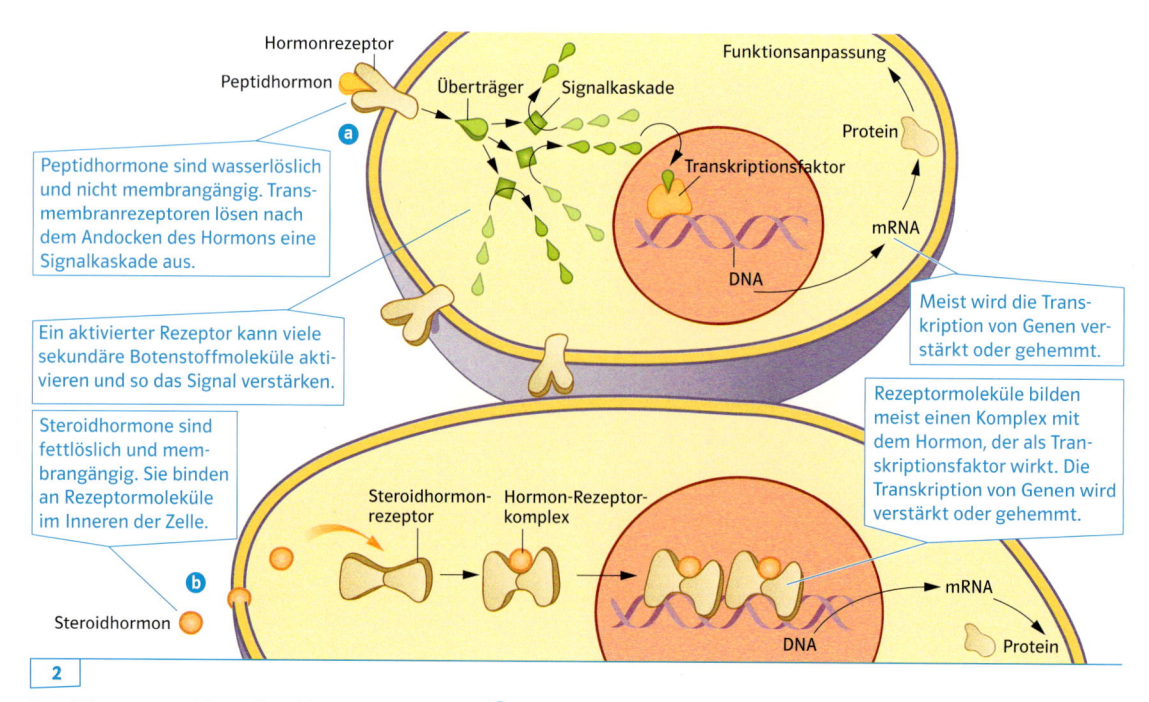

2 Peptidhormone wirken über Membranrezeptoren **ⓐ**, Steroidhormone durchdringen dagegen die Membran und binden an Rezeptoren in der Zelle **ⓑ**.

Die meisten Hormone lassen sich einer von drei chemischen Gruppen zuordnen:
- *Peptid-* und *Proteohormone* sind Peptide bzw. Proteine mit einer arteigenen Aminosäuresequenz (von einem Peptid spricht man bei einer Kettenlänge unter 100 Aminosäuren). Weil sie wasserlöslich sind, lassen sie sich leicht im Blut transportieren. Die Zellmembran bildet aber eine undurchdringliche Barriere. Die Drüsenzellen verpacken sie daher in Vesikel, die dann für die Hormonausschüttung mit der Zellmembran der Drüsenzelle verschmelzen (vgl. Exocytose an chemischen Synapsen, →Abb. 1, S. 393). Ein bekanntes Proteohormon ist das *Insulin*, mit dem unser Blutzuckerspiegel reguliert wird (→32.5).
- *Steroidhormone* sind fettlöslich und können Zellmembranen durchdringen. Im Blutstrom werden sie daher an Transportproteine gebunden. Das männliche Sexualhormon *Testosteron* gehört zu dieser Gruppe.
- Hormone einer dritten Gruppe werden durch die Abwandlung von Aminosäuren hergestellt. Einige sind wasser-, andere fettlöslich. Das Schilddrüsenhormon *Thyroxin* ist z. B. eine Abwandlung der Aminosäure Tyrosin.

Die Unterscheidung wird wichtig, wenn man Hormone künstlich herstellen und z. B. als Medikamente einsetzen will. Insulin als Peptid würde im Magen-Darm-Trakt abgebaut werden; man muss es sich deshalb in das Unterhautfettgewebe spritzen, von wo es in die Blutbahn gelangt. Empfängnisverhütende Steroidhormone und Aminosäureabkömmlinge kann man dagegen oral einnehmen. Eine magensaftresistente Hülle bringt sie sicher durch den Magen. Resorbiert werden die fettlöslichen Hormone im Darm.

Hormonrezeptoren für wasserlösliche Hormone befinden sich in der Zellmembran der Zielzellen. Diese Membranrezeptoren besitzen eine Hormonbindungsstelle auf der Zellaußenseite, einen Transmembranbereich und eine Struktur im Inneren der Zelle. Damit wird die Nachricht von der Bindung des spezifischen Hormons außen in eine Wirkung im Inneren der Zielzelle umgesetzt, die Zellantwort (→Abb. 2 ⓐ). Hier kann durch eine **Signalverstärkung** über *sekundäre Botenstoffe* eine hohe Wirksamkeit geringster Hormonmengen erreicht werden. Hormonrezeptoren für fettlösliche Hormone befinden sich überwiegend im Inneren von Zielzellen. Oft wirken fettlösliche Hormone, indem sie durch die Membran in das Zellinnere diffundieren, dort einen Komplex mit ihrem Rezeptor bilden, der dann als *Transkriptionsfaktor* die Genexpression der Zielzelle beeinflusst (→Abb. 2 ⓑ).

Der Mensch besitzt neun Typen von Hormondrüsen (→Abb. 3), auch endokrine Drüsen genannt, die endokrine Hormone in den Blutstrom ausschütten. Parakrine Zellen, die einzeln verteilt in bestimmten Geweben sitzen, geben parakrine, sogenannte Gewebshormone in die nahe Umgebung ab (→Abb. 1).

3

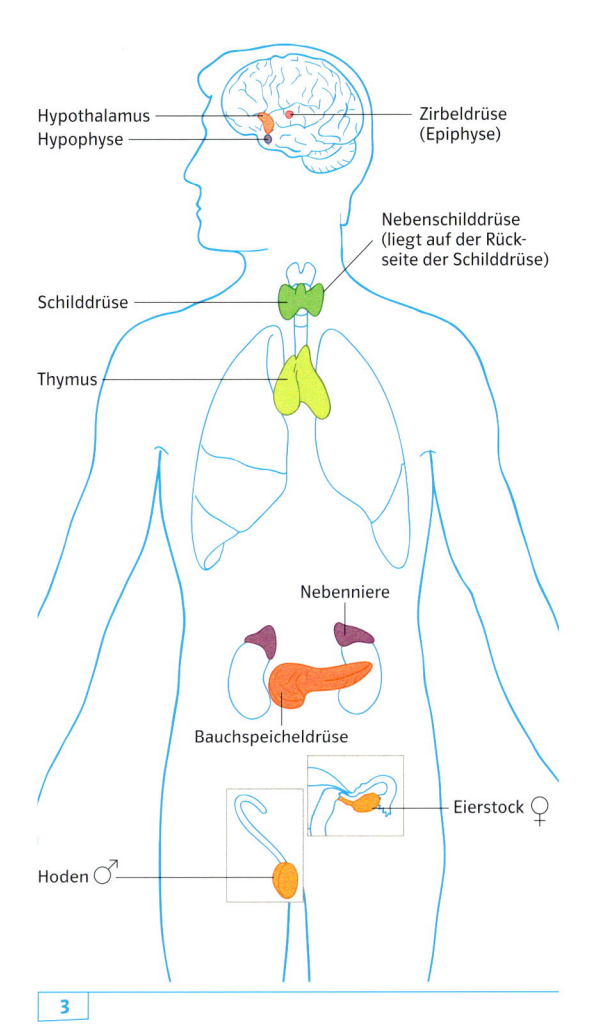

Neun Typen von Hormondrüsen des Menschen produzieren verschiedene Hormone, manche auch mehrere.

Aufgabe 32.1

Nennen Sie die Vor- und Nachteile der chemischen im Vergleich zur neuronalen Signalübertragung.

32.2 Der Hypothalamus verbindet Nerven- und Hormonsystem

Allein der Anblick und die Stimme des eigenen Säuglings können bei der stillenden Mutter den Milchfluss bewirken. Signale, die neuronal erfasst und verarbeitet werden, führen zu einer Ausschüttung des Hormons *Oxytocin*, das dann weitreichende und längerfristige Veränderungen im Körper und im Gehirn bewirkt, die auch der komplexen Mutter-Kind-Bindung dienen. An diesem wichtigen Übergang vom Nerven- zum Hormonsystem sitzt eine Struktur so klein wie ein Kirschkern. Diese sogenannte Hirnanhangdrüse oder **Hypophyse** erhält ihre Befehle vom *Hypothalamus* (→ Abb. 1, S. 418), einem Teil des limbischen Systems, der über der Überkreuzung der beiden Sehnerven liegt.

Abb. 1 gibt Ihnen einen Eindruck von der Bedeutung der Hormone der Hirnanhangdrüse. Die Hirnanhangdrüse besteht eigentlich aus zwei getrennten Untersystemen mit unterschiedlichen Funktionsprinzipien (→ Abb. 2). Das Oxytocin wird vom hinteren Teil, der *Neurohypophyse*, ausgeschüttet. Sie ist eigentlich keine Drüse, denn die Hormone werden nicht von Drüsenzellen, sondern von spezialisierten Neuronen des Hypothalamus hergestellt **a** und gespeichert. Die Axone dieser Neuronen reichen durch den Hypophysenstiel zu einem Kapillargeflecht in der Neurohypophyse **b**. Die Hormone werden von synaptischen Endknöpfchen in die Blutgefäße freigesetzt **c**, wenn Aktionspotenziale zu den Axonenden laufen.

Teil der Hirn-anhangdrüse	Hormon	geregelter Vorgang
Neuro-hypophyse	Oxytocin	Wehentätigkeit, Milcheinschuss, emotionale Kindbindung, Partnerbindung
	Vasopressin	Blutdruck und Salzgehalt des Blutes, Harnausscheidung
Adeno-hypophyse	Somatotropin	Knochen- und Knorpelwachstum
	Prolactin	Brustwachstum (Schwangerschaft), Milchproduktion, Unterdrückung des Eisprungs (Stillzeit)
	Opiate (Endorphin, Enkephalin)	Hunger- und Schmerzempfindung, Glücksgefühle
	vier glandotrope Hormone	steuern Hormonausschüttung anderer Hormondrüsen

1 Hormone der Hirnanhangdrüse beeinflussen physische und psychische Vorgänge.

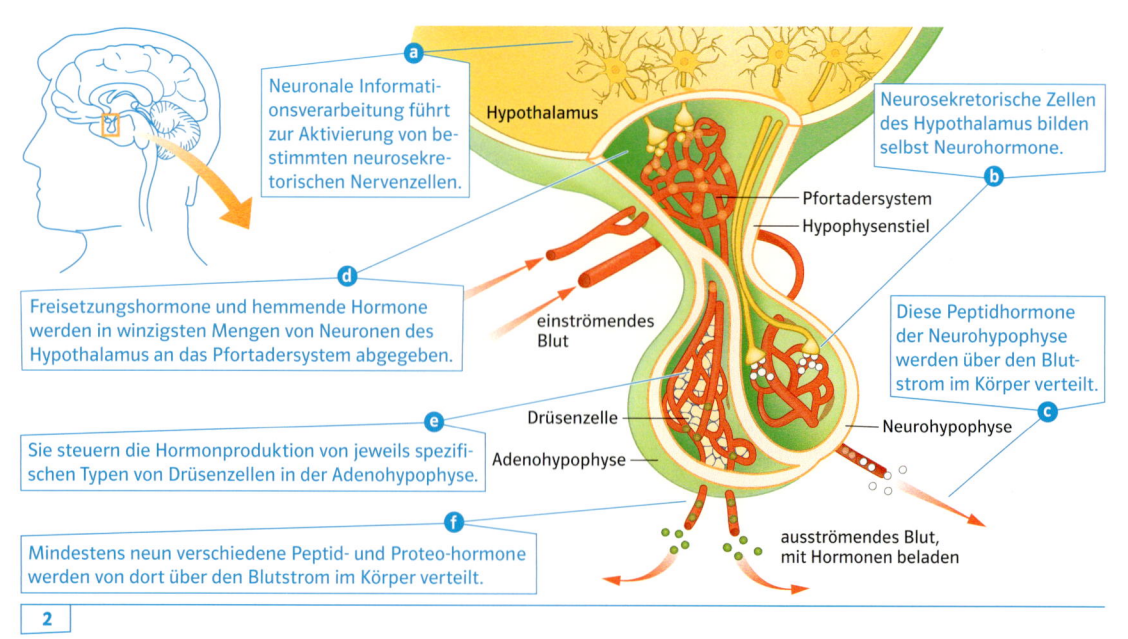

a Neuronale Informationsverarbeitung führt zur Aktivierung von bestimmten neurosekretorischen Nervenzellen.

b Neurosekretorische Zellen des Hypothalamus bilden selbst Neurohormone.

d Freisetzungshormone und hemmende Hormone werden in winzigsten Mengen von Neuronen des Hypothalamus an das Pfortadersystem abgegeben.

c Diese Peptidhormone der Neurohypophyse werden über den Blutstrom im Körper verteilt.

e Sie steuern die Hormonproduktion von jeweils spezifischen Typen von Drüsenzellen in der Adenohypophyse.

f Mindestens neun verschiedene Peptid- und Proteo-hormone werden von dort über den Blutstrom im Körper verteilt.

2 Die Hirnanhangdrüse (Hypophyse) besteht aus einem Vorderlappen (Adenohypophyse) und einem Hinterlappen (Neurohypophyse).

Die *Adenohypophyse* ist eine echte Drüse. Die Freisetzung von mindestens neun verschiedenen Hormonen wird vom Hypothalamus dadurch gesteuert, dass winzigste Mengen von *Freisetzungshormonen* und — als Gegenspieler — von hemmenden (inhibierenden) Hormonen abgegeben werden. Sie werden von Neuronen des Hypothalamus an das Blut im Pfortadergeflecht abgegeben **d**. Über Blutgefäße durch den Hypophysenstiel werden sie gezielt zu den Drüsenzellen der Adenohypophyse verfrachtet **e**. Dort gibt es für jedes der Adenohypophysenhormone einen eigenen Drüsenzelltyp. Ein solcher Drüsenzelltyp produziert bzw. entlässt das gewünschte Hormon in das Blut **f**, wenn das entsprechende Freisetzungshormon an den Rezeptoren der Drüsenzellen bindet.

Vier der Adenohypophysenhormone wirken auf andere Drüsen; man nennt sie *glandotrope Hormone*. Zu den Hypophysenhormonen, die nicht auf Drüsen wirken, zählt das *Somatotropin*. Zu viel Somatotropin führt bei Kindern zu Riesenwuchs und zu wenig zu Zwergwuchs. Da Somatotropin inzwischen gentechnisch hergestellt wird, kann Minderwuchs heute medikamentös verhindert werden.

Sportliche Anstrengungen und Schmerzerfahrungen, wie sie z. B. bei Marathonläufen auftreten, können gelegentlich über die Ausschüttung von *Endorphinen* einen Glückszustand hervorrufen. Rezeptoren für Endorphine und andere *Opiate* finden sich unter anderem in der grauen Substanz des Rückenmarks (→ Abb. 2, S. 415). Dort kann die Aktivierung der Endorphinrezeptoren die Weiterleitung der Schmerzinformation an das Gehirn unterdrücken. Das Endorphinsystem wird z. B. in Notfallsituationen oder beim Geburtsvorgang aktiv.

3

Große Anstrengung kann glücklich machen.

Aufgabe 32.2

Die Hirnanhangdrüse ist kein einheitliches Organ und nur zum Teil eine Drüse. Erläutern Sie diese Aussage.

32.3 Die Schilddrüse reguliert durch Gegenspieler Entwicklung und Stoffwechsel

Sportler bevorzugen Getränke, die mit Calcium angereichert sind, um Muskelkrämpfen entgegenzuwirken. Die präzise Regelung des Calciumspiegels ist lebensnotwendig, denn zu viel Calcium dämpft das Nervensystem und schwächt Muskulatur und Herz. Dagegen führt zu wenig Calcium im Blut zu einer Übererregbarkeit des Nervensystems, was unter anderem Muskelkrämpfe auslösen kann. Die Regelung ist deshalb schwierig, weil nur ein Tausendstel des gesamten Calciums im Körper gelöst in Flüssigkeiten zirkuliert. Diese vergleichsweise kleine Menge muss in Anwesenheit eines zehnmal größeren Calciumreservoirs in den Körperzellen und einer tausendmal größeren Menge in den Knochen konstant gehalten werden. An dieser Regulation ist die *Schilddrüse* wesentlich beteiligt (→ Abb. 1, S. 428).

Geregelt wird der Calciumspiegel über
- den Knochenaufbau oder den Knochenabbau,
- die Kontrolle der Calciumausscheidung über die Nieren und
- die Calciumaufnahme aus dem Verdauungstrakt.

Das Schilddrüsenhormon *Calcitonin* bewirkt eine Senkung des Calciumspiegels im Blut, denn es lässt Knochen bildende Zellen, die *Osteoblasten*, neuen Knochen aufbauen (→ Abb. 1, S. 428). Die Drüse befindet sich im Hals vor der Luftröhre, die sie beidseitig mit je einem Lappen umschließt. Ein Gegenspieler des Calcitonins ist das Hormon *Parathyrin* aus den Nebenschilddrüsen. Es hebt den Calciumspiegel, senkt die Calciumausscheidung der Nieren und regt indirekt den Darmtrakt an, vermehrt Calcium aus dem Nahrungsbrei zu resorbieren. Das Parathyrin veranlasst die

Steuerung und Regelung

Neurobiologie

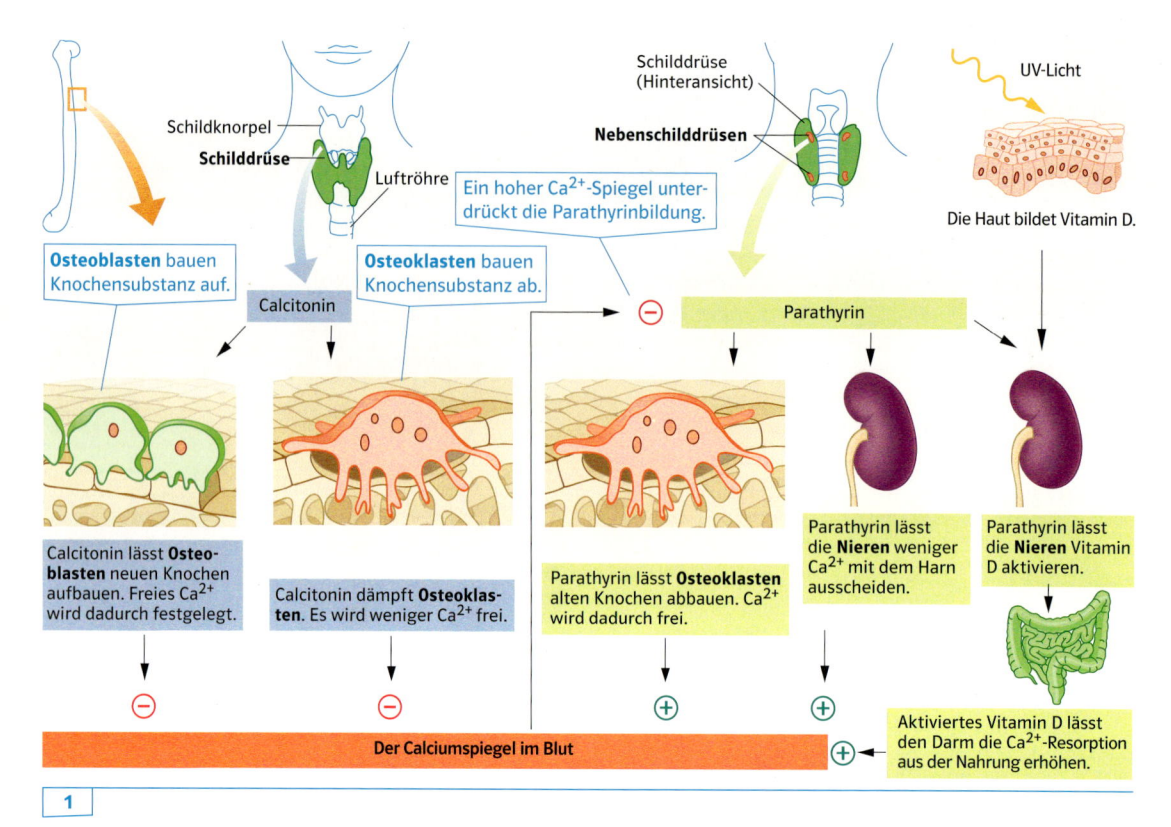

Abbildung 1 – Schilddrüse und Nebenschilddrüse regulieren unter anderem den Calciumspiegel im Blut.

Beschriftungen der Abbildung:
- Schildknorpel
- **Schilddrüse**
- Luftröhre
- Schilddrüse (Hinteransicht)
- **Nebenschilddrüsen**
- UV-Licht
- Die Haut bildet Vitamin D.
- Ein hoher Ca^{2+}-Spiegel unterdrückt die Parathyrinbildung.
- **Osteoblasten** bauen Knochensubstanz auf.
- **Osteoklasten** bauen Knochensubstanz ab.
- Calcitonin
- Parathyrin
- Calcitonin lässt **Osteoblasten** neuen Knochen aufbauen. Freies Ca^{2+} wird dadurch festgelegt.
- Calcitonin dämpft **Osteoklasten**. Es wird weniger Ca^{2+} frei.
- Parathyrin lässt **Osteoklasten** alten Knochen abbauen. Ca^{2+} wird dadurch frei.
- Parathyrin lässt die **Nieren** weniger Ca^{2+} mit dem Harn ausscheiden.
- Parathyrin lässt die **Nieren** Vitamin D aktivieren.
- Aktiviertes Vitamin D lässt den Darm die Ca^{2+}-Resorption aus der Nahrung erhöhen.
- Der Calciumspiegel im Blut

Osteoklasten, Knochen abbauende Zellen, altes Knochengewebe abzubauen und so Calcium in das Blut freizusetzen. Wie diese Regelung abläuft, können Sie der Abb. 1 entnehmen. Woher kennt die Nebenschilddrüse den Calciumspiegel im Blut? Calciumrezeptoren sitzen in der Zellmembran der Drüsenzellen. Werden die Rezeptoren durch Calcium aktiviert, so hemmen sie die Herstellung von Parathyrin.

Abb. 1 zeigt Ihnen noch einen dritten Spieler bei der Calciumregulation: Es ist ebenfalls ein Hormon, das *Vitamin D*, das unter UV-Strahlung von unseren Hautzellen aus Cholesterol gebildet werden kann. Vitamin D muss in den Nieren in eine aktive Form überführt werden, und dies geschieht nur, wenn Parathyrin im Blut zirkuliert. Aktives Vitamin D kann dann, da fettlöslich, Zellmembranen durchdringen und in den Zellen einen Transkriptionsfaktor bilden. Im Darm werden dadurch mehr Calciumkanalproteine und Calciumbindungsproteine hergestellt, und die Resorption von Calcium aus der Nahrung wird erhöht. Zudem werden die Verluste über den Urin begrenzt und der Knochenstoffwechsel wird angeregt, mehr Calcium freizusetzen.

Die Schilddrüse kontrolliert auch den Zellstoffwechsel des gesamten Körpers über das Schilddrüsenhormon *Thyroxin*. Wenn die kindliche Schilddrüse zu wenig Thyroxin produziert, verlangsamt sich unbehandelt der gesamte Stoffwechsel. Es kommt zu Missbildungen des Skeletts und zu Minderwuchs (*Kretinismus*). Außerdem kann Kretinismus zu Übergewicht führen, bedingt durch den geringeren Grundumsatz. Ursächlich für eine verzögerte geistige Entwicklung ist die langsamere Ausbildung von Axonen und deren Myelinscheiden, von Dendriten und Synapsen.

Thyroxin kann die Transkription von vielen verschiedenen Genen in fast allen Zelltypen anregen. Insbesondere Struktur- und Transportproteine werden dadurch vermehrt hergestellt und die Stoffwechselrate wird durch die Bildung von Enzymen für den Energiestoffwechsel der Zellen erhöht. Der Abbau von Kohlenhydraten als Energielieferanten wird gegenüber dem Fettstoffwechsel begünstigt. Auch eine nur geringe Unterfunktion der Schilddrüse kann schon zu Konzentrationsstörungen führen. Medikamentös lässt sich das ausgleichen.

Aufgabe 32.3

Beschreiben Sie die Arbeit von Gegenspielern bei der Regulation des Calciumspiegels im Blut.

32.4 Durch negative Rückkopplung wird die Hormonsekretion kontrolliert

Die Schilddrüse ist nicht nur für den Menschen ein lebenswichtiges Organ. Ihre Hormone greifen maßgeblich in die Entwicklung und das Wachstum aller Wirbeltiere ein. Ein augenfälliges Beispiel ist die Entwicklung der Kaulquappe zum Frosch mit der Umbildung vieler Formen und Gewebe. Dabei wirkt die Schilddrüse nicht allein, sondern das Gehirn ist maßgeblich daran beteiligt, und das geht so: Die Schilddrüse stellt *Thyroxin* erst dann her, wenn sie von der Adenohypophyse aktiviert wird (→ Abb. 1). Der Vorderlappen der Hirnanhangdrüse produziert dazu das Hormon *Thyreotropin* (auch schilddrüsenstimulierendes Hormon genannt). Den Befehl zur Freisetzung des Thyreotropins erteilt wiederum auf chemischem Wege der Hypothalamus. Neuronen des Hypothalamus bilden winzige Mengen des Thyreotropin-Freisetzungshormons, das in die Pfortadern abgegeben wird und so die Adenohypophysenzellen erreicht. Der Hypothalamus entscheidet aufgrund von Informationen aus der inneren und äußeren Umwelt, wie hoch die Stoffwechselaktivität eingestellt werden soll. Langfristige Parameter wie Tageslänge und Temperatur spielen dabei auch eine Rolle. Mehrere Rückkopplungsschleifen regeln die Hormonsekretion.

Thyroxin als Endprodukt der Kette hemmt die Reaktion der Adenohypophysenzellen auf das Freisetzungshormon. Weniger schilddrüsenstimulierendes Hormon wird freigesetzt und die Produktion des Thyroxins wird vermindert. Ist die Thyroxinkonzentration im Blut dagegen niedrig, wird die Adenohypophyse weniger gehemmt und so die Produktion von Thyroxin gesteigert. In geringerem Maß übt Thyroxin auch einen hemmenden Einfluss auf den Hypothalamus und die Ausschüttung des Freisetzungshormons aus. Auch das glandotrope Hormon kann die Produktion des Freisetzungshormons durch den Hypothalamus hemmen (kurze negative Rückkopplungsschleife). Das Schema gilt sinngemäß auch für die anderen glandotropen Hormone der Adenohypophyse.

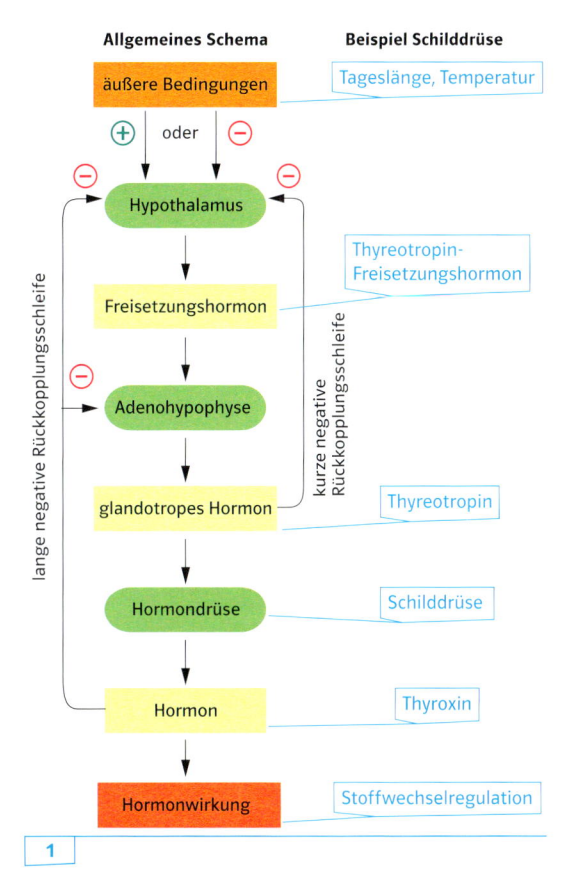

1 Rückkopplungsschleifen kontrollieren die Bildung und Ausschüttung von Hormonen.

Aufgabe 32.4
Erläutern Sie: Die Hormonsekretion wird durch mehrfache Rückkopplungsschleifen kontrolliert.

Neurobiologie

32.5 Hormone der Bauchspeicheldrüse regulieren den Blutzuckerspiegel

Zuckerkranke Patienten waren früher teilnahmslos, schwach und nahmen rasch an Gewicht ab. Nur am Zuckergehalt des Urins konnten die Ärzte die Krankheit feststellen; er schmeckte süß. Dagegen unternehmen konnten sie vor 1921 aber nicht viel. *Diabetes mellitus* (abgeleitet vom Griechischen für „süß hindurchfließen") war eine tödliche Krankheit. Dann entdeckten die Mediziner FREDERICK BANTING und CHARLES BEST, dass die Glucoseabgabe mit dem Urin durch Injektion eines Extrakts aus Bauchspeicheldrüsengewebe verhindert werden kann. Heute wissen wir, dass dieser Extrakt ein Peptidhormon aus 51 Aminosäuren enthält — das *Insulin*. Da es gentechnisch hergestellt werden kann, können Diabetiker heute bei medikamentöser Behandlung ein nahezu normales Leben führen.

Im gesunden Menschen stellen bestimmte Zellgruppen in der Bauchspeicheldrüse, die nach ihrem Entdecker *Langerhanssche Inseln* genannt werden, das Insulin und noch zwei weitere Peptidhormone her: das *Glucagon* und das *Somatostatin*. Die ganze übrige Bauchspeicheldrüse produziert Verdauungsenzyme und -sekrete, die durch Gänge in den Dünndarm abgegeben werden. Bei Typ-I-Diabetikern stellen die Langerhansschen Zellen kein Insulin mehr her, beim Typ II besteht ein Mangel an Insulinrezeptoren an den Zielzellen.

Das Insulin bindet an Insulinrezeptoren auf der Zellmembran der Zielzellen. Ein Hormon-Rezeptor-Komplex ermöglicht dann die Aufnahme von Glucose aus dem Blut in die Zelle. Ohne Insulin oder ohne Insulinrezeptoren kann die Glucose nicht in die Zellen gelangen und verbleibt im Blut. Ein hoher Blutzuckerspiegel führt dazu, dass Wasser dem osmotischen Gefälle folgt und aus den Zellen in das Blut wandert. Die Nieren scheiden die überschüssige Flüssigkeit mit der Glucose aus, Durst ist die Folge. Da die Körperzellen ohne Insulin keine Glucose bekommen können, nutzen sie Fette und Proteine als Energielieferanten. Die Körpersubstanz schwindet, und Gewebe, Organe und die Arterienwände können schwer geschädigt werden. Letzteres bewirkt Durchblutungsstörungen, was weitere Organschäden nach sich ziehen kann. Ein hoher Zuckerkonsum ist kein direkter Auslöser für Diabetes, führt aber zu Übergewicht. Das zusätzliche Fettgewebe und Bewegungsmangel gelten als Hauptrisikofaktoren für eine Erkrankung an Typ-II-Diabetes.

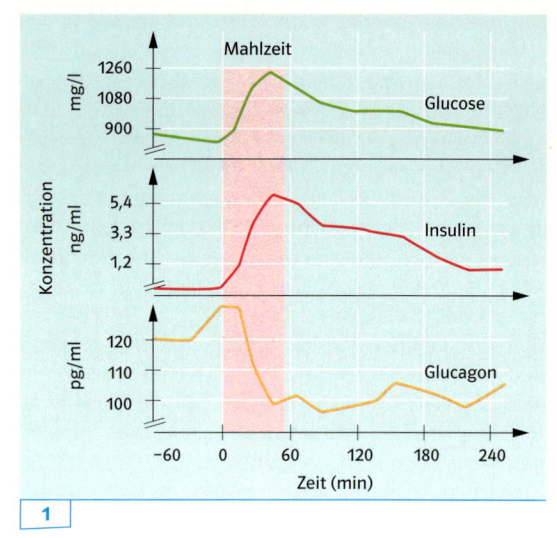

1 Insulin und Glucagon steuern den Blutzuckerspiegel.

Im Normalfall wird nach einer Mahlzeit Glucose im Darm aus der Nahrung gewonnen und an das Blut übergeben (→ 5.4) Der Anstieg des Blutzuckerspiegels bedingt die Insulinfreisetzung (→ Abb. 1). Die Körperzellen können nun Glucose als sofort verfügbaren Energieträger aufnehmen oder sie in Form von Speicherprodukten wie Glykogen und Fett lagern. Hat der Darm seine Verdauungstätigkeit beendet, sinkt der Blutzuckerspiegel wieder und die Langerhansschen Inseln hören auf, Insulin freizusetzen. Die meisten Körperzellen nutzen nun Glykogen und Fett als Energieträger. Sinkt der Blutzuckerspiegel deutlich unter den Normalwert, so stellen spezialisierte Zellen innerhalb der Langerhansschen Inseln das Hormon Glucagon her, das die Leber dazu anregt, Glykogen in Glucose umzuwandeln, um den unteren Normalwert des Blutzuckerspiegels wieder zu erreichen.

Ein drittes Hormon, Somatostatin, wird von anderen Zellen innerhalb der Langerhansschen Inseln hergestellt als Antwort auf einen sehr raschen Anstieg des Blutzucker- und Aminosäurespiegels im Blut. Es hemmt die Ausschüttung von Insulin und Glucagon und dämpft die Verdauungstätigkeit des Darms. Die Nährstoffaufnahme aus dem Nahrungsbrei wird so auf einen längeren Zeitraum ausgedehnt.

Steuerung und Regelung

Aufgabe 32.5

Die Langerhansschen Inseln in der Bauchspeicheldrüse stellen drei Hormone her, die sich auf den Blutzuckerspiegel auswirken. Erläutern Sie den Regelkreis für den Blutzucker.

32.6 Hormone verändern Verhalten

In der Pubertät leiden Mädchen unter Stimmungsschwankungen, verursacht auch durch das Hormon *Östradiol*. Jungen werden durch verstärkte Ausschüttung von *Testosteron* draufgängerisch. Viele Hormone beeinflussen nicht nur den Stoffwechsel, sondern auch das Verhalten.

Aufschlussreiche Untersuchungen zum Zusammenhang von Hormonen und Verhalten wurden an monogamen Präriewühlmäusen vorgenommen, die man mit polygamen Bergwühlmäusen verglich (→ Abb. 1). Im Gegensatz zu den polygamen Bergwühlmäusen zeigen monogame Präriewühlmäuse eine langfristige, paarweise Partnerbindung. Wurden Präriewühlmäuse mit einem Oxytocin-Antagonisten behandelt, so verhielten sie sich im Partnerverhalten eher polygam. Sie zeigten keine längerfristige Partnerbindung mehr. Die Untersuchungen ergaben, dass Oxytocin in der monogamen Spezies notwendig zur Ausprägung des Partnerverhaltens ist.

Es ist aber wichtig zu wissen, dass die bloße Gabe von Oxytocin eine polygame Spezies nicht monogam machen kann. Vielmehr kommt es auf die artspezifische Verteilung der Oxytocinrezeptoren im Gehirn an. Diese müssen an Stellen sitzen, wo Partnerverhalten beeinflusst werden kann. Tatsächlich unterscheiden sich die Rezeptorverteilungen in den Gehirnen von Prärie- und Bergwühlmäusen in charakteristischer Weise (→ Abb. 1, rechts), wohingegen die monogamen Präriewühlmäuse ähnliche Rezeptorverteilungen zeigen wie die ebenfalls monogamen Wiesenwühlmäuse.

Man kennt viele Beispiele für hormonbedingte Verhaltensänderungen. Die Beobachtungen reichen vom Eiablageverhalten der Meeresschnecke *Aplysia* bis zum Brutpflegeverhalten von frischgebackenen Menschenvätern: Prolactin löst bei allen bislang untersuchten Säugetierarten sowie auch bei anderen Wirbeltieren Brutpflegeverhalten aus. Wenn die Männchen der Art an der Brutpflege beteiligt sind, dann gilt das auch für diese. Beim Menschen wurde ein Anstieg des Prolactinspiegels beim Mann kurz vor der Geburt eines Kindes nachgewiesen, allerdings fällt der Anstieg deutlich geringer aus als bei der Mutter.

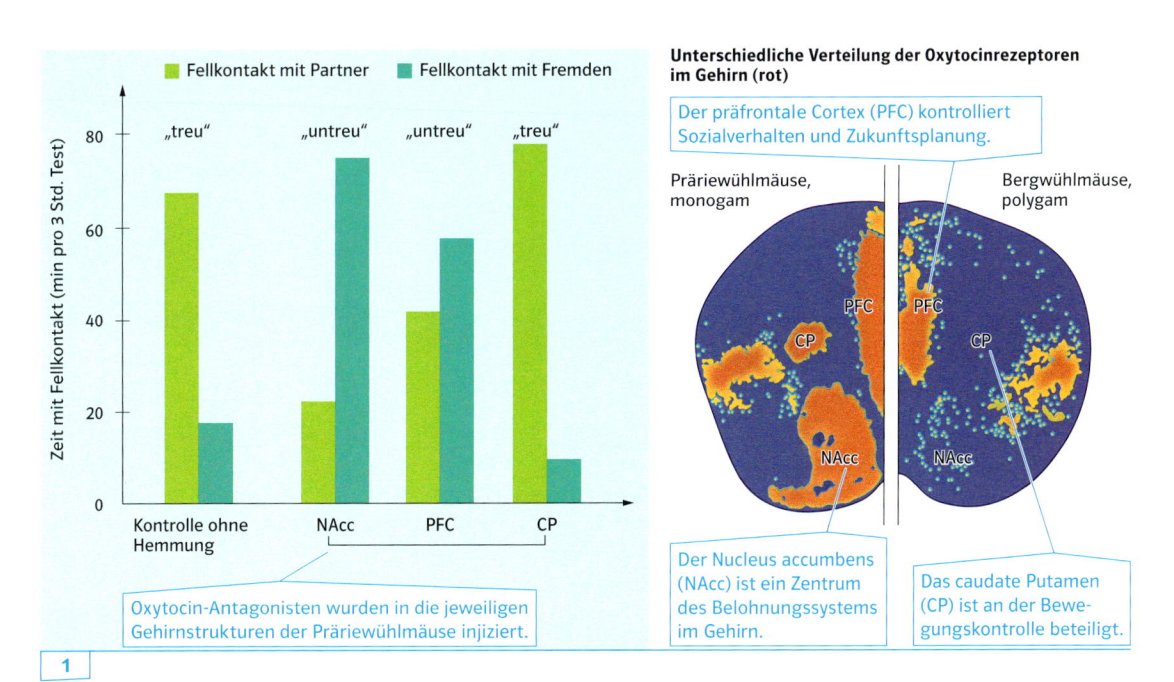

Reproduktion

1 Monogame Präriewühlmausweibchen zeigen nach Hemmung der Oxytocinrezeptoren eine Verhaltensänderung.

Aufgabe 32.6

Oxytocin als Nasenspray kann Wehen auslösen und die Geburt einleiten. Diskutieren Sie, ob man Treue durch ein Nasenspray erreichen kann.

Tiere mit VERSTAND und GEFÜHLEN?

Sind Krähen intelligent, können Affen denken? Haben Tiere Gefühle wie wir Menschen? Solche Fragen versuchen Verhaltensforscher mit raffinierten Experimenten zu beantworten.

Sie legen Nüsse auf Zebrastreifen, wenn die Fußgängerampel Grün ist. Bei Rot lassen sie die Autos darüberfahren. Beim nächsten Grün gehen sie auf die Straße und holen sich die aufgeknackten Nüsse. So kann man sich helfen, wenn man keinen Nussknacker zur Hand hat. Und dass sie den nicht haben, ist klar — denn sie sind Krähen. Beobachtet wurde ihr schlauer Trick erstmals 1990 in Tokio. Inzwischen gehen auch deutsche Krähen so vor.

Offen bleibt die Frage, wie die Krähen auf die Idee gekommen sind. Tatsächlich gibt es eine Reihe von Vögeln, die Nüsse auf steinigen Boden fallen lassen,

Lernen von anderen ist zeitsparender als individuelles Lernen

damit diese aufbrechen. Haben also japanische Krähen durch Zufall Nüsse auf Zebrastreifen abgeworfen und den Vorteil der verfeinerten Methode erkannt?

Grundsätzlich möglich wäre es auch, dass die Vögel durch Nachdenken auf den Trick gekommen sind. Darüber hinaus macht es einen Unterschied, ob jede Krähe selbst herausgefunden hat, wie es geht, oder ob die Vögel es sich von einer „Erfinderkrähe" abgeguckt haben. Denn Lernen von anderen ist zeitsparender als individuelles Lernen und gilt bei uns Menschen als Voraussetzung dafür, dass Kultur entstehen kann.

Durch die reine Beobachtung freilebender Tiere können Wissenschaftler letztlich nicht ermessen, ob deren Verhalten wirklich vernunftgeleitet ist. Vieles, was Tiere tun, wirkt auf den ersten Blick klug überlegt, und doch entpuppt es sich als angeboren oder als automatisch angelernt. Erst pfiffige Versuche können Aufschluss bringen. Im Falle der Raben- und Krähenvögel hat sich unter anderem gezeigt, dass sie Werkzeuge nicht nur benutzen, sondern sogar neue entwerfen und bauen können. Sie verstehen physikalische Zusammenhänge und können sie durchdenken. Der österreichische Verhaltensforscher THOMAS BUGNYAR folgert daraus in einer Zeitschrift: „Die Menschenaffen müssen sich inzwischen ihre Spitzenposition in Sachen tierischer Intelligenz mit den Rabenvögeln teilen."

Menschenaffen und Kleinkinder zeigen unter bestimmten Bedingungen ähnliches Verhalten

Gerade für die Menschenaffen haben sich die Verhaltensforscher wegen der großen Ähnlichkeit mit uns Menschen und der gemeinsamen Vorfahren schon lange interessiert. Stellvertretend ein Beispiel aus dem Jahr 2007: Leipziger Wissenschaftler stellten Kleinkindern, Schimpansen und Orang-Utans im Alter von 2–3 Jahren jeweils dieselben Aufgaben. Ging es etwa darum, einen Stock zur Hilfe zu nehmen, um an Leckereien oder Spielzeuge heranzukommen,

Verhalten

	33	Verhaltensforschung und Verhaltensweisen
	34	Lernen
	35	Kommunikation und Sozialverhalten

schnitten die Schimpansen sogar besser ab als die Kinder. Zeigte der Experimentleiter dagegen wortlos, mit welchen Tricks man auf einfache Weise an ein tolles Spielzeug kommt, das er zuvor in einem Rohr versteckt hatte, dann kopierten die Kleinkinder alles haargenau und waren so erfolgreich. Die Affen beachteten die Fingerzeige nicht und versuchten, das Rohr mit Gewalt zu zerstören, um an die Leckerei im Inneren zu gelangen. Die Schlussfolgerung der Forscher: Kleinkinder sind nicht unbedingt klüger als Affen, aber ihre soziale Lernfähigkeit ist besser.

Menschen schreiben Tieren ihre eigenen Gefühle zu

Die Gefühle von Tieren sind besonders schwer nachzuweisen. Wenn ein Hund einen Zweibeiner schwanzwedelnd begrüßt, könnte man glauben, er sei glücklich, nicht länger allein zu sein. Einige Wissenschaftler halten das für eine Projektion: Menschen schreiben Tieren ihre eigenen Gefühle zu. Tatsächlich ist zu bedenken, dass der Hund sich möglicherweise nur gemäß seinem angeborenen Freund-Feind-Schema — ein Überlebensmechanismus — verhält.

Ende des 18. Jahrhunderts, im Zeitalter der Aufklärung, war man tatsächlich überzeugt, dass Tiere wie Maschinen funktionieren, bei denen sich jede Reaktion auslösen lässt, wenn man nur den richtigen Hebel betätigt. Man konstruierte deshalb Blechtiere, z. B. Enten mit Verdauungsfunktionen. Heute haben die Ergebnisse zahlreicher Versuche ein Umdenken bewirkt. Die Forscher haben dabei nicht allein das äußerliche Verhalten analysiert, sondern mit modernsten Methoden auch Aktivitäten des Gehirns sichtbar gemacht und biochemische Vorgänge im Körper verfolgt. Weitgehend Einigkeit besteht nun darin, dass Tiere zwischen Emotionen wie Angst und entsprechenden Gegenspielern wie Freude oder Wohlgefühl unterscheiden können. Sogar mitfühlend können manche Tiere sein: So reagieren Mäuse stärker auf eigene Schmerzen, wenn sie sehen, wie ein ihnen bekannter Artgenosse ebenfalls leidet.

Die Diskussion des Verhältnisses von Menschen zu Tieren wird weitergeführt werden müssen

Erkenntnisse zum Denken und Fühlen von Tieren geben den Forderungen von Tierschützern neue Nahrung. So verlangen etwa die Unterstützer des „Great Ape Projects" seit 1994 für Menschenaffen ähnliche Grundrechte wie für Menschen. Den Affen soll demnach das Recht auf Leben, Freiheit und körperliche Unversehrtheit zugesprochen werden: Sie dürften danach also weder in Zoos gehalten noch in Labors zu Forschungszwecken eingesetzt werden.

Viele Menschen und auch Wissenschaftler stehen heute hinter folgenden Aussagen:
- Tierschutz darf nicht an einer vermuteten Intelligenzstufe hängen.
- Jeder unnötige Tierversuch muss vermieden werden.
- Tierversuche sind noch notwendig für wichtige (z. B. medizinische) Ziele, sonst stellen wir Tierschutz über den Menschenschutz. ■

33 Verhaltensforschung und Verhaltensweisen

Schimpansen leben sozial

Eine Schimpansenmutter hockt mit ihrem Kind am Rand einer Wiese; eine Ameisenkönigin sitzt bewegungslos auf einem Grashalm und lockt mit Duftstoffen Männchen an; eine Löwin pirscht sich an ein Warzenschwein heran; ein Chamäleon wechselt seine Farbe. Wie Ihnen diese kleine Auswahl deutlich macht, ist der alltägliche Begriff Verhalten in der Biologie nicht so einfach zu definieren. Biologen verstehen unter Verhalten nicht nur aktive Veränderungen der Bewegungsabläufe, der Körperhaltung und der Lautäußerung von Tieren in Anpassung an die Umwelt. Vielmehr gehören für sie auch Vorgänge dazu, die sich einer direkten Beobachtung ohne Hilfsmittel entziehen, wie etwa die Abgabe von Duftstoffen durch die Ameisenkönigin. Die Grenze zwischen Verhalten und Vorgängen, die nicht als Verhalten gewertet werden, wird hierbei oft willkürlich gezogen: Die Verdauungsbewegungen des Darmtrakts werden gewöhnlich nicht dazugerechnet, die Abgabe von Kot jedoch schon.

33.1	Verhalten ermöglicht es Organismen, mit ihrer Umwelt zu interagieren
33.2	Die Verhaltensbiologie untersucht, wie und wozu ein Verhalten erfolgt
33.3	Wirkursachen erklären, wie Verhalten ausgelöst wird und wie es funktioniert
33.4	Zweckursachen erklären, wozu eine Verhaltensweise erfolgt
33.5	Verhalten resultiert aus einer Kombination von genetischen Faktoren und Umweltfaktoren
33.6	Viele Verhaltensweisen werden von einfachen Reizen ausgelöst

Verhalten

Online-Link
Info: Superorganismus
Ameisenstaat
150010-4361

33.1 Verhalten ermöglicht es Organismen, mit ihrer Umwelt zu interagieren

1

Soziale Insekten wie Ameisen zeigen erstaunlich vielfältige und komplexe Verhaltensweisen. **a** Einige Arbeiterinnen bewachen den Nesteingang. **b** Manche Arten verfügen über ein Netzwerk von Wegen.

Information und Kommunikation

Geflügelte Ameisen! Gestern war noch keine zu sehen, heute sind sie überall: Hunderte, Tausende geflügelter Jungköniginnen und Männchen starten zum Hochzeitsflug. Die Männchen sterben nach der Paarung, die Jungköniginnen werfen ihre Flügel ab und beginnen, nach einem passenden Ort für den Nestbau zu suchen. Sie fangen an mal hier, mal da zu graben, verstecken sich kurz, nur um dann wieder weiterzulaufen und nach einer besseren Stelle zu suchen, wo der Boden feuchter, der Sand feiner, die Bedrohung durch andere Ameisen geringer ist (→ Abb. 1**a**).

Verhalten — also Veränderungen der Bewegung, der Körperhaltung, Lautäußerung etc. — ermöglicht es Tieren, mit ihrer Umwelt in Wechselwirkung zu treten. Ein Pflanzensamen, der vom Wind geweht wurde, hat keine Möglichkeit, sich eine bessere Stelle zu suchen, um auszukeimen — er muss mit den vorgefundenen Bedingungen zurechtkommen. Tieren ist es durch ihre Beweglichkeit und die mit ihren Sinnesorganen aufgenommene Information über die Umwelt aber möglich, sich auf die Suche nach besseren Bedingungen für das Überleben und die Fortpflanzung zu begeben.•

Die Ameisenkönigin lernt vielleicht sogar aus *Erfahrung*, dass es sich in dunklem, feuchtem Sand leichter graben lässt als in hellem, trockenem Sand. Sie lernt vielleicht auch, dass sie dunklen, feuchten

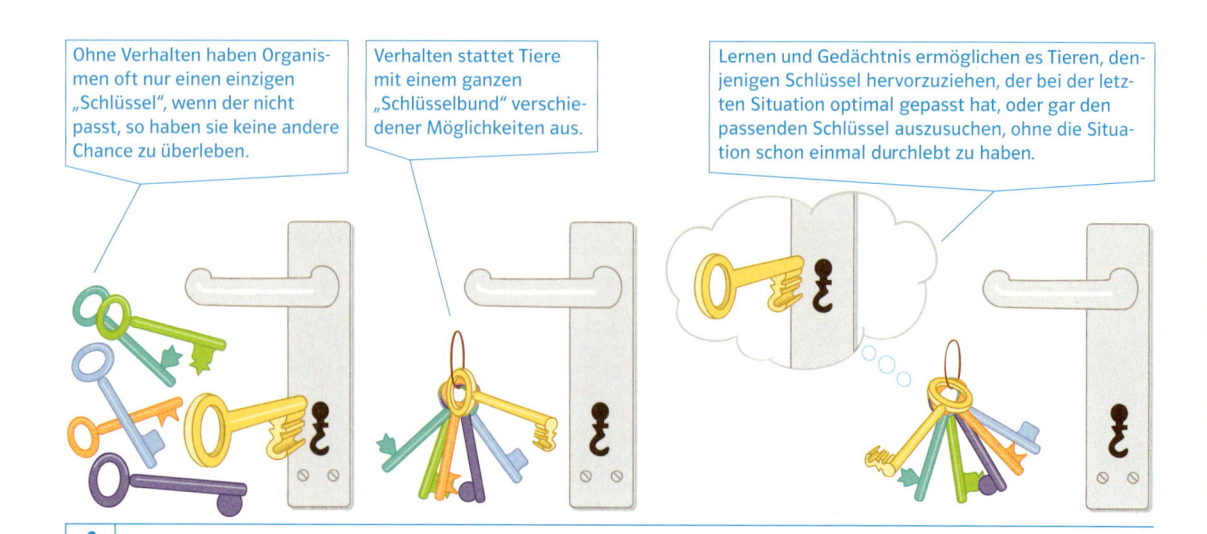

Ohne Verhalten haben Organismen oft nur einen einzigen „Schlüssel", wenn der nicht passt, so haben sie keine andere Chance zu überleben.

Verhalten stattet Tiere mit einem ganzen „Schlüsselbund" verschiedener Möglichkeiten aus.

Lernen und Gedächtnis ermöglichen es Tieren, denjenigen Schlüssel hervorzuziehen, der bei der letzten Situation optimal gepasst hat, oder gar den passenden Schlüssel auszusuchen, ohne die Situation schon einmal durchlebt zu haben.

2

Verhalten ermöglicht es Tieren, in ihrer Umwelt erfolgreich zu sein.

Sand dennoch vermeiden sollte, wenn er in der Umgebung bereits etablierter Ameisennester vorkommt, da hier mit Angriffen von Arbeiterinnen zu rechnen ist.

Hat die Ameisenkönigin aber erst einmal ein Nest gebaut und damit begonnen, Eier zu legen, dann wird sie, auch wenn sie bei der Futtersuche später auf einen günstigeren Platz zum Graben stößt, nicht wieder damit anfangen, sondern zu ihrem eigenen Nest zurückkehren. Viele Tiere verhalten sich flexibel und erhalten durch **Lernen** zusätzliche Möglichkeiten, auf die Umwelt zu reagieren. Während manche Einzeller unbeirrbar einem Zuckergradienten zur Quelle der Glucose folgen, ohne sich davon abbringen zu lassen, ist unsere Ameisenkönigin in der Lage, ihre Reaktion auf Umweltreize an die jeweilige Situation anzupassen.

Die Ameisenkönigin muss die Zusammenhänge zwischen Bodenbeschaffenheit und Eignung zum Nestbau vielleicht erst selbst erlernen und verbringt viel Zeit damit, an falschen Stellen herumzukratzen.

Dagegen wird ein Gärtner, der Pflanzensamen an einer günstigen Stelle einpflanzen möchte, nicht einfach nach dem Prinzip *Versuch und Irrtum* vorgehen, sondern sich vorher überlegen, an welcher Stelle des Gartens der Samen am besten auszukeimt. Durch solch ein gedankliches Durchspielen verschiedener Möglichkeiten erreichen einige Tierarten eine noch bessere Anpassung an ihre Umwelt. Abb. 2 stellt dies schematisch dar.

Durch Verhalten sind Tiere nicht nur in der Lage, individuell die besten Bedingungen für Überleben und Fortpflanzung zu suchen, sondern zahlreiche Arten können ihre Umwelt auch aktiv verändern: Termiten bauen Hügel, die mehrere Meter hoch werden können (→ Abb. 1, S. 412), Biber stauen Seen an, Ameisen halten ihre Straßen frei von Blättern und Steinchen (→ Abb. 1 **b**). Um bei dem Bild aus Abb. 2 zu bleiben: Tiere können sogar das „Schloss" der Umwelt verändern, um es besser an ihren „Schlüssel" anzupassen.

Aufgabe 33.1

Stellen Sie Mechanismen zusammen, die im Laufe der Evolution entstanden sind und Pflanzen helfen, auch ohne „Verhalten" unvorhersehbare Umweltbedingungen zu bewältigen.

33.2 Die Verhaltensbiologie untersucht, wie und wozu ein Verhalten erfolgt

In einer Szene des französischen Films „Mon Oncle" fängt ein Kanarienvogel immer genau dann zu singen an, wenn die Stellung eines offenen Fensters verändert wird. Des Rätsels Lösung: Durch das Öffnen oder Schließen des Fensters wird Sonne auf den Vogelkäfig gespiegelt — ist der Lichtfleck weg, verstummt der Vogel wieder.

Einem Verhaltensbiologen fällt bereits zu dieser einfachen Beobachtung, wonach das Singen des Kanarienvogels durch Sonnenlicht ausgelöst wird, eine Reihe unterschiedlicher Fragen ein: Was genau löst seinen Gesang aus? Welche Strukturen im Körper des Vogels ermöglichen es, dass er solche Geräusche von sich gibt? Wieso singt er gerade diese Melodie und keine andere? Und wie hat er sich dieses Verhalten angeeignet?

Grundlage für die Beantwortung dieser Fragen sind einerseits die klassische Verhaltensbeobachtung und andererseits Experimente, durch die erst einmal herausgefunden werden muss, ob der Vogel tatsächlich auf den Lichtreiz reagiert und nicht etwa auf ein anderes Signal.

Schon die einfache Beschreibung und Definition von Verhaltensweisen ist oft schwierig. Selbst erfahrene Beobachter lassen sich gelegentlich dazu hinreißen, tierisches Verhalten unter menschlichen Gesichtspunkten zu interpretieren. Der Vogel singt aber sicher nicht, weil er sich in seinem Käfig über den Sonnenschein freut oder weil er das Dunkel satt hat! Solche **Anthropomorphismen**, d.h. vermenschlichende Beschreibungen von Tieren als „fröhlich", „listig" oder „schamlos", wie sie in älteren Tierbüchern vorkommen, sind verhaltensbiologisch falsch. Die Sprache der modernen Biologie ist zwar häufig auch nicht frei von solchen Bildern. Beispielsweise spricht man vom „egoistischen Gen" oder vom „aufopfernden Verhalten" der stechenden Honigbiene. Diese Metaphern sind aber nur eingängige Abkürzungen für unhandlichere Erläuterungen. Sie setzen nicht voraus, dass Tiere oder gar Gene sich der Tragweite ihrer Aktivitäten bewusst sind. Sie bedeuten in der Biologie daher etwas ganz anderes als im täglichen Leben — genauso, wie ein großer Unterschied zwischen einer Bienenkönigin und einer Märchenkönigin besteht.

Verhalten

	Wie kommt es zu dem Verhalten?	Gesangszentren im Gehirn geben Signale an die Muskeln des Laute erzeugenden Organs.
		Durch die Tages- bzw. Jahreszeit ausgelöst, verändert sich die Konzentration bestimmter Hormone.
		Muskeln pressen Luft durch das Spaltensystem des Laute erzeugenden Organs.
		Genetische Information hat die Gesangszentren im Gehirn ausgestaltet, der Gesang der Eltern und von Nachbarvögeln haben sie modifiziert.
	Wozu dient das Verhalten?	Durch den Gesang tut der Vogel seine Qualität als Paarungspartner kund.
		Durch den Gesang verteidigt der Vogel sein Territorium und seinen Harem.

1 Fragen nach dem Wie und Wozu des Gesangs eines Vogels können auf unterschiedliche Weise beantwortet werden.

Verhalten zu beobachten ist häufig spannend, Datensammeln ohne konkrete Fragestellung aber meist nicht sehr sinnvoll. Vor Beginn einer wissenschaftlichen Verhaltensbeobachtung muss daher auf Basis einer Ausgangsbeobachtung eine konkrete *Arbeitshypothese* formuliert werden. Diese wird durch weitere Beobachtungen und/oder Experimente überprüft (→ S. 14). Im Labor werden Beobachtungen meist durch Hilfsmittel unterstützt, wie Langzeit-Videorekorder und Computerprogramme. Im Freiland sind aber häufig Papier und Bleistift unentbehrlich.

Um das Wie und Wozu des Verhaltens z. B. des Kanarienvogels eingehender zu verstehen, greifen Verhaltensbiologen auf Methoden zahlreicher anderer biologischer Disziplinen zurück. Die moderne Verhaltensforschung ist eng mit der Evolutionsbiologie, der Ökologie, der Neurobiologie und der Genetik verzahnt. Das zeigen auch die Antworten in Abb. 1. Die Methodenpalette geht somit weit über die klassische Verhaltensbeobachtung und das Verhaltensexperiment hinaus und umfasst beispielsweise Messungen der Konzentration von Hormonen, Reizungen bestimmter Gehirnteile und die genetische Bestimmung der Verwandtschaftsverhältnisse in Tiergruppen.

Nicht nur die Versuchstiere verhalten sich, sondern auch die Versuchsleiter. Dies ergibt gelegentlich Probleme, nämlich dann, wenn die Versuchsleiter dem Tier unbewusst Signale übermitteln und somit sein Verhalten beeinflussen. Das Beispiel des „rechnenden Pferds" Hans (→ Abb. 2) zeigt Ihnen dies besonders eindrücklich. Verhaltensbeobachtungen sollten daher wenn möglich „blind" durchgeführt werden, d. h. der Beobachter sollte unvoreingenommen sein und die Hypothese, die es im Experiment zu überprüfen gilt, am besten selbst gar nicht kennen.

2 Anfang des 20. Jahrhunderts war das rechnende Pferd Hans eine Berühmtheit. Zur großen Verblüffung des Publikums löste es Rechenaufgaben und klopfte die richtige Zahl mit seinem Huf. Hans konnte jedoch nicht rechnen, sondern reagierte auf unbewusste Signale seines Besitzers.

Aufgabe 33.2

Erläutern Sie, wie Verhaltensbiologen vermeiden können, tierisches Verhalten falsch zu interpretieren, und entwerfen Sie einen Versuchsaufbau, um die wahren Fähigkeiten des rechnenden Pferds aufzudecken.

33.3 Wirkursachen erklären, wie Verhalten ausgelöst wird und wie es funktioniert

Wenn sich zwei Eidechsen paaren (→ Abb. 1), ist daran eigentlich nichts Außergewöhnliches; es sei denn es handelt sich dabei, wie bei Arten der Gattung *Cnemidophorus*, um zwei Weibchen. Männchen gibt es bei diesen Arten nicht, und aus unbefruchteten Eiern entstehen Weibchen ganz ohne das Zutun von Männchen und ohne Spermien. Aber was führt dann zu solchen Scheinpaarungen?•

Wie Untersuchungen zeigten, sinkt nach dem Eisprung im Blut der Eidechsen die Konzentration von *Östrogenen*, also weiblicher Geschlechtshormone, die des Gelbkörperhormons *Progesteron* steigt aber an. Dies löst bei den Weibchen männliches Verhalten aus. Obwohl die Weibchen selbst keine männlichen Geschlechtshormone produzieren können, führt auch die künstliche Behandlung mit Testosteron zu männlichem Verhalten. Offensichtlich bedingen also Hormone, wie sich die Eidechsenweibchen verhalten: Hormone gehören zu den *Wirkursachen*, den **proximaten Ursachen**, des Verhaltens.

Ganz allgemein beschreiben proximate Ursachen, wodurch ein Verhalten ausgelöst wird und wie es zustande kommt. Einige Grundfragen der Verhaltensbiologie zielen auf proximate Ursachen ab: Wodurch wird das Verhalten hervorgerufen, welchen Einfluss haben Körperbau, also morphologische Eigenschaften, und Körperfunktion, also physiologische Eigenschaften, und wie entwickelt sich das Verhalten im Lauf des individuellen Lebens? Experimentell lassen sich die auslösenden Reize z. B. durch Versuche mit *Attrappen* nachweisen (→ Abb. 2).

Attrappen werden in der Regel so gestaltet, dass sie nur einen Teil der Reize bieten, die in der natürlichen Auslösesituation für ein Verhalten vorhanden

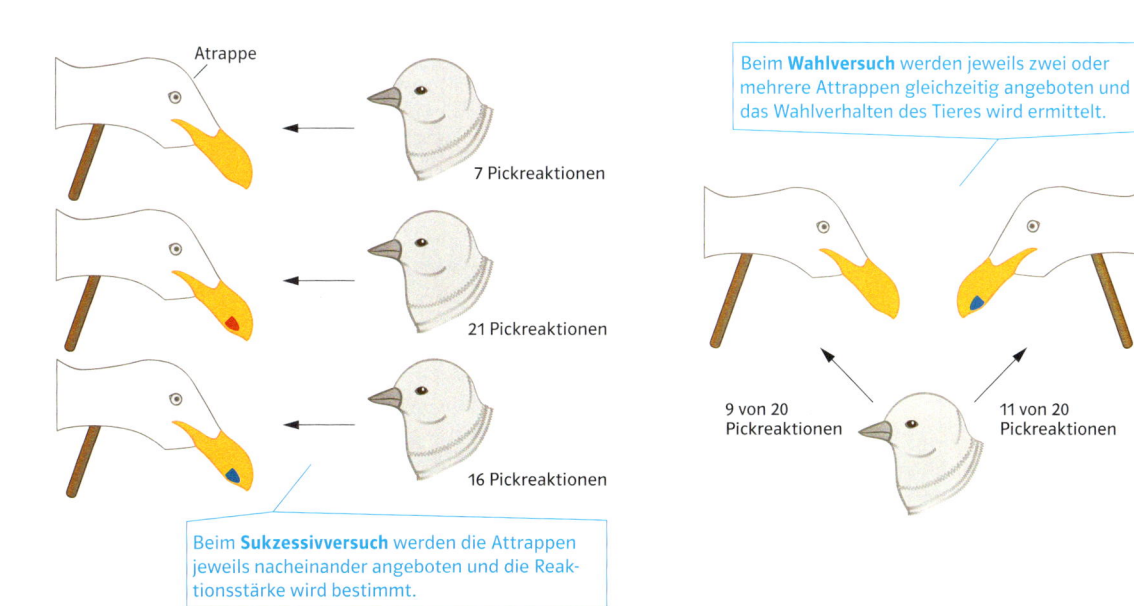

Reproduktion

1 Normalerweise paaren sich Männchen und Weibchen (hier *Ameiva festiva*), aber nicht bei allen Eidechsenarten.

Beim **Sukzessivversuch** werden die Attrappen jeweils nacheinander angeboten und die Reaktionsstärke wird bestimmt.

Atrappe
7 Pickreaktionen
21 Pickreaktionen
16 Pickreaktionen

Beim **Wahlversuch** werden jeweils zwei oder mehrere Attrappen gleichzeitig angeboten und das Wahlverhalten des Tieres wird ermittelt.

9 von 20 Pickreaktionen
11 von 20 Pickreaktionen

2 Mithilfe von Attrappenversuchen lassen sich einige proximate Ursachen (Wirkursachen) des Verhaltens aufklären.

Struktur und Funktion

sind. Durch Variation der Attrappen und Vergleich des jeweils ausgelösten Verhaltens können die entscheidenden Reize, die *Auslöser*, bestimmt werden. Die dem Verhalten zugrunde liegenden Strukturen und Mechanismen können durch entsprechende Untersuchungen aufgeschlüsselt werden. Beispielsweise kann man Hormonkonzentrationen messen oder Strukturen des Gehirns untersuchen.

Aufgabe 33.3
Schlagen Sie mögliche Wirkursachen für das Singen des Kanarienvogels vor (→Abb. 1, S. 438).

33.4 Zweckursachen erklären, wozu eine Verhaltensweise erfolgt

Die Staaten von Schmalbrustameisen bestehen oft nur aus einigen Dutzend Arbeiterinnen und einer Königin. Sie nisten in hohlen Eicheln, unter Rinde oder in morschem Holz. Wird die Königin aus dem Nest entfernt, so beginnen die Arbeiterinnen innerhalb weniger Stunden, sich gegenseitig mit ihren Antennen zu schlagen und zu beißen. Nach einigen Tagen nimmt die Häufigkeit dieser Verhaltensweisen ab.

Die proximaten Ursachen dieser Verhaltensänderung lassen sich leicht im Experiment bestimmen. Die Arbeiterinnen reagieren auf das Fehlen der Duftstoffe der Königin, die sie normalerweise mit Sinneshaaren auf ihren Antennen wahrnehmen können. Aber was ist der Zweck ihrer Aggressionen?

Reproduktion

Wird der Staat noch etwas länger beobachtet, so zeigt sich, dass die aggressivsten Arbeiterinnen damit beginnen, unbefruchtete Eier zu legen, aus denen sich Männchen entwickeln. Durch die Aggression werden Rangordnungen aufgebaut, in denen die ranghöchsten Tiere ihre Fortpflanzung auf Kosten der rangniederen Individuen durchsetzen. Dies kann durch Langzeitbeobachtungen zur Eiablagerate, aber auch durch Vergleiche der genetischen Fingerabdrücke (→ 14.2) der Männchen und ihrer potenziellen Mütter nachgewiesen werden. Bei einer nah verwandten Ameisengattung, bei der die Arbeiterinnen keine Eierstöcke haben, treten auch keine Aggressionen auf.

Variabilität und Angepasstheit

Zweckursachen, **ultimate Ursachen**, erklären, welchen Nutzen oder welchen Anpassungswert das Verhalten für das Tier hat, d.h. wie es sich auf seine Überlebens- und Fortpflanzungsrate (biologische Fitness, → S. 252) auswirkt. Brütende Lachmöwen entfernen z. B. leere Eierschalen vom Nest. Ein einfacher Versuch mit künstlichen Nestern, von denen Eierschalen entfernt worden waren oder nicht, brachte Klarheit. Der Vergleich zeigte, dass dieses Verhalten das Nest für Räuber unauffälliger macht und damit die Überlebensrate der Jungen erhöht.

1

Ameisen (hier Stachelameisen der Gattung *Pachycondyla*) sind bestens geeignet, Verhaltensweisen sozialer Insekten im Labor zu untersuchen. Ihre kleinen Staaten bestehen aus nur wenigen Dutzend Individuen, die alle individuell mit Farbtupfen markiert werden können und deren Verhalten mithilfe von speziellen computergestützten Videoanalysen simultan (gleichzeitig) verfolgt werden kann.

Ultimate Ursachen beantworten somit zwei weitere grundlegende Fragen, nämlich danach, welchen biologischen Nutzen die Verhaltensweise hat und wie sie im Verlauf der Evolution entstanden ist. Ultimate Aspekte des Verhaltens sind einer experimentellen Analyse oft weniger leicht zugänglich als proximate Ursachen. Experimente geben zwar gelegentlich Aufschluss über den evolutionären Wert von Verhalten, wie das Beispiel der Lachmöwen zeigt. In vielen Fällen lassen sich aber keine geeigneten Experimente durchführen. Vergleiche zwischen nah verwandten Arten mit unterschiedlichen Verhaltensweisen oder zwischen nicht näher verwandten Arten, die in der gleichen Umwelt vorkommen, sind dann oft die Methode der Wahl.

Ein solcher Vergleich von Verhaltensweisen darf jedoch nicht überinterpretiert werden. Denn nicht alle Unterschiede im Verhalten müssen notwendigerweise adaptiv, d. h. anpassungsbedingt sein. Die Unterschiede können auch durch Zufall (genetische Drift, → S. 255, → S. 257) verursacht worden sein. Hummelpopulationen unterscheiden sich z. B. in ihrer Präferenz für Blütenfarben, ohne dass es hierfür bislang eine überzeugende evolutionsbiologische Erklärung gibt.

Aufgabe 33.4

Erörtern Sie die ultimaten Ursachen des Paarungsverhaltens weiblicher Eidechsen der Gattung *Cnemidophorus*. Entwerfen Sie einen Versuch, um Ihre Hypothesen zu überprüfen.

33.5 Verhalten resultiert aus einer Kombination von genetischen Faktoren und Umweltfaktoren

Wie stark Verhaltensweisen von den Genen bzw. von der Umwelt und der Erfahrung beeinflusst werden, darüber lässt sich streiten. Die häufig zu hörende Schwarz-Weiß-Malerei „nature versus nurture" (d. h.: entweder Gene oder Umwelt) ist jedoch abwegig. Verhalten beruht in der Regel immer auf dem Zusammenspiel von genetisch festgelegten und umweltbedingten, d. h. erworbenen Anteilen.

In *Deprivationsexperimenten* (deprivare (lat.): berauben) werden Versuchstiere einzeln aufgezogen, ohne die Möglichkeit zu haben, Erfahrungen zu sammeln oder von Artgenossen zu lernen. Damit versucht man zu bestimmen, welche Verhaltensweisen angeboren, d. h. weitgehend genetisch bedingt sind. Nach einem 16-jährigen, geistig zurückgebliebenen Jugendlichen werden solche Experimente auch als *Kaspar-Hauser-Experimente* bezeichnet. Der Jugendliche wurde 1828 in Nürnberg aufgegriffen. KASPAR HAUSER gab später an, er sei zeitlebens ganz allein in einem dunklen Raum gefangen gehalten worden. Deprivationsexperimente haben gezeigt, dass der komplette Entzug sozialer Kontakte gerade bei höher entwickelten Tieren zu anormalem Verhalten (*Hospitalismus*) führen kann. Ergebnisse mit so gehaltenen Versuchstieren sind daher mit Vorsicht zu genießen.

Ein anderer, möglicherweise besser geeigneter Weg der Verhaltensbiologie ist *Züchtung* und *Hybridisierung*, d. h. das Kreuzen von Tieren mit unterschiedlichen Verhaltensweisen. Durch eine Kombination solcher Experimente konnte z. B. gezeigt werden, dass die Zugrichtung bei einigen *Zugvögeln* angeboren ist. Isoliert aufgezogene Nachkommen von Eltern aus Populationen mit unterschiedlicher Zugrichtung zeigten Zugunruhe in eine mittlere Zugrichtung, die zwischen den Werten für die Elterntiere lag.

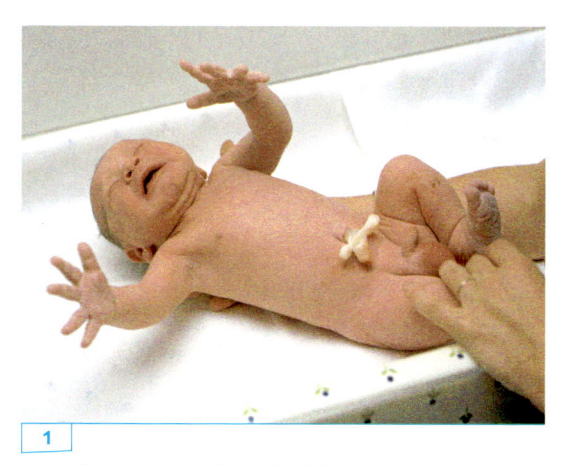

1 Neugeborene zeigen beim Zurückneigen aus der sitzenden Position in die Rückenlage einen *Klammerreflex* (Moro-Reflex). Sie öffnen ruckartig ihre Arme, spreizen die Finger und schließen dann die Faust. Der Reflex verliert sich nach einigen Monaten. Bei Affen verhindert der Moro-Reflex das Herunterfallen vom Körper eines tragenden Tieres.

Bei einfachen, aber auch bei einigen komplexeren Verhaltensweisen können die genetisch bedingten Anteile überwiegen. Jungvögel betteln im Nest gezielt nach Futter, und Webspinnen bauen ihre Netze, ohne dies erst bei älteren Artgenossen abschauen oder üben zu müssen. Auch beim Menschen gibt es solche angeborenen Verhaltensweisen, wie den *Klammerreflex* bei Neugeborenen (→ Abb. 1). Blind geborene Säuglinge können lächeln, ohne je ein lächelndes Gesicht gesehen zu haben.

Angeborene Verhaltensweisen sind häufig artspezifisch, d. h. alle Individuen einer Art zeigen das gleiche Verhalten. Angeborenes Verhalten läuft auch in unterschiedlichen Situationen recht gleichförmig (stereotyp) ab. So bauen Spinnen an ihrem Netz weiter, auch wenn seine Struktur durch Hindernisse zerstört wird, und Graugänse fahren mit ihren typischen Eirollbewegungen fort, auch wenn ihnen das Ei, das sie in Richtung Nest zurückrollen, im Experiment längst weggenommen wurde.

Meist wird angeborenes Verhalten jedoch durch *Lernen* und Erfahrungen modifiziert. So hören Jungvögel auf, Attrappen anzubetteln, wenn sie gelernt haben, dass von ihnen kein Futter zu erwarten ist. Tiere haben dadurch die Möglichkeit, ihr Verhalten flexibel auf die exakten Bedingungen der Umwelt abzustimmen. Mit Lernverhalten können Sie sich in Kapitel 34 näher beschäftigen.

Viele Verhaltensweisen können durch Erfahrung optimiert und so an unterschiedliche Situationen angepasst werden. Dennoch kann erblich festgelegtes Verhalten in der Evolution durchaus von Vorteil sein. Dies ist z. B. immer dann der Fall, wenn Tiere ohne Kontakt zu ihren Eltern oder anderen Artgenossen aufwachsen und sich sofort in ihrem Lebensraum

---

Experiment: Das „Treuegen" bei Wühlmausarten

Beobachtung
Präriewühlmäuse (*Microtus ochrogaster*) leben in festen Paaren, in denen sich beide Elternteile um die Nachkommen kümmern, im Gegensatz zu Bergwühlmäusen (*Microtus montanus*), bei denen nur die Weibchen Brutpflege betreiben. Die Genome beider Arten unterscheiden sich unter anderem darin, dass bei Präriemäusen vor dem *V1aR*-Gen ein deutlich längerer Mikrosatellit (nicht codierende hochrepetitive DNA) eingebaut ist als bei der Bergmaus. Dies beeinflusst die Expression dieses Gens. V1aR ist ein Rezeptorprotein, das schon durch andere Befunde mit Brutpflege bei Nagern in Verbindung gebracht wurde (→ Abb. 1, S. 431).

Hypothese
Die Expression des *V1aR*-Gens beeinflusst das Sozialverhalten.

Methode
Männlichen Bergwühlmäusen wird das *V1aR*-Gen ins Gehirn injiziert. Andere Männchen erhalten eine Kontrollinjektion ohne das *V1aR*-Gen. Die beiden Typen von Männchen werden für 24 Stunden mit einem Weibchen zusammengebracht und danach in dreistündigen Tests mit ihrer Partnerin bzw. einem fremden Weibchen konfrontiert.

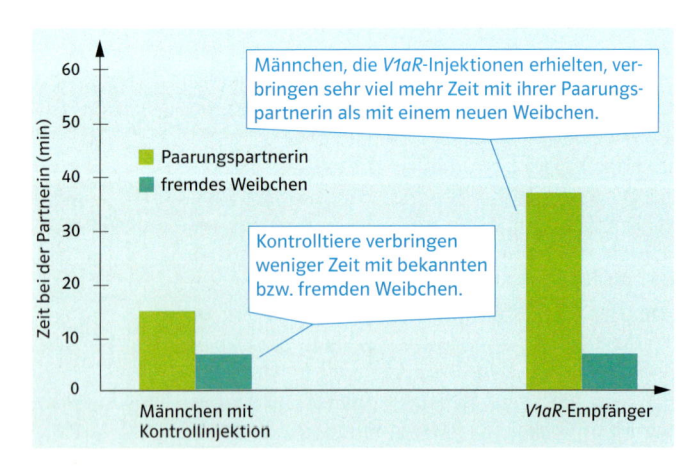

Männchen, die *V1aR*-Injektionen erhielten, verbringen sehr viel mehr Zeit mit ihrer Paarungspartnerin als mit einem neuen Weibchen.

Kontrolltiere verbringen weniger Zeit mit bekannten bzw. fremden Weibchen.

Schlussfolgerung
Die Injektion des *V1aR*-Gens erhöht die Geselligkeit männlicher Bergwühlmäuse bezüglich der Paarungspartnerin. Die durch den Mikrosatelliten veränderte Genexpression könnte die Paarbindung bei Präriewühlmäusen erklären.

2 Gibt es ein Gen für Treue bei Wühlmäusen?

zurechtfinden müssen, oder wenn es ganz fatal wäre, sich falsch zu verhalten, etwa beim ersten Kontakt mit einem Räuber. Junge Eichhörnchen, die zum ersten Mal einer angreifenden Katze begegnen, fliehen sofort in dünnes Geäst, selbst wenn sie ohne Mutter aufgezogen wurden.

Auch wenn die Daten in vielen Fällen einen starken genetischen Einfluss auf eine bestimmte Verhaltensweise nahelegen, so sind doch die Schritte von der genetischen Information bis zum Verhalten bislang in keinem Fall aufgeklärt. Selbst die Anzahl der Gene, die komplexere Verhaltensweisen beeinflussen, ist häufig unbekannt. Ergebnisse, die zunächst darauf hindeuten, dass ein einziges Gen für ein komplexes Verhalten verantwortlich ist, lassen sich häufig nicht bestätigen. Dies gilt beispielsweise für eines der Paradebeispiele der Verhaltensgenetik, das sogenannte Hygieneverhalten der Honigbiene. Kreuzungsexperimente mit Bienenvölkern, die entweder tote Larven aus den Brutzellen im Stock entfernen oder nicht, schienen zwar zunächst darauf hinzudeuten, dass ein einziges Gen dieses Verhalten bedingt. Neue Untersuchungen zeigen aber auch in diesem Fall, dass viele Gene das Hygieneverhalten beeinflussen. Die Untersuchung der Paarbindung bei zwei Wühlmausarten ergab zwar bisher, dass ein einziges Gen hier eine wichtige Rolle spielt (→ Abb. 2). Neuere Untersuchungen zeigen jedoch, dass das nicht für andere Wühlmausarten gilt.

Wenn schon das relativ einfache Hygieneverhalten von Bienen von zahlreichen Genen beeinflusst wird, was halten Sie dann von Zeitungsmeldungen, wonach der Mensch über ein „Intelligenz-Gen" verfügen soll oder dass ein bestimmtes Gen die sexuelle Orientierung oder Aggressionsbereitschaft bestimmen soll? Solche Meldungen sind fast immer irreführend.

Aufgabe 33.5
Erläutern Sie Vorteile von genetisch bedingtem Verhalten an konkreten Beispielen.

33.6 Viele Verhaltensweisen werden von einfachen Reizen ausgelöst

Ein männliches Rotkehlchen attackiert andere Männchen, wenn sie in sein Revier eindringen. Auch ein bewegter roter Federbüschel oder eine unbewegte Kunststoffattrappe mit rotem Brustfleck kann dieses Verhalten hervorrufen (→ Abb. 1).

Verhalten kann durch innere oder äußere Faktoren, sogenannte **Impulsgeber**, ausgelöst werden. Jungvögel betteln erst dann um Futter, wenn sie hungrig sind. Ein männlicher Kanarienvogel singt dann besonders vielfältige Weisen, wenn er zur Paarung bereit ist (*innere Impulsgeber*). Das Rotkehlchen reagiert aggressiv auf den Eindringling, oder das Gähnen von Mitschülern führt zum eigenen Gähnen (*äußere Impulsgeber*).•

Äußere Impulsgeber sind häufig sehr einfach. Man nennt sie dann *Schlüsselreize*. Als Schlüsselreiz dient dem Rotkehlchen nicht der gesamte Phänotyp des Nebenbuhlers, sondern nur ein stark vereinfachter Reiz, der in der natürlichen Umwelt für Rotkehlchen typisch ist. Mithilfe von *Attrappenversuchen*, die Sie in → 33.3 kennengelernt haben, lässt sich ermitteln, welche Qualitäten ein Schlüsselreiz haben muss, und auch, wie Lernen und Erfahrung die genetisch bedingte Reaktion auf diesen Auslöser verändern.

1

Das Rotkehlchen greift die Attrappe mit rotem Brustfleck an. Die gleiche Attrappe mit blauer oder grüner Brust löst keine Angriffe aus.

Schlüsselreize werden schnell erkannt und lösen fast unmittelbar angeborene Reaktionen aus. Dennoch kann es unter natürlichen Bedingungen zu

Verhalten

Online-Link
Info: Verhalten von Stichlingen
150010-4443

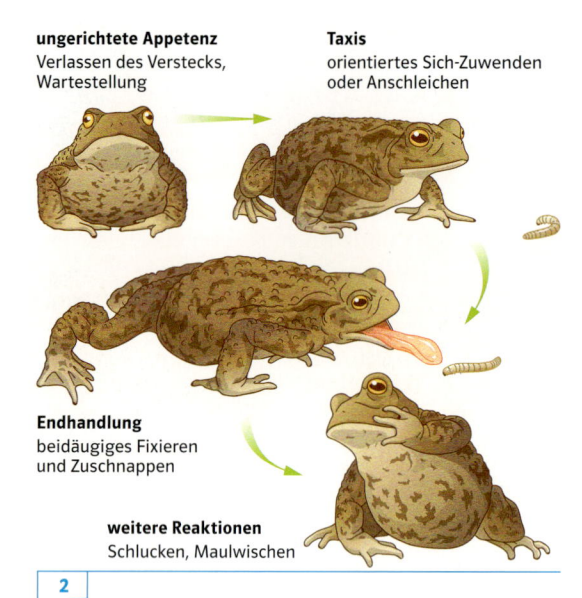

ungerichtete Appetenz
Verlassen des Verstecks, Wartestellung

Taxis
orientiertes Sich-Zuwenden oder Anschleichen

Endhandlung
beidäugiges Fixieren und Zuschnappen

weitere Reaktionen
Schlucken, Maulwischen

2 Beim Beutefangverhalten der Erdkröte findet man häufig, wenn auch nicht immer, die Abfolge bestimmter Verhaltensweisen.

näherung an die Beute dient, und einer Bewegungskomponente (*Erbkoordination*, *Endhandlung*), dem Schnappen der Beute selbst (→ Abb. 2). Dem kann ein ungerichtetes Suchen nach einem das Verhalten auslösenden Schlüsselreiz vorausgehen (*ungerichtetes Appetenzverhalten*). Tatsächlich zeigen aber nur wenige Verhaltensweisen dieses starre Schema — selbst einfache Tiere sind viel flexibler und reagieren nicht automatenhaft auf ihre Umwelt. Die Vorstellung vom Schlüsselreiz ist daher häufig zu einfach.

Trotzdem wird der Begriff *Instinkt* in vielen aktuellen Arbeiten wieder verwendet. Auch wenn Tierverhalten plastisch ist, lässt es sich in vielen Fällen mit den Konzepten der klassischen Ethologie gut beschreiben und erfassen. Wie Sie erfahren haben, zeigen auch einfach gebaute Tiere eine gewisse Fähigkeit zum Lernen, und diese Kapazität ist natürlich bei komplexeren Nervensystemen wesentlich ausgeprägter. In modernen Lehrbüchern der Verhaltensbiologie hat die einstmals hitzig geführte Debatte um angeboren oder erlernt meist nur noch historischen Wert. Im Fokus der aktuellen Verhaltensbiologie, insbesondere der Soziobiologie und der Verhaltensökologie, stehen viel mehr die Optimierung des Verhaltens und sein evolutionärer Wert, während in den Neurowissenschaften die neuronalen und physiologischen Grundlagen des Verhaltens aufgeklärt werden.

unangemessenem, also nicht situationsgerechtem Verhalten kommen. Der evolutionäre Wert dieses simplen Entscheidungsmechanismus liegt aber in seiner Schnelligkeit. Durch einen Vergleich des Reizes mit gespeicherten Erinnerungen ginge oft zu viel Zeit verloren, z. B. wenn ein hungriger Frosch zu lange braucht, um ein vorbeifliegendes Insekt als Beute einzustufen.

Die Vorstellung, dass Schlüsselreize von einem speziellen, *angeborenen Auslösemechanismus* erkannt werden und Tiere auf entsprechende Reize quasi wie Automaten reagieren, wenn nur äußere oder innere Einflüsse eine bestimmte Schwelle erreichen, geht vor allem auf NIKOLAAS TINBERGEN und KONRAD LORENZ zurück. Zusammen mit KARL VON FRISCH sind sie die Wegbereiter der modernen Verhaltensbiologie. Sie erhielten für ihre bahnbrechenden Untersuchungen 1973 den Nobelpreis.

Gelegentlich wurde ihnen vorgeworfen, sie hätten Tierverhalten zu stark als angeboren und starr gesehen. Insbesondere die Vorstellung des „Instinktverhaltens" ist dabei in die Kritik geraten. Danach besteht beispielsweise der Beutefang bei der Erdkröte aus einem angeborenen Bewegungsablauf mit einer Orientierungskomponente (*Taxis*), die der An-

3 NIKOLAAS TINBERGEN und KONRAD LORENZ gelten als Begründer der klassischen Ethologie. Diese befasst sich überwiegend mit angeborenen Verhaltensweisen und deren Auslösbarkeit.

Aufgabe 33.6

Diskutieren Sie, ob es auch beim Menschen einfache Schlüsselreize gibt, die ausreichen, um ein Verhalten auszulösen.

34 Lernen

Wirbeltiere mit ihren unvorstellbar stark vernetzten Gehirnen lernen nicht nur durch Versuch und Irrtum oder durch Nachahmung anderer. Vielmehr sind zumindest einige Vögel und Affen in der Lage, sich gedanklich beispielsweise in einen Rivalen hineinzuversetzen und sein Verhalten vorherzusehen. Auch Kraken und soziale Insekten können überraschend komplexe Aufgaben lösen: Der Krake Lippi hat gelernt, ein Glas mit seiner Lieblingsnahrung aufzuschrauben — eine Glanzleistung des Weichtiergehirns, aber mit acht Armen und Hunderten von Saugnäpfen für einen Kraken sicher einfacher als für eine Weinbergschnecke.

Krake Lippi öffnet ein Glas

34.1	Reflexe sind beeinflussbar
34.2	Viele Tiere können Reize miteinander verknüpfen
34.3	Bestimmte Verhaltensweisen werden nur während einer sensiblen Phase gelernt
34.4	Lebenswichtiges wird leichter erlernt
34.5	Soziales Lernen umfasst Beobachtung von Artgenossen und Nachahmung
34.6	Einige Tiere können Probleme durch Nachdenken lösen
34.7	Lernen und Gedächtnis sind in bestimmten Gehirnarealen lokalisiert

Verhalten

34.1 Reflexe sind beeinflussbar

Der Seehase (*Aplysia*) ist eine Meeresschnecke.

Seehasen sind nicht etwa pelzige Kuscheltiere, sondern gehäuselose Meeresschnecken mit feinhäutigen, empfindlichen Kiemen (→ Abb. 1). Wird das in der Nähe der Kiemen liegende Atemrohr berührt, so reagiert die Schnecke sofort durch schnelles Zurückziehen der Kiemen. Wird das Atemrohr mehrfach hintereinander berührt, so fällt die Rückzugsreaktion immer schwächer aus, nach 10 bis 15 Berührungen hört sie ganz auf. Umgekehrt kann die Reaktion verstärkt werden, wenn auf die Berührung ein heftiger Reiz an einer anderen Stelle des Körpers folgt.

Wie Sie im Kapitel 33 erfahren haben, hat Verhalten fast immer genetisch bedingte und erlernte Komponenten. Die Beobachtung am Seehasen bestätigt dies und zeigt, dass auch einfache *Reflexe*, an denen nur wenige Nervenzellen beteiligt sind, durch Erfahrung modifiziert werden können. Die Berührung des Atemrohrs löst *Aktionspotenziale* im Axon einer Sinneszelle aus, die an ein *motorisches Neuron* weitergegeben werden, das die *Muskelkontraktion* im Kiemenrückzugsmuskel bewirkt (→ Abb. 2). Dieser *Reflexbogen* entspricht im Wesentlichen der Nervenverschaltung, die Sie beim Kniesehnenreflex kennengelernt haben (→ S. 392). Zwischen dem sensorischen Neuron und dem motorischen Neuron befindet sich ein dazwischengeschaltetes Interneuron.

Wird ein Reiz, der sich als unbedeutend erweist, mehrfach wiederholt, so fällt die reflexartige Reaktion immer schwächer aus, da in der präsynaptischen Membran des sensorischen Neurons immer weniger Vesikel mit Neurotransmittern vorhanden sind. Diese Form des Lernens bezeichnet man als **Habituation**.

Wird der Körper an einer anderen Stelle gereizt, so wird der Reflex, vermittelt durch *Interneuronen*, in unverminderter Stärke ausgelöst. Wie diese sogenannte **Dishabituation** zeigt, ist das Ausbleiben der Reaktion im ersteren Fall nicht auf die Ermüdung der Muskulatur zurückzuführen. Häufig nimmt die Reaktionsbereitschaft nach einer längeren Pause, in der nicht gereizt wurde, wieder zu.

Ebenfalls über Interneuronen vermittelt ist die **Sensitivierung**, die beispielsweise dann eintritt, wenn der harmlose Berührungsreiz mit einem heftigen Reiz an anderer Stelle kombiniert wird. Diese Verknüpfung mit einem anderen Reiz spielt bei der *Dressur* und auch bei vielen anderen Lernvorgängen eine entscheidende Rolle.

Bei Veränderungen komplexerer Verhaltensweisen in Antwort auf gleichbleibende, unbedeutende Reize spricht man zwar manchmal ebenfalls von Habituation, besser wäre hier aber der Begriff *Gewöhnung*.

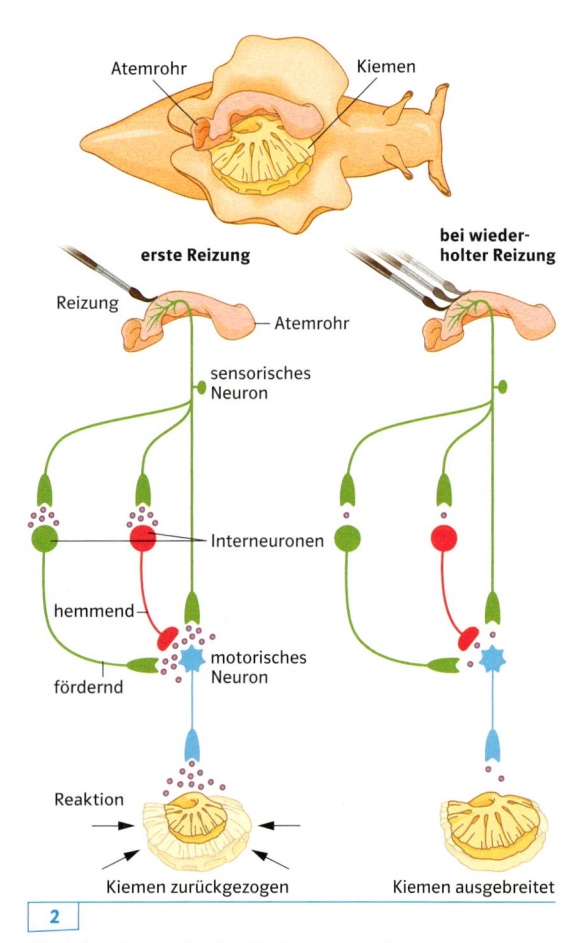

Wird das Atemrohr des Seehasen gereizt, werden die empfindlichen Kiemen zurückgezogen und somit vor möglicher Beschädigung geschützt. Nach mehrfacher Berührung tritt Habituation ein.

Steuerung und Regelung

So hört ein Singvogel auf, die Attrappe eines Raubvogels zu attackieren oder Alarmrufe auszustoßen, wenn er die Erfahrung gemacht hat, dass ganz offensichtlich keine Gefahr von ihr ausgeht. Die biologische Bedeutung dieser Fähigkeiten liegt in der Einsparung von Energie und Zeit.

Aufgabe 34.1

Schlagen Sie Mechanismen vor, die an den Synapsen der Nervenzellen für Habituation und Sensitivierung verantwortlich sein könnten.

34.2 Viele Tiere können Reize miteinander verknüpfen

Ein Luftstoß mit Nelkenduft und schon streckt die Honigbiene ihren Rüssel aus. In wenigen Versuchen hat sie zuvor gelernt, einen ihr neuen Geruch mit Zuckerwasser zu assoziieren und reagiert nun auch ohne Belohnung mit dem Rüsselreflex auf diesen Duft.

Tiere lernen sehr schnell, einen Reiz mit einem anderen zu verbinden. Dies zeigten bereits um 1900 die Versuche des russischen Physiologen IWAN PAWLOW (→ Abb. 1). Ein Hund beginnt schon beim Klang einer Glocke Speichel abzusondern, wenn zuvor mehrfach

---

Experiment: Bedingter Reflex

Beobachtung
PAWLOWS Hunde sonderten Speichel ab, wenn sie die Schritte ihres Betreuers hörten.

Hypothesen
1. Die Gabe von Futter (unbedingter Reiz) führt natürlicherweise zur Speichelabgabe (unbedingter Reflex).
2. Durch Verknüpfung des unbedingten Reizes mit einem an sich neutralen Reiz (Schritte des Betreuers) kann die Speichelabgabe auch durch den neutralen Reiz ausgelöst werden.

Methode
Schritt **a**: Es wird überprüft, ob der Hund bereits auf einen neutralen Reiz (das Läuten einer Glocke) hin zu speicheln beginnt.
Schritt **b**: Dann lässt man die Glocke über einige Zeit immer beim Reichen des Futters ertönen.
Schritt **c**: Nun lässt man die Glocke allein ertönen.

Ergebnis
Der Hund beginnt jetzt bereits beim Klang der Glocke Speichel abzusondern.

Schlussfolgerung
Durch das Training wurde der neutrale Reiz mit dem unbedingten Reiz gekoppelt; er löst jetzt auch ohne unbedingten Reiz die Reflexreaktion aus.

1 PAWLOWS Hundeexperimente führten zur Entdeckung des bedingten Reflexes.

eine Glocke zusammen mit der Futtergabe ertönte. Bei dieser Art von Lernen, der *klassischen Konditionierung*, wurde ein *unbedingter Reflex*, nämlich das Absondern von Speichel beim Anblick von Futter, im Experiment mit einem neuen Reiz, dem Glockenton, gekoppelt. Es liegt nun ein *bedingter Reflex* vor. Einen solchen einfachen Lernprozess, bei dem ein Reiz und eine Reaktion neu verknüpft werden, bezeichnet man verhaltensbiologisch als **Konditionierung**. Ertönt die Glocke später mehrfach, ohne dass Futter gereicht wird, verschwindet der gerade gelernte bedingte Reflex wieder — im Gegensatz zum passiven Vergessen spricht man hier von *Auslöschung* (*Extinktion*). Anders als bei den Ihnen aus → 34.1 bekannten Veränderungen über Reflexbögen, wie dem Kiemenrückzugsreflex beim Seehasen *Aplysia*, ist bei dieser Form der Konditionierung das Zentralnervensystem beteiligt.

In ähnlicher Weise können Tiere lernen, bestimmte Handlungsabläufe verstärkt oder weniger oft zu zeigen, wenn sie beim zufälligen Auftreten dieser Verhaltensweise dafür belohnt oder bestraft werden. Diese *operante Konditionierung* wurde von der Schule des Behaviorismus um den amerikanischen Psychologen BURRHUS F. SKINNER näher untersucht. Eine Ratte wurde dazu in einen Kasten mit mehreren Hebeln gesetzt und mit Futter belohnt, wenn sie bei ihren Erkundungen zufällig eine bestimmte Taste drückte. Innerhalb kurzer Zeit lernte die Ratte durch Versuch und Irrtum („trial and error"), eine bestimmte Taste mit Nahrung zu assoziieren und sie entsprechend häufiger zu drücken. Die beiden Formen von Verstärkern bei der operanten Konditionierung — Belohnung und Bestrafung — sind unterschiedlich wirksam. Bestrafung unterdrückt ein Verhalten. Diese *bedingte Hemmung* bleibt bestehen, solange die Bestrafung anhält. Das Verhalten tritt aber häufig wieder auf, nachdem die Bestrafung aufgehört hat. Eine positive Verstärkung, d.h. die Belohnung eines Verhaltens, wirkt hier oft dauerhafter.

Durch Versuch und Irrtum können genetisch bedingte Verhaltensweisen optimiert werden. Unerfahrene Eichhörnchen nagen ungerichtet an einer Haselnuss herum. Erst mit der Zeit lernen sie, die Nuss zeitsparend an einer bestimmten Stelle aufzuknacken. Sehr häufig wird das *Spielverhalten* von Tieren, das meist keinen sichtbaren unmittelbaren Nutzen zu haben scheint, von Verhaltensbiologen als Lernverhalten interpretiert. Junge Löwen verbessern dadurch ihre Fertigkeit, Beute zu reißen oder sich später in Auseinandersetzungen um den Platz in der Rangordnung durchzusetzen.

Konditionierung spielt auch im menschlichen Verhalten eine wichtige Rolle. Beispielsweise lernen wir sehr schnell, einen Ton mit einem leichten Luftstoß auf das Auge zu verknüpfen und auf den Ton dann ohne Luftstoß mit dem Lidschlussreflex zu reagieren. Verstärkung durch Belohnung bzw. Bestrafung sind wesentliche Bestandteile unseres täglichen Miteinanders. Maßgebliche Teile des Verhaltens des Menschen und vieler Tierarten werden aber nicht nur über Konditionierung erworben. Vielmehr sind hierbei komplexere Formen des Lernens beteiligt, z.B. Lernen durch Beobachtung oder durch Einsicht.

Aufgabe 34.2

Legen Sie an je einem Beispiel die Bedeutung klassischer und operanter Konditionierung in der Erziehung von Haustieren dar.

34.3 Bestimmte Verhaltensweisen werden nur während einer sensiblen Phase gelernt

In der zweiten Hälfte des vorigen Jahrhunderts war in Deutschland kaum ein Wissenschaftler so bekannt wie der Verhaltensforscher KONRAD LORENZ. Ein häufig veröffentlichtes Bild zeigt ihn in Gummistiefeln, gefolgt von einer Schar junger Gänse (→ Abb. 1).

LORENZ ließ Gänseeier in einem Brutkasten ohne Kontakt zur Mutter ausbrüten. Das erste Lebewesen, das die Küken beim Schlüpfen sahen, war nicht etwa eine Gans, sondern eben KONRAD LORENZ. Fortan folgten die jungen Gänse dem Verhaltensbiologen, ohne später der eigenen Mutter oder anderen Gänsen nachzulaufen. Allerdings zeigten sie als ausgewachsene Tiere bei der Partnerwahl durchweg eine Vorliebe für ihre natürlichen Artgenossen.

Die Verknüpfung bestimmter *Schlüsselreize* mit genetisch bedingten, stabilen Verhaltensweisen während einer arttypischen, *sensiblen Lebensphase* wird als **Prägung** bezeichnet. Ein komplexer Satz an Reizen wird dabei besonders schnell und effizient gelernt und auf Lebenszeit behalten.• Eine einmal erfolgte Prägung ist meist *irreversibel*, d.h. sie kann später häufig nicht mehr verändert werden. Wenn eine Prägung in

1

Dem Verhaltensforscher KONRAD LORENZ folgte die Schar von Gänsen, die beim Schlüpfen auf ihn geprägt wurden.

2

Bei der Nachfolgeprägung der Gänseküken muss das Prägeobjekt in einem bestimmten Lebensalter erkannt werden.

der sensiblen Phase nicht erfolgt ist, so kann sie später nicht nachgeholt werden.

Prägung spielt insbesondere bei sehr jungen Tieren eine Rolle. Unmittelbar nach der Geburt oder nach dem Schlüpfen wird so bei Vögeln oder Säugern eine feste Bindung an die Eltern geknüpft. Diese werden von den Jungen dann selbst unter Tausenden von zusammen auf einer Klippe nistenden Seevögeln oder gemeinsam weidenden Huftieren wiedererkannt. Die Jungen vermeiden es somit, in falsche Gesellschaft zu geraten. Lachse und andere Wanderfische werden auf den Geruch ihres Heimatbachs geprägt, in den sie nach Jahren im Meer zur Eiablage zurückkehren (*Ortsprägung*). Insekten lernen als Larve die Futterpflanze kennen, auf die sie später ihre Eier ablegen (*Nahrungsprägung*).

Mittlerweile kennt man entsprechende Lernvorgänge aber auch von erwachsenen Tieren. Eltern werden beispielsweise auf die eigenen Nachkommen geprägt. So müssen Mutterschafe und -ziegen Neugeborene innerhalb von wenigen Minuten nach der Geburt beschnüffeln können, sonst wehren sie sie später ab. Die sensible Phase ist hier also sehr kurz und wird durch eine hohe Konzentration bestimmter Hormone nach der Geburt bestimmt.

Durch *sexuelle Prägung* lernen Jungtiere, wie ihre Eltern aussehen, wie sie sich anhören oder riechen. Dadurch können sie nach Erreichen der Geschlechtsreife geeignete Paarungspartner anlocken, erkennen und durch artspezifisches Balzverhalten beeindrucken.

So erlernen zahlreiche Vogelarten ihren arttypischen Gesang durch Belauschen der Eltern. Wird dies im Experiment verhindert, so beherrschen sie nur einen stark vereinfachten Gesang.

Durch die frühe und meist nicht umkehrbare Prägung werden im Regelfall Fehlentscheidungen, wie etwa *Hybridisierung*, vermieden: Individuen, die den eigenen Eltern ähnlich sehen, sind genau die richtigen Paarungspartner. Die Ähnlichkeit darf aber auch nicht zu weit gehen, da sonst das Risiko von *Inzucht* besteht. Mäuse werden während der ersten drei Wochen nach der Geburt auf den Geruch ihrer Eltern geprägt und vermeiden später Partner mit diesem Geruch.

Im Experiment kann dies natürlich zu fehlerhaften Entscheidungen führen. Werden männliche Jungvögel von „Adoptiveltern" einer anderen Art aufgezogen, so balzen sie später bevorzugt Tiere der Art an, in deren Nest sie aufgewachsen sind. Selbst der Kuckuck, der seine Eier in die Nester anderer Vogelarten legt, scheint auf frühe Kommunikation mit Artgenossen angewiesen zu sein: Eier von Häherkuckucken wurden von spanischen Wissenschaftlern Elstern in Nestern außerhalb ihres natürlichen Verbreitungsgebiets untergeschoben (→ Abb. 1, S. 460). Die jungen Kuckucke erkannten Artgenossen nur dann, wenn sie paarweise von den Elstern aufgezogen wurden. Allerdings scheint es bei anderen Arten zur Selbsterkennung zu kommen. Brutparasitische Kuhstärlinge vergleichen potenzielle Paarungspartner mit ihrem eigenen Aussehen.

Aufgabe 34.3

Erstellen Sie eine Hypothese zur evolutionären Bedeutung der elterlichen Prägung auf den Geruch des Jungen bei Huftieren.

Verhalten

34.4 Lebenswichtiges wird leichter erlernt

Iih — eine Spinne! Und schon wirft man die schöne Blume, auf der die harmlose kleine Krabbenspinne sitzt, in hohem Bogen von sich. Spinnen und Schlangen lösen solche Reaktionen aus, obwohl sie nur in wenigen Fällen wirklich gefährlich sind. Selbst Großstädter, die nie mit Schlangen in Berührung kommen, haben diese Angst; sie entwickeln solche *Phobien* aber so gut wie nie vor den wirklichen Gefahren des täglichen Lebens, vor Autoverkehr oder Elektrizität.

Wieso eigentlich? Wie *Dressurexperimente* zeigen, merken sich Tiere nicht alles gleichermaßen, sondern bestimmte Zusammenhänge werden eher erlernt als andere (→Abb. 1). In einem aufschlussreichen Experiment wurde Ratten süß schmeckendes Wasser vorgesetzt. Eine Hälfte der Ratten erhielt einen leichten elektrischen Schlag, wenn sie davon trank, bei der anderen Hälfte wurde das Wasser mit einer Chemikalie versetzt, die einige Zeit später zu Übelkeit führte.

Experiment: Lerndisposition — angeborene besondere Lernfähigkeit

Beobachtung
Ameisenigel ernähren sich von Ameisen und Termiten, die daraufhin sehr schnell beginnen, ihre Nester effizient zu verteidigen. Dies zwingt den Ameisenigel dazu, sich andernorts neue Nahrung zu suchen.

Hypothese
Wird dem Ameisenigel an der gleichen Stelle immer wieder Nahrung angeboten, so lernt er dies und kehrt an diesen Ort regelmäßig zurück. Leichter lernt er jedoch, an alternativen Stellen nach Nahrung zu suchen.

Methode
Ameisenigel dürfen in einer Testphase im T-Labyrinth nach dem geruchlosen und ohne Anheben der Deckel unsichtbar in den Schalen versteckten Futter suchen. Die Ameisenigel werden in zwei Trainingsgruppen aufgeteilt:

Bei Gruppe ⓐ wird einige Minuten nach der ersten erfolgreichen Suche Futter in die gleiche Schale gegeben (Belohnung der Suche an gleicher Stelle).

Bei Gruppe ⓑ wird nach der ersten Suche die andere Schale gefüllt (Belohnung der Suche an einer anderen Stelle).

Es wird beobachtet, an welcher Schale die Ameisenigel zuerst nach Futter suchen. Dieser Versuch wird mehrfach wiederholt, die Häufigkeit von Irrtümern (Irrtum: Suchen an der falschen Stelle) wird über die Anzahl der Testdurchgänge aufgetragen.

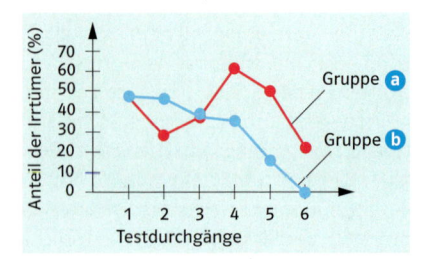

Ergebnis
Ameisenigel, denen Futter immer an der gleichen Stelle angeboten wird, machen mehr Fehler bei der Suche als solche, die Futter immer abwechselnd in den verschiedenen Schalen erhalten.

Schlussfolgerung
Im Laufe der Evolution haben Ameisenigel sich an Futterstellen angepasst, die nur kurzzeitig attraktiv sind.

1 Ameisenigel lernen schneller, Futter zu finden, wenn es nicht immer am gleichen Ort angeboten wird.

Ratten, denen nach dem Trinken schlecht geworden war, begannen, gesüßtes Wasser zu vermeiden. Ratten, die beim Trinken einen Schlag erhalten hatten, vermieden dieses Wasser aber nicht.

Konditionierte und unkonditionierte Reize sind offensichtlich nicht frei kombinierbar, sondern müssen zusammenpassen. Etwas, das merkwürdig schmeckt oder riecht, ist häufig verdorben oder giftig — die Evolution hat daher dazu geführt, dass neue Geschmackseindrücke, auf die später Übelkeit folgt, sehr schnell gelernt werden. Für Ratten passen elektrische Schläge und Trinken aber offenbar nicht zusammen. Die Veranlagung, bestimmte Dinge schneller und leichter zu lernen, ist vielleicht auch die Erklärung für unbegründete Ängste und Phobien vor Dingen, die für den Menschen tatsächlich früher einmal gefährlich waren.

Aufgabe 34.4
Jemand, dem nach einem Essen zufällig übel geworden ist, vermeidet später diese Speise. Erklären Sie.

34.5 Soziales Lernen umfasst Beobachtung von Artgenossen und Nachahmung

Jahrelang haben die männlichen Buckelwale einer Gruppe vor der Ostküste Australiens immer ihre besondere, gruppenspezifische Melodie gesungen — bis dann 1996 einige Wale, die einen anderen Gesang beherrschten, in die Gruppe einwanderten. Innerhalb von zwei Jahren übernahmen die anderen Buckelwale diese neue Melodie. Sie hatten sie durch Zuhören erlernt und ahmten sie nun nach.

Zahlreiche Tierarten können durch das Beobachten von Artgenossen deren Verhaltensweisen (und speziell Methoden, Probleme zu lösen) übernehmen und in ihr eigenes Verhaltensrepertoire einbauen. Ratten erkennen beispielsweise, ob das Verhalten eines Artgenossen mit bestimmten Konsequenzen verbunden ist. So lernen sie sehr rasch, vergiftetes Futter zu vermeiden. Affen, Papageien und andere Tiere lernen, Verhalten zu imitieren. *Lernen durch Imitation* setzt voraus, dass Tiere in der Lage sind, das nachahmenswerte Verhalten vom Vorbild zu lösen, zu verallgemeinern und auf sich selbst zu übertragen.

Ein Beispiel für *soziales Lernen* ist die Imitation des Waschens von Nahrung bei japanischen Rotgesichtmakaken, einer Affenart. Ein Jungtier lernte in den 1950er Jahren, durch Waschen den Sand von Süßkartoffeln zu entfernen. Dieses Verhalten wurde schnell von anderen Jungtieren übernommen.

Allerdings ist es häufig nicht einfach, zwischen Lernen durch Versuch und Irrtum und Lernen durch Nachahmung zu unterscheiden. Alternative Erklärungen für soziales Lernen sind die sogenannte *Reizverstärkung* und die *Ortsverstärkung*: Durch Beobachten des Vorbilds wird die Aufmerksamkeit auf bestimmte Reize oder Orte der Problemsituation gelenkt. Dies könnte beispielsweise auch das Verhalten von Blaumeisen beim Aufpicken von Aluminiumdeckeln auf Milchflaschen in England erklären. Das Verhalten breitete sich rasch aus, wurde aber wohl nicht im Ganzen imitiert. Vielmehr ist das Aufpicken von Gegenständen fester Bestandteil des Verhaltensrepertoires von Meisen und musste nur auf einen speziellen Ort übertragen werden.

Imitation kann zur Ausbildung von regelrechten **Traditionen** führen: Bestimmte Verhaltensweisen werden durch Nachahmung der Tiere einer Population übernommen. Bei Schimpansen gibt es zahlreiche Beispiele für solche Traditionen: So werden in der Population in Guinea Nüsse immer nur mit Steinen, an der Elfenbeinküste aber auch mit Stöcken aufgeschlagen. Populationsspezifische Bündel von

1
Schimpansen haben unterschiedliche Fertigkeiten entwickelt, um an schwer erreichbare Nahrung zu gelangen.

Information und Kommunikation

Verhalten

Online-Link
Video: Werkzeuggebrauch bei Krähen
150010-4521

Online-Link
Video: Spiegeltest
150010-4522

2
Erdmännchen bringen ihren Jungen den Umgang mit gefährlicher Beute langsam bei.

solchen Traditionen kann man durchaus als **Kultur** bezeichnen.

Tiere lernen sicherlich viel dadurch, dass sie Artgenossen beobachten und nachahmen. Um den Umgang mit schwer zu fangender oder wehrhafter Beute oder die Fortbewegung in schwierigem Gelände wirklich zu beherrschen, reicht dies jedoch meist nicht aus. Vielmehr muss das nachgeahmte Verhalten durch Versuch und Irrtum weiter perfektioniert werden. Bei einigen Tierarten unterstützen auch Artgenossen als „Lehrer" den Übenden. Dabei verändern „Lehrer" ihr Verhalten in Anwesenheit des „Schülers", ermutigen ihn oder halten ihn von falschen Bewegungen ab. Geparde und Erdmännchen bringen ihren Jungen z. B. noch lebende, aber nur noch wenig bewegungsfähige Beute und lassen sie daran das Fangen und Töten üben (→ Abb. 2).

Aufgabe 34.5
Nennen Sie Beispiele für eindeutige Formen des sozialen Lernens durch Imitation beim Menschen.

34.6 Einige Tiere können Probleme durch Nachdenken lösen

Katzen sind keine guten Hütchenspieler. Wird ein geruchloses Spielzeug in einer Kiste versteckt und mitsamt der Kiste verschoben, so sind sie nicht in der Lage, das Spielzeug zu finden — viele Kleinkinder übrigens auch nicht. Ein anderes Beispiel: Wird ein Gegenstand im Beisein einer dritten Person versteckt und das Versteck in Abwesenheit dieser Person gewechselt, so erwarten kleine Kinder, dass die Person nach ihrer Rückkehr gezielt im neuen Versteck sucht — erst mit ca. vier Jahren können sie sich in die dritte Person hineinversetzen und erkennen, was sie weiß.

Höhere Formen des *Lernens* und *Problemlösens*, wie sie nach und nach beim heranwachsenden Menschen auftreten, sind bei Tieren auf wenige Gruppen beschränkt. In der Verhaltensbiologie werden unter dem Begriff **Kognition** bei Tieren Phänomene wie Werkzeuggebrauch und Lernen durch Einsicht bis hin zu Selbsterkenntnis und Bewusstsein zusammengefasst.

Werkzeuggebrauch ist von zahlreichen Tierarten bekannt. Weberameisen benutzen die Seide produzierenden Larven, um aus Blättern ein Nest zusammenzukleben. Schimpansen klopfen Nüsse mit Steinen oder Hölzern auf. Schimpansen und einige Vogelarten angeln mit Grashalmen oder Stöcken nach Termiten, Ameisen und Insektenlarven (→ Abb. 1, S. 451). Das Kürzen oder Zurechtknicken der Stöcke kann man als eine Art von Werkzeugbearbeitung betrachten, lange eine Fähigkeit, die man ausschließlich dem Menschen zuordnete.

Schimpansen und andere Menschenaffen sind offensichtlich in der Lage, Probleme zu durchdenken und so durch Einsicht Lösungen zu finden. Dies zeigte sich z. B. in den berühmten Experimenten WOLFGANG KÖHLERS, der Schimpansen mit Bananen konfrontierte, die er an der Decke des Versuchsraums aufhängte — ohne Hilfsmittel unerreichbar. Einige Schimpansen kamen schnell darauf, Kisten aus einer Zimmerecke heranzuschleppen, sie aufeinanderzutürmen und so die Bananen zu holen.

Mit die komplexesten kognitiven Fähigkeiten werden bestimmten Vögeln und Säugern zugeschrieben, die in großen, festen Gruppen leben. Solche Gruppen sind durch Konkurrenz, Betrügerei, die Bildung von Koalitionen etc. gekennzeichnet. Um den eigenen Platz und den von anderen in der sozialen Ordnung zu erkennen, sind besondere mentale Fähigkeiten notwendig. Einige soziale Tiere sind offensichtlich in der Lage, zu erkennen, was ein anderes Tier weiß. Raben etwa verhalten sich beim Verstecken von Nahrung

Online-Link
Video: Krähen im Rohrtest
150010-4531

Online-Link
Video: Schimpansen und Kinder im Rohrtest
150010-4532

1 So ähnlich geht es in Laboratorien zu, in denen die kognitiven Fähigkeiten von Primaten untersucht werden.

ganz anders, wenn sie von einem Artgenossen beobachtet werden. Außerdem scheinen sie zu „wissen", dass etwa Mehlwürmer im Versteck rascher verrotten als Nüsse. Sie graben die Würmer schneller wieder aus. Und wenn sie gelernt haben, dass sie nachmittags immer in einem Teil der Voliere eingeschlossen werden, in dem vom Experimentator kein Futter angeboten wird, gehen sie dazu über, dort am Vormittag Futter aus dem anderen Teil der Voliere zu platzieren.

Was für Sie beim morgendlichen Zähneputzen Routine ist, meistern nur wenige Tiere: Sie erkennen sich selbst im Spiegel und zeigen damit eine Art Ich-Bewusstsein. Wird etwa einem Schimpansen, ohne dass er es merkt, ein roter Punkt auf die Stirn gemalt, so tastet er vor einem Spiegel schnell gezielt nach diesem Punkt. Andere Affenarten, wie etwa Kapuzineraffen, verhalten sich ihrem Spiegelbild gegenüber aggressiv oder versuchen, den „Fremden" zu begrüßen.

Von unserem Standpunkt aus gesehen gehen die Leistungen des menschlichen Gehirns weit über die jedes Tiers hinaus. Doch wir können uns nicht wie manche Tiere ohne technische Unterstützung im Dunkeln mithilfe von Echos orientieren oder in der Fremde ausgesetzt ohne Kompass über Hunderte von Kilometern zu unserem Wohnort zurückfinden. Wir können uns nicht die genaue Lage von Tausenden versteckter Eicheln merken. Denken Sie an Ihre Leistungen beim Memory-Spielen. Dennoch ist unser Gehirn vielseitiger und komplexer als das von Tieren. Warum ist das so?

Was hat die Evolution unseres Gehirns so weit vorangetrieben, dass die Geburt unserer vergleichsweise großköpfigen Babys mit erheblichen Risiken für Mutter und Kind verbunden ist und Eltern sich noch für etliche Jahre um ihren zunächst völlig hilflosen Nachwuchs kümmern müssen?●

Wie der Anthropologe ROBIN DUNBAR feststellte, korreliert die relative Größe des Neocortex, also des entwicklungsgeschichtlich neuesten Teils der Großhirnrinde, bei Primaten mit der Größe der Gruppen, in denen sie jeweils leben (→ Abb. 2). Aus der relativen Größe des Neocortex des Menschen ergibt sich eine Gruppengröße von ungefähr 150. Dies passt sehr gut zur mittleren Gruppengröße bei 21 unterschiedlichen Völkern von Jägern und Sammlern, aber auch zur Größe der Grundeinheiten vieler Armeen und Konzerne.

Trotz aller Komplexität hat unsere Gehirnleistung offensichtlich auch Grenzen. Untersuchungen der Gehirnaktivität werfen sogar die Frage auf, ob wir überhaupt über einen freien Willen verfügen oder nicht nur sehr komplexe Automaten sind, die auf Basis früherer Erfahrung angemessen auf Reize aus der Umwelt reagieren. So beobachteten Neurophysiologen mithilfe von *Magnetresonanztomografie*, was sich im Gehirn abspielt, wenn eine Versuchsperson eine Entscheidung zu fällen hat. Dabei zeigte sich, dass bestimmte Hirnzentren bereits einige Sekunden aktiv sind, bevor der Person ihre eigene Entscheidung bewusst wird.

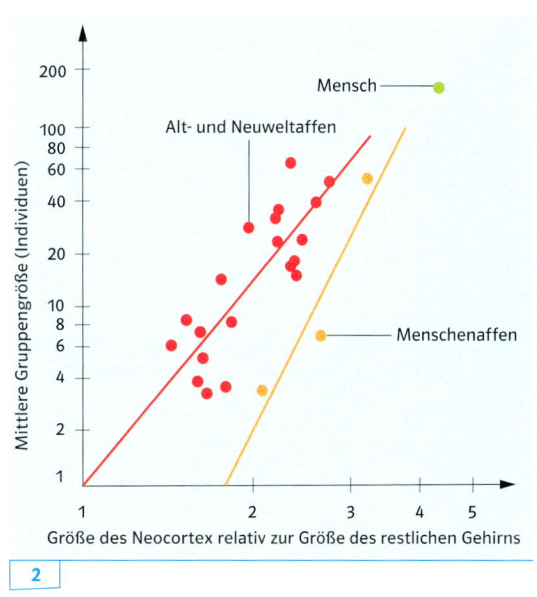

2 Die relative Größe des Neocortex von Primaten korreliert mit der Gruppengröße. (logarithmische Skalen)

Geschichte und Verwandtschaft

Aufgabe 34.6

Erläutern Sie, worauf der Zusammenhang zwischen Gruppengröße und relativer Größe des Neocortex bei Primaten beruhen könnte.

34.7 Lernen und Gedächtnis sind in bestimmten Gehirnarealen lokalisiert

Struktur und Funktion

„Das war fantastisch, das werde ich nie vergessen!" So begeisterte sich Greg 1991 über ein kurz zuvor besuchtes Konzert der Rockgruppe Grateful Dead. Tags darauf danach gefragt, erinnerte er sich aber nur noch an Auftritte, die er in den sechziger Jahren besucht hatte. Greg, Patient des New Yorker Psychiaters und Schriftstellers OLIVER SACKS, litt unter Amnesie — ein Tumor hatte die für das Gedächtnis nötigen Teile seines Gehirns weitgehend zerstört.

Bereits aus dieser traurigen Beobachtung wird deutlich, dass es unterschiedliche Typen von *Gedächtnis* gibt. Meist werden neu aufgenommene Sinneseindrücke zuerst für wenige Sekunden bis wenige Minuten im *Kurzzeitgedächtnis* abgespeichert. Wenn diese Lerninhalte wiederholt, verstärkt oder mit vorhandenen Informationen verknüpft werden, so können sie im *Langzeitgedächtnis* gespeichert werden.

Durch Verletzungen und Krankheiten des Gehirns sowie durch gezielte chirurgische Eingriffe bei Versuchstieren können die Bereiche des Gehirns, die an Lernen und Gedächtnis beteiligt sind, lokalisiert werden. Dabei waren unter anderem Versuche in MORRIS' Wasserlabyrinth besonders hilfreich (→ Abb. 1). Ratten oder Mäuse mussten sich dabei die Lage einer im milchig-trüben Wasser verborgenen Plattform dicht unter der Oberfläche merken, um ins Trockene zu gelangen. Im Versuch wurde ihre Schwimmrichtung im Wasser aufgezeichnet, nachdem die Plattform entfernt worden war. Nager mit Schäden an unterschiedlichen Stellen des Gehirns verhielten sich bei diesem Test sehr unterschiedlich. Ratten, deren *Hippocampus* (→ Abb. 1, S. 419) geschädigt war, schwammen im Gegensatz zu gesunden Ratten nicht zielstrebig auf die Stelle der Plattform zu.

Durch diese und zahlreiche ähnliche Experimente konnte das Kurzzeitgedächtnis bei Säugern in der *Großhirnrinde* lokalisiert werden, während am Langzeitgedächtnis Strukturen des *limbischen Systems*, insbesondere der Hippocampus, beteiligt sind.

Die Bereiche im Hippocampus, in denen das Ortsgedächtnis lokalisiert ist, werden bei Vögeln immer wieder umgebaut. Dadurch wird die Erinnerung z. B. an nicht mehr benötigte, weil geleerte Futterverstecke gelöscht und Platz für neue Erinnerungen geschaffen. Im Gegensatz zu früheren Vorstellungen werden hier auch immer wieder neue Nervenzellen angelegt.

Auch bei Wirbellosen gibt es Kurzzeit- und Langzeitgedächtnis. Obwohl das Gehirn der Honigbiene gerade einmal 1 mm^3 misst und nur aus 950 000 Neuronen besteht, leistet es Erstaunliches: Bei der Suche nach Nektar- und Pollenquellen fliegen Honigbienen kilometerweit umher, wobei sie sich am Sonnenstand und am Polarisationsmuster des Himmels sowie an Landmarken orientieren. Sie besuchen Hunderte von Blüten und merken sich die Lage, die Farbe und den Duft lohnender Nektarquellen.

Bienen lernen sehr schnell, Düfte mit Belohnungen zu assoziieren und sind außerdem im Gegensatz zu vielen anderen Versuchstieren meist hoch motiviert, Nahrung zu sammeln (→ S. 457). Dies alles macht sie zu idealen Modellsystemen für Lernexperimente. Durch intrazelluläre Ableitungen konnten diejenigen Nervenzellen identifiziert werden, die bei dieser klassischen Konditionierung eine wichtige Rolle spielen. Auch konnten so die Vorgänge aufgeklärt werden, durch die Lerninhalte vom Kurzzeit- ins Langzeitgedächtnis übergeleitet werden.

Wissenschaftler haben erst vor kurzem begonnen, sich intensiv mit dem Lernvermögen anderer Wirbelloser zu beschäftigen. Wir müssen also auf ähnliche Überraschungen wie mit Krake Lippi (→ S. 445) gefasst sein.

1 Gedächtnistest an Ratten: Diese hat sich die Stelle einer Unterwasserplattform gemerkt.

Aufgabe 34.7

Erstellen Sie eine Hypothese zur biologischen Bedeutung der beiden Gedächtnisformen Kurzzeit- und Langzeitgedächtnis.

Kommunikation und Sozialverhalten

35

Von wegen stumm: Fische haben in der Evolution zahlreiche Wege entwickelt, sich anderen Fischen mitzuteilen. Sie blinken mit Leuchtorganen, knirschen mit den Zähnen, bringen ihre Schwimmblase zum Vibrieren oder geben elektrische Signale von sich. Genauso vielfältig sind die Botschaften, die darüber vermittelt werden. Sie verteidigen damit ihr Revier, zeigen ihre Paarungsbereitschaft oder locken Beutetiere an.

Die meisten Tiere sind in der Lage, mit Artgenossen zu kommunizieren, und selbst scheinbar wenig mitteilsame Arten wie Seeigel synchronisieren das Ausschütten von Eiern und Spermien durch chemische Signale. Je enger Tiere mit Artgenossen zusammenleben, desto wichtiger wird Kommunikation. In diesem Kapitel erfahren Sie, welchen Regeln die Kommunikation bei Tieren folgt und welche Wege dabei eingesetzt werden.

Elefantenrüsselfische tauschen elektrische Signale aus

35.1	Soziale Interaktion zwischen Tieren erfordert Kommunikation
35.2	Balzrituale und sexuelle Ornamente verbessern den Fortpflanzungserfolg
35.3	Kommunikation zwischen Artgenossen basiert meist auf ehrlichen Signalen
35.4	Kommunikation zwischen Arten kann auf unehrlichen Signalen beruhen
35.5	Das Leben in der Gruppe hat Vorteile, verursacht aber auch Kosten
35.6	Bei aggressivem Verhalten geht es oft um die Verteilung von Ressourcen
35.7	Einzel- und Gruppeninteressen bestimmen die Struktur der Gruppe
35.8	Selbstloses Verhalten kann die Gesamtfitness erhöhen

Verhalten

35.1 Soziale Interaktion zwischen Tieren erfordert Kommunikation

Information und Kommunikation

Etwas Merkwürdiges geschieht im Bienenstaat: Von einem Computer gesteuert zappelt ein kleiner Wachsklumpen über die Wabe, mal linksherum, mal rechtsherum, zittert hin und her, vibriert dabei mit zarten Metallplättchen und gibt über einen Plastikschlauch verdünnten Honig ab. Mit dieser „Roboterbiene" gelang es Wissenschaftlern, Bienen dazu zu bringen, in eine bestimme Richtung davonzufliegen und dort nach Nektar zu suchen (→ Abb. 1). Sie bestätigten damit, dass Bienen durch komplizierte Tanzbewegungen auf der Wabe ihren Nestgenossinnen mitteilen, in welcher Richtung und Entfernung ergiebige Nahrungsquellen zu finden sind. Eine Weitergabe von Informationen wird als **Kommunikation** bezeichnet.

Ein *Sender* teilt dabei einem *Empfänger* über ein *Signal* etwas mit. Die Art des Signals hängt dabei von der Umwelt ab — in einer sehr lauten Umgebung sind leise Töne der Verständigung über weite Distanzen nicht sehr förderlich. Andererseits sollten die Signale aber keine unerwünschten Mithörer — Konkurrenten, Parasiten oder Räuber — anlocken. Die akustischen Eigenschaften der Gesänge unterscheiden sich daher in vorhersagbarer Weise zwischen Heuschrecken, die im Wald und solchen, die in offenem Gelände zirpen. Wie Sie später sehen werden, bestimmen daneben auch noch die Interessen von Sender und Empfänger die Qualität der Signale.

Bei den meisten der als kommunikationsfreudig bekannten Vögel, Heuschrecken oder Leuchtkäfer dient der Gesang oder das Blinken mehr oder weniger komplett der Revierverteidigung und dem Anlocken von Partnern für die Paarung (→ Abb. 2).

1

Mit einer computergesteuerten „Roboterbiene" versucht man, die Tanzsprache der Bienen nachzuahmen. Die Reaktionen der Bienen zeigen den Erfolg.

Spektakuläre Merkmale wie der Pfauenschwanz oder die komplizierten Balztänze von Taufliegen (→ Abb. 1, S. 458) sind letztlich unterschiedliche Facetten der Kommunikation beim Fortpflanzungsverhalten. Je enger Tiere mit Artgenossen zusammenleben, desto wichtiger wird aber auch Kommunikation in anderen Zusammenhängen. Die am stärksten ausgefeilten Mechanismen, sich gegenseitig etwas mitzuteilen, finden sich daher bei sozialen Insekten — Bienen, Ameisen, Termiten — und bei Wirbeltieren, die in Gruppen leben.

Bei *sozialen Insekten* beruht die Kommunikation überwiegend auf *Pheromonen*, chemischen Substanzen, die an den verschiedensten Stellen des Körpers in Drüsen produziert und an die Umwelt abgegeben werden. Die Substanzgemische werden eingesetzt, um Nestgenossinnen zu alarmieren, das Nest oder Territorium zu markieren oder Paarungspartner anzulocken. Andere geben Auskunft darüber, wie alt das Individuum ist, welche Rolle es im Nest spielt und ob es Eier legt oder nicht. Viele Ameisenarten informieren ihre Nestgenossinnen über die Lage von ergiebigen Futterquellen, indem sie zwischen Nest und Futter mithilfe von Pheromonen eine Duftspur legen.

Die Tanzsprache der Honigbienen erfüllt die gleiche Funktion, aber in völlig anderer Art und Weise. Honigbienen, die eine ergiebige Nektar- oder Pollenquelle gefunden haben, bewegen sich in einer speziellen Weise auf der Wabe, wobei sie in bestimmten Teilen der Tanzfigur mit ihrem Hinterleib vibrieren, sie „schwänzeln". In der Tanzfigur wird die Richtung zur

2

Leuchtkäfer, die auf der Suche nach Paarungspartnern sind, senden Lichtsignale aus.

Nahrungsquelle relativ zum Sonnenstand durch die Richtung der Schwänzelstrecke auf der senkrecht stehenden Wabe angegeben: „Nach oben" auf dem Tanzboden heißt „Richtung Sonne". Gleichzeitig steigt die Dauer des Schwänzelns, d.h. des Rüttelns mit dem Hinterleib, mit der Entfernung der Nahrungsquelle an. Die Tänzerin gibt Nahrungstropfen an die Folgebienen ab und informiert sie dadurch auch über die Art der Nahrungsquelle. Während die Duftspur der Ameisen direkt auf die Futterstelle deutet, wird die Richtung zur Nahrung im *Schwänzeltanz* der Honigbiene zu einem abstrakten Symbol und muss erst übersetzt werden (→ Abb. 3).

Ähnlich abstrakte Kommunikation gibt es auch bei einigen Affenarten. Auch bei ihnen spielen Pheromone eine wichtige Rolle bei der Markierung von Territorien oder der Ankündigung der Paarungsbereitschaft. Hinzu kommt eine Vielfalt von Lauten und Gesten. Grüne Meerkatzen kennen beispielsweise unterschiedliche Alarmrufe für ihre verschiedenen Feinde und reagieren auf die Rufe angemessen unterschiedlich: Beim Alarmruf „Schlange" versuchen sie, sich über das Gras zu erheben und schauen umher, beim Alarmruf „Adler" verstecken sie sich im Unterholz.

Die menschliche *Sprache* ist mit Abstand die komplexeste Art der Kommunikation. Wie zahlreiche Untersuchungen belegen, gibt es im Gehirn Bereiche, die speziell für die Erkennung von Sprache bzw. für das Sprechen zuständig sind. Bestimmte genetische Defekte können das Sprachvermögen drastisch beeinflussen. Besonders spektakulär ist das Unvermögen der Angehörigen einer Familie in England, Pluralformen zu bilden, also das typische Plural-s an die Singularform anzuhängen, wenn mehrere Objekte gezeigt wurden. Dieses Defizit scheint durch eine Mutation im Gen FOXP2 bedingt zu sein. FOXP2

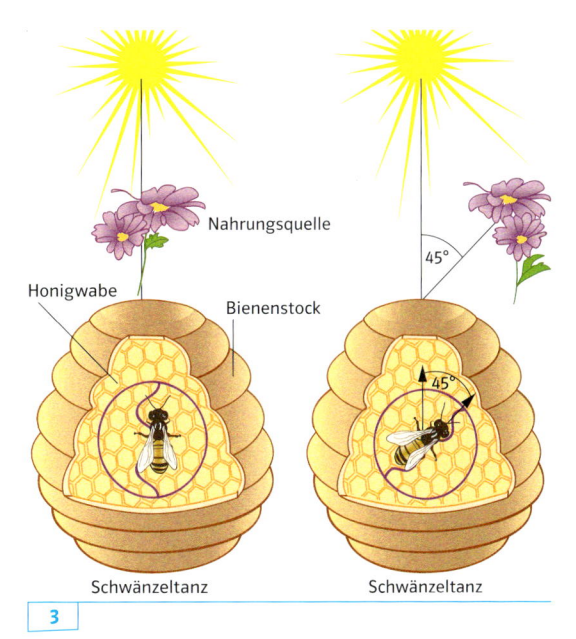

3

Mit dem Schwänzeltanz informiert eine Honigbiene Artgenossen im Bienenstock über Lage und Qualität einer neu entdeckten Nahrungsquelle.

wurde daher gelegentlich als „Grammatik-Gen" bezeichnet. Das ist jedoch irreführend: FOXP2 codiert für einen Transkriptionsfaktor (→ S. 170) und beeinflusst daher vermutlich mehrere Prozesse. Interessanterweise unterscheidet sich die Sequenz des menschlichen FOXP2 — und die des Neandertalers — von der Gensequenz anderer, nicht sprechender Primaten. Aber selbst wenn hier vielleicht einer der Schlüssel zur Entstehung unserer Sprache liegt, so sind sicher noch zahlreiche andere Gene daran beteiligt.

Aufgabe 35.1

Diskutieren Sie, wie Umweltgeräusche die Kommunikation beim Menschen beeinflussen. Denken Sie dabei an das Bestellen eines Getränks in einer Disco bzw. in einem ruhigen Lokal.

35.2 Balzrituale und sexuelle Ornamente verbessern den Fortpflanzungserfolg

Es ist ganz schön aufwendig, sich einen Pfauenschwanz wachsen zu lassen, ihn mit sich herumzuschleppen und auch noch Räder zu schlagen. Aber es scheint sich zu lohnen: Pfauenhennen paaren sich bevorzugt mit den Besitzern besonders attraktiver Schleppen.

Auch andere Tierarten zeigen auffällige Paarungsrituale, bei denen die Kommunikation zwischen Männchen und Weibchen eine wichtige Rolle spielt. Die Eier der Weibchen sind für männliche Tiere eine limitierte Ressource (*sexuelle Selektion*, → S. 269). Insofern

Information und Kommunikation

Verhalten

optische Orientierung, Beklopfen mit den Beinen	„Balzgesang" des Männchens durch Flügelschwirren	Nachfolgen
Belecken des Weibchens	Kopulation	Ablehnung

1 Taufliegen kommunizieren bei der Balz miteinander über visuelle, akustische, taktile und optische Signale. Verhaltensmutanten zeigen, dass zahlreiche Gene dieses komplexe und aufwendige Verhalten steuern.

konkurrieren die Männchen bei vielen Tierarten miteinander um Zugang zu den Weibchen, während sich die Weibchen für ihre Fortpflanzung unter den Rivalen den bestmöglichen aussuchen. Männchen versuchen daher, die Weibchen durch besondere körperliche Merkmale oder ein aufwendiges *Balzverhalten* zu beeinflussen. Tatsächlich kann man zeigen, dass der Paarungserfolg von der Qualität der Merkmale oder des Balzverhaltens bestimmt wird. Die körperlichen Merkmale können durch die sexuelle Selektion so komplex werden, dass sie ihren Träger im täglichen Leben behindern (→ Abb. 1, S. 269). Warum das so ist, werden wir in → 35.3 besprechen.

Worauf die Weibchen aber tatsächlich ansprechen, lässt sich oft gar nicht so einfach herausfinden. Der rote Bauch des Stichlingsmännchens ist zwar für den menschlichen Beobachter beeindruckend und reflektiert ganz offensichtlich die Qualität des Männchens — nur gesunde Männchen ohne Parasiten können den roten Bauch in seiner ganzen Pracht ausbilden. Aber wie sehen ihn die Stichlingsweibchen? Durch die Verwendung von Leuchtröhren unterschiedlicher Farbe konnte tatsächlich gezeigt werden, dass auch das Stichlingsweibchen auf die Röte reagiert: Unter Grünlicht konnten die Weibchen nicht mehr zwischen Männchen verschiedener Qualität unterscheiden.

Taufliegen der Gattung *Drosophila* zeigen zwar nicht gerade die eindrucksvollsten Balzrituale, aber die jahrzehntelange Beschäftigung von Verhaltensgenetikern und Entwicklungsbiologen mit diesen Tieren hat einige sehr interessante Dinge über die Grundlagen ihres *Paarungsverhaltens* zutage gefördert (→ Abb. 1). Mutationen in unterschiedlichen Genen führen bei *Drosophila* dazu, dass Männchen bestimmte Teile ihres Balzverhaltens nicht, unvollständig oder verstärkt zeigen. Mutationen im *fruitless*-Gen führen zu Veränderungen im Nervensystem der Männchen, mit der Folge, dass sie andere Männchen statt der Weibchen anbalzen.

Viele Tierarten zeigen keinerlei Balzrituale. Korallenpolypen, Seegurken und viele andere marine Tierarten geben ihre Eier und Spermien recht umstandslos auf bestimmte Signale der Umwelt oder von Artgenossen hin ins Meer ab.

Variabilität und Angepasstheit

Aufgabe 35.2

Wenn Weibchen immer die Männchen mit der besten Qualität wählen, sollten auf Dauer jene Allele verschwinden, die sich negativ auswirken. Erklären Sie, warum dennoch Weibchen weiterhin unter den Männchen auswählen.

35.3 Kommunikation zwischen Artgenossen basiert meist auf ehrlichen Signalen

Ein Büschel Bananen — die Grüne Meerkatze, die es gefunden hat, überlegt nicht lange und tut lauthals den Warnruf für „Adler" kund, woraufhin sich die anderen Gruppenmitglieder verkriechen. Die Meerkatze hat „gelogen" — und die Bananen für sich. Solche unehrliche Kommunikation ist auf Dauer allerdings nicht wirksam. Gibt ein Individuum immer wieder ein falsches Alarmsignal, so wird es immer weniger beachtet und vielleicht sogar aus der Gruppe ausgeschlossen.

In vielen Fällen haben Sender und Empfänger von Signalen unterschiedliche Interessen. Männchen vieler Tierarten können die Anzahl ihrer Nachkommen dadurch erhöhen, dass sie sich mit vielen Weibchen verpaaren. Männchen egal welcher „Qualität" werden somit versuchen, sich mit Weibchen zu paaren. Umgekehrt reicht für Weibchen oft eine einzige Paarung für die Nachkommenschaft aus. Für Weibchen ist es daher sinnvoll, den bestmöglichen Partner für ihre Paarung auszusuchen.

Dieses Prinzip der Weibchenwahl führt dazu, dass Weibchen versuchen, anhand der Signale der Männchen ehrliche Informationen über deren Eignung als Paarungspartner und für die Aufzucht der Jungen zu erhalten. Ein Männchen, das versucht, ein Weibchen mit einem einfachen körperlichen Merkmal oder einem simplen Balzgesang zu gewinnen, wird daher wenig Erfolg haben: Solche „billigen" Signale können auch von Männchen hervorgebracht werden, deren genetische oder umweltbedingte Kondition zu wünschen übrig lässt. Anders steht es mit schwer zu beherrschenden, ausgefeilten Strophen komplexer Vogelgesänge oder mit Merkmalen, die nicht nur schwer herzustellen sind, sondern ihren Träger sogar im täglichen Leben behindern, wie etwa die Schleppe des Pfaus. Durch solche Signale scheinen Männchen mitzuteilen, dass sie über so gute Gene verfügen, dass sie trotz dieses „Handicaps" überlebt haben.

Das Prinzip des *ehrlichen Signals* erklärt somit, warum in der *sexuellen Selektion* Weibchen sehr häufig eigentlich absurd erscheinende, monströse Eigenschaften der Männchen bevorzugen — überdimensionierte Augenstiele bei den Stielaugenfliegen, unpraktisch lange Schwanzfedern bei den Pfauen, das Heranschleppen schwerer Steine bei Singvögeln der Gattung Steinschmätzer usw. Bei den Blaufußtölpeln der Galapagos-Inseln ist die namengebende blaue Färbung der Füße durch bestimmte Farbstoffe in der Nahrung bedingt. Nur gesunde Männchen können ihren Körper ausreichend mit diesen Farbstoffen versorgen, sodass ihre Füße den für das Weibchen attraktiven Farbton zeigen (→ Abb. 1).

Trotzdem sind *unehrliche Signale* gelegentlich in Gebrauch, wie im Fall der Meerkatze. „Betrug" ist jedoch nur stabil, solange er selten bleibt und die Kosten, darauf hereinzufallen, im Durchschnitt geringer sind als die Kosten, das ehrliche Signal zu ignorieren.

Variabilität und Angepasstheit

Struktur und Funktion

1 Gut ernährte Blaufußtölpel **a**, **b** unterscheiden sich von mangelhaft ernährten **c**.

Aufgabe 35.3

Diskutieren Sie, welche menschlichen Merkmale und Verhaltensweisen bei der „Balz" sich als ehrliche Signale interpretieren lassen. Erläutern Sie, wofür z. B. Sportwagen, teure Armbanduhren und künstlich vergrößerte Brüste stehen.

Verhalten

Online-Link
Kooperieren oder Betrügen (interaktiv)
150010-4601

35.4 Kommunikation zwischen Arten kann auf unehrlichen Signalen beruhen

Information und Kommunikation

Ganz offensichtlich: Hier duftet es nach einem paarungswilligen Hummelweibchen. Und auch wenn das da vorne vielleicht nicht ganz so aussieht wie der Hinterleib einer Hummeldame, so ist es den Versuch doch wert … und schon versucht das Hummelmännchen, sich mit der Blüte einer Orchidee, der Hummelragwurz, zu verpaaren. Pech für das Hummelmännchen! Die Orchidee klebt ihm dabei ihre Pollenpakete auf den Kopf, die der „Freier" beim nächsten Versuch, sich mit einem vermeintlichen Hummelweibchen zu paaren, auf eine andere Hummelragwurz überträgt.

Die Evolution *zwischenartlicher Kommunikation* verläuft in anderen Bahnen als die der *innerartlichen Kommunikation*.• Anglerfische locken Beutetiere an, indem sie ihnen vorgaukeln, Teile ihres Körpers seien schmackhafte Nahrung (→ Abb. 2 ❹, S. 328). Bola-Spinnen wirbeln Seidenfäden mit einem Tröpfchen um sich, das sie mit einer Substanz versehen haben, die dem Sexuallockstoff bestimmter Fliegen entspricht. *Photuris*-Leuchtkäfer ahmen die Leuchtsignale anderer Arten nach und locken damit paarungswillige Männchen an, um diese dann zu verzehren. Larven des parasitischen Strudelwurms *Leucochloridium* machen aus Schneckenfühlern pulsierende, geringelte „Würmer", eine attraktive Beute für jeden Vogel, und gelangen so vom Zwischenwirt in den Endwirt.

Experiment: Erkennen von Brutparasiten

Beobachtung
Häherkuckucke legen ihre Eier in Elsternester.

Hypothese
Da die Aufzucht eines Jungkuckucks für die Pflegeeltern nur mit Kosten verbunden ist, sollten Elstern aus Populationen, in denen Häherkuckucke häufig sind, bereits frühzeitig erkennen, wenn ihr Nest parasitiert wird, und Kuckuckseier entfernen. Im Gegensatz dazu sollten Elstern aus kuckucksfreien Populationen fremde Eier nicht entfernen.

Methode
In die Nester von Elstern aus Populationen, die bereits seit langem (Santa Fe ❶), erst seit kurzem (Guadix ❷) oder nicht (Uppsala ❸) von Häherkuckucken parasitiert werden, werden Gipseier gelegt, die entweder wie typische Elstereier gefärbt oder weiß sind. Es wird beobachtet, wie die Elstern darauf reagieren.

Ergebnis

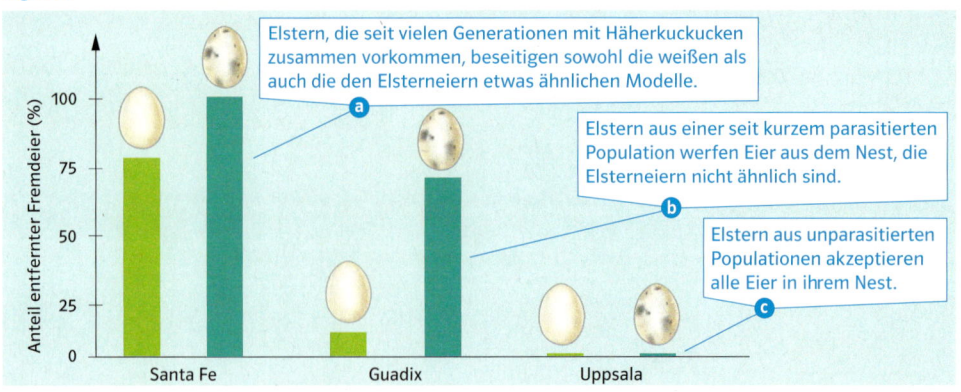

- ❶ Elstern, die seit vielen Generationen mit Häherkuckucken zusammen vorkommen, beseitigen sowohl die weißen als auch die den Elstereiern etwas ähnlichen Modelle.
- ❷ Elstern aus einer seit kurzem parasitierten Population werfen Eier aus dem Nest, die Elstereiern nicht ähnlich sind.
- ❸ Elstern aus unparasitierten Populationen akzeptieren alle Eier in ihrem Nest.

Schlussfolgerung
Die Elstern in Sante Fe ❶ und Guadix ❷ wurden im Lauf der Evolution an den Parasitendruck angepasst und reagieren jetzt stärker ablehnend auf Eier, die ihren eigenen nicht perfekt ähnlich sind.

1 Das Verhalten der Wirtsvögel gegenüber dem Kuckuck als Parasiten zeigt evolutionäre Veränderungen.

Eine derartige *unehrliche Kommunikation* zwischen Arten wird als **Mimikry** bezeichnet (→ 23.3). Darunter versteht man unter anderem das Nachahmen potenziell gefährlicher Organismen, z. B. von Wespen und Hornissen, durch ungefährliche, beispielsweise Hornissenschwärmer (→ Abb. 1, S. 327).

Doch zwischenartlicher Betrug ist auf Dauer nicht stabil. Wenn der Betrug häufiger auftritt, so entstehen im Verlauf der Evolution beim Empfänger der falschen Signale meist Mechanismen, die ihn betrügerische Nachrichten erkennen lassen, wie das Beispiel des Häherkuckucks und der Elstern zeigt (→ Abb. 1, S. 460).

Aufgabe 35.4

Junge Kuckucke sehen ganz anders aus als junge Rohrsänger, Grasmücken oder Zaunkönige — dennoch füttern die Wirtseltern den Brutparasiten Kuckuck durch. Erörtern Sie die Rolle von Schlüsselreizen bei dieser unehrlichen Kommunikation.

35.5 Das Leben in der Gruppe hat Vorteile, verursacht aber auch Kosten

Ameisen tun es, Eichelspechte und Präriehunde tun es — und auch der Mensch tut es: Sie alle leben in Gruppen und nehmen Rücksicht auf ihre Artgenossen. Das ist kein Widerspruch zur Evolutionstheorie (→ S. 252). Von den Vorstellungen im 19. Jahrhundert, das Miteinander in der Natur sei ähnlich blutrünstig wie Gladiatorenkämpfe, sind wir heute weit entfernt.

Tatsächlich leben zahlreiche Tiere in Gruppen — und darunter sind viele sehr erfolgreiche Arten. Allerdings unterscheiden sich die Gruppen sehr stark (→ Abb. 1). Seeigel **a** sitzen zwar dicht an dicht an einer Felsküste, bilden aber keine Gruppe, sondern leben hier nur in enger Nachbarschaft, weil die Küste ihnen gute Lebensbedingungen bietet. Fisch- oder

1 Seeigel **a** leben solitär — sie kommunizieren nicht oder nur wenig mit ihren Artgenossen. Heringe **b** bilden Schwärme, in denen Individuen das Verhalten ihrer Nachbarn beobachten und entsprechend reagieren (offen anonym). Bienen **c** erkennen sich am Duft, aber nicht individuell (geschlossen anonym). Im Wolfsrudel **d** kennt jedes Tier jedes andere und dessen Platz in der Rangordnung (geschlossen individuell). Staatsquallen **e** sind Kolonien mit Arbeitsteilung.

Verhalten

Vogelschwärme ❺ sind meist *anonym* und *offen*, d.h. Individuen können frei zwischen verschiedenen Gruppen wechseln.

Dies ist in den Staaten sozialer Insekten, in Wolfsrudeln, Pferdeherden oder den Verbänden von Affen ganz anders. Diese Gruppen sind stark strukturiert und ein fremdes Tier kann nicht so ohne weiteres eindringen, sondern wird entweder nicht toleriert oder muss sich seinen Platz in der Gruppe erst durch Aggression oder Unterwerfung verschaffen. Man bezeichnet die Gruppen als *geschlossen*. Während die Verbände bei den Insekten ❻ *anonym* sind, kennen sich die Tiere in Wolfsrudeln ❼ und Affengruppen *individuell*. Bei Staatsquallen, wie der Portugiesischen Galeere, bleiben die durch Knospung entstandenen Polypen sogar körperlich als Kolonie miteinander verbunden ❽.

Das Leben in der Gruppe (*Sozialität*) bringt zahlreiche Vorteile mit sich: Die Gruppe bietet Schutz gegen Räuber (→ Abb. 2). Informationen über gut versteckte, aber ergiebige Nahrungsquellen können ausgetauscht werden. Es ist auch leichter, einen Paarungspartner zu finden. Andererseits muss die gefundene Nahrung oder der Paarungspartner mit Gruppenmitgliedern geteilt oder gegen sie verteidigt werden, und große Ansammlungen von Tieren sind auffälliger und locken damit mehr Parasiten oder Räuber an.

Die *Soziobiologie* untersucht die Ursprünge der Sozialität und ihre Konsequenzen. Ob eine Tierart im Verlauf der Evolution sozial, d.h. in Gruppen lebend, geworden ist oder nicht, hängt auch von der Balance zwischen den Kosten und dem Nutzen des Lebens in der Gruppe ab. Besonders erfolgreich sind solche Gruppen, in denen es zur Arbeitsteilung zwischen einzelnen Gruppenmitgliedern kommt. Dies ist beispielsweise bei den erwähnten Staatsquallen der Fall, wo sich manche Polypen darauf spezialisieren, Nahrung zu erbeuten, während andere die Kolonie verteidigen, ihre Fortbewegung ermöglichen oder für die Fortpflanzung sorgen. Eine noch komplexere Arbeitsteilung findet sich in Insektenstaaten, wo manche Individuen zeitlebens auf die eigene Fortpflanzung verzichten und stattdessen scheinbar selbstlos den Staat mit Nahrung versorgen, das Nest reinigen und bewachen (*Altruismus*, → 35.8).

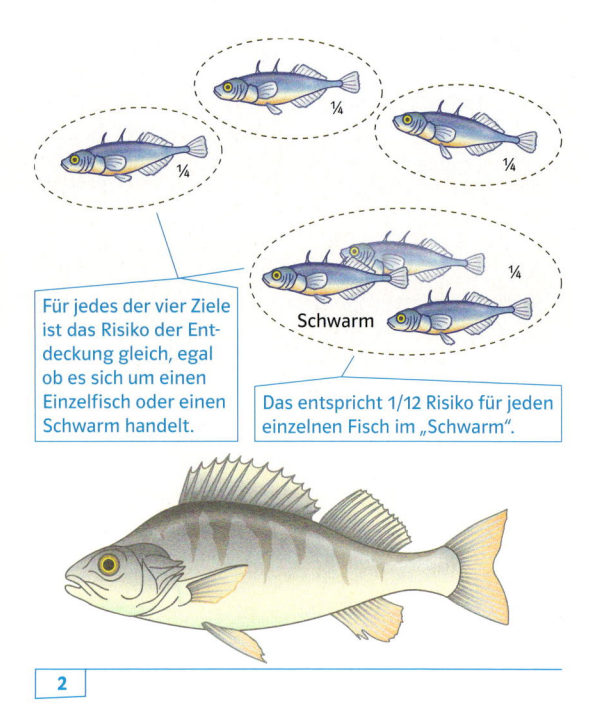

Für jedes der vier Ziele ist das Risiko der Entdeckung gleich, egal ob es sich um einen Einzelfisch oder einen Schwarm handelt.

Das entspricht 1/12 Risiko für jeden einzelnen Fisch im „Schwarm".

2 Die Bildung von Fischschwärmen könnte mit einer erhöhten Sicherheit für einzelne Fische in der Gruppe zusammenhängen.

Aufgabe 35.5

Termiten stammen offensichtlich von einzeln im Holz lebenden, Holz fressenden Vorfahren ab. Leiten Sie aus diesem Befund ab, welche ökologischen Faktoren bei Termiten zum Gruppenleben und zur Staatenbildung geführt haben könnten.

35.6 Bei aggressivem Verhalten geht es oft um die Verteilung von Ressourcen

Wozu der lange Hals einer Giraffe alles gut sein kann… Zwei Männchen stehen parallel nebeneinander, holen weit mit ihren Hälsen aus und schlagen sich dann immer wieder gegenseitig mit den Köpfen (→ Abb. 1). Die Bullen versuchen, insbesondere den sehr empfindlichen Bauch des Rivalen zu treffen. Je länger der Hals und je schwerer der Kopf eines Bullen ist, desto größer ist die Wucht des Schlags. Gelegentlich führt dieses „necking" zu Verletzungen. Wie lässt sich dieses Verhalten der Giraffen erklären?

1 Giraffenmännchen stellen durch Schlagen mit den Hälsen klar, welches von ihnen dominant ist.

Das Miteinander vieler in Gruppen lebender Tierarten ist durch *aggressive Interaktionen* gekennzeichnet. Meist führen sie allerdings nicht zu schweren Verletzungen, sondern beschränken sich auf das Androhen heftigerer Attacken, auf Imponieren und Scheingefechte. Bereits CHARLES DARWIN wunderte sich darüber, dass die dabei eingesetzten Waffen, wie die verzweigten Hirschgeweihe oder die rückwärts gebogenen Hörner mancher Antilopen, für Kämpfe scheinbar völlig ungeeignet sind. Dies gilt umso mehr für die Antennengefechte von Feldwespen, die nach der Überwinterung gemeinsam ein neues Nest gründen, oder von Arbeiterinnen mancher Ameisenarten, deren Königinnen verstorben sind.

Tatsächlich ist der Zweck dieser Aggression meist nicht das Töten von Rivalen, sondern das Klarstellen und Aufrechterhalten von Machtverhältnissen innerhalb der Gruppe. Durch diese Interaktionen werden **Rangordnungen** (*Dominanzhierarchien*) aufgebaut und stabilisiert. Solange die Hierarchie stabil ist, lässt sich das Verhalten zweier Tiere in einer paarweisen Interaktion recht genau vorhersagen: Das dominante Tier wird drohen, das untergeordnete Tier zurückweichen oder sich unterwerfen, beispielsweise indem es sich duckt.

Ranghohe Tiere setzen ihre Interessen meist auf Kosten der rangniederen Gruppenmitglieder durch: Sie haben bevorzugt Zugang zu Nahrung, Wasser oder Schlafplätzen und vor allem haben sie mehr Möglichkeiten, sich fortzupflanzen.* Bei vielen Säugetieren paaren sich hochrangige Männchen häufiger mit den Weibchen der Gruppe. Genetische Untersuchungen mit DNA-Fingerabdrücken zeigen, dass sie dadurch tatsächlich auch mehr Nachkommen haben als rangniedere Männchen.

Wenngleich es überwiegend die Männchen sind, die heftig um die Weibchen kämpfen, so gibt es Rangordnungen auch bei weiblichen Tieren. Beispielsweise konnte bei Hyänen und Pavianen gezeigt werden, dass die Aggressivität der weiblichen Tiere wie bei den Männchen mit der Konzentration männlicher *Sexualhormone* im Blut zusammenhängt. Vor allem *Testosteron* spielt hier eine wichtige Rolle. Bei dominanten Pavianweibchen sind die Testosteronwerte gelegentlich so hoch, dass sie sich negativ auf die Fruchtbarkeit dieser Individuen auswirken. Die meisten dominanten Weibchen haben aber auch hier noch mehr Nachkommen als die untergeordneten.

Die Testosteronwerte von Artgenossen sind den Konkurrenten aber natürlich nicht direkt zugänglich. Um die aktuelle Kampfkraft eines Artgenossen bestimmen zu können, müssen sich Tiere immer wieder kostspielige Testkämpfe liefern. Als Alternative dazu sind in der Evolution konditionsabhängige, d. h. ehrliche Signale entstanden, die über den Zustand von Individuen genau Auskunft geben. Beispielsweise hängt bei vielen Sperlingsvögeln der Dominanzrang mit der Größe des schwarzen Kehl- oder Brustflecks zusammen (→ Abb. 2). Manipulation der Färbung zeigt, dass ein „unehrlich" vergrößertes Signal keine anhaltende Wirkung zeigt (→ Abb. 3, S. 464).

Ob ein Tier in der Rangordnung seiner Gruppe einen hohen oder niederen Rang einnimmt, wird bei vielen Tierarten nicht ausschließlich durch die Kampfstärke

2 Die Größe des Brustflecks entscheidet beim Schwarzbrust-Ammerfink über den Fortpflanzungserfolg.

Reproduktion

Verhalten

Experiment: Signale für die Kampfstärke

Beobachtung
Der soziale Status männlicher Schwarzbrust-Ammerfinken hängt mit Größe und Färbung des dunklen Brustflecks zusammen.

Hypothese
Der Fleck ist ein ehrliches Signal für die Kampfstärke eines Männchens.

Methode
Zuerst wird die Rangordnung zwischen den verschiedenen Tieren durch Beobachten bestimmt. Bei betäubten, niedrigrangigen Vögeln wird der Fleck durch Farbe vergrößert. Ein Teil der so behandelten Vögel erhält gleichzeitig eine Testosteron-Injektion.

Ergebnis
Rangniedere Vögel mit vergrößertem Brustfleck werden nach kurzer Zeit von ranghöheren heftig attackiert.

Testosteron

Rangniedere Vögel mit vergrößertem Brustfleck plus Testosterongabe attackieren selbst und dominieren ranghöhere.

Originalfärbung
experimentell ergänzt

Schlussfolgerung
Der Brustfleck ist in der Natur ein ehrliches Signal für die Kampfstärke der Vögel.

3 Äußere Merkmale können Artgenossen Auskunft über die Kampfstärke geben.

bestimmt, sondern auch durch Größe, Alter und Erfahrung. Häufig geben Eltern nicht nur die Gene an die Nachkommen weiter, sondern auch den sozialen Status. Hyänenmütter helfen ihren Jungen beim Kampf gegen die Nachkommen rangniederer Gruppenmitglieder und sichern ihnen den Zugang zu knapper Nahrung, was sich natürlich wiederum vorteilhaft auf die Kondition der Jungtiere auswirkt.

Aufgabe 35.6
Rangordnungen bei Tieren sind oft linear, d.h. A dominiert B und C, B dominiert C. Erklären Sie, worauf dies beruht.

35.7 Einzel- und Gruppeninteressen bestimmen die Struktur der Gruppe

Erst streiten sie sich, dann vertragen sie sich wieder: Gerade eben noch hat der dominante Affe einen vorwitzigen Kleinen vom Ast gejagt, und jetzt sitzen sie friedlich zusammen und zupfen sich gegenseitig die Läuse aus dem Fell (→ Abb. 1). War die Attacke denn nun gar nicht so gemeint, nur eine harmlose Spielerei? Nein, hier ging es schon um die Rangordnung in der Gruppe.• Aber der Wechsel zwischen Aggression und gegenseitigem Lausen ist für den Zusammenhalt der Gruppe entscheidend.

Seit einigen Jahren beschreiben Wissenschaftler bei mehr und mehr Affenarten ein sogenanntes *Versöhnungsverhalten*: Kontrahenten suchen nach aggressiven Interaktionen immer wieder die Nähe des Rivalen und versöhnen sich mit ihm durch Lausen, engen Körperkontakt oder, bei den Zwergschimpansen

Information und Kommunikation

(Bonobos), durch Sex. Dieses Versöhnungsverhalten gleicht die zerstörerischen Effekte der *Dominanzinteraktionen* aus (→ Abb. 2). Sie trägt maßgeblich dazu bei, dass die Gruppe nicht auseinanderfällt. Findet keine Versöhnung statt, so ist die Wahrscheinlichkeit höher, dass zwei Individuen erneut miteinander kämpfen.

Übermäßiger *Egoismus*, wie beispielsweise unehrliche Kommunikation, kann ebenfalls der gesamten Gruppe schaden. Damit die Gruppe als Ganzes konkurrenzfähig bleibt, müssen die innerhalb der Gruppe auftretenden Konflikte zwischen einzelnen Mitgliedern gelöst werden. Das Leben in Tierverbänden erfordert eine fein abgestimmte Balance zwischen den Einzelinteressen und dem Gesamtinteresse der Gruppe.

Untersuchungen an Bienen, Wespen und Ameisen zeigen dies recht eindrucksvoll. In vielen Fällen würden hier einzelne Arbeiterinnen davon profitieren, aus ihren eigenen unbefruchteten Eiern Männchen heranzuziehen. Das würde ihre reproduktive Fitness

1 Gegenseitiges Lausen dient der „Versöhnung" und damit dem Zusammenhalt der Gruppe.

Experiment: Bedeutung der Versöhnung

Beobachtung
Häufig verhalten sich zwei Individuen schon bald nach einer Dominanzaktion oder einer anderen aggressiven Interaktion „freundschaftlich" zueinander.

Hypothese
Dieses Verhalten dient der „Versöhnung" und verringert die Häufigkeit neuer Aggressionen.

Methode
Die Häufigkeit aggressiver Interaktionen zwischen Gruppenmitgliedern wird nach einer Zeitspanne ohne bzw. einer Zeitspanne mit „Versöhnungsverhalten" bestimmt.

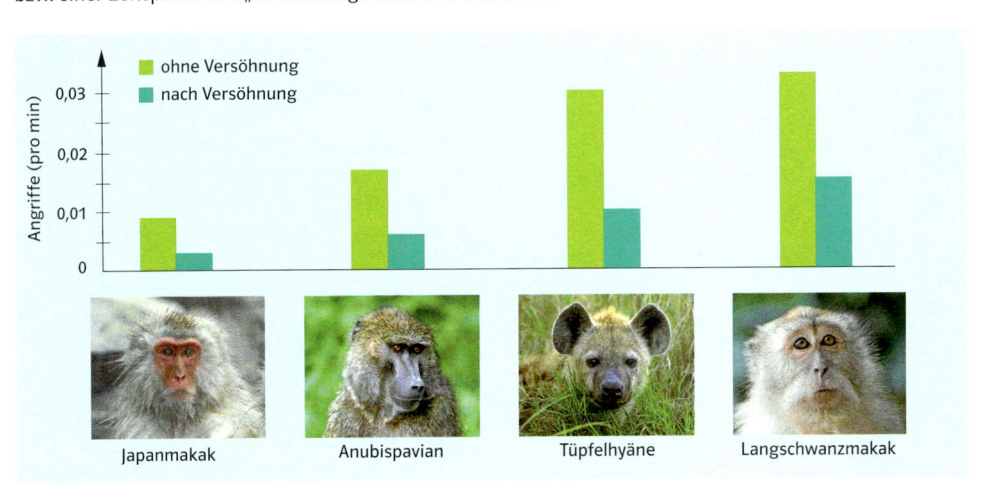

(Balkendiagramm: Angriffe (pro min); ohne Versöhnung / nach Versöhnung; Japanmakak, Anubispavian, Tüpfelhyäne, Langschwanzmakak)

Schlussfolgerung
Wiederversöhnung nach einer aggressiven Interaktion senkt die Wahrscheinlichkeit, dass es rasch wieder zu einer Attacke kommt.

2 Versöhnungsverhalten stabilisiert Gruppen.

erhöhen (→ 35.8). Solch eigennützige Fortpflanzung geht aber auf Kosten der gesamten Gruppe, denn die Eierlegerinnen arbeiten weniger und schmälern dadurch die Nachkommenproduktion durch die Königin. Andere Arbeiterinnen stöbern daher von Arbeiterinnen gelegte Eier auf und fressen sie, oder sie schädigen eierlegende Arbeiterinnen durch Bisse oder Antennenschläge.

Selbst das auf den ersten Blick so harmonisch wirkende Miteinander im Ameisenhaufen und im Bienenstock beruht somit stärker auf gegenseitiger Kontrolle und Bestrafung als auf „Uneigennützigkeit". Uneigennütziges (altruistisches) Verhalten haben Sie bereits im Zusammenhang mit der Gesamtfitness kennengelernt (→ S. 252). Es wird in → 35.8 näher betrachtet.

Aufgabe 35.7

Stellen Sie Beispiele zusammen, die zeigen, auf welche Art sich Menschen in verschiedenen Situationen versöhnen — in der Familie, unter Freunden, in Schule und Beruf.

35.8 Selbstloses Verhalten kann die Gesamtfitness erhöhen

Reproduktion

Das sieht doch nach wahrer Selbstlosigkeit aus: Kaum hat die *Camponotus saundersi*-Ameisenarbeiterin einen Feind wahrgenommen, egal wie groß und stark er auch ist, schon stürzt sie sich auf ihn und platzt. Sie zieht die Muskulatur des Hinterleibs so zusammen, dass die dünnhäutigen Bereiche zwischen den Skelettplatten aufreißen und den Angreifer mit großen Mengen an klebrigem Sekret überschütten. Eine eindrucksvolle, aber gleichzeitig kostspielige Art der Verteidigung, denn die geplatzte Arbeiterin stirbt. Wie kann in der Evolution ein solcher Kamikaze-Angriff erfolgreich sein, also ein Verhalten, das letztlich einer Selbsttötung gleichkommt? Derart augenscheinlich selbstloses Verhalten zum Vorteil der Gruppen- oder Koloniemitglieder bezeichnet man als **Altruismus**.

Die Frage nach dem evolutionären Vorteil altruistischen Verhaltens ist gar nicht so einfach zu beantworten. Zwar hatte bereits DARWIN in Ansätzen die richtige Erklärung erahnt, aber erst im Jahr 1964 wurde seiner Vermutung durch den englischen Naturforscher WILLIAM D. HAMILTON die formelle Basis gegeben: Es ist die Theorie der **Verwandtenselektion**.

Wie HAMILTON zeigte, können Individuen abstammungsidentische Kopien ihrer Gene genauso gut über nahe Verwandte wie über die eigenen Nachkommen weitergeben.* Wenn durch die Hilfeleistung mehr Kopien der eigenen Gene in die nächste Generation kommen als durch eigene Fortpflanzung, so kann sich das vermeintlich aufopfernde Verhalten durchsetzen. Dadurch, dass Arbeiterinnen die gefährlichen Arbeiten im Staat übernehmen und der Königin bei der Brutaufzucht helfen, kann die Königin sehr viel mehr Nachkommen zur Welt bringen. Die Arbeiterinnen helfen also der Königin, deren Nachkommenzahl zu erhöhen — und weil Arbeiterinnen und Königinnen meist eng verwandt sind, vermehren die Arbeiterinnen dadurch indirekt die Anzahl der Kopien ihrer Gene. Man spricht hier auch von *indirekter Fitness*, die sich mit der *direkten Fitness* über etwaige eigene Nachkommen zur *Gesamtfitness* addiert (→ S. 252).

Die Theorie der Verwandtenselektion erklärt auch, warum es innerhalb des Insektenstaats trotz des Altruismus zu Interessenskonflikten kommen kann. Bei Bienen, Wespen und Ameisen sind Männchen *haploid* und entstehen aus unbefruchteten Eiern, während Weibchen — sowohl Arbeiterinnen als auch Jungköniginnen — *diploid* sind und aus befruchteten Eiern entstehen. Durch diese *haplo-diploide Geschlechtsbestimmung* sind Weibchen mit ihren Schwestern enger verwandt, als sie es mit den eigenen Töchtern wären (→ Abb. 1). Nehmen wir an, wir könnten in der Population der Elterntiere an einem bestimmten Genort alle Allele individuell markieren. Kopien eines dieser Allele, die an die Nachkommen weitergegeben werden, bezeichnen wir als abstammungsidentisch. Ein Blick auf die Verwandtschaftsverhältnisse bei Ameisen zeigt, dass Schwestern vom väterlichen Tier exakt das gleiche Allel erben, während die Wahrscheinlichkeit, dass sie vom mütterlichen Tier das gleiche Allel erhalten, nur 0,5 beträgt. Im Mittel ergibt sich somit zwischen Schwestern eine Wahrscheinlichkeit von 0,75 dafür, dass zwei Allele an einem Genort in abstammungsidentischen Kopien vorliegen.

Mit ihren Brüdern (0,25) sind sie aber weniger eng verwandt als mit den eigenen Söhnen (0,5). Alleine aufgrund der Verwandtschaftsverhältnisse würden

stimmte ökologische Bedingungen die Entstehung von Tierstaaten, bei denen sich nicht alle Mitglieder fortpflanzen können.

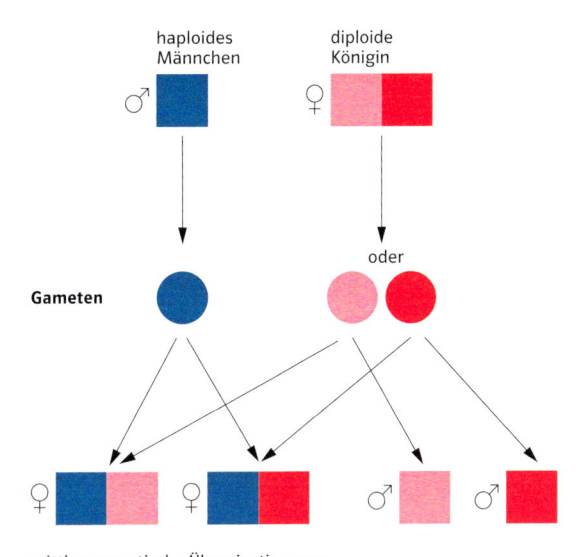

Die Entstehung anderer, nicht so extremer Fälle von Kooperation zwischen Nichtverwandten lässt sich durch Modelle der *Spieltheorie* erklären. Mit ihrer Hilfe kann man Modelle des Verhaltens bilden, vorteilhaftes oder nachteiliges Verhalten mit Punkten bewerten und Aussagen über den vermutlichen Fitness-Effekt des Verhaltens treffen.

Das gegenseitige Füttern bei Vampirfledermäusen ist ein gutes Beispiel für *reziproken* (gegenseitigen) *Altruismus*. Vampirfledermäuse können ohne eine Blutmahlzeit nicht lange überleben, aber die Chance, in einer Nacht bei der Jagd leer auszugehen, ist recht hoch. Erfolgreiche Vampirfledermäuse geben den Erfolglosen von ihrer Blutmahlzeit ab — und werden umgekehrt gefüttert, wenn sie selbst einmal leer ausgegangen sind (→ Abb. 2). „Hilf anderen, dann wird auch dir geholfen" stimmt somit auch aus Sicht der Evolutionstheorie.

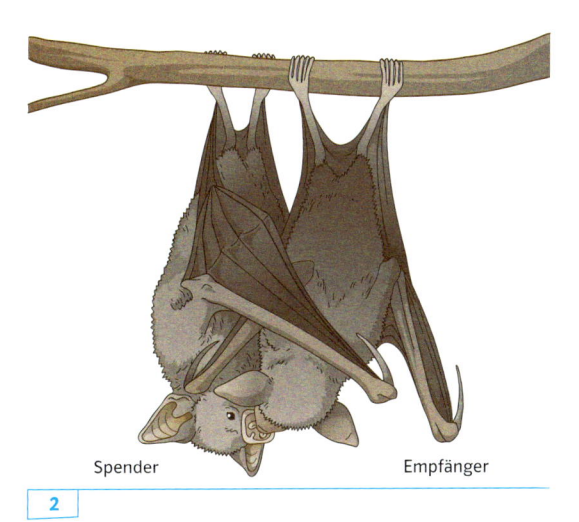

1 Bei Bienen, Wespen und Ameisen sind wegen der besonderen Geschlechtsbestimmung Weibchen durchschnittlich mit ihren Schwestern zu 75 %, mit ihren Brüdern aber nur zu 25 % genetisch identisch.

Arbeiterinnen also davon profitieren, aus ihren eigenen unbefruchteten Eiern Söhne heranzuziehen. Dass sie es meist nicht tun, liegt an den Kosten, die mit diesem egoistischen Eierlegen verbunden sind. Arbeiterinnen, die sich fortpflanzen, arbeiten weniger — und dies schadet dem gesamten Staat.

Kooperation findet sich bei den verschiedensten Tieren und verschiedene Modelle zeigen, dass auch Nichtverwandte sich gegenseitig helfen können. Aber Altruismus mit teilweiser oder vollkommener Sterilität der Helfer ist auf Tierarten beschränkt, die in Familien zusammenleben. Verwandtschaft ist dabei aber nicht die einzige Voraussetzung, vielmehr begünstigen be-

2 Bei Vampirfledermäusen beobachtet man manchmal, dass bei der Nahrungsaufnahme erfolgreiche Tiere aufgenommenes Blut an hungernde Nichtverwandte abgeben.

Aufgabe 35.8

Diskutieren Sie, welche Rolle die Blutsverwandtschaft in anderen biologischen Zusammenhängen spielen könnte. Denken Sie an die Paarung, an die Weitergabe von Territorien usw.

Lösungen

1 Die Makromoleküle des Lebens

1.1 Die Bausteine sind Aminosäuren mit funktioneller Amino- und Carboxylgruppe. Zwei Aminosäuren reagieren miteinander. Dabei erfolgt eine Abspaltung von –OH aus der Carboxylgruppe der einen und die Abspaltung von –H aus der Aminogruppe der anderen Aminosäure unter Bildung von Wasser (Kondensationsreaktion). Aminosäuren werden so durch Peptidbindungen (–CO–NH–) miteinander verknüpft (Abb. 2, S. 22).

1.2 Asparaginsäure — negative Seitenkette, also Ausrichtung der teilpositiv geladenen Wasserstoffatome des Wassermoleküls Richtung Aminosäurerest

1.3 Primärstruktur: lineare Abfolge (Sequenz) der Aminosäuren im Protein
Sekundärstruktur: lokale Faltung der Polypeptidkette in bestimmte Grundmotive (α-Helix, β-Faltblatt)
Tertiärstruktur: räumliche Faltung der Polypeptidkette
Quartärstruktur: Komplex aus mehreren Polypeptidketten (Untereinheiten) (Abb. 1, S. 27)

1.4 Kohlenstoff kann mit bis zu vier Bindungspartnern starke kovalente Bindungen eingehen, auch mit den anderen Hauptelementen des Lebens H, N, O, P, S. Kohlenstoff kann eine große Vielfalt an molekularen Gerüsten (Ketten, Ringe) bilden, die unterschiedliche funktionelle Gruppen tragen können.

1.5 Das Disaccharid entsteht durch eine Kondensationsreaktion, bei der durch Verknüpfung zweier –OH Wasser entsteht (Abb. 1, S. 31, Saccharose).

1.6 Einzelstrang: TGACC; Komplementärstrang: ACTGG

1.7 Phospholipide: Glycerol und zwei Fettsäuren, Phosphatgruppe und Rest; polarer Kopf, deshalb löslich in Wasser; unpolarer Schwanz, deshalb unlöslich in Wasser; Bildung von Biomembranen (bei allen Eukaryoten und Bakterien). Anmerkung: anders bei Archaea
Triglyceride: Glycerol und drei Fettsäuren; unpolar, also nicht löslich in Wasser; Energiespeicher, Wärmeisolator, Druckpolster (bei Pflanzen und Tieren)

2 Die Zelle — Grundeinheit des Lebens

2.1 Beobachtung lebender, auch bewegter Strukturen möglich; teilweise ohne vorherige Bearbeitung der Probe; bessere Übersicht; geringerer technischer Aufwand und Kosten; einfachere Handhabung

2.2 Das ist gerade ihre „Marktlücke": hochspezialisierte Stoffwechselreaktionen auf engstem Raum; sehr rascher Stoff- und Energieaustausch mit der Umgebung möglich; sehr hohe Vermehrungsraten möglich; aufgrund fehlender Kompartimentierung ist ein größeres Zellvolumen nicht möglich.

2.3 Typische Merkmale der Eucyte: Zellkern, Mitochondrien, Golgi-Apparat, größere Ribosomen, endoplasmatisches Reticulum (Merkmale wie Chloroplasten, zentrale Vakuole, Zellwand sind nur typisch für Pflanzenzellen; Merkmale wie Centriolen und Lysosomen sind nur typisch für Tierzellen)

2.4 Im Zellkern verbleibt die DNA. Die Kernhülle verlassen RNA, Proteine, Ribosomenuntereinheiten.

2.5 Die Kompartimentierung ist die Voraussetzung für den ungestörten Ablauf unterschiedlicher Reaktionen auf engstem Raum.

2.6 Transportvesikel: Einschließen von Stoffen in eine Biomembran zum Transport innerhalb des Cytoplasmas zu den Komponenten des Endomembransystems sowie zur Zellmembran oder von dieser weg.
Lysosom: Membranumhülltes Bläschen mit abbauenden Enzymen und abzubauenden Stoffen zu deren Zerlegung in die Grundbausteine und deren Freisetzung in das Cytoplasma; Schutz des Cytoplasmas vor diesen Verdauungsvorgängen

2.7 Actinfilamente: Bewegungsvorgänge der Zelle
Mikrotubuli: Bewegungsvorgänge der Zelle, Teilung der Zelle
Spindelapparat: Transportvorgänge in Zellen
Intermediärfilamente: Reißfestigkeit der Zelle

2.8 Prophase: Chromatin kondensiert im Zellkern zu sichtbaren Chromosomen, die aus zwei identischen Schwesterchromatiden bestehen; Nucleolus und Kernhülle verschwinden, die Mitosespindel entsteht.
Metaphase: Die Chromosomen liegen kondensiert auf der Äquatorialplatte; die Schwesterchromatiden sind mit entgegengesetzten Polen verbunden.
Anaphase: Die Schwesterchromatiden trennen sich am Centromer und wandern mithilfe des Spindelapparats zu den entgegengesetzten Polen.
Telophase: Um diese Tochterchromosomen bildet sich an jedem Zellpol eine neue Kernhülle; zwei identische Tochterzellkerne sind entstanden. Die Mutterzelle ist länglich geworden.
Cytokinese: Die Mutterzelle schnürt sich am Äquator ein und bildet zwei Tochterzellen.

3 Biomembranen und Transportvorgänge

3.1 Lipiddoppelschicht: Abgrenzung der hydrophoben Fettsäurereste vom Wasser, Schranke für Wasser und hydrophile Moleküle
Cholesterinmoleküle in der Lipidschicht: Beweglichkeit der Lipidschicht
Membranproteine: Verbindung von Zellen
Transportproteine: Transportmöglichkeit für hydrophile Stoffe, Selektivität
Rezeptorproteine: Signalerkennung und Informationsweitergabe
Kohlenhydratketten in Glykoproteinen und Glykolipiden: Zell-Zellerkennung, Erkennung körperfremder Zellen bei der Immunabwehr

3.2 Membranproteine besitzen außerhalb der Membran spezifische Bindungsstellen für Kohlenhydratketten und/oder Proteine gleicher Zellen. Die Wechselwirkung damit sorgt für die Zell-Zell-Erkennung bzw. für das Aneinanderheften gleicher Zellen.
Besitzt die präparierte Glasoberfläche solche typischen Membranproteine, heften sich auch dort die entsprechenden Zellen an.

3.3 In der Zelle befindet sich nun die hypertonische Lösung. Wird in die Umgebung eine hypotonische Lösung bezogen auf den Farbstoff gebracht (z. B. Leitungswasser), dann wird der Farbstoff entsprechend dem Konzentrationsgefälle nach außen diffundieren. Nach dem jeweiligen Konzentrationsausgleich wird die nun angefärbte Umgebungslösung entfernt. Die Zellen sollten also wiederholt in Wasser gespült werden.

3.4 Bei Wirbeltieren wird das Gleichgewicht der osmotischen Verhältnisse in den Körperflüssigkeiten aufrechterhalten (Homöostase). Dies muss auch bei der Zufuhr von Flüssigkeiten bestehen bleiben, damit die Blutzellen weder schrumpfen noch platzen und damit der Sauerstofftransport und die Lebensfähigkeit erhalten werden.

3.5 Die Diffusionsgeschwindigkeit ist abhängig vom Konzentrationsgefälle, dabei können Kanalproteine (Poren) den Transport erleichtern. Transportproteine (Carrier) binden das zu transportierende Molekül und transportieren es durch Konformationsänderung. Sie haben nur eine bestimmte Kapazität. Ist diese ausgeschöpft, ist die Sättigung erreicht.

3.6 Kationen (z. B. H^+, Na^+) sind häufig am sekundär aktiven Transport beteiligt. Voraussetzung dafür ist ein Konzentrationsgefälle der Ionen, ein Ionengradient. Wird durch den ungehinderten Transport aufgrund der Gramicidineinlagerung in die Membran kein Gradient erzeugt, kann auch kein sekundärer Transport erfolgen.

3.7 Die Aufnahme erfolgt durch rezeptorvermittelte Endocytose: LDL-Rezeptoren der Zellmembran binden das an das Protein LDL gebundene Cholsterol. Dann werden LDL und Cholesterol durch Einstülpung der Zellmembran in ein Vesikel eingeschlossen. So kann Cholesterol zu den Orten der Verwendung transportiert werden.

4 Energie und Enzyme

4.1 Beim Aufräumen Ihres Zimmers erhöhen Sie die Ordnung. Das bedeutet, die Entropie in diesem System nimmt ab. Ihr Zimmer ist jedoch kein geschlossenes System. Es steht in Verbindung mit dem übergeordneten Gesamtsystem, dem Universum. Obwohl Sie Energie investieren, ändert sich dadurch der Energieinhalt des Universums nicht (1. Hauptsatz). Die scheinbare Absenkung der Entropie (durch Aufräumen) wird durch Verluste von nicht nutzbarer Wärmeenergie nicht nur aufgehoben, vielmehr erhöht sich insgesamt die Entropie des Universums (2. Hauptsatz): Sie kommen unter Umständen sogar ins Schwitzen, was Sie Stoffwechselenergie kostet.

4.2 Der Prozess muss mit einer zweiten Reaktion gekoppelt sein, deren ΔH stark negativ ist. Beispiel: Die Phosphorylierung von Glucose zu Glucose-6-P ist gekoppelt mit der Dephosphorylierung von ATP zu ADP.

4.3 Ohne diese Energieschwelle würden alle Nahrungsproteine inklusive der Organismen selbst spontan in energiearme Verbindungen wie Wasser, Ammoniak und Kohlenstoffdioxid zerfallen.

4.4 Die Wirkungsspezifität der Hexokinase besteht in der Reaktion einer alkoholischen OH-Gruppe mit Phosphorsäure (Phosphorylierung).
Die Substratspezifität der Hexokinase besteht darin, dass das Enzym ausschließlich die OH-Gruppe in Position 6 des Monosaccharids Glucose phosphoryliert. Außerdem muss die Phosphorsäure durch ATP bereitgestellt werden.

4.5 Enzyme bringen die Reaktionspartner biochemischer Reaktionen in eine günstige Position, sodass sie chemisch miteinander reagieren können. Dadurch senken Enzyme die Energiebarriere (Aktivierungsenergie) zwischen Ausgangsverbindungen (Substraten) und Endverbindungen (Produkten).
Die Maximalgeschwindigkeit enzymatischer Reaktionen wird einerseits durch die Substratkonzentration beschränkt und andererseits durch die Diffusionsgeschwindigkeiten, mit denen sich Substratmoleküle in das aktive Zentrum hinein bewegen und Produktmoleküle das aktive Zentrum verlassen.

4.6 Sauerkraut entsteht durch Milchsäuregärung aus normalem Weißkohl. Die von Bakterien gebildete Milchsäure führt zu einer Absenkung des pH-Werts. Dadurch wird das Kraut haltbar; man sagt, es ist konserviert. Der Grund ist das pH-Optimum von Enzymen, das in der Regel im Neutralbereich liegt. Bei saurem pH sind die meisten Enzyme inaktiv, auch die von Bakterien und Hefepilzen.

4.7 Bei einem bloßen Rückstau häufen sich Zwischenprodukte immer mehr an und blockieren Stoffwechselwege, so wie immer mehr Fahrzeuge in den Stau hineinfahren und damit auch die Kreuzungen und Nebenstraßen blockieren. Eine Warnung durch den Verkehrsfunk gleicht einer negativen Rückkopplung, indem die Autofahrer entweder zu Hause bleiben oder auf andere Straßen ausweichen.

5 Stoff- und Energieaustausch bei Tieren

5.1 Biologische Austauschflächen müssen möglichst groß und dünn sein und dennoch eine gewisse Stabilität aufweisen. Sie müssen für das Auszutauschende gut durchlässig sein. Zum Stoffaustausch muss die Austauschfläche feucht sein (zum Energieaustausch nicht).

5.2 Die Rechnung ist zwar richtig: Gulliver hat das Volumen von 12^3 = 1728 Liliputanern, aber die Nahrung ist nicht bedarfsgerecht. Gemäß der Maus-Elefant-Kurve nimmt der Grundumsatz mit steigender Körpermasse ab. Grund ist das Oberflächen-Volumen-Verhältnis, wodurch ein großer Körper mit seiner Umgebung schlechter Wärmeenergie austauschen kann als ein kleiner. Gulliver hätte demnach erheblich weniger Nahrung gebraucht, und zwar grob geschätzt 12^2 = 144-mal so viel wie ein Liliputaner, entsprechend dem Oberflächenverhältnis.

5.3 Wir regulieren unsere Körpertemperatur teils durch aktives Erwärmen und Kühlen von innen heraus, in erheblichem Maß aber auch durch Verhalten: Aufsuchen warmer bzw. kühler Räume, Sonne oder Schatten; Kleidungswechsel; Aufwärmen an der Heizung oder ein heißes Getränk; Abkühlen im Schwimmbad, im Wind oder ein kühles Getränk.

5.4 Durch die Kompartimentierung laufen im Verdauungstrakt ganz unterschiedliche Prozesse gleichzeitig bei unterschiedlichen pH-Werten und mit unterschiedlichen Enzymen ab. So können wir zur gleichen Zeit neue Nahrung im Mund zerkleinern und einspeicheln, etwas zurückliegende im Magen zersetzen und noch frühere im Dünndarm in ihre molekularen Bausteine zerlegen.

5.5 Unser Gehirn kann Energie nur aus Kohlenhydraten gewinnen. Steht keine Glucose mehr zur Energiegewinnung zur Verfügung, wäre es praktisch, Fette in Kohlenhydrate umwandeln zu können. Dazu ist unser Organismus aber nicht in der Lage. Allerdings müsste die Umwandlung meist rasch vor sich gehen, was bei dem pflanzlichen Mechanismus nicht der Fall ist. Das mag der Grund sein, warum wir diesen Stoffwechselweg nicht brauchen können.

5.6 Der Körperkreislauf hat neben vielen weiteren Aufgaben auch die eines Kühlkreislaufs, indem er die Wärmeenergie im Körper verteilt und über Austauschflächen an die Umgebung abgibt, so wie es ein Kühlkreislauf macht. Beide arbeiten mit einer Pumpe auf der Basis einer umgewälzten Flüssigkeit. Die Pumpleistung und die Austauschflächen werden in beiden Fällen dem Bedarf angepasst.

5.7 Bei einem Höhentraining erfolgt die Zunahme der Zahl roter Blutzellen aufgrund von Regulationsmechanismen in einem physiologisch vertretbaren, vom Kreislaufsystem verkraftbaren Maß, während Doping mit EPO leicht zu einer Überdosierung und in der Folge zu Kreislaufschäden führen kann. Anmerkung: Doping ist wegen genereller gesundheitlicher Gefährdung grundsätzlich verboten.

5.8 Die Flüssigkeit zwischen den Zellen im Nierenmark wird teils durch passiven, teils durch aktiven Transport von NaCl aus der Henleschleife und dem Sammelrohr hyperosmotisch; aus dem Sammelrohr austretender Harnstoff erhöht den osmotischen Wert weiter. Dadurch wird Wasser, für das nur der absteigende Ast der Henleschleife durchlässig ist, aus diesem osmotisch in die Gewebeflüssigkeit gezogen, wodurch sich der Harn zunehmend konzentriert.

5.9 Der nicht an Actin gebundene, mit ATP beladene Myosinkopf wird durch Spaltung des ATP in ADP + P „gespannt" (Konformationsänderung unter Energiezufuhr). Sobald er an Actin bindet, wird ADP + P freigesetzt und der Kopf „entspannt" (Kraftschlag: Konformationsänderung ohne Energiezufuhr). Nun wird erneut ATP gebunden und der Kopf löst sich.

6 Zellatmung — Energie aus Nährstoffen

6.1 Bei der Knallgasreaktion wird die Energie explosionsartig in einem Schritt freigesetzt. Bei der Zellatmung dagegen wird diese Oxidationsreaktion in viele biochemische Teilschritte zerlegt. Die dabei freigesetzten energiereichen Elektronen werden von NAD^+ oder FAD zwischengespeichert und in die Atmungskette eingeschleust und landen schließlich energiearm beim Sauerstoff. Ein Teil der ursprünglichen Energie geht bei jedem Zwischenschritt als Wärme verloren. Der andere Teil liegt am Schluss portioniert in Form von ATP-Molekülen vor.

6.2 Die Glucose muss zunächst durch enzymatische Anbindung eines Phosphatrests in einen reaktionsfähigen Zustand versetzt werden (Aktivierung). Dieser Aktivierungszustand verhindert gleichzeitig den Rücktransport ins Blut. Das Anheften eines Phosphatrests (ATP-Verbrauch) wird notwendig, um die Energie für die weiteren Reaktionsschritte zur Verfügung zu stellen.

6.3 Vorteile der Kompartimentierung:
Die Bereitstellung der Basisenergie (durch anaerobe Glykolyse) wird unabhängig von den Stoffwechselvernetzungen des Citratzyklus sichergestellt.

Nachteile:
Es kommt unter Umständen zu Energieverlusten beim Transport von Stoffwechselzwischenprodukten wie NADH über die Mitochondrienmembran.

6.4 Der eingeatmete Sauerstoff wird in der Atmungskette der Mitochondrien zu Wasser reduziert. Der Sauerstoff im CO_2 entstammt den abgebauten Nährstoffen.

6.5 Die Bedeutung der Gärung liegt darin, NADH aus NAD^+ zu regenerieren und so für die Glykolyse erneut bereitzustellen. Unter Sauerstoffmangel kann NADH nicht in der Atmungskette zu NAD^+ reoxidiert werden und würde sich ohne Gärung anhäufen.

6.6 Acetyl-CoA ist ein zentrales Molekül des Stoffwechsels, das sowohl beim Abbau von Fetten als auch beim Protein- und Kohlenhydratabbau als Zwischenprodukt entsteht. Umgekehrt kann unser Körper aus Acetyl-CoA Fette aufbauen, aber keine Kohlenhydrate. Deshalb bilden sich bei übermäßiger Zufuhr von Proteinen und Kohlenhydraten Fettpolster.

6.7 Bei einer kompetitiven Hemmung tritt der Inhibitor (Hemmstoff) mit dem Substrat in einen „Wettbewerb" um die Bindung am aktiven Zentrum. Seine Hemmwirkung nimmt daher mit zunehmender Substratkonzentration wieder ab, bei gleich bleibender Maximalgeschwindigkeit der Enzymreaktion. Bei der negativen Rückkopplung bindet ein Inhibitor am allosterischen Zentrum des Enzyms und verändert dadurch das aktive Zentrum so, dass keine Anlagerung des Substrats mehr möglich ist. Dadurch wird ein Rückstau im System und somit ein unnötiger Material- und Energieverbrauch verhindert (Beispiel: Phosphofructokinase).

7 Stoff- und Energieumwandlung bei Pflanzen

7.1 Autotrophe Organismen können energiereiche organische Moleküle aus energiearmen anorganischen Molekülen aufbauen, und das können Tiere nicht. Tiere können zwar auch energiereiche organische Moleküle erzeugen, aber immer nur aus anderen energiereichen organischen Molekülen.

7.2 Die blattlosen Kakteen haben eine viel geringere innere Oberfläche, über die Wasser verdampfen kann; daher können sie auch an heißen, trockenen Standorten besser die Transpiration begrenzen. Allerdings ist auch die CO_2-Aufnahme und die Fotosyntheserate begrenzt: Kakteen wachsen langsam.

7.3 Durch den Wurzelverlust ist die Wasseraufnahme verlangsamt. Alle genannten Maßnahmen verringern die Transpiration und schützen damit die umgetopften Pflanzen vor zu großem Wasserverlust und damit vor dem Verwelken.

7.4 Aus Kurve 1a wird deutlich, dass Schwachlicht die Fotosyntheserate begrenzt. Also wird das Maximum in Abb. 1c deutlich niedriger liegen. Wenn mehr Spaltöffnungen bei geringerer Luftfeuchte geschlossen bleiben, kann die Kurve 1c etwas zu tieferen Temperaturen verschoben sein, begrenzend wirkt dann auch der CO_2-Gehalt in den Interzellularräumen.

7.5 Die Flüssigkeitsabgabe wird durch den Wurzeldruck angetrieben. So können in den Gefäßen des Xylems auch noch Mineralstoffe von der Wurzel in die Blätter transportiert werden, wenn wegen der wassergesättigten Luft keine Transpiration mehr möglich ist.

7.6 Man lässt geeignete Pflanzen nicht in Erde wurzeln, sondern in einer sorgfältig hergestellten Nährlösung, die alle notwendigen Mineralstoffe enthält, nur kein Selen. Wenn diese Pflanzen verkümmern, dann ist Selen für Pflanzen essenziell.

7.7 Sie hat mehr Fotosynthese betrieben. Die erfrorene Pflanze besteht zum großen Teil aus organischen Materialien. Diese hat sie alle fotosynthetisch aus anorganischen Materialien hergestellt und noch nicht veratmet.

8 Fotosynthese — Solarenergie für das Leben

8.1 Der Wasserstoff liegt in den Zellen nicht elementar vor, sondern an biologische Überträger gebunden, also in der Form von NAD^+ (oder $NADP^+$) + H^+. Dadurch kann in der Atmung die Reaktion zwischen dem gebundenen Wasserstoff und Sauerstoff kontrolliert ablaufen und zur Erzeugung von ATP dienen.

8.2 Die Algen in den höheren Wasserschichten filtern mit ihren Fotosynthesepigmenten die blauen und roten Lichtanteile heraus, dadurch kommt weiter unten hauptsächlich grünes Licht an. Die Algen in den tieferen Wasserschichten haben also einen Vorteil, wenn sie dieses grüne Licht besonders gut nutzen können.

8.3 Im Schatten braucht jedes Reaktionszentrum ein größeres Sonnensegel, um noch genügend Licht aufzufangen. Daher erhöht die Pflanze die Zahl der Lichtsammelpigmente pro Reaktionszentrum.

8.4 Solche Substanzen lassen die im Thylakoidinnenraum angehäuften Protonen zurückfließen. Damit bricht das Protonen-Konzentrationsgefälle zusammen und die ATP-Synthase stellt kein ATP mehr her. Ohne ATP kann die Pflanze ihren Stoffwechsel nicht aufrecht erhalten.

8.5 In den lichtabhängigen Reaktionen werden das Reduktionsmittel NADPH + H^+ und der Energieträger ATP hergestellt, mit deren Hilfe dann in den lichtunabhängigen Reaktionen aus CO_2 Zucker hergestellt wird.

8.6 Nur die „Steinfresser", die organische Moleküle aus Kohlenstoffdioxid und Wasserstoff aufbauen können. Alle anderen benötigen elementaren Sauerstoff, und dieser tauchte in der Erdatmosphäre erst auf, als im Verlauf der Evolution die Organismen entstanden, die fotosynthetisch Wasser spalten konnten.

9 DNA — Träger der Erbinformationen

9.1 Der Kontrollansatz zeigt, dass eine Transformation nicht bereits auf das Erhitzen, Homogenisieren oder Filtrieren zurückzuführen ist, also nicht schon vor der Zugabe von Enzymen erfolgt ist.

9.2 A, T und C, G liegen in gleicher Anzahl vor, weil sie in der DNA-Doppelhelix komplementär gepaart sind.

9.3 In Zellen, bei denen die Cytokinese unterbleibt, verdoppelt sich der DNA-Gehalt.

9.4 Grenzen des Strickleiter-Modells: Drehung bleibt unberücksichtigt, Sprossen sind nicht zweiteilig wie in der DNA, die Strickleiter ist also nicht auftrennbar. Holme sind nicht verschieden ausgerichtet.
Grenzen des Reißverschlussmodells: Holme sind nicht verschieden ausgerichtet, Zähnchen verhaken alternierend, sind also nicht komplementär gepaart. Zipper öffnet die Einzelstränge und schließt sie auch wieder — Polymerase synthetisiert neu.

9.5 DNA-Moleküle, die gerade für eine DNA- oder RNA-Synthese abgelesen werden, sind aufgelockert und bieten daher auch bei Färbung kaum Kontrast. Normalerweise lassen sich Chromosomen nur in der Transportform während der Mitose einzeln unterscheiden.

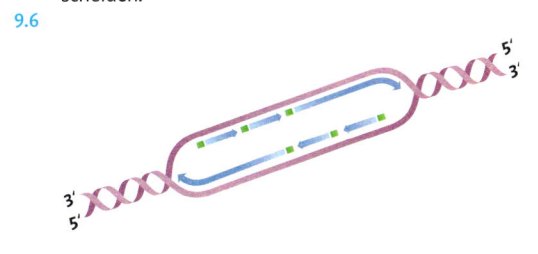

9.6

10 Genetischer Code und Proteinbiosynthese

10.1 universell: jede Zelle in einem beliebigen Lebewesen benutzt die gleiche Codierung.
redundant: für einige Aminosäuren gibt es mehrere Triplettvarianten

10.2 RNA-Polymerase. Aufgabe: RNA-Synthese; Arbeitsweise: komplementäre Anlagerung von RNA-Nucleotiden nur an einem (dem codogenen) DNA-Einzelstrang
DNA-Polymerase. Aufgabe: DNA-Synthese; Arbeitsweise: komplementäre Anlagerung von DNA-Nucleotiden an beide DNA-Einzelstränge, einmal durchgängig, einmal stückweise. Benötigt Primer zum Start.

10.3 DNA: 3'- TAC GCC CTG TGG CGC CTC-5'
mRNA: AUG CGG GAC ACC GCG GAG
           Met Arg Asp Thr Ala Glu
Gibt man, wie in Gendatenbanken üblich, den nichtcodogenen Strang der DNA an, gleicht die Sequenz bis auf T/U der mRNA-Sequenz. Die Codesonne lässt sich also direkt auf die DNA-Basensequenz anwenden, wenn man T statt U schreibt.

10.4 Alternatives Spleißen ermöglicht es der Zelle, von einem Gen verschiedene Genprodukte zu bilden. Das vereinfacht und reduziert nicht nur den Speicherbedarf, sondern macht mehr Varianten möglich.

10.5 Repressor verhindert Transkription, daher sein Name. Aber: Im aufbauenden Stoffwechsel ist er zunächst inaktiv, es können also Enzyme zum Bau des Endproduktes gebildet werden, bis kein Substrat mehr da ist, das Endprodukt den Repressor aktiviert und damit die Transkription stoppt.
Im abbauenden Stoffwechsel ist der Repressor zunächst aktiv, eine Transkription kann also erst erfolgen, wenn Enzyme auch wirklich gebraucht werden, also wenn das entsprechende Substrat vorliegt.

10.6 Stoffwechsel: enthält zwar die genetische Information für Virenproteine, aber nicht die komplette Decodiermaschine, daher ist weder aufbauender noch abbauender Stoffwechsel unabhängig von der Wirtszelle.
Fortpflanzung und Vermehrung: Die genetische Information wird weitergegeben, vervielfacht und variiert, aber nur in einer lebenden Wirtszelle.
Reizbarkeit: keine Erregungswahrnehmung oder Reizleitung, allenfalls „Erkennen" der Wirtszelle mittels Rezeptormolekülen.

10.7 Stammzellen bilden lebenslang Zellen für die Regeneration abgestorbener Körperzellen und teilen sich dazu. Durch die Nachsynthese der Telomeren-DNA mit Hilfe des Enzyms Telomerase wird die allmähliche Verkürzung der Chromosomen verhindert.

10.8 Diese Aussage ist nicht ausreichend, denn ein Gen kann durch alternatives Spleißen auch für verschiedene Polypeptide codieren. Außerdem gibt es DNA-Abschnitte, die für ribosomale RNA codieren.

10.9 DNA: Gen; RNA: RNAi; Protein: Prion

11 Neukombination von Genen bei der Fortpflanzung

11.1 Genetische Mutter liefert Erbmaterial in Form von Chromosomen
Epigenetische Mutter liefert Plasma mit Inhaltsstoffen in Form der Eizelle
Leihmutter liefert Gebärmutter
Genetischer Vater liefert Erbmaterial aus Körperzelle
Vaterlos: stammt das genetische Material aus einer weiblichen Körperzelle, ist ein Vater „verzichtbar"

11.2 Mitose: Trennung und Verteilung der Chromatiden; ergibt zwei genetisch identische, diploide Tochterzellen
Meiose: 1. Paarung und Verteilung der Homologen, 2. Trennung und Verteilung der Chromatiden; ergibt vier genetisch neu kombinierte, haploide Keimzellen

11.3 Mögliche Varianten: $2^{23} \cdot 2^{23} = 70\,368\,744\,177\,664$, also mehr als 70 000 Milliarden; Weltbevölkerung 2009: 6,8 Milliarden, also weniger als ein 10 000stel der Möglichkeiten → es gibt so viele genetische Varianten, dass eine zufällige genetische Übereinstimmung zweier Menschen extrem unwahrscheinlich ist.

11.4

11.5 Merkmale werden nur dann unabhängig voneinander vererbt, wenn sie keine Kopplungsgruppe bilden, d.h. wenn die zugehörigen Gene (Erbanlagen im Sinne Mendels) auf verschiedenen Chromosomen liegen oder durch Crossingover getrennt wurden.

11.6 Bakterien rekombinieren durch Transformation, Transduktion, Konjugation.

12 Gene und Merkmalsbildung

12.1 Keuchhusten: keine erbliche Krankheit, da etwa gleich häufig bei eineiigen und zweieiigen Zwillingen
Zuckerkrankheit (Diabetes): erblicher Anteil, da seltener bei zweieiigen als bei eineiigen

12.2 Polyphänie geht von einem einzelnen Gen aus, das mehrere Merkmale beeinflusst. Betrachtet man nur eines der beeinflussten Merkmale, gelten Mendels Regeln wie beim monogenetischen Erbgang. Betrachtet man mehrere Merkmale, die auf dasselbe Gen zurückgehen, erweckt das den Eindruck einer Kopplungsgruppe.

12.3 Alle Tochterzellen der melaninfreien Körperzelle sind ebenfalls farblos, sie bilden einen weißen Fleck auf der Haut, die restliche Haut (Haare, Federn) sind normal gefärbt. Die Keimzellen gehen nicht aus Hautzellen, sondern aus Urkeimzellen hervor, tragen diese Mutation also nicht. Daher sind die Nachkommen keine Albinos.

12.4 Wenn genau drei Basen betroffen sind, wird das Leseraster nicht verschoben.

12.5 In dem Chromosom sind dann zwei Centromere mit Ansatzstellen für die Spindelfasern. Ziehen die Spindelfasern jeweils in verschiedene Richtungen, wird das Chromosom zerrissen.

12.6 Polyploidisierung einer diploiden Zygote, Verschmelzung zweier diploider Keimzellen, Dreifachbefruchtung einer Eizelle

12.7 Gemeinsamkeit: DNA-Abschnitte verändern ihre Position im Genom.
Unterschiede:
Translokation (Chromosomenmutation): Ein Chromosomenbruchstück wird auf ein anderes (nicht homologes) Chromosom übertragen oder an anderer Stelle in das gleiche Chromosom eingebaut.
Transposition (mobile DNA): ein DNA-Abschnitt wird in ein anderes (nicht homologes) Chromosom oder an anderer Stelle in das gleiche Chromosom eingebaut, es bringt das Enzym für diesen Vorgang, die Transposase, selbst mit
Crossingover: Stückaustausch homologer Chromosomen.

13 Entwicklungsgenetik

13.1 In der menschlichen Embryonalentwicklung spezialisieren sich die Zellen der Blastula zu drei Keimblättern. Aus dem Entoderm entstehen Darmkanal und Anhangsdrüsen, aus dem Mesoderm Bindegewebe, Muskelzellen und Blutzellen, aus dem Ektoderm äußere Haut und Nervensystem.

13.2 maternale Gene → Segmentierungsgene → homöotische Gene

13.3 Der graue Halbmond in der Froschzygote ist ein Organisator, der die Weiterentwicklung zur Blastula induziert. Fehlt der graue Halbmond in einer Schnürhälfte, findet keine Weiterentwicklung statt.

13.4 Embryonale Stammzellen: omnipotente = totipotente Stammzellen können jeden beliebigen Zelltyp bilden
Adulte Stammzellen: pluripotente und multipotente Stammzellen bringen nur bestimmte Zelltypen hervor.

13.5 Der progammierte Zelltod sorgt dafür, dass die Gewebezellen in den Fingerzwischenräumen abgebaut werden.

13.6 p53 veranlasst die Apoptose, also den programmierten Zelltod. Dadurch werden Zellen mit DNA-Fehlern beseitigt und die Entstehung eines Tumors unterdrückt.

14 Anwendungen und Methoden der Gentechnik

14.1 Transkriptase: Enzym für die Transkription, also für die Abschrift DNA → RNA; Revers: „umgekehrt" also für die Abschrift RNA → DNA

14.2 In der PCR wird der Probenansatz erhitzt, um die DNA in Einzelstränge zu teilen (schmelzen) und abgekühlt für die DNA-Synthese. Hitzeresistente DNA-Polymerasen können diese Temperaturdifferenzen überstehen, ohne zu denaturieren. Man muss also nicht immer wieder neue DNA-Polymerase nach einem Erhitzungsvorgang hinzusetzen.

14.3 Sequenzierung: Entziffert die Basensequenz und macht einen direkten Vergleich möglich
Hybridisierung: Ergänzt komplementär bekannte und unbekannte Basensequenz und lässt beim Schmelzverhalten indirekte Schlüsse auf die Übereinstimmung zu.

14.4 Gensequenzierung: Die Strang-Abbruchmethode liefert die Basensequenz eines DNA-Abschnitts.
Genkartierung: Mittels Genmarkern wird Lage (und Funktion) des Gens ermittelt.

14.5 Chance: Früherkennung von Krankheiten
Reparatur von defekten Genen und dadurch Heilung
Verhinderung einer Erkrankung
Risiko: hohe psychische Belastung bei der Diagnose einer unheilbaren Krankheit; auch andere Gene können durch das gewünschte Gen und/oder den Vektor unbeabsichtigt verändert werden. Das Immunsystem reagiert auf die veränderten Zellen.

15 Humangenetik

15.1 Kind 0 rh–, Mutter A rh–
Genotyp des Kindes: 00, rh– rh–
Mögliche Genotypen der Mutter: A0 rh– rh– (AA rh– rh– ist für die Blutgruppe der Mutter zwar denkbar, würde aber nicht zur Blutgruppe 0 des Kindes führen)
Der Vater muss 0 und rh– liefern, mögliche Genotypen des Vaters daher:
A0 rh– rh–, A0 Rh+ rh–
B0 rh– rh–, B0 Rh+ rh–
00 rh– rh–, 00 Rh+ rh–
Ausgeschlossen ist daher nur Blutgruppe AB.

15.2 Eine erbliche Krankheit ist auf genetische Veränderungen in den Keimzellen zurückzuführen und wird an die nächste Generation weitergegeben.
Eine genetische Krankheit ist auf genetische Veränderungen in den Körperzellen zurückzuführen und wird an Tochterzellen, aber nicht an die nächste Generation weitergegeben.
Eine angeborene Krankheit ist auf nicht-genetische Einflüsse während der Schwangerschaft oder Geburt zurückzuführen, z. B. Gifte, Sauerstoffmangel.

15.3 Der Y-chromosomale Erbgang geht auf Gene des Y-Chromosoms zurück, die auch beim Mann nur in Einzahl im Zellkern vorhanden sind. Die Begriffe dominant/rezessiv machen nur Sinn, wenn man die Auswirkung zweier Allele im heterozygoten Fall vergleicht, nicht bei Hemizygotie.

15.4 Bei 47,XXX-Frauen kann aus der Meiose eine 24,XX-Eizelle hervorgehen. Wird diese durch ein 23,Y-Spermium befruchtet, entsteht eine 47,XXY-Zygote, also der Karyotyp des Klinefelter-Syndroms.

15.5 Retortenbaby: Die Verschmelzung von Eizelle und Spermienzelle findet außerhalb der Gebärmutter statt, nach dieser künstlichen Befruchtung wird der Embryo in die Gebärmutter übertragen. (Eine Retorte ist das Destilliergefäß der Alchimisten, der Begriff soll symbolisieren, dass es sich um eine Labormethode handelt. Retorten werden in modernen Labors nicht mehr benutzt).
Designerbaby: Nach der künstlichen Befruchtung und vor der Implantation wird ein Embryo nach bestimmten Gesichtspunkten ausgewählt, er soll eine bestimmte Gestalt, im künstlerischen Sprachgebrauch „Design" haben. Das können ein gewünschtes Geschlecht oder aber bestimmte Zellmerkmale sein, die das Kind z. B. zum möglichen Organ- oder Zellspender für einen nahen Verwandten machen.

16 Immunsystem

16.1 Unspezifisch (alle Tiere):
Das unspezifische Immunsystem reagiert sehr schnell, binnen Minuten. Es beruht auf natürlichen Killerzellen und Makrophagen,
Adaptiv (nur Wirbeltiere):
Die unspezifische Immunabwehr bewirkt letztlich das Einschalten der adaptiven Immunabwehr. Sie beruht auf Lymphocyten, die für die Kommunikation zwischen den Immunzellen sorgen (T-Lymphocyten) und die adaptiv Antikörper gegen Krankheitserreger bilden können (B-Lymphocyten). Außerdem erzeugt das adaptive Immunsystem Gedächtniszellen, die bei einer zweiten Infektion mit demselben Erreger für eine schnellere und stärkere Abwehr sorgen. Der Organismus ist immun geworden.

16.2 Makrophagen: erkennen und phagocytieren Krankheitserreger und locken andere Immunzellen an
Cytokine: bewirken als Botenstoffe die Differenzierung von Zellen
Chemokine: locken chemotaktisch andere Immunzellen zum Infektionsherd
Granulocyten: phagocytieren Bakterien und schütten schmerzauslösenden Substanzen aus
Mastzellen: schütten Histamin aus, das Blutgefäße erweitert und durchlässig für Granulocyten macht
Komplementsystem: wird durch Bakterien und Pilze induziert, greift die Zellwand von Erregern an und bewirkt deren Zerstörung

16.3 MHC I und II sind Oberflächenproteine von Zellen. MHC I besitzen alle kernhaltigen Immunzellen. MHC II kommt nur in antigenpräsentierenden Zellen zusätzlich vor. Dazu zählen dendritische Zellen, Makrophagen und B-Zellen.
Im MHC I werden Fragmente cytoplasmatischer Proteine nach außen präsentiert, darunter auch Teile eingedrungener Viren. Im MHC II werden die in Lysosomen verdauten Fragmente phagocytierter Krankheitserreger und toxischer Proteine nach außen präsentiert.

16.4 Die für Antikörper codierenden Gene enthalten viele Kopien variabler Genabschnitte. Durch zufällige Neukombination der Antikörpergene (somatische Rekombination) wird auf DNA-Ebene in jeder B-Zell-Linie ein anderes Antikörpergen erzeugt, für einen einzigartigen B-Zellrezeptor (Antikörper).

16.5 Bei der passiven Immunisierung werden Antikörper von einem Organismus auf einen anderen übertragen. Dadurch wird kurzzeitig ein gezielter Schutz direkt gegen den Erreger bewirkt, was allerdings nur wenige Stunden bis Tage anhält. Bei der aktiven Immunisierung wird ein abgeschwächter Krankheitserreger verabreicht. Dieser stimuliert die T- und B-Zellen des adaptiven Immunsystems. Ein Vorteil der aktiven Immunisierung ist die Erzeugung von B- und T-Gedächtniszellen, die für lang anhaltende Immunität sorgen.

16.6 Bei einer HIV-Infektion werden spezifisch die T-Helferzellen des adaptiven Immunsystems befallen. Zunächst kommt es zwar zu einer Immunantwort, die zu einer vorübergehenden Eindämmung der Virusinfektion führt. Langfristig sorgen jedoch die Viren für einen stetigen Verlust von T-Helferzellen. Dies führt zu einer nachhaltigen Schwächung des Immunsystems, die zum Auftreten von sekundären Krankheiten wie Kaposi-Sarkom, Pilzinfektionen (Candida albicans) und Tuberkulose führt.

17 Mechanismen der Evolution

17.1 Ohne Weitergabe der Gene käme es zum Aussterben von Populationen.
Ohne genetische Variabilität, ohne Selektion und ohne immerwährende Wiederholung dieser Voraussetzungen wäre eine Anpassung an die sich ständig verändernden Umweltbedingungen nicht gegeben.

17.2 Definition des Begriffes biologische Fitness: Beitrag, den ein Individuum zum Genpool leistet — relativ zu seinen Artgenossen. Messbar wird dieser Begriff an der Anzahl der geschlechtsreifen Nachkommen. Ursachen für unterschiedliche Fortpflanzungserfolge (Fitness) sind Unterschiede in der Lebenserwartung, der Fortpflanzungsrate, in der Fähigkeit, seine Nachkommen mit Nahrung ausreichend zu versorgen.
Die langfristig bessere Strategie ist die Variante mit der kürzeren Lebensdauer, da die Fortpflanzungsrate wesentlich höher ist als bei Tieren mit längerem Leben. Nach 24 Jahren hätten die langlebigeren Katzen theoretisch 628 Nachkommen gezeugt, die mit kürzerem Leben hingegen schon 2 058.

17.3 Die Umwelt des Organismus entscheidet, ob die Mutation positiv oder negativ ist. Eine Mutation, die zu einer hohen Anpassungsfähigkeit an die gegebenen Umweltbedingungen führt und damit die Fortpflanzungsrate des Individuums erhöht, wird als positiv angesehen. Eine Mutation, die den Fortpflanzungserfolg aufgrund unzureichender Anpassung mindert und somit die Weitergabe von Genen unterbindet, wird dagegen als negativ bezeichnet. Je nach Umwelt kann daher die gleiche Mutation mal positiv, mal negativ sein. So ist beispielsweise das weiße Fell des Polarfuchses in seiner schneebedeckten Heimat Alaska durch die perfekte Tarnung eine durchaus positive Mutation. In den europäischen Wäldern wäre diese Mutation dagegen eher negativ, da die weiße Färbung sehr leicht von Fressfeinden entdeckt werden würde.

17.4 Unter Annahme einer s-förmigen Fitnessfunktion nimmt die Fitness mit der Stärke der Merkmalsausprägung zunächst stetig zu und der Mittelwert der Häufigkeitsverteilung verschiebt sich in Richtung höherer Fitness bzw. stärkerer Ausprägung des Merkmals. Schließlich wird jedoch ein Sättigungswert erreicht, ab dem eine zunehmende Merkmalsausprägung keine weitere Steigerung der Fitness bewirkt. Der Mittelwert der Häufigkeitsverteilung ändert sich ab diesem Zeitpunkt nicht mehr.

17.5 Selektion agiert nur auf Grund der aktuellen, in der Gegenwart vorhandenen, individuellen Variation. Sie „weiß" weder was in der Vergangenheit war, noch was in der Zukunft sein wird. Deshalb ist nur die Verbindung zwischen der momentanen Umwelt und der momentanen individuellen Variation relevant, unabhängig davon was vielleicht in Zukunft „besser" oder „schlechter" wäre.

17.6 Um den zufälligen Verlust an genetischer Variabilität durch genetische Drift zu minimieren, sollten die Gene möglichst vieler Individuen vermischt werden. So sollte die Fortpflanzung der europäischen Schneeleoparden nicht nur innerhalb der einzelnen Zoopopulationen stattfinden, sondern auch zwischen den Individuen der verschiedenen Populationen gewährleistet werden.

17.7 Wenn das a-Allel rezessiv wäre, würde sich an der Häufigkeitsverteilung der Allele dieser Population nichts ändern, d.h. das Ergebnis wäre gleich.

17.8 Evolution beschreibt die (meist) langsame Entstehung und Wandlung von Populationen, die auf Veränderungen im vererbbaren genetischen Material und auf dessen Weitergabe an die Nachkommen beruht. Nur wenn Merkmalsausprägung und Fitness gekoppelt sind, erfolgt eine Anpassung an die bestehenden Umweltbedingungen.

17.9 Religiosität bietet Antworten auf Lebensfragen, die nicht oder schwer zu beantworten sind, oder wofür es uralte, vernünftige Empfehlungen gibt (Moral und Ethik). Wenn dies dazu führt, dass der Mensch eine stabile und friedliche Existenz führen kann, hat Religiosität einen wichtigen Anpassungswert. Anmerkung: Stabile soziale Verhältnisse sind insbesondere deshalb wichtig, weil Menschenkinder oft bis zu 20 Jahre und mehr brauchen, bis sie nicht mehr auf ihre Eltern angewiesen sind.

18 Konsequenzen der Evolution

18.1 Wie gebe ich mein Taschengeld aus? Was ich in ein Kleidungsstück investiert habe, fehlt mir für eine neue CD oder ein Computerspiel. Wer eine Sportausrüstung braucht, wird weniger Geld für Musikinstrumenten übrig haben. Jeder verfolgt so seine eigene Investitionsstrategie. Es erklärt die individuelle Vielfalt in Kleidung, Elektronik, Sportaktivitäten usw. Anmerkung: Fixkosten sind irrelevant — sie reduzieren das Budget für den eigentlichen Tradeoff. Wenn Kosten fix sind, habe ich für deren Anteil keine Wahlfreiheit mehr. Deshalb kann ich sie genau so gut gleich abziehen und mich nur fragen, wie ich den Rest verteilen werde. Das ist der eigentliche Tradeoff.

18.2 Zwei Versuchsgruppen von Mäusen:
1. Labormäuse im Labor
2. Wildmäuse (Vorfahren der Labormäuse) im Labor
Erwartung: Die Labormäuse zeugen die meisten Nachkommen, aber dafür veraltern und sterben sie schneller. Die Wildmäuse werden möglicherweise

im Labor länger leben, aber ihre Fortpflanzungsrate wird geringer sein. Zusammengefasst sind die Labormäuse „fitter" in der Umwelt „Labor", weil sie sich schneller vermehren.

18.3 Beispiel: Wer als erster das neue Computerspiel oder Handy hat, kommt gut an. Wenn aber fast alle das bereits haben, ist es nicht mehr interessant.
Beispiel: Wenn eine neue, schöne Wildblume im Garten erscheint, pflegt man sie. Wenn es Hunderte sind, jätet man sie.

18.4 Unter konstanten Umweltbedingungen könnte die Asexualität eines bereits angepassten Organismus sehr erfolgversprechend sein, weil Sexualität die Anpassung womöglich eher zerstört wird, und es keinen Bedarf gibt, neue Varianten zu generieren. Auch in Zeiten eines großen Nahrungsangebots ist die Asexualität vielversprechend, da so in kurzer Zeit sehr viele Nachkommen gezeugt werden können, schneller als es bei der Sexualität der Fall ist.

18.5 Für diese Aufgabe gibt es kein „richtig" oder „falsch". Studien zeigen, dass Männer und Frauen sich mit sehr ähnlichen Kriterien beurteilen. Die Bedeutung der Kriterien variiert aber. Neben äußerer Schönheit und Gesundheit sollte man auch Persönlichkeit, Geborgenheit, Treue, Geschicklichkeit, Höflichkeit, Klugheit, Geruch, Bewegung, Friedlichkeit usw. nicht außer Betracht lassen.

18.6 Merkmale Blütenpflanze:
Bildung von Nektar oder Ölen als Lockspeise für Bestäuber, auffällige Blütenfarben, anlockender Duft, Bau und Ausrichtung von Blüte, Staubbeutel und Narbe, Nachahmen von Geschlechtpartnern des Bestäubers, Aussenden von Sexuallockstoffen der Bestäuber
Merkmale Bestäuber:
langer passender „Rüssel", um Nektar in Blüte zu erreichen, Haare und Borsten zur Anheftung der Pflanzenpollen.

18.7 Die Selektion auf einer Ebene wird durch Selektion auf anderen Ebenen beschränkt. Die Ebenen sind Gene, Individuen, Gruppen, Arten. Dies wird am Beispiel einer Krebszelle deutlich, deren unkontrollierte Vermehrung dem gesamten Organismus schwere Schäden zufügt. Meist beendet der Tod des Organismus den Prozess. Führt die „Selbstsucht" auf einer Ebene also dazu, dass der gesamte Organismus den Konkurrenzkampf mit anderen Arten verliert, wird dies durch das Aussterben des Organismus gestoppt.

19 Die Entstehung von Arten

19.1 Kriterien sind: morphologische und genetische Ähnlichkeit, zeitliche und räumliche Fortpflanzungsbarrieren zu anderen Gruppen, gemeinsame Abstammung, ähnliche Ökologie, passende Kommunikation, Partnerpräferenz, …

19.2 Ursache für die Wanderung vieler Tier- und Pflanzenarten aus dem Süden in Richtung Norden waren die Eiszeiten in Europa. Nach dem Abschmelzen der Eiskappe wurden zahlreiche Gebiete nördlich der Alpen neu besiedelt. Durch den damit verbundenen Gründereffekt zeigen diese Populationen heute eine geringere genetische Variabilität als die Ursprungspopulationen in Südeuropa.

19.3 Evolution ist nur so „frei" wie es die Gesetze der Natur (Physik, Chemie) und die verfügbare Variation im Genpool und die internen Vernetzung durch Tradeoffs usw. zulässt. Evolution wird auch durch Migration zwischen Populationen gepuffert. Zudem können Arten ihre Abstammung nicht abschütteln.

19.4 Netzwerkevolution beruht auf der Kreuzung zwischen nah verwandten Arten oder entfernten Populationen der gleichen Art, der Hybridisierung. Vermehren sich die entstehenden Hybride erfolgreich, kommt es zu deren Abgrenzung, weil sie und ihre Nachkommen sich in ein paar Eigenschaften von den Elternarten unterscheiden. Somit entsteht durch Wiedervereinigung und Neuanfang manchmal eine neue Art. Dies führt zu einem netzwerkartigen Aussehen der Stammbäume.

19.5 Auch heute oder in Zukunft kann eine Artbildung beim Menschen stattfinden. So könnte es zum Beispiel zu einer allopatrischen Artbildung durch eine räumliche Auftrennung der Ursprungspopulation kommen. Eine Naturkatastrophe könnte dabei den Kontakt zwischen geografisch isolierten Populationen stark vermindern oder sogar verhindern. Durch unterschiedliche Umweltbedingungen in den verschiedenen Gebieten käme es zur langsamen Auseinanderentwicklung (Divergenz) der Teilpopulationen, bis zur vollständigen Trennung durch eine entstandene Reproduktionsbarriere.
Auch die Ausbildung bestimmter Präferenzen in Bezug auf die Partnerwahl könnte zur Artbildung ohne räumliche Trennung führen (sympatrische Artbildung). Dabei könnte es zunächst zur Bildung verschiedener Gruppen kommen, in denen jeweils andere Merkmale des Partners bevorzugt werden, während die Merkmale einer anderen Gruppe als unattraktiv empfunden werden. Zwischenformen hätten dabei einen Fitnessnachteil, was die Trennung der Gruppen beschleunigen würde.

20 Evolution als historisches Ereignis

20.1 Sowohl Paläontologen als auch Historiker sind Wissenschaftler, die sich mit der Erforschung und Darstellung der Geschichte beschäftigen. Die Arbeit der Paläontologen basiert auf naturwissenschaftlichen Ansätzen und beschäftigt sich mit den Lebewesen früherer Erdzeitalter. Wichtige Gegenstände der paläontologischen Forschung sind dabei Funde von vorzeitlichen Lebewesen, die Fossilien. Der Forschung eines Historikers liegen dagegen hauptsächlich historische Schriftstücke zugrunde. Sein Aufgabengebiet umfasst die Recherche und Analyse solcher überlieferten Texte und konzentrieren sich auf eine einzige Art: den Menschen.

20.2 Auch bei der chemischen Evolution lag eine Vielfalt der Moleküle vor und einige wie RNA waren stabiler, „langlebiger" und zur Selbstreproduktion in der Lage, sodass Selektionsprozesse möglich waren.

20.3 Im Präkambrium fand der Übergang von einer Atmosphäre ohne Sauerstoff in eine sauerstoffhaltige Atmosphäre statt. Die Entstehung der Fotosynthese bei den Cyanobakterien in dieser Periode führte zu einem Anstieg der Sauerstoffkonzentration in der Atmosphäre von nahezu 0 bis auf 2–3 %. Diese gravierende Veränderung ermöglichte die Entstehung des aeroben Stoffwechsels und der Eukaryoten. Im Präkambrium entstanden zudem die eukaryote Zelle und die Vielzelligkeit. Die Grundsteine für die „kambrische Explosion" (viele neue Baupläne) wurden hier gelegt.

20.4 Prokaryoten zeigen eine erstaunliche Vielfalt, was ihren Metabolismus angeht. Die Fusion solcher unterschiedlicher Spezialisierungen (insbesondere Sauerstoffmetabolismus durch Mitochondrien und Wasserspaltung über Fotosynthese durch Plastiden) in einer Zelle, erlaubte es der „Chimäre" „eukaryotische Zelle" sich erfolgreich durchzusetzen.

20.5 Eine Konsequenz des Übergangs vom einzelligen zum vielzelligen Organismus war die Möglichkeit, größere Körper zu bilden, die durch die Spezialisierung und Arbeitsteilung der verschieden Zellen charakterisiert waren. Mit dem Absterben solcher vielzelliger Organismen traten zum ersten Mal anders als bei der Zellteilung der Einzeller zurückbleibende „Leichen" auf, die es in der Form bei den einzelligen Organismen noch nicht gab. Die (erfolgreichen) Zelllinien der Keimbahn leben aber ewig, wie auch die Linien der Bakterien. Der Tod bezieht sich also nur auf den Körper, nicht auf das „ewige Leben", dass in die nächste Generation übergeht.

20.6 Wenn stabile abiotische Faktoren ausschlaggebend sind für die Morphologie (z.B. Eigenschaften des Wassers für schwimmende Tiere oder der Luft für fliegende Vögel) gibt es „optimale Designs", die durch die Physik vorgeschrieben werden und, wenn einmal erreicht, kaum weiter verbessert werden können. Solche Merkmale werden relativ wenig genetische Variation zeigen und werden evolutionär „zum Stillstand" kommen (weil sie den Gipfel der Anpassung erreicht haben). Angepasstheit heißt hier sich „nicht zu ändern".
Wenn eine fortwährende Koevolution mit anderen Lebewesen es für morphologische Eigenschaften notwendig macht, sich ständig zu wandeln, kann keine Stabilität erreicht werden. Es setzt voraus, dass immer neue Varianten entstehen (können). Man könnte erwarten, dass Mutationen und Sexualität (zumindest für diese Eigenschaften) wichtig sind um mithalten zu können. Beispiel: Blüten-Insekten, sekundäre Geschlechtsmerkmale.

20.7 In beiden dargestellten Stammbaumhypothesen sind die Abstammungslinien von Schimpanse und Gorilla durch zwei gemeinsame Merkmale der beiden Arten (M2 und M3) gekennzeichnet. Dazu kommt nun M7 für Knöchelgang. Der Knöchelgang könnte jedoch im Laufe der Evolution beim Menschen durch weiter hinzugekommene Merkmale (M5 und M6) verändert worden sein. Stammbaumhypothese 2 bleibt weiter die wahrscheinlichste.

21 Evolution des Menschen

21.1 Mensch und Affe gehören zur Gruppe der Primaten und lassen sich auf den gleichen Vorfahren zurückführen. Vor rund 7 bis 5 Millionen Jahren trennte sich die Linie des Urmenschen von der des heutigen Schimpansen. Auch heute ähneln sich Mensch und Affe in Aussehen und Verhalten noch sehr.
Die Genome von Mensch und Schimpanse sind zu 98,5 % identisch. Wesentliches Unterscheidungsmerkmal ist die fehlende Behaarung des Menschen im Vergleich zum Affen, die sich wahrscheinlich aufgrund der Fähigkeit des Menschen sich zu kleiden und am Feuer zu wärmen im Laufe der Evolution zurückgebildet hat.

21.2 Neben dem aufrechten Gang, der den Vorteil hatte, den Kopf zum Atmen über Wasser halten zu können, sprechen weitere Merkmale des modernen Menschen für diese Theorie. Zu ihnen zählen: die Nacktheit des Menschen als bessere Anpassung an das Wasser; der ausgeprägte Tauchreflex des Menschen, der schon bei Säuglingen auftritt. Diese halten den Atem an, wenn sie unter Wasser getaucht werden und erlernen das Schwimmen sehr schnell; die Ausbildung von Schwimmhäuten zwischen Fingern und Zehen bei den Föten des Menschen, die sich während der weiteren Entwicklung zurückbilden; das Vorhandensein von Unterhautfettgewebe beim Menschen wie das der Wale und Robben, das den Körper im Wasser isoliert; der zurückgebildete Geruchssinn des Menschen, der im Wasser an Bedeutung verliert; die nach unten gerichtete Nase. Anmerkung: Die Hypothese, dass die Vorfahren des Menschen sich in einer Phase ihrer Evolution bevorzugt an seichten Gewässern aufgehalten haben, wird als „Wasseraffen-Theorie" oder als „Wat-Affen-Modell" bezeichnet (Große Menschenaffen waten durch seichte Gewässer).

21.3 mögliche Antwort: Trotz intensiver Forschung ist noch immer nicht eindeutig geklärt, ob die Intelligenz mit der Größe des Gehirns zusammenhängt. Untersuchungen zeigten, dass ein Teil des Großhirns, der Parietallappen, von Albert Einstein ungewöhnlich groß war, während sich die gesamte Gehirngröße nicht wesentlich von der durchschnittlich intelligenter Menschen unterschied. Aufmerksamkeit, Koordination von Sinneseindrücken und Bewegung, sowie mathematisches Denken hängen wesentlich von Arealen im Parietallappen ab, was die ungewöhnliche Begabung Einsteins erklären könnte. Forscher konnten zudem feststellen, dass ein größeres Gehirn oft mit einem besseren Sprachgefühl und einer besseren Auffassungsgabe zusammenhängt, wobei es Unterschiede zwischen den Geschlechtern gibt. Die Zusammenhänge zwischen anderen Aspekten der Intelligenz und der Gehirngröße sind nicht so eindeutig.
Somit steht die Gehirngröße vermutlich nur zumTeil in Zusammenhang mit der Intelligenz, wobei die Größe einzelner Teilgebiete (z.B. Großhirn) eine wichtigere Rolle spielt als das Gesamtvolumen des Gehirns. Wesentlich für die Intelligenz ist dagegen eine starke Vernetzung der Neuronen, die durch „Lernen" gefördert wird, und somit der intensive Austausch von Informationen.

21.4 Der genetische Ursprung des Menschen liegt in Afrika. Von hier aus besiedelte er andere Kontinente, auf denen sich von der Ursprungspopulation separierte Teilpopulationen bildeten. Diese waren im Vergleich zur Ursprungspopulation in ihrer genetischen Vielfalt stark eingeschränkt. Die basierte auf der zufälligen Auswahl der Neugründer (Gründereffekt). Das erklärt die höhere genetische Vielfalt des Menschen innerhalb Afrikas im Vergleich zu anderen Kontinenten.

21.5 Die Genaktivität wird durch regulatorische Faktoren gesteuert, die selber von bestimmten Genen codiert werden und die in der DNA festgelegt sind. Bei der Fortpflanzung können diese Gene vererbt werden. Die Genaktivität wird dann in den Folgegenerationen von diesen Faktoren ähnlich reguliert und ist somit ein Ausdruck genetischer Verwandtschaft.

21.6 Ähnlichkeiten:
Erworbene Eigenschaften werden weitergegeben. Sowohl in der kulturellen als auch in der natürlichen Evolution können Mutationen auftreten und sich verbreiten (neue Ideen breite sich wie neue Allele aus). Beide Formen der Evolution sind von der Umwelt abhängig.
Unterschiede:
Anders als bei der natürlichen Selektion erfolgt die Weitergabe neuer Fertigkeiten bei der kulturellen Evolution auch horizontal zwischen Nichtverwandten. Bei der kulturellen Evolution besteht die Wahl zwischen verschiedenen Eigenschaften, kulturelle Evolution basiert meist nicht auf genetischer Vererbung sondern auf Lernen. Kulturelle Evolution betrifft hauptsächlich das Verhalten, natürliche Evolution führt auch zu Änderungen in der Morphologie. Kulturelle Evolution erfolgt schneller.

21.7 Die Behandlung genetisch bedingter Krankheiten ermöglicht die Weitergabe und damit die Verbreitung der krankmachenden Gene. Während unsere Vorfahren früh an diesen Krankheiten starben und ihre Gene somit nicht weitergeben konnten, kann die natürliche Selektion, die schließlich zum Verlust der nachteiligen Gene führen würde, durch den heutigen medizinischen Fortschritt und die Behandlung der Krankheiten nicht mehr greifen. Diese Krankheiten können sich damit trotz Selektionsnachteil in der heutigen Bevölkerung ausbreiten. Genetische Defekte nehmen somit zu, bis die medizinische Versorgung eventuell nicht mehr Schritt halten kann.

22 Beziehungen zwischen Organismen und Umwelt

22.1 Aufgrund ihrer Temperaturvorlieben können Korallenriffe nur in warmen, tropischen oder subtropischen Regionen vorkommen. Ihr Lichtbedarf beschränkt das Vorkommen innerhalb dieser Regionen auf lichtdurchflutete obere Wasserschichten. Weitere Einschränkungen erfährt die Verbreitung der Korallenriffe durch erhöhten Mineralstoffgehalt, der die schneller wachsenden Algen bevorteilt, Aussüßung des Meerwassers (z. B. durch Flussmündungen) oder kalte Meeresströmungen.

22.2 Der Präferenzbereich ist nur ein Bereich um den Mittelwert über möglichst viele Individuen einer Population. Naturgemäß müssen Individuen außerhalb dieses Präferenzbereiches liegen. Für eine Populationen können diese „Außenseiter" die Lebensversicherung darstellen. Wenn sich die Umweltbedingungen ändern, sind die „Außenseiter" plötzlich im Vorteil und können entscheidend zum Erhalt der Population beitragen. Die unterschiedlichen Vorlieben der Individuen in Bezug auf einen Umweltfaktor müssen letztendlich genetisch bedingt sein.

22.3 Die Blätter der oberen Kronenregion erhalten mehr Licht als die der unteren Kronenregion. Daher zeigen sie die im Text 22.3, Abb. 1, aufgeführten typischen Anpassungen (dick und kleinflächig) der Pflanzenarten lichtreicher Standorte, während die Blätter der unteren Kronenregion auf das wenige Licht mit dünneren Blättern und größerer Oberfläche reagieren. Im Unterschied zum Textbeispiel, das verschiedene Arten vergleicht, findet man hier unterschiedliche Anpassungen innerhalb eines Organismus.

22.4 Der Rotfuchs benötigt das 10- bis 15-Fache seiner Körpermasse, um seinen Energiebedarf zu decken, während die Zauneidechse ihren Energiebedarf mit dem 2- bis 4-Fachen der Körpermasse an Nahrung deckt. Die Art der Nahrung (jeweils Fleischfresser) ist ähnlich. Der höhere Energiebedarf des Rotfuchses erklärt sich allein aus der Energie, die er als homoiothermer Organismus zur Aufrechterhaltung seiner Körpertemperatur benötigt. Die Zauneidechse ist poikilotherm und benötigt keine Energie für ihre Temperaturregulation.

22.5 Bei der Rotbuche entspricht die Fundamentalnische (physiologisches Optimum) weitgehend der Realnische. Sie ist die konkurrenzstärkste Art. Die Schwarzerle ist mäßig konkurrenzstark. Sie behauptet sich im nassen pH-neutralen Bereich gegen die Waldkiefer. Die konkurrenzschwachen Arten, Waldkiefer und Stieleiche, hingegen werden an den Rand ihres Toleranzbereiches verdrängt.

22.6 Beide Gruppen von Pflanzen kommen in heißen und trockenen Klimaregionen vor. Ihr Bau muss sie vor allem vor Austrocknung schützen. Wie die Pflanzen heller, warmer Standorte (vgl. 22.3) bilden sie daher dicke, fleischige Gewebe (hier der Stamm) mit einem möglichst geringem Verhältnis von Oberfläche zu Volumen. Eine weitere Möglichkeit, die Verdunstung zu minimieren, besteht darin, die Spaltöffnungen zu versenken und mit haarartigen Fortsätzen zu umstellen (vgl. 22.3, Abb. 1).
(1) Der Sibirische Tiger hat den Körper mit dem größten Volumen im Verhältnis zur Oberfläche und damit die beste Wärmehaltefähigkeit. Er kann daher am besten mit kalten Temperaturen zurechtkommen. Der kleine Sumatratiger ist aufgrund seiner geringen Wärmehaltefähigkeit auf höhere Umgebungstemperaturen angewiesen; der Bengaltiger liegt dazwischen (vgl. Bergmann'sche Regel).
(2) Die großen Arten haben eine bessere Wärmehaltefähigkeit, daher benötigen sie pro kg Körpermasse weniger Energie zur Aufrechterhaltung der Körpertemperatur. Bei gleicher Umgebungstemperatur führt das gegenüber kleinen Arten zu einem geringeren Energieumsatz pro kg Körpermasse.

23 Wechselwirkungen innerhalb von Lebensgemeinschaften

23.1 Die Schneehühner haben durch das Zusammenleben mit den Rentieren einen Vorteil (+), während die Rentiere keinen erkennbaren Vor- oder Nachteil haben (0). Es handelt sich daher um eine Parabiose.

23.2 Der Wolf ernährt sich vorwiegend von Pflanzenfressern (Primärkonsumenten). Er gehört daher zu den Sekundärkonsumenten. Der Fuchs hingegen ist nicht nur Sekundär-, sondern auch Tertiärkonsument.

23.3 „Schafe im Wolfspelz" sind harmlose Arten mit „gefährlich" anmutender Verkleidung. Der entsprechende Fachbegriff lautet Mimikry (Scheinwarntracht).

Trägt hingegen eine gefährliche Art die Tracht einer harmlosen Art, spricht man von Locktracht.

23.4 Im Hinblick auf seinen eigentlichen Hauptwirt, die Anopheles- Mücke, ist der Malariaerreger eigentlich gar kein richtiger Parasit, da er diesen kaum beeinträchtigt (Wechselwirkung +/0 oder +/−). Im Hinblick auf den für den Entwicklungszyklus weitaus weniger wichtigen Zwischenwirt Mensch ist der Malariaerreger schon fast kein echter Parasit mehr, da er seinen Zwischenwirt töten kann.

23.5 Das System Mensch – Haushund hat Züge von einer Symbiose. In seinen ursprünglichen Funktionen (Jagd-, Wach-, Hirtenhund) profitieren beide Arten voneinander. Allerdings ist die Symbiose nicht zwangsläufig: Beide Arten können auch ohne die andere Art existieren (abgesehen von stark domestizierten Rassen).

23.6 Steinkorallen konkurrieren vor allem mit Algen um den zur Verfügung stehenden Besiedlungsraum (22.1, Abb. 1). Die Steinkorallen sind den Algen dabei nur überlegen, wenn die Mineralstoffkonzentration gering ist; bei hohen Mineralstoffkonzentrationen ist die Steinkoralle in Konkurrenz zu Algen unterlegen. Die Alge wird also durch den abiotischen Faktor „Mineralstoffkonzentration" kontrolliert, während die Steinkoralle durch den biotischen Faktor „Algenkonkurrenz" kontrolliert wird.

23.7 Revierbildung ist insbesondere dann zu beobachten, wenn die Ressourcen knapp werden und trotzdem die Vermehrung und damit der Fortbestand der Population gesichert werden muss. Es ist dann sinnvoll, dass besonders starke Individuen Reviere besetzen und erfolgreich verteidigen, um für möglichst viele Jungtiere die Entwicklung zu sichern.

24 Dynamik von Populationen

24.1 Ein Schachbrett hat 64 Felder. Dementsprechend musste der König dem Brahmanen $2^{64} = 1{,}845 \cdot 10^{19}$ Weizenkörner geben. Dies entspricht einer Masse von $9{,}22 \cdot 10^{17}$ g oder $9{,}22 \cdot 10^{14}$ kg oder etwa $9{,}22 \cdot 10^{11}$ Tonnen Weizenkörner. Das sind fast eine Billion (10^{12}) Tonnen.

24.2 An den Massenaufkommen der Taufliegen lassen sich alle typischen Kennzeichen von r-Strategen erkennen: wechselhafte Umwelt (faulendes Obst tritt kurzzeitig auf), kleinwüchsig, kurze Lebensdauer, hohe Nachkommenzahl, keine Brutpflege oder Fürsorge für die Nachkommen, geringe Ortstreue, stark schwankende Populationsgrößen.

24.3 Mitteleuropäische Laubwaldbiozönosen sind wesentlich artenreicher als polare Biozönosen. Daher gibt es in ersteren auch wesentlich vielfältigere Nahrungsbeziehungen (vgl. 23.2). Jede Trophieebene ist durch zahlreiche Arten besetzt. In derartigen Nahrungsnetzen hätte ein Zusammenbruch der Population einer Art keine durchschlagende Wirkung auf seine Räuber, da diese mit hoher Wahrscheinlichkeit auf andere Arten ausweichen können.

24.4 Die parasitische Schlupfwespe benötigt 10 – 13 Tage für einen vollen Zyklus. Der Anwender sollte die Art daher etwa 10 – 13 Tage vor Erreichen der ökonomischen Schadensschwelle in ausreichender Zahl ausbringen.

24.5 Ein Kennzeichen von r-Strategen sind kurzzeitig stark wachsende Populationen, die im Anschluss infolge von Ressourcenverknappung wieder zusammenbrechen. K-Strategen sind durch eine langsame und kontinuierliche Annäherung an die Umweltkapazität gekennzeichnet. Die r-Strategie wäre daher für die Menschheit durch Phasen der Not und des Massensterbens und alle damit verbundenen sozialen Probleme gekennzeichnet. Eine K-Strategie ermöglicht im Mittel derselben Zahl an Menschen das Überleben, vermeidet aber die genannten Nachteile der r-Strategie.

25 Stoff- und Energiefluss in Ökosystemen

25.1 Getreide entstammt der Primärproduktion, Fleisch dagegen wird von Pflanzenfressern (also Primärkonsumenten) produziert. Um 1 kg Fleisch zu erzeugen, braucht man etwa 10 kg Getreide. Das heißt: Eine Fläche, die 10 Vegetarier ernährt, macht nur einen Fleischesser satt. Weil die ackerbaulich nutzbare Fläche zu den kaum vermehrbaren Ressourcen auf der Erde gehört, ist der Verzicht auf exzessiven Fleischkonsum sinnvoll.

25.2 Die Fotosynthese ist sowohl der Startpunkt des Energieflusses in die Ökosysteme als auch das „Schwungrad" des Kohlenstoffkreislaufs. Endprodukt der Fotosynthese ist die Glucose, ein energiereiches Kohlenhydrat.

25.3 Die offensichtlichen Vorteile einer Übertragung der Fähigkeit zur Stickstofffixierung auf für die Welternährung wichtige Pflanzen wie Weizen oder Mais: Der Verbrauch an fossilen Energieträgern in der Landwirtschaft könnte drastisch reduziert werden. Dasselbe gilt für die Streuverluste, die bei einer Düngung mit Mineraldünger durch Abschwemmung und Auswaschung für eine Eutrophierung der Umgebung und der Gewässer sorgen und auch das Grundwasser gefährden können. Auf der anderen Seite stehen in erster Linie die schwer kalkulierbaren Risiken, die sich aus der Freisetzung gentechnisch veränderter Organismen ergeben.

25.4 Ganz allgemein werden beim Recycling aus Abfallstoffen Rohstoffe gewonnen, die wieder in einen Produktionsprozess eingespeist werden. Im Falle des Bodens bestehen die Abfallstoffe aus komplexen organischen Verbindungen, abgestorbenen Pflanzenteilen, Kot, Kadaver. Hier setzen die Nahrungsketten der Destruenten an, der als Recycler arbeitenden Bodenorganismen. Am Ende des Prozesses stehen Mineralstoffe, die den Pflanzen — den Primärproduzenten — wieder zur Verfügung stehen.

25.5 Die meisten mitteleuropäischen Böden speichern Mineralstoffe in großer Menge. Auf Kahlschlägen neu gepflanzte Bäume sind deshalb gut versorgt und wachsen optimal. Anders in den immerfeuchten Tropen. Hier sind die meisten Böden extrem arm an Mineralstoffen. Ist der ständige Kreislauf der Mineralstoffe zwischen Bäumen und Mykorrhiza-Pilzen durch Abholzung unterbrochen, gehen die Mineralstoffe weitgehend verloren. Aufforstungen leiden unter Mangel. Düngung ist wegen der sehr geringen Speicherkapazität vieler Böden meist wenig effektiv.

26 Einblicke in Ökosysteme

26.1 Grenzen in der Kulturlandschaft sind gewöhnlich linienartig scharf. Dem stehen die fließenden Übergänge natürlicher oder naturnaher Ökosysteme gegenüber, die im dicht besiedelten Mitteleuropa aber nur noch selten ausgeprägt sind.
Zwei Beispiele: (1) Waldränder sind in der Kulturlandschaft meist abrupt. Bei der weniger vom Menschen beeinflussten, hauptsächlich von der Temperatur abhängigen oberen Waldgrenze in den Alpen dünnt der Wald zwischen Wald- und Baumgrenze ganz allmählich aus. (2) In Stadtparks grenzen Seen direkt an Grünflächen. Ein natürliches Ufer eines Flachlandsees hat einen landseits allmählich von Weidengebüsch durchsetzten und in Niedermoor übergehenden Schilfgürtel.

26.2 In vielen Naturschutzgebieten wird keine unbeeinflusste Naturlandschaft geschützt, sondern eine alte artenreiche Kulturlandschaft. Die meisten offenen Wacholderheiden sind das Ergebnis Jahrhunderte währender Beweidung durch Schafe. Eine geänderte Wirtschaftsweise — das Aufgeben der Wanderschäferei — führt dazu, dass Sukzession einsetzt. Die Gebiete verbuschen und gehen später in Wald über. Seltene wärmeliebende Pflanzen und Tiere verschwinden. Die traditionelle Nutzung durch Beweidung muss durch Eingriffe mit Balkenmäher und Kettensäge simuliert werden.

26.3 Warum im Sommer?
Im Sommer wird durch das verstärkte Algenwachstum im durchlichteten Bereich zwar mehr Sauerstoff produziert. In warmem Wasser löst sich aber erheblich weniger Sauerstoff; darüber hinaus laufen auch die Sauerstoff verbrauchenden Abbauprozesse beschleunigt ab. Unter der Sprungschicht gehen die bei der Vollzirkulation im Frühjahr „angelegten" Sauerstoffvorräte im Sommer zur Neige — eine Verbesserung der Versorgung mit Sauerstoff bringt erst die herbstliche Vollzirkulation.
Warum gegen Ende der Nacht?
Mangels Licht findet nachts keine Fotosynthese und damit auch keine Sauerstoffproduktion statt. Starke nächtliche Sauerstoffzehrung kann in eutrophen Seen dann auch oberhalb der Sprungschicht anaerobe Verhältnisse schaffen.

26.4 Zwei Gründe:
(1) Fließgewässer werden von der Quelle her ständig mit Frischwasser versorgt, während belastetes Wasser talwärts „verschwindet". Einmalige gravierende Verschmutzungen in einem bestimmten Abschnitt haben deshalb oft keine langfristigen Auswirkungen. Seen sind dagegen weitgehend geschlossene Wasserkörper, die sich viel langsamer erneuern.
(2) Turbulentes Fließen verhindert stabile Schichtungen, die in Seen den Stoffaustausch langfristig blockieren können. Insbesondere die Versorgung mit Sauerstoff ist in Flüssen besser, sodass am Flussboden nur in Extremfällen anaerobe Verhältnisse eintreten.

26.5 Die Tiefsee gilt als „Kohlenstoffsenke", als ein Ort, an dem Kohlenstoff dem globalen Kreislauf für lange Zeit entzogen wird. Anmerkung: Kalk und Dolomit, zwei weitverbreitete und enorme Mengen an Kohlenstoff enthaltende Gesteine, beginnen ihre „Laufbahn" als Sedimente (Ablagerungen) am Meeresboden. Im Zusammenhang mit der Debatte über Kohlenstoffdioxid als wichtiges Treibhausgas wird die Bedeutung der Tiefsee als „Kohlenstoffsenke" intensiv untersucht und diskutiert.
Die abiotischen Verhältnisse am Meeresboden sind zwar extrem, unterliegen aber kaum Schwankungen: Es ist absolut dunkel (wenn man vom durch Lebewesen produzierten Licht absieht), es herrschen ein enormer Druck und eine niedrige Temperatur.
Die Versorgung mit Nahrung ist weder üppig noch berechenbar. Die Fauna des Tiefseebodens wird deshalb von kleinen Arten dominiert. Die Tierdichte ist, soweit wir wissen, im allgemeinen gering. Das erzwingt spezielle Strategien zum Auffinden oder Anlocken von Beute, aber auch von Geschlechtspartnern. Enorme große Mäuler und das problemlose Durchstehen langer Hungerphasen sind einige der typischen Anpassungen der Tiefseefische.

26.6 Wir können uns die ersten Ökosysteme der Erde als vollständig auf Prokaryoten und ihrer Chemosynthese basierende Lebensgemeinschaften in extremen Lebensräumen vorstellen. Sie müssen aber natürlich nicht in der Tiefsee gelegen haben. Nicht ins Bild passen auch alle eukaryotischen Lebewesen (Krebse, Muscheln, Würmer), die rund um die hydrothermalen Quellen leben.
Anmerkung: Wo, wie und unter welchen Bedingungen das Leben auf der Erde entstanden ist, ist wissenschaftlich noch nicht eindeutig geklärt. Unzweifelhaft ist aber, dass Bakterien zu den ursprünglichsten Lebewesen gehören, die wir kennen, und dass die Chemosynthese in der Erdgeschichte früher entstand als die Fotosynthese.

27 Die Biosphäre unter dem Einfluss des Menschen

27.1 Einige Konsequenzen sind offensichtlich: (1) Die Waldrodung setzt große Mengen von vorher in den Regenwäldern fixiertem Kohlenstoff frei. Ein großer Teil wird als Kohlenstoffdioxid in der Atmosphäre den Treibhauseffekt künstlich verstärken. (2) Rinder scheiden sehr viel Methan aus, das bei der Gärung im Pansen der Wiederkäuer entsteht. Methan ist ein noch wesentlich wirksameres Treibhausgas.
Anmerkung: Wegen der zahlreichen komplexen Rückkopplungseffekte bei der großflächigen Umwandlung von Ökosystemen — so werden sich auch Verdunstung, Wolkenbildung und Einstrahlung stark ändern — sind weitere Konsequenzen zu erwarten.

27.2 Nach dem Gesetz des Minimums setzt immer die knappste Ressource die Grenzen des Wachstums. Auf der Hochsee wird das Wachstum der Algen — die Primärproduktion — meist von Mineralstoffen begrenzt. Eisenverbindungen gehören zu oft zu den Minimumfaktoren. Eine Eisen-Düngung kann das Algenwachstum anregen. Das Kalkül der Forscher: Kommt es zu einer Massenvermehrung („Algenblüte") und einem anschließenden schnellen Absterben, sinkt ein großer Teil der Algen samt dem fotosynthetisch gebundenen Kohlenstoff in die Tiefsee ab.

27.3 Dramatische Folgen lassen sich vor allem beobachten, wenn geografisch isolierte Gebiete mit einer sehr langen eigenen Evolutionsgeschichte von „fremden" Arten erreicht werden. Wenn, wie es bei vielen Inseln geschah, plötzlich Beutegreifer in Syste-

me eingeführt werden, in denen es vorher keine gab, hat das katastrophale Folgen. Aber auch „friedliche" Arten sind nicht unproblematisch: Nach dem Konkurrenzausschlussprinzip (Konzept 23.6) können zwei Arten dieselbe ökologische Nische nur nutzen, wenn sie durch unüberwindliche Verbreitungsschranken geografisch getrennt sind. Fällt die Grenze, wird eine davon verschwinden. Anmerkung: Das ist zum Beispiel geschehen, als die vor einigen Millionen Jahren die mittelamerikanische Landbrücke entstand und viele Säugetierarten Nordamerikas die ähnlich spezialisierten Südamerikas verdrängten.
In Mitteleuropa ist ein massives Artensterben durch Neobiota kaum zu erwarten. Die Ökosysteme sind hier weniger durch lang anhaltende evolutionäre Prozesse geprägt, als durch die Dynamik einer sehr bewegten, jüngeren Vergangenheit (wenigstens sechs Kaltzeiten in zwei Millionen Jahren).
Natürlich sollte man keine Arten leichtfertig ausbringen. Haben sie sich erstmal etabliert, ist Aktionismus gegen Neobiota keine nachhaltige Strategie – eine Ausrottung ökologisch erfolgreicher „neuer" Tier- oder Pflanzenarten ist noch nie gelungen.

27.4 Ein hoher Rehbestand hat durch Verbiss eine negative Auswirkung auf Zusammensetzung, natürliche Verjüngung und Struktur eines Waldes. Das wiederum beeinflusst das Vorkommen vieler anderer Tierarten stark.
Luchse gehören zu den wichtigsten natürlichen Gegenspielern der Rehe und stellen eine Schlüsselart (mit dem Wolf) dar. Fehlen Luchse (und Wölfe) als Schlüsselarten, muss der Einfluss der Beutegreifer durch die Jagd „simuliert" werden. Anmerkung: Rehe gelten als „Feinschmecker" — sie äsen sehr selektiv und konzentrieren sich jeweils auf die nährstoffreichsten Teile der Pflanzen.

27.5 Treibstoff aus Biomasse ist zwar CO_2-neutral — bei der Verbrennung wird nur so viel CO_2 freigesetzt, wie vorher durch Fotosynthese gebunden wurde. Auf der anderen Seite entstehen durch die enormen Flächen, die zur Treibstoffproduktion gebraucht werden, neue ökologische und ethische Probleme: Monokulturen mit Ölpflanzen sind artenarme „ökologische Wüsten". Hunderte von Millionen Menschen hungern — dürfen auf den beschränkten Anbauflächen dann Industrieprodukte statt Nahrungsmittel angebaut werden? Die Ausdehnung von Anbauflächen geht zum Teil auf Kosten natürlicher Vegetation (z. B. Regenwald) — mit deutlichen negativen Auswirkungen auf die Ökobilanz des Bio-Treibstoffs.

28 Reizaufnahme und Erregungsleitung

28.1 (1) Dendriten: sammeln einkommende erregende und hemmende Information und leiten sie elektrotonisch weiter, (2) Soma: bewerkstelligt Stoffwechsel und Proteinsynthese. (3) Axon: Axonhügel, erzeugt Aktionspotenziale. Axon leitet Aktionspotenziale fort. (4) Endknöpfchen: Kommunikation mit Zielzellen.

28.2 Stütz- und Bindefunktion, elektrische Isolation, Ernährung der Neuronen, Blut-Hirn-Schranke, Müllabfuhr, Gesundheitspolizei, Homöostase, Transmitterrecycling, Axonwegleitung während der Entwicklung

28.3 Positive und negative Ionen des Überschusses ziehen sich durch die Membran an und halten sich dort gegenseitig fest; wie beim Plattenkondensator.

28.4 Na^+ und Cl^- haben ihren Überschuss im Extrazellulärraum, anorganische Anionen K^+ im Inneren der Nervenzelle. Nur K^+ findet in Ruhe offene Kanäle.

28.5 Die Schwelle der Aktivierung der spannungsgesteuerten Na^+-Kanäle wird erreicht. Sie öffnen sich in großer Anzahl und ein Aktionspotenzial entsteht.

28.6 Aktionspotenziale werden durch die Aktivierung der spannungsgesteuerten Na^+- und K^+-Kanäle ständig aufgefrischt.

28.7 Nur dort befinden sich in einem myelinisierten Axon des PNS die spannungsgesteuerten Ionenkanäle. Die Kanäle haben im offenen Zustand als Pore Verbindung mit der Extrazellulärflüssigkeit.

29 Neuronale Verschaltungen

29.1 Rezeptoren registrieren eine Dehnung des Muskels. Diese Information gelangt über sensorische Neuronen ins Rückenmark. Die Neuronen sind über Synapsen auf motorische Neuronen verschaltet. Die motorischen Neuronen bewirken, dass sich der Streckermuskel entspannt.

29.2 An der chemischen Synapse findet ein Informationsfluss vom Endknöpfchen (Aktionspotenzial) über die präsynaptische Membran (Exocytose durch Vesikel) und den synaptischen Spalt (Transmitterdiffusion) bis zur postsynaptischen Membran (Transmitterbindung an Rezeptorkanäle) des Folgeneurons statt, wo dann wieder eine Depolarisation entsteht. Dieser Informationsfluss geht nur in eine Richtung.

29.3 Typen: Rezeptorkanal; G-Protein-gekoppelter Rezeptor; G-Protein-gekoppelter Rezeptor mit sekundärer Signalkaskade.
Gleiche Transmittermoleküle können an unterschiedlichen Rezeptoren unterschiedliche hemmende oder erregende Wirkungen zeigen und so Regelungen und Steuerungen ermöglichen. Je nach Rezeptortyp können Transmitterwirkungen auch verstärkt werden.

29.4 Räumliche und zeitliche Summation erhöht die Wahrscheinlichkeit, Erregung über hemmende Synapsen senkt die Wahrscheinlichkeit von Aktionspotenzialen.

29.5 Die unterschiedlichen Codes bieten unterschiedliche Vorteile: Aktionspotenziale können über beliebige Strecken verlustfrei geleitet werden. An chemischen Synapsen kann das elektrische Signal umcodiert werden und so hemmend oder erregend wirken. Die elektrotonische, elektrische Codierung am Zellkörper ist wie die chemische ein Amplitudencode und ermöglicht Verrechnung.

29.6 Dann konkurriert mehr Acetylcholin mit Curare um die Bindungsstellen am Rezeptor und verdrängt Curare, sodass die Kanäle auch wieder geöffnet werden.

29.7 Langzeitpotenzierung durch: Aktivierung von NMDA-Rezeptor-Kanälen infolge hochfrequenter, wiederholter Depolarisation, enzymatische Phosphorylierung von AMDA-Kanälen und zusätzlicher Einbau von Rezeptorkanälen.

29.8 Ungesteuerte elektrische Synapse: keine Totzeit, ideal für Fluchtreflexe; bidirektionaler Informations-

fluss; keine Informationsverarbeitung; Neuronen verbunden für Kationen, Anionen, kleine Moleküle
Chemische Synapse: Totzeit 0,1 bis 0,5 ms oder >10 ms; gleichrichtend, Informationsfluss nur in eine Richtung; Neuronen isoliert; Informationsverarbeitung und Modifikation durch Lernen möglich

30 Sinne und Wahrnehmung

30.1 Schallwelle, Ohr, Haarsinneszelle des Innenohrs, Hörnerv, Auftrennung nach Frequenz und akustische Transduktion, Verstehen des Satzes

30.2 Ionenkanäle können auf Reizung (mechanisch, thermisch, chemisch) mit Öffnen oder Schließen reagieren und so direkt Ionenströme ermöglichen oder verhindern. Rezeptorproteine (G-Proteine) können nach einer Reizung (Lichtreiz, chemischer Reiz) eine Signalkaskade in Gang setzen und über sekundäre Botenstoffe viele Ionenkanäle öffnen bzw. schließen.

30.3 Die Nahakkommodation kann im Alter gestört sein, wenn die Linse ihre Eigenelastizität verliert und sich bei der Akkomodation nicht mehr abkugelt. Eine Sammellinse gleich das aus, da sie die Brechkraft erhöht.

30.4 Jedes aktivierte Rhodopsinmolekül kann bis zu 1000 G-Proteine (die Transducine) aktivieren. Diese wiederum setzten eine Signalkaskade in Gang, die zum Schließen von Na^+-Kanälen führt, sodass der Photorezeptor hyperpolarisiert wird.

30.5 Vorteile sind zum Beispiel die Kontrastverstärkung durch laterale Inhibition der Photorezeptoren, Erhöhung der Lichtempfindlichkeit durch Zusammenfassung von Informationen, Farbensehen mithilfe farbopponenter Ganglienzellen.

30.6 Nachbarschaftsbeziehungen von Sinneseindrücken sind im Gehirn repräsentiert. Dabei werden die Signale (Farbe, Bewegung etc.) zunächst getrennt in verschiedenen Gehirnarealen verarbeitet und dann zur einer Wahrnehmung zusammengeführt.

30.7 Elektrischer Sinn der Fische; sie können Beute orten auf Grund der elektrischen Felder, die die Muskulatur anderer Tiere verursacht. Oder: Infrarotsinn der Grubenottern; sie „sehen" die Wärmestrahlung eines warmblütigen Beutetiers. Oder: Schleiereule hört räumlich und überlagert die Information einer visuellen Karte.

31 Nervensysteme

31.1 Dezentrale Reflexe lassen uns schneller auf unvorhergesehene Situationen reagieren, da die Leitungszeit bis zum Gehirn und zurück eingespart wird. Dezentrale Vorverarbeitung von sensorischer Information findet zum Beispiel in der Netzhaut statt. Die Information wird vor der Übertragung zum Gehirn bereits gefiltert und reduziert. Zentrale Verarbeitung erlaubt dagegen die komplexe Verarbeitung und Verknüpfung von Information für Entscheidungen mit Überblick über die Gesamtsituation.

31.2 Das vegetative Nervensystem besteht aus zwei antagonistischen Teilen: Das sympathische Nervensystem bereitet den Organismus auf Situationen vor, in denen höchste Leistungsfähigkeit und Aufmerksamkeit gefordert sind („Flucht und Kampf"). An den Organen schüttet es dazu den Neurotransmitter Noradrenalin aus. Das parasympathische Nervensystem entspannt dagegen den Körper und regt die Regeneration an. Sein Neurotransmitter ist Acetylcholin.
Beispiel 1: Durch Noradrenalin wird das Herz angeregt, seine Frequenz zu erhöhen, durch Acetylcholin dagegen, seine Schlagfrequenz zu verringern.
Beispiel 2: Durch Noradrenalin wird die Darmtätigkeit unterdrückt, denn für Stresssituationen gibt es schneller verfügbare Energiereserven. Durch Acetylcholin wird der Darm dagegen zur Verdauung angeregt; dies dient der Regeneration des Körpers in Ruhezeiten.

31.3 Der Hippocampus ist eine Durchgangsstation für das deklarative Gedächtnis von der Kurzzeit- zur Langzeitform. Er ist auch Sitz eines Ortsgedächtnisses. Es bewertet sensorische Eingänge und geplante Handlungen emotional, steuert Angstempfindung und das körpereigene Belohnungssystem.

31.4 Ein Schlaganfall ist ein plötzlicher Durchblutungsverlust in einem Teil des Gehirns durch Gefäßverschluss oder durch Hirnblutungen auf Grund eines Gefäßdefekts. Die betroffenen Nervenzellen sterben wegen Sauerstoffmangels ab. Bei den meisten Menschen befindet sich das Sprachzentrum auf der linken Hirnseite und dort im Stirnlappen vor der Zentralfurche.

31.5 Man kann seinen enzymatischen Abbau medikamentös blockieren, oder seine Wiederaufnahme in die postsynaptische Zelle. Für bestimmte Neurotransmitter kann man auch die Vorstufen im Körper anreichern, die für die Synthese gebraucht werden.

32 Hormonelle Regelung und Steuerung

32.1 Die neuronale Signalübertragung erfolgt schnell und zielgerichtet auf einzelne oder wenige Empfängerzellen. Müssen die Signale lange anhalten oder viele Empfängerzellen betreffen, wäre die neuronale Weitergabe energieaufwendig. Die hormonelle Signalübertragung erfolgt langsam, streut auf Empfängerzellen überall im Körper, und das Signal wird energetisch günstig lange aufrechterhalten.

32.2 Der vordere Teil der Hirnanhangdrüse (Adenohypophyse) ist eine echte Drüse. Drüsenzellen produzieren Hormone unter der Kontrolle von glandotropen Hormonen. Der hintere Teil der Hypophyse (Neurohypophyse) ist eine neuronale Struktur (Neurohämalorgan). Nervenzellen des Hypothalamus entlassen dort neuronal gesteuert Neurohormone in das Blut.

32.3 Die Hormone Calcitonin und Parathyrin haben eine gegenläufige Wirkung auf den Calciumspiegel im Blut. Calcitonin bewirkt eine Senkung des Blut-Calciumspiegels, weil es die Osteoblasten anregt, neue Knochensubstanz aufzubauen und die Osteoklasten dämpft, die alte Knochensubstanz abbauen würden. Parathyrin bewirkt eine Erhöhung des Blut-Calciumspiegels, indem es die Osteoklasten anregt, Knochen abzubauen, die Nieren, weniger Calcium auszuscheiden und den Darm, mehr Calcium zu resorbieren.

32.4 Hormone haben eine negative Rückwirkung auf ihre Ausschüttung. Hormonrezeptoren im Hypothalamus reagieren auf das Vorhandensein des Hormons im Blut und hemmen die Ausschüttung des zugeordneten Freisetzungshormons. Gleichzeitig werden in dieser langen negativen Rückkopplungsschleife auch die Drüsenzellen der Adenohypophyse direkt vom Hormon gehemmt. Das Vorhandensein des glandotropen Hormons im Blut hat über die kurze negative Rückkopplungsschleife hemmende Wirkung auf die Ausschüttung seines Freisetzungshormons im Hypothalamus.

32.5 Insulin wird ausgeschüttet, wenn Glucose zur Verfügung steht und der Blutzuckerspiegel dadurch das Normalniveau übersteigt. Die Zellen können die Glucose aufnehmen, verstoffwechseln oder in die Speicherform Glycogen überführen (insbesondere die Zellen der Leber). Glucagon wird dagegen ausgeschüttet, wenn der Blutzuckerspiegel unter das Normalniveau absinkt. Leberzellen stellen Glucose aus Glycogen her und entlassen sie in das Blut. Somatostatin wird ausgeschüttet, wenn rasch zu viel Glucose im Blut auftaucht. Dieses Hormon vermindert die Resorption durch den Darm.

32.6 Das Hormon Oxytocin kann seine Wirkung nur entfalten, wenn Oxytocinrezeptoren an Neuronen im Gehirn vorhanden sind, die das Sozialverhalten (hier Treue) beeinflussen. Wenn es solche Möglichkeiten der Beeinflussung gibt (beim Menschen ist das prinzipiell so), kann das Nasenspray wirken.

33 Verhaltensforschung und Verhaltensweisen

33.1 hohe Anzahl von Samen; Transport von Samen und Früchten durch Wind, Wasser und Tiere; unempfindliche Dauerformen bei Samen

33.2 Verhaltensbeobachtungen können „blind" durchgeführt werden, also so, dass die Beobachter die Hypothese nicht kennen. Jemand, der die Lösung der Rechenaufgabe nicht kennt, müsste Hans die Aufgaben stellen!

33.3 optischer Lichtreiz; tageszeitabhängige Schwankung der Hormonkonzentration; vermeintliche Sichtung eines Revierkonkurrenten

33.4 Pseudokopulationen führen zu Veränderungen der Hormonkonzentration des den weiblichen Part übernehmenden Weibchens und damit zur Eireifung.

33.5 Ein Verhalten wie der Klammerreflex junger Affen, das von Geburt an notwendig ist, ist sinnvollerweise genetisch bedingt. Auch bei der Kommunikation zwischen Artgenossen, wie z. B. beim Vogelgesang oder Fortpflanzungsritualen, sind genetische Komponenten zur gegenseitigen Erkennung vorteilhaft.

33.6 Es gibt Schlüsselreize beim Menschen, z. B. große Augen, kindliche Proportionen, Weinen eines Säuglings, die eher ein bestimmtes Verhalten, z. B. eine Zuwendung auslösen. Allerdings sind beim Menschen Schlüsselreize schwer nachweisbar, da Lernvorgänge vieles überformen.

34 Lernen

34.1 Verringerung oder Verstärkung der Transmitterausschüttung; Veränderung der Resorption oder (In-)aktivierung des Transmitters im synaptischen Spalt; Modifizierung von Rezeptoren

34.2 Operante Konditionierung erfolgt, wenn ein Hund durch Bestrafung/Belohnung z. B. lernt, sich auf Kommando tot zu stellen. Klassische Konditionierung liegt vor, wenn er schon mit dem Schwanz wedelt, wenn er das Auto seines Herrchens kommen hört.

34.3 Mütter können ihre Nachkommen in der Herde auch nach einer vorübergehenden Trennung wiedererkennen. Sie verringern damit das Risiko, ihre Fürsorge/Milch etc. in fremde Jungen zu investieren.

34.4 Evolutionär war es von Bedeutung, dass Menschen sich gut an Unbekömmliches erinnern, um einer Vergiftungsgefahr zu entgehen.

34.5 Insbesondere das Erlernen der Sprache greift auf Imitation zurück. Säuglinge und Kleinkinder imitieren Laute und auch Gesten und Gesichtsausdrücke.

34.6 Individuen in komplexen Gruppen formen Koalitionen etc. Ein leistungsfähiges Gehirn könnte helfen, die eigene Stellung in der Gruppe relativ zu anderen zu erkennen, Täuschungen und Betrug zu vermeiden und selbst Koalitionen zu bilden.

34.7 Es entsteht Filtermöglichkeit, weil nicht alles, was nur kurzzeitig relevant ist, gespeichert werden muss.

35 Kommunikation und Sozialverhalten

35.1 In einer Umgebung mit vielen Hintergrundgeräuschen werden Botschaften öfter wiederholt und auch einfacher gestaltet — das Heben eines Glases und zweier Finger ersetzt in einer lauten Umgebung die Bestellung „Noch zwei Gläser davon, bitte".

35.2 Natürlich können sich nicht alle Weibchen gleichzeitig für das allerbeste Männchen entscheiden. Sie werden sich daher auch mit Männchen paaren, deren genetische Qualität nicht exzellent ist. (Außerdem scheint die gerichtete sexuelle Selektion dazu zu führen, dass entsprechende Merkmale instabiler sind und sich neue Mutationen stärker auswirken.)

35.3 Die „Brutpflege" beim Menschen ist so aufwendig, dass sich zumindest bei Naturvölkern beide Geschlechter irgendwie daran beteiligen müssen. In vielen Fällen versorgen Männer Mutter und Kind mit Nahrung. Durch teuren Schmuck etc. könnte angedeutet werden, dass ein Mann über die nötigen Ressourcen verfügt, seine Familie zu ernähren. Die vergrößerten Brüste sollen attraktiver machen, vielleicht weil sie erhöhte Fertilität bzw. erhöhte Fähigkeit, Nachkommen zu ernähren, vortäuschen.

35.4 Schlüsselreize sind das Ei im Nest und das Betteln der Jungvögel. Kuckucke ahmen damit die Brut des Wirtsvogels und deren Verhalten nach und nutzen die Prägung der Wirtsvögel auf Schlüsselreize aus.

35.5 Ein Stück Holz stellt eine Ressource dar, von der sehr viele Individuen leben können. Das Abwandern und die Suche nach neuen Holzstücken ist vergleichsweise riskant und scheitert oft. Individuen profitieren daher, im Holzstück der Eltern zu verbleiben.

35.6 Die Ausbildung von linearen Rangordnungen ist nicht zu erwarten, wenn viele Tiere sich nur gering in ihren physischen Eigenschaften unterscheiden. Vielmehr scheint bei der Etablierung von Hierarchien die Erfahrung aus vorhergehenden Kämpfen eine wichtige Rolle zu spielen: Gewinner steigen in ihrer Selbsteinschätzung und erhöhen die Wahrscheinlichkeit, einen Kampf mit einem neuen Individuum zu gewinnen, bei Verlierern ist es gerade umgekehrt.

35.7 Entschuldigungen, körperliche Zuwendungsgesten, Übergabe von Geschenken

35.8 Bei der Paarung werden Blutsverwandte meist wegen negativer genetischer Konsequenzen der Inzucht gemieden; umgekehrt werden Territorien oft an Blutsverwandte „vererbt".

Glossar

A

Absorption → S. 134 *absorption* Schwächung bzw. Aufnahme von Strahlungsanteilen beim Durchgang durch Materie; auch Aufnahme von Flüssigkeiten, Gasen oder → Energie

Absorptionsspektrum → S. 135 *absorption spectrum* Grafische Darstellung der Lichtabsorption; zeigt für jede Wellenlänge die Menge an absorbiertem Licht

Abwehr, induzierte → S. 328 *induced defense* Abwehrmechanismen der Pflanzen, die als direkte Reaktion auf eine Beschädigung durch Herbivoren einsetzen

Actin → S. 104 *actin* Protein des → Cytoskeletts; formt perlenschnurartige Filamente, die mit dem → Myosin interagieren

Adaptation → S. 405 *adaptation* Anpassung von → Sinnesorganen an unterschiedliche Reizintensitäten, z. B. Anpassung der Iris an den Lichteinfall in das Auge; auch von neuronalen Strukturen

Adenosintriphosphat (ATP) → S. 63, S. 67 *adenosine triphosphate* wichtigster Energiespeicher und -überträger des Stoffwechsels, entsteht aus ADP und Phosphat unter Energieaufnahme; setzt beim Zerfall 30,5 kJ/mol frei und treibt dadurch → endergonische Prozesse an oder macht durch Übertragung von Phosphat andere Stoffe energiereicher und damit reaktionsfähiger

Afferenz → S. 415 *afference* Informationen, die zum Gehirn geleitet werden

Affinität → S. 97 *affinity* Neigung eines Proteins, ein Substrat zu binden; die O_2-Affinität beim → Hämoglobin ist definiert als Sauerstoffpartialdruck (in kJ) bei halbmaximaler Sättigung des Proteins mit Sauerstoff

Agonist → S. 395 *agonist* (agonistis (gr.): der Handelnde) Regelelement, das von seinem Gegenspieler (→ Antagonist) gehemmt wird; z. B. bei Muskeln, → Hormonen, → Rezeptoren an → Synapsen und bei chemischen Reaktionen

AIDS → S. 245 *acquired immunodeficiency syndrome* erworbene Immunschwächekrankheit, die auf eine Infektion mit dem Immunschwächevirus HIV zurückgeht

Akkomodation → S. 406 *accommodation* dynamische Anpassung der Brechkraft des Auges; führt zu einer scharfen Abbildung eines Objekts auf der Netzhaut des Betrachters

Aktionspotenzial → S. 381, S. 386 *action potential* während der Erregung des → Axons gemessener zeitlicher Verlauf des Membranpotenzials; pflanzt sich über das Axon durch Veränderung der → Ionenkanäle fort

Aktivierungsenergie → S. 70 *activation energy* Mehrbetrag an → Energie, der zusätzlich zum durchschnittlichen Energiegehalt der kleinsten Teilchen eines Stoffs notwendig ist, um eine chemische Reaktion zwischen ihnen auszulösen

Albino → S. 196, S. 226 *albino* durch einen genetisch bedingten Mangel an Haut- und Haarpigmenten weiß gefärbtes Individuum mit roten Augen

Allel → S. 183 *allel* eine von mehreren möglichen Ausprägungen eines Gens, von dem → diploide Zellen zwei, → haploide Zellen eines enthalten

Allel, dominantes → S. 184 *dominant allel* ein → Allel, das bei → heterozygoten Lebewesen zur Ausprägung eines Merkmals führt (im Gegensatz zu → Allel, rezessives)

Allel, rezessives → S. 185 *recessive allel* ein → Allel, das bei → heterozygoten Lebewesen nicht zur Ausprägung eines Merkmals führt (im Gegensatz zu → Allel, dominantes)

Allen'sche Klimaregel → S. 322 *Allen's rule* Bei gleichwarmen Tieren ist die relative Länge der Körperanhänge (Extremitäten, Schwanz, Ohren) in kalten Klimazonen geringer als bei verwandten → Arten und Unterarten in wärmeren Gebieten.

Allergie → S. 243 *allergy* Überreaktion des → Immunsystems auf Substanzen (Allergene)

Alles-oder-Nichts-Gesetz → S. 386 *all-or-none law* Phänomen, dass eine Reaktion auf einen → Reiz entweder vollständig oder überhaupt nicht ausgelöst wird

Allopolyploidie → S. 200 *allopolyploidy* Form der Polyploidie (→ polyploid), bei der Chromosomensätze aus (mindestens) zwei verschiedenen Arten vorliegen, die miteinander gekreuzt wurden

Altruismus → S. 466 *altruism* selbstloses Verhalten zum Vorteil anderer

Aminosäure → S. 22 *amino acid* Carbonsäure, die neben der Carboxylgruppe eine Aminogruppe enthält; liegt in der Zelle in freier Form und als Baustein von → Peptiden, → Proteinen und Mucopolysacchariden vor

Aminosäuresequenz → Primärstruktur

Analogie → S. 294 *analogy* Ähnlichkeit in Form und Funktion, die aufgrund ähnlicher Selektionsbedingungen unabhängig entstanden ist und nicht auf gemeinsamer Herkunft beruht (im Gegensatz zu → Homologie)

Antagonist (Gegenspieler) → S. 103 *antagonist* Regelelement, das den → Agonisten hemmt; z. B. bei Muskeln, → Hormonen, → Rezeptoren an → Synapsen und bei chemischen Reaktionen

Anthropomorphismus → S. 437 *anthropomorphism* bezeichnet das Zusprechen menschlicher Eigenschaften zu Tieren (Vermenschlichung)

Anticodon → S. 164 *anticodon* Basentriplett einer tRNA, das komplementär an ein mRNA-Codon (→ Codon) bindet.

Antigen → S. 235, S. 240 *antigen* vom → Immunsystem als fremd erkanntes und attackiertes Makromolekül oder Partikel; erkannt werden bestimmte → Epitope auf der Oberfläche des Antigens

Antigenpräsentation → S. 237 *antigen presentation* Präsentation von Antigenen → Epitopen auf der Oberfläche bestimmter Immunzellen (→ Makrophagen, → dendritische Zellen, → B-Zellen, → T-Zellen); ist für die Induktion und Koordination der spezifischen Immunantwort essenziell

Antikörper → S. 235, S. 240 *antibody* Y-förmiges Protein aus der Klasse der Immunglobuline, das von → Plasmazellen des → Immunsystems produziert wird und spezifisch gegen ein → Epitop eines bestimmten → Antigens gerichtet ist

Apoplast → S. 47 *apoplast* Gesamtheit aller Zellwände und der Zellzwischenräume in pflanzlichem Gewebe

Apoptose → S. 210 *apoptosis* Form des programmierten Zelltodes; durch Gene gesteuert

Art, transgene → S. 214 *transgenic species* Organismenart, die in ihrem → Genom zusätzliche Gene anderer Arten enthält; z. B. bei Getreidepflanzen

Artbegriff, morphologischer → S. 274 *morphological species* bezeichnet eine Gruppe von Lebewesen, die in wesentlichen Merkmalen übereinstimmen

Artbegriff, phylogenetischer → S. 274 *phylogenetic species* bezeichnet Individuen, die unter natürlichen Bedingungen derselben Fortpflanzungsgemeinschaft angehören und von anderen getrennt sind

Artbildung, allopatrische → S. 275 *allopatric speciation* Entstehung einer neuen Art durch die räumliche Aufspaltung der Ursprungsart

Artbildung, sympatrische → S. 277 *sympatric speciation* Entstehung einer neuen Art bei gemeinsamem Vorkommen

Assimilation → S. 118 *assimilation* bei Stoffwechselvorgängen: Aufbau organischer Substanzen aus anorganischen Ausgangsstoffen; auch Umbau aufgenommener Nährstoffe in körpereigene Stoffe

ATP → Adenosintriphosphat

Atmungskette → S. 110 *respiratory chain* die → Elektronentransportkette der → Zellatmung aus vier Proteinkomplexen in der inneren Mitochondrienmembran, die Elektronen letztlich auf Sauerstoff überträgt, wobei Wasser entsteht

ATP-Synthase → S. 111, S. 138 *synthase* integrales → Membranprotein, das den Protonentransport mit der Bildung von → ATP koppelt

Autoimmunkrankheit → S. 245 *autoimmune disease* Fehlfunktion des → Immunsystems, das bei den Betroffenen gegen bestimmte Zellen und Gewebe des eigenen Körpers vorgeht

Autökologie → S. 313 *autecology* Teilbereich der Ökologie, der sich mit den Beziehungen einer Art zu ihrer → Umwelt beschäftigt

Autopolyploidie → S. 200 *autopolyploidy* → Polyploidie, die auf der Verdopplung von Chromosomensätzen innerhalb einer Art beruht

Autosom → S. 157 *autosome* → Chromosom, das im Gegensatz zum → Gonosom keine geschlechtsbestimmenden Gene trägt

Autotrophie → S. 86, S. 118 *autotrophy* Ernährungsweise, bei der nur anorganische Stoffe benötigt werden (→ Fotosynthese, → Chemosynthese; im Gegensatz zu → Heterotrophie)

Avoidanz (Devitation) → S. 322 *avoidance* Vermeidung von Einflüssen durch Ortswechsel oder zeitliche Änderung der Aktivität

Axon (Neurit), → S. 381 *axon* bis zu über 100 cm langer Ausläufer einer Nervenzelle, über den die Erregungen vom Zellkörper zu den → Synapsen geleitet werden

B

Base → S. 26 *base* (1) Substanz, die Protonen (H$^+$) in einer Lösung aufnehmen kann; (2) Bezeichnung für Pyrimidine und Purine der Nucleinsäuren, die je mit einem Zucker und einer Phosphatgruppe die → Nucleotide bilden

Befruchtung (Fertilisation, Syngamie) → S. 182 *fertilization* Vereinigung zweier Keimzellen

Bergmann'sche Klimaregel → S. 322 *Bergmann's rule* Bei nahe verwandten, gleichwarmen Tierarten nimmt die Körpergröße von warmen Zonen in Richtung kalter häufig zu.

Bindung, kovalente (Elektronenpaarbindung) → S. 25 *covalent bond* Form chemischer Bindung; verbindet zwei Atome durch mindestens ein gemeinsames Elektronenpaar

Biodiversität → S. 371 *biodiversity* biologische Vielfalt; die Vielfalt an Arten (Artenvielfalt), die → Variabilität innerhalb der Arten und die Vielfalt an Lebensgemeinschaften und → Ökosystemen

Bioindikator → **Zeigerart**

Biom → S. 358 *biome* Großlebensraum in der → Biosphäre

Biomasse → S. 349 *biomass* das Trockengewicht, das eine bestimmte Gruppe lebender Organismen aufweist, z. B. alle Konsumenten

Biomassepyramide → S. 349 *biomass pyramid* Darstellung der → Trophieebenen eines → Ökosystems; meist ist in tiefer liegenden Trophieebenen mehr Biomasse vorhanden, die den Organismen höherer Ebenen als Nahrung dient; die Abfolge lässt sich daher als Pyramide darstellen

Biomembran → S. 52 *biomembrane* Membran. bestehend aus einer → Lipiddoppelschicht aus → Phospholipiden mit ein- und angelagerten → Proteinen (siehe auch → Flüssig-Mosaik-Modell); die Biombembran ist selektiv permeabel und umhüllt als → Zellmembran jede lebende Zelle sowie zahlreiche intrazelluläre → Kompartimente

Biosphäre → S. 358 *biosphere* der vom Leben erfüllte Raum der Erde

Biotop → S. 325 *biotop* räumliche Einheit, die sich einem bestimmten → Ökosystem zuordnen lässt; kann Lebensraum (→ Habitat) oder ein Teil davon sein, aber auch zahlreiche Lebensräume enthalten

Biozönose → S. 324 *ecological community* vernetzte Lebensgemeinschaft aller Organismen in einer bestimmten Umgebung, beispielsweise in einem → Biotop

Blutplasma → S. 94 *blood plasma* flüssiger, zellfreier Teil des Blutes

Blutzellen → S. 94, S. 209 *blood cells* Die im Blut enthaltenen Zellen werden unterschieden in rote Blutzellen (Erythrocyten), weiße Blutzellen (Leukocyten) und Blutplättchen (Thrombocyten).

B-Lymphocyten → **B-Zellen**

Bohr-Effekt → S. 98 *Bohr effect* die Abhängigkeit der → Affinität von → Hämoglobin zu Sauerstoff vom pH-Wert (→ pH-Skala) der Umgebung

Brennwert → S. 93 *food energy* Maß für die spezifische → Energie, die bei der Verstoffwechselung von Nahrung im Körper eines Organismus verfügbar gemacht werden kann

Brown'sche Molekularbewegung → S. 57 *Brownian motion* durch Kollision und Schwingungen in Geschwindigkeit und Richtung ständig wechselnde Wärmebewegung kleinster Teilchen

B-Zellen → S. 239 *B lymphocytes* weiße Blutzellen, die als einzige Zellen → Antikörper bilden können; zusammen mit den → T-Zellen stellen sie den entscheidenden Teil des adaptiven → Immunsystems dar

C

Calvinzyklus (lichtunabhängige Reaktionen) → S. 139 *Calvin-Benson cycle* zyklische Reaktionsfolge, die der lichtabhängigen Reaktion der → Fotosynthese nachgeschaltet ist, bei der CO$_2$ fixiert und → Glucose gebildet wird

Capsid → S. 171 *capsid* komplexe, regelmäßig aufgebaute Proteinhülle bei Viren, die der Verpackung des Virusgenoms dient

Carrier → S. 61 *carrier* integrales → Protein in der → Biomembran, das einen Transport spezifischer Substanzen durch die Membran ermöglicht; Transportprotein, Translokator

cDNA → S. 215 *complementary DNA* mithilfe der Reversen Transkriptase gebildete → DNA, die komplementär zur gespleißten → mRNA ist

Centromer → S. 48 *centromere* Region eines → Chromosoms, in der die → Schwesterchromatiden verbunden sind.

Centrosom → S. 50 *centrosome* im → Cytoplasma von Eucyten enthaltenes, für die Zellteilung wichtiges Material; es enthält bei tierischen Zellen die Centriolen

Chemiosmose → S. 111 *chemiosmosis* die Bildung von → ATP durch die → ATP-Synthase mithilfe eines Protonenflusses durch eine Membran

Chemoautotrophie → S. 142 *chemoautotrophy* Form der autotrophen Lebensweise (→ Autotrophie), bei der anorganische Verbindungen für die Gewinnung von Reduktionsäquivalenten und → ATP oxidiert werden (im Gegensatz zu → Fotoautotrophie)

Chemosynthese → S. 142 *chemosynthesis* autotrophe Kohlenstoffassimilation mithilfe von → Energie aus der → Oxidation anorganischer Substanzen wie Wasser, Methan etc.

Chlorophyll → S. 135 *chlorophyll* grünes Pigment in Cyanobakterien und den → Chloroplasten grüner Pflanzen und einiger Bakterien; absorbiert Lichtenergie, die für die → Fotosynthese nutzbar ist

Chloroplast → S. 41, S. 133 *chloroplast* fotosynthetisch aktives, → Chlorophyll enthaltendes → Organell pflanzlicher Zellen

Chromatid → S. 157 *chromatid* Teil der eukaryotischen → Chromosomen; besteht aus einem DNA-Doppelstrang und bestimmten Proteinen; ein Chromosom besteht je nach Zellzyklusphase aus ein oder zwei Chromatiden

Chromatin → S. 43, S. 156 *chromatin* fädiger Komplex im → Zellkern, der aus → DNA und → Proteinen (Histonen) besteht und sich bei der Zellteilung zu → Chromosomen kondensiert

Chromosom → S. 38, S. 156 *chromosome* bezeichnet bei Bakterien das DNA-Molekül, das den größten Teil der Erbinformation enthält; bei → Eukaryoten einzelne Komplexe aus DNA und Proteinen, die jeweils einen Teil der genetischen Information der Zelle tragen

Chromosomen, homologe → S. 156 *homologous chromosomes* Chromosomen, die die gleiche Form und Größe sowie den gleichen Genbestand aufweisen

Chromosomenmutation → S. 199 *chromosome anomaly* strukturelle Veränderung eines Chromosoms durch Entfernen eines Teilstücks (→ Deletion), durch Umordnung von Teilstücken zwischen Chromosomen (→ Translokation), durch Vervielfachung von Teilstücken (→ Duplikation), durch Umdrehen der Orientierung eines Teilstücks (→ Inversion) oder durch Einfügen eines Teilstücks (→ Insertion)

Chromosomensatz → S. 48 *set of chromosomes* Ein einfacher Chromosomensatz (1n; → haploid) enthält jedes Chromosom lediglich einmal, ein doppelter Chromosomensatz (2n; → diploid) zweimal als → homologe Chromosomen.

Chromosomentheorie der Vererbung → S. 185 *chromosome theory of inheritance* Name für die Theorie, dass sich die materiellen Träger der Erbinformation als → Chromosomen im → Zellkern befinden

CO$_2$-Kompensationspunkt → S. 125 *CO$_2$ compensation point* CO$_2$-Konzentration der Außenluft, bei der sich die Fotosyntheserate (CO$_2$-Verbrauch) und die Atmungsrate (CO$_2$-Produktion) die Waage halten

Code, genetischer → S. 161 *genetic code* die 64 Basentripletts (→ Codons), die für die 20 verschiedenen → Aminosäuren und drei Stoppsignale codieren; der Code ist → redundant

codominant → Erbgang

Codon → S. 161 *codon* aus drei → Nucleotiden bestehender → mRNA-Abschnitt, der für eine → Aminosäure codiert

Cosubstrat → S. 70 *cosubstrate* niedermolekulare, nichtproteinartige Verbindung, deren Umsetzung durch ein → Enzym mit der Umsetzung des Substrats gekoppelt ist; wird durch die Reaktion strukturell verändert

Coenzym → Cosubstrat

Cofaktor → Cosubstrat

Crossingover → S. 182 *crossing over* wechselseitiger Austausch von Chromosomenstücken zwischen → homologen Chromosomen während der → Meiose; ein Crossingover führt zur → Rekombination der Erbinformationen

Cuticula → S. 121 *cuticula* oberste, zellfreie Schutzschicht bei Pflanzen oder Tieren

Cytokinese → S. 50 *cytokinesis* Zellteilung nach der Kernteilung (→ Mitose)

Cytoplasma → S. 38, S. 40, S. 44 *cytoplasm* von der → Zellmembran umgebener Zellinhalt mit Ausnahme des → Zellkerns; in der Grundsubstanz des Cytoplasmas liegen die → Organellen

Cytoskelett → S. 40, S. 48 *cytoskeleton* Netzwerk feiner Proteinstrukturen, die der Zelle Stabilität und Reißfestigkeit verleihen und an Bewegungsvorgängen beteiligt sind

D

Darwinismus → S. 261 *Darwinism* auf der Evolutionstheorie von CHARLES DARWIN beruhende Sichtweise der Natur

Deletion → S. 196 *deletion* Gen- bzw. Chromosomenmutation, bei der ein Teil der Erbinformation fehlt; das kann von einem einzelnen → Nucleotid bis zu einem kompletten → Chromosom reichen

Denaturierung → S. 27, S. 74 *denaturation* (1) bei → Proteinen Entfaltung durch Hitze, organische Lösungsmittel, Säuren oder Salze; in der Regel mit Funktions- oder Aktivitätsverlust verbunden; (2) bei → DNA Entwinden des Doppelstrangs und Trennung in die beiden Einzelstränge durch Hitze oder Chemikalien

Denitrifikation → S. 352 *denitrification* Umwandlung des im Nitrat (NO$_3^-$) gebundenen Stickstoffs zu molekularem Stickstoff (N$_2$) durch bestimmte heterotrophe und einige autotrophe Bakterien (Denitrifizierer) (→ Heterotrophie, → Autotrophie)

Depolarisation → S. 386 *depolarization* Änderung des → Membranpotenzials in Richtung positiver (bzw. weniger negativer) Werte

Depression → S. 421 *depression* akute, chronische oder episodische Störungen der Grundstimmung; übermäßig niedergeschlagene, antriebslose Stimmungslage

Desoxyribonucleinsäure (DNS) → S. 23, S. 32 *deoxyribonucleic acid (DNA)* Erbmaterial aller Lebewesen; bildet eine schraubig gewundene, zweisträngige Kette von → Nucleotiden; deren Bausteine sind der Zucker Desoxyribose, Phosphat sowie die vier → Basen Adenin, Thymin, Guanin und Cytosin

Destruenten (Zersetzer, Mineralisierer) → S. 326 *decomposer* Organismen, die sich von totem organischen Material ernähren und es zu anorganischen Substanzen abbauen

Determinierung → S. 206 *determination* Festlegung der Körperachsen und Körperpole während der Embryogenese

Diagnostik, pränatale (PND) → S. 231 *prenatal testing* Untersuchungen des ungeborenen Kindes und der Schwangeren

Dictyosom → S. 46 *dictyosome* Zellorganell, bestehend aus einem Stapel flacher Membranvesikel; exportiert Proteinsekrete; die Gesamtheit der Dictyosomen einer Zelle bildet den → Golgi-Apparat

Differenzierung → S. 204 *differentiation* Entwicklung von Zellen oder Geweben von einem weniger spezialisierten in einen stärker spezialisierten Zustand

Diffusion → S. 57 *diffusion* Konzentrationsausgleich verschiedener Teilchen aufgrund der → Brown'schen Molekularbewegung

diploid → S. 156, S. 180 *diploid* Stadium, in dem eine Zelle 2 homologe Chromosomensätze (2n) enthält; jeweils einen von der Mutter und einen vom Vater (im Gegensatz zu → haploid, → polyploid)

Disaccharid → S. 31 *disaccharide* Zweifachzucker; aus zwei → Monosacchariden (Einfachzuckern) bestehendes → Kohlenhydrat

Dishabituation → S. 446 *dishabituation* siehe → Habituation

Dissimilation → S. 118 *dissimilation* Gesamtheit aller abbauenden Stoffwechselwege; setzt → Energie frei

Disulfidbrücke → S. 27 *disulphide bridge* feste Verbindung zwischen Teilbereichen eines → Proteins durch kovalente Bindung zwischen den Schwefelatomen zweier → Aminosäuren vom Typ Cystein

Divergenz → S. 320 *divergence* (1) Artaufspaltung; (2) unterschiedliche Gestaltung homologer Strukturen bei nah verwandten Arten (im Gegensatz zu → Konvergenz)

DNA → Desoxyribonucleinsäure (DNS)

DNA-DNA-Hybridisierung → Hybridisierung

DNA-Doppelhelix → S. 150 *DNA double helix* natürliche Form der → DNA: rechtsdrehende, schraubenförmig gewundene Struktur aus zwei gegenläufigen Einzelsträngen

DNA-Polymerase → S. 155 *DNA polymerase* → Enzym, das die Synthese von DNA-Strängen anhand einer DNA-Matrize katalysiert

DNA-Replikation → Replikation

DNA-Typisierung (genetischer Fingerabdruck) → S. 216 *genetic fingerprint* Methode zum DNA-Vergleich; DNA-Muster, das eine Person eindeutig charakterisiert; wird z. B. in der Kriminalistik eingesetzt

DNA-Sequenzierung → S. 219 *DNA sequencing* Methode zur Bestimmung von Basenabfolgen; z. B. Strangabbruchmethode

Domäne → S. 287 *domain* höchste Kategorie in der Klassifizierung von Lebewesen

Dominanzhierarchie → Rangordnung

dominant → Allel, dominantes

Dormanz → S. 322 *dormancy* Ruhezustand, bei dem die normale Aktivität eingestellt ist

Drift, genetische → S. 255 *genetic drift* durch Zufallsereignisse bedingte, sprunghafte Veränderung von Gen- bzw. Allelhäufigkeiten, die in kleinen → Populationen von Bedeutung sind; die → Fitness lässt sich nicht vom Merkmal ableiten

Dunkelreaktion → Reaktionen, lichtunabhängige

Duplikation → S. 196 *duplication* → Mutation, bei der Teile eines Gens, ein komplettes Gen bis hin zum gesamten → Genom verdoppelt werden

E

Effektor, allosterischer → S. 77 *allosteric regulator* Substrat- oder Effektormolekül, das im Stoffwechsel anfällt, an das allosterische Zentrum eines → Enzyms bindet und seine katalytische Aktivität verändert

Effekt, hydrophober → Wechselwirkungen, hydrophobe

Effektor → S. 76, S. 381 *effector* (1) Molekül, das an ein → Protein bindet und dessen Aktivität beeinflusst; (2) Erfolgsorgane, -zellen oder -organellen, die die Reaktion eines Organismus auf → Reize ausführen; z. B. Muskeln oder Drüsen

Efferenz → S. 415 *efference* Informationen, die vom Gehirn weggeleitet werden

Egoismus → S. 465 *egoism* Eigennützigkeit; Handlungsweise, bei der einzig der Handelnde selbst die Handlungsmaxime bestimmt; dabei haben diese Handlungen zumeist uneingeschränkt den eigenen Vorteil des Handelnden zum Zweck

Eiweißstoff → Protein

ektotherm → S. 317 *ectothermic* Tiere, die ihre Körperwärme vorwiegend „von außen" beziehen, also aus ihrer Umgebung (im Gegensatz zu → endotherm)

Elektronenmikroskop → S. 37 *electron microscope* Mikroskop, das mithilfe eines Elektronenstrahls das Innere oder die Oberfläche einer Probe mit Elektronen hochauflösend abbilden kann

Elektronenpaarbindung → Bindung, kovalente

Elektronentransportkette → S. 137 *electron transport chain* Reihe hintereinander geschalteter Redox-Moleküle, die in der Lage sind, Elektronen aufzunehmen bzw. abzugeben; über diese Kette fallen Elektronen sozusagen in Stufen bergab, wobei die einzelnen Redox-Moleküle ein zunehmend niedriges Energieniveau haben; die portionsweise freigesetzte Energie kann von der Zelle z. B. in Form von → ATP gespeichert werden

endergonisch → S. 69 *endergonic* chemischer Prozess, dem → Energie zugeführt werden muss, damit er ablaufen kann (im Gegensatz zu → exergonisch)

Endocytose → S. 46, S. 64 *endocytosis* Aufnahme von Flüssigkeit oder Feststoffen durch Einstülpung der → Zellmembran (im Gegensatz zu → Exocytose)

endoplasmatisches Reticulum (ER) → S. 40, S. 45 *endoplasmatic reticulum* → Organell in → Eucyten, das aus einem Membransystem besteht; es wirkt bei der Synthese, Umwandlung und dem Transport von Stoffen mit; existiert in zwei Formen: als raues ER (mit Ribosomen besetzt) und als glattes ER (ohne Ribosomen)

Endosymbiontenhypothese → S. 289 *endosymbiotic theory* gut belegte Hypothese über den Ursprung der eukariotischen Zelle (→ Eucyte); diese ist demnach aus einer symbiotischen Gemeinschaft prokaryotischer Zellen hervorgegangen, wobei → Mitochondrien und Plastiden aus Bakterien entstanden

endotherm → S. 317 *endothermic* Tiere, die ihre Körperwärme vorwiegend „von innen heraus" beziehen, also aus ihrem Stoffwechsel (im Gegensatz zu → ektotherm)

Endproduktrepression (Endprodukthemmung) → S. 169, *feedback inhibition* Kapazitätskontrolle mancher Stoffwechselwege; das entstandene Endprodukt hemmt dabei ein am Anfang des Stoffwechselwegs wirkendes → Enzym

Energie → S. 66 *energy* Fähigkeit einer Materie, Arbeit zu verrichten; sie wird in Joule (J) angegeben; Energieformen können ineinander umgewandelt werden, aber man kann Energie weder vernichten noch erzeugen; in Tieren wird chemische Energie z. B. in Muskelarbeit und → Wärmeenergie umgewandelt; bei der → Fotosynthese wird Lichtenergie in Form chemischer Energie gespeichert; bei jeder Energieumwandlung wird auch Wärmeenergie frei, die für das → System verloren geht

Energie, freie → S. 68 *free energy* Anteil der Energie, der bei konstanter Temperatur in einem → System für Arbeitsprozesse zur Verfügung steht (im Gegensatz zu → Entropie)

Energiebilanz → S. 112 *energy balance* Gesamtdarstellung der in einem untersuchten → System stattfindenden Energieumwandlungen

Energiefluss → S. 348 *energy flow* Weitergabe von energiereichen Stoffen in einer → Nahrungskette

Energiehaushalt → S. 84 *energy balance* Gesamtheit aller Energieumwandlungen, die durch einen Organismus zum Überleben verübt werden

Energieumsatz → S. 93 *energy expenditure* Energiemenge pro Zeiteinheit, die ein Lebewesen zur Aufrechterhaltung seiner Lebensvorgänge oder einer bestimmten Aktivität benötigt

Entropie → S. 67 *entropy* Maß für die Unordnung bzw. Wahrscheinlichkeit eines Zustands in einem → System; bei allen Veränderungen in einem abgeschlossenen System nimmt die Entropie zu (ΔS > 0)

Enzym → S. 69 *enzyme* ein → Protein, das als Biokatalysator wirkt und dadurch eine chemische Reaktion im Stoffwechsel beschleunigt; Enzyme zeigen → Substratspezifität und → Wirkungsspezifität

Epidermis → S. 121 *epidermis* äußeres Abschlussgewebe bei Pflanzen und Tieren

Epigenetik → S. 176 *epigenetics* Spezialgebiet der Biologie, das sich mit Zelleigenschaften (→ Phänotyp), die auf Tochterzellen vererbt werden und nicht in der DNA-Sequenz (dem → Genotyp) festgelegt sind, befasst; hierbei erfolgen Veränderungen an den → Chromosomen, wodurch Abschnitte oder ganze Chromosomen in ihrer Aktivität beeinflusst werden; die DNA-Sequenz bleibt jedoch unverändert

Epitop → S. 241 *epitope* spezifische Struktur auf der Oberfläche eines → Antigens, die von Komponenten des → Immunsystems (insbesondere von → Antikörpern) erkannt wird

EPSP → **Potenzial, erregendes postsynaptisches**

ER → **endoplasmatisches Retikulum**

Erbgang → S. 186 *heredity* statistisch-gesetzmäßiges Auftreten von Merkmalen in den Nachkommengenerationen; beim rezessiv-dominanten Erbgang bestimmt eines der alternativen → Allele die Ausprägung des → Phänotyps in der mischerbigen (→ heterozyoten) Filialgeneration, beim codominanten Erbgang sind es dagegen zwei Allele. Beim intermediären Erbgang findet man eine abgeschwächte Ausprägung des Merkmals in der mischerbigen Filialgeneration.

Erbgang, autosomal-dominanter → S. 226 *autosomal dominant heredity* autosomenbezogener dominanter Erbgang

Erbgang, autosomal-rezessiver → S. 226 *autosomal recessive heredity* autosomenbezogener rezessiver Erbgang

Erbgang, dihybrider → S. 186 *dihybrid heredity* zwei unterschiedliche Merkmale, z.B. Form und Farbe, betrachtender Erbgang

Erbgang, X-chromosomal-dominanter → S. 228 *X-chromosomal dominant heredity* Erbgang, bei dem das betrachtete → Allel auf dem X-Chromosom liegt und dominant vererbt wird

Erbgang, X-chromosomal-rezessiver → S. 228 *X-chromosomal recessive heredity* Erbgang, bei dem das betrachtete → Allel auf dem X-Chromosom liegt und rezessiv vererbt wird

Erbgang, Y-chromosomal-dominanter → S. 229 *Y-chromosomal dominant heredity* Erbgang, bei dem das betrachtete → Allel auf dem Y-Chromosom liegt und dominant vererbt wird

Erbgut → **Genom**

Ernährungsebene → **Trophieebene**

Erregungsleitung, saltatorische → S. 389 *saltatory conduction* Erregungsleitung an myelinisierten Nervenfasern; die Erregung scheint hier von Schnürring zu Schnürring zu springen, da dort → Aktionspotenziale ausgelöst werden

Eucyte → S. 38 *eucyte* Zelltyp; Grundbaustein aller → Eukaryoten; unterscheidet sich u.a. durch den Besitz von → Zellkern, → Mitochondrien und eine reiche → Kompartimentierung von der → Procyte

Eukaryoten (Eukaryonten) → S. 38 *eucaryotes* ein- und vielzellige Lebewesen, deren Zelltyp die → Eucyte ist; dazu gehören Protisten, Pflanzen, Pilze und Tiere

eutroph → S. 362 *eutrophic* hoher Gehalt an → Mineralstoffen in Gewässern (im Gegensatz zu → oligotroph)

Eutrophierung → S. 352 *eutrophication* Anreicherung eines Gewässers mit → Mineralstoffen („Überdüngung")

Evolution → S. 15, S. 250 *evolution* Prozesse, Mechanismen und historische Abläufe, die zur Entstehung des Lebens in seiner heutigen Vielfalt geführt haben

Evolution, chemische → S. 285 *chemical evolution* Hypothese zur Entstehung bioorganischer Moleküle und der ersten lebenden Zellen aus anorganischen Molekülen

Evolution, kulturelle → S. 305 *cultural evolution* Entwicklung der → Kultur im Verlauf der Menschheitsgeschichte

Evolution, neutrale (Neutrale Theorie der molekularen Evolution → S. 257 *Neutral theory of molecular evolution* Teilaspekt der → Evolutionstheorie; sie besagt, dass viele → Mutationen keiner → natürlichen Selektion unterliegen, da sie nicht zu einem veränderten → Phänotyp führen.

Evolutionsfaktoren → S. 261 *evolution factors* jegliche Faktoren, die zu Veränderungen der Allelhäufigkeiten im → Genpool einer → Population führen

Evolutionstheorie, synthetische → S. 261 *synthetic theory of evolution* Erweiterung der Evolutionstheorie von CHARLES DARWIN durch die Erkenntnisse der Zellforschung, Genetik und Populationsbiologie

exergonisch → S. 69 *exergonic* chemische Reaktion, bei der → Energie abgegeben wird und die daher von selbst abläuft (im Gegensatz zu → endergonisch)

Exkretion → S. 100 *excretion* Abgabe körpereigener Stoffwechselprodukte und körperfremder Stoffe aus den Körperflüssigkeiten an die Umwelt; erfolgt durch Exkretionsorgane wie Nieren, aber z.B. auch über die Haut (Schweißdrüsen) oder Kiemen; eng verbunden mit der Regulation des Wasserhaushalts (→ Osmoregulation)

Exocytose → S. 46 *exocytosis* Abgabe von Flüssigkeit oder Feststoffen durch Verschmelzung eines gefüllten → Vesikels mit der → Zellmembran (im Gegensatz zu → Endocytose)

Exon → S. 166 *exon* codierender DNA-Abschnitt bei → Eukaryoten sowie einigen Archaea (im Gegensatz zu → Intron)

F

FAD → **Flavinadenindinucleotid**

Fettsäure → S. 33 *fatty acid* Molekül mit einer langen Kohlenwasserstoffkette am einen Ende und einer Carboxylgruppe am anderen; Bestandteil vieler → Lipide;

gesättigte Fettsäure (*saturated fatty acid*) Fettsäure, die keine Doppelbindungen zwischen den Kohlenstoffatomen aufweist, also mit Wasserstoffatomen „gesättigt" ist; **ungesättigte Fettsäure** (*unsaturated fatty acid*) Fettsäure, die eine oder mehrere Doppelbindungen zwischen den Kohlenstoffatomen aufweist

Fingerabdruck, genetischer → DNA-Typisierung

Fitness, biologische (reproduktive Fitness) → S. 252, *biological fitness* Maß für den reproduktiven Fortpflanzungserfolg eines Individuums, d. h. die Fähigkeit, seine Gene in der Folgegeneration zu verbreiten

Flaschenhalseffekt (Engpasseffekt) → S. 257 *population bottleneck effect* Form von → genetischer Drift, die sich aus einer drastischen Verkleinerung einer → Population, z. B. durch Naturkatastrophen, ergibt

Flavinadenindinucleotid (FAD) → S. 110 *flavinadenindinucleotid* → Coenzym; wichtiger Elektronenüberträger in verschiedenen prokaryotischen und eukaryotischen Redox-Reaktionen

Fließgleichgewicht → S. 69 *steady state equilibrium* Zustand gleicher Konzentrationen von Stoffen in einem offenen System bei dauerndem Zu- und Abfluss von Stoffen und → Energie

Flüssig-Mosaik-Modell → S. 53 *fluid mosaic model* molekulares Modell der Struktur von → Biomembranen; hiernach bestehen Biomembranen aus einer flüssigen → Phospholipiddoppelschicht, in der sich eingebettete → Proteine bewegen können

Fortpflanzung → S. 178 *reproduction* Kennzeichen des Lebens, wobei durch die Weitergabe genetischer Information artgleiche, eigenständige Individuen entstehen; die geschlechtliche (sexuelle) Fortpflanzung (*sexual reproduction*) erfolgt über die → Befruchtung von Keimzellen beiderlei Geschlechts unter Bildung einer → Zygote; die ungeschlechtliche (asexuelle) Fortpflanzung (*asexual reproduction*) erfolgt durch → Klonen, das heißt der Entwicklung eines Teils des Elternorganismus zu einem neuen Lebewesen

Fossil → S. 284 *fossil* versteinerter Rest oder Spur eines Lebewesens in Gesteinen bzw. Sedimenten früherer Perioden der Erdgeschichte

Fotoautotrophie → S. 118 *photoautotrophy* Form der → Autotrophie, bei der die → Energie aus dem Sonnenlicht stammt (siehe auch → Fotosynthese)

Fotolyse → S. 132 *photolysis* Spaltung eines Moleküls mithilfe von Lichtenergie

Fotosynthese → S. 118 *photosynthesis* wichtigste Form der autotrophen → Assimilation, bei der mithilfe des → Chlorophylls unter Einwirkung des Sonnenlichts aus CO_2 und Wasser → Glucose und Sauerstoff entstehen

Fotosynthesepigmente (akzessorische Pigmente) → S. 134 *photosynthesis pigments* Moleküle in den Chloroplasten von Pflanzen und in Cyanobakterien, die Licht unterschiedlicher Wellenlängen absorbieren und die gewonnene Energie der → Fotosynthese zuführen können

Fotosysteme → S. 135 *photosystems* Ansammlung von Proteinen und Pigment-Molekülen in der Thylakoidmembran von Cyanobakterien und Chloroplasten (von Pflanzen und Algen), die bei der → Fotosynthese Lichtenergie in chemische Energie umwandeln

Fundamentalnische → S. 320 *fundamental niche* Teil eines Nischenraums, in dem eine Art allein aufgrund ihrer → genetischen Variabilität und Reaktionsnorm und der damit verbundenen Anpassungsfähigkeit leben könnte; praktisch ist dies nur unter Laborbedingungen möglich.

Furchung → S. 205 *cleavage* erste Entwicklungsphase bei Mehrzellern, bei der aus der → Zygote durch vielfache Zellteilungen eine mehrzellige Kugel (Blastula) entsteht

Fußabdruck, ökologischer → S. 346 *ecological footprint* Darunter versteht man die Fläche auf der Erde, die notwendig ist, um den Lebensstil und Lebensstandard eines Menschen (sein Verbrauchsanteil und seine Abfallprodukte unter heutigen Bedingungen) dauerhaft zu ermöglichen.

G

Gärung → S. 114 *fermentation* anaerobe Form der Energiefreisetzung; je nach Gärungstyp entstehen Endprodukte wie Ethanol und CO_2 oder Milchsäure

Gasaustausch → S. 96 *gas exchange* Aufnahme von Sauerstoff aus der Umgebung und Abgabe von Kohlenstoffdioxid

Gedächtnis → S. 454 *memory* Speicher für erworbene Informationen im Gehirn, die als Erinnerung wieder abrufbar sind

Gedächtnis, immunologisches → S. 235 *immunologic memory* Erinnerungsvermögen der adaptiven → Immunabwehr an eine frühere Infektion

Gegenspieler → Antagonist

Gegenstromprinzip → S. 102 *countercurrent exchange* optimierte Form des Wärme- oder Stoffaustauschs zwischen unterschiedlichen Flüssigkeiten oder Gasen, die sich durch eine dünne Barriere getrennt in entgegengesetzter Richtung bewegen

Gen → S. 148, S. 174 *gene* lokalisierbarer Bereich einer genomischen Basensequenz, die als Erbeinheit für eine RNA codiert; verknüpft mit regulatorischen und anderen funktionellen DNA-Abschnitten

Gen, homöotisches → S. 207 *homeotic gene* vermittelt bei der Entwicklung segmentierter Organismen die Unterschiede zwischen den Segmenten, nachdem die → Segmentierungsgene das Grundmuster festgelegt haben

Gen, maternales → S. 207 *maternal gene* codiert für ein Genprodukt, das dem Embryo von der Mutter in der Eizelle bereitgestellt wird, bevor dieser selbst erste Gene exprimiert

Gen, springendes → Transposon

Genchip (Microarray) → S. 221 *gene chip, microarray* molekularbiologisches Untersuchungssystem, das die parallele Analyse von mehreren tausend Einzelnachweisen in einer geringen Probenmenge ermöglicht; Glasplättchen mit regelmäßig angeordneten Minibehältern, die fixierte, einsträngige Kopien einer bekannten DNA-Sequenz enthalten; diese DNA kann mit markierten Proben von → mRNA oder → cDNA versetzt werden; nicht hybridisierte (Hybridisierung) Reste werden abgewaschen; das Muster der Lichtsignale auf dem Chip lässt sich durch Computer auswerten und zeigt die aktiven Gene der Probenzellen

Genexpression → S. 160 *gene expression* Vorgang der Merkmalsausbildung, in dem eine Zelle die Information eines Gens nutzt; das eukaryotische Gen wird als → prä-mRNA abgeschrieben (→ Transkription), die prä-mRNA wird prozessiert (→ Spleißen), die Basensequenz der fertigen → mRNA wird anschließend an den → Ribosomen in die entsprechende Proteinsequenz übersetzt (→ Translation)

Genkartierung → S. 220 *genetic linkage mapping* Bestimmung der Position verschiedener Gene auf einem DNA-Molekül

Genmutation → S. 196 *gene mutation* erbliche Veränderung eines Gens

Genom (Erbgut) → S. 148 *genome* Gesamtheit des genetischen Materials (codierende und nicht codierende DNA-Abschnitte) einer Zelle, eines Lebewesens, eines → Virus; liegt als → DNA vor (bei einigen Viren als RNA)

Genommutation → S. 200 *genome mutation* Veränderung der Gesamtanzahl der → Chromosomen

Genort (Locus) → S. 183 *locus* genaue Lage eines Gens im → Genom bzw. → Chromosom

Genotyp → S. 183 *genotype* genetische Ausstattung eines Organismus; kann sich auf die Gesamtheit seiner → Gene oder auf ein einzelnes Allelpaar beziehen

Genpool → S. 258 *gene pool* Gesamtheit aller → Gene einer → Population zu einem bestimmten Zeitpunkt

Genregulation → S. 169 *gene regulation* Regulation der → Genexpression in einer Zelle durch Genaktivierung bzw. -hemmung

Gentherapie, somatische → S. 222 *somatic genetherapy* medizinische Behandlung von Patienten durch genetische Veränderungen von Körperzellen; Gene werden ersetzt, ergänzt oder entfernt

Gesamtfitness → S. 252 *absolute fitness* genetischer Erfolg eines Lebewesens; misst sich an der Anzahl der eigenen Gene, die an die Folgegeneration weitergegeben wird; sie setzt sich zusammen aus der direkten Fitness (Anzahl der Gene, die durch eigene Nachkommen weitergegeben wird) und der indirekten Fitness (Anzahl der eigenen Gene, die über Verwandte an die nächste Generation weitergegeben wird); ein Individuum, das die Fortpflanzungschancen eines nahen Verwandten erhöht, bewirkt so eine Erhöhung seiner eigenen Gesamtfitness; siehe auch → Verwandtenselektion

Geschlechtsbestimmung → S. 192 *sex-determination* Abläufe, die in der Embryogenese zur Festlegung des Geschlechts führen und schließlich eine sozial wirkende Einteilung von Individuen in männlich bzw. weiblich erlauben

Geschlechtsbestimmung, genotypische (chromosomale Geschlechtsdetermination) → S. 192 *genetic sex-determination* Geschlechtsentwicklung, die durch die Geschlechtschromosomen bestimmt wird

Geschlechtsbestimmung, phänotypische (modifikatorische Geschlechtsbestimmung) → S. 192 *phenotypic sex-determination* Geschlechtsentwicklung, die durch äußere Einflüsse (z. B. Temperatur) bestimmt wird

Geschlechtschromosomen → Gonosomen

Geschlechtsdimorphismus (Sexualdimorphismus) → S. 270 *sexual dimorphism* deutliche Unterschiede im Erscheinungsbild von männlichen und weiblichen Individuen der gleichen Art, die sich nicht auf die Geschlechtsorgane selbst beziehen

Gleichgewichtspotenzial → S. 384 *equilibrium potential* Differenz des elektrischen Potenzials über eine Zellmembran, basierend auf bestimmten Ionen und deren Konzentrationsverhältnis zwischen Innen- und Außenseite der Membran

Glucose → S. 31 *glucose* Traubenzucker; ein → Monosaccharid mit 6 C-Atomen (Hexose); gehört zu den Kohlenhydraten; es gibt zwei Isomere, die D- und L-Glucose; in der Natur kommt ausschließlich D-Glucose vor

Glycerol (Glycerin) → S. 34 *glycerol* Alkohol mit drei Kohlenstoffatomen und drei Hydroxylgruppen; Bestandteil von → Phospholipiden und → Triglyceriden

Glykolyse → S. 107 *glycolysis* erster Teil des Glucoseabbaus bis zur Brenztraubensäure (Pyruvat); findet in der Grundsubstanz des → Cytoplasmas statt

Golgi-Apparat → S. 40, S. 45 *Golgi apparatus* umfasst ein bis mehrere → Dictyosomen in einer Zelle; modifiziert, verpackt und versendet Produkte des → ER

Gonosomen (Geschlechtschromosomen, Heterosomen) → S. 157 *sex chromosomes* → Chromosomen, die im Gegensatz zu → Autosomen geschlechtsbestimmende Gene tragen; sie werden beim Menschen als X- und Y-Chromosomen bezeichnet

Gradualismus → S. 279 *gradualism* Sichtweise der evolutionären Veränderungen von Lebewesen, die von gleitenden, allmählichen (graduellen), nicht sprunghaften Übergängen bei der Bildung neuer Organe ausgeht (im Gegensatz zu → Punktualismus)

Gründereffekt → S. 257 *founder effect* Form von → genetischer Drift, die auf die Besiedlung eines neuen Lebensraums durch eine kleine Anzahl von Individuen (Gründerpopulation) zurückzuführen ist, die sich von einer großen Ausgangspopulation abgespalten haben

Grundumsatz → S. 83 *basal metabolic rate* = Energieumsatz eines gleichwarmen Tieres in völliger Ruhe; setzt sich zusammen aus dem Erhaltungsumsatz für die Lebensvorgänge in Zellen und der Energie für die Aktionsbereitschaft des Organismus

Gruppe, funktionelle → S. 22 *functional group* charakteristische Atomgruppe an größeren Molekülen, die diesen spezielle chemische Eigenschaften verleiht, z. B. Hydroxyl- und Carboxylgruppen

H

Habitat → S. 320 *habitat* von einer einzelnen Art bevorzugter Lebensraum

Habituation → S. 446 *habituation* eine Form des → Lernens; hierbei wird ein meist unbedeutender → Reiz laufend wiederholt, sodass die reflexartige Reaktion immer schwächer ausfällt, da in der präsynaptischen Membran des sensorischen Neurons immer weniger → Vesikel mit → Neurotransmittern vorhanden sind; ist kurzfristig und kann durch neue Reize unterbrochen werden (→ Dishabituation)

Hämgruppe → S. 98 *heme group* Verbindung mit einem Eisen-Ion als Zentralatom in einem Porphyrin-Molekül

Hämoglobin → S. 96 *hemoglobin* Sauerstoff transportierendes → Protein in den roten → Blutzellen der Wirbeltiere und bei manchen Wirbellosen

haploid → S. 181 *haploid* Stadium, in dem eine Zelle nur einen einfachen homologen → Chromosomensatz (1n) enthält (im Gegensatz zu → diploid, → polyploid)

hemizygot → S. 228 *hemizygous* trotz Diploidie (→ diploid) mit nur einem → Allel für ein bestimmtes Merkmal ausgestattet; dies gilt z. B. für viele Gene auf den Geschlechtschromosomen (→ Gonosomen)

Hemmung, allosterische → S. 77 *allosteric inhibition* Bei der allosterischen Hemmung bindet der Hemmstoff nicht am → aktiven Zentrum, sondern an einer anderen Stelle des → Enzyms (das allosterische Zentrum). Dabei wird die → Konformation des Enzyms so verändert, dass die Bindung des Substrats am aktiven Zentrum erschwert bzw. unmöglich gemacht wird (im Gegensatz zur → kompetitiven Hemmung)

Hemmung, kompetitive → S. 77 *competitive inhibition* Hemmung der Enzymfunktion durch ein mit dem Substrat an der Substratbindungsstelle konkurrierendes, ähnlich strukturiertes Molekül (→ Inhibitor)

Heterosis-Effekt → S. 280 *heterosis* höhere Leistungsfähigkeit von F_1-Hybriden im Vergleich zur P-Generation

Heterosomen → **Gonosomen**

Heterotrophie → S. 86, S. 118 *heterotrophy* Ernährungsweise, bei der organische Nahrungsstoffe als Energie- und Kohlenstoffquellen aufgenommen und in körpereigene Verbindungen umgewandelt bzw. abgebaut werden (im Gegensatz zu → Autotrophie)

heterozygot (mischerbig) → S. 183 *heterozygous* mit zwei verschiedenen → Allelen für ein bestimmtes Merkmal ausgestattet (im Gegensatz zu → homozygot)

Hibernation → **Winterschlaf**

Hirnanhangdrüse → **Hypophyse**

Hominiden → S. 297 *hominides* Menschenaffen, eine Familie der Primaten; umfasst Orang-Utans, Gorillas, Schimpansen und den Menschen sowie seine unmittelbaren, frühen Vorfahren

Homo → S. 299 *Homo* Bezeichnung einer Gattung der Menschenaffen, zu der alle heute lebenden Menschen gehören, sowie deren nächste fossile Verwandte

homoiohydrisch → S. 316 *hydrostabil* Pflanzen, die einen relativ gleichmäßigen, von der umgebenden Atmosphäre weitgehend unabhängigen Wasserhaushalt im Organismus aufrechterhalten können

homoiotherm → S. 86, S. 317 *homoeothermic* Tiere, die eine gleichwarme Körpertemperatur aufrechterhalten (Vögel, Säugetiere) (im Gegensatz zu → poikilotherm); siehe auch → ektotherm und → endotherm

Homologie → S. 294 *homology* Ähnlichkeit in Gestalt oder anderen Merkmalen, die sich auf Verwandtschaft bzw. gleiche Herkunft und damit ähnliche genetische Ausstattung gründet; kann sich z. B. auf die Lage und/oder den Aufbau eines Organs beziehen

Homöostase → S. 59, S. 82 *homeostasis* Aufrechterhaltung eines gleich bleibenden Zustands, z. B. einer konstanten Körpertemperatur, durch physiologische Rückkopplungsreaktionen

homozygot (reinerbig) → S. 183 *homozygous* mit zwei identischen → Allelen für ein bestimmtes Merkmal ausgestattet (im Gegensatz zu → heterozygot)

Hormon → S. 424 *hormon* in Drüsen gebildeter Signalstoff, der über das Blut verteilt an entfernten Orten physiologische Veränderungen hervorruft

Hotspot → S. 371 *hotspot* Ort, an dem die höchste Dichte eines speziellen Faktors vorliegt; Hotspot der → Biodiversität: Ort der höchsten Artenvielfalt

Hybridisierung → S. 184, S. 219, S. 279 *hybridization* (1) Kreuzung zwischen unterschiedlichen (meist nah verwandten) Arten; (2) molekularbiologisches Verfahren, bei dem sich komplementäre Einzelstränge von Nucleinsäuren unterschiedlicher Herkunft nach gemeinsamer Erhitzung und anschließender Abkühlung bei hinreichender Ähnlichkeit zusammenlagern

Hydrolyse → S. 23 *hydrolysis* chemische Reaktion, bei der Moleküle unter Anlagerung von Wasser gespalten werden: $XY + H_2O \rightarrow XH + YOH$.

Hygrophyten → S. 316 *hygrophytes* Pflanzen, die aufgrund ihrer Physiologie und Morphologie auf Feuchtgebiete spezialisiert sind

Hyperzyklus → S. 285 *hypercycle* System, das zur Selbstvermehrung, Stoffwechsel und → Mutation befähigt ist

Hypophyse → S. 426 *hypophysis* Verschaltungsstelle von Nerven- und Hormonsystem

I

Imitation → S. 451 *imitation* Nachahmung, z. B. beim Lernen

Immunabwehr → S. 235 *immune defense* untergliedert sich in eine angeborene, unspezifische und eine erworbene, adaptive Abwehr

Immunisierung, aktive → S. 240 *active immunization* Injektion oder anderweitige Gabe (z. B. Schluckimpfung) von abgeschwächten Erregern oder Teilen davon, um das eigene → Immunsystem gegen eine mögliche Infektion zu wappnen

Immunsierung, passive → S. 240 *passive immunization* Injektion eines aus einem Spendertier stammenden Antiserums, das → Antikörper gegen die zu bekämpfende Infektion enthält; wird bei bereits erfolgter Infektion gegeben

Immunsystem → S. 234 *immune system* unser biologisches Abwehrsystem, das in der Lage ist, Fremdartiges zu erkennen und auf dieser Grundlage gegen Krankheitserreger, entartete Zellen und Fremdproteine (z. B. auch bestimmte Gifte) vorgeht und diese vernichtet

Impulsgeber → S. 443 *release stimulus* innere bzw. äußere Faktoren, die ein → Verhalten auslösen

Indikatororganismus → **Zeigerart**

Inhibition, laterale → S. 409 *lateral inhibition* gegenseitige Hemmung der → Rezeptoren im Auge, wodurch eine Überbetonung von Kontrastkanten wahrgenommen wird

Inhibitor → S. 76 *inhibitor* Substanz, die eine oder mehrere Reaktionen (chemische, biologische oder physikalische) beeinflusst, sodass diese verlangsamt, gehemmt oder verhindert werden

Insertion → S. 196 *insertion* Einbau von zusätzlichen → Nucleotiden in die DNA-Sequenz bei der → Genmutation oder → Chromosomenmutation

Intelligent Design → S. 261 Auffassung, die → *Biodiversität beruhe auf einem intelligenten Urheber und nicht auf* → *natürlicher Selektion*; die Anhänger betrachten die → Evolutionshypothese als Irrlehre (siehe auch → Kreationismus).

Intron → S. 166 *intron* nicht codierender DNA-Abschnitt innerhalb eines Gens, der zwei → Exons trennt; wird beim → RNA-Spleißen entfernt (im Gegensatz zu → Exon)

Inversion → S. 199 *inversion* Drehung eines Chromosomenstücks innerhalb des Chromosoms um 180° (eine → Chromosomenmutation)

Ionenbindung → S. 25 *ionic bond* chemische Bindung, die aus der elektrostatischen Anziehung positiv und negativ geladener Ionen resultiert

Ionenkanal → S. 383 *ion channel* → Kanalprotein, das Ionen die → Diffusion durch → Biomembranen erleichtert

Ionenpumpe → S. 382 *ion pump* Transmembranprotein, das bestimmten Ionen das Durchqueren von → Biomembranen entgegen einem Konzentrationsgefälle ermöglicht

IPSP → **Potenzial, inhibitorisches postsynaptisches**

Isolation, geografische → S. 275 *geographic isolation* Aufspaltung einer → Population bzw. eines → Genpools in zwei durch geografische Faktoren (Gebirge, Wüsten, Eisfelder, Kontinentalwanderung usw.); kann dazu führen, dass sich aus einer Art zwei (oder mehrere) Arten entwickeln

K

Kältestarre → Winterstarre

Kanalprotein → S. 61 *membane channel* Transmembranprotein, das Ionen (→ Ionenkanal) oder Molekülen (wie Wasser) die → Diffusion durch → Biomembranen erleichtert

Karyogramm → S. 50 *karyogram* geordnete Darstellung der einzelnen durch ein Mikroskop fotografierten Metaphase-Chromosomen einer Zelle; die paarweise Anordnung ermöglicht eine Unterscheidung nach Größe, Gestalt und Bandenmuster und damit das Erstellen des Karyotyps

Keimblätter → S. 205 *germ layers* verschiedene Zellschichten eines Embryos, aus denen sich unterschiedliche Gewebe entwickeln

Klimax → S. 359 *climax* bestimmter Reifezustand eines → Ökosystems; Abschluss einer → Sukzession vor der Zerfallsphase

Klon → S. 178 *clone* genetisch identische Zellen oder Organismen

Klonen → S. 178 *cloning* Vervielfältigung genetisch identischer Zellen oder Organismen; nicht zu verwechseln mit → Klonieren

Klonieren *molecular cloning* Vervielfältigen eines DNA-Moleküls; nicht zu verwechseln mit → Klonen

K$_M$ → Michaelis-Konstante

Koevolution → S. 271 *coevolution* gegenseitige Beeinflussung der → Evolution zweier oder mehrerer Arten, die miteinander in Wechselbeziehungen stehen und durch Anpassung und Gegenanpassung ihre Existenz und Fortpflanzung zunehmend sichern

Kognition → S. 452 *cognition* mentale Prozesse und Strukturen eines Individuums wie Gedanken, Meinungen, Einstellungen, Wünsche, Absichten; Kognition kann auch als Informationsverarbeitungsprozess verstanden werden, in dem Neues gelernt und Wissen verarbeitet wird.

Kohlenhydrat → S. 31 *carbohydrate* organisches Molekül mit den Bestandteilen Kohlenstoff, Wasserstoff und Sauerstoff im Verhältnis 1:2:1 (nach der Formel $C_nH_{2n}O_n$)

Kohlenstoffdioxidfixierung → S. 141 *carbon fixation* Fixieren von Kohlenstoffdioxid (CO_2) zum Aufbau von organischen, körpereigenen Kohlenstoffverbindungen im Verlauf der → Fotosynthese

Kohlenstoffkreislauf → S. 350 *carbon cycle* System der zyklischen chemischen Umsetzung kohlenstoffhaltiger Verbindungen in und zwischen den Geosphären

Kommunikation → S. 456 *communication* Vorgang, bei dem ein von einer Zelle oder einem Organismus ausgesendetes Signal die Funktion oder das Verhalten anderer Organismen oder Zellen verändert

Kompartimentierung → S. 41 *compartmentalization* funktionelle Aufteilung eines Raumes in Teilbereiche, z. B. Unterteilung des Zellinneren in durch Membranen abgegrenzte Reaktionsräume

Kompensationsebene → S. 361 *compensation zone* Zone eines Gewässers, in der soviel Sauerstoff verbraucht wird wie erzeugt wird; liegt zwischen der → Nährschicht und der → Zehrschicht

Komplementsystem → S. 237 *complement system* ein ergänzendes (komplementierendes) System der → Immunabwehr, bei dem Plasmaproteine einen kaskadenartigen Abwehrmechanismus bedingen; führt zu einer Zerstörung der → Zellmembran und anschließendem Auslaufen (Lyse) der angegriffenen Fremdzelle

Kondensation → S. 23 *condensation* chemische Reaktion, bei der sich zwei Moleküle unter Abspaltung eines einfachen Moleküls (meist Wasser) miteinander verbinden

Konditionierung → S. 448 *conditioning* Lernprozess, in dem ein → Reiz und eine Reaktion neu verknüpft werden

Konduktor → S. 226 *conductor* genetischer Überträger; ist → heterozygot für ein → rezessives Allel, das er vererbt; ist ein Nachkomme → homozygot für das rezessive Allel, so wird der → Phänotyp (z. B. von einer Erbkrankheit wie Mukoviszidose) ausgeprägt

Konformation → S. 27 *conformation* räumliche Gestalt eines Moleküls, z. B. die → Tertiärstruktur der Proteine

Konjugation → S. 190 *conjugation* Zusammenlagerung von Protozoen oder Bakterien mit nachfolgender Übertragung von → Erbgut

Konkurrenz, interspezifische (zwischenartliche) → S. 333 *interspecific competition* Wettbewerb um Lebensraum und → Ressourcen zwischen → Populationen oder Individuen verschiedener Arten

Konkurrenz, intraspezifische (innerartliche) → S. 335 *intraspecific competition* Wettbewerb um Lebensraum und → Ressourcen innerhalb einer → Population, also zwischen Individuen einer Art

Konkurrenzausschlussprinzip → S. 333 *competitive exclusion principle* besagt, dass zwei Arten nicht gleichzeitig dieselbe ökologische Nische besetzen können, ohne in eine Konkurrenz einzutreten, durch die sich nur die konkurrenzstärkere Art behaupten kann

Kontrastverstärkung → S. 409 *contrast increase* Überbetonung von Kontrastkanten; beruht auf der Verschaltung der → Rezeptoren im Auge und ihrer gegenseitigen Hemmung

Konvergenz (ökologische) → S. 294, S. 320 *convergence* beschreibt eine im Verlauf der → Evolution zunehmende Übereinstimmung von Individuen oder Organen bei verschiedenen Entwicklungslinien; Ursache ist meist ein ähnlicher Selektionsdruck (im Gegensatz zu → Divergenz)

Kooperativität → S. 98 *cooperativity* Maß für die funktionelle Interaktion zwischen den Untereinheiten eines → Proteins, meist eines → Enzyms; Beladung einer Untereinheit mit dem Liganden verändert die Bindungsstärke des Liganden an die anderen Untereinheiten

Kreationismus → S. 261 *creationism* Auffassung, dass die wörtliche Interpretation der Bibel (1. Buch Mose) die tatsächliche Entstehung von Leben und Universum beschreibt; erklärt beides durch den Eingriff eines Schöpfergottes in natürliche Vorgänge und steht im Widerspruch zur → Evolutionshypothese (siehe auch → Intelligent Design)

Krebs → S. 211 *cancer* Sammelbezeichnung für bösartige (maligne) Tumoren, also Geschwüre, in Körpergeweben; im Gegensatz zu gutartigen (benignen) Tumoren können sich Krebszellen im Körper weit ausbreiten und Tochtergeschwüre (Metastasen) bilden

Kreuzung, monohybride (Monohybridenkreuzung) → S. 184 *monohybrid cross* Kreuzung, bei der die Eltern sich nur in einem Merkmal unterscheiden

Krypsis → Umgebungstracht

K-Strategie → S. 341 *k-strategist* Lebewesen, das seine Energie vorwiegend in die Sicherung der eigenen Existenz und in die Brutpflege investiert; hat wenige aber konkurrenzstarke Nachkommen (im Gegensatz zu → r-Strategie)

Kultur → S. 452 *culture* alles, was der Mensch selbst gestaltend hervorbringt, im Unterschied zu der nicht von ihm geschaffenen und nicht veränderten Natur

L

Lamarckismus → S. 260 *Lamarckism* Theorie, dass Organismen Eigenschaften an ihre Nachkommen vererben können, die sie während ihres eigenen Lebens erst erworben haben; nach dem französischen Biologen JEAN-BABISTE DE LAMARCK benannt, der im 19. Jahrhundert eine der ersten Evolutionstheorien entwickelte

Leitbündel → S. 126 *vascular bundle* aus strangartigen Elementen zusammengesetzte Gewebepartien der höheren Pflanzen, die dem Transport von Wasser, Nährsalzen und Assimilaten dienen

Lernen → S. 437 *learning* Verhaltens- oder Wissensveränderung infolge individueller Erfahrung auf der Grundlage veränderter neuronaler Strukturen

Lichtkompensationspunkt → S. 125 *light compensation point* Lichtintensität, bei der die Fotosyntheserate den Sauerstoffverbrauch der → Zellatmung ausgleicht

Lichtmikroskop → S. 36 *light microscope* Gerät aus zwei optischen Linsensystemen zur starken Vergrößerung von Objekten; das vorderste optische Element, das Objektiv, erzeugt ein Zwischenbild, das vom Okular erneut vergrößert wird

Lichtspektrum → S. 134 *visible spectrum* Teil des elektromagnetischen Spektrums, den das menschliche Auge ohne technische Hilfsmittel wahrnehmen kann

Lipid → S. 33 *lipid* unpolare, also schlecht in Wasser lösliche chemische Verbindung; Fette, Öle, Wachse, Steroide und → Phospholipide (Bestandteile von → Biomembranen)

Lipiddoppelschicht → S. 52 *lipid bilayer* besteht aus amphiphilen Lipiden, die hydrophile und hydrophobe Anteile besitzen (→ Phospholipide); im polaren Lösungsmittel bildet sich eine Doppelschicht, bei der der hydrophobe Anteil nach innen und der hydrophile Anteil nach außen zeigt; im apolaren Lösungsmittel kehrt sich die Lage entsprechend um; als Phospholipiddoppelschicht Hauptbestandteil von → Biomembranen

Locktracht → S. 328 *visual attraction* → Imitation eines äußeren Erscheinungsbildes, z. B. einer spezifischen Blütenform oder Blütenfarbe, zur Anlockung von Bestäubern oder Beutetieren

Locus → Genort

Lotka-Volterra-Regeln → S. 343 *Lotka-Volterra equations* drei aus dem Lotka-Volterra-Modell abgeleitete Regeln der Interaktion von Räuber- und Beutepopulation und der wechselseitigen Beeinflussung ihrer Individuendichte; 1. periodische Schwankungen der Bestandsdichten, 2. langfristige Konstanz der Mittelwerte, 3. schnellere Erholung der Beutepopulation nach Dezimierung beider Populationen

Lymphsystem → S. 95 *lymphatic system* Teil des → Immunsystems der Wirbeltiere; es gliedert sich in die lymphatischen Organe und das Lymphgefäßsystem; das Lymphgefäßsystem hat neben der Funktion im Abwehrsystem auch eine Bedeutung im Flüssigkeitstransport und steht in enger Beziehung zum Blutkreislauf

M

Makromoleküle → S. 22 *macromolecules* sehr große organische Moleküle wie → Proteine, → Polysaccharide, → Nucleinsäuren und → Lipide

Makrophage → S. 236 *macrophage* Zelltyp des → Immunsystems mit vielfältigen Aufgaben als Fresszelle (der Name bedeutet „großer Fresser"); fähig zur → Antigenpräsentation

Marker → S. 220 *marker* Substanz oder Struktur, die der Auffindung von Produkten, Stoffwechselreaktionen oder genetischen Veränderungen dient

Meiose → S. 181 *meiosis* zweischrittige Kern- und Zellteilung im Rahmen der geschlechtlichen → Fortpflanzung; die Meiose führt zur Bildung von Keimzellen mit einem einfachen → Chromosomensatz aus → Urkeimzellen mit doppeltem Chromosomensatz; dabei wird die genetische Information neu kombiniert

Membranlipide → S. 52 *mebrane lipids* Hauptbestandteil der → Lipiddoppelschicht von → Biomembranen; größtenteils amphiphile → Phospholipide, die eine hydrophile Kopfgruppe und eine hydrophobe Schwanzgruppe (Kohlenwasserstoffketten) besitzen

Membranproteine → S. 53 *membrane proteins* verschiedene Proteinsorten, die in die → Biomembran eingelassen sind oder ihr aufliegen; unter anderem → Carrier, → Kanalproteine, → Rezeptoren

Mendel'sche Regeln → S. 185, S.186 *Mendel's laws* drei von GREGOR MENDEL aufgestellte Vererbungsregeln: 1. Uniformitätsregel; 2. Spaltungsregel; 3. Unabhängigkeitsregel; gelten für ungekoppelte monogene Erbgänge

Merkmal, monogenetisches → S. 194 *monogenic trait* von einem einzelnen Gen codiertes Merkmal

Merkmale, qualitative → S. 195 *qualitative traits* Merkmale wie „Geschlecht" oder „Blutgruppe"; es kann keine Größenordnung der Merkmalsausprägung angegeben werden

Merkmale, quantitative → S. 195 *quantitative traits* Merkmale wie „Körpergröße" oder „Schädelvolumen"; die Größenordnung der Merkmalsausprägung kann angegeben werden

messenger-RNA (mRNA) → S. 160 *messenger RNA* für ein Protein codierende RNA, die an den Ribosomen übersetzt (translatiert) wird

Metalimnion → Sprungschicht

Michaelis-Konstante (K_M) → S. 73 *Michaelis constant* Substratkonzentration in mol/l bei halbmaximaler Reaktionsgeschwindigkeit des → Enzyms; ein Maß für die → Affinität des Enzyms für sein Substrat

mikro-RNA (miRNA) → S. 175 *microRNA* einzelsträngige kurze RNA, die entweder beim Abbau zelleigener doppelsträngiger RNA oder beim → Spleißen entsteht; miRNA kann direkt an → DNA binden, als Matrize für Proteine fungieren oder komplementäre → mRNA blockieren bzw. deren Abbau bewirken

Mimese (Nachahmung) → S. 328 *mimesis* ein Tier ahmt Gestalt, Farbe und Haltung eines Teils seines Lebensraums so täuschend nach, dass Fressfeinde es nicht mehr von der Umgebung unterscheiden können; z. B. Stabheuschrecke

Mimikry (Scheinwarntracht) → S. 327, S. 461 *mimikry* bei wenig wehrhaften Tieren Nachahmung einer → Warntracht, also von Warnfarben oder -formen zum Fraßschutz oder zur Tarnung; z. B. Schwebfliegen, die Wespen nachahmen

Mineralisierer → Destruenten

Mineralstoff → S. 128 *mineral nutrient* anorganisches Salz, das vom Organismus für den Aufbau von Körpersubstanz und für einen geregelten Stoffwechsel aufgenommen wird

miRNA → mikro-RNA
mischerbig → heterozygot
Mitochondrien (Singular: Mitochondrium) → S. 41 *mitochondria* in der → Eucyte vielfach vorhandenes → Organell mit Doppelmembran, in dem die → Zellatmung abläuft
Mitose → S. 48 *mitosis* Kernteilung, bei der die zwei → Chromatiden eines → Chromosoms auf die beiden Zellpole verteilt werden; der Kernteilung folgt in der Regel die Zellteilung (→ Cytokinese); die Chromosomenzahl bleibt erhalten
Mittagsdepression → S. 122 *midday depression* in der Mittagszeit deutliche Absenkung der Wasserdampfabgabe von Blättern durch Schließen der → Stomata, ausgelöst durch die hohen Temperaturen; Maßnahme zur Wassereinsparung, die aber gleichzeitig die fotosynthetische CO_2-Aufnahme der Blätter absenkt, trotz der erhöhten Lichtintensität
Modifikation → S. 192 *modification* durch → Umweltfaktoren hervorgerufene Veränderung des Erscheinungsbildes; die Gene werden nicht beeinflusst, also ist eine Modifikation nicht vererbbar
Monosaccharid → S. 31 *monosaccharide* Einfachzucker; Oligo- und → Polysaccharide bestehen aus Monosacchariden
Monosomie → S. 201 *monosomy* Chromosomenanomalie, bei der ein → Chromosom eines homologen Paares komplett fehlt
mRNA → messenger-RNA
mRNA-Prozessierung → Prozessierung
Mutagen → S. 197 *mutagene* Substanz, die in einem DNA-Molekül eine Veränderung der Erbinformation (→ Mutation) auslösen kann
Mutante → S. 187 *mutant* genetisch veränderter Organismus
Mutation → S. 194 *mutation* spontane oder durch → Mutagene verursachte qualitative oder quantitative Veränderung des genetischen Materials; in Abhängigkeit vom Ausmaß unterscheidet man → Gen-, → Chromosomen- und → Genommutationen
Mutation, somatische → S. 197 *somatic mutation* → Mutation, die Körperzellen betrifft, aber nicht die Keimzellen
Mutationsrate → S. 197 *mutation rate* Häufigkeit, mit der sich ein Gen oder mehrere Gene verändern
Myoglobin → S. 98 *myoglobin* einkettiges Protein mit → Hämgruppe, das Sauerstoff reversibel binden kann (vgl. → Hämoglobin); beschränkt sich auf Herz- und Skelettmuskulatur bei Säugetieren
Myosin → S. 104 *myosin* Motorprotein; formt dicke Filamente, deren Köpfchen mit Actinfilamenten (→ Actin) interagieren; beteiligt an Bewegungsvorgängen, z. B. bei der Muskelkontraktion

N

Nachahmung → Mimese
Nachhaltigkeit → S. 374 *sustainability* beschreibt die Nutzung eines regenerierbaren → Systems in der Art, dass dieses System in seinen wesentlichen Eigenschaften erhalten bleibt und ein entnommener Bestand nachwachsen kann
NAD⁺ → Nikotinamidadenindinucleotid
Nährschicht (trophogene Zone) → S. 361 *trophogenic zone* oberflächennahe Schicht in Gewässern, in der mehr → Biomasse erzeugt als verbraucht wird

Nahrungskette → S. 325 *food chain* Abfolge von Organismen, die sich jeweils voneinander ernähren und damit Biomasse und Energie an das folgende Glied weitergeben; sie beginnt mit Pflanzen als → Primärproduzenten und führt weiter zu → Konsumenten und → Destruenten
Nahrungsnetz → S. 325 *food web* netzartige Verknüpfung von Nahrungsbeziehungen (→ Nahrungsketten) in einem → Ökosystem
Neobiota → S. 372 *invasive species* gebietsfremde biologische Arten (Tiere: Neozoen, Pflanzen: Neophyten), die infolge direkter oder indirekter menschlicher Mitwirkung nach 1492, dem Entdeckungsjahr Amerikas, ein Gebiet besiedeln, das sie anders nicht hätten erreichen können
Nephron → S. 100 *nephron* funktionelle Untereinheit der Niere; besteht aus dem Nierenkörperchen (Malpighi-Körperchen) und dem Nierenkanälchen (Tubulus)
Nervensystem, autonomes (vegetatives) → S. 416 *autonomic nervous system* stellt die Verbindung zwischen dem → zentralen Nervensystem und vielen physiologischen Körperfunktionen dar; vermittelt grundlegende biologische, automatisch ablaufende Anpassungen und Regulationsvorgänge im Körper
Nervensystem, parasympathisches → S. 416 *parasympathetic nervous system* Teil des → autonomen Nervensystems; Gegenspieler (→ Antagonist) des → sympathischen Nervensystems; dient dem Stoffwechsel, der Regeneration und dem Aufbau körpereigener Reserven, stellt den Körper auf Ruhe und Erholung ein
Nervensystem, peripheres (PNS) → S. 414 *peripheral nervous system* Teil des Nervensystems, der außerhalb des → zentralen Nervensystems liegt
Nervensystem, sympathisches → S. 416 *sympathetic nervous system* Teil des → autonomen Nervensystems; Gegenspieler (→ Antagonist) des → parasympathischen Nervensystems; erhöht die nach außen gerichtete Handlungsbereitschaft, stellt den Körper z. B. auf Flucht ein
Nervensystem, zentrales (ZNS) → S. 414 *central nervous system* Teil des Nervensystems, der das Gehirn und das Rückenmark umfasst
Neurit → Axon
Neuron → S. 380 *neuron* Nervenzelle; spezialisierter Zelltyp, der elektrische Erregungen aufnimmt, verrechnet und weiterleitet
Neurotransmitter → S. 393 *neurotransmitter* Botenstoff, der die Information von einer Nervenzelle zur anderen über eine Kontaktstelle, die → Synapse, chemisch weitergibt
Nikotinamidadenindinucleotid (NAD⁺) → S. 106 *nicotinamide adenine dinucleotide* ein in allen lebenden Zellen vorhandenes, bei → Redoxreaktionen Wasserstoff und Elektronen übertragendes → Coenzym; reduzierte Form NADH + H⁺
Nische, ökologische → S. 319 *ecological niche* Gesamtheit der Wechselbeziehungen einer Art mit ihren → biotischen und → abiotischen Umweltfaktoren
Nitrifikation → S. 352 *nitrification* bakterielle → Oxidation von Ammoniumionen (NH_4^+) zu Nitrat (NO_3^-)
Nucleolus → S. 43 *nucleolus* Kernkörperchen; Syntheseort der → ribosomalen RNA im → Zellkern
Nucleotid → S. 33 *nucleotide* Aus Zucker, Phosphat und einer → Base bestehender Baustein der Nucleinsäuren sowie von → ATP, NAD⁺ und NADP⁺
Nucleus → Zellkern

O

Okazaki-Fragment → S. 155 *Okazaki fragment* neu gebildete DNA-Teilstücke des Folgestrangs; die DNA-Ligase verbindet die Stücke zum durchgehenden Strang.

Ökosystem → S. 325, S. 359 *ecosystem* dynamisches Beziehungsgefüge aus → Biozönose (Lebensgemeinschaft) und → Biotop (Lebensraum), das durch Stoffkreisläufe und → Energiefluss verbunden ist

oligotroph → S. 362 *oligotrophic* arm an → Mineralstoffen (besonders Phosphat), was bei Stillgewässern meist mit hohem Sauerstoffgehalt einhergeht; im Gegensatz zu → eutroph

Onkogene → S. 212, S. 232 *oncogenes* Gene, die an der Auslösung von → Krebs beteiligt sind; sie entstehen in Zellen aus Genen, die das Zellwachstum kontrollieren (Proto-Onkogene) und kommen auch in manchen → Viren vor

Operon → S. 169 *operon* Funktionseinheit aus mehreren Genen, die eine bedarfsgerechte Synthese von → Proteinen bzw. → RNA ermöglicht

Operonmodell → S. 169 *operon model* beschreibt die Expressionskontrolle der → Gene eines → Operons

Organell → S. 41 *organelle* abgrenzbare Struktur im → Cytoplasma der Zelle mit besonderen Aufgaben

Osmoregulation → S. 101 *osmoregulation* Regulation des Wasserhaushalts der Körperflüssigkeiten; bei Tieren durch → Exkretion

Osmose → S. 58 *osmosis* → Diffusion von Wassermolekülen durch eine semipermeable Membran in Richtung der höheren Konzentration gelöster Stoffe bzw. geringeren der Wassermoleküle

Oxidation → S. 106 *oxydation* Elektronenabgabe einer Substanz; in biologischen Systemen meist einhergehend mit der Abgabe von Wasserstoff oder der Aufnahme von Sauerstoff (im Gegensatz zu → Reduktion)

P

Parasit → S. 326 *parasite* Lebewesen, das innerhalb einer engen Lebensgemeinschaft auf Kosten des anderen lebt, indem es sich von diesem Wirt ernährt oder auf andere Weise profitiert; der Wirt wird geschädigt, in der Regel aber nicht getötet

Parasitoid → S. 329 *parasitoide* Tier, meist Insekt, das parasitisch lebt und den Wirt zum Abschluss der Parasitierung tötet

PCR → Polymerasekettenreaktion

Peptid → S. 23 *peptide* Kette aus weniger als 100 miteinander verknüpften → Aminosäuren

Periodensystem der Elemente (PSE) → S. 29 *periodic table of the chemical elements* Einteilung aller chemischen Elemente mit steigender Kernladung (Ordnungszahl) und entsprechend ihrer chemischen Eigenschaften in Perioden sowie Haupt- und Nebengruppen

Peroxisom → S. 41 *peroxysome* Zellorganell eukaryotischer Zellen; beinhaltet → Enzyme für den Abbau von → Fettsäuren, Alkohol und anderen schädlichen Verbindungen; das dabei entstehende Wasserstoffperoxid wird durch Peroxidasen oder Katalasen unschädlich gemacht

Pflanzenschutz, integrierter → S. 344 *integrated plant defense* Nutzung aller wirtschaftlichen, ökologischen und toxikologischen Verfahren in optimaler Abstimmung, um Schadorganismen unter der wirtschaftlichen Schadensschwelle zu halten; die Nutzung natürlicher Begrenzungsfaktoren (z. B. Fressfeinde) steht im Vordergrund

Phänotyp → S. 182 *phenotype* Gesamtheit der Merkmale eines Organismus; kann sich auch auf ein einzelnes Merkmal beziehen

Phospholipid → S. 34 *phospholipid* → Lipid mit Phosphatgruppe und polarer R-Gruppe, daher mit polarem „Kopf" und unpolarem „Schwanz"; Hauptbestandteil von → Biomembranen

Phototransduktion → S. 408 *phototransduction* bezeichnet die Umwandlung eines äußeren Lichtreizes in ein physiologisches Signal im Organismus

pH-Skala → S. 26 *pH scale* logarithmische Skala, die die Protonenkonzentration [H$^+$] einer Lösung aufzeigt. Sie ist nicht absolut, sondern basiert auf Lösungen, deren pH-Werte als Standards definiert wurden. Die Skala reicht von 0 bis 14.

Planstelle, ökologische → S. 320 *vacant ecological niche* Beziehungsgefüge der → Umwelt, das von einer Art genutzt werden könnte, aber nicht besetzt ist; daraus ergibt sich dann die → ökologische Nische

Plasmazellen → S. 239 *plasma cells* spezieller Zelltyp des → Immunsystems, der aus → B-Zellen entsteht und → Antikörper produziert

Plasmid → S. 38 *plasmid* ringförmiges DNA-Molekül, das unabhängig vom übrigen → Genom ist; Plasmide kommen hauptsächlich in Bakterien vor, jedoch auch in → Mitochondrien und → Chloroplasten (die ja von Bakterien abstammen); Bakterien können Plasmide an andere Bakterien weitergeben; sie werden in der Gentechnik zum Gentransfer genutzt (→ Vektor)

Plasmodesmen (Singular: Plasmodesmus) → S. 47 *plasmodesmata* feine Cytoplasmafäden, die durch Aussparungen in der pflanzlichen → Zellwand (Tüpfel) hindurch benachbarte Zellinhalte verbinden

Plasmolyse → S. 60 *plasmolysis* Abgabe von Wasser aus der zentralen Vakuole aufgrund osmotischer Vorgänge (in hypertonischer Lösung), bis sich der → Protoplast von der → Zellwand löst; Umkehrung: Deplasmolyse

Pleiotropie → Polyphänie

Polarität → S. 25 *polarity* bei einem polaren Molekül sind eine positive und eine negative Teilladung räumlich voneinander getrennt

poikilohydrisch → S. 316 *poikilohydric* Pflanze die keine Einrichtungen zur Regulation ihres Wasserhaushalts besitzt

poikilotherm → S. 86, S. 317 *poikilotherm* Tiere, die keine konstante Körpertemperatur aufweisen (alle Tiere außer Säuger und Vögel) (im Gegensatz zu → homoiotherm); siehe auch → ektotherm und → endotherm

Polygenie → S. 195 *polygeny* Beteiligung mehrerer → Gene an der Ausprägung eines Merkmals

Polygenie, additive → S. 195 *additive polygeny* Bei der additiven Polygenie verstärken sich alle zusammenwirkenden → Gene gegenseitig. Ein Beispiel ist die Hautfarbe.

Polygenie, komplementäre → S. 196 *complementary polygeny* Bei der komplementären Polygenie wirkt jedes der zusammenwirkenden Gene in anderer Richtung oder bestimmt ein Teilmerkmal. Wird auch nur eines der betroffenen Gene nicht exprimiert, wird das Merkmal nicht ausgebildet. Ein Beispiel ist die Blutgerinnung.

Polymerasekettenreaktion (PCR) → S. 217 *polymerase chain reaction* Verfahren zur gezielten Vervielfältigung bestimmter DNA-Abschnitte (Basismethode der Molekularbiologie)

Polypeptidkette (Polypeptid) → S. 23 *polypeptid chain* lineares Polymer aus → Aminosäuren, die durch Peptidbindungen miteinander verknüpft sind. → Proteine bestehen aus einem bis zu vielen Polypeptiden

Polyphänie (Pleiotropie) → S. 195 *pleiotropy* Veränderung mehrerer phänotypischer Merkmale, die durch ein einzelnes → Gen hervorgerufen wird (im Gegensatz zu → Polygenie)

polyploid (Polyploidie) → S. 200 *polyploid* Stadium, in dem eine Zelle mehr als 2 homologe Chromosomensätze enthält (im Gegensatz zu → haploid, → diploid)

Polysaccharid → S. 31 *polysaccharide* Vielfachzucker; besteht aus → Monosacchariden

Polysom → S. 166 *polysome* Translationskomplex aus einem einzelnen → mRNA-Molekül und mehreren bis vielen → Ribosomen

Population → S. 250 *population* lokale Gruppe von Individuen einer Art, die eine Fortpflanzungsgemeinschaft bilden, also einen gemeinsamen → Genpool haben

Populationsökologie → S. 313 *population ecology* befasst sich mit der Zusammensetzung, Dynamik und Wechselwirkung biologischer → Populationen

Populationswachstum → S. 338 *population growth* Anstieg der Individuenzahl einer → Population durch Vermehrung

Potenz, ökologische → S. 314 *performance breath* Fähigkeit eines Lebewesen, einer Art oder einer → Population, Schwankungen von → Umweltfaktoren bei gleichzeitiger Einwirkung von → Konkurrenz innerhalb eines → Toleranzbereichs zu ertragen und sich darüber hinaus fortzupflanzen

Potenzial, erregendes postsynaptisches (EPSP) → S. 394 *excitatory postsynaptic potential* lokale, graduelle Änderung des → Membranpotenzials an der postsynaptischen Membran von → Neuronen, die ein → Aktionspotenzial in der postsynaptischen Zelle auslöst oder zu dessen Auslösung beiträgt

Potenzial, inhibitorisches postsynaptisches (IPSP) → S. 395 *inhibitory postsynaptic potential* lokale Änderung des → Membranpotenzials an der postsynaptischen Membran tierischer → Neuronen. Ein inhibitorisches postsynaptisches Potenzial führt dazu, dass die Erregung der Zelle durch → Hyperpolarisation der → Zellmembran an der → Synapse gehemmt wird.

Prägung → S. 448 *imprinting* Lernvorgang, dessen Ablauf auf eine sensible Entwicklungsphase (meist in der frühen Jugend) beschränkt ist und der zu einem sehr stabilen Lernergebnis führt

Präimplantationsdiagnostik (PID) → S. 232 *preimplantation genetic diagnosis* Verfahren, bei dem einzelne Zellen eines mehrzelligen Embryos entnommen und auf genetische Schäden untersucht werden, bevor der Embryo in den Mutterleib übertragen wird; PID ist in Deutschland (Stand 2010) aus ethischen Gründen verboten, da es die Selektion von Embryonen nach nichtmedizinischen Kriterien ermöglicht

prä-mRNA → S. 166 *pre-mRNA* erstes Gentranskript bei → Eucyten, bevor es zu funktionsfähiger → mRNA prozessiert wird

Primärkonsument → S. 325 *primary consumer* erster → Konsument einer → Nahrungskette, häufig Pflanzenfresser

Primärproduzent → S. 325 *producer* Organismus, der die benötigte organische → Biomasse durch → Fotosynthese oder → Chemosynthese selbst erzeugen kann; größte Gruppe sind die autotrophen Pflanzen (→ Autotrophie)

Primärstruktur (Aminosäuresequenz) → S. 23, *primary structure* die spezifische Abfolge der → Aminosäuren in einem → Polypeptid (im Gegensatz zu → Sekundärstruktur, → Tertiärstruktur, → Quartärstruktur)

Primat → S. 296 *primate* Angehöriger der Säugetierordnung Primates (Herrentiere); hierzu gehören Halbaffen, Alt- und Neuweltaffen, Menschenaffen und Menschen (inklusive unserer menschenähnlichen Vorfahren)

Prion → S. 175 *prion* ein durch seine veränderte Form infektiöses → Protein, z. B. der Erreger der BSE; zwingt anderen Prionmolekülen seine Form auf und macht sie so ebenfalls infektiös

Procyte (Protocyte) → S. 38 *protocyte* Zelltyp der → Prokaryoten, der keinen → Zellkern besitzt (im Gegensatz zu → Eucyte)

Prokaryot (auch Prokaryont) → S. 38 *prokaryote* aus einer → Procyte bestehender Einzeller; hierzu gehören die Bacteria (Bakterien) und die Archaea („Archaebakterien")

Promotor → S. 163 *promoter* DNA-Sequenz, an die die → RNA-Polymerase binden kann und an der die → Transkription startet

Protein (Eiweißstoff) → S. 22, S. 27 *protein* hochmolekulare Kette aus verschiedenen → Aminosäuren mit meist dreidimensionaler Struktur, die eine große Bedeutung in der Zelle als Gerüstsubstanz, → Enzym, kontraktiles Filament usw.

Proteinbiosynthese → **Genexpression**

Proteom → S. 160 *proteome* Gesamtheit aller synthetisierbaren → Proteine eines Organismus. Die Anzahl der möglichen Proteine übersteigt in der → Eucyte die der für Proteine codierenden → Gene, aufgrund des alternativen → Spleißens der → prä-mRNA.

Protocyte → **Procyte**

Protoplast → S. 47 *protoplast* der lebende Inhalt einer Pflanzenzelle, also abzüglich der → Zellwand; bestehend aus → Zellmembran, → Cytoplasma und → Zellkern inklusive aller → Organellen

Prozessierung (mRNA-Prozessierung) → S. 160, S. 166 *processing* → Modifikation der → prä-mRNA zur reifen → mRNA; Teil der → Proteinbiosynthese

PSE → **Periodensystem der Elemente**

Punktualismus → S. 279 *punctuated equilibrium* Theorie, die eine Erklärung von diskontinuierlichen, sprunghaften evolutionären Veränderungen von Lebewesen bei der Bildung neuer Organe liefert

Q

Quartärstruktur → S. 27 *quaternary structure* spezielle dreidimensionale Anordnung von → Proteinen aus mehreren Proteinuntereinheiten (im Gegensatz zu → Primärstruktur, → Sekundärstruktur, → Tertiärstruktur)

Quotient, respiratorischer → S. 92 *respiratory quotient* Verhältnis von CO_2-Abgabe zu O_2-Aufnahme durch ein lebendes System; ein Maß für Art und Anteil der Nährstoffe, die zwecks Energiegewinnung abgebaut werden

R

Radiation, adaptive → S. 278, S. 320 *adaptive radiation* Auffächerung einer wenig spezialisierten Art in viele stärker spezialisierte Arten durch evolutionäre Herausbildung unterschiedlicher spezifischer Anpassungen an die vorhandenen Umweltverhältnisse

Rangordnung (Dominanzhierarchie) → S. 463 *hierarchy* System in Tiergruppen, in dem die Einzelindividuen einander über- bzw. untergeordnet sind

Reaktionen, lichtunabhängige (Dunkelreaktion, Calvinzyklus) → S. 133 *light-independent reaction* Teil der → Fotosynthese, in dem CO_2 fixiert und mithilfe der energiereichen Produkte der lichtabhängigen Reaktionen zu → Glucose reduziert wird

Reaktionsgeschwindigkeits-Temperatur-Regel (RGT-Regel, Van't Hoff'sche Regel) → S. 75 *van 't Hoff equation* Faustregel, die besagt, dass chemische Reaktionen bei einer um 10 °C erhöhten Temperatur doppelt bis mehrfach so schnell ablaufen

Realnische → S. 320 *realized niche* Teil eines → Ökosystems, der unter Berücksichtigung der konkreten aktuellen Standortfaktoren tatsächlich von der betreffenden Art belegt wird (im Gegensatz zu → Fundamentalnische)

Redoxpotenzial → S. 106 *redox potential* Maß für die Bereitschaft zur Aufnahme oder Abgabe von Elektronen von einem bzw. an einen Stoff

Redoxreaktion → S. 137 *redox reaction* chemische Reaktion, bei der ein Stoff Elektronen aufnimmt (reduziert wird) und der andere Elektronen abgibt (oxidiert wird)

Reduktion → S. 106 *reduction* Elektronenaufnahme durch eine Substanz; in biologischen Systemen meist einhergehend mit der Anlagerung von Wasserstoff oder der Abgabe von Sauerstoff (im Gegensatz zu → Oxidation);

redundant → S. 162 *redundant* sich wiederholend, dabei verzichtbar ohne Sinnverlust; z. B. ist der → genetische Code redundant, da mehrere → Codons für dieselbe → Aminosäure codieren

Reduplikation → **Replikation**

Reflex → S. 380 *reflex* weitgehend genetisch bestimmte, mehr oder weniger zwangsläufige Reaktion eines tierischen Organismus auf einen bestimmten → Reiz

Refraktärzeit → S. 386 *refractory period* Zeit, in der an einer erregbaren Membran (z. B. eines → Axons) nach einer Erregung aufgrund der Inaktivität bestimmter → Ionenkanäle trotz einer → Depolarisierung keine neue Erregung ausgebildet werden kann

Regelkreis → S. 83 *control cycle* kybernetisches Modell zur Darstellung einer Regelung in Form von Blockschaltbildern oder Pfeildiagrammen

Regulationsfaktor, dichteabhängiger → S. 339 *density-dependent regulatory factor* Faktor, der das Wachstum einer → Population mit steigender Individuenanzahl reguliert; z. B. Zunahme von Krankheiten, erhöhter sozialer Stress oder die Bildung von Territorien

reinerbig → **homozygot**

Reiz (Stimulus) → S. 402 *stimulus* Einwirkung von außerhalb einer → Sinneszelle, die eine Veränderung des → Membranpotentials der → Zellmembran bewirkt und ggf. ein → Aktionspotenzial auslösen kann

Rekombination → S. 180 *recombination* Neukombination des genetischen Materials, z. B. im Rahmen der → Meiose; die Rekombination führt zur genetischen Variabilität einer Art und ist ein wichtiger Evolutionsfaktor

Rekombination, somatische → S. 241 *somatic recombination* Neukombination bestimmter → Gene in somatischen Zellen (also außerhalb der Meiose); speziell bei der Expression der → Antikörper, wodurch deren Vielfalt erst möglich wird

Replikation (DNA-Replikation, Reduplikation) → S. 152 *replication* identische (semikonservative) Verdopplung der → DNA, die vor jeder Zellteilung (→ Mitose und → Meiose) stattfindet. Nach Trennung des DNA-Doppelstrangs werden beide elterlichen Einzelstränge jeweils als Matrize für die Tochterstränge verwendet.

Replikationskomplex (Replisom) → S. 155 *replication complex oder replisome* Verbund von Proteinen (Primase, → DNA-Polymerase, Helicase und einzelstrangbindende Proteine), die bei der → DNA-Replikation zusammenwirken

Replisom → **Replikationskomplex**

Repolarisation → S. 386 *repolarisation* Wiederherstellung des → Ruhepotenzials nach einem → Aktionspotenzial (im Gegensatz zu → Depolarisation)

Resorption → S. 88 *resorption* Stoffaufnahme durch lebende Zellen, im Allgemeinen aktiver Transportprozess ins Zellinnere bzw. ins Blut

Ressourcen → S. 313 *resources* Bestandteile der → Umwelt, die ein Organismus braucht bzw. verbraucht und die dadurch anderen Organismen nicht mehr zur Verfügung stehen (Nahrung, Wasser, Raumbedarf); ist die Ressource knapp, führt das zu Konkurrenz

Restriktionsenzym → S. 214 *restriction enzyme* Enzym, das Nucleinsäuren an einer spezifischen Sequenz mit glattem oder versetztem Schnitt zerschneidet

reversibel → S. 26 *reversible* umkehrbar; eine reversible Reaktion ist einfach umkehrbar

Rezeptor → S. 64, S. 381 *receptor* (1) Rezeptorzelle: Zelle, an der durch spezifische → Reize Erregungen ausgelöst werden; (2) Rezeptorprotein: Protein, das einen Liganden bindet, was zu einer Aktion wie z. B. der Weitergabe eines Signals führt

Rezeptorpotenzial → S. 390 *receptor potential* elektrisches Signal, das eine → Sinneszelle oder Sinnesnervenzelle als Antwort auf einen chemischen oder physikalischen → Reiz generiert

rezessiv → **Allel, rezessives**

RGT-Regel → **Reaktionsgeschwindigkeits-Temperatur-Regel**

Ribonucleinsäure (RNS) → S. 33 *ribonucleic acid (RNA)* Im Vergleich zur → DNA kurze Kette von → Nucleotiden, bestehend aus dem Zucker Ribose, einem Phosphatrest und einer der vier → Basen Adenin, Uracil, Guanin und Cytosin. Man unterscheidet → messenger-RNA, → Transfer-RNA, → ribosomale RNA und weitere.

Ribosom → S. 38, S. 42 *ribosome* aus → ribosomaler RNA und → Proteinen aufgebauter Komplex, an dem die → Translation stattfindet (siehe auch → Polysom)

RNA → **Ribonucleinsäuren (RNS)**

RNAi (RNA-Interferenz) → S. 176 *RNA interference* natürlicher Mechanismus in eukaryotischen Zellen, der die Expression einzelner → Gene beeinflusst; dabei wird die betreffende → mRNA durch komplementäre RNA-Stücke blockiert

RNA-Interferenz → **RNAi**

RNA-Polymerase → S. 162 *RNA polymerase* → Enzym, das die Bildung von RNA anhand einer DNA-Matrize katalysiert und die einzelnen RNA-Nucleotide verbindet.

RNA-Prozessierung → **Prozessierung**

RNA, ribosomale (rRNA) → S. 163 *ribosomal RNA* in den → Ribosomen enthaltene RNA; zusammen mit → Enzymen am Aufbau von Peptidbindungen beteiligt (→ Translation)

RNA-Spleißen → **Spleißen**

Röntgenstrukturanalyse → S. 28 *x-ray crystallography* Bestimmung des atomaren Aufbaus eines Kristalls durch Beugung von Röntgenstrahlen am Kristallgitter; aus dem beobachteten Beugungsmuster kann die dreidimensionale Kristallstruktur berechnet werden; wird u. a. zur Strukturaufklärung von → Proteinen und Nucleinsäuren eingesetzt

rRNA → RNA, ribosomale

r-Stratege → S. 341 *r-strategist* Lebewesen, das seine Energie vorwiegend in Fortpflanzungsprodukte investiert (produziert große Gelege); hat zahlreiche jedoch konkurrenzschwache Nachkommen (im Gegensatz zu → K-Strategen)

Rubisco (Ribulose-1,5-bisphosphatcarboxylase/oxigenase) → S. 139 *rubisco* → Enzym aus 8 Untereinheiten, das die Fixierung von Kohlenstoffdioxid (erster Schritt des → Calvinzyklus) durch Ribulose-1,5-bisphosphat katalysiert

Rückkopplung → S. 76 *feedback* Zustand oder Vorgang, dessen Wirkung sich selbst wieder positiv (Aufschaukelungskreis; Beispiel: Aufschaukelung der Geburtswehen) oder negativ (→ Regelkreis; Beispiel: Regulation der Körpertemperatur) beeinflusst

Rückkreuzung (Testkreuzung) → S. 187 *test crossing* Kreuzung von Individuen der F_1- oder F_2-Generation mit dominantem → Phänotyp, jedoch unbekanntem → Genotyp mit einem → homozygot rezessiven Elternteil. Aus der Phänotypverteilung der Folgegeneration kann man auf den gesuchten Genotyp schließen.

Ruhepotenzial (Membranpotenzial) → S. 385 *resting membrane potential* elektrische Spannungsdifferenz zwischen Innen- und Außenseite einer erregbaren Membran im nicht erregten Zustand, z. B. an Nerven- oder Muskelzellen

S

Sarkomer → S. 104 *sarcomere* kleinste funktionelle Einheit der Muskelfibrille, also der Muskulatur; mit Proteinfäden aus → Actin, → Myosin und Titin

Säure → S. 26 *acid* Substanz, die in Lösung Protonen abgibt (Protonenspender)

Schlüsselart → S. 373 *keystone species* Lebewesen einer → Art, das im Verhältnis zu seiner geringen Häufigkeit in der → Biozönose einen großen Einfluss auf die Artenvielfalt ausübt

Schlüssel-Schloss-Prinzip → S. 69 *lock-and-key principle* beschreibt die Funktion von zwei oder mehr komplementären Strukturen, die räumlich zueinander passen müssen, um eine bestimmte biologische Funktion erfüllen zu können

Schöpfungsmythos → S. 261 *creation myth* zumeist theologische oder religiöse Erklärung zum Ursprung des Universums, der Erde und/oder des Menschen

Schrecktracht → S. 328 *visual deterrent* auffällige Körperzeichnung eines Tieres, die Fressfeinde abschreckt

Schwesterchromatiden → S. 48 *sister chromatids* die beiden identischen Hälften eines → Chromosoms, die am → Centromer verbunden sind; während der Anaphase der → Mitose bzw. → Meiose II trennen sie sich und werden zu → Tochterchromosomen der entstandenen Tochterzellen

Segmentierungsgene → S. 207 *segmentation genes* codieren für Genprodukte, die die Unterteilung in Körperabschnitte vermitteln

Sekundärkonsument → S. 325 *secondary consumer* zweiter → Konsument einer → Nahrungskette, häufig Carnivor oder Omnivor

Sekundärstruktur → S. 26 *secondary structure* regelmäßige Faltung der → Aminosäuresequenz zu α-Helices und/oder β-Faltblättern; durch Wasserstoffbrücken stabilisiert (im Gegensatz zu → Primärstruktur, → Tertiärstruktur, → Quartärstruktur)

Selbstreinigungskraft → S. 364 *self-cleaning effect* Fähigkeit eines Systems, sich eigenständig und ohne äußeren Eingriff von Verschmutzungen befreien zu können

Selektion, natürliche → S. 250 *natural selection* beruht auf dem unterschiedlichen Fortpflanzungserfolg verschiedener → Phänotypen, der auf die Wechselbeziehungen zwischen den Organismen und ihrer Umwelt zurückzuführen ist

Selektion, sexuelle → S. 269 *sexual selection* Auswahl der Geschlechtspartner; beruht auf der → Variabilität der sekundären Geschlechtsmerkmale; verstärkt den → Geschlechtsdimorphismus

Sensitivierung → S. 446 *sensitivation* bezeichnet die Zunahme der Stärke einer Reaktion bei Wiederholung desselben Reizes

Sexualdimorphismus → Geschlechtsdimorphismus

Sexualität → S. 268 *sexuality* Geschlechtlichkeit; es gibt innerhalb der Art zwei verschiedene Geschlechter, die paarweise zur → Fortpflanzung kommen und ihre Gene hälftig in die nächste Generation einbringen

Signaltransduktion → S. 403 *signal transduction* Signalübertragung oder Signalübermittlung; Prozesse, mittels derer Zellen auf äußere → Reize reagieren, diese umwandeln und in das Zellinnere weiterleiten

Signalverstärkung → S. 425 *signal transduction cascade* bezeichnet die Vermehrung der informationsübermittelnden Moleküle im Laufe einer Signal-Kaskade

Sinnesorgan → S. 402 *sensory system* Organ, das Informationen in Form von → Reizen aus der → Umwelt aufnimmt, in elektrische Signale umwandelt, die mittels → Neuronen weitergeleitet und dann vom Gehirn in → Wahrnehmungen umgewandelt werden

Sinneszelle → S. 402 *sensory cell* spezialisierte Zelle, die bestimmte äußere und innere chemische oder physikalische Reize in eine für das Nervensystem verständliche Form wandelt

si-RNA (small interfering RNA) *siRNA* einzelsträngige kurze RNA, die enzymatisch aus langer doppelsträngiger RNA (virale dsRNA) herausgeschnitten wurde; kann auch synthetisch hergestellt und in der → RNA-Interferenz (RNAi) benutzt werden

Sozialität → S. 462 *sociality* die Gesamtheit der Interaktionen (positive, neutrale und negative) zwischen Individuen einer Art; im engeren Sinn die Tendenz von Individuen, sich zu einer sozialen Gruppe zusammenzuschließen (einer Gruppe, die Beziehungen zueinander pflegt)

Spaltungsregel → Mendel'sche Regeln

Spleißen (RNA-Spleißen) → S. 166 *splicing* Schritt der Weiterverarbeitung (→ Prozessierung) der → mRNA, der im → Zellkern von → Eukaryoten stattfindet; dabei werden von einem Enzymkomplex (dem Spleißosom) die → Introns aus der → prä-mRNA herausgeschnitten.

Sprungschicht (Metalimnion, Thermokline) → S. 361 *thermocline* Übergangsschicht in einem stehenden Gewässer; bildet eine sichtbare Grenze zwischen zwei unterschiedlich warmen Wasserschichten

Stammzellen → S. 209 *stem cells* nicht ausdifferenzierte, teilungsfähige Zellen im Gewebe von Mehrzellern, die Wachstum und Erneuerung von Geweben ermöglichen

Stammzellen, adulte → S. 209 *adult stem cells* finden sich in Knochenmark, Nervengewebe, Muskeln, Leber,

Fett- und Knochengewebe; sind multipotent, können sich also in Zellen festgelegter Gewebetypen ausdifferenzieren (im Gegensatz zu → embryonalen Stammzellen)

Stammzellen, embryonale → S. 209 *embryonic stem cells* sind pluripotent, können sich also in Zellen aller Gewebetypen ausdifferenzieren (im Gegensatz zu → adulten Stammzellen)

Stickstoffkreislauf → S. 351 *nitrogen cycle* → System der zyklischen chemischen Umsetzung stickstoffhaltiger Verbindungen in und zwischen den Geosphären

Stomata (Singular: Stoma) → S. 122 *stomata* Spaltöffnungen in der Pflanzenepidermis, bestehend aus dem Spalt, den Nebenzellen und den Schließzellen

Substitution → S. 196 *substitution* Austausch von → Basen einer Nucleinsäuresequenz

Substratinduktion → S. 169 *substrate induction* Einleiten der → Genexpression eines Stoffwechselwegs durch die substratvermittelte Hemmung eines spezifischen Repressors; der Repressor wird durch das Substrat inaktiviert und das Substrat durch die dann synthetisierten → Enzyme umgesetzt

Substratspezifität → S. 71 *substrate specificity* spezifisches Erkennen des Substrats durch das → Enzym (siehe auch → Wirkungsspezifität)

Sukzession → S. 359 *succession* natürliche Wandel von → Ökosystemen, z. B. bei der Wiederbewaldung einer Brachfläche oder der Verlandung eines Gewässers

Symbiose → S. 313, S. 331 *symbiosis* starke Abhängigkeit zweier Arten zum gegenseitigen Nutzen, verbunden mit engem körperlichen Kontakt

Symplast → S. 47 *symplast* die Gesamtheit aller über → Plasmodesmen miteinander verbundenen → Protoplasten einer Pflanze

Synapse, chemische → S. 393 *chemical synapse* ermöglicht vermittels → Neurotransmitter eine gezielte und beeinflussbare Erregungsübertragung auf eine andere Zelle

Synapse, elektrische → S. 400 *electrical synapse* spannungsgesteuerte, transmitterfreie Synapse; ermöglicht eine schnelle und synchrone Ausbreitung von → Aktionspotenzialen

Synökologie → S. 313 *synecology* Ökologie der Wechselbeziehungen innerhalb biologischer Systeme

System → S. 66, S. 359 *system* Ein offenes System, das in ständigem Stoff- und Energieaustausch mit der Umgebung steht, wird unterschieden von einem geschlossenen System, das nur Energie mit der Umgebung austauschen kann.

System, limbisches → S. 418 *limbic system* dient der Gedächtniskonsolidierung, der Verarbeitung von Emotionen und der Entstehung von physiologischen Trieben und Instinktverhalten im Zusammenspiel mit anderen Gehirnanteilen

T

Telomer → S. 157, S. 173 *telomere* sich wiederholende DNA-Sequenzen an den Enden eukaryotischer → Chromosomen; werden bei jeder → Mitose verkürzt

Temperaturoptimum → S. 126 *temperature optimum* Temperaturbereich in dem die Leistungsfähigkeit von → Enzymen am höchsten ist und Individuen entsprechend am schnellsten wachsen und sich fortpflanzen

Terminator → S. 163 *terminator* DNA-Sequenz am Ende eines Gens, die das Ende der → Replikation signalisiert

Tertiärkonsument → S. 325 *ternary consumer* dritter → Konsument einer → Nahrungskette; ernährt sich als Räuber von → Sekundärkonsumenten

Tertiärstruktur → S. 27 *tertiary structure* übergeordneter räumlicher Aufbau von Proteinen, also die vollständige dreidimensionale Struktur der Aminosäurekette; stabilisiert durch Bindungen zwischen den Aminosäureresten (im Gegensatz zu → Primärstruktur, → Sekundärstruktur, → Quartärstruktur)

Testkreuzung → **Rückkreuzung**

T-Helferzellen → S. 239 *helper T cells* spezieller Zelltyp des → Immunsystems, der andere Immunzellen durch Ausschütten von → Botenstoffen aktiviert, infizierte Körperzellen zu zerstören oder → Antikörper gegen bestimmte Antigene zu bilden

Thermokline → **Sprungschicht**

Toleranzbereich → S. 314 *tolerance region* Bereich an → Umweltfaktoren, innerhalb derer ein Organismus ohne Konkurrenz wachsen und sich fortpflanzen kann

Toleranzkurve → S. 314 *tolerance curve* Gedeihkurve, von der die charakteristischen Bereiche (→ Toleranzbereich, Vorzugsbereich und Pessimum) einer Art abgelesen werden können

Torpidität → **Winterstarre**

Tradeoff → S. 264 *tradeoff* Ausgleich, Kompromiss; beschreibt die negative Kopplung von Merkmalen: Die Verbesserung eines wichtigen Merkmals erfordert oft, dass ein anderes nicht optimiert werden kann oder sogar verschlechtert werden muss

Tradition → S. 451 *tradition* Weitergabe erlernter Verhaltensweisen und Strukturen innerhalb einer Gruppe und zwischen den Generationen; Grundlage der Herausbildung von → Kulturen

Transduktion → S. 190 *transduction* (1) DNA-Übertragung zwischen Bakterienzellen vermittels Bakteriophagen (Viren) (im Gegensatz zu → Transformation); (2) → Signaltransduktion

Transfer-RNA (tRNA) → S. 164 *transfer RNA* doppelsträngige RNA-Moleküle, die ein → Anticodon tragen und eine dazu passende Aminosäure binden können; das Anticodon bindet bei der → Translation komplementär an das → Codon der → mRNA.

Transformation → S. 149, S. 190 *transformation* (1) die Aufnahme von fremder → DNA in pro- oder eukaryotische Zellen, verbunden mit einer Änderung ihres → Phänotyps (im Gegensatz zu → Transduktion); (2) Entartung von eukaryotischen Zellen bei der Tumorentstehung; (3) ganz allgemein der Übergang zwischen zwei Stadien

Transkription → S. 160, S. 162 *transcription* Synthese von → prä-mRNA anhand des codogenen DNA-Strangs; Teil der → Genexpression

Transkriptionsfaktoren → S. 170 *transcription factors* regulatorische → Proteine, die sich an eukaryotische DNA anheften und so der → RNA-Polymerase die → Transkription ermöglichen.

Translation → S. 44, S. 164 *translation* Polypeptidsynthese anhand einer → mRNA an den → Ribosomen; Teil der → Genexpression

Translokation → S. 199 *translocation* Ortsveränderung von → Chromosomen oder von Chromosomenteilen innerhalb eines → Chromosomensatzes

Transpiration → S. 121 *transpiration* (1) regulierbare Wasserdampfabgabe über die Spältöffnungen (stomatäre Transpiration) und nicht regulierbare Wasserdampfabgabe über die → Cuticula (cuticuläre Transpiration);

(2) Wasserdampfabgabe über Schweißdrüsen oder Hecheln bei Tieren

Transplantation → S. 234 *transplantation* Verpflanzen eines Transplantats (Zellen, Gewebe, Organe, Gliedmaßen) von einem Organismus auf einen anderen

Transport, aktiver → S. 62 *active transport* Energie verbrauchender Transport von Substanzen durch eine biologische Membran entgegen einem Konzentrationsgefälle

Transport, passiver → S. 62 *passive transport* → Diffusion durch eine → Biomembran; meist sind hierzu → Kanal- oder Carrierproteine nötig. Im Gegensatz zum → aktiven Transport wird dafür keine Stoffwechselenergie gebraucht

Transportprotein → Carrier

Transposon → S. 202 *transposon* DNA-Abschnitt bestimmter Länge im → Genom; es umfasst ein oder mehrere Gene und hat die Möglichkeit seinen Ort im Genom zu verändern (→ Transposition).

Treibhauseffekt → S. 368 *greenhouse effect* Effekt, der die Oberflächentemperatur eines Planeten erhöht; Grund hierfür sind strahlungsaktive Gase in der Atmosphäre; aufgrund der ähnlichen Wirkungsweise wurde der Begriff vom Gewächshaus auf die Atmosphäre erweitert

Triglyceride → S. 34 *triglycerides* einfache → Fette und → Öle, bestehend aus einem → Glycerol-Molekül, verestert mit drei → Fettsäuren

Trisomie → S. 201 *trisomy* → Genommutation, die zum dreifachen (anstelle zweifachen) Vorkommen eines → Chromosoms in Körperzellen führt; insbesondere als Trisomie 21 (Down-Syndrom) bekannt

tRNA → Transfer-RNA

Trophieebene (Trophiestufe, Ernährungsebene) → S. 325 *trophic level* bestimmte Stufe einer → Nahrungskette

Trophiestufe → Trophieebene

Turgor → S. 59 *turgor* osmotisch bedingter Innendruck von Pflanzenzellen aufgrund ihrer stabilen → Zellwand

T-Zelle, cytotoxische → S. 238 *cytotoxic T cell* spezieller Zelltyp des → Immunsystems, der in der Lage ist, als infiziert oder entartet erkannte Zellen zu vernichten, indem er sie perforiert und in den programmierten Zelltod treibt

U

Übergang, demografischer → S. 345 *demographic transition* Transformationsprozess von hohen Geburten- und Sterberaten zu niedrigen Geburten- und Sterberaten

Umgebung → S. 66 *environment* alles außerhalb eines → Systems, also der Rest des Universums

Umgebungstracht (Krypsis) → S. 328 *crypsis* Farb- und Formähnlichkeit mit der Umgebung; dient der Tarnung

Umwelt → S. 82 *environment* äußeres Millieu; was einen Organismus oder eine Zelle umgibt und mit ihm/ihr in Wechselwirkung steht

Umweltfaktor → S. 313 *environmental factor* wirkt als Teil der Umwelt auf ein Lebewesen ein

Umweltfaktor, abiotischer → S. 313 *abiotic environmental factor* wirkt als Teil der unbelebten Umwelt (physikalisch, chemisch) auf ein Lebewesen ein

Umweltfaktor, biotischer → S. 313 *biotic environmental factor* wirkt als Teil der belebten Umwelt (etwa Beute, Räuber, Konkurrenten) auf ein Lebewesen ein

Umweltkapazität → S. 338 *environmental carrying capacity* Tragfähigkeit der Umwelt; bezeichnet die größtmögliche Individuenzahl einer → Art, die langfristig in einem Lebensraum überleben kann

Unabhängigkeitsregel → Mendel'sche Regeln

Uniformitätsregel → Mendel'sche Regeln

universell → S. 162 *universal* auf alle Bereiche anwendbar. universeller → genetischer Code, in allen Organismen „verständlich" und übersetzbar

Urkeimzelle → S. 181 *primordial germ cell* Zelltyp, aus dem die Keimzellen entstehen

Ursache, proximate → Wirkursache

Ursache, ultimate → Zweckursache

V

Van't Hoff'sche Regel → Reaktionsgeschwindigkeits-Temperatur-Regel

Variabilität → S. 250 *variability* beschreibt den Sachverhalt, dass die Individuen einer → Population ungleich sind; dies kann genetisch bedingt (→ genetische Variabilität) oder durch Umweltunterschiede hervorgerufen sein (modifikatorische Variabilität)

Variabilität, genetische → S. 192 *genetic variability* die vererbbare Variation innerhalb und zwischen Arten, Varietäten oder Sorten

Vektor → S. 214 *vector* (1) Bei Klonierungen verwendete → Plasmide oder → Viren, die ein Stück Fremd-DNA in einen Organismus einschleusen (2) Organismen wie Insekten, die für andere Organismen schädliche Pathogene (Krankheitserreger) übertragen

Verdauung → S. 88 *digestion* Aufschluss der Nahrung im Verdauungstrakt mithilfe von Verdauungsenzymen

Verhalten → S. 436 *behavior* Gesamtheit aller äußerlich wahrnehmbaren aktiven Veränderungen eines Menschen oder Tieres

Verwandtenselektion → S. 466 *kin selection* Erweiterung des Begriffs der → natürlichen Selektion; ein Individuum, das die Fortpflanzungschancen eines nahen Verwandten erhöht, gewinnt an indirekter Fitness als Teil seiner → Gesamtfitness

Vesikel → S. 38, S. 40 *vesicle* membranumhüllte Bläschen im → Cytoplasma

Virus → S. 171 *virus* nichtzelluläre genetische Einheit aus Nucleinsäuren und Proteinen, die sich nur in einer Wirtszelle vermehren kann

W

Wachstum, exponentielles → S. 338 *exponential growth* geometrisches Wachstum einer → Population; je größer die Ausgangspopulation, desto schneller steigt sie an (im Gegensatz zu → logistischem Wachstum)

Wachstum, logistisches → S. 339 *logistic growth* Wachstum, das sich stetig verlangsamt, je näher es dem Grenzwert kommt (im Gegensatz zu → exponentiellem Wachstum)

Wachstumsfaktor → S. 207 *growth factor* Protein, das von einer Zelle als → Botenstoff abgegeben wird und andere Zellen anregt, sich zu vermehren

Wahrnehmung → S. 402 *perception* Vorgang der Sinneswahrnehmung von physikalischen Reizen aus der Außenwelt, aber auch Innenwelt eines Lebewesens, also die bewusste und unbewusste Sammlung von Informationen eines Lebewesens über seine Sinne

Wärmeenergie → S. 87 *thermal energy* Energie, die in der ungeordneten Bewegung der Atome oder Moleküle eines Stoffs gespeichert ist

Warntracht (Aposematismus) → S. 327 *aposematism* auffällige Färbung von Tieren, mit der ihren Fressfeinden nicht nur ihre Präsenz, sondern auch ihre Ungenießbarkeit oder Wehrhaftigkeit signalisiert werden soll (im Gegensatz zu → Mimikry)

Wasserstoffbrückenbindung → S. 25 *hydrogen bond* schwache Wechselwirkung innerhalb oder zwischen Molekülen, und zwar zwischen einem partiell positiv geladenen Wasserstoffatom und einem partiell negativ geladenen Nachbaratom (meist Sauerstoff oder Stickstoff)

Wechselwirkungen, hydrophobe (hydrophober Effekt) → S. 25 *hydrophobic interaction* Zusammenlagerung von unpolaren Molekülen im polaren Medium

Wildtyp → S. 187 *wildtype* Bezeichnung für einen genetischen Standardtyp. Abweichungen vom Standardtyp werden — selbst wenn sie in der Natur vorkommen — als → Mutante bezeichnet.

Winterruhe → S. 318 *winter rest* Reaktion von Organismen außertropischer Lebensräume auf die während des Winters lebensfeindlichen Umweltbedingungen; Pflanzen bilden Überdauerungsformen, Tiere vermindern ihren Energiebedarf

Winterschlaf (Hibernation) → S. 318 *hibernation* schlafähnlicher Zustand mit stark reduziertem Stoffwechsel, in den bestimmte → endotherme (→ homoiotherme) Tiere unter Herabsetzung ihrer Körpertemperatur während der kalten Jahreszeit aktiv verfallen

Winterstarre (Torpidität, Kältestarre) → S. 318 *torpor* Zustand, in den → ektotherme (→ poikilotherme) Tiere passiv verfallen, wenn die Temperatur unter das tolerierte Minimum fällt; alle Lebensvorgänge sind dabei auf annähernd Null reduziert

Wirkungsspektrum → S. 135 *action spectrum* Fotosyntheserate einer Pflanze in Abhängigkeit von der Wellenlänge des absorbierten Lichts

Wirkungsspezifität → S. 71 *reaction specificity* liegt vor, indem ein → Enzym von einer Vielzahl von Reaktionen, die ein Substrat eingehen kann, nur eine ganz bestimmte katalysiert (siehe auch → Substratspezifität)

Wirkursache → S. 439 *proximate cause* unmittelbarer Grund für ein → Verhalten, z. B. ein äußerer Reiz oder ein Hormonschub (im Gegensatz zu → Zweckursache)

X

Xerophyten → S. 316 *xerophytes* Pflanzen, die an extrem trockene Standorte angepasst sind

Z

Zehrschicht (Zone, tropholytische) → S. 361 *tropholytic zone* lichtarmer bis lichtloser Tiefenbereich von Gewässern, in dem weniger Sauerstoff und → Biomasse erzeugt als verbraucht wird

Zeigerart (Indikatororganismus, Bioindikator) → S. 315 *biological indicator* Lebewesen, dessen Inhaltsstoffe oder dessen Vorkommen bzw. Fehlen in einem Lebensraum bestimmte Informationen liefern: (1) über Standort- und Umweltbedingungen, z. B. Feuchtigkeit, Licht, Wärme, pH-Wert oder Nährstoffverhältnisse des Bodens; (2) über Belastungen wie Wasser- oder Luftverschmutzung

Zellatmung → S. 106 *cell respiration* Energiefreisetzung in der Zelle durch → Oxidation von energiereichen chemischen Verbindungen unter Sauerstoffverbrauch

Zelle, dendritische → S. 237 *dendritic cells* spezieller Zelltyp des → Immunsystems, der unter anderem zur → Antigenpräsentation fähig ist

Zellen, antigenpräsentierende → S. 237 *antigen-presenting cells* Gruppe von Zellen des → Immunsystems; ermöglichen die Erkennung von eingedrungenen Erregern oder veränderten Körperzellen und leiten deren Beseitigung durch eine spezifische Immunantwort ein; umfasst → dendritische Zellen, → Makrophagen und → B-Lymphocyten

Zellkern (Nucleus) → S. 42 *nucleus* von einer Doppelmembran umgebenes → Kompartiment eukaryotischer Zellen, das die → DNA enthält

Zellmembran → S. 38, S. 40 *cell membrane* Membran, die jede Zelle umhüllt und z. B. die Aufnahme, sowie Abgabe von Molekülen und Ionen reguliert; nach dem Prinzip einer → Biomembran aufgebaut

Zellwand → S. 38, S. 41 *cell wall* Struktur, die die Zellen von Pflanzen, Pilzen, vielen Protisten und der meisten → Prokaryoten umgibt; sie ist formgebend und wirkt beim Platzen in hypotonem Medium entgegen

Zell-Zell-Erkennung → S. 56 *cell-cell recognition* Erkennung anderer „passender" Zellen anhand von Oberflächenmerkmalen, wie zum Beispiel Glykoproteinen und Glykolipiden, an die mit dem entsprechenden Gegenstück gebunden werden kann

Zellzyklus → S. 152 *cell cycle* regelmäßige Abfolge von Zellteilung sowie Protein- und DNA-Synthese in einer Zelle. Der Zellzyklus wird in verschiedene Phasen unterteilt und sein Ablauf durch verschiedene Steuer- und Regelmechanismen kontrolliert.

Zentralnervensystem → Nervensystem, zentrales

Zentrum, aktives → S. 28, S. 69, S. 71 *active site* Region in der → Tertiärstruktur eines → Enzyms, an die das Substrat bindet und an der die Katalyse stattfindet

Zersetzer → Destruenten

Zone, trophogene → Nährschicht

Zone, tropholytische → Zehrschicht

Zooxanthellen → S. 313 *Zooxanthellae* einzellige Algen, die als → Endosymbionten in einer bestimmten Tieren leben können, beispielsweise von Korallenpolypen

Zuwachsrate → S. 338 *growth rate* Verhältnis der Zunahme einer Größe innerhalb einer Periode relativ zum Ausgangswert; in Prozent angegeben

Zweckursache (ultimate Ursache) → S. 440 *ultimate cause* evolutionsbiologischer Hintergrund für ein → Verhalten, also die Frage, wie dieses Verhalten die → biologische Fitness erhöht (im Gegensatz zu → Wirkursache)

Zygote → S. 178 *zygote* befruchtete Eizelle; Produkt der Verschmelzung von Eizelle und Spermienzelle

Register

1. Hauptsatz der Thermodynamik 67
2. Hauptsatz der Thermodynamik 67
2,3-Diphosphoglycerat 99
3-Phosphoglycerinsäure 139
7-TM-Rezeptor 395
α-Helix 26
β-Faltblatt 26

A

Abiogenese 285
abiotisch 270
abiotischer Umweltfaktor 313
Absorption 134
Absorptionsspektrum 135
Abwehr, induzierte 328
Acetabularia 43
Acetylcholin 393, 394, 398, 416
Acetylcholinesterase 394
Acetylcholin-Rezeptor 397
Acetyl-Coenzym A 110, 114, 115
Actin 104
Actinfilament 48
Adaptation 405
adaptive Radiation 278, 320
additive Polygenie 195
Adenin 33, 163
Adenohypophyse 427
Adenosintriphosphat 63, 66, 67, 70, 118, 132, 133
Adhäsion 127
Adrenalinausschüttung 398
adulte Stammzelle 209
aerobe Energiegewinnung 113
Affe 297
afferent 392
Afferenz 415
Affinität 97, 116
aggressive Interaktion 463
Agonist 395, 398
AIDS 245
Akkomodation 406
Aktionspotenzial 381, 386, 387, 402, 446
Aktionspotenzialfrequenz 390
Aktionspotenzial, selbsterregendes 387
aktive Immunisierung 240
aktiver Transport 62, 83, 128
aktives Zentrum 28, 69, 71, 72
Aktivierungsenergie 70
Aktivierungstor 386
Albinismus 226
Albino 196
Alkoholgruppe 31
alkoholische Gärung 114
Allel 183
Allen'sche Klimaregel 322
Allergie 243
Alles-oder-Nichts-Gesetz 386
allopatrische Artbildung 275
Allopolyploidie 200
allosterisch 77, 99, 116

allosterische Hemmung 77
allosterischer Effektor 77, 99
alternatives Spleißen 166
Altruismus 462, 466, 467
Altruismus, reziproker 467
Alzheimer-Krankheit 422
Ameise 436
Aminoacyl-tRNA-Synthetase 164
Aminosäure 22, 90, 114, 394
Aminosäure, essenzielle 90
Aminosäuresequenz 23
AMPA-Rezeptor 399
amphiphil 33
Amygdala 419
Amylase 75
Amylopektin 194
Amylose 194
Anabolismus 169
anaerobe Energiegewinnung 113
Analogie 294
Anaphase 48, 50
angeborene Rachitis 228
angeborene, unspezifische Immunabwehr 235
angeborene Verhaltensweise 441
angeregter Zustand 134
Anion 383
anonym 462
Antagonist 103, 398
Anthropomorphismus 437
Antibiotikaresistenz 190
Antibiotikum 38
Anticodon 164
Antigen 235
Antigenpräsentation 237
Antikörper 29, 235, 240, 241
Antikörper, monoklonaler 241
Antikörper, polyklonaler 241
Antiport 63
Antiserum 240
Apertur, numerische 37
Aplysia 446, 448
Apoplast 47, 127
Apoptose 210
Appetenzverhalten, ungerichtetes 444
Aquaporin 61
Äquatorialplatte 50
Arabidopsis thaliana 282
Arbeitshypothese 438
Arbeitsteilung 42
Archaea 287
Archaeophyt 371
Archaeopteryx 291
Art 274, 275
Artbegriff 274
Artbegriff, biologischer 274
Artbegriff, morphologischer 274
Artbegriff, phylogenetischer 274
Artbildung, allopatrische 275
Artbildung, parapatrische 277
Artbildung, sympatrische 277
Artenschutz 373

Artenschwarm 278
Artenselektion 272
Artensterben 371
Artenvielfalt 371
Arterie 93
Art, invasive 371
Art, kryptische 274
Art, transgene 214
Asexualität 269
asexuelle Fortpflanzung 38
Assimilat 118, 122, 128
Assimilation 118
Asthma 243
Astrocyt 382
Astrocytennetzwerk 400
Asymmetrie 53
Atavismus 282
Atemgastransport 96
Atmung, äußere 96
Atmungskette 107, 110, 132
Atmungssystem 82
ATP 63, 66, 67, 70, 118, 132, 133
ATP-Synthase 111, 138
Attrappe 439, 443
Attrappenversuch 443
Auflösungsgrenze 37
Auge 405
Ausbeutungskonkurrenz 334
Auslöschung 448
Auslösemechanismus, angeborener 444
Auslöser 440
äußere Atmung 96
äußere Membran 110
äußerer Impulsgeber 443
äußeres Milieu 82
Australopithecus 246, 298, 299
Australopithecus afarensis 298
Autoimmunkrankheit 245
Autoklav 158
Autökologie 313
Autopolyploidie 200
Autosom 157, 193
autosomal-dominanter Erbgang 226
autosomal-rezessiver Erbgang 226
autotroph 86, 118
AVERY, OSWALD T. 149
Avoidanz 322
Axon 381, 387
Axonhügel 381

B

Bacteria 287
Bakterienchromosom 157
Bakteriophage 171
Bakterium 38, 148
Balken 420
Balzverhalten 458
BANTING, FREDERICK 430
Barbiturat 395
Barr-Körper 228
Base 26

Base, komplementäre 150
Basensequenz 150
Basentriplett 161
Basiskonzept 15
Baustoff 86
bedingte Hemmung 448
bedingter Reflex 448
Befruchtung 182
Befruchtung, künstliche 232
Benthal 361
Bergmann'sche Klimaregel 322
BEST, CHARLES 430
Betriebsstoff 86
betrügerische Kommunikation 461
Bevölkerungswachstum 307
bicoid 206
Bilateralsymmetrie 205
Bilateria 207
Bindung, glykosidische 31
Bindung, kovalente 25, 30
Biodiversität 371
Bioindikator 315, 364
Biokatalysator 69
biologische Schädlingskontrolle 343
biologischer Artbegriff 274
Biom 358
Biomasse 354
Biomassepyramide 349
Biomembran 45, 52
Biomineralisation 290
Bio-Stonewashing 75
biotisch 270
biotischer Umweltfaktor 313, 319
Biotop 325, 359
Biozönose 324, 359
Bipolarzelle 407
BLACKBURN, ELIZABETH H. 174
Blastula 205, 208
Blau-Gelb-Sehschwäche 229
Blinder Fleck 406
Blut 114, 115
Blutgruppenmerkmal 225
Blut-Hirn-Schranke 382, 398
Blutplasma 91, 94
Blutplättchen 94, 209
Blutsenkung 94
Blutzelle 94
Blutzelle, rote (s.a. Erythrocyt) 59, 94, 95
Blutzelle, weiße (s.a. Leukocyt) 94, 95, 234
Blutzuckerspiegel 425
Blutzuckertest 101
B-Lymphocyt 235
Bohr-Effekt 98
Borrelia 282
Botenstoff 236, 425
Botenstoff, sekundärer 395, 425
Brennwert 93
BROWN, ROBERT 57
Brown'sche Molekularbewegung 57
Brückenhirn 414
Brutnische 320
Bruttoprimärproduktion 348
BSE 175

BUFFON, GEORGES 260
Bursa fabricii 235
B-Zelle 209, 235, 238, 239

C

Calcitonin 427
CALVIN, M. 139
Calvinzyklus 133, 139, 141
Capsaicin 402
Capsid 171
carnivor 325
Carotinoid 135
Carrier 61
Caspary-Streifen 127
CD4-Molekül 239
CD8-Molekül 239
cDNA 215
Cellulose 31, 47, 72, 132
Centriole 40, 41
Centromer 48, 157, 173
Centrosom 50
Cerebellum 414
Cerebrum 415
CHARGAFF, ERWIN 150
Chemiosmose 111, 139
chemische Energie 66
chemische Evolution 285
chemoautotroph 142
Chemokin 236
Chemorezeptor 402, 404
Chemosynthese 142, 287, 366
Chitin 32
Chlorophyll 130, 135, 136
Chloroplast 41, 133, 288
Cholesterol 53, 64
Cholin 394
cholinerg 416
Chorda 208
Chorea Huntington 226, 422
Chromatid 48, 49, 157
Chromatin 43, 49, 156
Chromosom 38, 48, 156, 211
Chromosomenanomalie 229
Chromosomenbruch 198
Chromosomenmutation 199, 212
Chromosomensatz 48
Chromosomentheorie der Vererbung 185
Chromosom, homologes 156
Chthamalus 333
Citrat 110
Citratzyklus 109, 114, 132
Clostridium 398
CO_2-Kompensationspunkt 125
Code, genetischer 161, 164
Codesonne 162
Codewechsel 396
codogen 163
codominant 186, 225
Codon 161, 162
Coenzym 70, 106, 115
Cofaktor 70, 76
CONNELL, J. H. 333
Connexin 400
Cornea 406

Cortex 411, 415
Cortex, motorischer 411
Cortex, visueller 411
Cosubstrat 70, 106
Creutzfeldt-Jakob 175
CRICK, FRANCIS 150, 153
Cri-du-chat-Syndrom 230
Crossingover 180, 182, 188, 199
Curare 398
Cuticula 121
Cyanobakterium 287
Cystein 30, 75
Cystische Fibrose 195, 226
Cytokin 236
Cytokinese 50, 152
Cytoplasma 38, 41, 44
Cytosin 33
Cytoskelett 40, 47, 48, 103
cytotoxische T-Zelle 238

D

DANIELLI, J. 54
Daphnia 269
DARWIN, CHARLES 250, 251, 260, 261, 268, 269, 290, 321, 353, 466
Darwinismus 261
DAVSON, H. 54
DAWKINS, RICHARD 271
Deduktion 14
Dehnungsrezeptor 390, 402
deklaratives Gedächtnis 418
Deletion 196, 199
demografischer Übergang 345
Denaturierung 27, 74, 75
Dendrit 381
dendritische Zelle 209, 234, 237
Denitrifikation 352
Deplasmolyse 60
Depolarisation 386, 395, 396
Depression 398, 399, 421
Deprivationsexperiment 441
Desoxyribonucleinsäure 148
Desoxyribose 33, 163
Destruent 326, 349
Detergenzien 75
Determinierung 206
Detritus 326
Diabetes 83, 101, 245, 430
Diagnostik, pränatale 231
Dialyse 102
dichteabhängiger Regulationsfaktor 339
Dichtegradientenzentrifugation 45
Dickdarm 89
Dictyosom 46
Differenzierung 152, 204, 206, 208
Diffusion 57, 61, 83, 97
Diffusion, erleichterte 60
Diffusionsbarriere 58
dihybrider Erbgang 186
Dipeptid 23
Diphtherie 242
diploid 156, 180, 466
Dipol 25
direkte Fitness 466

Register

Disaccharid 31
Dishabituation 446
dispersiv 152
Dissimilation 118
Disulfidbrücke 27
Divergenz 275, 320, 334
DNA 23, 32, 49, 148, 152, 156, 157, 160, 170, 173, 174, 175, 214, 253
DNA-Abschnitt, nicht codierender 216
DNA-Chip 221
DNA-DNA-Hybridisierung 219
DNA-Doppelhelix 32, 150
DNA-Motiv 173
DNA-Nucleotid 163
DNA-Polymerase 155, 217
DNA, rekombinante 214
DNA-Sequenzierung 219
DNA-Typisierung 216
DOBZHANSKY, THEODOSIUS 17, 261
Domäne 287
dominant 184
Dominanzhierarchie 463
Dominanzinteraktion 465
Dopamin 395, 398, 422
Dormanz 322
Dornenkronenseestern 312
Dotter 206
Down-Syndrom 230
Dressur 446
Dressurexperiment 450
Drift, genetische 255, 257
Drosophila 187, 206, 236, 282, 458
Druck, osmotischer 58
DUNBAR, ROBIN 453
Dünndarm 88
Duplikation 196, 199
Dystrophin 228

E

Ebene, trophische 325
E. coli 39, 157
Effektor 76, 381
Effektor, allosterischer 77, 99
efferent 392
Efferenz 415
Egoismus 465
ehrliches Signal 459
Eigenreflex 392
Einschränkung, stammesgeschichtliche 264
einzelstrangbindendes Protein 155
Eiter 237
Ektoderm 205
Ektoparasit 331
Ektosymbiose 331
ektotherm 87
elektrische Leitfähigkeit 383
elektrische Synapse 400
Elektronegativität 25
Elektronenakzeptor 106, 110
Elektronendonator 106
Elektronenmikroskop 37, 54
Elektronenpaarbindung 25
Elektronentransportkette 137

Elektronentransport, lichtgetriebener 138
Elektronentransport, zyklischer 139
Elektronenübertragungspotenzial 106, 137
Elektrorezeptor 402
elektrostatisch 25
elektrostatische Wechselwirkung 25
elektrotonisch 389
ELTON, CHARLES 329
Elysia chlorotica 78
Embryo 204, 208
embryonale Stammzelle 209, 232
embryonale Zelle 204
Embryonenschutzgesetz 232
Embryosplitting 178
Emerson-Effekt 136
EMERSON, R. 136, 138
Empfänger 456
endergonisch 69
Endhandlung 444
Endknöpfchen 381
Endocytose 46, 64, 289
Endocytose, rezeptorvermittelte 64
Endocytose, selektive 64
Endomembransystem 45
endoplasmatisches Reticulum (ER) 44, 45, 46, 50, 103
Endorphin 395, 398, 426, 427
Endosymbiontenhypothese 289
Endosymbiose 331
endotherm 87
Endplatte, motorische 395
Endproduktrepression 169
Energie 66, 86, 91
Energiebilanz 112
Energie, chemische 66
Energiefluss 348
Energie, freie 68, 86
Energiegewinnung, aerobe 113
Energiegewinnung, anaerobe 113
Energiehaushalt 84
Energie, kinetische 66
Energie, potenzielle 66
Energie, thermische 66, 87
Energietransfer 136
Energieumsatz 93
Enhancer 170
Enterorezeptor 402
Entoderm 205
Entropie 67, 68
Entwicklungsgen 207
Entwicklungsgenetik 205
Enzym 29, 69, 71, 72, 74, 76, 88, 107, 164
Enzym-Substrat-Komplex 69
Epidermis 121
Epigenetik 176, 260
epigenetische Vererbung 176, 207
Epithel 83
Epitop 241
EPSP 395
Erbgang, autosomal-dominanter 226
Erbgang, autosomal-rezessiver 226
Erbgang, dihybrider 186
Erbgang, intermediärer 186

Erbgang, polygener 225
Erbgang, X-chromosomal-dominanter 228
Erbgang, X-chromosomal-rezessiver 228
Erbgang, Y-chromosomaler 229
Erbkoordination 444
Erfahrung 436
ER, glattes 40, 45
Erkrankung, manisch-depressive 421
Erkrankung, polygene 225
erleichterte Diffusion 60
ER-Lumen 45
ER, raues 41, 45
erregendes postsynaptisches Potenzial (EPSP) 394, 395
erregende Synapse 395
Erregungsleitung, saltatorische 389
erworbene, adaptive Immunabwehr 235
Erythrocyt 94, 95, 209
ER-Zisterne 45
Escherichia coli 39, 157, 282
essenzielle Aminosäure 90
Euchromatin 43
Eucyte 38, 40, 48, 157
Eukarya 287
Eukaryot 38
euphotische Zone 365
euryök 314
eurypotent 314
eurytherm 314
eutroph 362
Eutrophierung 352
Eva, mitochondriale 303
Evolution 15, 250, 261, 271, 281
evolutionäre Neuerung 292
Evolution, chemische 285
Evolution, kulturelle 305
Evolution, retikulare 280
Evolutionsbiologie 261
Evolutionsfaktor 261
Evolutionstheorie 260, 261
exergonisch 69
Exkretion 100
Exkretionssystem 82
Exocytose 46
Exon 166
exponentielles Wachstumsmodell 338
Extinktion 448
extrachromosomale Vererbung 206

F

Facettenauge 412
Faktor, transformierender 149
Falterfisch 312
Farbe 134
Farbwahrnehmung 410
feedback-Hemmung 116
Fett 91, 114
Fettsäure 33, 34, 115
Fettsäure, gesättigte 34
Fettsäure, ungesättigte 34
Fettstoffwechsel 115
Feuchtpflanze 316

Filtration 100
Fimbrie 38
Fingerabdruck, genetischer 216
FIRE, ANDREW Z. 168, 176
FISCHER, EMIL 69
Fitness 252, 254, 315
Fitness, direkte 466
Fitnessfunktion 254
Fitness, indirekte 466
Fitnesslandschaft 256
Flaschenhalseffekt 257, 276
Flechtensymbiose 332
Fleck, Blinder 406
Fleck, Gelber 406
Fließgleichgewicht 69, 352
Flüssig-Mosaik-Modell 53, 54
Folgestrang 155
Fortpflanzung, asexuelle 38
Fortpflanzung, geschlechtliche 180
Fortpflanzung, sexuelle 38, 180
Fortpflanzung, ungeschlechtliche 178
Fossil 284, 290
fotoautotroph 118, 130
Fotolyse 132
Fotosynthese 118, 120, 122, 124, 132, 348
Fotosynthesefarbstoff 134
Fotosynthesepigment 134
Fotosyntheserate 118, 122, 315
Fotosystem 135
FRANKLIN, ROSALIND 150
freie Energie 68, 86
frequenzcodiert 390
FRISCH, KARL VON 444
Fructose 31
Fructose-6-Phosphat 108
Fundamentalnische 320
Furchung 205
Fußabdruck, ökologischer 346, 375

G

GABA 395
Galapagosfink 277
GALILEI, GALILEO 36
Gamet 180
Gärung 39, 114
Gärung, alkoholische 114
Gasaustausch 96, 120
Gastrula 205, 208
Geburtenrate 338, 345
Gedächtnis 418, 454
Gedächtnis, deklaratives 418
Gedächtnis, immunologisches 235, 242
Gedächtnis, prozedurales 418
Gefrierbruchtechnik 54
Gegenspieler 103
Gegenspielerprinzip 415
Gegenstromprinzip 102
Gehirn 299, 414, 453, 454
Geißel 38
Gelber Fleck 406
Gel-Elektrophorese 22, 24, 217
Gen 148, 174
Genaktivität 304

Genchip 221
Gendosis 229
genetische Drift 255, 257
genetischer Fingerabdruck 216
genetische Variabilität 192, 253, 371
Genexpression 160, 169, 304
Genfamilie 199, 207
Genfluss 264
Gen, homöotisches 207
Genkarte 188
Genkartierung 220
Gen, maternales 207
Genmutation 196
Genom 148, 224
Genommutation 200
Genort 183
Genotyp 183, 185
genotypische Geschlechts-
    bestimmung 192
Genpool 258
Genregulation 169
Genselektion 272
Gen, springendes 202
Gentherapie, somatische 222
Gentransfer, horizontaler 189, 289
Genwirkkette 196
geografische Isolation 275
gerichtete Selektion 254
Gesamtfitness 252, 466
Gesamtgleichung der
    Fotosynthese 132
gesättigte Fettsäure 34
geschlechtliche Fortpflanzung 180
Geschlechtsbestimmung,
    genotypische 192
Geschlechtsbestimmung,
    haplo-diploide 466
Geschlechtsbestimmung,
    phänotypische 192
Geschlechtschromosom 157
Geschlechtsdimorphismus 270
geschlechtsgekoppelte Vererbung 188
Geschlechtsmerkmal 192
Geschlechtsmerkmal, sekundäres 269
geschlossene Gruppe 462
geschlossenes System 66
Geschmacksrezeptor 404
Geschwür 211
Gesetz des Minimums 128, 319
Gewässerqualität 364
Gewebekultur 178
Gewebeverträglichkeit 234
Gewöhnung 446
GIBBS, JOHN WILLARD 68
Glaskörper 406
gleichfeucht 316
Gleichgewichtspotenzial 384
Gleichgewichtsreaktion, reversible 69
Gleichgewichtssinn 402
gleichwarm 86
Gleitfilamenttheorie 104
Gliazelle 381, 388, 400
Glomerulus 100
Glucagon 430
Glucose 31, 66, 114, 118, 128, 132, 140

Glucose-6-Phosphat 66, 69, 107
Glutamat 395, 408
Glycerin 33
Glycerol 115
Glycin 395
Glykogen 32, 91
Glykolipid 53, 56, 236
Glykolyse 66, 107, 132
Glykoprotein 53, 56
glykosidische Bindung 31
Golgi-Apparat 41, 45, 46, 50
Gonosom 157, 193
GORTER, E. 54
G-Phase 152
Gradualismus 261, 279
Grana 135
Granulocyt 209, 234
Granulocyt, neutrophiler 237
grauer Halbmond 208
GREIDER, CAROL W. 174
GRENDEL, F. 54
Grenzfläche 82
GRIFFITH, FREDERICK 148, 149, 190
Großhirn 415
Großhirnrinde 419, 454
Grubenorgan 412
Gründereffekt 257
Grundumsatz 83, 84, 93
Gründüngung 352
Gruppe, funktionelle 22
Gruppe, geschlossene 462
Gruppenselektion 272
Gruppe, offene 462
Gruppe, prosthetische 76
Guanin 33

H

Habitat 320
Habituation 446
Häcksler 176
HAECKEL, ERNST 261
Haemophilus influenzae 242
Halbmond, grauer 208
HALDANE, JOHN 261
HAMILTON, WILLIAM D. 466
Hämatokrit 94
Hämgruppe 98
Hämocyanin 23, 29
Hämoglobin 96
Hämophilie 195
haplo-diploide Geschlechts-
    bestimmung 466
haploid 181, 466
HARDY, GODFREY H. 258
Hardy-Weinberg-Gleichung 259
Harnlassen 101
HAUSER, KASPAR 441
HEBB, DONALD 399
Hebb'sche Lernregel 399
Helicase 155
Heliconius 279, 280
Hemisphäre 420
hemizygote Zelle 228
hemmende Synapse 395
Hemmung, allosterische 77

Hemmung, bedingte 448
Hemmung, kompetitive 77
Henleschleife 101
Hepatitis B 242
herbivor 325
Heterochromatin 43
Heterosis-Effekt 280
Heterosom 157
heterotroph 86, 118, 142, 287
heterozygot 183, 184
Heterozygotenvorteil 227
Heuschnupfen 243
Hexokinase 69, 107
Hexose 31
Hippocampus 454
Hirnanhangdrüse 426
Hirnstamm 414
Histamin 236, 243
Histon 43, 156
HIV 245
Hochmoorameise 314
Hominide 297
Homo 299, 300
Homo erectus 246, 299, 300, 301
Homo ergaster 300
Homo floresiensis 301
Homo habilis 299, 300
homoiohydrisch 316
homoiotherm 86, 87, 317
homolog 156, 181
homologes
 Chromosom 156
Homologie 294
Homo neanderthalensis 301, 302
Homöostase 59, 82
homöotisches Gen 207
Homo sapiens 216, 246, 299, 300, 301, 302, 307, 345, 372
homozygot 183, 184
Honigbiene 454, 457
horizontaler Gentransfer 289
Hormon 424
Hormonsystem 82
Hornhaut 405, 406
Hospitalismus 441
Hotspot 371
Humangenomprojekt 224
humorale Immunantwort 235
Humus 354
Hungerödem 95
Huntingtin 226
Huntington-Krankheit 195
Hybride 184, 279
Hybridisierung 200, 221, 279, 441, 449
Hybridverpaarung 275
Hydrathülle 25, 383
Hydrolase 74
Hydrolyse 23, 31, 33
hydrophil 25, 33, 52, 56
hydrophob 25, 34, 52, 58
hydrophobe
 Wechselwirkung 25, 27, 34
Hydroxylgruppe 31
Hygrophyt 316
Hyperpolarisation 396

hyperpolarisierendes
 Nachpotenzial 386
hypertonisch 58
hyperventilieren 84
Hyperzyklus 285, 286
Hypophyse 426
Hypothalamus 414, 415
Hypothese 14
hypotonisch 58

I

ideale Population 258
Imitation 451
Immunabwehr 235, 236
Immunabwehr, angeborene,
 unspezifische 235
Immunabwehr, erworbene,
 adaptive 235
Immunantwort, humorale 235
Immunantwort, primäre 242
Immunantwort, sekundäre 242
Immunantwort, zelluläre 235
Immunglobulin 240
Immunisierung, aktive 240, 242
Immunisierung, passive 240
immunologisches Gedächtnis 235, 242
immunologische Toleranz 245
Immunsystem 234
Impfstoff 242
Impulsgeber, äußerer 443
Impulsgeber, innerer 443
Indel 197
indirekte Fitness 466
Individualselektion 272
individuell 462
induced fit-Modell 69
Induktion 208
induzierte Abwehr 328
Infantizid 272
Inhibition, laterale 409
Inhibitor 76
Initialphase 361
inkompatibel 275
innerartliche Kommunikation 460
innere Membran 110
innerer Impulsgeber 443
inneres Milieu 82
Insekt, soziales 456
Insektizid 343
Insertion 196
Instinkt 444
Insulin 45, 107, 215, 429, 430
integrales Protein 53
integrierter Pflanzenschutz 344
Intelligent Design 261, 263
Interaktion, aggressive 463
Interleukin 236, 239
intermediärer Erbgang 186
Intermediärfilament 48
Intermembranraum 110
Interneuron 380, 446
Interphase 152
Intersex 229
intersexuelle Selektion 269
interspezifische Konkurrenz 333

Interzellularraum 120
intrasexuelle Selektion 269
intraspezifische Konkurrenz 335
intrazellulärer Parasit 172
Intron 166
invasive Art 371
Inversion 199
in-vitro-Fertilisation 232
Inzucht 267, 449
Inzuchtvermeidung 267
Ionenbindung 25, 27
Ionenkanal 61, 383
Ionenkanal, ligandengesteuerter 383
Ionenkanal, mechanosensitiver 383
Ionenkanal, spannungs-
 gesteuerter 383
IPSP 395
Iris 406
irreversibel 75, 448
Isolation 261
Isolation, geografische 275
isotonisch 58

J

JAKOB, FRANÇOIS 169
JERNE, NIELS 241
JOHANSON, DONALD 298
JONES, STEVE 306

K

Kalium-Hintergrundkanal 383
Kaltzeit 359
Kambrium 290
Kanalprotein 53, 61, 383
Kapillare 93
Kapillarkraft 127
Kapsel 38
Karyogramm 50, 156
karzinogen 212
Kaspar-Hauser-Experiment 441
Katabolismus 169
Kation 383
Katzenschrei-Syndrom 230
Keimblatt 205
Keimzelle 180
Kernhülle 42, 49
Kernpore 42, 44
Kernporenkomplex 42
Keuchhusten 242
Killerzelle, natürliche 234
Kinderlähmung 242
Kinesin 104
kinetische Energie 66
Klammerreflex 441
klassische Konditionierung 448
Kleinhirn 414
Klimafaktor 359
Klimaregel 322
Klimax 359
Klinefelter-Syndrom 231
Klon 178
klonale Population 253
Klonen 178
Knallgasreaktion 106, 110
Koevolution 271

Kognition 402, 452
Kohäsion 127
Kohlenhydrat 31, 55, 89, 91, 114
Kohlenstoff 29, 350
Kohlenstoffkreislauf 350
Kohlenstoffsenke 369
Kohlenwasserstoff 30
KÖHLER, GEORGE 241
KÖHLER, WOLFGANG 452
Kolibri 320
KOLUMBUS, CHRISTOPH 371
Kommunikation 456, 460, 461
Kommunikation, innerartliche 460
Kommunikation, unehrliche 461
Kommunikation, zwischenartliche 460
Kompartiment 41, 53, 88
Kompensationsebene 361
kompetitive Hemmung 77
komplementäre Base 150
komplementäre Polygenie 196
Komplementärfarbe 135
Komplementsystem 237
Kompromiss 264
Kondensation 23, 33, 140
Kondensationsreaktion 31, 34
Konditionierung, klassische 448
Konditionierung, operante 448
Konduktor 226, 228
Konformation 27, 69
Konjugation 190
Konkurrenz 319, 324
Konkurrenzausschlussprinzip 333
Konkurrenz, interspezifische 333
Konkurrenz, intraspezifische 335
konservative Verdopplung 152
konstruktiver Zwang 264
Kontaktallergie 243
Kontrastverstärkung 409
Konvergenz 294, 320
Konvergenz, ökologische 320
Kooperation 467
Kooperativität 98
Kopplungsgruppe 188
Korallenbleiche 313
Korallenpolyp 312
Korallenriff 312
KOSHLAND, DANIEL 69
kovalente Bindung 25, 30
Kreationismus 261
Krebs 211, 226
Krebszyklus 110
Kreislaufsystem 82, 93
Kretinismus 428
Kreuzung, monohybride 184
Krypsis 328
kryptische Art 274
K-Selektion 341
K-Stratege 341, 361
Kultur 452
kulturelle Evolution 305
Kulturlandschaft 359
künstliche Befruchtung 232
Kurzzeitgedächtnis 454

L

Lactat 114
Lamarckismus 260
LAMARCK, JEAN-BAPTISTE 260
Langerhanssche Inseln 430
LANGMUIR, I. 54
Langzeitgedächtnis 454
Langzeitpotenzierung 399
laterale Inhibition 409
LEAKEY, RICHARD 300
Lebensphase, sensible 448
Leber 89, 91
Lederhaut 405
Leistungsumsatz 93
Leitbündel 122, 126
Leitfähigkeit, elektrische 383
Leitfisch 363
Leitstrang 155
Leitungscode 402
Lernen 399, 418, 437, 442, 451, 452
Lernen durch Imitation 451
Lernen, soziales 451
Leucochloridium 460
Leukocyt 94, 209, 234
LEWIS, EDWARD B. 206
lichtabhängige Reaktionen 139
lichtgetriebener Elektronentransport 138
Lichtkompensationspunkt 125
Lichtmikroskop 36, 41
Lichtsammelfalle 136
Lichtspektrum 134
lichtunabhängige Reaktionen 138
LIEBIG, JUSTUS VON 128, 319
ligandengesteuert 383, 394
Ligase 155, 214
limbisches System 418, 454
Linsenfäden 407
Lipid 33, 46, 52, 89, 130
Lipiddoppelschicht 52, 54, 382
Lipidfloß 55
lipid raft 55
lipophil 33
Lithophage 142
Litoral 361
LM 36, 41
Locktracht 328
logistisches Wachstum 339
LORENZ, KONRAD 444, 448
Lösung, universale 264
LOTKA, JAMES 343
Lotka-Volterra-Modell 343
Lotka-Volterra-Regeln 343
low density 64
LYELL, CHARLES 260
Lymphknoten 235
Lymphsystem 89, 95, 115, 235
Lyse 172
lysogener Zyklus 172
Lysosom 40, 45, 46
lytischer Zyklus 172

M

MACARTHUR, ROBERT 373
MACLEOD, COLIN 149
Magen 88
Magnetresonanztomografie 453
Makrofauna 353
Makromolekül 22, 29, 88
Makrophage 209, 234, 236
Malaria 254
Mandelkern 419
MANGOLD, HILDE 208
Manie 422
manisch-depressive Erkrankung 421
Marker 220
Masern 242
Massenstrom 83
Mastzelle 209, 234
maternal 206
MATTHAI, J. HEINRICH 161
MAYR, ERNST 261
MCCARTY, MACLYN 149
MCCLINTOCK, BARBARA 201
Mechanorezeptor 402, 404
mechanosensitiv 383
Medulla oblongata 414
Meer 365
Megafauna 353
Meiose 181
MELLO, CRAIG C. 168, 176
Membran, äußere 110
Membranfluss 64
Membran, innere 110
Membrankanal 29
Membranlipid 45, 52
Membran, permeable 57
Membran, postsynaptische 393
Membran, präsynaptische 393
Membranprotein 53
Membranrezeptor 53
Membran, selektiv permeable 60
Membran, semipermeable 57
MENDEL, GREGOR 184, 185, 186, 187, 188, 189, 194, 261
Meristemzelle 179
Merkmal, monogenetisches 194
Merkmal, qualitatives 195
Merkmal, quantitatives 195
MESELSON, MATTHEW 153
Mesoderm 205
Mesofauna 353
messenger-RNA (mRNA) 42, 44, 160
Metaphase 48, 50
Metastase 211
Methan 30, 142, 370
Methylierung von Basen 170
MHC 234
Microarray 221
Migration 257, 261
Mikrofauna 353
Mikrogliazelle 381
mikro-RNA 175, 176
Mikrosatellit 174, 216, 220
Mikrotubulus 48, 50
Milchsäure 114
Milchsäuregärung 114

Milchzuckertoleranz 306
Milieu, äußeres 82
Milieu, inneres 82
MILLER, STANLEY 285
MILSTEIN, CÉSAR 241
Milz 235
Mimese 328
Mimikry 327, 461
Mineralisierer 326
Mineralstoff 126, 128, 313, 351, 354, 355
Minimumfaktor 319, 351
Minisatellit 174
mischerbig 184
MITCHELL, PETER 111
mitochondriale Eva 303
Mitochondrium 41, 45, 109, 110, 288, 303
Mitose 48, 152, 156
Mitosespindel 50
Mittagsdepression 122, 316
Mittellamelle 41, 47
Modellorganismus 158
Modifikation 192, 195, 225
Modifikation, posttranslationale 170
Molekularbewegung 57
molekulare Uhr 303
MONOD, JACQUES L. 169
monogenetisches Merkmal 194
monohybride Kreuzung 184
monoklonaler Antikörper 241
Monokultur 343
Monosaccharid 31
Monosomie 201, 230
monosynaptischer Reflex 392
MORGAN, THOMAS HUNT 187, 189, 220
morphologischer Artbegriff 274
MORRIS 454
Morula 205
motorische Endplatte 395
motorischer Cortex 411
motorisches Neuron 380, 392, 446
Motoneuron 380, 392
Motorprotein 103
mRNA 42, 44, 160
Mukoviszidose 222, 226
Multiple Sklerose 381, 389
multipotent 209
Mumps 242
Muskel 91, 103
Muskeldystrophie (Typ Duchenne) 228
Muskelfaser 103
Muskelfaserbündel 103
Muskelkontraktion 446
Muskelprotein 29
Muskelzelle 103
Mutagen 197, 212
Mutant 187
Mutation 158, 178, 194, 197, 200, 212, 253, 458
Mutation, somatische 197, 200
Mutationsrate 197
mütterliches Gen 207
Myelin 381, 388
Mykorrhiza 332, 354, 356

Myofibrille 103
Myofilament 103
Myoglobin 98
Myosin 104

N

Nachahmung 328
Nachhaltigkeit 374
Nachpotenzial, hyperpolarisierendes 386
nachwachsender Rohstoff 194
Nährschicht 361
Nährstoff 89
Nahrungskette 325
Nahrungsnetz 325
Nahrungsnische 320
Nahrungsprägung 449
Nahrungsvakuole 47
Na^+-Kanal, ligandengesteuerter 394
Natrium-Kalium-Pumpe 383
natürliche Killerzelle 234
natürliche Selektion 250, 254, 269
Naturschutzgebiet 373
naturwissenschaftliche Theorie 14
negative häufigkeitsabhängige Selektion 267
negative Rückkopplung 76, 116, 342
NEHER, ERWIN 385
Nekrose 210
Neobiota 372
Neocortex 453
Neo-Darwinismus 261
Neophyten 371, 372
Neozoen 372
Nephron 100
Nervensystem, autonomes 416
Nervensystem, parasympathisches 416
Nervensystem, peripheres 414
Nervensystem, sympathisches 416
Nervensystem, vegetatives 82, 416
Nettoprimärproduktion 348
Netzhaut 406, 407
Netzwerkevolution 280
Neuerung, evolutionäre 292
Neuralrohr 208
Neurit 381
Neurohypophyse 426
Neuron 380, 381, 392
Neuron, motorisches 380, 392
Neuron, peripheres 381
Neuron, sensorisches 380, 392
Neurotoxin 398
Neurotransmitter 393, 394, 398, 422
neutrale Selektion 257
Neutralisation 26
neutrophiler Granulocyt 237
nicht codierender DNA-Abschnitt 216
NICOLSON, G. 54
Nicotin 397
Niere 100
Nikotinadenindinucleotid (NAD$^+$) 106
NIRENBERG, MARSHALL W. 161
Nischendifferenzierung 334
Nische, ökologische 319

Nitrifikation 352
NMDA-Rezeptor 399
Non-Disjunction 230
Noradrenalin 416, 422
Nucleinsäure 33, 101, 149
Nucleoid 157
Nucleolus 41, 43
Nucleosomenkette 156
Nucleotid 33, 150
Nucleus 42
Nullwachstum 345
numerische Apertur 37
NÜSSLEIN-VOLHARD, CHRISTIANE 206, 236

O

Oberflächen-Volumenverhältnis 84
offene Gruppe 462
offenes System 66, 86, 359
Okazaki-Fragment 155
OKAZAKI, REIJI 155
OKAZAKI, TSUNEKO 155
ökologische Konvergenz 320
ökologische Nische 319
ökologische Planstelle 320
ökologische Potenz 314, 320
ökologischer Fußabdruck 346, 375
Ökosystem 325, 359, 371
Oligodendrocyt 381, 388
oligotroph 362
omnipotente Stammzelle 209
omnivor 327
operante Konditionierung 448
Operator 169
Operon 169
Operonmodell 169
Opiat 427
Opsin 408
Optimalbereich 314
Optimum 314
Organell 41, 45
Organisationsebene 272
Organisator 208
Organismus, gentechnisch veränderter 215
Organtransplantation 245
Ortsprägung 449
Ortsverstärkung 451
Osmolarität 101
Osmoregulation 101
Osmose 58, 61
osmotischer Druck 58
Osteoblast 427
Osteoklast 428
Östradiol 431
Östrogen 265, 439
Oxalacetat 110
Oxidation 106
Oxytocin 426

P

Paarungsverhalten 458
Paläontologie 285
Palisadengewebe 120
Pan 299, 304

Panspermie 285
Pantoffeltierchen 46
Paramecium 46, 281, 282
Paranthropus 299
parapatrische Artbildung 277
Parasit 172, 324, 326, 460
Parasit, intrazellulärer 172
Parasitoid 329
Parathyrin 427
Parkinson'sche Krankheit 398
parthenogenetisch 340
Partialdruck 97
passive Immunisierung 240
passiver Transport 61, 62, 83
PASTEUR, LOUIS 115
Pathogen 330
PAWLOW, IWAN 447
PCR-Zyklus 216
Pektin 47
Pelagial 361
Pentose 31
Pepsin 74
Peptid 23
Peptidbindung 23
Peptidhormon 425
Peptidoglykan 38
Periodensystem der Elemente 29
peripheres Neuron 381
peripheres Protein 53
Permafrostboden 370
permeable Membran 57
Peroxisom 41, 45
Perzeption 402
Pessimum 314
Pflanzenschutz, integrierter 344
Pflanzenzelle 41, 59
Phagocytose 46
Phänotyp 182, 185
phänotypische Geschlechts-
 bestimmung 192
Pheromon 456
Phi 29 18
Phloem 122, 126
Phobie 450
Phosphofructokinase 108, 115
Phospholipid 34
Phospholipidmembran 54
Phosphor 29
Photorezeptor 402, 404, 407, 408
Phototransduktion 408
pH-Skala 26
pH-Wert 26, 74, 98
phylogenetischer Artbegriff 274
Phytoplankton 361
Pinocytose 46
Pinus sylvestris 319
Planstelle, ökologische 320
Plasmaprotein 94
Plasmazelle 239
Plasmid 38, 157, 172, 214
Plasmodesmus 47, 128
Plasmodium 254, 282
Plasmolyse 60
Plastizität, synaptische 399
Plethodon 267

pluripotente Stammzelle 209
PNS 414
poikilohydrisch 316
poikilotherm 86, 87, 317
polare kovalente Bindung 25
Pollendiagramm 359
polygene Erkrankung 225
polygener Erbgang 225
Polygenie, additive 195
Polygenie, komplementäre 196
polyklonaler Antikörper 241
polymerase chain reaction 217
Polymerasekettenreaktion 217
Polymorphismus 278
Polypeptidkette 23
Polyphänie 195
Polyploidie 200, 280
Polysaccharid 31
Polysom 44, 166
polysynaptischer Reflex 392
Pons 414
Population 250, 253, 258, 264, 313
Population, ideale 258
Population, klonale 253
Populationsdichte 338, 344, 373
Populationsökologie 313
Populationsschwankung 341
Populationswachstum 338
Porphyrin 98
Porphyrinring 135
postsynaptische Membran 393
postsynaptisches Potenzial 393
posttranslationale Modifikation 170
Potenzial, erregendes post-
 synaptisches (EPSP) 394, 395
Potenzial, hemmendes post-
 synaptisches 395
Potenzial, postsynaptisches 393
potenzielle Energie 66
Potenzierung 399
Potenz, ökologische 314, 320
Präferenzbereich 314
Prägung 448
Prägung, sexuelle 449
Präimplantationsdiagnostik 232
Präkambrium 287
prä-mRNA 166
pränatale Diagnostik (PND) 231
präsynaptische Membran 393
primär aktiver Transport 63
primäre Immunantwort 242
primäre Sinneszelle 403
Primärharn 100
Primärkonsument 325, 349
Primärproduktion 365
Primärproduzent 325, 348
Primärstruktur 23, 26
Primase 155
Primat 453
Primer 155, 217
Prion 175
Problemlösen 452
Procyte 38, 157
Produkt 69
Produzent 348

Profundal 361
Progesteron 439
programmierter Zelltod 210
Prokaryot 38, 189, 287, 288
Promotor 163, 169
Prophage 172
Prophase 48, 50
Prostaglandin 237
prosthetische Gruppe 76
Protease 74, 75
Proteasom 44, 170, 237
Protein 22, 26, 52, 55, 89, 114, 130, 149, 170, 175
Proteinbiosynthese 44, 45, 161, 164, 170
Proteindatenbank 23
Protein, einzelstrangbindendes 155
Protein, integrales 53
Protein, peripheres 53
Protein, respiratorisches 97
Proteinsäure 101
Protein, sekretorisches 45
Proteohormon 425
Proteom 23
Protonenempfänger 26
Protonengradient 111
Protonen-Konzentrationsgefälle 111
Protonenpumpe 63
Protonenspender 26
Proto-Onkogene 211
Protoplast 47
Protozelle 285
proximate Ursache 439
prozedurales Gedächtnis 418
Prozessierung 166
Puffersubstanz 97
Puls 93
Punktmutation 196, 220
Punktualismus 279
Pupille 406
Purin 33
Purinbase 150
Pyrimidin 33
Pyrimidinbase 150
Pyrogen 237
Pyruvat 107, 108

Q

qualitatives Merkmal 195
quantitatives Merkmal 195
Quartärstruktur 27, 28
Quotient, respiratorischer 92

R

Rachitis, angeborene 228
Radiation, adaptive 278, 320
Randbereich 314
Randeffekt 122
Rangordnung 463
Ranvier'scher Schnürring 389
Raster-Elektronenmikroskopie
 (REM) 37
Rastermutation 197
Räuber-Beute-Beziehung 324
Rauchen 96
Raumkonkurrenz 334

räumliche Summation 395
Reabsorption 101
Reaktionen, lichtabhängige 139
Reaktionen, lichtunabhängige 138
Reaktionsgeschwindigkeit 69
Reaktionsgeschwindigkeits-Temperatur-Regel 75, 317
Realnische 320
Recycling 348, 354
Redoxpotenzial 106, 137
Redoxreaktion 106, 137
Reduktion 106, 140
Reduktionsmittel 136
redundant 162, 197
Reflex 380, 392, 446, 448
Reflex, bedingter 448
Reflexbogen 446
Reflex, monosynaptischer 392
Reflex, polysynaptischer 392
Reflex, unbedingter 448
Refraktärzeit 386, 387
Regelkreis 83
Regenbogenhaut 405
Regeneration 140, 209
Regenwald 355
Regulationsfaktor, dichteabhängiger 339
reinerbig 184
Reiz 402
Reizschwelle 403
Reizverstärkung 451
rekombinante DNA 214
Rekombination 180, 189, 241, 253, 268
Rekombination, somatische 241
Replikation 152, 153, 158, 173
Replikation, semikonservative 153
Replikations-Enzymkomplex 155
Repolarisation 386
Reportergen 214
Repressor 169
Reproduktionsbarriere 275
Reserve, venöse 98
Resorption 88
respiratorischer Quotient 92
respiratorisches Protein 97
Ressource 313
Restriktionsenzym 214, 220
Restriktionsfragmentlängen-Polymorphismus 220
Reticulum, endoplasmatisches 44, 45, 50, 103
Reticulum, sarkoplasmatisches 103
retikulare Evolution 280
Retina 406
Retinal 408
retinotope Verarbeitung 411
Retrovirus 172
Reverse Transkriptase 172, 175, 215
reverse Transkription 175
reversibel 26, 69, 97
reversible Gleichgewichtsreaktion 69
Revierbildung 336
Rezeptor 64, 207, 392, 393, 394
Rezeptorpotenzial 390, 396, 403
rezeptorvermittelte Endocytose 64

Rezeptorzelle 381
rezessiv 185
reziproker Altruismus 467
reziproke Translokation 199
RFLP 220
RGT-Regel 75
Rheuma 245
Rhizobium 352
Rhodopsin 404, 408
Ribonuclease 176
Ribonucleinsäure 33
Ribose 33, 163
Ribosom 38, 41, 42, 44, 164
ribosomale RNA (rRNA) 42, 163
Ribulose-1,5-bisphosphat 139
Ribulose-1,5-bisphosphat-carboxylase-oxygenase 139
Riechen 404
Ringmuskel 407
RNA 33, 170, 174, 175
RNA-Interferenz 170, 176, 221
RNA-Nucleotid 162
RNA-Polymerase 162, 169
RNA-Prozessierung 160
RNA, ribosomale (rRNA) 42, 163
RNA-Schnipsel 176
Rohstoff, nachwachsender 194
Röntgenstrukturanalyse 28
rote Blutzelle (s.a. Erythrocyt) 94
Röteln 242
Rot-Grün-Sehschwäche 228
r-Selektion 341
r-Stratege 341, 361
Rubisco 139
Rückenmark 414
Rückenmark, verlängertes 414
Rückkopplung, negative 76, 116, 342
Rückkreuzung 187
Rudiment 282
Ruhepotenzial 385

S

Saccharose 31, 128
SACKS, OLIVER 454
SAKMANN, BERT 385
saltatorische Erregungsleitung 389
Sandwich-Modell 54
Saprobie 364
Saprobienindex 364
Sarin 398
Sarkomer 104
sarkoplasmatisches Reticulum 103
Satelliten-DNA 173
Sättigungswert 73
Sauerstoff 29
Sauerstoffschuld 114
Säure 26
Schädlingskontrolle, biologische 343
Schädlingsmonitoring 344
Scheinwarntracht 327
Schilddrüse 427
Schistosoma 330
Schließzelle 122
Schlüsselart 373
Schlüsselreiz 443, 448

Schlüssel-Schloss-Prinzip 69, 172, 395, 404
Schmerzsinn 402
Schöpfungsmythos 261
Schrecktracht 328
Schwammgewebe 120
Schwann'sche Zelle 381, 388
Schwänzeltanz 457
Schwefel 29
Schwellenpotenzial 386
Schwellenwert 395
Schwesterart 275
Schwesterartbeziehung 292
Schwesterchromatiden 48
Scrapie 175
See 361
Segmentierungsgen 207
Sehgrube 406
Sehrinde 411
Sekretion 101
sekretorisches Protein 45
sekundär aktiver Transport 63
sekundäre Immunantwort 242
sekundärer Botenstoff 395, 425
sekundäres Geschlechtsmerkmal 269
sekundäre Sinneszelle 403
Sekundärkonsument 325, 349
Sekundärstruktur 26
selbsterregendes Aktionspotenzial 387
Selbstreinigungskraft 364
Selektion 256, 264, 265, 315
Selektion, gerichtete 254
Selektion, intersexuelle 269
Selektion, intrasexuelle 269
Selektion, klonale 241
Selektion, natürliche 250, 254, 269
Selektion, negative häufigkeitsabhängige 267
Selektion, neutrale 257
Selektionsdruck 270
Selektion, sexuelle 269, 271, 459
Selektion, stabilisierende 255
selektive Endocytose 64
selektiv permeabel 383
selektiv permeable Membran 60
Semibalanus 333
semikonservativ 153
semipermeable Membran 58
Sender 456
sensible Lebensphase 448
Sensitivierung 446
sensorisches Neuron 380, 392
Sequenzierung 23
Serotonin 395, 398, 422
Sexpilus 38, 190
Sexualdimorphismus 336
Sexualhormon 463
Sexualität 268
sexuelle Fortpflanzung 38, 180
sexuelle Prägung 449
sexuelle Selektion 269, 271, 457
Sichelzellenanämie 195, 254
Siebröhre 121, 126
Signal 456, 459

Signal, ehrliches 459
Signaltransduktion 403
Signal, unehrliches 459
Signalverstärkung 425
Silencer 170
Silencing 176
SINGER, S. J. 54
Sinnesorgan 402
Sinneszelle 402, 403
Sinneszelle, primäre 403
Sinneszelle, sekundäre 403
Sippenselektion 272
Skelettmuskel 103
SKINNER. BURRHUS F. 448
SNP 220
Soma 380
somatische Gentherapie 222
somatische Mutation 197, 200
somatische Rekombination 241
Somatostatin 430
somatotope Verarbeitung 411
Somatotropin 427
soziales Insekt 456
soziales Lernen 451
Sozialität 462
Soziobiologie 462
Spaltöffnung 121, 122, 315
Spalt, synaptischer 393
Spaltungsregel 185
spannungsgesteuert 383
SPEMANN, HANS 208
S-Phase 152
Spiegelbildisomerie 72
Spieltheorie 467
Spielverhalten 448
Spinalnerv 415
Spleißen 166
Spleißen, alternatives 166
Spleißosom 167
Spore 182
Sprache 457
SPRENGEL, CARL PHILIPP 319
Sprungschicht 361
Spurenelement 76
SRY-Gen 229
Stäbchen 408
stabilisierende Selektion 255
STAHL, FRANKLIN 153
Stammbaum 293, 296
Stammbaumanalyse 303
Stammesgeschichte 292
stammesgeschichtliche Einschränkung 264
Stammzelle 152, 209
Stammzelle, adulte 209
Stammzelle, embryonale 209, 232
Stammzelle, multipotente 209
Stammzelle, omnipotente 209
Stammzelle, pluripotente 209
Stammzelle, totipotente 209
Stärke 31, 130
Steinkoralle 313
Stellenäquivalenz 320, 334
stenök 314
stenopotent 314

stenotherm 314
Sterberate 338, 345
stereospezifisch 72
Steroidhormon 425
Stickstoff 29
Stickstofffixierung 351, 355
Stickstoffkreislauf 351
Stomata 121, 122
Stoppcodon 161
STR 220
Strahlungsbilanz 349
Strangabbruchmethode 219
Strang, codogener 163
Streptococcus pneumoniae 148
Strukturgen 169
Strychnos 328
Substitution 196
Substrat 69
Substratinduktion 169
Substratspezifität 71
Sukzession 359
Summation, räumliche 395
Summation, zeitliche 395
Sumpfschrecke 314
survival of the fittest 251
Swyer-Syndrom 229
Symbiose 289, 313, 324, 331, 352, 354, 356
sympatrische Artbildung 277
Symplast 47, 128
Symport 62
Synapse 381, 392, 393, 395, 399, 400
Synapse, elektrische 400
Synapse, erregende 395
Synapse, hemmende 395
synaptische Plastizität 399
synaptischer Spalt 393
Synedra ulna 334
Synökologie 313
Synthetische Evolutionstheorie 261
System 15, 66
System, geschlossenes 66
systemisch 237
System, limbisches 418
System, offenes 66, 86, 359
SZOSTAK, JACK W. 174

T

Taxis 444
Telomer 157, 173, 211
Telomerase 174, 211
Telophase 48, 50
TEM 37, 41
Temperaturoptimum 126
Temperatursinn 402
Terminator 163
Tertiärkonsument 325, 349
Tertiärstruktur 27, 29
Testosteron 265, 425, 431, 463
Tetrade 182
Thalamus 415
T-Helferzelle 239
Theorie, naturwissenschaftliche 14
thermische Energie 66, 87
Thermodynamik 67

Thermokline 361
Thermolysin 75
thermophil 75
Thermorezeptor 402, 404
Thrombocyte 94
Thylakoid 41
Thylakoidmembran 135
Thymin 33, 163
Thymusdrüse 235
Thyreotropin 429
Thyroxin 425, 428, 429
Tiefsee 366
Tierzelle 40
TINBERGEN, NIKOLAAS 444
T-Killerzelle 238
T-Lymphocyt 235
Tochterchromosom 50
Toleranzbereich 314
Toleranz, immunologische 245
Toleranzkurve 314
Toll-Rezeptor 236
TONEGAWA, SUSUMU 241
Tonoplast 41
Topoisomerase 155
totipotente Stammzelle 209
Tradeoff 264
Tradition 451
Tranquilizer 394
Transduktion 190
Transfer-RNA (tRNA) 42, 163, 164
Transformation 149, 190
transformierender Faktor 149
transgene Art 214
Transkription 160, 162
Transkriptionsfaktor 170, 206, 425
Translation 44, 160, 164, 166
Translokation 199
Translokation, reziproke 199
Transmembranprotein 53
Transmissions-Elektronenmikroskop 27, 37, 41
Transpiration 121, 126, 316
Transpirationssog 126
Transplantations-Antigen 234
Transport, aktiver 62, 83, 128
Transporter 29
Transport, passiver 61, 62, 83
Transport, primär aktiver 63
Transportprotein 53, 61, 107, 383
Transport, sekundär aktiver 63
Transportvesikel 46
Transposase 202
Transposon 172, 202
Traubenzucker 31
Treibhauseffekt 368
Triglycerid 34
Triplettbindungstest 161
Trisomie 201, 230, 231
Trockenpflanze 316
Trophiestufe 325, 349
trophische Ebene 325
trophogene Zone 361
tropholytische Zone 361
Tumor 152, 211, 244
Tumorsuppressorgen 211

turgeszent 59
Turgor 59, 123
Turner-Syndrom 230
Tyrannosaurus 292, 296
T-Zelle 209, 235
T-Zelle, cytotoxische 238

U

Übergang, demografischer 345
Übergangszustand 71
Uhr, molekulare 303
ultimate Ursache 440
Umgebung 66
Umgebungstracht 328
Umwelt 82
Umweltfaktor, abiotischer 313
Umweltfaktor, biotischer 313, 319
Umweltkapazität 338
Unabhängigkeitsregel 186
unbedingter Reflex 448
unehrliches Signal 459
ungesättigte Fettsäure 34
ungeschlechtliche Fortpflanzung 178
Uniformitätsregel 185
Uniport 63
universale Lösung 264
universell 162
unpolare kovalente Bindung 25
Untereinheit 27
Uracil 33, 163
Uratmosphäre 285
UREY, HAROLD 285
Urin 101
Urkeimzelle 181
Ursache, proximate 439
Ursache, ultimate 440
Ursuppe 285
Urvogel 291
Urzeugung 48

V

Vakuole, zentrale 41, 59
Variabilität 250, 264
Variabilität, genetische 192, 253, 371
vegetatives Nervensystem 82, 416
Vektor 214
Vene 93
venöse Reserve 98
Ventilation 96
Verarbeitung, retinotope 411
Verarbeitung, somatotope 411
Verdauung 88
Verdauungssystem 82
Verdopplung, dispersive 152
Verdopplung, konservative 152
Verdopplung, semikonservative 153
Vererbung, epigenetische 176, 207
Vererbung, extrachromosomale 206
Vererbung, geschlechts-
    gekoppelte 188
Vererbungsregel 184
Verhalten 436
Verhaltensweise, angeborene 441
Versöhnungsverhalten 464
Versuch und Irrtum 437

Verwandtenselektion 466
Vesikel 38, 41, 64
Vielfalt der Ökosysteme 371
Vielfingrigkeit 226
Virion 171
Virus 171
visueller Cortex 411
Vitalitätsparameter 314
Vitamin 76
Vitamin D 428
VOLTERRA, VITO 343
Vorzugsbereich 314

W

Wachstum,
    logistisches 339
Wachstumsfaktor 207
Wachstumsmodell,
    exponentielles 338
Wahrnehmung 402
WALLACE, ALFRED 261
Wärmeenergie 86, 87
Wärmestrahlung 368
Warntracht 327
Wasserhaushalt 358
Wasserstoff 29
Wasserstoffbrückenbindung 25, 26, 27, 33
WATSON, JAMES D. 150, 153
wechselfeucht 316
wechselwarm 86
Wechselwirkung,
    elektrostatische 25
Wechselwirkung,
    hydrophobe 25, 27, 34
WEINBERG, WILHELM 258
weiße Blutzelle
    (s.a. Leukocyt) 94, 234
WEISSMANN, AUGUST 261
Wellenlänge 134
Weltbevölkerung 345
WIESCHAUS, ERIC F. 206
Wildtyp 187
WILKINS, MAURICE 150
WILSON, EDWARD 373
Winterruhe 318
Winterschlaf 318
Winterstarre 318
Wirbeltier 237
Wirkungsspektrum 135
Wirkungsspezifität 71
Wirkursache 439
Wundstarrkrampf 242
Wurzeldruck 127
Wurzelknöllchen 352

X

X-Chromosom 156
X-chromosomal-dominanter
    Erbgang 228
X-chromosomal-rezessiver
    Erbgang 228
Xerophyten 316
Xylem 121, 126

Y

Y-Chromosom 156
Y-chromosomaler Erbgang 229

Z

Zapfen 408
Zehrschicht 361
Zeigerart 315
zeitliche Summation 395
Zellatmung 96, 106, 114, 115, 118, 130
Zelle 40
Zelle, antigenpräsentierende 237
Zelle, dendritische 209, 234, 237
Zelle, embryonale 204
Zelle, hemizygote 228
Zellkern 41, 42
Zellmembran 38, 40
Zellplatte 50
Zelltod, programmierter 210
zelluläre Immunantwort 235
Zellwand 38, 41, 47
Zell-Zell-Erkennung 56
Zellzyklus 152, 210
zentrale Vakuole 41, 59
Zentralnervensystem (ZNS) 381, 414
Zentrum, aktives 28, 69, 72
Ziliarmuskel 407
Zone, euphotische 365
Zone, trophogene 361
Zone, tropholytische 361
Zonierung 333
Zonulafaser 407
Zooplankton 361
Zooxanthelle 313
Z-Schema 138
Züchtung 441
Zugvogel 441
ZUR HAUSEN, HARALD 212
Zustand, angeregter 134
Zuwachsrate 338
Zwang, konstruktiver 264
Zweckursache 440
zwischenartliche Kommunikation 460
Zwischenhirn 415
Zwitterion 22
Zygote 178, 182, 205, 208
zyklisch 139
zyklischer Elektronentransport 139
Zyklus, lysogener 172

Anhang

Bildnachweis

U1 Corbis (DLILLC), Düsseldorf; **14.1** Klett-Archiv, Stuttgart; **17.4** FOCUS (Linda Wright/SPL), Hamburg; **17.5** shutterstock (Rainprel), New York, NY; **18.1** Corbis (David Madison), Düsseldorf; **19.1** FOCUS (Harris/SPL), Hamburg; **21.1** Klett-Archiv (Jürgen Markl), Stuttgart; **28.2** Klett-Archiv (Jürgen Markl), Stuttgart; **28.3** FOCUS (SPL), Hamburg; **29.4** Klett-Archiv (Jürgen Markl), Stuttgart; **35.1** Fotolia LLC (Elena kouptsova-vasic), New York; **36.1a** Okapia (Tomsich), Frankfurt; **36.1b** Getty Images, München; **36.2a** FOCUS (Guerin/SPL), Hamburg; **36.2b** FOCUS (NIBSC/SPL), Hamburg; **36.2c** FOCUS (Murti/SPL), Hamburg; **39.3** FOCUS (Deerinck/SPL), Hamburg; **40.1a** FOCUS (SPL), Hamburg; **40.1b**; **40.1d** Mauritius Images (Omikron/Photo Researchers, Inc.), Mittenwald; **40.1c** FOCUS (Fawcett/SPL), Hamburg; **41.2a** FOCUS (Burgess/SPL), Hamburg; **41.2b** Okapia (Biology Media/NAS), Frankfurt; **41.2c** FOCUS (Dr. Jeremy Burgess/SPL), Hamburg; **41.2d** Dr. Holger Jastrow, Essen-Heidhausen; **42.3** Klett-Archiv (Jürgen Markl), Stuttgart; **46.2** FOCUS (Patterson/SPL), Hamburg; **47.2** FOCUS (Dr. Gopal Murti), Hamburg; **48.1** Mauritius Images (Don W. Fawcett/Photo Researchers, Inc.), Mittenwald; **49.2a**; **49.2b**; **49.2c** Okapia (Science Source), Frankfurt; **51.1** FOCUS (Dr. Steve Patterson/SPL), Hamburg; **54.4** Mauritius Images (Photo Researchers), Mittenwald; **55.1a**; **55.1b**; **55.1c** Prof. Dr. W.E.G. Müller, Mainz; **57.1a**; **57.1b** FOCUS (Lambert/SPL), Hamburg; **60.3**; **60.4** Klett-Archiv (Nature + Science AG/Mangler), Stuttgart; **65.1** Ullstein Bild GmbH (DIAGENTUR), Berlin; **66.1a** Ullstein Bild GmbH (Imagebroker.net), Berlin; **66.1b** JupiterImages photos.com, Tucson, AZ; **70.1** Klett-Archiv (Jürgen Markl), Stuttgart; **78.1** iStockphoto (Nikolai Okhitin), Calgary, Alberta; **79.1** Alamy Images (WaterFrame), Abingdon, Oxon; **81.1** Juniors Bildarchiv, Ruhpolding; **82.1a** Okapia (NAS/Biophoto Associates), Frankfurt; **82.1b** iStockphoto (Lisa Turay), Calgary, Alberta; **82.1c** Corbis (Visuals Unlimited), Düsseldorf; **82.1d** FOCUS (Susumu Nishinaga/SPL), Hamburg; **86.1** Perfectfotos Wolfgang List, Ludwigsburg; **92.3** Imago (City-Press), Berlin; **97.2** Getty Images (Photographer's Choice/Ty Allison), München; **98.4** FOCUS (Motta & Correr/SPL), Hamburg; **99.5** Klett-Archiv (Jürgen Markl), Stuttgart; **105.1** Thomas Seilnacht, Bern; **117.1** Wildwood Canada Walter Muma, Cambridge ON; **119.2** Prof. Dr. J. Kesselmeier, Dr. U. Kuhn, MPI für Chemie, Mainz; **119.3** Okapia (Fritz Pölking/SAVE), Frankfurt; **120.1** PantherMedia GmbH (Bernard Fox), München; **121.3** Corbis (Lester V. Bergman), Düsseldorf; **123.1** PantherMedia GmbH (Inacio Pires), München; **123.2** FOCUS (SPL/Dr. Jeremy Burgess), Hamburg; **126.1** FOCUS (Andrew Syred/SPL), Hamburg; **131.1** A1PIX (Diaphor), Taufkirchen; **142.1** FOCUS (Stevens & McKinley/SPL), Hamburg; **142.2** FOCUS (Dr. Ken MacDonald/SPL), Hamburg; **144.1** Imago, Berlin; **145.1** iStockphoto (Flemming Hansen), Calgary, Alberta; **147.1** FOCUS (SPL, Dr. Gopal Murti), Hamburg; **148.1** Okapia (Dr. Gary Gaugler), Frankfurt; **151.1** FOCUS (SPL/A. Barrington Brown), Hamburg; **155.3** Getty Images (Visuals Unlimited/Dr. Gopal Murti), München; **156.1** Mauritius Images (Don W. Fawcett/Photo Researchers, Inc.), Mittenwald; **157.1** FOCUS (T. Kakefuda/SPL), Hamburg; **157.2** FOCUS (CNRI/SPL), Hamburg; **159.1** iStockphoto (Carmen Martínez), Calgary, Alberta; **166.4** FOCUS (Dr. Elena Kiseleva/SPL), Hamburg; **171.1** Alamy Images (Nigel Cattlin), Abingdon, Oxon; **171.2a**; **171.2d** FOCUS (SPL), Hamburg; **171.2b** FOCUS (Dr. Linda Stannard, UCT/SPL), Hamburg; **171.2c** FOCUS (NIBSC/SPL), Hamburg; **173.1a** Visuals Unlimited (Peter Lansdorp), Hollis; **173.1b** Mauritius Images (Don W. Fawcett/Photo Researchers, Inc.), Mittenwald; **175.1** Klett-Archiv (Jürgen Markl), Stuttgart; **177.1** creativ collection Verlag GmbH, Freiburg; **179.2** Getty Images (AFP), München; **179.3** laif (Gamma/Eyedea Presse), Köln; **179.4** Ullstein Bild GmbH (Peter Arnold Inc.), Berlin; **179.5** FOCUS (Young/SPL), Hamburg; **180.1** Ruhr-Universität Bochum, Medizinische Fakultät (Prof. Dr. Klaus Hägele), Bochum; **187.1a** Okapia (Rolf Fischer), Frankfurt; **187.1b** Okapia (Konrad Wothe), Frankfurt; **191.1** Corbis (Jeff Vanuga), Düsseldorf; **192.1** iStockphoto (Merijn van der Vliet), Calgary, Alberta; **192.2** Getty Images (Dorling Kindersley, Paul Goff), München; **193.3** Imago (Imagebroker/Ch. Heinrich), Berlin; **193.4** FOCUS (Nicholas Bergkessel, Jr./NatureSource), Hamburg; **196.2** Picture-Alliance (dpa), Frankfurt; **198.2** LOOK Gmbh (Walter Schiesswohl), München; **198.3** plainpicture GmbH & Co. KG (S. Kuttig), Hamburg; **200.1** Bildagentur Geduldig (BA-Geduldig), Maulbronn; **201.2** Corbis (Frank Lukasseck), Düsseldorf; **202.1** Okapia (Ulrich Zillmann), Frankfurt; **203.1** FOCUS (Neil Bromhall/SPL), Hamburg; **204.1** Corbis (MedicalRF.com), Düsseldorf; **206.1a** Stefan Baumgartner (aus: Follow the mRNA: a new model for Bicoid gradient formation. Lipshitz HD. Nat Rev Mol Cell Biol. 2009 Aug,10(8):509-12.), Lund; **206.1b** FOCUS (Lawrence Berkeley/SPL), Hamburg; **211.1** Prof. Dr. med. Evelin Schröck, Dresden; **213.1** Picture-Alliance (dpa), Frankfurt; **223.1** gruppe 28 (Walter Schmitz), Hamburg; **226.1a** Alamy Images (Stephen Chapman), Abingdon, Oxon; **226.1b** SUPERBILD (BSIP/Kokel), Taufkirchen/München; **228.1** FOCUS (Power/SPL), Hamburg; **228.2** Klett-Archiv (Inge Kronberg), Stuttgart; **229.4** Interfoto (Science Museum/SSPL), München; **233.1** Picture-Alliance (Alina Novopashina dpa/lbn), Frankfurt; **244.1** FOCUS (K.H. Kjeldsen/SPL), Hamburg; **246.1** Avenue Images GmbH RF (beyond fotomedia GmbH), Hamburg; **247.1** PantherMedia GmbH (Susanne Krofta), München; **249.1** Klett-Archiv (Nico K. Michiels), Stuttgart; **252.2** Picture Press (Roger Powell/Foto Natura/Minden Pictures), Hamburg; **257.2** Imago (Xinhua), Berlin; **262.1** Bridgeman Art Library Ltd. (Dreamtime Gallery, London), Berlin; **263.1** Dreamstime LLC (Steve Byland), Brentwood, TN; **265.1** Peter Arnold images.de (S.J. Krasemann), Berlin; **267.1** Benjamin M. Fitzpatrick, Knoxville; **268.1** Picture-Alliance (dpa/dpaweb), Frankfurt; **269.1** f1 online digitale Bildagentur (Henry Ausloos/AGE), Frankfurt; **269.2** ARDEA London Limited (Chris Knights), London; **270.3** Getty Images (National Geographic/Philip Schermeister), München; **271.1** FOCUS (Wayne G. Lawler/NatureSource), Hamburg; **272.1** shutterstock (Gentoo Multimedia Ltd.), New York, NY; **273.1** Biosphoto (Biosphoto/Cavignaux Bruno), Berlin; **280.2** Ullstein Bild GmbH (Imagebroker.net), Berlin; **281.1** doc-stock GmbH (emergency), Stuttgart; **283.1** FOCUS (John Reader/SPL), Hamburg; **284.1a** Colourbox, Berlin; **284.1b** Okapia (Mark A. Schneider/NAS), Frankfurt; **286.1d** Paul von Sengbusch (Prof. Dr. Peter von Sengbusch), Heide; **291.1** Corbis (Sally A. Morgan/Ecoscene), Düsseldorf; **295.1** Uni Tübingen/Inst.

f. Ur- u. Frühgeschichte, Tübingen; **297.2a** f1 online digitale Bildagentur (Jim Toomey/AGE), Frankfurt; **297.2b** Getty Images (Riser/Joseph Van Os), München; **297.2c** Picture-Alliance (dpa/dpaweb), Frankfurt; **298.1** laif (LENARS C & J/ KEYSTONE-FRANCE/Explorer Archives/Keystone/Eyedea Presse), Köln; **300.3** Cinetext GmbH (Groeneveld), Frankfurt; **302.1** FOCUS (SPL), Hamburg; **305.1** FOCUS (Peter Menzel), Hamburg; **308.1** Wikipedia (Gerald Volp, Wiesbaden, http://creativecommons.org/licenses/by-sa/3.0/deed.de); **309.1** Fotolia LLC (Yai), New York; **311.1** Okapia (Dr. Hinrich Bäsemann), Frankfurt; **312.1** FOCUS (Rosenfeld/SPL), Hamburg; **313.3** Die Bildstelle (J. W. Alke), Hamburg; **322.2** Polar Environmental Centre (Jon Aars), Tromsø; **323.1** Fotolia LLC (Niceshot), New York; **327.1a** Ian Kimber, Littleborough; **327.1b** Picture-Alliance (Ernie Janes/ NHPA/Photoshot), Frankfurt; **328.2a** Arco Images GmbH (NPL), Lünen; **328.2b** blickwinkel (R. Koenig), Witten; **328.2c** WILDLIFE Bildagentur GmbH (D. J. Cox), Hamburg; **328.2d** Getty Images (Taxi/John Seagrim), München; **328.2e** FOCUS (SPL), Hamburg; **329.2a** Action Press GmbH (Trax), Hamburg; **329.2b** Okapia (Martin Bilfinger), Frankfurt; **330.3a** Okapia (Dr. Gary Gaugler), Frankfurt; **330.3b** Okapia (NAS), Frankfurt; **330.3c** PantherMedia GmbH (Herbert Reimann), München; **330.3d** blickwinkel (P. Schuetz), Witten; **332.2** Getty Images (Wolcott Henry), München; **332.3** FOCUS (SPL), Hamburg; **335.3** Klett-Archiv (Sven Gemballa), Stuttgart; **336.2a** Ullstein Bild GmbH (Lange), Berlin; **336.2b** Ullstein Bild GmbH (Imagebroker.net), Berlin; **337.1** FOCUS (Steve Gschmeissner/SPL), Hamburg; **339.2a** blickwinkel (Hecker/Sauer), Witten; **339.2b** iStockphoto (Nancy Nehring), Calgary, Alberta; **339.2c** Picture Press (Thorsten Milse), Hamburg; **347.1** Biosphoto (Ruoso Cyril), Berlin; **352.2** Okapia (Nigel Cattlin/Holt Studios), Frankfurt; **354.2a** blickwinkel (Hecker/Sauer), Witten; **354.2b** WILDLIFE Bildagentur GmbH (B.Borrell), Hamburg; **357.1** iStockphoto (Peter Pattavina), Calgary, Alberta; **358.1a** f1 online digitale Bildagentur (agefotostock), Frankfurt; **358.1b** Richter, Röttenbach; **358.1c** Mauritius Images (Andreas Vitting), Mittenwald; **366.1** FOCUS (Murton/SPL), Hamburg; **367.1** Corbis (Denis Scott), Düsseldorf; **372.3a** Okapia (Manfred Ruckszio), Frankfurt; **372.3b** Okapia (Wilhelm Irsch), Frankfurt; **372.3c** Länge, Dr. Helmut, Stuttgart; **372.3d** Fotolia LLC (Andreas F.), New York; **373.1a** Corbis (Frans Lanting), Düsseldorf; **373.1b** Arco Images GmbH (P. Wegner), Lünen; **373.1c** laif (Thomas Dressler/Jacana/Eyedea Illustration), Köln; **375.1** Dreamstime LLC (Barsik), Brentwood, TN; **376.1** Fotolia LLC (Carolin Heiming), New York; **377.1** shutterstock (Stefan Glebowski), New York, NY; **379.1** visualimpact.ch (Rainer Eder), Interlaken; **384.1** Okapia (Norbert Lange), Frankfurt; **388.1** blickwinkel (A. Liedmann), Witten; **391.1** Imago (blickwinkel), Berlin; **398.1** Okapia (Dr. D. Wachenfeld/Auscape/SAVE), Frankfurt; **400.2** FOCUS (SPL), Hamburg; **401.1** Mauritius Images (Ted Kinsman/Photo Researchers, Inc.), Mittenwald; **404.3** Klett-Archiv (Zuckerfabrik digital), Stuttgart; **406.2** PantherMedia GmbH (Hermann Otto Feis), München; **407.1** FOCUS (Meckes/Ottawa/eye of science), Hamburg; **412.1** ARDEA London Limited (Hans D Dossenbach), London; **413.1** Imago (Thomas Zimmermann), Berlin; **419.1a** Fotolia LLC (Robert Hardholt), New York; **419.1b** Avenue Images GmbH RF (StockDisc), Hamburg; **419.1c** iStockphoto (Peter Clark), Calgary, Alberta; **419.1d** Klett-Archiv (Angelika Gauß), Stuttgart; **421.3** Volker Steger (M. Raichle), München; **423.1** PantherMedia GmbH (Claus V. Schraml M.A.), München; **427.3** Neumann, Kirsten, Gelsenkirchen; **432.1** f1 online digitale Bildagentur (Aflo), Frankfurt; **433.1** Mauritius Images (Minden Pictures), Mittenwald; **435.1** Juniors Bildarchiv, Ruhpolding; **436.1a** Mauritius Images, Mittenwald; **436.1b** LOOK Gmbh (Caro Strasnik), München; **438.1** Getty Images (Cristian Baitg), München; **438.2** Ullstein Bild GmbH (Granger Collection), Berlin; **439.1** Ullstein Bild GmbH (John Cancalosi), Berlin; **440.1** FOCUS (Goetgheluck/SPL), Hamburg; **441.1** Alamy Images (Picture Partners), Abingdon, Oxon; **442.2** Ullstein Bild GmbH (John R. MacGregor), Berlin; **443.1** Picture Press (Brian Bevan), Hamburg; **444.3a** Interfoto (Mary Evans Picture Library), München; **444.3b** Imago (Sven Simon), Berlin; **445.1** Imago, Berlin; **446.1** Arco Images GmbH (NPL), Lünen; **449.1** FOCUS (SPL), Hamburg; **451.1** Getty Images (Manoj Shah), München; **452.2** Mauritius Images (Oxford Scientific), Mittenwald; **453.1** Prof. Dr. Jürgen Lethmate, Ibbenbüren; **454.1** Prof. R.G. M. Morris, Edingburgh; **455.1** Picture-Alliance (Hippocampus Bildarchiv/Frank Teigler), Frankfurt; **456.1** Picture Press (Mark Moffett/Minden Pictures), Hamburg; **456.2** FOCUS (Keith Kent/SPL), Hamburg; **459.1a** all images direct (Christian Kapteyn), Deisenhofen; **459.1b** WILDLIFE Bildagentur GmbH (M. Harvey), Hamburg; **459.1c** Getty Images (The Image Bank/Kevin Schafer), München; **460.1** Biosphoto (Ayala-Santibanez), Berlin; **461.1a** FOCUS (Georgette Douwma/SPL), Hamburg; **461.1b** Getty Images (National Geographic/Paul Nicklen), München; **461.1c** Picture Press (Stefan Ernst), Hamburg; **461.1d** blickwinkel (O. Broders), Witten; **461.1e** FOCUS (Peter Scoones/SPL), Hamburg; **463.1** iStockphoto (Jason Wilbur), Calgary, Alberta; **463.2** Arco Images GmbH (NPL), Lünen; **465.1** Biosphoto (Fulconis Renaud), Berlin; **465.2a** Ullstein Bild GmbH (Imagebroker.net/Jonathan Carlile), Berlin; **465.2b** Okapia (Michael H. Francis), Frankfurt; **465.2c** Imago (imagebroker), Berlin; **465.2d** iStockphoto (miskani), Calgary, Alberta

Dinosaurier

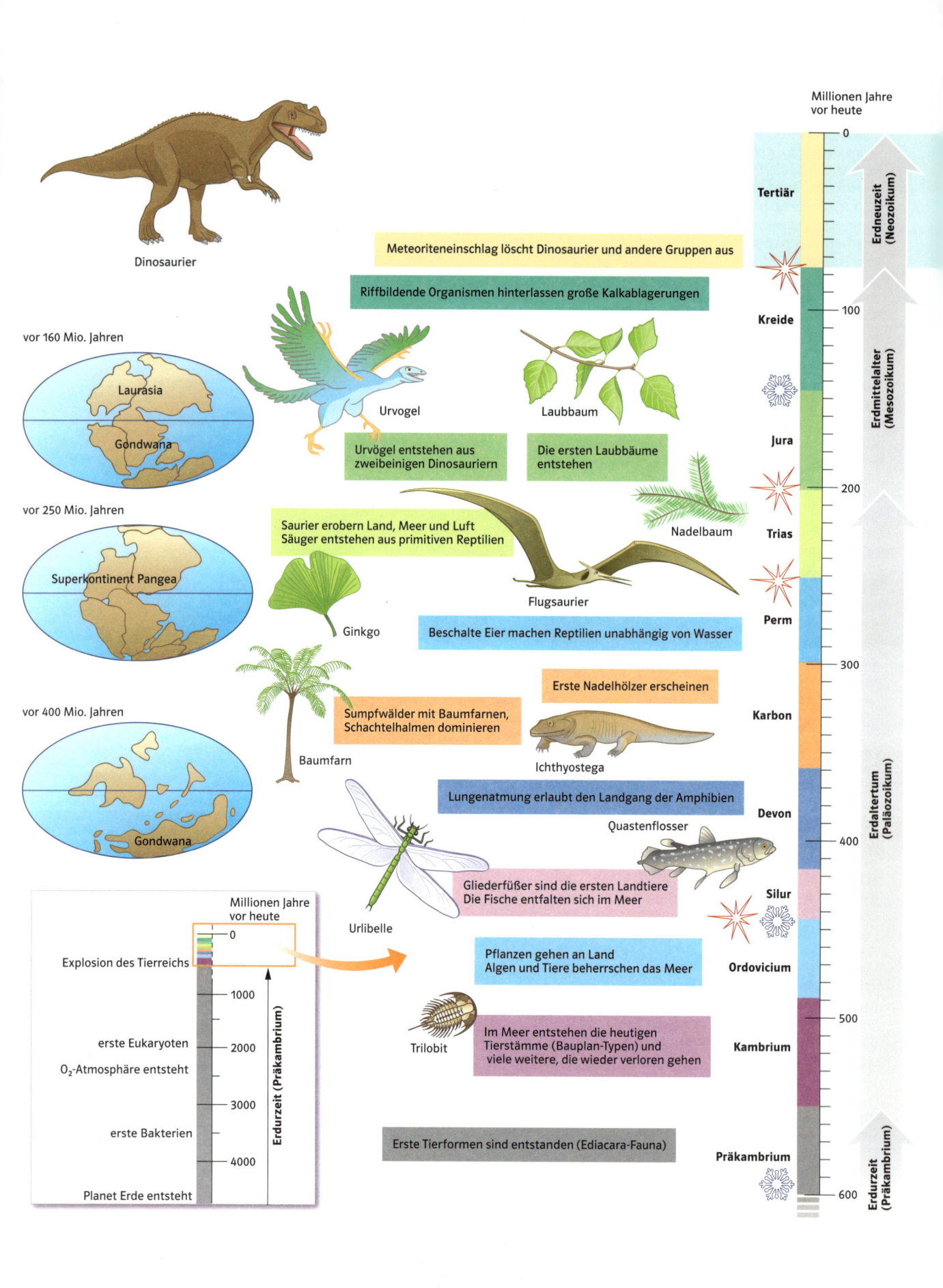

vor 160 Mio. Jahren

Laurasia
Gondwana

vor 250 Mio. Jahren

Superkontinent Pangea

vor 400 Mio. Jahren

Gondwana

Millionen Jahre vor heute

Explosion des Tierreichs
erste Eukaryoten
O₂-Atmosphäre entsteht
erste Bakterien
Planet Erde entsteht

Erdurzeit (Präkambrium)

Meteoriteneinschlag löscht Dinosaurier und andere Gruppen aus

Riffbildende Organismen hinterlassen große Kalkablagerungen

Urvogel — Laubbaum

Urvögel entstehen aus zweibeinigen Dinosauriern

Die ersten Laubbäume entstehen

Nadelbaum

Saurier erobern Land, Meer und Luft
Säuger entstehen aus primitiven Reptilien

Ginkgo — Flugsaurier

Beschalte Eier machen Reptilien unabhängig von Wasser

Erste Nadelhölzer erscheinen

Sumpfwälder mit Baumfarnen, Schachtelhalmen dominieren

Baumfarn — Ichthyostega

Lungenatmung erlaubt den Landgang der Amphibien

Quastenflosser

Urlibelle

Gliederfüßer sind die ersten Landtiere
Die Fische entfalten sich im Meer

Pflanzen gehen an Land
Algen und Tiere beherrschen das Meer

Trilobit

Im Meer entstehen die heutigen Tierstämme (Bauplan-Typen) und viele weitere, die wieder verloren gehen

Erste Tierformen sind entstanden (Ediacara-Fauna)

Millionen Jahre vor heute: 0, 100, 200, 300, 400, 500, 600

Tertiär — Kreide — Jura — Trias — Perm — Karbon — Devon — Silur — Ordovicium — Kambrium — Präkambrium

Erdneuzeit (Neozoikum)
Erdmittelalter (Mesozoikum)
Erdaltertum (Paläozoikum)
Erdurzeit (Präkambrium)